D1645961

DICTIONNAIRE d'Économie et de Sciences Sociales

Direction

CLAUDE-DANIÈLE ÉCHAUDEMAISON
Professeur agrégée de Sciences économiques et sociales

FRANK BAZUREAU
Professeur agrégé de Sciences économiques et sociales

SERGE BOSC
Professeur agrégé de Sciences économiques et sociales

JEAN-PIERRE CENDRON
Économiste, Bibliothèque nationale de France

PASCAL COMBEMALE
Professeur agrégé de Sciences économiques et sociales

JEAN-PIERRE FAUGÈRE
Professeur de Sciences économiques à l'Université de Paris-Sud

NATHAN

Avec la collaboration, pour les Annexes, de :

Jean Boncœur
Professeur de Sciences économiques à l'Université de Bretagne occidentale

Simone Chapoulie
Professeur agrégé de Sciences économiques et sociales

Michel Lallement
Maître de Conférences en sociologie à l'Université de Paris-X

ÉDITION : Gwenaëlle Bergot, Maud Taïeb
RELECTURE : Gilbert Gié
MAQUETTE INTÉRIEURE ET COUVERTURE : Kathy Fleury
ILLUSTRATION DE COUVERTURE : SG Créations
FABRICATION : Jacques Lannoy
RÉALISATION : Compo 2000

ISBN : 2-09-182035-0

INTRODUCTION À LA SIXIÈME ÉDITION

Cette sixième édition de notre dictionnaire d'Économie et de Sciences sociales comporte de nombreuses modifications par rapport aux éditions précédentes : des concepts ont été ajoutés, certains ont été modifiés et mis à jour, quelques entrées ont été supprimées et les données chiffrées ont été actualisées à 2002 ou à la dernière année connue.

Pourquoi ces modifications ? Parce que les réalités économiques et sociales sont particulièrement mouvantes, que le champ pluridisciplinaire qui est celui de cet ouvrage évolue rapidement, parce que les analyses théoriques s'affinent... et parce que des utilisateurs nous ont fait des suggestions.

Ainsi des notions comme aléa moral, choc, chaos, subsidiarité, lien social, multiculturalisme, ont été introduites ; des modifications et des mises à jours ont été effectuées, GATT, OMC, banque centrale européenne, économie du développement, ethnie, ethnicité, etc. Enfin ont disparu essentiellement des notions au caractère historique très marqué, notamment des termes relatifs à l'ancienne économie socialiste des années 1917-1989, tels CAEM, NEP, Nomenclature etc.

Pour l'essentiel, la conception globale du dictionnaire reste inchangée. Ce dictionnaire emprunte son vocabulaire à des disciplines différentes ; son champ lexical s'étend, bien sûr, à l'économie générale et à la sociologie mais également à la gestion, la finance, la comptabilité nationale, au droit, à l'anthropologie, à la démographie, à la science politique, aux doctrines économiques, aux techniques statistiques...

Volontairement, il n'est ni un simple lexique — au contenu forcément limité — ni une encyclopédie visant à l'exhaustivité. Il se donne avant tout autre objectif la maniabilité et la clarté.

Chaque article s'ouvre sur une définition liminaire ; celle-ci se veut simple, claire, accessible. Quand il s'agit d'une notion polysémique, les différents sens sont distinctement et successivement présentés. S'il s'agit d'un terme spécifique à une analyse précise (classique, marxiste, keynésienne, interactionniste...), son appartenance est signalée. Ensuite se trouvent des développements complémentaires explicatifs matérialisés par une typographie différente. À la fin de l'article, des renvois à des termes corrélatifs permettent de préciser la notion définie.

Le corpus comprend plus de 1 200 entrées et plus de 800 articles développés.

Les annexes proposent :
– cinquante fiches relatives aux ouvrages centraux de la pensée économique et sociologique ;
– la liste des prix Nobel d'économie ;
– deux schémas mettant en évidence les grands courants d'analyse économique et sociologique ;
– enfin la liste des sigles économiques et sociaux les plus usuels.

Ce dictionnaire est un outil utile à la compréhension de cours, d'ouvrages spécialisés, d'articles de presse qui recourent à des vocables relevant du champ des sciences sociales. Il peut convenir à différents niveaux de lecture.

Vous tous qui l'utilisez, faites-nous part de vos remarques et de vos suggestions. Vous nous aiderez à rendre cet ouvrage encore plus performant.

COMMENT CONSULTER LE DICTIONNAIRE ?

Pour la commodité de la consultation, nous avons retenu le classement alphabétique : tout article se retrouve par accès alphabétique direct :

EFFET PERVERS

ou indirect, par exemple :

SERVICE DE LA DETTE

→ *Dette (Service de la).*

Le fonctionnement des renvois permet des regroupements thématiques, des élargissements de sens : renvois à d'autres entrées du dictionnaire, à la liste des prix Nobel, aux schémas des grands courants théoriques de l'économie ou de la sociologie, ou bien encore aux fiches relatives aux grandes œuvres **(Annexe 00)**.

Chaque article comporte : une **définition liminaire** sur fond gris qui donne le sens lexical, l'étymologie si besoin est ; un **premier niveau de développement** qui éclaire la définition liminaire, suivi d'un **deuxième niveau de développement** en caractères plus petits qui affine et précise le sens d'un concept complexe : le dictionnaire permet ainsi plusieurs niveaux de lecture.

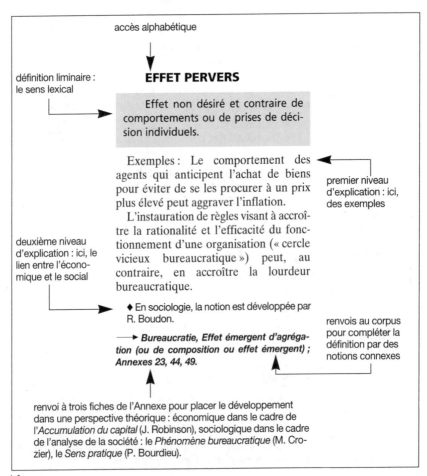

accès alphabétique

EFFET PERVERS

définition liminaire : le sens lexical

Effet non désiré et contraire de comportements ou de prises de décision individuels.

Exemples : Le comportement des agents qui anticipent l'achat de biens pour éviter de se les procurer à un prix plus élevé peut aggraver l'inflation.

premier niveau d'explication : ici, des exemples

L'instauration de règles visant à accroître la rationalité et l'efficacité du fonctionnement d'une organisation (« cercle vicieux bureaucratique ») peut, au contraire, en accroître la lourdeur bureaucratique.

deuxième niveau d'explication : ici, le lien entre l'économique et le social

♦ En sociologie, la notion est développée par R. Boudon.

→ *Bureaucratie, Effet émergent d'agrégation (ou de composition ou effet émergent) ; Annexes 23, 44, 49.*

renvois au corpus pour compléter la définition par des notions connexes

renvoi à trois fiches de l'Annexe pour placer le développement dans une perspective théorique : économique dans le cadre de l'*Accumulation du capital* (J. Robinson), sociologique dans le cadre de l'analyse de la société : le *Phénomène bureaucratique* (M. Crozier), le *Sens pratique* (P. Bourdieu).

A

ABONDANCE

> État durable d'équilibre entre les besoins et les biens destinés à les satisfaire. L'abondance s'oppose à la rareté.

♦ Ne pas confondre avec la surproduction (offre de biens marchands excédant la demande pour un niveau de prix donné) et qui s'oppose à la pénurie.

Deux types de société d'abondance sont concevables :
– celui des sociétés « primitives » où l'équilibre, par le bas, est statique : les besoins sont limités par la norme communautaire intériorisée, le mode de vie est frugal. *Âge de pierre, âge d'abondance* pour reprendre le titre de l'ouvrage de Marshall Sahlins ;
– celui de sociétés à forte productivité où l'équilibre est obtenu par le haut : la production correspond à un haut niveau de satisfaction des besoins sociaux.

♦ *Pour les néo-classiques,* la rareté est une donnée universelle. Le comportement des agents obéit aux principes de rationalité et d'économicité (usage optimal, au moindre coût, de ressources nécessairement rares). Une économie où les agents seront libres d'échanger en assumant la rareté permettra donc l'élévation du niveau de vie et une relative abondance.

♦ *Pour les marxistes,* au contraire, la rareté n'est que relative à chaque mode historique de production (le capitalisme, par exemple), dans lequel les rapports de production, s'ils sont des rapports d'exploitation, entravent le développement des forces productives. Libérer les travailleurs de l'exploitation créera les conditions de l'abondance (communisme).

♦ *Pour l'écologie politique,* la voie de l'abondance ne saurait être celle du productivisme de la logique libérale ou marxiste. L'abondance correspond à un processus de développement durable : internalisation des coûts de la nature, respect de normes collectives, maîtrise des besoins et des flux démographiques, techniques douces.

⟶ **Besoin, Écologie, Économie, Économie de subsistance, Homo œconomicus,** *Rareté,* **Valeur** *(Théories de la).*

ACCÉLÉRATEUR

⟶ *Principe d'accélération.*

ACCULTURATION

> (du lat. *ad* « rapprochement » et *cultura* « culture »)
> *Au sens large :* changements socio-culturels entraînés par le contact prolongé entre des groupes et des sociétés de cultures différentes.
> *Dans un sens plus strict :* processus par lequel un groupe humain adopte les éléments d'une culture en abandonnant, partiellement ou totalement, ceux de sa propre culture.

Les phénomènes d'acculturation sont fonction des modalités du contact culturel : on peut opposer l'*acculturation « demandée »* et l'*acculturation « imposée »*, celle-ci étant une situation fréquente : contexte colonial ou néo-colonial, situation des minorités ethniques face à la culture d'accueil.

L'acculturation est un processus dynamique se déroulant en plusieurs étapes et pouvant aboutir à des résultats différents : 1. dans un premier temps, défiance ou opposition ; 2. sélection par le groupe dominé ou minoritaire d'éléments de la culture étrangère ; 3. assimilation globale des valeurs de l'autre, adoption de ses normes (cas fréquent des populations migrantes à la deuxième génération) ou au contraire contre-acculturation, c'est-à-dire rejet de la culture étrangère et réaffirmation de la culture d'origine (par exemple, idéologie de la négritude). Outre ces deux situations tranchées se dessine souvent un processus plus complexe : formation d'une culture nouvelle faite de compromis, de réinterprétation de la culture d'assimilation et de réorganisation de la culture native (adaptation).

➤ *Assimilation, Civilisation, Culture, Ethnicité, Ethnocide, Intégration (sociale), Multiculturalisme.*

ACCUMULATION DU CAPITAL

Processus d'accroissement du stock de capital. La notion revêt un sens différent selon la conception du capital à laquelle on se réfère.

Les auteurs néo-classiques et keynésiens renvoient à l'accumulation de biens de production, résultat d'investissements successifs (la formation brute de capital fixe, selon la Comptabilité nationale).

Pour les *théoriciens du capital humain,* les dépenses de formation contribuent à l'accumulation d'un capital de connaissances ; affecter du temps et des ressources financières à une formation permet d'élever le rendement de ce capital humain (salaire supérieur).

Pour Marx et les auteurs marxistes, l'accumulation consiste en une « transformation d'une fraction du surproduit social en forces productives nouvelles » (moyens de production et force de travail).

Le processus d'accumulation est, pour Marx, la tendance fondamentale du mode de production capitaliste : « Accumulez, accumulez, c'est la loi et les prophètes ! » L'*accumulation capitaliste* procède par transformation de la plus-value en capital additionnel, elle dépend donc du degré d'exploitation et suppose la reproduction des rapports de production capitalistes (salariat). Son processus est contradictoire : concentration du capital entre un nombre de propriétaires toujours plus restreint ; élévation de la « composition organique du capital », c'est-à-dire augmentation de la part du capital (capital « constant ») qui achète le travail « mort », passé, c'est-à-dire les moyens de production, par rapport à celle (capital « variable ») consacrée aux salaires qui achète le travail « vivant » ; donc tendance à la « surpopulation relative » des travailleurs (chômeurs constituant « l'armée industrielle de réserve »).

➤ *Capital, Reproduction capitaliste (Schémas de) ; Annexe 1.*

ACCUMULATION PRIMITIVE

Chez Marx, processus historique par lequel se sont créées les conditions nécessaires à la naissance du capitalisme et à l'amorce du mouvement de reproduction élargie du capital.

Marx prétend dévoiler le « secret de l'accumulation primitive » à l'origine du capitalisme et de la Révolution industrielle. Ses voies et moyens ne furent pas idylliques : il ne s'agit pas de l'épargne vertueusement investie, comme le prétend l'économie politique classique, mais de l'expropriation des travailleurs (paysans privés de terres par le mouvement des enclosures, artisans ruinés). Ainsi, par la constitution d'un prolétariat dépourvu de moyens de production et contraint à vendre sa force de travail (salariat), ont été créées les conditions de l'exploitation et de l'accumulation capitalistes.

Selon Marx, ce processus, où la colonisation et la traite des esclaves, « la spoliation des biens d'Église, l'aliénation frauduleuse des domaines de l'État, le pillage des terrains communaux » jouent un rôle important, est marqué par la violence, caractéristique souvent contestée par les défenseurs du système capitaliste.

→ *Révolution industrielle.*

ACQUIS/INNÉ

Acquis : traits et comportements résultant de l'éducation, de l'apprentissage et de l'adaptation de l'individu à son environnement. Les biologistes parlent de *caractères acquis* qui apparaissent par adaptation au milieu.

Inné : caractéristiques que l'on possède dès la naissance. Par extension : ce qui est « naturel ». Les *caractères innés*, en appartenant au code génétique, peuvent se transmettre par hérédité (au sens biologique du terme).

L'opposition *acquis/inné* suscite débats et controverses. Les anthropologues insistent sur le poids de l'héritage culturel et relativisent le rôle de l'hérédité biologique. Les biologistes montrent, quant à eux, qu'il est souvent difficile de séparer ce qui appartient au code génétique et ce qui résulte de l'adaptation au milieu.

→ *Culture, Hérédité sociale, Socialisation.*

ACTE UNIQUE

→ *Europe communautaire (histoire des communautés européennes), Europe (union ou intégration économique).*

ACTEUR SOCIAL

Individu (acteur individuel), groupe social, groupement organisé (acteur collectif) jouant un rôle actif dans une situation donnée. Le qualificatif social adjoint au mot acteur met l'accent sur l'espace sociétal de l'action.

Le terme « acteur » s'oppose à celui d'agent : ce dernier renvoie plutôt à la place des individus et des groupes dans le système social, aux rôles assignés, aux comportements attendus, aux simples adaptations..., alors que le terme d'acteur connote les idées de jeu (au-delà des rôles prescrits), de conflit ou de coopération associées à la production du monde social (les règles, les normes, les institutions).

Les développements récents des sciences sociales ont opposé l'analyse dite « holiste », insistant sur les déterminations structurelles et minimisant l'autonomie comme l'initiative des individus, et « les théories de l'acteur » considérant ceux-ci comme maîtres d'œuvre de leurs conduites et participant, à travers leurs interactions, à la construction du monde social.

Cette opposition apparaît réductrice : on peut ainsi reprendre la formule de Marx selon laquelle « les hommes font leur propre histoire, (non) pas arbitrairement dans les conditions choisies par eux mais dans des conditions directement héritées du passé ».

♦ En outre, comme l'atteste le pluriel de l'expression, « les théories de l'acteur » sont d'orientations diverses : les unes mettent en avant les seuls individus agissant de façon intentionnelle et rationnelle (« théorie des choix rationnels », « individualisme méthodologique ») ; d'autres insistent sur les interactions face à face dans le cadre de logiques sociales excédant largement la rationalité instrumentale (interactionnisme symbolique) ; d'autres enfin mettent en avant les acteurs collectifs agis par et agissant sur les rapports sociaux de domination et d'exploitation ou encore sur les clivages politiques (historiquement le schéma marxien, dans le champ contemporain : des auteurs comme Touraine et Tilly).

→ *Action collective, Holisme (méthodologique), Individualisme méthodologique, Interactionnisme, Mouvement social.*

ACTIFS

Au sens juridico-économique : éléments du patrimoine, créances d'un agent économique.

♦ On distingue :
1. Les *actifs corporels reproductibles* qui comprennent principalement les stocks, les bâtiments, le matériel, le cheptel.
2. Les *actifs corporels non reproductibles*, notamment la terre, les ressources naturelles, les œuvres d'art.
3. Les *actifs incorporels non financiers* tels les brevets, les droits d'auteur, les marques de fabrique, les baux.
4. Les *actifs financiers* qui regroupent essentiellement la monnaie et les devises, les instruments de placement (actions, obligations, etc.), les crédits.

Trois propriétés permettent de distinguer les actifs les uns par rapport aux autres : la liquidité, propriété de pouvoir être converti en monnaie, à bref délai, sans coût ; le rendement, notamment monétaire (le rendement courant et les plus-values ou moins-values), qui est incertain ; le risque, mesuré par les variations éventuelles de valeur et de rendement.

Au sens comptable → *Comptabilité d'entreprise.*

Au sens démographique → *Population active.*

ACTION

Titre de propriété négociable d'une partie du capital d'une société anonyme (ou d'une société en commandite par actions).

En tant que propriétaire, l'actionnaire reçoit sous forme de revenu (le dividende) une participation aux bénéfices de l'entreprise, qui dépend des résultats et de la politique d'affectation de la firme (autofinancement ou distribution des bénéfices). En outre, il participe aux décisions de l'entreprise par un droit de vote en assemblée générale proportionnel au portefeuille possédé. Virtuel pour le petit actionnaire, ce droit permet aux actionnaires importants de peser sur les décisions de l'entreprise ou de la contrôler. En fait, l'actionnaire peut être un simple « bailleur de fonds » à la recherche d'un placement, ou un actionnaire actif, jouant un rôle au conseil d'administration de la société et à la direction. L'actionnaire peut être un particulier, une entreprise, une institution financière, l'État… L'action est un titre négociable, éventuellement sur le marché boursier, et l'écart entre la valeur d'achat et de vente fait naître des plus-values ou des moins-values.

→ *Bourse des valeurs, Marché financier, Obligation, Offre publique d'achat (OPA), Plus-value.*

ACTION COLLECTIVE

Action intentionnelle d'un ou plusieurs groupes ayant pour fin la satisfaction d'objectifs particuliers ou généraux. Son champ est large : relations de travail, scène politique, sphère culturelle, minorités religieuses, ethniques, etc.

La notion d'action collective appelle quelques précisions :
– *la nature de l'acteur* : il peut s'agir de collectifs éphémères (foule) ou mal délimités (masse), de groupes sociaux durables plus ou moins soudés, de groupements organisés (partis, syndicats, comités, « fronts », etc.). Une des questions importantes de l'action collective

est celle des processus qui font d'un acteur collectif virtuel (groupe d'individus connaissant des situations similaires et des intérêts communs) un acteur effectif (groupe mobilisé se dotant de moyens organisationnels) ;

– *les dimensions de l'action* : les objectifs, les revendications ne sont qu'un aspect du phénomène ; il faut également prendre en considération les formes de l'action (mobilisation, moyens employés, formes d'expression, types de conduite, etc.) qui peuvent, dans certains cas de figure (action réactive, mouvements protestataires, identitaires), prendre le pas sur des objectifs qui ne sont pas formulés explicitement.

L'action collective est l'objet de débats importants. Les tenants d'une approche utilitariste-rationnelle contestent la notion même d'acteur collectif.

♦ Selon M. Olson, socio-économiste américain, seul doit être pris en compte l'individu rationnel. La raison du syndicalisme étant de procurer aux travailleurs des biens collectifs définis comme des biens accessibles à tous, l'individu n'a aucun intérêt à acquitter le ticket d'entrée (la cotisation, le temps dépensé à l'action) ; il compte sur les autres pour bénéficier des avantages obtenus et octroyés à tous. Si ce raisonnement est élargi à l'ensemble des individus, il y a de fortes chances qu'il n'y ait ni action collective, ni bien collectif obtenu. Seules la contrainte (adhésion obligatoire comme dans le cas du *closed shop*) et l'incitation intéressée (avantages associatifs réservés aux membres) expliqueraient l'existence de groupements organisés.

Ce modèle apparaît restrictif à plusieurs égards. Les motivations des individus ne sont pas réductibles au calcul coût/avantages. Ils sont largement définis par leurs appartenances sociales : les liens de solidarité, les sentiments identitaires sont des ressorts importants de la propension à agir et à réagir. Les communautés se façonnent au travers de l'action collective et vice versa. Par ailleurs, l'action collective est structurée par les rapports de domination et les phénomènes d'exclusion, même si ceux-ci ne conduisent pas spontanément à l'action organisée, laquelle suppose un travail plus ou moins long de construction identitaire.

⟶ *Acteur social, Lutte des classes, Mouvement ouvrier, Mouvement social, Syndicalisme, Touraine.*

ACTUALISATION

Méthode qui permet de transformer une valeur future, par exemple une somme d'argent à recevoir dans l'avenir, en une valeur présente équivalente.

Si Charles considère comme équivalentes les deux sommes suivantes, $S_0 = 100$ F, reçue aujourd'hui, ou $S_1 = 120$ F, à recevoir dans un an, alors son taux d'actualisation a est de 20 %, car $120 = 100 (1 + 20 \%)$.
On a $S_1 = S_0 (1 + a)$, et, l'année suivante :
$S_2 = S_0 (1 + a) (1 + a) = S_0 (1 + a)^2$
et enfin : $S_n = S_0 (1 + a)^n$.

$$\text{Ainsi} : S_0 = \frac{S_n}{(1 + a)^n}$$

où S_0 est la valeur actuelle d'une somme S_n disponible au terme de n périodes (mois, années, etc.). Plus le taux d'actualisation augmente, plus le futur se trouve déprécié ; si a passe de 20 % à 30 %, cela signifie que la préférence pour le présent a augmenté.

Taux d'actualisation : c'est le taux de préférence pour le présent d'un individu ou d'une collectivité.

♦ On utilise cette méthode chaque fois que le calcul économique porte sur des valeurs échelonnées dans le temps : le ménage arbitre entre la consommation et l'épargne, qui est une consommation différée dans le temps, en fonction de son taux d'actualisation ; l'entreprise arbitre entre différents projets d'investissement en comparant les bénéfices actualisés associés à chaque projet ; l'État sélectionne les investissements collectifs en fonction d'un taux d'actualisation, etc.

♦ Il ne faut pas confondre le *taux d'intérêt*, qui se constate au jour le jour sur le marché des capitaux, et le taux d'*actualisation* que l'on doit choisir parce qu'il sert à « remonter le temps », d'un futur incertain vers le présent. Pour choisir leur taux d'actualisation, les entreprises prennent en compte, notamment, le *taux d'intérêt* des obligations, le *taux d'inflation* anticipé et un facteur risque.

⟶ *Intérêt / Taux d'intérêt.*

ADMINISTRATION/ ADMINISTRATION PUBLIQUE/APU

Ensemble des personnels qui, au sein d'une organisation publique ou privée (État, entreprise, association, collectivité locale, parti, etc.), sont chargés des tâches de gestion du personnel, des ressources et de l'information (services comptables, de documentation, du personnel, etc.). Le terme désigne aussi l'activité elle-même : le fait d'administrer.

Les fonctions administratives, liées au fonctionnement interne de toute organisation, s'opposent ainsi aux fonctions directement productives.

L'administration est souvent étudiée par les sociologues comme bureaucratie.

Administration publique : organe dont dispose le pouvoir politique, composé de l'ensemble des fonctionnaires, des agents contractuels des collectivités publiques et de leurs moyens matériels. Elle accomplit des tâches de service public.

♦ Selon l'article 20, alinéa 2 de la Constitution, le gouvernement dispose de l'Administration (voir tableau en bas de page).

Administrations publiques (APU) : secteur institutionnel qui regroupe les unités institutionnelles dont la fonction principale est de produire des services non marchands ou d'effectuer des opérations de redistribution du revenu ou du patrimoine. Ses ressources principales sont des prélèvements obligatoires (impôts et cotisations sociales). Il regroupe trois sous-secteurs : les administrations publiques centrales (l'État et les organismes divers d'administration centrale, tels que les universités, ou l'ANPE), les administrations publiques locales (régions, départements, communes) et les administrations de Sécurité sociale (régimes d'assurance sociale et organismes tels que les hôpitaux publics).

⟶ *Bureaucratie, Décentralisation/Déconcentration, État, Secteurs institutionnels, Service public.*

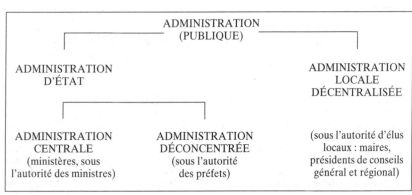

ADMINISTRATION
(PUBLIQUE)

ADMINISTRATION
D'ÉTAT

ADMINISTRATION
LOCALE
DÉCENTRALISÉE

ADMINISTRATION
CENTRALE
(ministères, sous
l'autorité des ministres)

ADMINISTRATION
DÉCONCENTRÉE
(sous l'autorité
des préfets)

(sous l'autorité d'élus
locaux : maires,
présidents de conseils
général et régional)

AELE (Association européenne de libre-échange)

En anglais EFTA : *European free trade area.*

Organisation économique européenne, créée en 1960, qui institue entre ses membres une zone de libre-échange. Elle a perdu de son importance en raison de l'adhésion de la plupart de ses membres à l'Union européenne. En 2000, elle regroupe l'Islande, le Liechtenstein, la Norvège et la Suisse.

→ *Europe : les organisations européennes.*

ÂGE

Tout en étant une réalité biologique, l'âge, comme le sexe, est un attribut socialement défini, qui confère position, statut et rôles dans une société donnée.

Communément définies comme le regroupement d'individus appartenant à la même tranche d'âge, les catégories ou les classes d'âge sont de prime abord associées aux étapes du cycle de vie menant de la petite enfance à la vieillesse et à la mort. Cette vision « naturelle » ne coïncide que très imparfaitement avec *les âges sociaux de la vie* : ceux-ci sont découpés, définis et aménagés de façon très diverse selon les sociétés, voire selon les milieux sociaux au sein d'une même société.

♦ La société médiévale n'accordait que peu de place à l'enfance. Passées les premières années, l'enfant était considéré comme un petit adulte, mêlé très vite au monde des « grands ». Sa reconnaissance comme être particulier n'apparaît qu'au cours du XVIIᵉ siècle et est liée aux préoccupations éducatives comme à la privatisation de la famille (voir, à ce sujet, les travaux de l'historien Philippe Ariès).
♦ Dans nombre de sociétés primitives ou traditionnelles, les classes d'âge constituent

de véritables institutions : elles portent un nom, sont dotées de biens symboliques (blasons) et leurs membres sont affectés à des activités précises (contrôle du bétail, récolte du bois).

♦ Dans les sociétés développées contemporaines, les groupes d'âge, sans être formellement organisés, sont implicitement définis soit par des « capacités » ou « incapacités » légales, soit par des attitudes et des conduites considérées comme « normales » à l'âge correspondant.

Nous assistons aujourd'hui à une redéfinition importante des âges de la vie : l'allongement de l'espérance de vie et l'abaissement de l'âge de la retraite ont laissé place à une étape intermédiaire — le « *troisième âge* » — entre la maturité associée à la vie active et la vieillesse. En amont, on parle d'*allongement de la jeunesse* pour rendre compte du report à un âge plus tardif de l'insertion professionnelle et de la multiplication des situations transitoires entre la cohabitation parentale et la conjugalité « installée ».

Ces processus témoignent de la production sociale des âges : leur configuration et leur définition résultent de processus évolutifs complexes où interviennent des facteurs « objectifs », des changements initiés par les acteurs et l'intervention des pouvoirs publics. Ces derniers jouent un rôle notable en fixant des seuils légaux de passage d'un statut à un autre comme la fin de la scolarité obligatoire, la majorité civile ou l'âge conventionnel de la retraite.

→ *Effet d'âge/Effet de génération, Génération, Statut, Rôle, Vieillissement.*

AGENCE (RELATION D', THÉORIE DE L')

Approche de la théorie économique qui cherche à définir la relation contractuelle optimale entre un principal (mandant) et un agent (mandataire).

Il s'agit ainsi du rapport entre acheteur de logement et agent immobilier, du ministre de tutelle et du responsable d'une entreprise publique, d'un actionnaire et du cadre dirigeant... L'agent dispose d'informations et de compétences non détenues par le principal et son action est difficilement observable. Le principal, lui, dispose de ressources financières et cherche la rémunération de nature à obtenir du comportement de l'agent le meilleur résultat. Le dispositif repose sur les coûts, d'élaboration du contrat, de surveillance de son application, etc.

→ *Économie de l'information, Nouvelle microéconomie*

AGENCE DE NOTATION

Entreprise qui évalue, qui « note », les États (risque pays) et les emprunteurs (risque débiteurs) en fonction de leur risque d'insolvabilité, ce qui influe largement sur le niveau des taux d'intérêt qui leur sont appliqués lors des emprunts ou des émissions de titres.

Les deux principales agences de notation sont *Sandard and Poors* et *Moodys*.

D'un côté, les agences de notation permettent aux acteurs des systèmes financiers de se faire une opinion sur la solvabilité, et donc sur le risque, représenté par un emprunteur, sans avoir à collecter ni à traiter l'information correspondante.

D'un autre côté, elles contribuent à la concentration des opinions, ce qui est loin de l'idée que l'on se fait d'un marché concurrentiel composé d'une multitude d'acteurs indépendants. Le marché est fortement influencé par ces notations ; elles peuvent concourir ainsi largement aux comportements mimétiques.

AGENT

(qui agit)
Au sens large : agent économique, personne physique ou morale, ou catégorie agrégée de personnes, que l'on désigne par sa fonction principale dans la vie économique (les épargnants, les consommateurs, les exportateurs, les firmes multinationales, etc.).

♦ *Au sens plus strict :* l'ancien système de Comptabilité nationale française distinguait quatre *agents économiques* (Entreprises, Ménages, Institutions financières, Administrations), et un cinquième (Extérieur), considéré en fait comme un compte.
♦ En ce sens, qui tend à subsister, on ne peut appartenir qu'à une seule catégorie d'agents, alors qu'au sens large on peut être à la fois épargnant et salarié, ou agriculteur et investisseur.

→ *Comptabilité nationale, Secteurs institutionnels* (pour le nouveau système de Comptabilité nationale).

AGENT DE CHANGE

Officier ministériel nommé par le gouvernement, il a assuré en tant qu'intermédiaire le fonctionnement du marché boursier jusqu'à la loi du 22 janvier 1988 qui a créé les sociétés de Bourse.

→ *Sociétés de Bourse.*

AGRÉGAT

(d'*agréger* « regrouper, agglomérer », du lat. *grex, gregis* « troupeau »)
Grandeur statistique, calculée par sommation, caractéristique de l'activité économique.

Les principaux agrégats de la Comptabilité nationale française sont le Produit intérieur brut (PIB, somme des valeurs ajoutées brutes), la Dépense intérieure brute, le Revenu national, le Produit national brut (PNB), l'Épargne nationale, etc.

Pour calculer le PIB, qui regroupe des éléments aussi disparates que des automobiles, des consultations médicales ou des caramels mous, il a fallu prendre, comme *principe d'agrégation*, le prix en monnaie de ces différents biens. L'utilisation, comme étalon, de la monnaie, que dévalorise l'inflation, impose de déflater les indices d'évolution des agrégats.

Il existe aussi des *agrégats monétaires* qui regroupent les différentes formes de monnaie selon leur degré de liquidité (M1, M2, M3).

⟶ *Comptabilité nationale, Déflateur, Masse monétaire, agrégats monétaires et placements financiers, Produit intérieur brut (PIB), Revenu.*

AGRICULTEUR

Agent économique vivant essentiellement des activités agricoles (élevage, culture, etc.).

Le code actuel des professions et catégories socio-professionnelles (1982) distingue trois sous-catégories parmi les agriculteurs exploitants en fonction de la « taille économique » de l'exploitation qui est déterminée non seulement d'après la surface, mais également selon l'activité dominante (élevage, viticulture) et, accessoirement, la région. Les salariés agricoles sont, pour la plupart, classés dans le groupe des ouvriers.

⟶ *Fermage, Paysannerie.*

AID (Association internationale pour le développement)

Créée en 1960, cette association a pour objectif l'aide au développement économique des pays du Tiers monde. Elle prête à ces pays des ressources financières, obtenues grâce à la contribution des pays développés, à des conditions plus avantageuses que celles du marché financier international : durée de prêt très longue (50 ans), taux d'intérêt très bas, commission faible.

AIDE AU DÉVELOPPEMENT

Le Comité d'aide au développement (CAD) de l'OCDE, qui coordonne et comptabilise l'aide au Tiers monde des pays capitalistes développés, distingue « l'aide publique » des « autres apports » et réserve l'appellation « aide » à la seule aide publique ou Aide publique au développement (APD). Celle-ci comprend les dons et les prêts du secteur public lorsque les prêts sont assortis de conditions de taux, de durée ou d'amortissement préférentielles par rapport au marché ; l'élément de libéralité, de don, contenu dans de tels prêts, est pris en compte.

Les autres apports, parfois qualifiés à tort d'« aide privée », sont constitués des dons des organisations non gouvernementales, mais principalement des crédits à l'exportation, des investissements de portefeuille, des prêts bancaires, des investissements directs et des bénéfices réinvestis, enfin des souscriptions privées à des emprunts émis par les organisations internationales.

L'aide prend des formes diverses. On distingue :

– l'*aide multilatérale*, qui transite par des organisations internationales spécialisées (BIRD, FMI, AID, UNICEF, FAO, etc.) ;

– l'*aide bilatérale non liée* qui est fournie par un pays qui n'impose pas au pays bénéficiaire de conditions d'achat en retour ;

– l'*aide bilatérale liée*, qui impose des conditions d'achat et assure ainsi des débouchés au pays donateur.

L'aide peut aussi être *en nature* : envoi de céréales, de techniciens (assistance ou coopération technique), attribution de bourses d'études.

Enfin, l'aide sera dite *hors projet* si elle n'est pas affectée à un projet précis mais sert à financer le déficit budgétaire ou le déficit extérieur. À l'inverse, l'*aide-projet* ou programme sera affectée à une fin précise : construction d'un barrage, programme de reboisement, etc. Les Nations unies ont assigné aux pays donateurs un objectif pour leur APD de 0,70 % de leur PNB. En 1988, les pays de l'OCDE n'atteignaient en moyenne que 0,35 % (France : 0,50 %).

→ *Échange inégal, Économie du développement, Termes de l'échange.*

AIDE SOCIALE

Ensemble des mesures d'assistance qui visent les individus dont les ressources sont insuffisantes. Depuis la loi de décentralisation de 1982, c'est le département qui dispose dans ce domaine d'une compétence générale, l'État se contentant de fixer le taux minimum des prestations et les conditions minimales d'accès à celles-ci.

L'aide sociale comporte trois volets : l'aide médicale, l'aide sociale aux personnes handicapées, l'aide aux personnes âgées.

→ *Collectivité, Sécurité sociale.*

AIRAIN (Loi d')

Loi énoncée par le socialiste allemand F. Lassalle en 1863 : le salaire perçu par l'ouvrier se borne dans le système capitaliste à ce qui lui est indispensable pour assurer sa subsistance.

AIRE CULTURELLE

Espace géographique dans lequel sont présentes des caractéristiques culturelles communes (techniques artisanales, institutions sociales, mythologie) qui peuvent être partagées par plusieurs ethnies.

♦ Exemple : l'aire des plaines des Indiens d'Amérique du Nord, caractérisée par l'économie de cueillette, la chasse au bison et un habitat mobile.

→ *Civilisation, Diffusion/Diffusionnisme.*

AJUSTEMENT STRUCTUREL

Assainissement de la situation économique d'un pays, en général en voie de développement.
Les *politiques d'ajustement structurel* (PAS), sont recommandées par le Fonds monétaire international.

Ces politiques sont d'inspiration libérale ; elles visent à réduire le déficit extérieur, le déficit budgétaire et à maîtriser l'inflation et l'endettement. Leurs conséquences économiques sont controversées ; leurs conséquences sociales sont souvent dramatiques, en raison de l'augmentation du chômage et de la réduction de la protection sociale.

ALÉA MORAL

(Ou risque moral en anglais *moral hazard*)
Risque provenant d'un comportement non anticipé de la part d'un des contractants.

C'est ainsi que l'assuré social peut avoir un comportement de surconsommation de soins, que les opérateurs financiers, confiant dans les filets de sécurités représentés par un prêteur en dernier ressort, peuvent être conduits à prendre des risques qu'ils ne prendraient pas s'ils n'étaient pas assurés. De façon paradoxale, l'assurance peut accroître ainsi les risques.

→ *Assurance.*

ALENA

(en américain, NAFTA, *North American Free Trade Agreement*)
Accord de libre-échange nord-américain conclu en 1992 entre le Canada, les États-Unis et le Mexique. Cet accord s'inscrit essentiellement dans la perspective d'une libre circulation des biens et des capitaux et non dans celle d'une politique commune commerciale. Il s'agit d'une zone de libre-échange.

ALIÉNATION

(du lat. *alienatio* et *alienus* « étranger »)
En droit : transfert à autrui d'un bien ou d'un droit, en le donnant ou en le vendant (par opposition, bien inaliénable : qu'on ne peut céder).
En sciences sociales et en philosophie, pour Marx, en particulier, il existe deux sortes d'aliénation.

Aliénation économique : celle du travailleur salarié qui, dépossédé de ses moyens de production et donc contraint de vendre sa force de travail au capitaliste, finit par être dépossédé du fruit de son travail, de son métier, et même de son humanité par l'exploitation capitaliste ; celle du produit qui doit devenir marchandise (être vendu) comme condition de son usage ; celle du capitaliste même, aliéné à l'argent et à la logique de l'accumulation.
Aliénation idéologique : celle qui assure la reproduction du système d'exploitation lorsque les exploités adhèrent à des valeurs et à des croyances conformes aux intérêts de ceux qui les exploitent et n'ont pas conscience de leurs chaînes.

♦ « La religion est l'opium du peuple » (Marx, *Contribution à la critique de la philosophie du droit de Hegel*, 1844). Également Ludwig Feuerbach dans *L'Essence du christianisme* (1841).

→ *Idéologie, Marx, Marxisme.*

ALLAIS (Maurice)

Économiste français contemporain né en 1911. Se situant résolument dans une perspective néo-classique, il entend montrer que « toute économie quelle qu'elle soit, collectiviste ou de propriété privée, doit s'organiser sur une base décentralisée et concurrentielle ». Il a consacré plusieurs travaux importants à la reformulation de l'équilibre général walrassien et de la théorie monétaire. Plus récemment, sa *Théorie générale des surplus* entend s'affranchir des hypothèses restrictives de l'équilibre général. Prix Nobel en 1988.

♦ Ouvrages principaux : *À la recherche d'une discipline économique* (1943) ; *Économie et intérêt* (1947) ; *La Théorie générale des surplus* (1981).

→ *Annexe : Prix Nobel d'économie.*

ALLIANCE

Association entre plusieurs entreprises qui choisissent de réaliser un projet ou une activité spécifique de manière conjointe.

On peut opposer les alliances complémentaires aux alliances entre concurrents, ces dernières visant à réduire la concurrence.

→ *Concentration (des entreprises), Concurrence, Coopération (interentreprises).*

ALLIANCE ATLANTIQUE

→ *Europe : les organisations européennes.*

AMIN (Samir)

Économiste égyptien né en 1931, spécialiste des problèmes de développement économique.

Il conteste la théorie classique selon laquelle les pays développés et les pays sous-développés sont égaux dans l'échange international et y ont tous avantage. Il s'efforce de montrer que le système économique mondial est construit sur des relations asymétriques entre le « centre » dominant (les pays développés) et la « périphérie » dominée (les pays du Tiers monde).

AMORTISSEMENT ÉCONOMIQUE

Perte de valeur subie au cours d'une période donnée par un bien de production durable du fait de l'usure ou de l'obsolescence.

Une entreprise acquiert une machine dont le prix est 1 million d'euros. On prévoit que cette machine restera en service cinq ans ; cette durée de fonctionnement dépend de l'usure physique, qui varie en fonction du degré d'utilisation, et de l'obsolescence, largement imprévisible puisqu'elle résulte de la perte de valeur du matériel installé liée à l'invention de machines plus performantes. Si la prévision est juste, dans cinq ans, il faudra procéder à un investissement de remplacement.

Comment le financer ? Grâce aux ressources procurées par la vente des marchandises produites à l'aide de la machine. Soit 2 000 unités du produit Y vendues par an : il s'agit de récupérer 1 million d'euros sur 10 000 unités en cinq ans, donc 100 € par unité.

Nous venons de calculer l'amortissement qui sera inclus dans le prix de revient unitaire. Chaque acheteur paiera une petite partie de la machine. L'amortissement est donc la mesure de la dépréciation d'un élément de capital fixe : 200 000 € la première année, 400 000 € la seconde, etc.

♦ Observons que notre calcul peut être faussé par deux phénomènes : à cause de l'inflation, le million d'euros sera probablement insuffisant ; à cause de l'accélération du progrès technique, la durée de vie rentable sera abrégée.

♦ En Comptabilité nationale, l'amortissement est défini comme une consommation de capital fixe.

♦ En comptabilité privée, amortissement comptable : l'amortissement étant déductible du bénéfice imposable, les entreprises sont tenues de respecter des règles fiscales relatives à la durée et aux taux de l'amortissement ; l'amortissement des actifs immobilisés dans les comptes des entreprises ne constitue donc qu'une mesure très imparfaite de l'amortissement économique.

→ *Capital, Comptabilité d'entreprise.*

AMORTISSEMENT FINANCIER

Une dette ou un emprunt sont amortis lorsqu'ils sont entièrement remboursés.

→ *Comptabilité d'entreprise.*

AMSTERDAM (Traité d')

→ *Europe communautaire (histoire des communautés européennes).*

ANALYSE ÉCONOMIQUE

Ensemble des théories, des concepts et des mécanismes économiques auxquels la communauté des économistes accorde, à un moment donné, une valeur scientifique.

Dans son *Histoire de l'analyse économique*, Schumpeter établit une distinction entre l'analyse économique, corpus de connaissances établies selon les règles de la méthode scientifique (souci de l'adéquation aux faits et de la cohérence logique), et la pensée économique, ensemble beaucoup plus large et plus flou, englobant toutes les idées économiques circulant dans une société, y compris les opinions dominantes et les doctrines.

Il convient également de distinguer, d'une part, l'analyse et, d'autre part, la politique économique : bien que celle-ci soit éclairée, orientée ou justifiée par la première, elle se compose avant tout de décisions, d'actions, d'interventions.

Sans aller jusqu'à opposer l'analyse à l'action, l'analyse pouvant porter sur la politique économique et la politique présupposant une analyse, on remarque que l'une cherche à produire des connaissances quand l'autre cherche à obtenir des résultats.

L'étude d'un problème économique consiste généralement à s'intéresser successivement à l'observation des faits, à la confrontation des analyses et à la mise en œuvre des politiques.

Un auteur qui utilise à dessein le terme d'« analyse » veut mettre l'accent sur le contenu scientifique des théories auxquelles il se réfère : celles-ci seront éventuellement réfutées ou, plus probablement, enrichies et précisées à une date ultérieure, mais elles bénéficient d'une reconnaissance institutionnelle (elles sont exposées ou citées dans des revues scientifiques, figurent dans des manuels universitaires, etc.). Les théories économiques tendent à se superposer dans une coexistence conflictuelle. Dans les ouvrages intitulés « analyse microéconomique » ou « analyse macroéconomique », on trouve essentiellement les théories économiques telles qu'on les enseigne à l'université.

→ *Politique économique.*

ANALYSE STRATÉGIQUE

Désigne, dans le champ de la sociologie contemporaine, un cadre d'analyse des relations de pouvoir au sein des organisations mettant l'accent sur les stratégies des acteurs et sur les jeux qui se nouent entre ces stratégies.

Cette orientation, développée en France principalement par M. Crozier, se présente comme un prolongement de la sociologie des organisations centrée sur la bureaucratie. L'analyse stratégique postule que les individus n'acceptent jamais d'être traités comme de simples moyens au service des buts de l'organisation, que les acteurs gardent une possibilité de jeu autonome (du moins dans certains domaines) et que, dans les jeux de pouvoir, les stratégies sont toujours rationnelles même si la rationalité est limitée.

→ *Bureaucratie, Crozier, Organisation ;* *Annexe 44.*

ANARCHISME

(du gr. *anarkhia*, de *a(n)* - préfixe privatif - « sans », et *arkhé* « commandement »)
Courant de pensée politique, né au XIXᵉ siècle, qui s'oppose radicalement à toute soumission de l'individu à un ordre socio-économique, politique ou idéologique imposé par voie d'autorité : l'ordre social doit procéder du libre consentement d'individus autonomes. *Ni Dieu, ni Maître,* selon le titre du journal de Louis Auguste Blanqui.

L'*anarchisme individualiste* (Stirner, Proudhon) s'oppose à l'*anarchisme communiste* (Bakounine, Kropotkine) sur le régime de la propriété.

♦ Les théoriciens anarchistes proposent, à la place de la société qui opprime, la création multiple et décentralisée d'associations fondées sur des contrats révisables par lesquels les individus ne consentent que des abandons limités et temporaires de souveraineté ;

ces fédérations d'individus se fédèrent à leur tour par contrat en fédérations régionales puis internationales ; il n'y a plus d'État.

♦ L'État jacobin, centralisé, fondé sur le suffrage universel, et donc sur un abandon général de souveraineté à des représentants élus, instaure la dictature de la loi : il doit être aboli.

♦ Contre la domination économique du capital, les anarchistes proposent la constitution de mutuelles, de syndicats et de coopératives.

♦ Anti-autoritaire, le mouvement libertaire est de ce fait antimilitariste, antimarxiste et plus encore antiléniniste et antistalinien (contre l'État de dictature du prolétariat, contre le parti unique et sa discipline, contre la propriété étatique).

♦ Lénine et Trotski, en 1921, cherchèrent à exterminer les anarchistes révoltés de Cronstadt et ceux d'Ukraine (Nestor Makhno et Voline).

♦ Le mouvement anarchiste fut très actif au sein du mouvement syndical, de la Première Internationale, de la Commune de 1871, en Italie à la veille de 1914, pendant la Révolution russe et la guerre civile espagnole, et plus récemment en France en mai et juin 1968.

→ *Anarcho-syndicalisme, Autogestion, Communisme.*

ANARCHO-SYNDICALISME

Tendance révolutionnaire au sein du mouvement ouvrier qui a marqué la CGT à sa création en 1895, et qui révèle la forte influence de Proudhon sur le syndicalisme français.

→ *Anarchisme, Mouvement ouvrier, Syndicalisme.*

ANCIEN RÉGIME ÉCONOMIQUE

Par analogie avec l'Ancien Régime politique, système économique antérieur au capitalisme industriel et bancaire.

Expression forgée par Ernest Labrousse, historien de l'économie française au XVIIIᵉ siècle. Cette problématique, valable pour la France, l'est beaucoup moins pour la Grande-Bretagne ou les Pays-Bas.

L'activité économique y est caractérisée par trois traits essentiels :

♦ 1. Prépondérance de l'agriculture et de la population agricole ; la faible productivité explique le pourcentage très élevé de cette dernière ; les techniques rudimentaires sont responsables des crises périodiques de subsistance (pénuries de grains).

2. Insuffisance des moyens de transport et faiblesse des échanges (accentuée par des obstacles économiques et juridiques : péages, réglementations de toutes sortes) interdisant la formation d'un marché national.

3. Faible développement de la production industrielle représentée essentiellement par l'autoproduction paysanne, l'industrie rurale et l'artisanat urbain.

L'*Ancien Régime économique* se caractérise parallèlement par des rapports socio-économiques spécifiques : charges seigneuriales sur les tenures agricoles, solidarités agraires (vaines pâtures, droits d'usage), régime des corporations (artisanat urbain), etc. Ces mécanismes et ces institutions sont autant d'obstacles à l'accumulation, lesquels sont renforcés par les mentalités (dépenses improductives de la noblesse, idéal d'autosubsistance des paysans…).

→ *Crise, Mode de production, Système économique.*

ANOMIE

(de *a* privatif, et du gr. *nomos* « loi »)

Désordre, violation ou absence de loi.

En *sociologie*, notion essentielle introduite par Durkheim : état dans lequel il y a carence ou déficience de règles sociales communément acceptées, de sorte que les individus ne savent plus comment orienter leur conduite.

♦ Durkheim utilise en particulier la notion d'anomie dans son analyse du suicide. Parmi différents types de suicide, il distingue le suicide anomique causé par la brusque dislocation des valeurs sur lesquelles était fondée la vie des individus. Le suicide anomique « vient de ce que l'activité (des hommes) est déréglée et de ce qu'ils en souffrent ».

Cette notion a été reprise par des sociologues américains dans des sens différents. Chez certains d'entre eux, elle devient synonyme de déviance (écart par rapport à la norme). Pour Merton, une société est anomique lorsqu'il y a inadéquation entre les objectifs proposés par une société et les moyens dont disposent ses membres pour les atteindre : par exemple, les individus ne disposant pas des ressources (économiques et/ou culturelles) nécessaires à une ascension sociale valorisée par l'*establishment*. Ce divorce se traduit par des comportements déviants divers.

⟶ *Contrainte sociale, Déviance, Durkheim ; Annexes 29, 40.*

ANTHROPOLOGIE

(du gr. *anthropos* « homme » et *logos* « discours »)
1. Science de l'homme en général (vision unitaire, à dimension souvent philosophique).
2. Ensemble vaste des disciplines qui se rapportent à l'homme.
3. Aujourd'hui, science qui rend compte de la diversité de la réalité humaine à travers la variété des populations humaines dans le temps et dans l'espace.
Dans la tradition anglo-saxonne, elle rassemble les disciplines qui se consacrent à l'étude des groupes humains tant dans leurs particularités biologiques que dans leurs caractéristiques socioculturelles.

On distingue communément l'anthropologie physique et l'anthropologie sociale et culturelle.

Anthropologie physique : étude des caractéristiques anatomiques et physiologiques des populations passées ou présentes. L'accent est mis moins sur ce qui est commun à l'humanité que sur les caractères différentiels des groupes : anatomie comparée, génétique des populations, etc. La paléontologie humaine reconstitue les origines et les différenciations du genre humain.

♦ On a pu parler d'*anthropologie raciale*, mais le concept même de race est discuté ; les classifications raciales sont nombreuses et contradictoires. En tout état de cause, les divisions de l'espèce humaine basées sur des caractères biologiques particuliers ne peuvent en aucune façon être la base des groupements socioculturels.

Anthropologie sociale et culturelle : correspond largement, dans la langue française, à l'ethnologie. Le double qualificatif (sociale et culturelle) fait référence à deux dimensions des sociétés humaines.

♦ Ces deux dimensions sont :
1. Les traits de l'organisation sociale (usages, coutumes, mœurs, règles de conduite, formes de sociabilité, organisation et division du travail, institutions, etc.).
2. Le principe organisateur qui donne son unité aux différentes manifestations de la vie en société (croyances, systèmes de valeurs, représentations esthétiques, religieuses et cognitives).
Il va de soi qu'il s'agit là de deux niveaux d'une même réalité. Ce système symbolique est étroitement articulé avec le système social.

⟶ *Culturalisme, Culture, Ethnologie, Lévi-Strauss, Race.*

ANTICIPATIONS

Prévisions portant sur l'évolution de variables économiques (inflation, PIB, etc.).

Dès que l'incertitude est introduite dans une théorie économique, il s'ensuit que les décisions des agents dépendent de leurs anticipations ; la difficulté consiste alors à modéliser celles-ci.

Une première méthode consiste à supposer que ces agents forment leurs anticipations en appliquant une règle fixe :

– les anticipations sont *extrapolatives* si le niveau anticipé d'une variable économique à une date future dépend du niveau observé de la même variable pendant un certain nombre de périodes antérieures ;

– les anticipations *adaptatives* sont, elles aussi, formées à partir du passé, mais en appliquant une règle de correction des erreurs commises ; l'écart entre ce que l'on anticipe maintenant et ce que l'on avait anticipé précédemment se déduit d'une correction de l'écart entre ce que l'on constate et ce que l'on avait anticipé ; la critique par M. Friedman de la courbe de Phillips est fondée sur ce type d'anticipations, les salariés mettant un certain temps avant d'anticiper correctement l'inflation future.

♦ Cette modélisation des anticipations soulève deux critiques : elle implique que les agents ne tiennent pas compte des nouvelles informations (par exemple l'annonce d'un changement de politique économique), y compris si elles induisent des événements futurs certains (par exemple l'annonce d'une hausse du taux d'imposition), mais seulement des informations passées ; elle implique aussi que les agents ne modifient pas la façon dont ils forment leurs anticipations alors même qu'ils constatent qu'ils se trompent systématiquement : avec des anticipations adaptatives, un agent sous-estime par exemple toujours l'inflation lorsque celle-ci s'accélère.

Ce sont ces critiques qui ont conduit à l'hypothèse d'*anticipations rationnelles*. Celle-ci se déduit logiquement de deux autres hypothèses fondatrices de la théorie économique néo-classique : *la rationalité des agents* et *l'équilibre du marché*. Si l'agent est rationnel, alors ses anticipations le sont également.

Cela signifie qu'il les forme à partir de la meilleure représentation possible du fonctionnement de l'économie et en utilisant toute l'information pertinente.

♦ Il sait par exemple que l'inflation dépend de la quantité de monnaie en circulation (c'est sa théorie de l'inflation) et il lit dans son journal économique une déclaration du directeur de la Banque centrale annonçant un relâchement de la politique monétaire (c'est l'information pertinente du jour) ; il en déduit par conséquent un taux d'inflation anticipé.

Le taux d'inflation qui se réalisera ne correspondra peut-être pas à ce taux anticipé ; la théorie des anticipations rationnelles ne nie pas que les agents puissent commettre des erreurs de prévision, elle suppose seulement qu'ils tirent les leçons de leurs erreurs passées, de telle sorte qu'ils ne se trompent pas systématiquement ; les seules sources d'erreurs sont donc des « effets de surprise », la conséquence d'événements imprévisibles (une tempête, etc.). C'est ici qu'intervient la notion d'équilibre : elle désigne une situation dans laquelle plus rien ne bouge parce qu'aucun agent n'a intérêt à changer de décision. Sachant que les agents changent de décisions lorsque changent leurs anticipations et que changent leurs anticipations lorsque celles-ci s'avèrent systématiquement erronées, on en déduit qu'à l'équilibre, les anticipations correspondent en moyenne à ce qui advient.

♦ Les auteurs de la nouvelle économie classique, par exemple Lucas, utilisent cette hypothèse d'anticipations rationnelles pour démontrer l'inefficacité totale des politiques conjoncturelles keynésiennes : soit par exemple l'annonce d'une relance par un déficit budgétaire, les agents vont anticiper une augmentation future des impôts pour financer ce déficit et décider dès maintenant d'augmenter leur épargne en conséquence, ce qui va avoir pour effet de neutraliser l'impact attendu sur l'activité économique...

On peut opposer à la théorie des anticipations rationnelles les conceptions de deux auteurs que, par ailleurs, presque tout sépare : Hayek et Keynes.

Selon Hayek, l'information est incomplète : on ne dispose pas d'une liste exhaustive de toutes les situations probables ; des occasions ne sont pas volontairement ignorées parce que leur découverte coûterait trop cher, elles sont tout simplement inconnues. Selon Hayek, cette situation d'incertitude non probabilisable explique la supériorité du marché en tant que processus de découverte de l'information : la concurrence incite en effet les agents à rechercher toutes ces occasions qui n'ont pas été exploitées, tout simplement parce qu'elles n'étaient pas encore découvertes.

Keynes part de la même hypothèse d'incertitude radicale : « Le sens que je donne à ce terme [l'incertitude] est celui qu'il prend lorsque l'on juge incertain la perspective d'une guerre européenne, le niveau du prix du cuivre ou du taux d'intérêt dans vingt ans, la date d'obsolescence d'une invention récente ou la place des classes possédantes dans la société des années 1970. Il n'existe pour toutes ces questions aucun fondement scientifique sur lequel construire le moindre calcul probabiliste. Tout simplement : nous ne savons pas. » Les décisions économiques les plus importantes, notamment l'investissement, sont donc fondées sur des anticipations (par exemple, l'anticipation des débouchés), qui dépendent de facteurs irrationnels, de la psychologie collective et sont régulées par des conventions.

→ *Anticipations rationnelles, Nouvelle économie classique, Phillips (Courbe de).*

ANTICIPATIONS RATIONNELLES

Prévisions formées par des agents rationnels qui connaissent le modèle de fonctionnement de l'économie, toutes les valeurs passées et présentes des variables économiques pertinentes, et les distributions de probabilités de ces variables.

La première présentation de cette hypothèse se trouve dans un article de 1961, passé alors inaperçu, de J.F. Muth. Selon Muth, « les anticipations rationnelles étant des prévisions bien informées des événements futurs, elles sont fondamentalement identiques aux prévisions issues d'une théorie économique pertinente ».

Cela signifie que les anticipations des agents économiques sont compatibles avec les modèles qui sont utilisés pour expliquer leur comportement : les anticipations des agents sont au moins aussi bonnes que celles des économistes ; dans le cas contraire, les économistes feraient fortune sur la base de leurs prévisions ! Il subsiste une incertitude exogène, irréductible au modèle, source d'erreurs, mais il s'agit d'erreurs dues à des événements imprévisibles que les agents ne peuvent pas corriger par l'apprentissage. Les anticipations rationnelles ne sont pas des prévisions exactes : l'agent peut se tromper, mais ses erreurs ne sont pas systématiques et ses prévisions sont toujours optimales, compte tenu des informations dont il dispose.

Pour résoudre un modèle avec anticipations rationnelles, il faut notamment appliquer l'hypothèse que les agents forment leurs prévisions en utilisant le modèle dont ils font partie — ils connaissent par exemple l'équation qui relie, dans le modèle, l'inflation à la masse monétaire — de telle sorte que leurs décisions correspondent à celles que le modèle prévoit ; de ce fait, il y a autoréalisation des anticipations et par conséquent équilibre.

Les nouveaux classiques ne sont pas les seuls à utiliser l'hypothèse d'anticipations rationnelles ; elle constitue également la base d'un grand nombre de modèles construits par les nouveaux keynésiens.

→ *Anticipations, Nouvelle économie classique (NEC), Nouvelle économie keynésienne.*

ANTICYCLIQUE (Politique)

Politique visant à atténuer les effets des mouvements cycliques de l'économie. Elle se caractérise, notamment, par une relance de l'activité et une lutte contre le chômage en période de ralentissement, ou bien par une lutte contre l'inflation, en période de « surchauffe » économique.

→ *Chômage, Cycles, Fluctuations, Inflation.*

ANTITRUST (Législation)

Ensemble de lois américaines (Sherman Act, Clayton Act), de la fin du XIXe siècle, interdisant toute forme de « trust » ou d'entente ayant pour objet de restreindre la liberté du commerce.

→ *Concentration (des entreprises),* **Trust.**

APARTHEID

Système politique en vigueur jusqu'au début des années 1990 en république d'Afrique du Sud et organisant la ségrégation raciale entre « Blancs » et « non-Blancs ».

Fondé sur un développement économique et géographique séparé (création des Bantoustans et des Bantu townships : territoires « autonomes » et villes dortoirs pour les Noirs), il ne conférait pas les mêmes droits civiques et politiques aux Blancs et aux Noirs. Ce système a été condamné à plusieurs reprises par les Nations unies. Souhaité par les milieux d'affaires, sous la pression des instances internationales et de la population noire, le processus de démantèlement de l'apartheid est amorcé à la fin des années 1980. En février 1990 est annoncée la légalisation des partis africains interdits, dont l'ANC (Congrès national africain), et son leader Nelson Mandela est libéré. Le 17 mars 1992, les électeurs, blancs, approuvent par référendum le processus de réformes et les négociations pour une nouvelle Constitution.

→ *Racisme.*

APPRENTISSAGE

Au sens général, acquisition des gestes, des techniques permettant de maîtriser une activité.
Au sens économico-social, l'apprentissage désigne une modalité de la formation professionnelle, assurée par des établissements d'enseignement technique et par une présence sur le lieu de travail assortie d'un contrat d'apprentissage.
Au sens sociologique, voir l'article Socialisation.

ARBITRAGE

Décision qui partage ou départage.
Au sens juridique : procédure de résolution des conflits qui permet aux parties de recourir à l'amiable à un arbitre. De telles procédures, entre patrons et salariés, sont prévues en droit du travail pour l'application des conventions collectives.
Au sens politique : le rôle d'arbitre du président de la République consiste, selon la Constitution (art. 5, alinéa 1er), comme en sport, à permettre le déroulement du « jeu » politique par l'application des règles constitutionnelles.

En fait, depuis son élection au suffrage universel, le rôle du président de la République n'est plus neutre et formel : participant à la partie, son arbitrage consiste à faire prévaloir son point de vue sur le fond.

> *Au sens économique :* l'arbitrage entre épargne et consommation à propos de la répartition, par un agent économique, de son revenu entre ces deux emplois.
>
> *Au sens financier :* le procédé qui consiste, pour les arbitragistes, à acheter une monnaie, de l'or ou une valeur mobilière, sur une place financière pour les revendre sur une autre afin de profiter de la différence de cours ou de taux.

⟶ ▶ *Bourse des valeurs, Propension.*

ARCHÉTYPE

> (se prononce [arké...])
> Type primitif ou idéal ; original, qui sert de modèle (Dict. *Le Robert*).
> *Archétype social :* se dit parfois pour désigner un comportement, un trait culturel représentatif d'un groupe social.

ARENDT (Hannah)

> Philosophe politique américaine d'origine allemande (1906-1975). D'ascendance juive, elle quitte l'Allemagne en 1933, à la prise du pouvoir par Hitler.

Une partie importante de son œuvre est consacrée au totalitarisme du XXᵉ siècle dont, à l'instar d'autres interprètes, elle pointe la nouveauté radicale. Elle insiste, pour sa part, sur des traits fondamentaux comme la force produite par l'organisation, la « prédiction infaillible » attribuée au Parti et à son idéologie, la « banalité du mal » et, surtout, sur un système où la loi commune (le Droit) est entièrement subordonnée à l'obéissance à la Loi de la nature (le vitalisme racial dans le cas du nazisme) ou à la Loi de l'Histoire (dans le cas du stalinisme).

Un autre versant de son œuvre a pour fil directeur la confrontation du patrimoine culturel de l'humanité avec les nouvelles donnes de l'ère contemporaine : comment, en particulier, penser la trinité Travail (contraint), Œuvre (création), Action (l'espace politique, la *polis*) dans un monde radicalement différent des siècles passés ?

♦ Ouvrages principaux : *Les Origines du totalitarisme* (1951, dont *Le Système totalitaire* constitue la troisième partie) ; *La Condition de l'homme moderne* (1958) ; *Essai sur la révolution* (1963).

⟶ ▶ *Totalitarisme.*

ARIÈS (Philippe)

> Historien français (1914-1984), pionnier de l'histoire des mentalités.

Connu surtout par son ouvrage *L'Enfant et la vie familiale sous l'Ancien Régime.*

Selon Ariès, la reconnaissance de l'enfant comme être particulier apparaît au XVIIᵉ siècle dans certains milieux bourgeois ; elle est liée à la scolarisation (apparition des premiers collèges), au resserrement de la famille et au déclin des formes de sociabilité collective.

Ses autres travaux sont centrés sur les comportements démographiques et les attitudes face à la mort.

⟶ ▶ *Âge, Famille.*

ARISTOCRATIE

> (du gr. *aristoi* « les meilleurs » et *kras, kratos* « pouvoir »)
> 1. Système de gouvernement où le pouvoir est exercé par un groupe social restreint, généralement une caste ou une classe héréditaire.

2. La noblesse en tant qu'elle détient le pouvoir concurremment avec le monarque. Par extension, groupe qui possède des privilèges essentiels.

3. Synonyme d'élite.

→ *Élite(s), Pouvoir (Formes de).*

ARMÉE INDUSTRIELLE DE RÉSERVE

→ *Chômage.*

ARON (Raymond)

Sociologue et politologue français (1905-1983).

De formation philosophique, ses premiers travaux sont consacrés à la philosophie de l'histoire. Par la suite, son œuvre est principalement centrée sur les systèmes socio-économiques et politiques des sociétés contemporaines.

♦ En précisant la notion de sociétés industrielles, il analyse les convergences et les oppositions entre les sociétés occidentales et les sociétés soviétiques. Les premières sont caractérisées par la démocratie pluraliste (différenciation croissante des pouvoirs), les secondes par le phénomène totalitaire plus ou moins prononcé (monopole de l'activité politique exercé par un parti, soumission des activités économiques à l'État planificateur).

Il a publié également plusieurs travaux importants sur les traditions sociologiques et les théories de la stratégie militaire.

Dans *L'Opium des intellectuels* (1955), il a dénoncé la séduction exercée par le marxisme sur la pensée de son temps (son opposition à son camarade de promotion à Normale Sup, J.-P. Sartre, est restée célèbre). Le marxisme y est présenté comme une idéologie, une « religion séculaire ».

♦ Ouvrages principaux : *Démocratie et totalitarisme* (1965) ; *Dix-huit leçons sur la société industrielle* (1962) ; *La lutte des classes* (1964) ; *Les étapes de la pensée sociologique* (1967).

→ *Pouvoir, Société industrielle, Totalitarisme.*

ARROW (Kenneth Joseph)

Économiste américain né en 1921, l'un des principaux artisans du renouveau de la théorie microéconomique contemporaine.

Deux contributions importantes lui sont dues :

1. En généralisant le paradoxe de Condorcet, il démontre (1951) qu'on ne peut pas déduire des préférences individuelles un ensemble cohérent de choix collectifs (théorème d'impossibilité dit d'Arrow).

2. Avec G. Debreu (1954), il reformule et améliore la théorie de l'équilibre général walrassien (le modèle n'exclut pas les rendements d'échelle constants).

Par ailleurs, il a voulu montrer que tout équilibre général est une situation d'optimum parétien et vice versa. Il a obtenu le prix Nobel d'économie en 1972, conjointement avec J. Hicks.

♦ Travaux principaux : *Choix collectif et préférences individuelles* (1951) ; avec G. Debreu, *Existence d'un équilibre pour une économie compétitive* (1954).

→ *Équilibre, Optimum, Walras ; Annexe : Prix Nobel d'économie.*

ARTISAN

Travailleur qualifié exerçant une activité manuelle, pour son compte personnel, seul ou avec l'aide de quelques compagnons (de un à neuf).

→ *Entreprise.*

ASCÉTISME

Au sens commun : vie austère, rigoriste, fondée sur des convictions morales ou religieuses.

Chez Max Weber, notion centrale développée dans *L'Éthique protestante et l'esprit du capitalisme :* ce type de conduite morale qui veut « se garder strictement des jouissances de la vie » caractérise certains milieux protestants au XVIIe siècle. Il s'associe à la discipline rationnelle, à la recherche du gain (réinvesti et non dépensé), fondements de l'esprit capitaliste.

→ *Annexe 32.*

ASEAN (Association of South-East Asia Nations)

Association des États d'Asie du Sud-Est. Zone de préférences douanières formée en 1975 et qui regroupait à l'origine l'Indonésie, Singapour, la Thaïlande, la Malaysia, les Philippines.

ASSEDIC

→ *UNEDIC.*

ASSIETTE

Base de calcul de l'impôt ou des cotisations sociales : dans le cas de la TVA, c'est la valeur ajoutée par l'entreprise qui est l'assiette de l'impôt.

→ *Impôt, Impôt direct/indirect, Impôt sur le revenu.*

ASSIMILATION

Processus par lequel des populations d'origine étrangère en viennent progressivement à partager les comportements et, plus généralement, les traits culturels de la société d'accueil.

En ce sens, l'assimilation peut être considérée comme l'aboutissement du processus d'acculturation.

Pendant longtemps, le terme a été regardé avec méfiance, en raison de ses connotations coloniales. Pour les puissances coloniales, il s'agissait d'amener les populations autochtones à abandonner leurs us et coutumes au profit des normes et des valeurs de la civilisation des colonisateurs (en l'occurrence, le plus souvent celles de la civilisation occidentale). Certains reprochent également la métaphore digestive attachée à ce terme qui impliquerait une négation des différences.

Débarrassé de ses *a priori* coloniaux, le terme n'en garde pas moins une dimension politique qui renvoie à l'intégration : dans ce cadre élargi, l'assimilation ne dépend pas seulement de la sphère culturelle mais également de l'insertion sociale et de l'intégration à la société nationale ; elle met en jeu non seulement les comportements des intéressés, mais également les attitudes de la collectivité nationale et les politiques des autorités.

De ce point de vue, les obstacles à l'intégration peuvent déboucher sur des réticences, voire des refus de l'intégration comme en témoignent les phénomènes contre-acculturatifs et « ethnicistes ».

→ *Acculturation, Ethnicité, Intégration (sociale), Multiculturalisme.*

ASSOCIATION

Toute coalition, tout groupement volontaire institué par plusieurs personnes s'unissant pour une entreprise commune.

Si ce groupe de personnes recherche un profit, il optera pour le statut juridique de la société ; si son but n'est pas lucratif, il constituera une association au sens restreint de la loi du 1er juillet 1901. Recensées dans le secteur institutionnel « Administrations privées » par la Comptabilité nationale, les associations (loi de 1901) forment, avec les mutuelles et les coopératives, le tiers secteur de l'économie sociale : ni capitalisme, ni étatisme. Leur grand nombre, le flux croissant de leurs créations et leur diversité attestent de l'importance du mouvement associatif en France, qui concilie liberté d'entreprendre et solidarité.

→ *Coopérative, Entreprise.*

ASSOCIATION FRANÇAISE DES SOCIÉTÉS DE BOURSE

→ *Sociétés de Bourse.*

ASSOCIATION INTERNATIONALE POUR LE DÉVELOPPEMENT

→ *AID.*

ASSOCIATION DE LIBRE ÉCHANGE

→ *Europe : les organisations européennes.*

ASSOLEMENT

Alternance de cultures sur un même ensemble de terres pour en accroître le rendement.

L'assolement traditionnel — triennal ou biennal — laisse une partie (sole) des terres en jachère (seul moyen de préserver la fertilité du sol en l'absence d'engrais suffisants). L'introduction de plantes fourragères qui enrichissent le sol permet la suppression de la jachère et une rotation culturale continue.

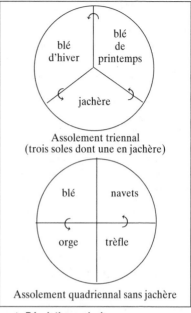

Assolement triennal
(trois soles dont une en jachère)

Assolement quadriennal sans jachère

→ *Révolution agricole.*

ASSURANCE

Opération consistant pour une institution à percevoir une cotisation (ou prime), et à s'engager en contrepartie à prendre en charge les dommages éventuels survenus à un agent lors de la réalisation d'un risque. Il s'opère ainsi une mutualisation des risques, une transformation de risques individuels en risques collectifs.

Cette fonction est prise en charge par différentes institutions, principalement :
– les entreprises d'assurance, pour lesquelles, soit les contrats sont librement souscrits, soit, si l'assurance est obligatoire (assurance automobile), le choix de l'assureur est libre ;
– les organismes de Sécurité sociale auxquels l'affiliation est obligatoire et qui obéissent aussi à une logique de solidarité (assurances sociales, couvrant les risques de maladie, vieillesse, chômage) ;
– les mutuelles qui poursuivent aussi des objectifs de solidarité.

Les mécanismes de l'assurance peuvent entraîner des effets pervers analysés par la théorie économique :
– l'aléa moral ou risque moral (*moral hazard* en anglais, qu'il vaudrait mieux traduire par « risque de comportement ») consiste en ce que le fait d'être assuré modifie le comportement de l'agent : par exemple, l'assurance sociale peut favoriser, dans certains cas, une surconsommation médicale ;
– la « sélection adverse » consiste à recourir ou à ne pas recourir à l'assurance en fonction d'informations détenues par l'agent et inconnues de l'assureur. Ainsi, dans le cas d'une assurance privée contre le risque de maladie, une prime calculée sur des risques moyens peut attirer des individus qui se savent malades et repousser d'autres qui se savent en bonne santé.

⟶ *Aléa moral, Assurance (Entreprises d'), Sécurité sociale.*

ASSURANCE (Entreprises d')

Entreprise dont la fonction principale consiste à assurer les agents économiques contre des risques sur une base volontaire : l'agent a soit la liberté de s'assurer, soit celle de choisir son assureur, dans le cas d'une assurance obligatoire (automobile).

Le secteur de l'assurance comporte deux branches principales.

La première comprend :
– l'assurance dommages, assurance des choses (automobiles, habitations, entreprises), en cas de sinistre (incendie, accidents et risques divers, d'où son nom IARD) ;
– l'assurance responsabilité civile, assurance des victimes d'un préjudice.

La deuxième porte sur l'assurance vie-capitalisation qui consiste à verser un capital :
– soit au décès de l'individu (aux héritiers) ;

– soit à une date donnée à l'individu s'il est encore en vie, ce qui est une forme de retraite par capitalisation ;
– soit les deux.

Les compagnies d'assurance se transforment profondément à partir des années 1980 : progression de l'assurance des risques d'entreprise, nouvelles alliances menées avec les banques (« bancassurance ») et création d'une Europe de l'assurance.

⟶ *Assurance.*

ASYMÉTRIE INFORMATIONNELLE

Situation dans laquelle deux agents économiques, dans le cadre d'un rapport d'échange ou d'un rapport non marchand, disposent d'une inégalité d'information.

La nouvelle microéconomie s'intéresse aux conséquences de l'asymétrie d'information entre celui qui embauche et celui qui est embauché, entre l'assureur et l'assuré, entre le responsable et son subordonné…

⟶ *Agence, Nouvelle microéconomie.*

ATTITUDE

Au sens courant, manière de se comporter à l'égard de quelqu'un ou de quelque chose.
En sciences sociales : disposition acquise relativement stable tendant à orienter dans un champ donné (politique, culturel, éthique…) l'ensemble de ses conduites et de ses opinions. On parlera ainsi d'autoritarisme (ou d'anti-autoritarisme), d'agnosticisme (ou d'orientation religieuse).

Construites par les individus au cours de leur processus de socialisation, les attitudes constituent l'interface entre les stimulations auxquelles ils sont exposés et les réponses qu'ils produisent en retour.

Non observable directement (à la différence des conduites et des pratiques), l'attitude peut être appréhendée à travers ses manifestations externes et, en particulier, à partir d'une certaine cohérence des opinions formulées par l'individu. C'est dans ce cadre qu'ont été construites des échelles d'attitude visant à mesurer le degré d'adhésion à tel ou tel type d'attitude.

→ *Comportement, Habitus, Opinion publique.*

AUBRY (Loi)

→ *Réduction du temps du travail.*

AUDIT

Enquête d'évaluation des comptes, des méthodes et des procédures de gestion au sein d'une entreprise, ou de toute autre institution, afin de garantir à leurs destinataires la régularité et la sincérité des informations qui leur sont transmises (informations généralement destinées aux actionnaires, aux dirigeants, aux comités d'entreprise, aux banques, etc.).

Deux types d'audit sont à distinguer : l'audit externe et l'audit interne.

L'audit externe est pratiqué par des agents extérieurs à l'entreprise.

L'audit interne est pratiqué au sein des entreprises par un service spécialisé, rattaché, pour plus d'indépendance, directement à la direction générale.

Pour le secteur public en France (administrations, établissements publics, entreprises publiques...), deux institutions principales de vérification, l'Inspection des finances et la Cour des comptes, ont une fonction d'audit.

→ *Gestion.*

AUROUX (Lois)

Ensemble de quatre lois promulguées en 1982 et qui entendent « restaurer les droits individuels et collectifs des salariés dans l'entreprise ». Elles confirment parallèlement le pouvoir de la direction.

♦ La loi du 4 août concerne les libertés des travailleurs dans l'entreprise ; la loi du 28 octobre, le développement des institutions représentatives ; la loi du 13 novembre, les négociations collectives et la loi du 23 décembre, les conditions de travail.

Une des dispositions essentielles porte sur l'obligation de négocier, entre partenaires sociaux, les salaires, les classifications, le temps et l'aménagement du temps de travail.

Les lois Auroux apparaissent comme la plus importante conquête du mouvement syndical depuis la loi de 1968 sur la reconnaissance de la section syndicale d'entreprise.

→ *Convention collective, Participation, Syndicalisme.*

AUSTÉRITÉ (Politique d')

Politique économique privilégiant le retour aux « grands équilibres », c'est-à-dire la stabilité des prix, l'équilibre extérieur et l'équilibre du budget, par la maîtrise des coûts et la compression de la demande ; elle a des effets négatifs sur la production et l'emploi. Lorsqu'elle dure, elle peut faire basculer l'économie dans la déflation.

Sont également utilisés d'autres vocables : rigueur, freinage, refroidissement, stabilisation.

→ *Carré magique, Dévaluation, Politique économique.*

AUTARCIE

(du gr. *autarkeia*, d'*arkeîn* « se suffire » et *autos* « soi-même »)

Situation d'un pays en économie fermée qui cherche à satisfaire ses besoins sans recourir à des importations.

Parfois imposées par les crises et les guerres, ou considérées comme inévitables, les politiques d'autarcie en sont souvent le prélude : on passe ainsi de l'*autarcie de repliement*, nationale (par la substitution d'ersatz aux produits importés), à l'*autarcie d'expansion*, impériale, par la conquête de territoires riches en ressources. De telles stratégies ont été suivies par l'Italie, l'Allemagne et le Japon dans les années 1930.

➤ *Développement, Protectionnisme.*

AUTOCONSOMMATION

Consommation finale de biens ou de services par l'agent qui les a produits.

Le Système de Comptabilité nationale recense :
– *parmi les biens autoconsommés :* la production de biens agricoles et alimentaires par les ménages ; les travaux d'amélioration et d'entretien du logement principal par son occupant ;
– *parmi les services :* le service de logement que se rendent à eux-mêmes les ménages propriétaires du logement qu'ils occupent.

AUTOCRATIE

➤ *Pouvoir (Formes de).*

AUTOFINANCEMENT

Financement de l'investissement d'un agent économique grâce à son épargne pendant la période considérée. L'autofinancement des entreprises consiste en l'affectation des profits au financement de l'accumulation du capital ; l'épargne correspond aux ressources disponibles après paiement des matières premières, règlement de la rémunération du travail, et distribution à l'État (impôts), aux créanciers (intérêts) et propriétaires (dividendes).

La manière la plus courante d'exprimer, en Comptabilité nationale, le taux d'autofinancement, consiste dans le rapport entre l'épargne brute et l'investissement (formation brute de capital fixe + variations de stocks) :

Taux d'autofinancement =

$$\frac{EB}{(FBCF + \Delta \text{ stocks})} \times 100$$

Un taux d'autofinancement de 80 % signifie qu'en moyenne les entreprises recourent à un financement externe pour 20 % de leurs investissements. Il est clair que le taux d'autofinancement peut s'accroître grâce à une augmentation de l'épargne mais aussi en raison d'une baisse de l'investissement.

L'autofinancement est un mode de financement qui présente la caractéristique de maintenir l'autonomie des dirigeants de l'entreprise, qui ne sont dépendants ni de créanciers (comme dans le cas d'un crédit bancaire ou d'une émission d'obligations), ni de nouveaux actionnaires.

Ce mode de financement varie selon les pays : par exemple, les entreprises allemandes y recourent plus largement et sont donc moins endettées que les entreprises françaises.

Les ressources provenant des profits ne donnent lieu à aucun coût financier direct (ni intérêt, ni dividende) mais l'entreprise qui s'autofinance compare le rendement des fonds investis dans l'entreprise à celui des fonds placés sur les marchés de capitaux.

➤ *Comptabilité nationale, Épargne, Investissement, Profitabilité, Rentabilité.*

AUTOGESTION

Au niveau de l'entreprise : mode d'organisation dans lequel la gestion est assurée par l'ensemble du personnel, soit directement, soit par l'intermédiaire de représentants élus. Les salariés exercent collectivement la direction et la gestion de l'entreprise.

Considérée comme un idéal à atteindre par un certain nombre de partis politiques et de syndicats, l'autogestion peut dépasser le cadre de l'entreprise et s'étendre à la gestion des collectivités locales ou des services publics (écoles, transports, etc.).

Au niveau de l'ensemble de la société : le modèle le plus souvent cité est celui de l'ex-Yougoslavie où existaient, du moins formellement, l'appropriation collective des moyens de production et une coordination entre les différentes unités de production au moyen d'un plan souple.

→ *Socialisme.*

AUTOMATISATION ou AUTOMATION (anglicisme)

Contrôle automatique de la production.

Bien que ce concept date de 1947, ce sont les progrès réalisés dans les domaines de l'informatique et de la micro-électronique qui ont permis l'invention de machines programmées capables de contrôler leurs propres opérations. Aujourd'hui, les automates sont intégrés au sein de systèmes flexibles gérés par des ordinateurs.

Le robot constitue un exemple d'automatisation : il est capable de choisir en cours de fabrication les modes opératoires optimaux ; il contrôle le résultat

de son activité afin d'opérer d'éventuelles rectifications ; il réagit aux aléas et aux modifications de l'environnement qu'il détecte.

AUTORITÉ

1. Pouvoir, en général reconnu, d'imposer l'obéissance : l'autorité de l'État sur les citoyens, du souverain sur ses sujets, de l'Administration sur ses membres.
2. Les organes du pouvoir : l'autorité administrative, militaire ; souvent employé au pluriel : les autorités politiques et religieuses.

On distingue en général autorité et pouvoir, l'autorité connotant une certaine acceptation de la part des individus qui y sont soumis.

Max Weber distingue quant à lui la puissance (*Macht*) impliquant l'imposition d'une volonté « même contre des résistances » et la domination (*Herrshaft*) basée sur l'autorité d'un ordre ou d'un agent, impliquant un minimum d'obéissance associée à sa plus ou moins grande légitimité. Celle-ci peut reposer sur la tradition, le charisme ou encore la rationalité légale qui constituent les ressorts de différents types de domination.

→ *Bureaucratie, Charisme, Domination, État, Pouvoir.*

AVANTAGE (absolu, comparatif)

Pour *Smith*, tout pays a intérêt à se spécialiser dans les productions pour lesquelles il dispose d'un *avantage absolu*, c'est-à-dire dont les coûts de production sont inférieurs à ceux de tous les autres pays. C'est la loi dite de l'avantage absolu.

Chaque pays se spécialisant ainsi, la production mondiale est optimale (partout réalisée au coût le plus bas) et chaque pays, en important de ceux qui produisent au plus bas prix, complète à son avantage sa propre production. Cette vision optimiste d'Adam Smith appelle une réserve : comment un pays aux coûts supérieurs pour tous les produits équilibrerait-il ses échanges puisqu'il n'aurait rien à vendre ?

> *Ricardo* tient compte de cette objection en proposant une autre explication de la division internationale du travail. Selon lui, chaque pays se spécialise dans les produits pour lesquels il dispose d'un avantage relatif, c'est-à-dire là où l'avantage est le plus grand, ou bien là où le désavantage est le moindre ; de plus, dans ce cas, tous les participants au commerce mondial y gagnent. C'est la loi dite des avantages comparatifs, relatifs ou comparés.

Ricardo prend l'exemple de l'Angleterre et du Portugal et suppose que celui-ci a des coûts en travail inférieurs aussi bien dans le drap que dans le vin (avantages absolus). Bien qu'avantagé partout, le Portugal a un avantage plus grand dans le vin que dans le drap (avantage relatif : comparaison interne au Portugal) et aura donc intérêt à se spécialiser dans le vin et à importer du drap d'Angleterre ; celle-ci, ayant un avantage plus important dans le drap que dans le vin (avantage relatif : comparaison interne à l'Angleterre), aura intérêt à se spécialiser dans le drap et à

importer du vin. Pourquoi ce paradoxe d'un Portugal quand même gagnant dans l'échange ? Parce que, désormais, ses travailleurs du drap, reconvertis, pourront produire en vin de quoi obtenir par échange externe, si le prix international du vin reste dans certaines limites, plus de drap qu'ils n'en produisaient auparavant en autarcie.

La loi des *avantages comparatifs* affirme en effet que la spécialisation et l'échange procurent un gain mutuel en quantité, dès lors que le rapport d'échange externe (termes de l'échange nets ou prix relatifs des exportations aux importations) s'établit entre les bornes extrêmes des prix relatifs internes propres à chaque pays avant spécialisation.

> ♦ Ce plaidoyer pour le libre-échange repose sur des hypothèses qui ont été contestées : capital et travail sont supposés immobiles d'un pays à l'autre, ce qui revient à nier les migrations de travailleurs et l'investissement international. Quant à la mobilité interne des facteurs, qui suppose que les travailleurs du textile et de la viticulture soient interchangeables, elle a un coût social et économique non négligeable.

──→ *Division internationale du travail (DIT), Hecksher-Ohlin-Samuelson (Théorème HOS), Ricardo ; Annexe 5.*

AVOIR FISCAL

> Montant qu'un actionnaire peut déduire, en tant que contribuable, de l'impôt sur le revenu ou sur les sociétés. Il correspond à une part des dividendes perçus dans l'année.

BABY BOOM

(terme américain, signifiant « reprise des naissances », « explosion des naissances »)

Forte croissance de la natalité qui a pris place dans le monde développé après la Seconde Guerre mondiale et qui a duré jusqu'au milieu des années 1960.

Le taux brut de reproduction, qui était de 2 enfants par femme avant la guerre, est passé à 2,92 entre 1946 et 1950. Il se stabilise ensuite à des niveaux élevés (2,6 à 2,7 enfants par femme). Le mouvement de baisse de la fécondité commence à partir de 1965, mais ses effets sur la natalité seront masqués jusqu'en 1973 par l'arrivée à l'âge de la fécondité des générations d'après la guerre.

⟶ *Fécondité, Natalité.*

BALANCE DES PAIEMENTS

Document statistique et comptable dont la présentation, la structure, permettent d'enregistrer pour un pays, en les classant, l'ensemble des flux réels, monétaires et financiers correspondant aux échanges « internationaux » entre les résidents et les non-résidents, pour une période donnée. La balance des paiements (BP), toujours globalement équilibrée par construction, dégage des soldes intermédiaires, plus ou moins déficitaires ou excédentaires, dont l'interprétation prend une grande place dans l'analyse économique (problème de l'équilibre extérieur).

Un système harmonisé récemment réformé

Depuis janvier 1996, un changement est intervenu dans la présentation de la balance des paiements afin de la mettre en conformité avec les règles du 5e manuel de balance des paiements du Fonds monétaire international. La balance des paiements n'est pas celle de l'État mais celle de la Nation, c'est-à-dire de l'ensemble des agents qui résident sur son territoire (dont l'État…). Elle est élaborée par la Banque centrale à partir de deux sources de données : bancaires (ensemble des règlements entre résidents et non-résidents) et douanières (enregistrement des flux transfrontaliers de biens et services).

Les principes généraux de l'enregistrement comptable en partie double

Obéissant au principe de la comptabilité en partie double, la balance des paiements enregistre chaque opération au moyen de

BALANCE DES PAIEMENTS – FRANCE 2001
(soldes en millions d'euros)

1.1. Biens	3 784	
Marchandises générales	3 518	
Autres biens (Avitaillement, Travail à façon et réparations)	266	
1.2. Services	19 926	
Transports	928	
Voyages	13 624	
Services de communication	66	
Services de construction	1 344	
Services d'assurances	294	
Services financiers	– 415	
Services d'informatique et d'information	167	
Redevances et droits de licence	800	
Autres services aux entreprises (Négoce internat., Locations…)	4 267	
Services personnels, culturels et récréatifs	– 700	
Services des administrations publiques	– 449	
1.3. Revenus	16 587	
Rémunérations des salariés	8 190	
Revenus d'investissements (In. directs, de portefeuille, autres)	8 397	
1.4. Transferts courants	– 16 556	
Secteur des administrations publiques	– 9 783	
Autres secteurs (Envois de fonds des travailleurs, Autres transf.)	– 6 773	
2.1. Transferts en capital	– 183	
2.2. Acquisitions d'actifs non financiers (Brevets)	– 147	
3.1. Investissements Directs	– 33 740	
Français à l'étranger (Capital social, Bénéfices réinvestis…)	– 92 547	
Étrangers en France (Capital social, Bénéfices réinvestis…)	58 806	
3.2. Investissements de portefeuille	20 989	
3.2.1. Avoirs (résidents sur titres émis par des non-résidents)	– 93 017	
Actions et titres d'OPCVM	– 19 252	
Obligations et titres assimilés	– 62 631	
Instruments du marché monétaire	– 11 134	
3.2.2. Engagements (non-résidents sur titres émis par résidents)	**114 006**	
Actions et titres d'OPCVM	12 196	
Obligations et titres assimilés (dont valeurs du Trésor : OAT…)	93 647	
Instruments du marché monétaire	8 163	
3.3. Autres investissements	– 23 291	
3.3.1. Avoirs	**– 61 494**	
Crédits commerciaux	744	
Prêts (Autorités monétaires, Administrations publiques, Secteur bancaire…)	– 62 207	
Autres avoirs	– 31	
3.3.2. Engagements	**38 203**	
Crédits commerciaux	– 800	
Prêts (Autorités monétaires, Administrations publiques, Secteur bancaire…)	39 003	
Autres engagements	…	
3.4. Produits financiers dérivés	2 784	
Autorités monétaires	…	
Administrations publiques	…	
Institutions monétaires et financières	2 784	
Autres secteurs	…	
3.5. Avoirs de réserve	5 763	
Or	…	
Avoirs en Droits de tirage spéciaux	– 90	
Position de réserve au FMI	– 1 030	
Devises étrangères	6 883	
Créances sur la BCE	…	
4 - Erreurs et omissions nettes	4 084	
5 - TOTAL GÉNÉRAL 4 644 461 – 4 644 461 =	0	

Colonnes latérales :

- 1 - Compte de transactions courantes 23 741 M d'euros
- 2 - Cpte de capital – 330 M d'euros
- 3 - Compte financier – 27 496 M d'euros

- Solde des transactions courantes
- Solde du compte des transactions courantes et du compte de capital = capacité ou besoin de financement de la nation
- Solde à financer
- Solde des flux financiers hors avoirs de réserve
- La position extérieure = variation du patrimoine financier vis-à-vis du reste du monde
- Variations des avoirs de réserve bruts

deux écritures comptables. En effet, toute opération (importation, exportation, prêt, placement en titres, don, etc.) donne lieu à un règlement d'une manière ou d'une autre (par emprunt, utilisation d'avoirs en banque, vente de titres, augmentation d'avoirs en devises, etc.). Aussi enregistre-t-on une première fois l'opération comme flux, comme transaction, et, une deuxième fois, avec *inversion de signe*, son règlement. Si la « transaction » a été enregistrée en crédit — et c'est le cas si elle correspond à un paiement au profit d'un résident — alors la seconde écriture, correspondant au « règlement », sera portée en débit pour un montant identique. Par exemple, une exportation (première écriture, en crédit, dans le *Compte des Transactions courantes* au titre des *Biens*) aura pu entraîner une augmentation des *Avoirs de réserves* (deuxième écriture dans le poste *Devises étrangères* : en débit). Idem pour un crédit commercial : un résident, en prêtant, achète en fait la créance d'un débiteur non résident (écriture en débit) et le règlement de cet achat donne lieu à une deuxième écriture (en crédit).

De ce principe d'enregistrement comptable découle le nécessaire équilibre de la balance des paiements dans son ensemble. Aussi, lorsqu'il est question d'excédent ou de déficit de la balance des paiements, est-ce une approximation de langage : seuls des soldes, des balances intermédiaires peuvent être déséquilibrés.

La nouvelle structure de la balance des paiements

Elle fait apparaître trois comptes (Compte des Transactions courantes, Compte de capital, Compte financier), plus un titre 4 : Erreurs et omissions nettes. S'alignant sur les principes de la Comptabilité nationale, la nouvelle présentation permet de recenser trois grands types d'opérations : celles sur biens et sur services (titre 1), les opérations de répartition (titres 1 et 2), les opérations financières (titre 3).

La délicate interprétation des déficits et des excédents

Tout excédent d'un solde intermédiaire n'est pas par nature « bon » et tout déficit « mauvais ». Il convient d'analyser la signification des flux dont ils résultent et l'équilibre d'ensemble qu'ils peuvent former. Quelques exemples : une nation peut avoir un déficit commercial explicable par une forte croissance et une dépendance énergétique, sans que soit en cause sa compétitivité ; ce déficit commercial peut être plus que compensé par un excédent des services (notamment informatiques), signe d'un dynamisme sur des marchés porteurs ; un excédent des transactions courantes peut être le symptôme d'une croissance « molle » qui, en limitant les importations, correspond à un équilibre « par le bas » ; le déficit du compte financier peut correspondre au dynamisme externe du capitalisme national (IDE des FMN nationales, qui généreront ultérieurement des rapatriements de profits, au titre des revenus d'investissements, dans la balance des transactions courantes) ; un excédent du compte financier, s'il provient de capitaux flottants (beaucoup d'investissements de portefeuille sont de cette nature), peut tout droit conduire à un reflux brutal (effet « tequila » au Mexique en 1994).

→ *Commerce extérieur, Comptabilité nationale, Contrainte extérieure, Dévaluation, Élasticité, Équilibre extérieur, Fonds monétaire international (FMI), Mundell (Triangle d'incompatibilité de), Mundell Fleming (Modèle de), Parité de pouvoir d'achat (PPA), Politique de change, Réserves de change, Système monétaire international (SMI).*

BALANCE DES PAIEMENTS (Soldes de la)

Principaux soldes agrégés, tirés de la balance des paiements, et particulièrement significatifs pour l'analyse des relations économiques d'un pays avec l'extérieur.

Neuf principaux soldes sont désormais calculés aux fins d'analyse. Six soldes mensuels de la balance des paiements, et trois soldes tirés de la position extérieure (cf. tableau de la balance des paiements p. 33).

Soldes tirés de la balance des paiements :

– le *solde du compte des transactions courantes* : il comprend notamment le solde des biens et services (balance commerciale au sens large) ;

– le *solde du compte des transactions courantes et du compte de capital* : il indique, par approximation, la capacité ou le besoin de financement de la nation, DOM-TOM inclus ;

– le *solde des flux financiers hors avoirs de réserve* : il regroupe tous les flux financiers quelle qu'en soit l'échéance ;

– la *variation des avoirs de réserve bruts* : un signe + correspond à une diminution des réserves de change de la Banque de France ;

– le *solde de la balance globale ou création monétaire induite par l'extérieur* (non représenté dans le tableau) : il comprend le compte des transactions courantes, le compte de capital, les investissements directs des « autres secteurs » (ménages, SQS, institutions financières non monétaires), les flux financiers du secteur des administrations publiques, les flux financiers des « autres secteurs », les erreurs et omissions. Par construction, il est égal à sa contrepartie : les flux financiers à court terme et à long terme du secteur bancaire et de la Banque centrale ; il indique le financement monétaire de la balance des paiements (voir *infra* la position monétaire extérieure) ;

– le *solde à financer* : il se substitue à l'ancienne balance de base, en excluant les investissements de portefeuille.

Soldes tirés de la position extérieure :

– la *position extérieure* : elle indique la variation du patrimoine financier de la nation vis-à-vis du reste du monde ;

– la *position monétaire extérieure* ou contrepartie « extérieur » approchée de M3 (non représenté) : elle comprend la position à court terme et à long terme du secteur bancaire (titres et investissements directs inclus) et la position à court terme de la Banque centrale. La variation de ce stock, après correction du flottement des monnaies, est égale au solde de la balance globale ;

– les *éléments mensuels de la position monétaire extérieure*, à court terme (non représenté) : il comprend la position à court terme du secteur bancaire et de la Banque centrale.

BALANCES (dollar, sterling, etc.)

Ensemble des avoirs monétaires détenus par des non-résidents à l'extérieur d'un pays et qui constitue une dette pour ce dernier.

BALANDIER (Georges)

Ethnologue et sociologue français né en 1920. Auteur de travaux importants sur les transformations des sociétés africaines accompagnant la décolonisation et la formation de l'État national. C'est à travers ces études que G. Balandier forge les instruments d'une socio-anthropologie des dynamiques sociales.

♦ Ouvrages principaux : *Sociologie actuelle de l'Afrique noire* (1955) ; *Sens et Puissance, les dynamiques sociales* (1971) ; *Anthropologiques* (1974).

BANCAIRE (Loi, 1984)

⟶ *Banques (Loi bancaire de 1984).*

BANKING SCHOOL, BANKING PRINCIPLE

⟶ Currency school/Currency principle.

BANQUE

> Institution financière qui collecte des ressources monétaires et des ressources d'épargne et qui participe au financement de l'économie par le crédit et l'acquisition de titres.

L'« intermédiation » pratiquée par les banques a trois implications. D'une part, les banques peuvent pratiquer la « transformation », leurs ressources, en particulier les dépôts, étant globalement plus courtes que leurs emplois (crédits longs pour l'investissement). D'autre part, les banques interviennent dans la mutualisation des risques, en associant dans leurs actifs de multiples engagements, les pertes sur les débiteurs défaillants étant compensées par les rentrées sur les autres. Enfin, elles jouent un rôle exclusif dans la création et dans la circulation de la monnaie scripturale.

> *Les banques et la circulation de la monnaie :*
> 1. La monnaie en circulation : un passif pour les banques.

Les agents économiques, entreprises et ménages, détiennent des dépôts dans les banques qu'ils peuvent utiliser pour régler leurs dettes par jeu d'écriture. Cette monnaie scripturale fait partie des ressources des banques, de leur passif, elle constitue en quelque sorte une « dette » des banques à l'égard de leur clientèle.

♦ Ainsi la monnaie scripturale détenue dans les banques figure à leur passif et les billets en circulation au passif du bilan de la *Banque de France*.

> 2. Les banques assurent la circulation de la monnaie scripturale grâce aux moyens de paiements.

Les banques sont donc de nos jours chargées d'assurer la circulation de la monnaie scripturale. En effet, à l'inverse de la monnaie manuelle (billets, pièces) qui est transférée physiquement et directe-

ment entre les agents économiques, le transfert de monnaie scripturale suppose une intervention des banques.

♦ Il existe aujourd'hui un grand nombre de moyens de paiements scripturaux, en particulier :
– le chèque qui est le plus répandu mais dont le traitement par la banque de l'émetteur et celle du bénéficiaire entraîne un coût que les banques essaient de réduire ; elles envisagent de faire payer les chèques et d'encourager d'autres formes de paiement ;
– le virement qui se fait à l'initiative du débiteur (par exemple, l'employeur) et dont une grande partie est automatisée : les virements liés au versement de salaires pour de nombreuses entreprises ;
– l'autorisation de prélèvements, qui s'opèrent à l'initiative du créancier (PTT, EDF...) et qui peuvent aussi être automatisés ;
– les règlements par carte de plus en plus utilisés.

Ces opérations de gestion de la monnaie constituent pour les banques une partie importante de leur activité qui leur apporte des ressources tout en occasionnant des coûts sur lesquels elles font pression par des innovations technologiques ou en faisant payer ces services.

> *Les banques et le financement monétaire de l'économie :* les banques participent au processus de création de monnaie ; prenons l'exemple d'un découvert bancaire. Le crédit va se traduire par l'acquisition d'une créance par la banque et, en contrepartie, le compte du bénéficiaire à la banque est crédité. Le crédit est ainsi à l'origine de la création de monnaie.

♦ Soit deux opérations de crédit, la première est effectuée par un agent (B) au profit d'un autre agent (A), la deuxième par une banque (Bq) au profit d'un agent (A).
Opération de crédit sans création de monnaie, par transfert de signes monétaires existants :

Bilan de A

ACTIF	PASSIF
Avoir bancaire	Dette
+ 1 000	+ 1 000

Bilan de B

ACTIF	PASSIF
Créance + 1 000	
Avoir bancaire	
− 1 000	

Dans ce cas, les signes monétaires mis à la disposition de A sont prélevés sur l'avoir de B.

Opération de crédit par création de signes monétaires nouveaux :

Bilan de A

ACTIF	PASSIF
Avoir bancaire	Dette
+ 1 000	+ 1 000

Bilan de Bq

ACTIF	PASSIF
Créance	Dépôt de A
+ 1 000	+ 1 000

Dans ce cas, les signes monétaires mis à la disposition de A sont créés par la banque.

On peut envisager maintenant un cas plus complexe et plus proche de la réalité dans lequel les banques ont, pour financer les crédits, des ressources qui proviennent de dépôts (ressources monétaires) et d'émissions d'obligations (emprunts, recours à l'épargne) :

Bilan de Bq

ACTIF	PASSIF
Créances	Dépôts + 600
+ 1 000	Emprunts + 400

Bien évidemment, cette émission de monnaie peut donner lieu à des « fuites » lorsque les détenteurs de monnaie demandent des billets, règlent des dettes au Trésor ou à des clients d'autres banques ou bien achètent des devises. C'est la raison pour laquelle les banques se portent sur le marché monétaire pour acquérir (ou céder) des liquidités (sous forme de monnaie Banque de France et qu'elles se refinancent auprès de la Banque de France). En outre, elles sont soumises aux règles posées par les autorités monétaires dans le cadre de la politique moné-

taire : réescompte, réserves obligatoires, encadrement du crédit.

> *Les banques et le crédit* : lorsque les banques accordent des crédits, elles tiennent compte de certaines considérations.

Ces considérations sont de trois types :
– des considérations de *risque d'insolvabilité de l'emprunteur* ; c'est la raison pour laquelle elles cherchent à calculer au mieux ces risques, elles constituent des provisions et prennent des garanties ;
– des considérations de *liquidité* : une banque doit pouvoir faire face à des demandes de remboursement de ses créanciers et c'est ce type de contrainte qui peut freiner le processus de « transformation », processus par lequel les banques financent par des ressources courtes des emplois longs ;
– des considérations de *rentabilité* qui les incitent à financer de façon privilégiée des projets à rendement élevé.

On remarque tout d'abord, à l'actif comme au passif, l'importance des opérations interbancaires.

Au niveau des ressources, on remarque :
– l'importance des dépôts ;
– le niveau faible des fonds propres qui proviennent de l'apport en capital des actionnaires ou de l'autofinancement ;
– le recours des banques au marché obligataire.

Au niveau des emplois :
– les banques font des opérations de crédit ;
– elles font des opérations de placement et des prises de participation.

Du fait de la désintermédiation, les banques ont réorienté leur activité vers les marchés en prenant trois directions. D'une part, elles interviennent pour leur propre compte sur les marchés financiers pour collecter des ressources (par émission de titres) et pour opérer des placements (acquisition de titres). D'autre part, elles participent à la création d'OPCVM (SICAV et fonds communs de placement) qui drainent les fonds des ménages et des entreprises qui s'adressent aux marchés de titres. Enfin, les banques accompagnent leur clientèle dans leurs opérations financières, qu'il s'agisse de l'émission de titres ou de la gestion de portefeuille.

→ *Désintermédiation, Économie d'endettement de marchés financiers, Intérêt/taux d'intérêt, Intermédiation, Monnaie, Politique monétaire.*

BANQUE CENTRALE
(Banque des banques)

Institution financière de premier rang au sein d'un système bancaire hiérarchisé. Ses fonctions principales sont l'émission de la monnaie fiduciaire, l'orientation de la politique monétaire et de la politique de change, la régulation et le contrôle des banques de second rang, le rôle de prêteur en dernier ressort.

L'État octroie généralement à la Banque centrale le monopole d'émission de la monnaie fiduciaire (pièces et billets). Pour acquérir cette monnaie fiduciaire, régler les opérations qu'elles effectuent entre elles, détenir des réserves de monnaie centrale, libres ou obligatoires, les banques de second rang ouvrent des comptes auprès de la Banque centrale, ce qui fait de celle-ci la banque des banques. Cette dépendance des banques en manque de liquidités permet à la Banque centrale de contrôler indirectement la création de monnaie scripturale en agissant sur le coût du refinancement (emprunt par les banques de monnaie centrale en contrepartie de titres qu'elles déposent en garantie), c'est-à-dire sur les taux d'intérêt directeurs pratiqués sur le marché monétaire. Cette action sur les taux d'intérêt a une incidence sur le taux de change qui peut être amortie ou accentuée par des interventions directes sur le marché des changes (achat ou vente de devises contre monnaie nationale, entre autres). La Ban-

que centrale édicte également des règles prudentielles (respect de ratios de liquidité et de solvabilité) et contrôle leur application afin de garantir la solidité du système bancaire. En situation de crise, elle joue le rôle de prêteur en dernier ressort en apportant des liquidités à des banques que leur insolvabilité condamnerait à la faillite (avec des effets en chaîne comme il y en eut lors de la crise de 1929). Beaucoup de banques centrales, dont la Banque de France et la Banque Centrale Européenne (BCE), sont désormais indépendantes de l'État, ce qui signifie qu'elles décident de l'orientation de la politique monétaire pour atteindre les objectifs que leur fixe la loi, par exemple la stabilité monétaire (lutte contre l'inflation), même si cette orientation contrarie la politique économique souhaitée par le gouvernement.

→ *Banque centrale européenne (BCE), Banque de France, Politique monétaire.*

BANQUE CENTRALE
EUROPÉENNE (BCE)

Banque centrale, dont le siège est à Francfort, chargée, depuis 1999, de la gestion de la monnaie unique européenne, l'euro.

Les organes dirigeants de la Banque centrale européenne (BCE) et du Système européen de banques centrales (SEBC) sont indépendants : ainsi, les membres de la BCE ont un mandat long (huit ans) et non renouvelable et ni les autorités nationales, ni les organes européens, Conseil des ministres et Commission, ne peuvent leur imposer des orientations. Il est fixé aux autorités monétaires européennes un objectif, primant sur tous les autres, celui de la stabilité des prix. Les instruments utilisés pour *la régulation monétaire* sont, de façon classique, les réserves obligatoires et, pour *l'intervention sur le marché monétaire,* les taux d'intérêt.

→ *Europe communautaire (union monétaire).*

BANQUE DE FRANCE

Banque centrale française, créée en 1800, nationalisée en 1945, indépendante du gouvernement depuis 1993, désormais intégrée au Système européen de banques centrales (loi du 12 mai 1998) ; elle assure, au même titre que les autres banques centrales nationales de la zone Euro, la mise en œuvre des décisions prises par le Conseil des gouverneurs de la Banque Centrale européenne (BCE), émet et gère la monnaie fiduciaire, réglemente et surveille le système bancaire.

Depuis le passage à l'Euro en 1999, la Banque de France a perdu la maîtrise de la politique monétaire, désormais de la responsabilité de la Banque Centrale Européenne. Elle applique les décisions de celle-ci, mais conserve un certain nombre de missions, notamment celles qui sont liées à sa fonction de banque des banques.

La Banque de France tient les comptes des banques françaises de second rang, surveille leurs réserves obligatoires, exécute les opérations d'apport et de retraits de liquidités décidées par la BCE, notamment dans le cadre de sa politique d'open market. L'une de ses missions est également de veiller au respect par les banques françaises de règles prudentielles (ratios de solvabilité et de liquidité) destinées à éviter des faillites bancaires qui entraîneraient une crise monétaire.

La Banque de France rend des services à l'État : elle tient le compte courant du Trésor, participe à la gestion de la dette publique, publie la balance des paiements. Toutefois, depuis 1993, il lui est interdit d'accorder des avances au Trésor public, à un organisme ou une entreprise publics ; de ce point de vue, elle n'est plus la banque de l'État.

→ *Banque, Banque centrale, Changes (Marché des), Marché monétaire, Monnaie, Politique monétaire, Union monétaire.*

BANQUE DES RÈGLEMENTS INTERNATIONAUX (BRI)

Institution financière internationale (siège : Bâle) ayant pour vocation essentielle de développer la coopération entre Banques centrales des principaux pays industriels.

Outre son capital propre, elle reçoit en dépôt une partie de leurs liquidités et leur consent des avances en cas de besoin. La BRI se voit confier des missions très diverses : dans les années 1960, elle contribue au fonctionnement du pool de l'or ; elle assure le secrétariat du FECOM, etc. En dehors de ces activités et de ces missions, elle est un centre permanent de concertation entre Banques centrales pouvant déboucher éventuellement sur la coordination de leurs interventions sur les marchés des changes. Enfin, la BRI suit attentivement l'évolution des marchés financiers internationaux et organise la compensation.

La BRI est la plus ancienne institution financière de statut international : elle fut créée en 1930 dans le même esprit avec pour objectif immédiat la charge d'administrer le règlement des dettes allemandes consécutives à la Première Guerre mondiale.

BANQUE MONDIALE (BIRD : Banque internationale pour la reconstruction et le développement)

Institution financière internationale, conçue à Bretton Woods en 1944, et destinée à promouvoir par son aide financière et technique le développement économique des pays membres et plus particulièrement des pays en voie de développement.

L'appellation « Banque mondiale » ou « Groupe de la Banque mondiale » désigne en fait trois institutions : la BIRD proprement dite, fondée en 1945, l'AID,

Association internationale pour le développement, fondée en 1960, dont les prêts sont réservés aux pays les plus pauvres, et la SFI, Société financière internationale, fondée en 1965 et spécialisée dans le financement des entreprises privées.

Après avoir prêté aux pays européens pour leur reconstruction, la BIRD s'est consacrée à financer les projets productifs des PED.

La BIRD est ouverte à tout État, membre du FMI. Elle compte aujourd'hui plus de 150 États membres.

Les ressources de la BIRD sont constituées de son propre capital (45 milliards de dollars), des obligations qu'elle émet sur les marchés des capitaux, de la vente de ses titres de prêt, des remboursements. Les principaux souscripteurs sont l'Allemagne, les États-Unis, le Japon, la Suisse, les pays de l'OPEP et les Banques centrales d'une centaine de pays.

De par ses statuts, elle ne peut financer que des projets productifs destinés à stimuler la croissance ; les prêts ne peuvent être consentis qu'à des États ou à des organismes ayant reçu la garantie de l'État ; les prêts doivent être octroyés en fonction de considérations purement économiques, la nature politique du régime (dictature, etc.) n'est pas prise en compte.

Les prêts sont généralement à long terme (15-20 ans). Ils ne représentent environ que le tiers du financement du projet et ils sont consentis à des taux légèrement inférieurs aux taux du marché international ; ils jouent ainsi un rôle d'impulsion dans la réalisation des projets. Ils sont l'occasion d'une assistance technique. Enfin, ils ne sont assortis d'aucune condition d'achat d'équipements dans un pays donné : l'aide est donc multilatérale non liée. La stratégie de développement sous-jacente a été longtemps industrialiste : grands équipements industriels, grands équipements d'infrastructure. Depuis les années 1980, la BIRD s'attache davantage à financer les investissements qui peuvent améliorer le bien-être des populations.

La crise de la dette des pays du Tiers monde, au cours de la décennie 1980, a conduit la BIRD, en liaison avec le FMI, à financer des programmes de prêts à l'ajustement structurel : financement des réformes économiques devant permettre le retour à l'équilibre des paiements extérieurs.

La BIRD publie chaque année un *Rapport sur le développement dans le monde*, qui est une mine d'analyses et de statistiques.

➤ *AID, Fonds monétaire international (FMI), Tiers monde.*

BANQUE EUROPÉENNE DE RECONSTRUCTION ET DE DÉVELOPPEMENT

➤ *BERD.*

BANQUES (Loi bancaire de 1984)

Depuis cette loi, un cadre juridique commun définit les « établissements de crédit » comme l'ensemble des personnes morales qui effectuent à titre de profession habituelle des opérations de banque, ces opérations comprenant la réception de fonds du public, les opérations de crédit, ainsi que la mise à la disposition de la clientèle, ou la gestion, de moyens de paiements.

Quatre catégories d'établissements de crédit sont définies :
– deux types d'établissements peuvent recevoir des dépôts à vue et à moins de deux ans : les *banques proprement dites*, anciennes banques de dépôts et banques d'affaires ; les *banques mutualistes* ou coopératives et les caisses d'épargne ;
– deux types d'établissements ne peuvent recevoir de dépôts à moins de deux ans qu'à titre accessoire : les *sociétés financières* (par exemple, sociétés de crédit-bail) ; les *institutions financières spécialisées* habilitées à réaliser des missions spécifiques confiées par l'État.

◆ Ce nouveau cadre juridique remet en cause :
– la distinction entre banques de dépôts (ressources monétaires, c'est-à-dire courtes, et crédits courts) et banques d'affaires (ressources longues et emplois longs) qui a marqué la période 1945-1965 ;
– la distinction entre « banques inscrites » (soumises au contrôle du Conseil national du crédit) et « banques à statut légal spécial » (banques mutualistes : Crédit agricole, Crédit mutuel, banques coopératives).

BARRIÈRE À L'ENTRÉE

Obstacle rendant difficile ou impossible l'entrée sur un marché pour un nouvel intervenant. Cet obstacle provient en général des offreurs.

Cet obstacle peut être de nature juridique (limitation de l'accès à une profession ou une activité : monopole d'État, profession protégée telle que celle de pharmacien), économique et financière (lorsque l'accès à un marché suppose un volume de capital important en raison d'économies d'échelle) ou technologique (lorsque l'accès à un marché suppose la maîtrise d'une technologie difficilement accessible) ou autre (manœuvre de dissuasion à l'égard du candidat à l'entrée sur le marché). L'absence de barrières à l'entrée (libre entrée) est l'une des conditions de la concurrence pure et parfaite ; de même, dans le cas des marchés contestables, la libre entrée et la libre sortie font peser sur les entreprises en place une menace qui les empêche d'avoir des profits excessifs.

→ *Concurrence pure et parfaite, Économies d'échelle, Marchés contestables (Théorie des).*

BARRIÈRES NON TARIFAIRES

Au sens large : ensemble des mesures protectionnistes autres que les tarifs douaniers. Les BNT incluent ce faisant les classiques restrictions quantitatives telles que les prohibitions, les contingentements et les accords d'autolimitation.

Ces instruments, largement utilisés avant la Seconde Guerre mondiale, ont été condamnés par les accords du GATT. Délaissés pendant les années de forte croissance, ils sont — à l'exception des prohibitions — de nouveau utilisés de façon non négligeable depuis le premier choc pétrolier.

Dans un sens plus précis, correspondant aux tendances actuelles : pratiques indirectes, plus ou moins avouées, ayant pour effet, au-delà des justifications officielles, de limiter voire d'interdire *de facto* les importations de biens et services étrangers.

Parmi les plus usuelles, citons :
– les normes techniques et industrielles destinées à garantir la qualité des produits et leur sécurité ;
– les normes sanitaires (parfois largement arbitraires) pour les produits agricoles ;
– des procédures administratives tatillonnes pouvant décourager les exportateurs (par exemple, l'épisode des magnétoscopes devant être dédouanés à Poitiers, en 1982) ;
– des marchés publics fermés explicitement ou non aux entreprises étrangères.

→ *Europe (union ou intégration économique).*

BASE MONÉTAIRE

Monnaie Banque centrale détenue par les banques sous forme de billets ou d'avoir à la Banque centrale.

Il existe une relation entre la base monétaire et la masse monétaire. Mais du point de vue de la théorie et de la politique économique, se pose la question du sens de la causalité : si les variations de la base monétaire déterminent le niveau de la masse monétaire, alors la Banque centrale peut réguler la masse monétaire par action sur la base monétaire. Si l'approvisionnement en monnaie Banque centrale dérive de la masse monétaire, la Banque centrale doit agir par d'autres moyens (action sur la demande de crédit par les taux d'intérêt par exemple).

→ *Masse monétaire/Agrégats monétaires et placements financiers, Monnaie, Multiplicateur monétaire (de crédit), Politique monétaire.*

BASSIN D'EMPLOI

Marché local du travail, disposant d'une certaine autonomie et recouvrant une zone géographique où les individus peuvent changer de travail sans changer de résidence et où les entreprises trouvent la main-d'œuvre nécessaire, en quantité et en qualité, pour occuper les emplois qu'elles procurent.

Cette notion, créée au début des années 1970, a soulevé de nombreuses controverses. Elle a été utilisée par l'Administration lors de la création des « *Comités de bassin d'emplois* », en 1981, qui associent les instances locales et régionales et les partenaires sociaux dans le but d'étudier et de promouvoir l'emploi local.

→ *Segmentation du marché du travail.*

BCE (Banque centrale européenne)

→ *Euro, Europe communautaire (union monétaire).*

BECKER (Gary)

Économiste américain (né en 1930), associé à l'école néo-libérale de Chicago, connu pour avoir développé la « théorie du capital humain » pour laquelle il a reçu le prix Nobel en 1992.

Becker donne une très large extension à l'axiomatique néo-classique. Il entend rendre compte de l'ensemble des comportements humains à partir de la rationalité instrumentale des agents.

♦ Ouvrages principaux : *Human Capital* (1964) ; *The Economic Approach to Human Behavior* (1976) ; *A Treatise on the Family* (1981).

→ *Capital humain, École de Chicago (sciences économiques), Étiquetage, Individualisme méthodologique ; Annexe 24, Annexe : Prix Nobel d'économie.*

BECKER (Howard S.)

Sociologue (né en 1928), c'est une des figures marquantes de l'interactionnisme américain.

Auteur de plusieurs travaux de sociologie de l'éducation et du travail, il est surtout connu en France par ses études rassemblées dans *Outsiders* (1963) dans lesquelles il a contribué à renouveler l'approche sociologique de la déviance.

N.B. : ne pas confondre avec Gary Becker, économiste.

→ *Déviance, Interactionnisme.*

BÉHAVIORISME

(de l'angl. *behaviour* « conduite, comportement »)
Doctrine d'après laquelle la psychologie scientifique doit se limiter à l'étude expérimentale du comportement de l'individu dans son milieu physique et humain, sans recours à l'introspection ou à la « vie psychique intérieure ». On parle parfois de *béhaviorisme social* pour désigner une démarche sociologique s'inspirant de ces préceptes.

BÉNÉFICE

Expression comptable du gain ou du profit.

→ *Comptabilité d'entreprise, Profit.*

BERD (Banque européenne de reconstruction et de développement)

Banque internationale publique, créée à l'initiative de la France et de la

Communauté européenne, et destinée à financer tout projet public ou privé contribuant au passage, en Europe de l'Est, d'une économie centralisée à une économie de marché.

Sa création a été décidée en décembre 1989 et elle est entrée en fonction en avril 1991. Son siège est à Londres. Son capital est souscrit par les pays capitalistes développés et par les pays bénéficiaires de l'Europe de l'Est : 8,5 % pour chaque grand de la CE, 8,5 % pour le Japon, 8,5 % pour les États-Unis ; participent également les pays de l'AELE et le Canada. Les pays bénéficiaires des prêts se voient attribuer 15 % du capital (8,5 % pour la CEI). La banque a défini des plans stratégiques pour chacun des pays de l'Est et pour chaque secteur clé (énergie, distribution, etc.). Proche en cela d'une banque d'affaires, elle sélectionne les projets à financer sur des critères de rentabilité mais sans négliger le financement des équipements publics.

Ses principales interventions consistent en conseils aux privatisations, financements d'entreprises privées, modernisations des infrastructures, assistances techniques.

Ses sources de financement proviennent principalement d'emprunts sur le marché international des capitaux.

L'originalité de la BERD réside dans la prise en compte explicite de critères politiques pour l'octroi des crédits (passage à la démocratie).

→ *Europe : les organisations européennes.*

BESOIN

Si le terme est souvent usité en sciences sociales, la notion de besoin est contingente et relative.

Dans son acception commune, le besoin est un manque, un sentiment de privation accompagné du désir ou de la nécessité de le faire disparaître. Cette définition, très générale, vaut pour l'ensemble des besoins, qu'ils soient d'origine physiologique, d'ordre affectif, intellectuel ou spirituel : besoin de manger, de se vêtir, besoin de communiquer, d'être informé, etc. Ils sont le fait d'individus, de groupes sociaux, voire de collectivités nationales.

L'analyse économique envisage les besoins de façon restrictive : ne sont pris en compte que ceux qui peuvent être satisfaits par l'acquisition et la consommation de biens et services offerts en quantité limitée (principe de rareté) par l'activité productive marchande ou non marchande.

♦ Une distinction doit être faite entre la demande et le besoin. La demande économique équivaut à une demande solvable qui s'exprime sur le marché et qui dépend par conséquent de la répartition des revenus.
♦ La libre détermination des besoins par les consommateurs est réfutée par certains économistes. Pour Galbraith, par exemple, c'est l'offre qui suscite les besoins à travers la publicité et d'autres techniques de manipulation (théorie de la « filière inversée »).

Le besoin exprimé par l'individu ou le groupe *(besoin social)* est beaucoup plus large. Il peut porter sur des biens et des services offerts sur le marché mais inaccessibles, économiquement parlant, à ceux qui le ressentent. Il peut traduire des exigences pour lesquelles l'offre est défaillante (équipements scolaires, transports urbains, emplois) ou que le système est incapable de satisfaire (plein-emploi, intégration sociale). On dépasse, ce faisant, la sphère proprement économique.

Les besoins font l'objet de plusieurs classifications. On oppose souvent les *besoins primaires* et les *besoins secondaires*. Les premiers correspondraient à ceux dont la satisfaction est considérée comme nécessaire à la survie (nourriture, protection contre le froid…). Les seconds, moins impérieux, varient selon les sociétés et les finalités qu'elles se donnent.

♦ Cette distinction est relative et prête à discussion ; la frontière entre les uns et les autres n'est pas évidente : savoir lire et écrire est un privilège dans certaines sociétés, une nécessité impérieuse dans la nôtre. La satisfaction des besoins élémentaires peut emprunter des modalités très diverses dans le temps et dans l'espace.

♦ L'univers des besoins est essentiellement social et culturel. Les besoins sont relatifs à une société donnée, à son niveau de développement, à son système social. Dans toute société hiérarchisée, ils diffèrent non seulement selon les groupes sociaux, mais sont largement réfléchis par la compétition sociale et ses enjeux.

Il est nécessaire par ailleurs de distinguer besoins sociaux et besoins collectifs.

♦ *Les besoins sociaux* correspondent à des exigences ressenties et revendiquées collectivement par un groupe social, une communauté.

♦ *Les besoins collectifs* correspondent à des aspirations qui ne peuvent être satisfaites que par des réalisations collectives (entretien de la voirie, lutte contre la pollution, équipements culturels, etc.).

→ *Engel (Loi d') ; Annexe 33.*

BESOIN DE FINANCEMENT

→ *Capacité de financement.*

BEVERIDGE (Courbe de)

Représentation graphique de la relation entre le taux de chômage et le taux d'emplois vacants.

♦ Le processus de destruction-création d'emplois pose le problème de la mobilité géographique et professionnelle de la main-d'œuvre. Dès 1944, l'économiste anglais William Beveridge a proposé de mesurer les difficultés de réallocation de la main-d'œuvre par la relation entre les emplois vacants et le niveau du chômage.

Dans un graphique portant le taux de chômage en abscisses et le taux d'emplois vacants, mesuré par le rapport entre le nombre d'emplois vacants (les offres d'emplois non satisfaites) et la population active, en ordonnées, la courbe de

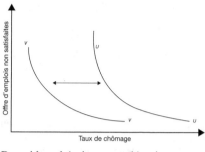

Beveridge théorique est décroissante : lorsque le chômage est important les entreprises ne devraient pas avoir de difficulté à trouver les travailleurs qu'elles recherchent ; c'est seulement lorsque l'on se rapproche du plein-emploi que les difficultés de recrutement devraient augmenter.

Les formes des courbes empiriques varient lorsque l'on effectue des comparaisons dans le temps ou dans l'espace. Malgré des problèmes de mesure des emplois vacants et des comparaisons internationales délicates, la lecture de ces courbes apporte des informations utiles si l'on distingue le déplacement le long d'une courbe donnée et le déplacement d'une courbe à l'autre. La forme d'une courbe donnée traduit la plus ou moins grande efficacité du processus d'appariement entre les offres et les demandes d'emploi. Pour un état donné de ce processus, on se déplace le long de la courbe en fonction de la conjoncture et des chocs subis par l'économie : par exemple vers la droite en cas de récession ; le déplacement d'une courbe vers la droite et vers le haut correspond à une augmentation simultanée du taux de chômage et du taux d'emplois vacants. Cela signifie que l'inadéquation entre les offres et les demandes augmente et révèle probablement un problème d'inadaptation des qualifications de la main-d'œuvre à l'évolution des emplois dans une économie qui se réorganise sous l'effet du progrès technique et de la concurrence internationale.

→ *Chômage d'équilibre, WS-PS (Modèle).*

BIEN DE CONSOMMATION FINALE

Produit fini destiné à la satisfaction directe des besoins des ménages, le plus souvent par l'achat sur le marché.

→ *Consommation (finale, intermédiaire).*

BIEN DE PRODUCTION

Bien utilisé dans le processus de production.

L'ensemble de ces biens ne font pas l'objet d'une consommation finale, mais d'une consommation productive, consommation intermédiaire dans le cas des biens de capital circulant — ou des biens intermédiaires —, consommation de capital fixe pour les biens de capital fixe.

Pour le consommateur, ce sont des biens indirects car ils ne satisfont ses besoins que de façon indirecte, en permettant la production de biens de consommation.

→ *Capital, Consommation.*

BIEN D'ÉQUIPEMENT

Bien d'équipement professionnel : bien durable utilisé dans la production d'autres biens ou services (machines, bâtiments…).

Bien d'équipement des ménages : bien durable utilisé par les ménages pour leur consommation individuelle (téléviseur, automobile…).

→ *Capital.*

BIEN ÉCONOMIQUE/ BIEN LIBRE ou NATUREL

Bien économique : bien produit par du travail humain et/ou dont la rareté lui confère une valeur d'échange.

Bien libre ou *naturel :* bien disponible gratuitement et dont la production ne nécessite aucun travail humain : par exemple, l'air que nous respirons.

→ *Ophélimité, Valeur (Théories de la).*

BIEN INTERMÉDIAIRE

Bien qui est transformé ou détruit (matières premières, énergie, semi-produits) dans le processus de fabrication de biens finaux (biens de consommation, biens de production).

Sous cet intitulé, la nomenclature officielle des activités et produits regroupe les rubriques suivantes : extraction des minerais ferreux et non ferreux, sidérurgie, production de métaux non ferreux, matériaux de construction, industrie du verre, chimie de base, fonderie, travail des métaux, papiers et cartons, caoutchouc, matières plastiques.

→ *Consommation.*

BIEN (ou SERVICE) COLLECTIF

Bien ou service qui peut être consommé par plusieurs personnes à la fois.

Les deux caractéristiques du bien ou service collectif sont la *non-rivalité* des consommateurs (les quantités consommées par les uns ne réduisent pas les quantités disponibles pour les autres) et la *non-exclusion* (on ne peut exclure le mauvais payeur). La non-rivalité s'explique par le caractère indivisible du bien ou du service (Défense nationale). L'impossibilité d'exclure quelqu'un de l'utilisation d'un bien ou d'un service, y compris celui qui n'a pas contribué à son financement, est due à l'inexistence de dispositifs techniques ou juridiques qui permettraient d'en limiter l'accès ; on parle de bien de club pour désigner au contraire celui dont la consommation collective peut être fermée à certains usagers (transports collectifs).

♦ Entre le bien collectif pur et le bien privatif, il existe toute une gradation liée :
– au repérage de la consommation (préalable à toute tarification comme le montre le calcul de l'audimat) ; la consommation des biens indivisibles (lutte contre la pollution) n'est pas repérable ;
– à l'existence de substituts : si l'on peut remplacer la police par la vente libre d'armes à feu, elle n'est plus un service collectif pur ;
– aux techniques d'exclusion : l'impossibilité d'exclure est technologique (invention du décodeur pour créer une TV à péage), ou résulte du coût de l'exclusion (la construction d'un mur autour d'un écran de cinéma est rentable, mais il n'est pas rentable de placer des parcmètres partout) ;
– à la qualité : la détérioration d'un service peut être liée au nombre de consommateurs (les bouchons sur les routes conduisent à instaurer des péages) ;
– à l'existence de biens tutélaires : l'État peut décider de réglementer parce qu'il s'estime mieux informé que les consommateurs (obligation scolaire, vaccination obligatoire) ;
– à la taille du groupe : du mur mitoyen au trou dans la couche d'ozone, le volume de la population concernée varie considérablement.

Une typologie peut être construite à partir des deux critères, qui sont indépendants : la mer n'est pas un bien qui permette l'exclusion, mais une fois pêchés par A, les poissons ne sont plus disponibles pour B (rivalité) ; la réception d'une émission de télévision par A n'interdit pas cette réception par B (pas de rivalité) mais l'existence d'un décodeur permet d'exclure B s'il ne paie pas (biens de club). Les biens collectifs purs cumulent les deux propriétés, les biens privatifs n'en possèdent aucune :

	Pas de possibilités d'exclusion	Exclusion possible
Pas de rivalité	Biens collectifs purs (phare)	Biens de club (TV à péage)
Rivalité	Biens communs (poissons)	Biens privés

Cette opposition entre biens collectifs et biens privatifs ne recoupe pas l'opposition entre public et privé : l'éclairage est financé par la collectivité mais il peut être concédé à une compagnie privée. La consommation collective n'est pas seulement une consommation de biens et services collectifs : elle inclut d'autres biens et services dès lors que leur production ou leur consommation est financée par une collectivité (éducation, santé).

→ *Consommations collectives.*

BILLET DE BANQUE

Actif monétaire sous forme de papier-monnaie.

L'ancêtre du billet moderne fut le certificat de dépôt : émis en contrepartie d'un dépôt d'or ou d'argent dans une banque, ce certificat n'avait de la valeur qu'en tant qu'il représentait une certaine quantité de métal précieux.

♦ Cette valeur est attestée par la libre convertibilité du billet en or ou en argent.

En 1656, la Banque de Suède opère un changement radical en émettant des billets en contrepartie de l'escompte d'effets de commerce. Dès lors, le billet n'apparaît plus comme un simple substitut de la monnaie métallique, mais comme une véritable monnaie émise en contrepartie de crédits à l'économie.

♦ Cette évolution a été parachevée par trois événements :
– la proclamation du cours légal : tout créancier peut être contraint d'accepter des billets en paiement d'une dette (en 1848, puis en 1870, pour la France) ;
– la proclamation du cours forcé : la Banque centrale supprime la convertibilité du billet en métal (en 1848, puis en 1936 pour la France) ;
– l'État confère le monopole d'émission des billets à la Banque centrale.
♦ Supplantés par la monnaie scripturale, les billets en circulation ne représentaient plus qu'environ 15 % de la masse monétaire dans les années 1990.

→ *Monnaie.*

BILLET DE TRÉSORERIE

Titre court émis par une entreprise et négociable sur le marché monétaire.

→ *Marché monétaire, Obligation.*

BIMÉTALLISME

Système monétaire métallique basé sur deux métaux.

À la différence de l'étalon-or pur, ce système fonde l'émission des billets aussi bien sur l'or que sur l'argent. Il suppose l'existence d'un rapport légal et fixe entre la valeur monétaire des deux métaux. Ce système, adopté par plusieurs pays (France, États-Unis, Italie, Suisse, Belgique), fonctionna imparfaitement dans la première moitié du XIXe siècle.

→ *Gresham (Loi de), Système monétaire international (SMI).*

BIPARTISME

Système politique caractérisé par l'alternance au pouvoir de deux partis dominants, l'un plutôt conservateur, l'autre plutôt progressiste.

◆ En Grande-Bretagne : *whigs* et *tories* au XIXe siècle, et, aujourd'hui, Parti travailliste et Parti conservateur. Aux États-Unis : Parti démocrate et Parti républicain. En Allemagne : Parti social-démocrate et Parti chrétien-démocrate.

Le système bipartisan repose généralement sur le mode de scrutin majoritaire, sur un fort consensus social laissant peu de place aux extrêmes et sur la capacité des deux partis dominants d'intégrer les valeurs nouvelles et d'accepter, lors de l'alternance, l'essentiel de l'héritage de l'ancienne majorité.

→ *Parti politique.*

BIPOLARISATION

Tendance d'un système politique au regroupement des partis autour de deux coalitions dominantes (gauche/droite ou majorité/opposition) et pouvant conduire au bipartisme.

Le mode de scrutin de l'élection présidentielle, n'autorisant le maintien au deuxième tour que des deux candidats arrivés en tête au premier, a favorisé en France cette évolution.

BIRD (Banque internationale pour la reconstruction et le développement)

→ *Banque mondiale.*

BIT (Bureau international du travail)

Organisme international, établi à Genève : il assure le secrétariat de l'OIT et publie des rapports appréciés sur les problèmes du travail ; sa définition du chômage constitue une référence pour les États membres.

→ *Chômage, OIT.*

BNT

→ *Barrières non tarifaires.*

BODIN (Jean)

→ *Malestroit (Paradoxe de), Mercantilisme.*

BÖHM-BAWERK (Eugen von)

→ *Capital ; Annexe 9.*

BON DU TRÉSOR

Titre émis par le Trésor public et destiné à opérer un financement à court terme.

Source de financement de l'État, les bons du Trésor, créés en 1824, se distinguent des emprunts à long terme (6 à 15 ans) et peuvent prendre deux formes nettement différentes :

– les bons sur formule destinés aux particuliers ;

– les bons du Trésor négociables qui constituent, avec les billets de trésorerie émis par les entreprises et les certificats de dépôts émis par les institutions financières, des titres courts, d'un montant minimum de 1 million de francs, qui peuvent être négociés sur le marché monétaire.

Il existe deux catégories de bons du Trésor négociables (BTN) : les bons à taux annuel normalisé (BTAN) et les bons à taux fixe (BTF).

⟶ *Déficit public, Marché monétaire.*

BOUDON (Raymond)

Sociologue français contemporain né en 1934.

Il est l'auteur de travaux portant tour à tour sur l'épistémologie et la méthodologie, la mobilité sociale et l'éducation. Il est le promoteur de « l'individualisme méthodologique », selon lequel « les comportements sont interprétés comme des actions entreprises en vue d'obtenir certaines fins », et qui postule que « ce sont les actions individuelles qui, par agrégation, constituent les phénomènes collectifs ».

◆ Ouvrages principaux : *L'inégalité des chances* (1973) ; *La Logique du social* (1979) ; *Effets pervers et ordre social* (1977) ; *L'idéologie ou l'origine des idées reçues* (1986).

⟶ *Effet pervers, Individualisme méthodologique ; Annexe 48.*

BOURDIEU (Pierre)

Sociologue français contemporain (1930-2002).

Il est l'auteur de nombreux travaux sur des objets fort divers (mariage kabyle, célibat paysan, étudiants et professeurs, fréquentation des musées, pratiques de consommation, etc.) mais qui tous, à leur manière, mettent en perspective les logiques de la différence et de la domination sociales à l'œuvre dans les pratiques, les comportements et les goûts.

C'est dans ce cadre qu'il développe les notions d'*habitus* (dispositions socialement acquises) et de *légitimité* (conférée à la culture et aux points de vue des acteurs dominants).

Tout en récusant une lecture « substantialiste » des classes (les présentant comme réalités collectives bien délimitées), Bourdieu propose une clé d'analyse de la structure sociale contemporaine. Les positions des agents dans l'espace social sont structurées à la fois par le volume global de capital (ensemble des ressources et des pouvoirs non réductible à l'économique) et par la structure de ce capital (la répartition des types de ressources). Sont ainsi distingués :

– le *capital économique* désignant aussi bien les revenus (et les types de revenus) que le patrimoine sous ses différentes modalités (capital immobilier, actifs financiers dont les valeurs mobilières) ;

– le *capital culturel* ou ensemble des ressources culturelles.

◆ Il peut être appréhendé sous trois formes : 1. capital incorporé (langage, capacités intellectuelles, savoir et savoir-faire) ; 2. objectivé (possession d'objets culturels) ; 3. certifié : légitimation par les diplômes et autres titres scolaires.

Le terme « capital » se justifie car ces ressources sont accumulées et partiellement transmises des parents aux enfants ;

– le *capital social*, ou ce que le langage ordinaire appelle « les relations » (réseau de connaissances).

◆ Celles-ci, loin d'être réduites à leur dimension mondaine, peuvent constituer un vecteur essentiel d'insertion sociale, d'opportunités en affaires ou d'acquisition de pouvoirs dans un champ donné (espace professionnel, monde des affaires, État, Université, etc.).

L'espace des positions n'est donc pas unidimensionnel : dans les classes supérieures par exemple, les industriels et commerçants, bien pourvus en capital économique mais moins bien dotés en capital culturel, s'opposent aux cadres et aux professions intellectuelles dont la structure en ressources est inverse.

En tentant d'intégrer les problématiques de Marx, de Durkheim et de Weber, Bourdieu entend développer une sociologie critique qui met au centre la dialectique du pouvoir matériel et de la domination symbolique.

♦ Ouvrages principaux : *Travail et travailleurs d'Algérie* (1963) ; *Les héritiers* (1964 en collaboration avec J.-C. Passeron) ; *L'amour de l'art* (1966, en collaboration avec A. Darbel) ; *La distinction* (1979) ; *Le sens pratique* (1980) ; *La noblesse d'État* (1989) ; *Réponses* (1992) ; *La misère du monde* (collectif, 1993).

→ *Habitus, Héritage culturel, Légitimité, Structuralisme dynamique ou génétique ; Annexe 49.*

BOURGEOIS, BOURGEOISIE

Au *XIXᵉ siècle*, le bourgeois est un citoyen d'un bourg, d'une ville, bénéficiant d'un statut privilégié.

Aujourd'hui, la bourgeoisie est un ensemble social pouvant être défini de deux façons qui ne se recoupent pas toujours rigoureusement :

1. Classe sociale (en régime capitaliste) qui possède les moyens de production et d'échange, capital industriel, commercial, bancaire. Pour Marx, la bourgeoisie est la classe dominante.

♦ Entre le XIIIᵉ et le XVIIᵉ siècle, la bourgeoisie est composée essentiellement de commerçants, de manieurs d'argent et de membres des professions libérales. Elle s'oppose à la noblesse par l'exercice d'une activité économique et la condition roturière.

2. Milieu social caractérisé par des conditions d'existence et un style de vie spécifique : le non-assujettissement au travail manuel, la propriété de valeurs mobilières et immobilières, une aisance de moyens, un confort paisible, un certain « train de vie ».

♦ Ce faisant, la bourgeoisie se distingue par l'« honorabilité », le prestige, l'attachement à des valeurs morales et sociales souvent traditionnelles, les règles du « savoir-vivre ».

Les transformations du système capitaliste ont modifié la configuration de la bourgeoisie. Certains préfèrent parler de *classes supérieures* dans la mesure où l'exercice du pouvoir économique, l'emprise sur la société reposent moins sur la possession du capital que sur l'occupation de postes de direction dans les firmes et la haute administration.

→ *Classe(s) sociale(s).*

BOURSE DES MARCHANDISES

Marché où se fixe le cours de certains produits de base (café, blé, étain, etc.).

Les cotations se font sur des places internationales, telles New York, Chicago, Londres, Amsterdam, Melbourne, etc., selon les produits.

BOURSE DES VALEURS

Lieu où s'échangent par l'intermédiaire des sociétés de Bourse, des valeurs mobilières (actions et obligations).

Partie du marché financier, la Bourse est le lieu où se fixe le cours des valeurs par la confrontation de l'offre et de la demande. Les transactions peuvent s'effectuer au comptant — le cours est fixé le jour même — ou à terme — le cours retenu est celui du jour mais la transaction effective n'est réalisée que plus tard. Il existe, en France, des Bourses des valeurs à Paris, Lyon, Marseille, Lille, Nancy, Bordeaux et Nantes.

⟶ *Marché financier, Sociétés de Bourse.*

BOURSE DU TRAVAIL

Lieu créé en 1886 et mis à la disposition des syndicats par les municipalités de certaines grandes villes afin de permettre aux travailleurs d'organiser la défense de leurs intérêts.

BRAIN DRAIN

⟶ *Fuite des cerveaux.*

BRANCHE

Au sens de la Comptabilité nationale, ensemble d'unités de production qui produit un seul type de biens ou de services.

Par exemple, l'entreprise Renault n'entre pas en entier dans la branche automobile parce que l'entreprise ne produit pas que des automobiles ; en revanche, Renault entre en entier dans le *secteur* automobile parce que l'automobile est sa principale production.

⟶ *Secteur économique.*

BRAUDEL (Fernand)

Historien français (1902-1985), chef de file de la « Nouvelle Histoire » (école des Annales) après la disparition de ses fondateurs, M. Bloch et L. Febvre.

Ayant pour cadre principal l'Europe des « Temps Modernes », ses travaux privilégient la longue durée, les lentes évolutions de la vie matérielle, des structures économiques et des pôles dominants (cités italiennes, Amsterdam et la Hollande, Londres et l'Angleterre). Son œuvre interpelle les économistes par sa vision originale du capitalisme et de sa genèse. Les économies pré-industrielles se caractérisent par la coexistence de deux univers : l'économie paysanne en quasi-autarcie et l'économie de marché occupant une place restreinte mais étant le siège de transformations décisives. Cette économie de marché est elle-même segmentée en plusieurs étages : les marchés élémentaires, les foires et les bourses, enfin le niveau supérieur des échanges auquel Braudel identifie le capitalisme originel — mécanismes financiers plus ou moins raffinés, négoce au long cours portant sur des valeurs importantes, mentalités favorables au profit, au calcul et au jeu. Ainsi, pour Braudel, non seulement le capitalisme est largement antérieur à la révolution industrielle, mais il apparaît comme une logique « transhistorique » capable de s'incarner dans des formations économiques très différentes.

♦ Ouvrages principaux : *La Méditerranée et le monde méditerranéen* (1949) ; *Civilisation matérielle, économie et capitalisme* (XVᵉ-XVIIIᵉ siècle) (1980) ; *La dynamique du capitalisme* (1985) ; *L'identité de la France* (posthume, 1986).

⟶ *Économie-monde.*

BRETTON WOODS (Accords de)

Accords issus d'une conférence tenue en juillet 1944 dans une petite ville des États-Unis et réunissant 1 000 délégués de 44 pays (dont l'URSS qui n'a pas signé l'accord), au terme de laquelle furent jetées les bases d'un nouveau système monétaire international.

L'accord, fortement inspiré par les thèses américaines, est caractérisé par quatre points fondamentaux : des parités fixes ; un système d'étalon de change-or ; un code de bonne conduite (retour à la liberté des changes et donc à la convertibilité des monnaies) ; un mécanisme de crédits mutuels (droits de tirage, DT). La mise en application de ces règles relève du Fonds monétaire international créé à cette occasion (ainsi que la Banque internationale pour la reconstruction et le développement, BIRD, dite Banque mondiale).

L'accord de Bretton Woods a été modifié le 31 mai 1968 par un amendement créant les droits de tirage spéciaux (DTS). Les accords de la Jamaïque en 1976 ont légalisé le flottement généralisé des monnaies et ont opéré une démonétisation de l'or au sein du FMI. En fait, le système conçu à Bretton Woods s'est progressivement disloqué à partir de 1968 avec la suppression du pool de l'or, puis avec la suppression de la convertibilité du dollar en or, en 1971, et, enfin, avec la généralisation de fait du flottement des monnaies en 1973.

♦ Lors de la conférence de Bretton Woods, au projet américain, présenté par White, s'opposait le projet anglais présenté par Keynes ; ce dernier souhaitait l'institution d'une véritable Banque centrale mondiale chargée d'émettre une monnaie internationale, le « Bancor », et d'assurer les fonctions de Banque centrale des Banques centrales.

⟶ *Droits de tirage spéciaux (DTS), Fonds monétaire international (FMI), Système monétaire international (SMI).*

BREVET (d'invention)

Titre de propriété sur une invention, délivré par l'Administration (en France la loi du 2 janvier 1968 prévoit l'enregistrement et la publication du brevet par l'Institut national de la propriété industrielle), assurant à l'inventeur une protection contre toute imitation et lui réservant l'exclusivité de l'exploitation industrielle.

Un brevet peut être vendu. Quand le droit de l'exploiter est cédé à un tiers, contre redevance, par l'inventeur il s'agit d'une *licence d'exploitation*.

Selon l'INPI : « Le brevet est le titre de propriété industrielle qui confère à son titulaire, inventeur ou entreprise, un droit exclusif sur une invention pour une période de 20 ans. » Pour l'obtenir, il convient de déposer une demande auprès de l'INPI. Après examen et publication, le brevet sera délivré : paradoxalement, le brevet rend l'invention publique en même temps qu'il la protège.

Il est un moyen de valoriser l'innovation : il permet à son titulaire d'interdire à tout autre d'exploiter l'invention sans son autorisation et, le cas échéant, de poursuivre les contrefacteurs. Si le titulaire est une entreprise, c'est son marché qu'elle protège en protégeant ses inventions. Elle se donne également les moyens d'en conquérir de nouveaux par des dépôts à l'étranger et des concessions de licence.

Il est aussi un instrument de veille technologique. La documentation-brevets est la source d'information technologique internationale la plus complète, la plus systématique et la plus accessible : 80 % de l'information scientifique et technique est contenue dans les brevets.

♦ La propriété intellectuelle recouvre la propriété industrielle ainsi que le droit d'auteur et les droits voisins :
– la *propriété industrielle* concerne les brevets, les marques, les dessins et les modèles, les topographies des produits semiconducteurs, les nantissements de logiciels et les certificats d'obtention végétale, mais aussi les dénominations sociales, les noms commerciaux et les enseignes, les appellations d'origine et indications géographiques ;
– les *droits des auteurs* de toutes œuvres de l'esprit sont protégés, quels qu'en soient la forme d'expression, le genre, le mérite ou la destination. Les droits voisins ont été créés au profit des prestations de trois catégories de bénéficiaires qui ne sont pas reconnus en tant qu'auteurs : les artistes-interprètes, les producteurs (de phonogrammes et de vidéogrammes) et les entreprises de communication audiovisuelle.

La « balance des paiements technologique » révèle le degré de développement scientifique et technique d'un pays, le coût ou l'apport croissant en devises des transferts de technologie.

Plus de 300 000 brevets, 1 200 000 marques et 450 000 dessins et modèles sont en vigueur en France.

La taxe du rapport de recherche des brevets est fixée à 31,5 € depuis le 1er janvier 2000. Cette mesure permet au déposant français de disposer d'un brevet national à un coût parmi les plus faibles en Europe.

Avec la mise en place du marché unique, les produits circulent librement en Europe. Pour profiter de ce large marché, les entreprises doivent obtenir la protection de leurs brevets et de leurs marques dans les différents pays. Des procédures spécifiques permettent aujourd'hui de déposer des brevets ou des marques dans plusieurs pays d'Europe en une seule action.

En 1999, 50 236 brevets ont été demandés par les pays signataires de la Convention sur le brevet européen.

Il n'existe pas encore de brevet communautaire, c'est-à-dire de titre de protection unique et valable dans tous les pays membres de l'Union européenne.

Aujourd'hui, l'entreprise ou le particulier qui désire protéger son invention dans plusieurs pays d'Europe doit avoir recours au brevet européen, créé par la Convention de Munich (1973). C'est un système commun de délivrance des brevets, dont la gestion est assurée par l'Office européen des brevets (OEB) qui a son siège à Munich. Le correspondant de l'OEB en France est l'Institut national de la propriété industrielle (INPI).

La brevetabilité du vivant est l'un des dossiers les plus conflictuels du cycle de négociations au sein de l'OMC. L'accord sur les aspects des droits de propriété intellectuelle touchant au commerce (TRIPS en anglais) oblige les États membres de l'OMC à allouer des brevets « pour toute invention de produit ou de procédé », y compris sur les organismes vivants. La révision de cet accord, entré en vigueur en 1995, voit s'affronter, d'une part, les États-Unis et de nombreux pays industrialisés partisans d'un renforcement de l'accord, d'autre part, les pays en développement, soutenus par de nombreuses ONG, qui souhaitent exclure le vivant de la brevetabilité.

→ *Balance des paiements, Externalité, Invention, Transferts de technologie.*

BRI

→ *Banque des règlements internationaux (BRI).*

BRUT/NET

Principe : on passe d'un agrégat calculé *brut* au même agrégat calculé *net* en retranchant l'une (ou plusieurs) de ses composantes.

Exemples : Salaire net = Salaire brut – cotisations sociales.

Investissement net = Investissement brut – amortissement, etc.

BUCHANAN (James McGill)

Économiste américain né en 1919, chef de file de l'école du *Public choice* qui met l'accent sur les déterminants politiques des prises de décision en matière de politique économique.

→ *Public choice (École du) ; Annexe : Prix Nobel d'économie.*

BUDGET DE L'ÉTAT (Loi de Finances)

Loi votée par le Parlement qui prévoit et autorise les dépenses et recettes de l'État. Ce terme peut également s'appliquer à un ministère (le budget de l'Éducation nationale), à une collectivité locale (le budget de la ville de Paris) ou à un établissement public (le budget du CNRS).

Le budget de l'État (ou loi de Finances initiale : LFI) est caractérisé par trois grands principes :

– *l'universalité* : la loi de Finances doit retracer toutes les recettes et toutes les dépenses ;

– *l'unité* : les recettes ne sont pas affectées à une dépense particulière ;

– *l'annualité* : il doit être voté tous les ans ; les autorisations de recettes et de dépenses ne sont valables que pour cette durée.

La *procédure budgétaire* est longue et complexe et commence dès le début de l'année précédente : des prévisions économiques aident à prévoir le rythme de rentrée des recettes et à fixer des orientations pour les dépenses. Les « conférences budgétaires » permettent de comparer les demandes des ministères « dépensiers » et les contraintes du ministère des Finances. Après les arbitrages rendus par le Premier ministre, le projet de Loi de finances initiale est adopté par le Conseil des ministres. Le Parlement discute et vote le projet à l'automne, dans des conditions particulières prévues à l'article 47 de la Constitution.

Le budget peut être révisé en cours d'année par une loi de Finances rectificative (ou collectif budgétaire), notamment en raison des modifications de l'environnement économique ou de changement des orientations économiques du gouvernement.

Après la fin de l'exercice budgétaire, les résultats de l'année sont clôturés par une loi de règlement.

Les *recettes* de la loi de Finances sont constituées, pour l'essentiel, par les impôts : impôts directs (impôt sur le revenu des personnes physiques, impôt sur les sociétés, impôt sur la fortune) et surtout impôts indirects (taxe sur la valeur ajoutée, taxe intérieure sur les produits pétroliers, etc.).

Les *dépenses* sont, elles, marquées par une très forte rigidité. Les services votés, c'est-à-dire les dépenses qui sont reconduites d'une année sur l'autre (traitement des fonctionnaires, service de la dette, par exemple), représentent près de 95 % du total.

Le budget est en *équilibre* lorsque les recettes sont égales aux dépenses, en *déficit* lorsque les recettes sont inférieures aux dépenses, en *excédent* dans le cas contraire. La situation de déficit a été fréquente au cours de ces dernières années ; elle se traduit par un recours à l'emprunt et une augmentation de la dette publique.

→ *Déficit budgétaire, Politique budgétaire.*

BUDGET DES MÉNAGES

Ensemble des recettes (revenus du travail, du capital, etc.) et des dépenses d'un ménage. Le budget d'une famille peut faire l'objet d'un document écrit qui retrace l'arbitrage, au cours du mois ou de l'année, entre les différentes affectations des ressources possibles : dépenses de consommation courante, d'équipement, épargne.

→ *Ménage.*

BUDGET SOCIAL

→ *Effort social de la nation.*

BUDGETS ANNEXES

Budgets qui retracent les opérations financières de services spécifiques de l'État (Aviation civile, Légion d'honneur, etc.), qui produisent des biens ou des services donnant lieu en contrepartie à une taxe parafiscale. Ces budgets qui dérogent à la règle de l'unicité sont présentés en annexe de la loi de Finances et représentent pour le budget 2000 plus de 100 milliards de francs.

→ *Budget de l'État (Loi de Finances).*

BULLE FINANCIÈRE

Situation dans laquelle les cours sur le marché d'une ou plusieurs grandeurs financières (actions ou devise, par exemple) tendent à s'élever au-delà de ce qui serait justifié par les données réelles, les grandeurs économiques fondamentales (en anglais *fondamentals*).

Les anticipations des spéculateurs sont auto-réalisatrices : les cours montent du fait que tous pensent qu'ils vont monter — d'autant que le phénomène est amplifié par la concentration des opérateurs — jusqu'à ce que les anticipations se retournent ; la bulle éclate alors et les cours tombent brutalement, avec des incidences financières et réelles importantes.

Selon André Orléan, les bulles financières spéculatives sont des bulles « rationnelles ». Mais la rationalité à l'œuvre n'est pas celle, hétéro-référentielle, prise en compte par le courant « fondamentaliste » de la théorie des marchés efficaces.

♦ Selon celle-ci, les cours de bourse « reflètent » les caractéristiques, anticipées, des actifs réels ; tous les intervenants étant parfaitement (également) informés des fondamentaux des entreprises, ils peuvent arbitrer entre valeurs sous-évaluées ou sur-évaluées en fonction, par exemple, du *Price Earning Ratio* ou des profits actualisés.

La rationalité est en fait « auto-référentielle » (logique d'opinion, mimétique) : il convient de s'aligner sur la croyance collective, car on ne peut pas battre le marché, et les cours monteront si chacun achète, pensant que les autres pensent que les cours monteront (croyances de second degré, auto-validées).

♦ L'éclatement d'une bulle financière peut se transmettre à la sphère réelle par le canal de l'effet de richesse : la brutale déva-lorisation de la composante financière de leur patrimoine peut conduire les agents à en reconstituer la valeur en élevant leur taux d'épargne ; la baisse de leurs dépenses de consommation peut alors entraîner une crise par le jeu du multiplicateur négatif de la dépense. Autre canal de transmission : la chute des investissements liée à l'arrêt des augmentations de capital des sociétés ou à la diminution de leur capacité d'emprunt, qui dépend en partie de leur capitalisation boursière.

➤ *Krach, Réel/monétaire – Réel/financier, Spéculation.*

BULLIONNISME

(de l'angl. *bullion* « lingot »)
Politique économique se rattachant au courant mercantiliste espagnol.

Il vise à empêcher l'or et l'argent entrés dans le pays de sortir des frontières. Le bullionnisme fut pratiqué par l'Espagne au temps de Charles Quint et de Philippe II. La doctrine repose sur la conviction que les métaux précieux constituent la richesse par excellence en raison de leur caractère impérissable.

➤ *Mercantilisme.*

BUREAUCRATIE

Notion aux significations fluctuantes mais qui tournent toutes autour des relations entre organisations, gestion et pouvoir.

Au *sens commun* : appareil administratif hypertrophié entraînant l'inefficacité et/ou un pouvoir abusif. Désigne aussi l'ensemble des fonctionnaires.

Selon Max Weber : elle peut être définie comme un système d'organisation rationnel et efficace, basé sur la division fonctionnelle du travail et la spécialisation des compétences. Elle ne concerne pas seulement l'administration publique ; elle caractérise le fonctionnement des grandes organisations privées dans les sociétés industrielles.

♦ La bureaucratie correspond à l'autorité rationnelle légale et se caractérise par :
– un système de règles abstraites et impersonnelles ;
– la définition rigoureuse des postes auxquels correspondent les fonctions ;
– la hiérarchie des fonctions.

♦ La bureaucratie est efficace car elle permet une exécution objective, c'est-à-dire selon des règles calculables.

La sociologie des organisations part de la conception webérienne de la bureaucratie, mais pour en souligner les imperfections et les déviations.

Elle ne fonctionne pas toujours selon ses propres règles (un système informel double le règlement officiel).

Elle engendre des effets pervers (retrait derrière le règlement, étouffement de l'initiative) et développe des phénomènes (dysfonctionnements) qui vont à l'encontre des buts proclamés.

♦ Travaux développés aux États-Unis par Merton et Gouldner ; en France par Crozier : *Le phénomène bureaucratique* (1963) est étudié dans deux organisations (une agence comptable et une grande entreprise industrielle).

La bureaucratie peut caractériser un système de pouvoir à l'échelle de la société globale, par exemple l'ex-système soviétique.

Dans ce cas, elle désignait tout à la fois l'exercice du pouvoir politique, administratif et économique (fusion des pouvoirs dans l'État-Parti) et la classe dominante constituée par les dirigeants et les cadres de l'État et du Parti (« nomenklatura »).

⟶ *Autorité, Organisation, Rationalité, Technocratie, Weber* ; **Annexe 44.**

BUREAUCRATIE (Théorie néo-libérale de la)

Théorie économique d'inspiration néo-libérale qui considère que les institutions publiques, s'autonomisant par rapport aux consommateurs, aux propriétaires et aux électeurs (entre les élections), n'ont pas un fonctionnement efficace.

C'est une approche développée depuis le début des années 1970, par l'école théorique du *Public choice* (Buchanan, Tullock), dans le prolongement des analyses des « droits de propriété ». S'opposant aux thèses qui fondent l'intervention étatique sur le constat des défaillances du marché, cette approche se concentre sur les défaillances des organismes publics et en tire un plaidoyer en faveur d'un recours accru au marché (privatisation).

⟶ *Buchanan, Propriété (Droit de),* **Public choice** *(École du).*

CAC 40

Indice boursier français comprenant 40 valeurs représentatives, en termes de capitalisation et de transactions, des différents secteurs d'activité des sociétés inscrites à la cotation sur le Premier marché. Il sert de base à des contrats à terme.

Autrefois indice de la « Compagnie des agents de change », il est désormais un indice de la « cotation assistée en continu » (voir le système informatisé Super CAC). Lancé le 1er janvier 1988 avec une base fixée à 1 000 points le 31 décembre 1987, il a atteint les 6 000 points début janvier 2000, il enregistre durant les trois années suivantes une sévère baisse de 55 % et termine l'année 2002 à 3 000 points à peine ; l'indice CAC 40, baromètre de l'évolution des actions françaises, est une moyenne pondérée du cours de 40 valeurs choisies parmi les 100 premières capitalisations boursières françaises : chaque titre a un poids relatif à la valeur boursière de l'ensemble de la société cotée. Plus la société a une taille importante, plus l'évolution de son cours de bourse a une influence sur l'indice (par exemple, France Télécom).

→ *Indicateurs boursiers, Marché financier.*

CAD

→ *Aide au développement.*

CADRE(S)

1. *Au sens professionnel :* actifs salariés exerçant une fonction d'initiative et de responsabilité impliquant délégation de l'autorité patronale. Cette délégation de pouvoir se manifeste par une fonction d'encadrement aux niveaux supérieur et intermédiaire de la hiérarchie ; le cadre commande à des agents subalternes, il dirige et coordonne leur activité : directeur de production, chef de service.

2. *Par extension :* personnes reconnues pour leurs compétences (sanctionnées souvent par des diplômes) dans l'exercice de tâches d'un niveau de complexité élevé sans pour autant être associées à des fonctions d'encadrement : chercheur, ingénieur, responsable financier, etc.

La notion de cadre recouvre des réalités très variées. Les cadres constituent un ensemble hiérarchisé (des cadres d'état-major aux cadres « subalternes »). Ils exercent leurs fonctions dans les entreprises, mais aussi dans les administrations (cadres de la fonction publique). Dans les premières, on distingue les cadres techniques (ingénieurs, directeurs de production) et les cadres administratifs et commerciaux correspondant au développement des fonctions autres que celles de la production.

Les cadres et la structure sociale : les cadres constituent un groupe social sans doute hétérogène mais dont la réalité objective et subjective ne peut être niée. La classification socioprofessionnelle française les enregistre depuis les années 1950. L'ancienne nomenclature (CSP) distinguait les cadres supérieurs et les cadres moyens. La nouvelle nomenclature ne réserve l'appellation « cadre » qu'aux premiers, les seconds étant pour la plupart désormais désignés « professions intermédiaires ». Le changement d'appellation s'explique : beaucoup d'actifs classés comme cadres moyens n'ont ni fonction d'encadrement, ni tâche à responsabilités relevant de la position de cadre (cas des instituteurs, des personnels des services médicaux et sociaux, des techniciens et même de nombreux postes « administratifs »). La catégorie « cadres » de la nouvelle nomenclature (cadres supérieurs dans l'ancienne) n'est pas non plus homogène ; il est nécessaire de distinguer les cadres d'état-major (entreprises) et les hauts fonctionnaires (personnels de direction de la fonction publique) qui appartiennent à la haute bourgeoisie ou, selon une autre terminologie, à la classe dirigeante. Les autres cadres peuvent être classés dans l'ensemble plus large des « classes supérieures », mais aussi dans les « classes moyennes ».

→ *Classe(s) moyenne(s).*

CAF
(coût, assurance, fret)

Méthode de comptabilité des importations et des exportations qui consiste à retenir leur valeur à l'entrée ou à la sortie du territoire en incluant le coût de transport et d'assurance.

→ *FAB.*

CALCUL ÉCONOMIQUE

Méthode d'aide à la prise de décision qui consiste à comparer les coûts ou inconvénients, d'une part, les bénéfices (ou les pertes) ou les avantages, d'autre part (calcul coût/avantage), liés à une action (ouverture d'une nouvelle usine, construction d'un barrage, achat d'un bien de consommation, etc.).

Si les moyens sont déterminés à l'avance, le principe de la méthode consiste à maximiser le profit que l'on peut obtenir, ou, si le résultat est fixé à l'avance, à rendre la valeur des moyens utilisés la plus faible possible.

→ *Microéconomie, Optimum, Rationalisation des choix budgétaires.*

CAMBISTE

→ *Changes.*

CAPACITÉ
DE FINANCEMENT

Solde positif du compte de capital d'un secteur institutionnel (en cas de solde négatif, il s'agit d'un besoin de financement).

Un agent enregistre une capacité de financement lorsque son épargne est supérieure à ses investissements. Les agents qui bénéficient d'une capacité de financement — généralement les ménages (non compris les entreprises individuelles), les institutions de crédit et les entreprises d'assurance — peuvent prêter cet excédent aux agents qui ont un besoin de financement. De la même façon, la *capacité de financement de la nation* correspond à un *besoin de financement du Reste du monde.*

♦ *Capacité de financement :*
= revenu – dépenses (de consommation et d'investissement)
= variations de créances – variations de dettes.

♦ Avoir une capacité de financement, c'est « gagner plus que l'on dépense » et « prêter plus que l'on emprunte ».

♦ *Besoin de financement :*

= dépenses (de consommation et d'investissement) – revenu

= variations de dettes – variations de créances.

♦ Avoir un besoin de financement, c'est vivre au-dessus de ses moyens (dépenser plus que l'on gagne) et emprunter plus que l'on prête.

⟶ *Comptabilité nationale, Intermédiation, Marché financier.*

CAPITAL

La notion de capital renvoie soit à la dimension financière (capital financier) de ressources provenant de l'épargne ou de l'emprunt et destinées à acquérir des actifs réels (machines, équipements) ou financiers, soit, le plus souvent, à la dimension physique des biens de production (ces mêmes machines ou équipements).

Capital physique : biens de capital produits dans le passé et qui sont des moyens de la production présente et future (bâtiments, matériel, machines, ouvrages de génie civil, produits semi-finis, matières premières, etc.).

Capital technique : biens de capital qui incorporent un certain progrès technique (ce qui exclut les produits de base).

On distingue :

– le *capital fixe :* ensemble des moyens de production durables qui participent à plusieurs cycles de production (utilisés au moins pendant un an et qui font l'objet d'un amortissement économique = consommation de capital fixe) ;

– le *capital circulant :* il inclut l'autre partie du capital physique, à savoir les biens qui sont transformés (matières premières, semi-produits) ou détruits (par exemple, l'énergie) au cours du processus de production (consommations intermédiaires).

Il faut noter que la Comptabilité nationale inclut désormais dans la Formation de capital fixe (FBCF) des actifs incorporels représentatifs d'un *investissement immatériel* : acquisitions de logiciels, dépenses de prospection minière et pétrolière, acquisitions d'œuvres récréatives, littéraires ou artistiques originales (les dépenses de R&D en sont encore exclues).

Selon l'économiste néo-classique autrichien, E. Böhm-Bawerk, le capital « est l'ensemble des biens indirects ou intermédiaires qui, à travers des détours productifs féconds et moyennant une dépense de temps, ont la vertu de rendre plus productif le travail » : fabriquer des machines demande du temps et du travail et repousse à plus tard la production de biens de consommation qui auraient pu être immédiatement disponibles ; mais ce « détour de production » permet d'obtenir par la suite une quantité supérieure de ces biens de consommation (arbitrage intertemporel consommation présente / consommation future).

Symétriquement, le capital financier produit un intérêt (revenu du capital) qui rémunère le sacrifice (désutilité) de celui qui renonce à une consommation présente en prêtant son épargne (voir la théorie des fonds prêtables).

Dans les fonctions de production, le capital est un facteur de production endogène : à la fois input et output ; à la fois produit et facteur, car il est produit à partir de lui-même et d'autres facteurs (il faut des machines pour produire des machines).

♦ Pour Marx, le capital est le rapport social spécifique d'une société dans laquelle une classe sociale, celle qui possède les moyens de production, extorque la plus-value à la classe sociale antagoniste dont elle exploite le travail.

♦ Pour lui, le capital-argent (A) qu'investit le capitaliste se décompose en deux parties selon les marchandises (M) qu'il permet d'acheter : le *capital constant* sert à acheter les moyens de production (machines, matières premières, etc.) qui ne font que transférer leur propre valeur au produit sans accroissement de valeur ; le *capital variable* sert à acheter la force de travail, source de plus-value dès lors que sa valeur d'usage (produire de la valeur) est supérieure à sa valeur d'échange (salaire).

♦ Le *mouvement du capital A-M-A'* : le capital se reproduit de manière élargie par réinvestissement de la plus-value, ce qui suppose la reproduction de la force de travail et celle des rapports sociaux d'exploitation.

♦ L'expression « capital financier » renvoie chez les marxistes à un sens historique particulier (stade de l'impérialisme) : l'interpénétration, à partir de la fin du XIXᵉ siècle, du capital industriel et du capital bancaire (prises de participation de banques dans le capital d'entreprises industrielles et vice versa) ; voir les analyses d'Hilferding (économiste marxiste de la fin du XIXᵉ siècle).

⟶ *Accumulation du capital, Capital social (sens juridique), Capitalisme, Reproduction capitaliste (Schémas de).*

CAPITAL CULTUREL

⟶ *Bourdieu, Héritage culturel.*

CAPITAL ÉCONOMIQUE/ SOCIAL

⟶ *Bourdieu.*

CAPITAL HUMAIN

Capacités physiques ou intellectuelles d'un individu ou d'un groupe d'individus favorisant la production d'un revenu (monétaire ou extra-monétaire). La formation constitue une forme d'investissement en capital humain.

Le concept de capital humain est né dans les années 1960 des travaux de Gary Becker. Ce concept s'inscrit dans le contexte historique particulier et répond à différents besoins : d'une part, les analyses de la croissance (Denison) montrent le rôle du niveau de formation dans l'explication des différences de taux de croissance ; d'autre part, les budgets publics affectés à la formation connaissent des croissances extraordinaires ; enfin, les différences de salaires dues aux différences de qualification obligent à s'interroger sur la formation des qualifications.

La formulation de base consiste à calquer l'analyse du capital humain sur celle du capital physique : l'investissement en capital humain représente un coût et rapporte un certain rendement. Le coût est un coût direct (coût de la formation) et un coût d'opportunité (manque à gagner dû au fait que l'individu en formation ne travaille pas) ; le rendement résulte du supplément de salaires impliqué par les différences de formation.

♦ Si la notion de capital humain suggère une idée fondamentale, sa mise en œuvre se heurte à de nombreuses difficultés qui peuvent être distinguées selon deux types.

♦ D'une part, les différences de salaires ne s'expliquent que pour une faible part par des différences de formation ; l'investissement en capital humain dépasse l'acquisition de formation et peut comprendre le déplacement géographique, le changement d'entreprise... On explique alors mieux les différences de salaires mais on perd l'idée d'un investissement en capital humain.

♦ D'autre part, l'analyse en termes de capital humain soulève une difficulté plus théorique et pour partie idéologique : certaines formulations, notamment celle de Becker, tendent à prêter à l'individu qui investit en capital humain une rationalité proche de celle de l'investisseur en capital financier, ce qui peut aboutir à l'idée selon laquelle les différences de rémunération dépendent de différences d'investissement individuel et s'expliquent ainsi par des choix personnels.

La notion de capital humain connaît depuis une quinzaine d'années une renaissance par déplacement : on s'intéresse désormais à la gestion par l'entreprise du capital humain, en s'interrogeant sur les coûts et les gains tirés de la formation par l'entreprise. Dès lors, on introduit une distinction fondamentale entre actifs spécifiques (capital humain spécifique) et actifs non spécifiques (capital humain non spécifique) : en effet, le salarié peut acquérir une formation qui bénéficie exclusivement à l'entreprise ou une formation qui peut intéresser d'autres entreprises ; dans le premier cas, l'entreprise a un intérêt évident à former les salariés, alors que, dans le deuxième cas, elle risque de le voir partir et valoriser sa formation ailleurs.

→ *Becker ; Annexe 24.*

CAPITAL RISQUE

On appelle société de capital risque une société financière investissant dans des entreprises présentant des risques, le plus souvent en raison de l'utilisation d'une technologie de pointe, et dont la rentabilité est incertaine à court terme : biotechnologies, nouvelles technologies de l'information, etc.

En anglais, l'expression souvent utilisée est celle de *business angels*.

→ *Start up.*

CAPITAL SOCIAL
(sens juridique)

Valeur des apports en nature ou en numéraire mis à la disposition d'une société par les propriétaires ou les associés. Dans le cas des sociétés anonymes, le capital est divisé en actions.

CAPITALISATION
BOURSIÈRE

Valeur, à une date donnée, d'un ensemble de titres, ou du capital d'une société, calculée à partir de leurs cours en Bourse.

La capitalisation boursière (ou *valeur boursière*) d'une entreprise s'obtient en multipliant le cours de son action en Bourse par le nombre d'actions qui composent son capital social. La capitalisation d'une place boursière totalise la valeur boursière des sociétés qui y sont cotées.

→ *Bourse des valeurs.*

CAPITALISME

Système économique caractérisé par la propriété privée des moyens de production, par le rôle du marché où s'exerce une concurrence entre les agents économiques, par l'importance de l'initiative individuelle (qui n'exclut pas totalement le rôle de l'État), par la recherche et le réinvestissement systématiques du profit.

Les auteurs libéraux insistent sur le rôle régulateur du marché qui assure la meilleure répartition possible des ressources, et sur l'initiative individuelle, moteur du développement économique et du progrès.

Les marxistes mettent l'accent sur la propriété privée des moyens de production, d'où découle la division de la société en deux classes principales antagonistes : la bourgeoisie (qui détient les moyens de production) et le prolétariat (qui ne possède que sa seule force de travail).

♦ Historiquement, le capitalisme s'est instauré progressivement : dès le XVIe siècle, le *capital marchand* finance des expéditions commerciales vers l'Asie, l'Afrique, l'Amérique ; le *capital usuraire et bancaire* prête des sommes considérables à la noblesse ou à la monarchie et crée les techniques du crédit (lettre de change, billet de banque, actions, etc.).

♦ La création des manufactures marque une nouvelle étape : le capitalisme apparaît en dépassant le domaine de l'échange commercial et financier pour atteindre la sphère de la production. Pour éviter les règles restrictives édictées par les corporations du Moyen Âge, les commerçants, enrichis par le négoce international, réunissent des producteurs dans un même lieu et instaurent une division du travail qui permet d'accroître la productivité.

♦ Avec la révolution industrielle, le capitalisme devient dominant dans les pays d'Europe occidentale. L'utilisation systématique des machines, l'exode rural, la production pour le marché mondial s'accompagnent de transformations politiques : la bourgeoisie industrielle et commerciale devient la classe dominante. Par la colonisation, le capitalisme s'étend, à partir du XIXe siècle, à l'ensemble de la planète.

Le capitalisme contemporain reste caractérisé par la propriété privée des moyens de production, mais l'*État* joue, dans tous les pays développés, un rôle important. Parfois propriétaire de grandes entreprises, voire de secteurs entiers de l'économie, il intervient de multiples façons : planification indicative, dépenses et recettes publiques, réglementation, incitations, etc.

D'autre part, le capitalisme moderne est caractérisé par une concentration croissante des entreprises qui conduit à l'existence de grands groupes économiques dont l'activité multiforme dépasse souvent les frontières nationales et dans lesquels la propriété du capital — souvent dispersée entre les mains de nombreux actionnaires — est souvent distincte du pouvoir de direction assuré par des directeurs « managers » salariés qui forment la *technostructure* : ce capitalisme est qualifié de *managerial*. Le début du XXIe siècle voit le retour du pouvoir des actionnaires propriétaires qui exigent des dividendes importants : il s'agit d'un capitalisme *patrimonial* ou *actionarial*.

L'internationalisation croissante des échanges de marchandises et de capitaux rend les différentes nations de plus en plus dépendantes les unes des autres.

Enfin, les crises économiques qui secouaient périodiquement l'économie capitaliste jusqu'à la première moitié du XXe siècle n'ont pas totalement disparu : après trente années de croissance relativement rapide et régulière (les « Trente Glorieuses »), la crise de 1974, suivie d'une croissance ralentie, a rappelé les limites auto-régulatrices de ce système.

➤ *Capital, Classique(s) (Économie, économistes), Concentration (des entreprises), Concurrence, Libéralisme, Marché, Système économique, Technostructure ; Annexes 7, 13, 25, 27, 32.*

CAPITALISTIQUE

Se dit d'une activité qui utilise, pour produire, une forte proportion de capital (machines, matières premières...) et donc, relativement, peu de main-d'œuvre.

Il ne faut pas confondre l'adjectif « capitalistique » avec « capitaliste ».

➤ *Annexe 9.*

CAPITAUX FLOTTANTS (ou *HOT MONEY*)

Capitaux monétaires (à court terme), susceptibles de passer rapidement d'une forme de placement, d'une place financière et d'une devise à une autre, en provoquant d'amples variations des taux de change.

Constitués de fonds de trésorerie des firmes multinationales, d'avoirs à court terme des banques, etc., ils sont en quête de placement rémunérateurs, et leurs mouvements, qui résultent principalement du termaillage, s'expliquent par les anticipations faites sur les variations des taux d'intérêt et des taux de change.

➤ *Fonds propres.*

CARRÉ MAGIQUE

Représentation graphique, imaginée par l'économiste N. Kaldor pour l'OCDE, résumant la situation conjoncturelle d'un pays à partir de quatre indicateurs : le taux de croissance du PIB, le taux de chômage, le taux d'inflation (ou taux de croissance des prix à la consommation), le solde de la balance des transactions courantes (en pourcentage du PIB).

Ces quatre indicateurs, dont la représentation graphique constitue les quatre côtés du carré, correspondent à quatre objectifs fondamentaux de la politique économique : la croissance économique, le plein emploi de la main-d'œuvre, la stabilité des prix, l'équilibre des échanges extérieurs. Cependant, la construction du carré ne va pas sans difficultés qui tiennent en particulier aux échelles retenues pour chacun des indicateurs, ces échelles étant choisies de façon arbitraire, le plus souvent en fonction de la situation économique du moment. La forme optimale du carré reflète les objectifs retenus *a priori* pour apprécier les résultats de la politique économique mise en place.

Ce carré est qualifié de *magique* car l'expérience montre qu'il est très difficile d'atteindre simultanément les quatre objectifs, du moins à court terme : une politique de désinflation compétitive peut provoquer une augmentation du taux de chômage ; une politique de relance de l'activité économique destinée à réduire le chômage risque d'avoir des conséquences inflationnistes et d'entraîner un déficit du commerce extérieur.

Plus la surface du quadrilatère correspondant aux statistiques d'un pays à une période donnée s'éloigne de la surface théorique du carré magique, plus la situation se détériore. La modification du quadrilatère dans une direction particulière fournit de plus une indication sur l'efficacité de la politique économique (par exemple, déformation vers l'Ouest si la lutte contre le chômage réussit).

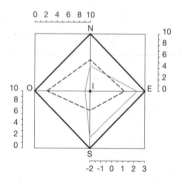

NI = Taux de croissance du PIB en %
EI = Solde des transactions courantes en %
SI = Taux d'inflation en %
OI = Taux de chômage en % de la population active
----- France 1970
⎯⎯ France 2000

Le carré français de 2000 montre une situation radicalement différente de celle de 1970 : meilleure maîtrise de l'inflation et du commerce extérieur ; croissance moins forte mais chômage plus élevé.

⎯⎯▶ *Contrainte extérieure, Politique économique.*

CARTEL

⎯⎯▶ *Concentration (des entreprises), Entente.*

CASH FLOW (ou MARGE BRUTE D'AUTOFINANCEMENT)

⎯⎯▶ *Profit.*

CASTE

Groupe social héréditaire et fermé ayant des fonctions propres dans les domaines religieux, juridique ou économique et caractérisé par un statut déterminé au sein d'une hiérarchie.

Les castes s'organisent en système dont l'exemple le plus achevé est celui des *jati* en Inde. Elles sont rangées selon une stricte hiérarchie, elles entretiennent entre elles des relations de subordination, d'interdépendance et d'exclusion ; cet ensemble repose sur un système de valeurs (opposition du pur et de l'impur, système des *Varnas*) légitimant la division et la hiérarchie du corps social.

♦ *Varnas* : système de représentation instituant une division quadripartite de la société ; au sommet, les prêtres ou brahmanes, puis les guerriers et les producteurs, enfin les serviteurs. Il faut ajouter une cinquième catégorie, les intouchables, exclus des *Varnas*.

Par extension : tout groupe caractérisé par un esprit d'exclusion et défendant jalousement ses prérogatives.

⎯⎯▶ *Élite(s), Hiérarchie, Stratification sociale.*

CATÉGORIE

→ *Groupe social.*

CATÉGORIES SOCIOPROFESSIONNELLES (CSP)

Regroupements d'individus, ayant le même statut socioprofessionnel, selon des principes de classement élaborés par l'INSEE : « La définition a pour objet de classer l'ensemble de la population en un nombre restreint de catégories présentant chacune une certaine homogénéité sociale. »

La nomenclature socioprofessionnelle se présente comme une pyramide emboîtant les uns dans les autres différents niveaux de classement : les « groupes » (niveau le plus agrégé) se subdivisent en « catégories » qui elles-mêmes regroupent les « professions ». La nomenclature actuellement en usage est celle dite des PCS (professions et catégories socioprofessionnelles), elle remplace depuis 1982 le code des CSP de 1954.

◆ Le statut socioprofessionnel résulte de la combinaison de plusieurs critères :
– le statut par lequel l'INSEE désigne la position juridique et économique des actifs : salariés, travailleurs indépendants, employeurs ;
– le métier ou la spécialité professionnelle (au niveau agrégé, il s'agit de types de professions) ;
– pour les salariés, la qualification et la place dans la hiérarchie (ces deux qualités ne vont pas toujours de pair : un chercheur hautement qualifié n'a pas pour autant une fonction de commandement) ;
– pour les non-salariés, la position selon la taille de l'entreprise (nombre de salariés employés) ;
– l'activité économique de l'entreprise (à noter que ce critère n'a qu'une application que partiellement : il est utilisé en particulier pour distinguer, parmi les non-salariés, les actifs de l'agriculture et ceux des autres secteurs).

La classification socioprofessionnelle est d'abord une classification de la population active. Celle-ci est composée de 6 groupes et de la catégorie 81 regroupant les chômeurs n'ayant jamais travaillé.

◆ Pour prendre en compte toute la population, on regroupe les non-actifs dans les groupes 7 (retraités) et 8 (autres inactifs). Par ailleurs, on obtient une classification de toute la population en ventilant les personnes par ménages, eux-mêmes classés selon le statut du chef de ménage ou de la « personne de référence ». Dans ce cas, le groupe 7 rassemble les ménages « retraités » et le groupe 8 les autres inactifs non affiliés aux ménages dont la personne de référence est un actif (voir tableau pages 64-65).

Contrairement à d'autres classifications comme les classes de revenu ou les échelles de prestige, la classification en CSP n'est que partiellement hiérarchisée : certains des critères utilisés (salariés/non-salariés, secteur public/secteur privé, cadres techniques/cadres administratifs) sont des oppositions à deux termes que l'on ne peut ordonner sur une échelle graduée ; c'est en ce sens que cette classification est dite « multidimensionnelle ».

◆ Le remaniement de la nomenclature intervenu en 1982 a répondu à une nécessité d'actualisation (la structure sociale avait sérieusement évolué depuis les années 1950) mais aussi à un souci d'amélioration : les concepteurs ont tenu compte de certaines critiques adressées à l'ancien code et des progrès dans la connaissance de la réalité sociale.

◆ Les changements les plus importants par rapport au code de 1954 sont les suivants : les salariés agricoles sont intégrés dans le groupe 6 (ouvriers) ; les personnels de service dans le groupe 5 (employés). Les actifs de l'ancien groupe « cadres moyens » sont, pour la plupart, désormais classés comme « professions intermédiaires » dans la mesure où beaucoup d'entre eux (instituteurs, infirmières, techniciens, comptables, etc.) n'exercent pas de fonction d'encadrement au sens strict du terme.

→ *Cadre(s), Classe(s) moyenne(s), Employés, Mobilité sociale, Ouvrier, Statut/Status, Stratification sociale.*

NOMENCLATURE DES CATÉGORIES SOCIOPROFESSIONNELLES
Correspondance entre les niveaux 8, 24 et 42

Niveau agrégé (8 postes dont 6 pour les actifs occupés)	Population totale par catégorie socioprofessionnelle en 1999 (en milliers)	Niveau de publication courante (24 postes dont 19 pour les actifs)	Niveau détaillé (42 postes dont 32 pour les actifs)
1 Agriculteurs exploitants.	642	10 Agriculteurs exploitants.	11 Agriculteurs sur petite exploitation. 12 Agriculteurs sur moyenne exploitation. 13 Agriculteurs sur grande exploitation.
2 Artisans, commerçants et chefs d'entreprise.	1 660	21 Artisans. 22 Commerçants et assimilés. 23 Chefs d'entreprise de 10 salariés ou plus.	21 Artisans. 22 Commerçants et assimilés. 23 Chefs d'entreprise de 10 salariés ou plus.
3 Cadres et professions intellectuelles supérieures.	3 162	31 Professions libérales. 32 Cadres de la Fonction publique, professions intellectuelles et artistiques. 36 Cadres d'entreprise.	31 Professions libérales. 33 Cadres de la Fonction publique. 34 Professeurs, professions scientifiques. 35 Professions de l'information, des arts et des spectacles. 37 Cadres administratifs et commerciaux d'entreprise. 38 Ingénieurs et cadres techniques d'entreprise.
4 Professions intermédiaires.	5 769	41 Professions intermédiaires de l'enseignement, de la santé, de la Fonction publique et assimilés. 46 Professions intermédiaires administratives et commerciales des entreprises. 47 Techniciens. 48 Contremaîtres, agents de maîtrise.	42 Instituteurs et assimilés. 43 Professions intermédiaires de la santé et du travail social. 44 Clergé, religieux. 45 Professions intermédiaires administratives de la fonction publique. 46 Professions intermédiaires administratives et commerciales des entreprises. 47 Techniciens. 48 Contremaîtres, agents de maîtrise.

5 Employés.	7 809	51 Employés de la Fonction publique.	52 Employés civils et agents de service de la Fonction publique. 53 Policiers et militaires.
		54 Employés administratifs d'entreprise.	54 Employés administratifs d'entreprise.
		55 Employés de commerce.	55 Employés de commerce.
		56 Personnels des services directs aux particuliers.	56 Personnels des services directs aux particuliers.
6 Ouvriers.	7 062	61 Ouvriers qualifiés.	62 Ouvriers qualifiés de type industriel. 63 Ouvriers qualifiés de type artisanal. 64 Chauffeurs. 65 Ouvriers qualifiés de la manutention, du magasinage et du transport.
		66 Ouvriers non qualifiés.	67 Ouvriers non qualifiés de type industriel. 68 Ouvriers non qualifiés de type artisanal.
		69 Ouvriers agricoles.	69 Ouvriers agricoles.
7 Retraités.	10 634	71 Anciens agriculteurs exploitants.	71 Anciens agriculteurs exploitants.
		72 Anciens artisans, commerçants, chefs d'entreprise.	72 Anciens artisans, commerçants, chefs d'entreprise.
		73 Anciens cadres et professions intermédiaires.	74 Anciens cadres. 75 Anciennes professions intermédiaires.
		76 Anciens employés et ouvriers.	77 Anciens employés. 78 Anciens ouvriers.
8 Autres personnes (de 15 ans et +) sans activité professionnelle.	11 334	81 Chômeurs n'ayant jamais travaillé.	81 Chômeurs n'ayant jamais travaillé.
		82 Inactifs divers (autres que retraités)	83 Militaires du contingent. 84 Étudiants, élèves de 15 ans et plus. 85 Personnes diverses sans activité professionnelle de moins de 60 ans (sauf retraités). 86 Personnes diverses sans activité professionnelle de 60 ans et plus (sauf retraités).

CERCLE VICIEUX, CERCLE VERTUEUX

Enchaînement circulaire de mécanismes économiques, socioculturels ou politiques entretenant voire renforçant des traits défavorables (cercle vicieux) ou favorables (cercle vertueux) d'une économie, d'une société.

On parle ainsi de cercle vicieux du sous-développement ; celui-ci s'entretiendrait lui-même par circularité ; par exemple : pauvreté et bas revenus → faible épargne → faible investissement → faible productivité → faibles revenus, pauvreté persistante, etc.

Le change monétaire est souvent associé à des cercles vicieux ou vertueux. Cercle vertueux d'une monnaie forte (Allemagne avant l'union monétaire) : → termes de l'échange favorables (prix relativement faibles en DM des biens importés) → effets favorables sur les prix intérieurs (peu d'inflation) → amélioration de la compétitivité-prix aux exportations → excédent de la balance commerciale et des paiements → appréciation de la monnaie, etc.

→ *Désinflation, Dévaluation, Économie du développement, Effet pervers, Politique de change.*

CERTIFICAT DE DÉPÔTS

Titre court émis par les institutions financières et négociable sur le marché monétaire.

→ *Marché monétaire.*

CERTIFICAT D'INVESTISSEMENT

Produit financier, de la famille des actions, créé dans les années 1980, titre négociable donnant droit à un dividende mais sans droit de vote.

Conçu à l'origine pour accroître les fonds propres des entreprises publiques sans perte de pouvoir pour l'État actionnaire, ce procédé de financement est aussi utilisé par les entreprises privées. 25 % du capital d'une société peut être émis sous cette forme. À chaque certificat d'investissement correspond un certificat de droit de vote, séparé, qui peut être détenu par un autre bénéficiaire.

→ *Marché financier.*

CERTIFICATION QUALITÉ

Opération consistant à faire attester, par un organisme tiers, la mise en place au sein d'une entreprise d'un système d'assurance qualité, conforme à des normes internationales (par exemple, ISO 9000). En France, il existe plusieurs organismes certificateurs : l'AFNOR, l'AFAQ, etc.

CDD/CDI

→ *Contrat de travail.*

CHAMBRE DE COMMERCE ET D'INDUSTRIE

Établissement public, départemental ou régional qui a pour fonction de représenter les intérêts des commerçants et des industriels. Les 21 chambres régionales administrent des établissements d'enseignement (HEC, écoles supérieures de commerce), les bourses de commerce, les ports et aéroports.

CHANGEMENT SOCIAL

Transformation durable, plus ou moins rapide, d'une partie ou de l'ensemble d'un système social au niveau de son fonctionnement (modes d'organisation), de sa structure (stratification, rapports sociaux) ou de ses modèles culturels (comportements, normes, systèmes de valeur).

Exemples : transformations internes du monde agricole (des paysans traditionnels aux agriculteurs-entrepreneurs), évolution de l'institution scolaire (recrutement, rapports maîtres-élèves, etc.), transformation du statut féminin (professionnalisation, rôles familiaux), essor des classes moyennes salariées, déclin des valeurs religieuses dans la société française, etc.

Les facteurs du changement social sont complexes. On invoque souvent l'évolution techno-économique. Si elle joue un rôle important dans nombre de transformations sociales (exemple : révolution industrielle), la dimension proprement technique doit être relativisée (l'innovation technique est elle-même un produit social). Certains changements sociaux obéissent à des processus non économiques ou dépassant la seule logique économique : dynamiques du pouvoir, processus de différenciation sociale, mouvements religieux, etc.

♦ On distingue couramment les facteurs exogènes (extérieurs aux phénomènes observés) et endogènes (internes à l'organisation sociale). Dans ce dernier cas, on parle volontiers de *dynamique sociale*, en suggérant par là que le système social renferme en lui-même les conditions de sa transformation (conflits sociaux, contradictions internes).

♦ Le terme d'*évolution* est réservé aux transformations que connaît une société sur une longue période (processus séculaire). Le changement social s'observe cependant sur une période plus brève.

→ *Développement, Diffusion/Diffusionnisme, Endogène/Exogène ; Annexes 26, 32, 36, 38.*

CHANGE (Taux de ou Cours du)

Prix d'une monnaie exprimé par rapport à une monnaie étrangère. Le taux de change se forme sur le marché des changes en fonction des offres et des demandes des agents économiques et de l'intervention des autorités moné-

taires. Dans les systèmes de parités fixes, les autorités monétaires sont tenues d'intervenir pour maintenir le taux de change à l'intérieur de marges étroites de fluctuations autour de la parité.

→ *Système monétaire international (SMI).*

CHANGES (Contrôle des)

Ensemble des dispositions réglementaires limitant la convertibilité de la monnaie nationale en devises ou en or, et les sorties de monnaie du territoire.

Objectifs recherchés : défendre la valeur externe de la monnaie en limitant son offre spéculative sur le marché des changes, préserver les réserves de change de la nation pour un usage prioritaire, entraver les fuites de capitaux, ou même protéger l'économie nationale, en limitant le financement des importations. Le contrôle des changes peut combiner et moduler diverses techniques : double marché des changes ou taux de change multiples.

♦ Ainsi, pour les besoins du commerce, les devises sont cédées au cours officiel alors que, pour les opérations financières, la loi de l'offre et de la demande sanctionnera la spéculation. Exemple : par le passé le régime de la devise-titre en France pour les opérations boursières (l'achat de titres US passe par l'achat de dollar-titre aux seuls vendeurs de titres).

Mesures les plus utilisées : limitation ou interdiction des transferts de fonds à l'étranger sauf pour des importations autorisées ; délais fixés pour le rapatriement des recettes à l'exportation ou pour l'achat anticipé de devises à l'importation (le termaillage) ; limitations aux rapatriements de bénéfices par les investisseurs étrangers ; carnet de change et montant de devises limité pour les touristes nationaux, etc. Le contrôle des changes, parce qu'il empêche la création d'un marché unifié international des capitaux, est condamné par les partisans du libre-échange.

En France, le contrôle des changes a été totalement aboli le 1er janvier 1990.

⟶ *Change (Taux du ou Cours du), Convertibilité, Termaillage.*

CHANGES FIXES/ FLOTTANTS

⟶ *Système monétaire international (SMI).*

CHANGES (Marché des)

> Marché sur lequel on échange une monnaie contre une autre.

Le marché des changes assure la confrontation de l'offre et de la demande de monnaies étrangères contre de la monnaie nationale ; c'est le marché sur lequel les devises s'échangent les unes contre les autres et s'établissent les taux de change.

Sur le *marché au comptant*, il n'y a aucun délai (deux jours au maximum) entre la date où se noue le contrat d'achat ou de vente des devises et la date où le règlement de la transaction s'effectue ; une petite partie de ce marché est constituée par le *change manuel* qui porte sur des billets de banque, mais l'essentiel des transactions est constitué par le *change scriptural*, qui porte sur des avoirs bancaires.

À tout moment, ce sont les banques qui organisent, sur les diverses places dans le monde, la confrontation des offres et des demandes : l'équilibre du marché qui en résulte détermine le prix des devises les unes par rapport aux autres, les taux de change.

Sur le *marché à terme*, il existe au contraire un délai entre la date à laquelle est conclu le contrat et la date de son dénouement. Exemple : la banque s'engage aujourd'hui à livrer 100 000 dollars dans trois mois à l'entreprise E, qui fournira en échange 100 000 euros. L'entreprise, qui a acheté des marchandises américaines, vient de recevoir une facture de 100 000 dollars payable dans trois mois. Dès lors que la monnaie de facturation n'est pas la monnaie nationale et que l'échéance n'est pas immédiate, l'entreprise encourt un *risque de change* : si elle attend et que le cours du dollar monte, le coût des marchandises sera plus élevé que prévu. Si l'agent n'est pas un spéculateur, il cherche à annuler — ou à « fermer » — sa position par une opération de couverture de change ; exemple : si une entreprise doit x dollars dans trois mois (devises à livrer), elle se couvre contre le risque de change en achetant à terme les devises correspondantes.

Les Banques centrales interviennent sur le marché des changes pour défendre une parité dans le cadre d'un système de parités fixes (SME par exemple) ou pour stabiliser le taux de change de la monnaie nationale à un niveau désiré dans le cadre d'un système de flottement administré.

⟶ *Change (Taux de ou Cours du), Changes (Contrôle des), Réserves de change, Système monétaire international (SMI).*

CHAOS DÉTERMINISTE

> État d'un système, physique, biologique, météorologique, mais aussi économique, démographique ou social, à la fois déterminé et imprévisible. Un tel système chaotique n'est donc ni désordonné ni aléatoire, contrairement au chaos du sens commun.

Lorsque l'évolution d'un système dépend de plus de deux variables, simples, non aléatoires, il devient complexe et peut devenir chaotique.

La théorie du chaos déterministe trouve des applications en économie dans l'étude de la croissance et dans celle de la formation des prix, notamment l'étude des fluctuations des cours de Bourse. Dans les deux cas, sont mises en évidence des séries, des suites, ni stables, ni cycliques, mais bornées (bien qu'erratiques, elles ne divergent pas). Elles résultent de relations non linéaires entre un petit nombre de variables endogènes simples qui les déterminent de manière non prévisible.

Le régime de *croissance continue* (*trend* positif de longue période autour duquel les inflexions de courte période ne présentent aucune régularité) et le régime de *croissance cyclique* (tendance longue positive et fluctuations régulières dans le temps) correspondent tous deux à une théorie de la croissance dont l'élément moteur, le progrès technique, détermine un sentier de croissance équilibrée, que l'économie rejoint peu ou prou, par-delà les chocs externes aléatoires ou les oscillations régulières endogènes (voir oscillateur linéaire de Samuelson). À l'opposé, la dynamique chaotique qui n'apparaît qu'au-delà d'une valeur limite pour les constantes correspond à une évolution de long terme marquée de fluctuations irrégulières (pas de cycle), endogènes, autoentretenues, mais largement imprévisibles puisque caractérisées par une forte dépendance par rapport aux conditions initiales (d'où de fortes erreurs potentielles de prévisions pour d'infimes erreurs d'estimation de la valeur initiale des variables). Tout cela correspondant assez bien à la nature erratique des séries statistiques observées pour le taux de croissance (ou d'autres variables économiques).

♦ Les cours de bourse dépendent des anticipations des agents : les baissiers vendent et les haussiers achètent. La proportion des uns et des autres détermine l'offre et la demande de titres et donc les cours. Mais les deux catégories interagissent par mimétisme : un baissier peut devenir haussier s'il constate que la proportion de haussiers augmente, les anticipations de ces derniers ayant de fortes probabilités de devenir auto-réalisatrices ; car les cours monteront si la proportion de ceux qui pensent qu'ils vont monter, et qui achètent, augmente. Mais la proportion des uns et des autres ne se stabilisant pas, le système est chaotique, et ses résultats sont erratiques mais bornés (« les arbres ne montent jamais jusqu'au ciel »). Le modèle qui le représente est déterministe, non linéaire, et récurrent (les anticipations et les prix sont fonction des anticipations et des prix précédents).

L'application de la théorie du chaos aux sciences sociales, en introduisant des lois déterministes dans des modèles jusque-là à caractère aléatoire, accroît ainsi leur valeur explicative, sinon prédictive.

→ *Bulle financière, Chocs, Croissance, Cycles, Oscillateur.*

CHARGES SOCIALES

Ensemble des versements effectués par les employeurs pour alimenter la Sécurité sociale et divers organismes.

Elles servent à payer les retraites, l'indemnisation du chômage, l'assurance maladie, les dépenses de formation continue, etc. Elles sont liées aux salaires distribués par l'entreprise.

→ *Cotisation sociale, Parafiscalité.*

CHARISME

(du gr. *kharisma*, « grâce »)
Ascendant, rayonnement d'une personnalité perçue comme exceptionnelle.

Max Weber voit dans le charisme une des sources de l'autorité, celle-ci pouvant être de nature religieuse (prophète) ou politique (chef de guerre, souverain plébiscité, chef de parti).

→ *Autorité.*

CHÈQUE

→ *Banque, Monnaie.*

CHOCS

Impulsions exogènes dont la propagation perturbe l'activité économique générant des fluctuations et dont la répétition engendre des fluctuations à caractère cyclique.

C'est le concept clé des théories exogènes du cycle d'activité : l'économie de marché tend vers l'équilibre mais reçoit, de manière répétée, en provenance de sphères extra-économiques (politique, sociale, culturelle, technique), des chocs de nature différente. Ces analyses s'inspirent du schéma « impulsion-propagation » de R. Frisch, qu'il a tiré de l'image du « cheval à bascule » de K. Wicksell, lequel affirmait : « Si vous frappez un cheval à bascule avec un bâton, le mouvement du cheval sera très différent de celui du bâton. »

♦ Selon Frisch (dans *Problèmes de propagation et d'impulsion en dynamique économique*, Londres, 1933) : « Knut Wicksell semble avoir été le premier à avoir été tout à fait conscient de la nécessité de distinguer deux types de problèmes dans l'analyse du cycle économique — le problème de la propagation et celui de l'impulsion — et aussi le premier à avoir explicitement formulé la théorie selon laquelle ce sont les chocs erratiques qui constituent la source d'énergie qui entretient les cycles économiques. Il concevait de manière plus ou moins précise le système économique comme subissant des poussées irrégulières, par saccades... Il se peut que ces saccades irrégulières entraînent des mouvements cycliques plus ou moins irréguliers. »

Ainsi, selon cette analyse, l'amortissement du choc et la longueur du cycle dépendent des caractéristiques structurelles, endogènes, de l'économie (= structure du cheval), l'amplitude du cycle dépend, elle, de l'intensité du choc (= le coup de bâton).

Plusieurs théories font appel à la notion de chocs exogènes :

– chocs des politiques monétaires keynésiennes pour M. Friedman : les gouvernements tentent vainement de faire baisser le taux de chômage en dessous de son taux naturel en augmentant l'offre de monnaie ; des effets réels transitoires sont observables tant que l'illusion monétaire n'est pas dissipée (par exemple, hausse de l'activité par augmentation de l'offre de travail des agents qui n'ont pas encore pris conscience que la hausse des salaires n'est que nominale car annulée par l'inflation) ;

– de manière proche, dans la théorie des cycles à l'équilibre de R. Lucas et R. Barro, fondateurs de la NEC, les chocs sont monétaires ; par exemple, augmentation imprévisible de l'offre de monnaie : si les agents, imparfaitement informés, anticipent la hausse des prix de leurs produits ou services (par exemple, leur travail) comme provisoire et spécifique, ils augmenteront leur offre (→ expansion) ;

– chocs politiques, monétaires et/ou budgétaires, dans la théorie du cycle électoral de W. Nordhaus et E. Tufte : politiques de relance des gouvernants à l'approche des élections pour se concilier les électeurs, et politiques de stabilisation après les élections ;

– dans la théorie des cycles réels (RBC, *Real Business Cycles*), de E. Prescott, P. Long et C. Plosser, les chocs sont réels (par opposition à « monétaires ») : principalement des chocs de productivité liés aux innovations ; les agents réagissent par des choix intertemporels d'optimisation concernant leur offre de travail/loisir et leur offre d'épargne/consommation ; si l'augmentation de productivité est considérée comme temporaire, l'effet de substitution l'emporte et les agents travaillent et consomment davantage ; la fluctuation est celle du *trend*, l'économie étant toujours en situation d'équilibre et d'efficience (optimum) ;

– d'autres types de chocs ont encore été envisagés : chocs d'offre comme les chocs pétroliers qui accroissent brutalement les coûts de production (R. J. Gordon), chocs budgétaires d'accroissement de la dépense publique (effet favorable sur la croissance, du côté de l'offre, selon R. Barro : les agents privés, appauvris, travaillent davantage si le choc est considéré comme permanent), chocs de demande (par accroissement de la demande globale ou par modification des préférences des consommateurs)...

Selon la plupart des économistes libéraux, les imperfections prennent la forme de "chocs" […] ; la source des "perturbations" est dans des phénomènes hors marché (politiques, culturels, ou autres). »

À la différence des théories exogènes qui, elles, affirment la stabilité des mécanismes du marché et le caractère perturbateur des chocs extra-économiques, les théories qui endogénéisent le cycle (par exemple, théorie de l'oscillateur) sont des théories qui imputent celui-ci aux structures de l'économie de marché ; elles en affirment en général le caractère intrinsèquement instable, elles en contestent le caractère auto-équilibrant.

→ **Crise, Cycles, Oscillateur, Phillips (Courbe de).**

CHÔMAGE

> Situation d'un individu (« être au chômage ») ou d'une partie de la main-d'œuvre d'un pays sans emploi et à la recherche d'un emploi ; les chômeurs sont inclus dans la population active. Le chômage peut être total ou partiel (réduction de l'horaire de travail par exemple).

Le chômage pose, en général, un problème de mesure et la définition des indicateurs retenus varie d'un pays à l'autre. Une organisation internationale — le BIT (Bureau international du travail) — a proposé une définition commune à tous les pays. Pour être reconnu chômeur il faut remplir quatre conditions : être dépourvu d'emploi, être capable de travailler, chercher un travail rémunéré, être *effectivement* à la recherche d'un emploi. Il élargit la notion aux personnes ayant trouvé un emploi mais n'ayant pas encore commencé à travailler pendant la semaine de l'enquête.

En France, l'INSEE reprend la définition du BIT mais la limite strictement aux quatre conditions édictées. L'INSEE effectue une fois par an, en mars, une enquête sur l'emploi : les personnes qui correspondent aux quatre conditions citées forment la population sans emploi à la recherche d'un emploi (PSERE). L'information mensuelle sur l'évolution du chômage est fournie par les DEFM (Demandes d'emploi en fin de mois) enregistrées par l'ANPE (Agence nationale pour l'emploi), classées en huit catégories.

Depuis 1995, on a soustrait des catégories 1, 2 et 3 des DEFM (1 : recherche d'un emploi à durée indéterminée et à temps plein ; 2 : d'un emploi à temps partiel ; 3 : d'un emploi temporaire ou saisonnier) les personnes jugées indisponibles du fait d'une activité professionnelle rémunérée supérieure à 78 heures au cours du mois (désormais recensées dans les catégories 6, 7, 8 ; l'ancienne catégorie 1 correspond par exemple aux nouvelles catégories 1 et 6).

Les comparaisons internationales se font à partir du taux de chômage, ou rapport entre l'effectif des chômeurs et la population active. Enfin, des taux de chômage par catégories (âge, sexe, catégories sociales) peuvent être calculés.

Ce chômage, mesuré par les organismes habilités, est appelé *chômage apparent*.

On distingue d'autre part, selon l'origine et/ou la durée :

Chômage conjoncturel : qui résulte d'un ralentissement temporaire de la croissance économique.

On distingue d'autre fait, selon l'origine et/ou la durée :

Chômage déguisé : emplois dont la productivité est faible, voire nulle.

Chômage frictionnel : dû au temps moyen nécessaire à un chômeur pour trouver un emploi correspondant à ses qualifications et à ses aspirations ; il est lié à la mobilité professionnelle, sectorielle, géographique ; le plein emploi est réalisé lorsque le chômage est principalement frictionnel.

Chômage saisonnier : lorsque l'activité du salarié fluctue selon les époques de l'année (agriculture, tourisme…).

Chômage structurel : lié aux changements de longue période intervenus dans les structures démographiques, économiques, sociales et institutionnelles (exemple : variation des taux d'activité, évolution des qualifications requises, de la localisation des emplois, branches ou régions en déclin, effets de la législation, etc.).

Chômage technique : dû à une interruption du processus technique de production (panne de machines, pénuries, etc.).

Chômage technologique : innovations qui économisent du travail, notamment par la substitution du capital au travail (robotisation, informatisation).

Historiquement, la notion moderne de chômage, qui implique la généralisation du salariat, apparaît avec les premières mesures d'indemnisations au début du XXᵉ siècle.

◆ Pour les théoriciens classiques, le chômage n'est que transitoire. Le retour à l'équilibre du marché du travail doit s'effectuer par le biais d'une baisse du salaire réel. Si le chômage existe, il est donc *volontaire* et lié à des rigidités structurelles, salaire minimal, allocations chômage, etc.

◆ Marx analyse, au contraire, le chômage comme une caractéristique permanente du développement du capitalisme. La concurrence incite les capitalistes à substituer du capital au travail ; les travailleurs en excédent par rapport aux besoins de la production constituent une « armée industrielle de réserve » dont les effectifs s'accroissent à long terme.

◆ Keynes explique l'existence du chômage — chômage *involontaire* — par l'insuffisance de la demande effective, donc par une insuffisance des débouchés rentables. Il admet que le marché du travail peut s'écarter durablement de la situation de plein-emploi.

◆ La théorie du déséquilibre opère la distinction entre deux types de chômage :

– *un chômage classique*, qui s'explique par un problème de rentabilité ; il n'est pas rentable d'embaucher des travailleurs supplémentaires parce que leur productivité ne serait pas assez élevée, faute d'un stock de capital suffisant (la productivité du travail dépendant du volume du capital installé) ; la reprise de l'emploi dépend donc d'une reprise préalable de l'investissement, qui dépend elle-même d'une restauration de la rentabilité des entreprises ;

– *un chômage keynésien*, qui s'explique par un problème de débouchés ; les entreprises disposent de capacités de production inemployées, mais elles n'embauchent pas, faute de débouchés.

◆ À un moment donné, ces deux types de chômage peuvent coexister (la situation n'est pas nécessairement la même dans toutes les branches).

◆ Les développements les plus récents des théories du chômage ont consisté à rechercher des explications microéconomiques aux défauts de coordination sur les marchés du travail. Le chômage s'explique alors par toute une série d'imperfections, les deux principales étant les imperfections de la concurrence : les syndicats et les entreprises exercent un pouvoir de marché, les premiers sur la formation des salaires, les secondes sur la formation des prix et les imperfections de l'information, les entreprises ne contrôlent pas parfaitement l'effort au travail des salariés, etc. Dans ce cadre, le chômage résulte des choix individuels rationnels dans un contexte imparfait, ce qui conduit à le définir comme un chômage d'équilibre.

La multiplication de nouvelles formes d'emplois — stages, intérim, contrats à durée déterminée, temps partiel — rend de plus en plus floue la frontière entre l'emploi, le chômage et l'inactivité.

→ *Chômage d'équilibre (Taux de), Chômage naturel, DEFM, Marx, Phillips (Courbe de), Politique de l'emploi, Sous-emploi.*

CHÔMAGE D'ÉQUILIBRE (Taux de)

Taux de chômage défini différemment selon les modèles économiques en fonction des hypothèses microéconomiques sur le fonctionnement du marché du travail.

La notion de chômage d'équilibre semble paradoxale puisque le chômage correspond plutôt à un déséquilibre sur le marché du travail (offre de travail > demande de travail). Pour le comprendre, il faut partir d'une définition de l'équilibre comme étant une situation qui tend à se reproduire et donc à durer parce qu'aucun agent n'a intérêt à modifier ses choix.

◆ Les « anciennes » théories du chômage se réfèrent à des notions apparemment proches du chômage d'équilibre, mais conçues dans des cadres analytiques différents. Les situations d'équilibre de sous-emploi, telles que les définissaient les keynésiens, combinent du chômage sur le marché du travail et l'équilibre sur les autres marchés. Le chômage naturel, tel que le définit Friedman, correspond à un équilibre de long terme. Le NAIRU est aussi un chômage d'équilibre, au sens où il correspond à une stabilisation de l'inflation. Mais dans tous ces cas, le cadre d'analyse est macroéconomique.

Les nouvelles théories du chômage se distinguent des anciennes en ce qu'elles recherchent des fondements microéconomiques à ce chômage : il est nommé « d'équilibre » parce qu'il résulte des calculs d'optimisation d'agents rationnels. L'idée générale consiste à prendre en compte des imperfections des mécanismes concurrentiels sur les marchés des biens et du travail (par exemple, une situation de concurrence monopolistique aussi bien du côté des entreprises sur le marché des biens que du côté des syndicats sur le marché du travail).

Le passage à la concurrence imparfaite permet de modéliser le comportement d'agents qui ont un pouvoir de marché (qui sont donc *price makers*). C'est la raison pour laquelle certains de ces modèles sont dits WS-PS (*wage setting — price setting*) : le chômage d'équilibre y résulte de la confrontation des prétentions contradictoires des salariés (*wage-setters*) et des entreprises (*price-setters*) ; il est déterminé par l'intersection de la courbe WS (*wage schedule*), qui synthétise les mécanismes de formation des salaires, et de la courbe PS (*price schedule*), qui synthétise les mécanismes de formation des prix.

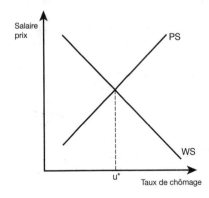

Salaire prix

PS

WS

u*

Taux de chômage

u* Taux de chômage d'équilibre

L'inflation ne se stabilise qu'à la condition que les aspirations des uns et des autres soient rendues compatibles et c'est la variation du taux de chômage qui opère cet ajustement : une hausse du chômage modère les revendications salariales ; le taux de chômage d'équilibre stabilise donc l'inflation, comme le NAIRU, mais ses fondements microéconomiques permettent de le faire dépendre d'un grand nombre de variables, alors que le NAIRU est déterminé macroéconomiquement.

En contrepartie, il existe autant de modèles WS-PS (et donc de détermination du chômage d'équilibre) que de façons de spécifier les courbes des salaires et des prix (hypothèses de type salaire d'efficience, *insiders/outsiders*, prise en compte du niveau de négociation collective, etc.). Selon les cas, le chômage d'équilibre augmente à cause : de la hausse du salaire minimum, de la hausse des allocations chômages, de la hausse du coin socio-fiscal (écart entre le coût du travail pour l'employeur et le revenu disponible pour le salarié, du fait des prélèvements sur les salaires), de l'augmentation du pouvoir syndical, du ralentissement de la productivité…

Dans les modèles qui introduisent une fonction d'appariement (*matching*) et une courbe de Beveridge, on fait apparaître des déterminants supplémentaires du chômage d'équilibre, notamment le taux de destruction des emplois et l'inadéquation entre les structures de l'offre et de la demande en termes de qualifications.

⟶ *Beveridge (Courbe de), Chômage, Chômage naturel (Taux de), Chômage (Traitement économique, social, statistique du), NAIRU/NAWRU, Phillips (Courbe de), WS-PS.*

CHÔMAGE NATUREL
(Taux de)

Pour les monétaristes et les nouveaux classiques, il s'agit du taux de chômage qui correspond, pour une économie donnée, à un équilibre général de longue période.

Pour les économistes classiques (Smith, Ricardo, etc.), l'adjectif « naturel » désigne le niveau d'équilibre de longue période d'une grandeur économique, telle que le prix naturel ou le taux d'intérêt naturel. Selon cette conception, les fluctuations à court terme de la grandeur, par exemple le prix de marché, au jour le jour, sont interprétées comme des écarts transitoires à cet équilibre de long terme : au bout d'un certain temps, le prix de marché converge vers le prix naturel.

Selon Milton Friedman, « le taux naturel de chômage est le taux qui découlerait des équations d'équilibre général si y étaient intégrées les caractéristiques structurelles effectives des marchés des biens et du travail, y compris les imperfections de marché, la variabilité aléatoire des offres et des demandes, le coût de collecte de l'information sur les emplois vacants, les coûts de mobilité, etc. » (« The role of monetary policy », *AER*, mars 1968).

Le chômage naturel s'explique, au-delà même du chômage frictionnel, inévitable, par des rigidités structurelles et institutionnelles (législation, pouvoir des syndicats, imperfection de l'information, etc.). Le taux de chômage de court terme ne peut s'en écarter que temporairement. Pourquoi ? Parce que les salariés mettent un certain temps à corriger leurs erreurs d'anticipation de l'inflation (hypothèse d'anticipations adaptatives) : si la politique économique induit une augmentation du taux d'inflation, il s'ensuit, tant que les salariés ne réagissent pas, une baisse du salaire réel qui incite les entreprises à embaucher ; quand ils corrigent leur erreur d'anticipation et revendiquent les hausses de salaires correspondant au nouveau taux d'inflation, le salaire réel revient à son niveau de départ et le chômage retrouve son niveau d'équilibre de longue période. Par conséquent, ce taux de chômage d'équilibre est atteint lorsque les anticipations d'inflation des salariés correspondent à l'inflation effective. Pour s'en écarter, il faut que l'inflation s'accélère à nouveau. C'est la raison pour laquelle on l'appelle aussi un NAIRU (*non accelerating inflation rate of unemployment*) : lorsque le taux de chômage courant est inférieur au NAIRU, l'inflation s'accélère ; lorsqu'il est supérieur, elle décélère (désinflation).

Pour les nouveaux classiques (Lucas, etc.), sous l'hypothèse d'anticipations rationnelles, le taux de chômage courant ne s'écarte pas du taux de chômage naturel.

Par définition, une politique économique conjoncturelle ne peut agir sur le chômage naturel, qui est un chômage structurel. La seule action efficace consiste à améliorer le fonctionnement du marché du travail en le rapprochant de l'idéal de la concurrence parfaite.

→ *NAIRU/NAWRU, Phillips (Courbe de).*

CHÔMAGE (Traitement économique, social, statistique du)

Politiques de lutte contre le chômage qui privilégient soit la création d'emploi (traitement économique), soit l'aide aux chômeurs (traitement social), soit la diminution du nombre des chômeurs par modification des règles de leur recensement officiel et/ou de leur application (« traitement statistique »).

Traitements social et statistique peuvent se recouper : offrir aux chômeurs des stages rémunérés, ou les admettre à faire valoir leur droit à la retraite de manière anticipée, c'est à la fois leur assurer des revenus et les rayer des statistiques officielles du chômage en changeant leur statut, sans pour autant leur offrir un emploi.

→ *Politique de l'emploi.*

CIRCUIT ÉCONOMIQUE

> Représentation du fonctionnement d'une économie sous la forme de flux orientés reliant des agents ou des opérations.

L'une des représentations les plus simples prend la forme d'un triangle.

À l'origine de ce type d'approche, on trouve F. Quesnay et son *Tableau économique* (1758), puis Marx et Keynes. Les économistes qui raisonnent en termes de circuit s'opposent à ceux qui raisonnent en termes d'équilibre du marché. En effet, l'analyse de circuit est macroéconomique, dynamique, insiste sur l'interdépendance entre les flux (notamment entre l'offre et la demande) et s'applique à une économie monétaire et financière (crédit) qui peut traverser des crises durables.

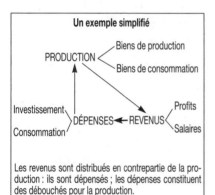

Un exemple simplifié

Les revenus sont distribués en contrepartie de la production : ils sont dépensés ; les dépenses constituent des débouchés pour la production.

→ *Keynes, Keynésianisme/Keynésien(s), Physiocratie, Quesnay.*

CITOYENNETÉ

> Jouissance des droits civiques et politiques (entre autres le droit de vote) attachés à la nationalité : est citoyen tout individu jouissant de ces droits dans un cadre national donné.

La citoyenneté, au sens moderne du terme, a partie liée avec la démocratie telle qu'elle s'est développée à partir de la fin du XVIIIᵉ siècle. Les sociétés d'Ancien Régime ne connaissent que des sujets, inégaux par leur « estat » : tous les individus sont sujets du roi, les roturiers sont sujets d'un seigneur. La Constitution américaine et la Révolution française créent un individu abstrait, sujet de droit et détenteur d'une part de la souveraineté politique.

♦ En réalité, loin d'être simple, la notion de citoyenneté est problématique et peut recevoir des acceptions diverses.

♦ Définie d'abord comme jouissance de droits, elle comporte également des devoirs (respect de la loi commune, défense de la patrie) et implique une participation aux affaires de la cité. De là, l'opposition entre citoyenneté minimale, voire « passive », et citoyenneté active à laquelle sont associés le « civisme » et la responsabilité. Cette vision morale peut masquer les inégalités sociales et culturelles d'accès à la maîtrise de la chose politique.

♦ La citoyenneté suppose que soient définies les conditions d'accès au statut de citoyen. Sur ce point, l'universalité a été prise en défaut (le vote censitaire, l'exclusion des femmes du droit de vote et de l'éligibilité) et elle continue d'une certaine façon à l'être : les immigrés étrangers, résidents permanents, sont privés de droits politiques alors même qu'ils peuvent, dans certaines limites, bénéficier des libertés d'expression et d'association.

♦ La citoyenneté met en avant des individus égaux en droit, chacun détenteur d'une parcelle de la souveraineté. En ce sens, le citoyen est un individu abstrait équivalent à tous les autres. Cette approche masque les différences culturelles et les inégalités économiques et sociales ainsi que les groupes (ou classes) constitués sur ces bases. Pour tenter d'y remédier, la Seconde république française (1848) inaugure ce processus en avançant l'exigence de « droit au travail ». La *Déclaration universelle des droits de l'homme* (1948) et les États-Providence du XXᵉ siècle accréditent l'idée de droits socio-économiques nécessaires garantissant la pratique réelle de la citoyenneté.

→ *Démocratie, Libertés publiques.*

CIVILISATION

Ensemble des réalités techniques, sociales et culturelles d'une société ou d'une aire plus vaste, à une époque historique donnée : la civilisation romaine, la civilisation européenne au siècle des Lumières. Notion prenant des sens variés.

Ce terme remplace parfois celui de culture ou désigne un ensemble de cultures proches (*civilisation occidentale*). Mais, en général, il s'en différencie en qualifiant plus particulièrement les contenus matériels et culturels susceptibles de s'accumuler (technologie, arts et lettres, sciences) et les institutions marquantes d'ordre social et spirituel (droit romain, démocratie américaine, religion grecque).

♦ Employé sans autre qualificatif, le terme s'oppose couramment au monde « non civilisé », « sauvage ». Cet usage dénote un jugement de valeur qui témoigne largement de préjugés ethnocentristes.

→ *Annexe 38.*

CLAN

→ *Lignage/clan.*

CLARK (Colin Grant)

Économiste anglais né en 1905 qui a étudié particulièrement les conséquences du progrès économique.

Son ouvrage majeur, paru en 1947, s'intitule *Les conditions du progrès économique.* Il est à l'origine de la division habituelle de l'activité en trois secteurs : primaire, secondaire et tertiaire. D'après sa thèse, le progrès économique serait marqué par le passage de la population active du secteur primaire au secteur secondaire puis au secteur tertiaire.

CLASSE D'ÂGE
(âges de la vie)

→ *Âge.*

CLASSE DIRIGEANTE

Ensemble des acteurs qui détient, directement ou indirectement, le pouvoir dans une société : pouvoir politique essentiellement (contrôle de l'appareil d'État) mais aussi, éventuellement, des centres de pouvoir économique ou idéologique.

Ce concept est rattaché à une analyse privilégiant les rapports dirigeants/dirigés. Dans cette expression, le terme de classe est approximatif. Le groupe au pouvoir peut être une catégorie plus restreinte : fraction de classe, minorité organisée, caste ou encore élite(s), terme interchangeable avec classe dirigeante pour plusieurs auteurs.

♦ Ce vocable a été forgé par le sociologue Mosca (1858-1941) qui voit dans toute société deux classes de gens : une classe qui gouverne et une classe qui est gouvernée.
♦ Le concept de classe dirigeante se distingue de celui de *classe dominante.* Ce dernier relève d'une analyse marxiste partant des rapports de production.

→ *Bourgeois/Bourgeoisie, Classe(s) sociale(s), Élite(s), État.*

CLASSE(S) MOYENNE(S)

Ensemble de groupes sociaux caractérisés, aux plans professionnel et statutaire, par leur position intermédiaire entre les classes supérieures et les classes populaires (ouvriers et assimilés).

♦ La définition des classes moyennes est problématique, chacun des deux termes de l'expression renvoyant à une analyse différente de la structure sociale : analyse en termes de strates hiérarchisées ou en termes de classes sociales.

♦ Les strates sont ordonnées selon des échelles décroissantes de revenu, de formation, de prestige, etc. Les « classes » moyennes sont alors définies par leur position « moyenne » sur ces échelles.

♦ L'analyse en termes de classes amène à préciser la place de ces catégories dans les « rapports sociaux de production » ; travailleurs indépendants, salariés d'encadrement, etc.

Le pluriel de l'expression se justifie en raison de l'hétérogénéité de la population ainsi désignée. Peu de choses rassemblent le petit commerçant et l'instituteur, le pharmacien et le technicien industriel. Néanmoins, le critère du statut juridique de l'activité professionnelle permet de dégager deux sous-ensembles plus homogènes : *les classes moyennes salariées*, elles-mêmes clivées selon l'opposition « public/privé », et les *classes moyennes non salariées*, professionnellement définies par leur statut de travailleur indépendant.

♦ Dans le premier sous-ensemble, les employés de bureau, autrefois proches de l'encadrement, connaissent aujourd'hui, pour nombre d'entre eux, des conditions de travail qui tendent à les rapprocher des travailleurs manuels.

Au-delà de caractéristiques communes, ces groupes s'opposent sur bien des points : comportement politique, formation, manière de consommer…

→ *Cadres, Employés.*

CLASSE(S) SOCIALE(S)

Groupes sociaux de grande dimension, nés de la division sociale du travail, des inégalités de conditions d'existence et des relations de pouvoir. Elles ont une existence de fait et non de droit.

Ces groupements plus ou moins homogènes (différenciation interne) sont caractérisés par des conditions matérielles d'existence et un style de vie qui leur sont propres, par une tendance

à l'hérédité des positions (reproduction sociale) ; inégalement structurés, ils peuvent constituer des communautés et agir comme acteurs collectifs. Bourgeoisie, classe ouvrière, classes moyennes, paysannerie sont les classes les plus souvent répertoriées dans les sociétés industrielles.

♦ L'analyse en termes de classes sociales est, à l'origine, largement l'œuvre de Marx bien que le terme soit en usage avant elle : on le trouve employé par des économistes et des politologues dès la fin du XVIIIe siècle. Marx donne cependant à la problématique des classes une impulsion décisive. La division de la société en classes résulte des « rapports sociaux de production ». Placés sous le signe de l'exploitation et de la domination, ces rapports engendrent des antagonismes fondamentaux entre les groupes qui en sont partie prenante (capital et travail dans le mode de production capitaliste). Aussi la notion de classes, d'ordre relationnel, est-elle inséparable de la « lutte de classes » qui caractérise toute société socialement différenciée.

♦ Toute structure de classe oppose, selon Marx, deux groupes fondamentaux (seigneurs et serfs, bourgeoisie et classe ouvrière…), les autres classes dépendant plus ou moins de cet antagonisme principal. La classe dominante détient les moyens de production essentiels et contrôle de ce fait le pouvoir politique. La lutte de classes est, ce faisant, à la fois lutte économique, antagonisme social et conflit politique.

♦ Si la sphère de la production est le fondement de la structure sociale, l'existence d'une classe sociale comme communauté présuppose la « conscience de classe » : conscience des intérêts communs des membres de la classe, sentiment d'appartenance, solidarité qui débouchent sur l'action collective et l'auto-organisation politique.

La notion de classes sociales fait aujourd'hui partie du langage des sciences sociales. Si certains théoriciens s'opposent à la notion même, si d'autres usent du vocable dans un sens très différent (les classes comme strates hiérarchisées), un certain nombre, tout en n'adhérant pas à l'ensemble des présupposés de Marx, prennent son analyse comme point de départ.

◆ Max Weber reprend la notion de classes, mais celles-ci ne sont que l'un des principes de différenciation sociale avec les groupes de statut (définis à partir du prestige) et les groupes liés au pouvoir politique.

La littérature sociologique a ainsi largement développé l'analyse des classes d'un point de vue social et culturel.

→ Classe(s) moyenne(s), Stratification sociale ; Annexes 27, 33, 39.

CLASSIQUE(S) (Économie, économistes)

Contemporains de la révolution industrielle et de l'essor du capitalisme (fin du XVIIIᵉ – début XIXᵉ siècle), les économistes classiques sont les fondateurs de l'économie politique en tant que discipline autonome. L'économie politique a pour domaine d'étude l'ensemble des activités qui concourent à la production, à la circulation et à la répartition des richesses matérielles.

• Les classiques anglais :
– A. Smith dont, par convention, l'ouvrage Recherche sur les causes et la nature de la richesse des nations (1776) fait de lui le père de l'économie politique ;
– D. Ricardo qui systématise la pensée classique sous une forme théorique rigoureuse, notamment dans Principes de l'économie politique et de l'impôt (1817) ;
– J. S. Mill dont les Principes d'économie politique (1848) ont longtemps constitué le manuel économique de référence ;
– T. R. Malthus, célèbre pour son Essai sur le principe de la population (1798).

• Les classiques français dont J.-B. Say est le principal représentant, auteur du Traité d'économie politique (1803) et de la loi des débouchés.

Pour la plupart, les classiques s'accordent sur le rôle moteur de l'intérêt individuel, sur le caractère naturel d'un ordre fondé sur la liberté et le droit de propriété, sur le rôle régulateur du marché et de la libre concurrence, sur la justification du profit (par le risque) et sur la neutralité de la monnaie.

Mais il est délicat de définir un dénominateur commun car les classiques divergent sur des sujets importants, comme la théorie de la valeur : Smith et Ricardo ont des conceptions différentes de la valeur-travail, Say explique la valeur par l'utilité.

On pourrait avancer, par souci de simplification, que tous les classiques étaient favorables au libéralisme économique et au système capitaliste ; mais d'importantes nuances s'imposent, là encore ; alors que Ricardo se fait l'avocat des intérêts des industriels, Malthus défend plutôt les intérêts des propriétaires fonciers, et l'on trouve chez J. S. Mill des passages qui le classent du côté des réformateurs.

Le problème est encore plus délicat lorsque certains auteurs font de Marx « le dernier des classiques », ou un classique « hétérodoxe ». Cette dénomination n'est pas dénuée de tout fondement puisque Marx reprend, même s'il la modifie, la théorie de la valeur de Ricardo.

◆ En fait, aucun économiste n'a prétendu, de son vivant, au titre de « classique » ; l'appellation a été donnée a posteriori. Ainsi, le terme d'« économie politique classique » a été utilisé par Marx pour désigner Ricardo et quelques-uns de ses prédécesseurs, par opposition à l'économie « vulgaire », celle qui en restait au niveau des apparences. Keynes, quant à lui, appelait classiques tous les économistes l'ayant précédé, y compris les néo-classiques, dès l'instant qu'ils croyaient aux vertus de la régulation automatique de l'économie par le marché.

◆ L'ouvrage de P. Sraffa, Production de marchandises par des marchandises, en 1960, a marqué un renouveau de la pensée classique.

→ Libéralisme, Malthus, Ricardo, Smith ; Annexes 2, 3, 4, 5, 7, 20.

CLAUSE DE LA NATION LA PLUS FAVORISÉE

Expression relative à la réglementation du commerce international : engagement d'un État à accorder à ses partenaires les tarifs douaniers les plus bas qu'il consent déjà à un pays tiers. Pratique inaugurée à la fin du XIXe siècle lors de la conclusion d'accords commerciaux et adoptée comme principe de base du GATT en 1947. Cet élément essentiel du multilatéralisme est aujourd'hui souvent transgressé.

→ *GATT, OMC.*

CLEARING

→ *Compensation ou* Clearing *(Accords de compensation, chambre de compensation).*

CLUB DE PARIS, CLUB DE LONDRES

Groupements internationaux de créanciers au sein desquels sont négociés des accords de réaménagement et de rééchelonnement de la dette extérieure des pays du Tiers monde.

Le *Club de Paris*, depuis 1956, regroupe des créanciers *publics* ainsi que des représentants du FMI et de la Banque mondiale. Il négocie des accords de réaménagement de la dette publique, c'est-à-dire, ici, vis-à-vis de créanciers publics (États ou organismes publics internationaux), ou de la dette privée garantie, c'est-à-dire garantie par un organisme public du pays du créancier privé. Le mécanisme est le suivant : un accord-cadre fixe les principes généraux du réaménagement et il est complété par des accords bilatéraux entre le pays endetté et chacun de ses créanciers. Ces accords sont facilités par l'acceptation par le pays endetté d'un plan d'ajustement structurel (PAS) préconisé par le FMI.

Le *Club de Londres* depuis le début des années 1980 réunit, lui, les principa-les banques commerciales privées détenant des créances sur des agents privés ou publics du Tiers monde.

La dette du Tiers monde étant surtout de nature privée — c'est le cas principalement de l'Amérique latine — (la dette des pays d'Afrique est davantage de nature publique), les quatre cinquièmes des dettes renégociées au cours de la décennie 1980 l'ont été dans le cadre du Club de Londres.

CLUB DES DIX

Association créée en 1961 qui regroupe dix pays les plus industrialisés du monde capitaliste : Allemagne, Belgique, Canada, États-Unis, France, Italie, Japon, Pays-Bas, Royaume-Uni, Suède ; la Suisse assiste en tant qu'observateur.

→ *Groupe des cinq/Groupe des sept/ Groupe des huit (G5/G7/G8), Système monétaire international (SMI).*

CMU (Couverture Maladie Universelle)

La couverture maladie universelle a été créée par la loi du 27 juillet 1999 et mise en place à compter du 1er janvier 2000. Elle rend immédiate et automatique l'affiliation au régime général de Sécurité sociale pour toutes les personnes ayant une résidence stable et régulière en France métropolitaine ou dans un département d'outre-mer et qui ne peuvent avoir accès à une protection sociale à un autre titre.

Elle institue également, pour les personnes résidant en France depuis plus de trois mois de façon régulière et dont les ressources sont inférieures à un seuil (fixé en janvier 2003, par mois à 534 euros pour une personne, 800 euros pour deux personnes) une protection complémentaire de santé.

→ *Protection sociale, Sécurité sociale.*

CNUCED (Conférence des Nations unies pour le commerce et le développement)

Créée en 1964 par l'ONU, à l'initiative des pays du Tiers monde qui considéraient que les principes libéraux édictés par le GATT ne prenaient pas en compte leurs problèmes spécifiques. Cette conférence a pour objet de promouvoir une organisation du commerce international plus favorable aux pays en développement. Elle se réunit tous les quatre ans.

C'est dans le cadre de la CNUCED que sont négociés les accords visant à stabiliser le cours des produits de base et qu'a été étendu le Système de préférences généralisées (SPG) par lequel les pays développés accordent des avantages tarifaires (baisse des droits de douane sur des volumes limités) à certains produits industriels exportés par les pays en développement.

Les différentes CNUCED n'ont cependant pas permis l'instauration du nouvel ordre économique international revendiqué par les pays du Tiers monde (le plus souvent au sein du groupe des 77) depuis 1974.

⟶ *CNUED, GATT.*

CNUED (Conférence des Nations unies sur l'environnement et le développement)

Institution internationale créée par l'ONU en 1970, qui a pour mission de faire adopter par les États membres des conventions particulières de protection de l'environnement.

La CNUED de Stockholm en 1972 (113 États participants) avait surtout sensibilisé les gouvernements aux problèmes de protection du patrimoine naturel. Elle a donné naissance à d'autres institutions :
– la Commission Brundtland, du nom de sa présidente ;
– le PNUE (Programme des Nations unies pour l'environnement) ;
– le FEM (Fonds pour l'environnement mondial) qui offre des droits de tirage auprès de la Banque mondiale.

La CNUED de Rio de Janeiro, ou « Sommet de la Terre » a réuni en 1992 178 délégations. Cette conférence a montré un net clivage Nord/Sud sur les problèmes d'environnement et de développement. Le Sud pauvre est moins pollueur que le Nord (effet de serre : 5,7 tonnes de carbone rejetées par Américain par an, contre 0,6 pour la Chine et 0,2 pour l'Inde).

Mais le Sud voit se dégrader rapidement son environnement (exportations de ses richesses naturelles, pression démographique). Aussi attend-il que le Nord finance les programmes de sauvegarde et adopte en premier les mesures contraignantes. À Rio, le Sud a réclamé un droit à polluer égal à celui que s'est attribué le Nord pour son propre développement…

♦ Le sommet de Rio a adopté :
– la déclaration de Rio ou « Charte de la Terre » : peu contraignante, elle affirme les principes de gestion écologique de la planète et de « développement durable » (en anglais : *sustainable development*) ;
– la convention sur la biodiversité. Non signée par les États-Unis, elle ne retient en outre aucune liste de zones ou d'espèces prioritaires à protéger ;
– la déclaration sur la forêt ;
– la convention sur les changements climatiques.

Dans le cadre de la CNUED, une conférence sur « Le réchauffement de la planète » s'est tenue à Kyoto, en décembre 1997, regroupant 159 pays. Un protocole d'accord a été adopté prévoyant une réduction moyenne de 5,2 % des émissions de six gaz à effet de serre (dont le CO_2), qui provoquent ce réchauffement, d'ici à 2012. Les quotas de réduction ont été répartis entre 38 pays industrialisés (– 8 % pour les pays de l'UE, – 7 % pour les États-Unis, – 6 % pour le Japon…). Les pays en développement ont été exemptés de tout engagement. Le principe de « permis négociables » (marché des droits à polluer), souhaité par les États-Unis, est retenu, mais son introduction a été renvoyée à la conférence de Buenos Aires en novembre 1998. Pour la première fois, la communauté internationale a donc volontairement amorcé un processus de réduction de la consommation d'énergie. Mais, en 2001, le président des États-Unis Bush, nouvellement élu, a indiqué que les États-Unis n'appliqueraient pas le protocole de Kyoto dont la mise en œuvre risque de pénaliser leur industrie.

→ *CNUCED, Développement, Développement durable (ou soutenable), Écologie, Économie de l'environnement, ONG.*

COASE (Ronald)

Prix Nobel d'Économie 1991, rendu célèbre par un article de 1937 (« La Nature de la firme »), dans lequel il posait les bases de ce qui allait devenir le courant « néo-institutionnaliste » en cherchant à expliquer l'existence et la taille des firmes dans une économie de marché.

L'idée principale de ce courant est que le fonctionnement du marché n'est pas gratuit : il implique des coûts de transaction liés à la recherche de l'information, à la négociation des contrats, à la protection contre l'incertitude. Dès lors, en internalisant les transactions, la firme économise les coûts correspondants. La firme croît jusqu'au point où le coût marginal de l'organisation interne est égal au coût marginal du recours au marché.

→ *Coûts de transaction, Économie de l'environnement, Microéconomie (nouvelle), Williamson ; Annexe : Prix Nobel d'économie.*

COASE (Théorème de)

Dans un article de 1960 sur « le problème du coût social », Ronald Coase montre qu'en l'absence de coûts de transaction et d'effets de richesse, une façon efficace de résoudre un problème d'externalités consiste à distribuer des droits de propriété négociables aux parties concernées, afin que l'allocation des ressources résulte d'un échange entre elles ; peu importe, du point de vue de l'efficience, à qui l'on attribue ces droits de propriété.

Coase critique la solution de Pigou (1920) qui consiste à taxer le pollueur pour dédommager le pollué car elle traduit une préférence implicite pour le pollué alors que l'économiste doit respecter un principe de symétrie : le pollueur a le droit de ne pas être pollué, mais le producteur a le droit de produire.

Prenons l'exemple habituel de l'entreprise A qui pollue l'eau d'une rivière alimentant une ville B en aval. L'important est que l'un des deux agents soit propriétaire de la rivière, peu importe lequel : si le propriétaire est le pollué B, alors le pollueur A sera disposé à offrir un dédommagement pour la pollution engendrée par une production qui reste rentable tant que le bénéfice retiré de cette production est supérieur au coût de ce dédommagement ; si le propriétaire est A, alors c'est au pollué qu'il revient de lui acheter une réduction de sa production tant que la somme versée est supérieure au gain que A retire de cette production et inférieure au coût que la pollution fait subir à B.

Coase parvient donc à un double résultat : la négociation directe entre pollueurs et pollués, sans intervention extérieure, est efficace ; la répartition initiale des droits de propriété est sans incidence (dans le cas d'un marché à polluer, l'État peut attribuer initialement les droits aux entreprises), elle ne change pas l'issue de cette négociation. Mais ce résultat dépend de façon cruciale de deux hypothèses : l'absence de coûts de transaction (coûts d'information, de négociation, de contrôle) ; l'absence d'effets de richesse (ce qui signifie que le préjudice subi peut être compensé par un dédommagement monétaire).

→ *Économie de l'environnement.*

COB (Commission des opérations de bourse)

Organisme administratif chargé de veiller à l'information des épargnants, à la protection de l'épargne et au bon fonctionnement du marché financier.

♦ Inspirée de la SEC américaine (*Securities and Exchange Commission*), la COB a été créée par l'ordonnance du 20 septembre 1967. Établissement public administratif, son président est nommé par décret en Conseil des ministres et ses membres par arrêté du ministre de l'Économie et des Finances.

Sa mission est d'assurer que les sociétés faisant appel à l'épargne publique (sociétés cotées en Bourse) fournissent aux souscripteurs de valeurs mobilières une information égale et complète. Son rôle consiste donc notamment à prévenir et à réprimer le *délit d'initiés*, c'est-à-dire l'utilisation, par certains, à des fins spéculatives d'enrichissement, d'informations privilégiées obtenues dans leurs fonctions, avant que ces informations ne soient rendues publiques.

→ *Marché financier, Sociétés de Bourse.*

COBB DOUGLAS

→ *Production (Fonction de).*

COEFFICIENT BUDGÉTAIRE

Rapport, exprimé le plus souvent en pourcentage, entre le montant d'une dépense d'un ménage affectée à l'achat d'un bien ou d'un service et le montant de sa dépense totale. Si un ménage consomme, par exemple, 9 147 €

par an de produits alimentaires, et que sa consommation totale s'élève à 36 588 €, le coefficient budgétaire correspondant à l'alimentation sera de 25 % (9 147/36 588 × 100).

→ *Consommation, Engel (Loi d').*

COEFFICIENT DE CAPITAL

Rapport entre le volume de capital utilisé pour obtenir une production et le volume de cette production.

On mesure souvent ce coefficient par le rapport entre le capital fixe productif (K) et la valeur ajoutée (VA) (on remarquera qu'il s'agit de l'inverse de la productivité apparente du capital).

Un coefficient de capital égal à 4 :

$$\frac{K}{VA} = \frac{400}{100} = 4$$

signifie que, toutes choses égales par ailleurs, pour produire 100, il faudra employer 400 de capital (*NB :* il s'agit d'une relation entre un flux de production et un stock de capital). Si c'est le coefficient marginal qui vaut 4, cela signifie que pour produire *100 en plus, il faut investir 400 en plus.*

→ *Capital, Principe d'accélération (accélérateur).*

COFACE (Compagnie française d'assurance pour le commerce extérieur)

Organisme d'assurance à l'exportation créé en 1946, dont le rôle est d'encourager les entreprises françaises à exporter en les garantissant contre certains risques à l'exportation, dont, principalement, le risque de non-paiement par leurs clients étrangers.

COGESTION

> Mode de gestion des entreprises prévoyant, à côté des représentants du capital, une certaine participation des représentants des salariés aux décisions les concernant.

La cogestion, si elle suppose d'aller au-delà de la simple information ou consultation des salariés, n'est pas non plus dans la pratique un partage paritaire du pouvoir en tout domaine entre le capital et le travail.

Surtout appliquée en Allemagne dans les grandes entreprises métallurgiques et minières, elle permet d'associer des représentants des salariés aux décisions qui les concernent directement (reconversion d'activité, suppression d'emplois, changement des méthodes et des conditions de travail). Elle est l'un des éléments du consensus social allemand.

→ *Auroux (Lois), Autogestion, Participation.*

COHÉSION SOCIALE

> Ce qui cimente et assure l'unité minimale d'un ensemble social. Ce qui permet aux membres d'une société de coexister et de vivre ensemble.

Cette notion se distingue de celle d'ordre social, cette dernière renvoyant plus particulièrement à la façon dont le pouvoir central assure la stabilité au profit, sinon des groupes dominants, du moins de l'organisation sociale en place. La cohésion, quant à elle, connote davantage les comportements et les attitudes des acteurs de la société civile, leur volonté plus ou moins affirmée de « faire société ».

♦ Cohésion ne signifie pas absence d'opposition et de conflits, mais indique que la coopération et les éléments de conviction commune l'emportent sur les forces centrifuges toujours présentes. *A contrario*, la cohésion sociale est entamée lorsque des changements non souhaités perturbent la régulation sociale en place, lorsque des franges de la population n'ont plus de raison d'attendre quelque chose de positif du système. Elle est mise en péril quand les différents segments d'une collectivité ne croient plus à la possibilité de « faire société » : discorde généralisée, mouvements sécessionnistes pouvant déboucher sur des guerres civiles larvées ou sanglantes. Certaines constructions nationales comme le Rwanda et la Fédération yougoslave ont littéralement éclaté au cours de la décennie passée.

→ *Lien social, Régulation sociale.*

COHORTE

> En démographie, ensemble d'individus ayant vécu un même événement (mariage, divorce) durant une même année civile.
>
> À distinguer des générations : ensemble d'individus nés la même année civile.

COLBERTISME

> Forme d'interventionnisme étatique pratiquée en France sous Louis XIV par son ministre J.-B. Colbert (1619-1683) et inspirée des théories mercantilistes (A. de Montchrestien, B. de Laffemas).

La politique de Colbert fut fondée sur le principe mercantiliste selon lequel la richesse et la puissance d'un État résultent de l'accumulation d'or et de métaux précieux. Pour une nation ne disposant pas de gisements aurifères, l'entrée d'or ne pouvait résulter que d'un excédent commercial ; c'est à l'obtenir que s'applique le système de Colbert :
– *protectionnisme sélectif* : tarif douanier dissuasif à l'égard des produits manufacturés étrangers, et favorable aux importations de matières premières (notamment de blé pour abaisser les salaires et favoriser la compétitivité de

l'industrie) ; encouragement aux exportations industrielles ;

– *développement du commerce extérieur* par la création de « compagnies à charte » disposant de monopoles commerciaux et de subventions ;

– *exploitation des colonies* selon le principe du « pacte colonial » ;

– *développement de la marine* : ports, arsenaux, et utilisation des galériens ;

– *politique industrielle* : création de manufactures royales à capitaux publics ou privés ; commandes de l'État ; réglementation du travail et de la fabrication (normes sévères de qualité).

La réussite de ce dirigisme économique trouva une certaine limite dans les graves tensions qu'il engendra avec les pays concurrents (la Hollande notamment).

♦ Par extension, le terme désigne la tradition centralisatrice et interventionniste de la régulation économique française.

⟶ *Mercantilisme.*

COLLECTIF BUDGÉTAIRE

⟶ *Budget de l'État (Loi de Finances).*

COLLECTIVISATION

Appropriation par des instances collectives de moyens de production (terres, sous-sol, usines, équipements, banques, etc.).

Généralisée à l'ensemble des moyens de production, elle débouche sur le collectivisme. L'appropriation collective par étatisation comportant des risques de bureaucratisation, certains courants socialistes lui ont préféré la socialisation : propriété publique (étatique, mais aussi régionale ou communale), associant dans sa gestion les travailleurs, voire les consommateurs, et pouvant aller jusqu'à l'autogestion. La coopérative est aussi une modalité de la collectivisation ; soit les coopérateurs sont collectivement propriétaires, soit la puissance publique leur confère un droit d'usage illimité des biens de production.

⟶ *Anarchisme, Communisme, Coopérative, Marxisme, Proudhon, Socialisme.*

COLLECTIVITÉ

Au sens courant : terme général désignant tout ensemble social, le plus souvent délimité dans l'espace, plus ou moins structuré par une organisation interne (administration, autorité) et des activités ou objectifs communs.

En droit public : circonscription administrative dotée de la personnalité morale.

Collectivités locales : régions, départements, communes.

COLONIALISME

1. Le fait colonial (au sens de la colonisation).

2. L'idéologie ou la doctrine justifiant cette entreprise (supériorité sociale et culturelle du pays colonisateur).

Colonialisme et *impérialisme* doivent être distingués : l'impérialisme est souvent lié à la conquête coloniale mais peut exister indépendamment de la mainmise politique et militaire.

⟶ *Impérialisme.*

COLONIE

Territoire conquis, occupé et administré par une puissance étrangère : métropole, empire espagnol d'Amérique, Indes britanniques, Afrique occidentale française ou AOF.

Le pays colonisé perd sa souveraineté politique. La population autochtone, soumise à l'administration coloniale, est privée, à des degrés divers, des droits juridiques et politiques dévolus aux métropolitains et, dans certains cas, du statut d'homme libre.

Dépendance et domination politique vont de pair avec l'utilisation des richesses locales au profit de la métropole et l'exploitation de la main-d'œuvre indigène.

→ *Commerce triangulaire, Économie du développement.*

COMMERCE EXTÉRIEUR

(commerce, du lat. *merx, mercis,* « marchandise »)
Ensemble des flux d'exportations et d'importations de marchandises (biens) entre un pays et le reste du monde.

Le solde commercial d'un pays dépend de trois séries de facteurs : l'environnement international, l'appareil productif national et la demande. Ainsi pour la France, les variations du cours du dollar, dans lequel sont libellés de nombreux échanges et les fluctuations du prix du pétrole constituent des variables exogènes influant sur les importations et, dans une moindre mesure, sur les exportations. Surtout, le solde commercial dépend de l'offre, de la compétitivité de l'appareil productif, en termes de prix et de qualité. Mais la balance commerciale dépend aussi de la demande, du « décalage conjoncturel » entre la France et le reste du monde : si l'économie française a un taux de croissance supérieur au reste du monde, les importations, tirées par la demande interne, progressent plus vite que les exportations, liées à la demande mondiale.

→ *Balance des paiements, Compétitivité, Dévaluation, Division internationale du travail (DIT), Exportations, Importations, Mundell (Triangle d'incompatibilité de).*

COMMERCE INTER BRANCHE/ INTRA BRANCHE

→ *Commerce international, Krugman.*

COMMERCE INTERNATIONAL

Flux de marchandises (biens) faisant l'objet d'un échange entre les espaces économiques nationaux ; il est mesuré par le total des exportations (importations) mondiales.

Au sens large, sont également comptabilisés les flux de services dont l'importance progresse dans les échanges internationaux.

♦ La théorie économique traditionnelle propose des explications de l'échange international qui reposent soit sur les différences de dotation en facteurs de production (analyse néo-classique avec le théorème HOS des avantages relatifs liés à un travail abondant et peu cher par exemple), soit sur les différences de technologies (théorie ricardienne et néo-ricardienne) ; elle montre les effets bénéfiques de la spécialisation internationale et donc du libre-échange.

♦ Toutefois, les analyses plus récentes montrent que l'échange international n'est pas composé uniquement de flux interbranches, chaque nation se spécialisant dans une activité particulière, mais aussi de flux intrabranches (la France et l'Allemagne s'échangeant des biens de l'industrie automobile, en raison des gains dus aux économies d'échelle en particulier). En outre, la division internationale du travail doit être envisagée dans une perspective historique, qui montre que la spécialisation des différents pays s'explique par des rapports de concurrence et de domination qui se nouent dans l'échange international.

Le commerce international est envisagé d'un point de vue quantitatif par la mise en évidence de différentes grandeurs caractérisant un pays ou une zone :

– le solde commercial (exportations moins importations) ;

– le taux de couverture (exportations sur importations) ;

– l'effort à l'exportation (exportations rapportées au PIB) ;

– le taux de pénétration (importations rapportées au marché intérieur) :

$$\frac{M}{PIB + M - X}$$

Mais c'est la nature des produits qui, dans une approche qualitative, permet de mieux cerner la division internationale du travail selon des différenciations qui se recoupent pour partie et qui distinguent les produits selon les secteurs d'activité (agriculture, énergie, biens intermédiaires...), selon le contenu technologique (des produits bruts jusqu'aux produits incorporant une technologie sophistiquée), par filières (électronique, textile, chimie, véhicules...). Les économies nationales sont intégrées de façon hiérarchisée dans la division internationale du travail en fonction de leur degré de maîtrise des technologies.

→ *Avantage (absolu, comparatif), Division internationale du travail (DIT), Échange inégal, Hecksher-Ohlin-Samuelson (Théorème HOS), Krugman, Libre-échange (Théorie du), Nouvelle économie internationale.*

COMMERCE TRIANGULAIRE

Du XVIe siècle au XIXe siècle, commerce de troc entre l'Europe, l'Afrique et les colonies d'Amérique et des Antilles, qui permit de procurer aux colons, en échange de produits tropicaux destinés à l'Europe, des esclaves africains achetés avec de la pacotille.

La traite des Noirs est organisée selon un triangle Europe-Afrique noire-Antilles-Europe :
– des entrepreneurs négociants, généralement groupés en sociétés de capitaux, et bénéficiant à l'origine d'un monopole accordé par l'État, affrètent des navires dans les ports de Liverpool, Nantes, Bordeaux, Lisbonne... L'investissement initial comprend également une cargaison de produits manufacturés de faible valeur (objets de pacotille : ustensiles divers, armes, tissus...) ;
– cette cargaison est échangée sur les côtes Ouest de l'Afrique (« Côte des Esclaves » du golfe de Guinée principalement) contre des esclaves capturés dans l'intérieur par des trafiquants africains avec l'accord des monarchies locales (les sociétés africaines d'alors sont esclavagistes) ;
– les esclaves qui survivent au transport sont ensuite vendus dans les colonies contre du rhum, du sucre, des mélasses, du coton... ;
– ces produits exotiques constituent le fret de retour vers l'Europe où ils sont vendus avec un important profit, la cargaison ayant vu sa valeur multipliée par quatre ou cinq au cours de la rotation.

♦ Ce commerce est caractéristique du capitalisme dans sa phase originelle marchande, préindustrielle et mercantiliste. Selon Marx, il a joué un rôle important dans l'accumulation primitive de capital.

→ *Accumulation primitive, Esclavage.*

COMMISSION DES OPÉRATIONS DE BOURSE

→ *COB.*

COMMONWEALTH

Communauté instituée en 1931 entre la Grande-Bretagne et une majorité des États issus de l'empire colonial britannique. Les pays membres entretiennent des rapports commerciaux privilégiés, marqués en particulier par les accords d'Ottawa (1932, 1946).

COMMUNAUTARISME

Volonté de privilégier une identité collective de nature « ethnique », religieuse ou locale, pouvant se traduire par un « repli communautaire » et des revendications particularistes (droits des minorités).

Ce phénomène peut s'observer en particulier de la part de groupes en difficulté d'intégration ou de collectivités qui se sentent menacées d'une façon ou d'une autre (déclin économique, xénophobie, modernisation culturelle). Les différenciations internes au groupe sont minimisées, les individus membres (allégeance ou appartenance de fait) ne respectant pas les codes communautaires ou privilégiant d'autres obédiences sont rappelés à l'ordre, voire stigmatisés. Le retour à la tradition ou à ce qui en tient lieu (*ethnical revival*) est invoqué et célébré.

→ *Ethnicité, Multiculturalisme.*

COMMUNAUTÉ

Collectivité caractérisée par des liens internes intenses, une forte cohésion (esprit de corps, objectifs communs), un esprit de solidarité vis-à-vis de l'extérieur sans pour autant exclure des tensions internes.

La communauté ainsi définie peut intéresser des réalités diverses : entités locales (communautés villageoises), groupements volontaires (Église, associations), minorités ethniques ou religieuses (communauté juive).

Le sociologue allemand F. Tönnies en fait un type idéal — sinon un idéal — (*Gemeinschaft* en allemand) défini par l'union volontaire, l'altruisme et l'idéal commun, type qu'il oppose à l'« état de société » (traduction imparfaite de *Gesellschaft*) marqué au contraire par la séparation, la compétition et la poursuite rationnelle de l'intérêt individuel.

→ *Groupe (social).*

COMMUNAUTÉ ÉCONOMIQUE EUROPÉENNE

→ *Europe (union ou intégration économique).*

COMMUNICATION

Transmission ou échange d'information entre deux ou plusieurs individus. La théorie de l'information décompose ce processus selon un schéma aujourd'hui classique.

Toute communication met aux prises :

1. l'émetteur et le récepteur de l'information ;

2. une source (distincte ou non de l'émetteur) ;

3. le message : combinaison de signes (langage articulé, signaux acoustiques et/ou optiques…) chargée d'une certaine signification ;

4. le support matériel ou canal de transmission du message.

```
Source de l'information
        ↓
    émetteur
        ↓
     codage
        ↓
    message ← bruit et distorsion
        ↓
    décodage
        ↓
    récepteur
```

Le message, codé par l'émetteur, est décodé par le récepteur.

→ *Culture de masse ; Annexe 50.*

COMMUNISME

Qualifie successivement :

1. un projet de société fondé sur la propriété commune des biens (notamment des moyens de production) selon des modalités diverses ;

2. un (ou des) mouvement(s) politique(s) issu(s) de cette doctrine ;

3. un système politique et social : celui mis en place à partir de la révolution de 1917 et façonné par l'ère stalinienne.

La distinction entre communisme et socialisme(s) est délicate, les significations correspondant à ces termes se recouvrant partiellement. Par ailleurs, la continuité entre les projets initiaux et les régimes d'obédience communiste est loin d'être évidente.

1. Le communisme comme projet de société.

Le thème général et même le mot apparaissent bien avant Marx : Campanella au début du XVIIᵉ siècle, le curé Meslier au XVIIIᵉ siècle, Gracchus Babeuf et son «communisme des Égaux» pendant la Révolution française. Ce sont des utopies au sens originel du terme : description d'une société idéale sans indication sur les moyens d'y parvenir, mais qui constitue indirectement une critique du système en place.

Marx et Engels sont les fondateurs du projet communiste contemporain. Celui-ci est bien sûr fondé sur la volonté politique mais les contradictions croissantes du capitalisme créent d'elles-mêmes les conditions de sa réalisation. L'abolition de la propriété privée des moyens de production, la libre association des travailleurs, la destruction de l'appareil d'État répressif jettent les bases d'une société égalitaire, sans division aliénante du travail, capable de satisfaire les besoins. Malgré ses prétentions scientifiques, la dimension utopique de ce projet est patente.

2. Le mouvement communiste avant la révolution de 1917 se présente comme l'une des accentuations du mouvement socialiste sans qu'il y ait de rupture déclarée. La Iʳᵉ et la IIᵉ Internationales réunissent dans la même organisation marxistes et non-marxistes, révolutionnaires et réformistes. Après 1917, le mouvement communiste se démarque nettement des socialistes même si, parmi ces derniers, la référence au marxisme est loin d'être marginale.

3. Le communisme comme système ou «socialisme réel» apparaît à bien des égards fort éloigné du modèle marxiste originel : hypertrophie de l'appareil d'État, contrôle «total» du parti unique sur la société, syndicats courroie de transmission du pouvoir (ces trois premiers traits sont caractéristiques d'un système totalitaire), division du travail maintenue, fossé entre classes (travailleurs manuels

versus nomenklatura). Le marxisme, doctrine officielle, est métamorphosé en idéologie d'État, en religion laïque.

→ *Collectivisation, Marx, Marxisme, Socialisme, Totalitarisme.*

COMPENSATION ou *CLEARING* (Accords de compensation, chambre de compensation)

Technique de règlement des dettes mutuelles entre parties (entreprises, banques, nations...) par annulation réciproque des dettes d'un même montant et paiement limité au solde si les dettes sont inégales.

♦ Dans le commerce international, deux nations ont intérêt, afin d'éviter la chute de leurs exportations en cas de contrôle des changes et d'inconvertibilité externe de leurs monnaies, à passer entre elles des *accords de clearing*. Un office de compensation dans chaque pays règle en monnaie nationale ses exportateurs avec l'argent que lui versent ses importateurs : nul besoin de devises si les échanges sont équilibrés ; la compensation entre les deux offices, sur la base d'un taux de change officiel, est alors intégrale ; c'est l'objectif recherché par ces accords qui transforment donc l'échange extérieur en un véritable troc (échange sans monnaie de marchandises de même valeur globale). En cas de déséquilibre, le solde (*arriéré de clearing*) fait l'objet d'un accord de paiement. Cette technique fut utilisée dans les années 1930, puis de manière multilatérale après 1945 au sein de l'OECE (Organisation européenne de coopération économique) et de l'UEP (Union européenne des paiements) jusqu'au retour à la convertibilité externe des monnaies européennes.
♦ Entre banques, la compensation est organisée au sein de *chambres de compensation*, généralement au siège de la Banque centrale et de ses succursales locales ; les dettes mutuelles (chèques, mandats, etc.) y sont annulées et le solde réglé par virement en monnaie centrale sur les comptes que les banques détiennent à la Banque centrale.

→ *Banque, Monnaie.*

COMPÉTITIVITÉ

Capacité pour une entreprise ou une économie nationale à maintenir ou accroître ses parts de marché, sur le marché domestique (compétitivité interne) et sur les marchés extérieurs (compétitivité externe).

Lorsque la compétition porte sur des produits comparables en termes de qualité, la compétitivité dépend des *prix* des produits et donc de trois séries de facteurs :
– des coûts, et tout particulièrement des coûts en travail, eux-mêmes dépendants des salaires, des charges sociales et de la productivité ;
– des marges (profits) des entreprises ;
– du taux de change de la monnaie nationale pour la compétitivité externe.

Cette *compétitivité prix* doit être distinguée de la *compétitivité qualité* (ou compétitivité produit ou compétitivité structurelle ou compétitivité hors-prix) qui tient à ce qu'un producteur se maintient ou progresse sur un marché en raison de la nature de ses produits (l'électronique japonaise, la haute-couture française...) : elle dépend de facteurs tels que les performances des produits, la fiabilité, l'image de marque, les conditions de financement ou de commercialisation... Les prix jouent un rôle secondaire et une baisse (hausse) des prix dans le cadre d'une dépréciation (appréciation) de la monnaie a peu d'impact sur la compétitivité.

⟶ *Dévaluation*, Price taker/Price maker.

COMPÉTITIVITÉ (Pôles de)

Grandes branches d'activité (réunion de branches interdépendantes) qui offrent des produits très compétitifs (les taux de couverture des importations par les exportations sont supérieurs à 120 %) et dont la croissance exerce un effet d'entraînement sur les activités connexes.

Ces branches excédentaires, du fait de leur cohésion et de la large gamme de produits qu'elles proposent, sont capables d'innover tout en conservant une flexibilité suffisante pour tirer parti de la croissance rapide des nouveaux marchés.

COMPLÉMENTARITÉ (Biens et facteurs complémentaires)

⟶ *Substitution (des biens et des facteurs).*

COMPORTEMENT

Pratiques et manières d'agir ou de réagir propres à un individu ou à un groupe d'individus.

Les sciences sociales mettent en évidence les déterminants sociaux du comportement et, ce faisant, la réalité des *comportements collectifs* : manières d'agir ou de réagir similaires des membres appartenant à tel milieu social, ou encore *comportements caractéristiques* d'un groupe social donné.

♦ On peut parler ainsi de *comportements de classe* ou de comportements ethniques.

⟶ *Béhaviorisme, Habitus.*

COMPOSITION ORGANIQUE (ou composition-valeur) DU CAPITAL

Dans la *pensée marxiste* : rapport entre le capital constant et le capital variable.

La *composition technique* est le rapport entre la masse des moyens de production employés et la quantité de travail nécessaire pour les mettre en œuvre. Marx : « Nous appellerons *composition organique* du capital sa *composition-valeur*, en tant qu'elle dépend de sa composition technique et que, par conséquent, les changements survenus dans celle-ci se réfléchissent dans celle-là » *(Le Capital)*.

♦ La composition-valeur est le rapport entre la valeur du capital constant et la valeur du capital variable.

La hausse de la composition organique du capital induite par le progrès technique et la concurrence entre capitalistes entraînent la baisse tendancielle du taux de profit.

→ *Accumulation du capital, Accumulation primitive, Capital.*

COMPTABILITÉ D'ENTREPRISE

Système d'évaluation régi par des normes conventionnelles et codifiées qui utilise le compte comme instrument de base.

Elle est à la fois un outil et un enjeu ; un outil, parce qu'en donnant une image de la situation patrimoniale et des résultats de l'entreprise, elle est un instrument de gestion et de calcul économique à la disposition de ses dirigeants ; un enjeu, parce qu'elle fournit des informations à des agents qui cherchent à exercer un contrôle : le fisc, l'inspection du travail, les banques, les créanciers, les actionnaires, les salariés.

La *comptabilité générale* enregistre dans des comptes tous les mouvements de valeur résultant des activités de l'entreprise.

♦ Chaque compte recense les opérations ayant une nature commune et se présente comme un tableau en forme de T : la colonne de droite s'intitule *crédit*, elle comptabilise les ressources (flux sortant) ; la colonne de gauche s'intitule *débit*, elle comptabilise les emplois (flux entrant). En fin d'exercice, lequel dure généralement un an, les comptes sont regroupés dans des comptes de synthèse.

Le *bilan* fournit, à la date de clôture de l'exercice, une image instantanée du patrimoine de l'entreprise (tout ce qu'elle possède et tout ce qu'elle doit), rassemble les soldes des comptes de situation (situation de caisse, de banque, des clients, des fournisseurs, etc.).

Le *compte de résultat*, qui présente le flux et les résultats de la période précédant la clôture de l'exercice, rassemble les soldes des comptes de gestion (flux : achats, ventes, frais de personnel, etc.). Ces documents répondent à une obligation légale ; ils sont normalisés, la référence étant le Plan comptable général.

La *comptabilité analytique* est un instrument de gestion interne à l'entreprise ; elle sert à calculer des coûts, à prévoir les produits et les charges, à éclairer les choix d'investissement.

L'enregistrement des opérations s'effectue selon le *principe de la comptabilité en partie double* : chaque opération donne lieu à une double écriture ; à tout montant enregistré en débit dans un compte correspond nécessairement, en contrepartie, un montant identique enregistré en crédit dans un ou plusieurs autres comptes (la réciproque est bien sûr vraie). Exemple : l'entreprise E vend 10 000 F de marchandises à un grossiste qui la paye comptant : la vente constitue une ressource que l'on inscrit au crédit du compte « ventes » ; en contrepartie, la somme d'argent reçue, qui vient augmenter la caisse, est inscrite au débit (flux entrant) du compte « caisse ».

♦ L'étude de l'actif immobilisé permet, par exemple, de savoir si l'entreprise a cherché à accroître ses capacités de production (immobilisations corporelles), si elle a consenti un effort de recherche (immobilisations incorporelles), si elle a pris des participations dans d'autres entreprises (immobilisations financières). Un actif circulant très important peut être le signe de stocks excessifs ou d'une politique de crédit facile à la clientèle. Au passif, les capitaux propres correspondent aux ressources internes de l'entreprise ; avec les dettes à moyen et long terme, ils constituent les capitaux permanents, c'est-à-dire les ressources stables utilisées pour financer l'actif immobilisé.

♦ L'analyse comparée des structures de l'actif et du passif met en évidence le *fonds de roulement* net = capitaux permanents — actif immobilisé = actif

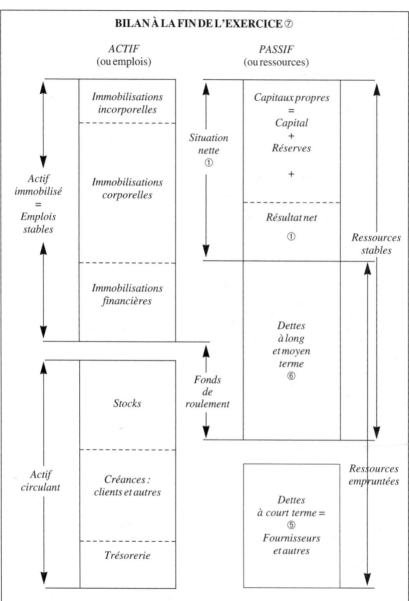

BILAN À LA FIN DE L'EXERCICE ⑦

1. Avant répartition du bénéfice.
2. Après répartition du bénéfice.
3. La TVA n'étant pas une charge, elle ne figure pas dans le compte de résultat mais dans le bilan : la « TVA collectée » due à l'État dans les dettes à court terme, la « TVA à récupérer » dans les autres créances sur l'État.
4. Les éléments exceptionnels correspondent à des opérations ne représentant pas l'activité principale de l'entreprise (amende ou client non recouvrable par exemple).
5. Dettes à moins d'un an.
6. Dettes à moyen terme : dettes de 1 à 7 ans. Dettes à long terme : dettes au-delà de 7 ans.
7. L'exercice est la période de temps qui sépare deux bilans (en général 1 an).

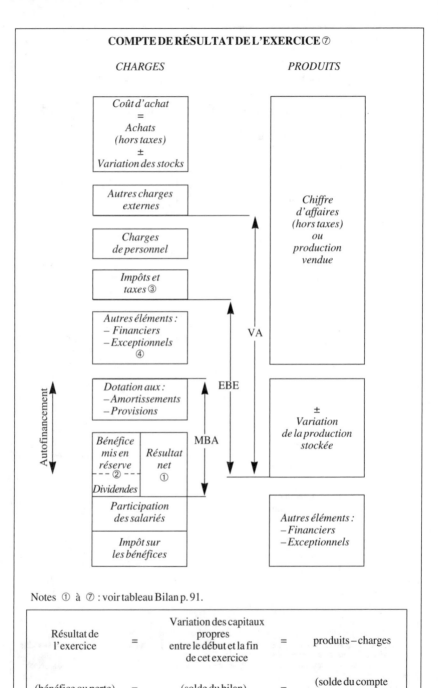

COMPTE DE RÉSULTAT DE L'EXERCICE ⑦

CHARGES   *PRODUITS*

*Coût d'achat
=
Achats
(hors taxes)
±
Variation des stocks*

Autres charges externes

Charges de personnel

Impôts et taxes ③

*Autres éléments :
– Financiers
– Exceptionnels*
④

*Dotation aux :
– Amortissements
– Provisions*

Bénéfice mis en réserve
Résultat net ①
②
Dividendes

Participation des salariés

Impôt sur les bénéfices

*Chiffre d'affaires
(hors taxes)
ou
production vendue*

*±
Variation de la production stockée*

*Autres éléments :
– Financiers
– Exceptionnels*

VA

EBE

MBA

Autofinancement

Notes ① à ⑦ : voir tableau Bilan p. 91.

Résultat de l'exercice	=	Variation des capitaux propres entre le début et la fin de cet exercice	=	produits – charges
(bénéfice ou perte)	=	(solde du bilan)	=	(solde du compte de résultat)

circulant — dettes à court terme. Une gestion rigoureuse impose, en effet, de financer les emplois longs (immobilisations) par des ressources longues : le fonds de roulement net doit rester positif, ce qui signifie qu'une partie du stock sera aussi financée par des capitaux permanents.

♦ Le même raisonnement conduit à la définition du besoin de fonds de roulement = stocks + créances d'exploitation – dettes d'exploitation ; si ce besoin de fonds de roulement, qui dépend de l'évolution des ventes, de la gestion des stocks, des délais de paiement accordés aux clients ou accordés par les fournisseurs, n'est pas couvert entièrement par les capitaux permanents, l'entreprise doit recourir à un endettement bancaire à court terme onéreux.

Le compte de résultat permet de comprendre comment a été obtenu le résultat inscrit au bilan. Afin de faciliter le passage de la comptabilité d'entreprise à la Comptabilité nationale, on met en évidence des soldes intermédiaires de gestion.

♦ La marge commerciale n'est calculée que pour les entreprises commerciales, c'est-à-dire celles qui achètent des marchandises et les revendent sans transformation. C'est la différence entre le montant des ventes de marchandises et le coût d'achat des marchandises vendues. Elle représente la « production » des commerces.

♦ La production de l'exercice dont les éléments les plus importants sont la production vendue et la production stockée (en plus ou en moins) n'est calculée que pour les entreprises industrielles ou agricoles.

♦ La valeur ajoutée produite mesure la valeur de la richesse créée par l'activité de l'entreprise.

♦ Le résultat brut d'exploitation (RBE excédent ou insuffisance) évalue la capacité de l'entreprise à dégager des ressources pour :
– maintenir son outil de production (amortissements) ;
– rémunérer les capitaux engagés (intérêts) ;
– réaliser un profit.

♦ La marge brute d'autofinancement (MBA), expression destinée à remplacer l'expression anglaise cash flow, mesure la capacité d'auto-financement de l'entreprise pour mener une politique de répartition des bénéfices et d'autofinancement. L'autofinancement s'obtient en retranchant de la MBA les dividendes distribués.

♦ Le résultat net, s'il s'agit d'un bénéfice, indique ce qui reste à la disposition de l'entreprise pour rémunérer les actionnaires (dividendes) et constituer des réserves. C'est le solde qui figure au bilan et au compte de résultat.

⟶ Profit, Ratio.

COMPTABILITÉ NATIONALE

Représentation quantifiée de l'économie d'un pays ; système d'évaluation régi par des normes conventionnelles et codifiées qui utilise le compte comme instrument de base.

♦ Bien que la construction d'une véritable Comptabilité nationale date, en France, de 1945, le Système élargi de Comptabilité nationale (SECN) est instauré en 1976. La France harmonise alors sa comptabilité avec celle des pays qui s'inspirent du système normalisé proposé comme référence internationale par l'ONU dès 1970.

♦ Depuis 1999, en accord avec les autres pays de l'UE, un système commun (appelé SEC 95, c'est-à-dire « système européen de comptabilité », adopté en 1995) a été instauré pour appliquer le SCN 93, c'est-à-dire le nouveau « système de comptes nationaux » proposé par l'ONU en 1993 en liaison notamment avec le FMI, la Banque mondiale, l'OCDE et la Communauté européenne. Les comptes publiés conformément au nouveau système sont appelés « comptes de la base 1995 » ; ils succèdent à ceux de la base 1980.

♦ Les pays socialistes avaient choisi le système de la comptabilité du produit qui repose sur la distinction entre un secteur productif (création et circulation des produits matériels) et un secteur improductif (une grande partie des services).

♦ Les Comptes de la nation, élaborés sous la responsabilité de l'INSEE, fournissent une information statistique périodique sur l'activité économique. Des comptes rétrospectifs permettent d'interpréter l'évolution économique récente (Rapport sur les Comptes de la nation pour l'année n) et des comptes prospectifs éclairent pour l'avenir les décisions de politique économique : à court terme, ce sont les « budgets économiques », comptes prévisionnels accompagnant la politique budgétaire ; à moyen terme, ce sont les comptes pour l'année terminale du Plan (à l'aide du modèle DMS).

Le SEC 95 comprend un cadre central, en dehors duquel se trouvent les comptes satellites et les systèmes intermédiaires. Le cadre central présente une séquence de comptes, articulés entre eux, retraçant les opérations économiques qu'effectuent les agents de l'économie : ces comptes sont regroupés dans trois tableaux récapitulatifs qui donnent les agrégats.

1. Les agents de l'économie (unités institutionnelles, secteurs institutionnels, unités de production homogène, branches et sous-secteurs)

♦ Le SEC 95 comptabilise les opérations de tous les agents « résidents » : ceux ayant un centre d'intérêt, c'est-à-dire ayant effectué des opérations économiques pendant au moins un an sur le territoire économique de la France : France métropolitaine + enclaves territoriales + DOM (depuis la réforme de 1999), mais hors TOM.

♦ L'agent est appelé *unité institutionnelle* : celle-ci est un centre élémentaire, autonome, de décision économique. Ainsi, une société filiale dotée de la personnalité juridique est une unité institutionnelle ; mais un entrepreneur individuel (agriculteur, artisan, membre d'une profession libérale, etc.) ne constitue pas une unité distincte du ménage auquel il appartient, du fait de l'indivisibilité du patrimoine.

♦ Les *secteurs institutionnels* (SI) regroupent les unités institutionnelles ayant un comportement analogue : même fonction principale (par exemple, produire des biens et services marchands non financiers pour les sociétés non financières), mêmes ressources principales (produit de la vente pour ces mêmes SFI).

♦ Comme les unités institutionnelles peuvent exercer plusieurs activités (par exemple, une entreprise de construction automobile peut aussi fabriquer de l'outillage), on les décompose en *unités de production homogène* correspondant à une activité exclusive (même produit ou groupe de produits).

♦ La *branche* est le regroupement de toutes les unités de production homogène du territoire réalisant un même produit — en conformité avec la nomenclature d'activités et de produits française (NAF), européenne (NACE) et internationale (CITI 3). En conséquence, une entreprise (unité institutionnelle) peut être présente, partiellement, par l'intermédiaire de ses différentes unités de production homogène, dans plusieurs branches. Mais elle sera tout entière contenue dans un seul secteur d'activité appelé aussi *sous-secteur* (pour éviter toute confusion avec les SI), celui-ci regroupant les sociétés non financières selon leur activité principale (celle dont la valeur ajoutée est la plus importante).

2. Les opérations

Le cadre central comptabilise principalement des flux, donnant de l'économie l'image d'un circuit : les agents y sont reliés par des flux monétaires correspondant aux opérations qu'ils effectuent. Celles-ci sont de trois types.

• *Les opérations sur produits :*

♦ – la production (P). (Attention : la « production », à la différence du « produit » (qu'on retrouve dans le PIB), comprend la valeur des consommations intermédiaires) ;
– la consommation finale (CF) ;
– la consommation intermédiaire (CI) ;
– la formation brute de capital fixe (FBCF) ; y compris désormais une partie de l'investissement immatériel (voir FBCF) ;
– la variation des stocks (Δ stocks) ;
– les importations (M) et les exportations (X).

♦ Ces opérations s'articulent selon la nécessaire égalité comptable suivante appelée équilibre emplois / ressources :
Ressources : P + M = Emplois : CI + CF + FBCF + Δ stocks + X

♦ Si l'on utilise le PIB au lieu de la production (totale), le schéma de l'équilibre emplois/ ressources s'établit ainsi :

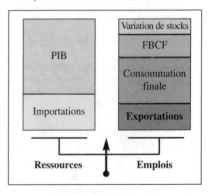

♦ Des revenus, correspondant à la rémunération des facteurs de production, sont distribués aux agents en contrepartie de la production.

• *Les opérations de répartition :* elles décrivent la formation et la circulation des revenus. Un même revenu donne lieu à deux opérations : il est versé par un agent (emploi) et il est perçu par un autre (ressource). On distingue :

♦ – la rémunération des salariés (salaires et traitements nets + *cotisations sociales effectives* à la charge des employeurs et des salariés + les *cotisations sociales imputées*, cotisations fictives à la charge des salariés percevant des prestations directes de leurs employeurs) ;
– les impôts liés à la production et à l'importation (TVA, droits de douane, etc.) ;
– les subventions d'exploitation ;
– les revenus de la propriété (intérêts, dividendes, loyers des terrains (mais pas des logements), fermages, redevances pour licences et brevets, participation des salariés, etc.) ;
– les opérations d'assurances dommages (primes, indemnités) ;
– les transferts courants sans contrepartie (impôts sur le revenu et le patrimoine, cotisations sociales reversées aux organismes d'assurance, prestations sociales, etc.) ;
– les transferts en capital (aides à l'investissement, impôts en capital, etc.).

• *Les opérations financières :* elles portent sur des actifs financiers et des passifs financiers (créances et dettes dans l'ancien système). Elles sont classées selon la nature des instruments monétaires et financiers sur lesquels elles portent, soit par ordre de liquidité décroissant :

♦ – or monétaire et DTS (réserves officielles de change de la Banque centrale) ;
– numéraire et dépôts (billets, pièces, dépôts transférables, autres dépôts) ;
– titres hors actions (obligations, TCN, produits financiers dérivés) ;
– crédits, hors crédits commerciaux ;
– actions et titres d'OPCVM ;
– provisions techniques d'assurance ;
– autres comptes à recevoir ou à payer (crédits commerciaux et avances correspondant à des délais de paiement accordés).

3. La séquence des comptes

Le regroupement de toutes les opérations ayant concerné un même SI pendant une période donnée s'effectue au sein d'une série ordonnée de comptes, globalement équilibrés (principe d'écriture comptable), et reliés les uns aux autres par leur solde.

♦ Trois catégories de compte sont distinguées pour chaque SI :
– les comptes courants (production, formation et utilisation du revenu) ;
– les comptes d'accumulation (variation de ses actifs, passifs et de sa valeur nette) ;
– les comptes de patrimoine (actifs, passifs et valeur nette évalués en termes de stocks en début et en fin de période).
♦ Les comptes des deux premières catégories (comptes de flux) s'articulent selon la séquence PEADUCF (ex-PERUC) : initiales des comptes de Production, d'Exploitation, d'Affectation des revenus primaires, de Distribution secondaire du revenu, d'Utilisation du revenu, de Capital, et Financier (voir tableau p. 96). Le solde du compte de capital, qui est le solde de l'ensemble des comptes non financiers, s'appelle *capacité* ou *besoin de financement* selon qu'il est positif ou négatif ; il est égal, aux ajustements près, au solde du compte financier ; car ce dernier décrit aussi l'accumulation du capital, mais sous forme d'actifs financiers, alors que le compte de capital décrit celle-ci sous forme d'actifs physiques.

4. La prise en compte des stocks par le cadre central : les comptes de patrimoine

Un compte de patrimoine se présente sous forme d'un bilan : on inscrit à l'actif les biens et les créances dont l'agent est propriétaire et au passif les dettes qu'il a contractées. Le solde constitue la valeur nette du patrimoine. Sa variation s'obtient par la comparaison du bilan d'ouverture (en début de période) et du bilan de clôture (en fin de période).

♦ La conception marchande du patrimoine (possibilité de transaction) restreint beaucoup le champ d'application des comptes de patrimoine, d'autant plus qu'ils ne sont pas encore systématiquement établis. En sont exclus, en tout ou partie, le « capital humain », le capital écologique, le domaine public naturel, les biens durables des ménages, etc., pourtant essentiels pour l'analyse économique.

LA SÉQUENCE DES COMPTES

Emplois	Ressources
COMPTE DE PRODUCTION	
Consommation intermédiaire. *Valeur ajoutée brute.* (Solde)	Production.
COMPTE D'EXPLOITATION	
Rémunération des salariés. Impôts liés à la production (sauf TVA). *Excédent brut d'exploitation.* (Solde)	Valeur ajoutée brute. Subventions d'exploitation (reçues).
COMPTE DE REVENU	
Subventions d'exploitation (versées). Revenus de la propriété et de l'entreprise (intérêts, dividendes versés). Opérations d'assurances dommages. Autres transferts courants. (Impôts sur le revenu, cotisations sociales, prestations sociales… versés). *Revenu disponible brut.* (Solde)	Excédent brut d'exploitation. Rémunération des salariés. Impôts liés à la production et à l'importation (reçus) [y compris la TVA perçue par les Administrations publiques]. Revenus de la propriété et de l'entreprise (intérêts, dividendes… reçus). Opérations d'assurances dommages. Autres transferts courants (impôts sur le revenu, cotisations sociales, prestations sociales… reçus).
COMPTE D'UTILISATION DU REVENU	
Consommation finale. *Épargne brute.* (Solde)	Revenu disponible brut.
COMPTE DE CAPITAL	
Formation brute de capital fixe. Variation des stocks. Acquisitions nettes de terrains et d'actifs incorporels. Transferts en capital (versés). *Capacité* (+) ou *besoin* (–) *de financement.* (Solde)	Épargne brute. Transferts en capital (aides à l'investissement, impôts en capital… reçus).

Flux nets de créances	COMPTE FINANCIER	Flux nets de dettes
	Moyens de paiements internationaux. Monnaie et dépôts non monétaires. Bons négociables, obligations, actions et autres participations. Crédits. Réserves techniques d'assurance. *Solde des créances et dettes.*	

5. Les tableaux récapitulatifs et les agrégats

Le regroupement de tous les comptes courants, d'accumulation et de patrimoine, de tous les secteurs institutionnels, est prévu et s'effectuera au sein du *Tableau économique d'ensemble* (TEE), pour le moment limité aux comptes de flux. La synthèse des opérations sur produits est réalisée dans le *Tableau entrées-sorties* (TES) qui retrace les liaisons clients-fournisseurs entre branches. Le *Tableau des opérations financières (TOF)* est constitué de la juxtaposition des comptes financiers des secteurs. Ces tableaux permettent le calcul des principaux agrégats de la Comptabilité nationale : PIB, Revenu national, Consommation des ménages, Capacité ou Besoin de financement de la nation, etc.

6. À côté du cadre central : les comptes satellites et les systèmes intermédiaires

♦ Les comptes satellites portent sur des activités mal retracées par le cadre central et qui sont de grands domaines d'intervention de la politique économique et sociale (informatique, logement, agriculture, transport, tourisme...), ils permettent aussi l'analyse complète de certaines fonctions économiques ou sociales (santé, recherche, éducation).

♦ Les systèmes intermédiaires permettent le passage entre les données de la Comptabilité nationale et celles de la comptabilité privée des entreprises.

♦ Enfin, il existe des comptes régionaux (régionalisation du Plan) et des comptes trimestriels.

→ *Agrégat, Branche, FBCF, Revenu, Secteurs institutionnels, TES, TOF.*

COMPTABILITÉ PUBLIQUE

Ensemble des règles qui régissent la tenue et la présentation des comptes des organismes publics (États, collectivités locales, établissements publics).

Longtemps distincte de la comptabilité des entreprises, elle s'en est beaucoup rapprochée à partir de 1970 avec la rénovation de la comptabilité de l'État et la mise en place du Plan comptable général.

Il ne faut pas confondre la *comptabilité publique* et la *Comptabilité nationale*.

COMPTE BANCAIRE

Compte ouvert par une banque ou, par extension, une institution financière, à un individu ou une entreprise.

Comptes à vue : ceux dont les titulaires disposent à tout instant des sommes inscrites à leur crédit. Ils comprennent les comptes de chèques, ou comptes de dépôts, qui doivent en principe rester créditeurs, et les comptes courants, en général des comptes d'entreprise, qui permettent de bénéficier d'un découvert autorisé.

♦ La terminologie n'est pas rigoureuse : les CCP sont parfois appelés comptes courants alors qu'il s'agit de comptes de chèques.

Comptes à terme : ceux qui reçoivent des fonds bloqués, au minimum pour un mois, et portent intérêt.

Comptes sur livret : toujours créditeurs, qui ne donnent pas lieu à délivrance de chéquiers mais rapportent des intérêts (livret de caisse d'épargne, CODEVI [comptes pour le développement industriel]).

Comptes d'épargne-logement : qui reçoivent des fonds portant intérêt et destinés à l'achat d'une résidence. Ils permettent un emprunt à taux privilégié.

→ *Banque.*

COMPTE DE RÉSULTAT

→ *Comptabilité d'entreprise.*

COMTE (Auguste)

→ *Positivisme.*

CONCENTRATION (des entreprises)

Processus au cours duquel la taille des unités de production (établissement, société, groupe) s'accroît et le poids relatif des unités les plus importantes s'accentue, pour tendre à une plus grande efficacité (production par tête) et/ou une plus grande rentabilité (profit par unité de capital) et/ou une extension de pouvoir.

Elle s'opère par *croissance interne* (extension des capacités de production par investissements propres de l'entreprise) ou *croissance externe* (rachat ou prise de contrôle d'unités de production d'autres entreprises).

Il existe trois types de concentration :
– *horizontale* lorsque sont réunies des activités situées au même niveau de production (par exemple, regroupement de constructeurs d'automobiles) pour réaliser des économies d'échelle et asseoir son pouvoir de marché ;
– *verticale* quand sont associées diverses étapes du processus de fabrication (exemple : extraction, raffinage, transport, commercialisation et transformation du pétrole) ;
– *par diversification* lorsqu'elle correspond à la seule recherche de profits (concentration conglomérale).

Les logiques de concentrations sont variées.

La *concentration technique* correspond à l'agrandissement de la taille des unités de production qui permet des économies d'échelle, c'est-à-dire une plus grande efficacité dans la production, ou d'autres secteurs de la vie de l'entreprise (commercialisation, recherche…). Mais la taille n'est pas toujours synonyme de plus grande efficacité (déséconomies d'échelle).

Toutefois, la logique de la concentration peut être aussi d'acquérir un *pouvoir sur le marché*, par rapport aux clients (sur le marché des biens et services vendus) ou aux fournisseurs (biens intermédiaires, travail et capital achetés) et d'améliorer le pouvoir de négociation de l'entreprise qui obtient ainsi des prix plus avantageux. La concentration engendre ici une position dominante et, éventuellement, des situations d'oligopole ou de monopole.

La logique de la concentration peut être *financière* lorsqu'il s'agit de réunir dans un même groupe des activités sans rapports techniques les unes avec les autres. Certains groupes sont diversifiés

dans un secteur (BSN dans le secteur agro-alimentaire), d'autres diversifiés sur deux ou plusieurs secteurs (Bouygues associe le secteur du bâtiment-travaux publics et les médias), d'autres enfin sont de véritables conglomérats.

La mesure de la concentration peut se faire de différentes façons. La taille peut être appréhendée à partir des effectifs salariés, du chiffre d'affaires, du total du bilan, de la valeur ajoutée. L'intensité de la concentration peut être représentée par la taille moyenne des unités de production, par la part prise sur un marché par les *n* premières entreprises (les 4 premières, les 10 premières, les 20 premières…), ou par la courbe de Lorenz…

→ *Conglomérat, Croissance interne/ externe, Économies d'envergure ou de gamme, Entreprise, Europe (union ou intégration économique), Filière (Politique de), Filière (Stratégie de), Fusion – Acquisition, Groupe (entreprises), Holding, Lorenz (Courbe de)/ GINI (Coefficient de), Marché, Rendements factoriels/Rendements d'échelle.*

CONCURRENCE

Rivalité entre offreurs ou demandeurs d'un même bien ou service.

L'idée de concurrence évoque la compétition, voire la loi de la jungle, chacun essayant de l'emporter sur son rival. Et l'on imagine un marché concurrentiel comme un lieu très agité, où les protagonistes se livrent une guerre économique, avec des gagnants, qui s'enrichissent, et des perdants, qui font faillite ou sont licenciés. Sur un tel marché, les entreprises se font concurrence par les prix (vendre moins cher le même produit que ses concurrents), par les quantités (augmenter la production pour bénéficier d'économies d'échelle), par la qualité (différencier son produit des autres par le conditionnement, la publicité, la marque, diversifier sa gamme, offrir de nouveaux produits, etc.). Plus généralement, en situation de concurrence :

– chaque agent participe à une procédure d'enchère ou de rabais pour l'emporter sur ses rivaux (chez les économistes classiques, c'est ainsi que le prix de marché converge vers son niveau « naturel ») ;

– chaque agent décide de son action en fonction des actions de ses concurrents ; par exemple, les firmes ajustent leurs prix, leurs campagnes de publicité, leurs stratégies d'investissement et d'innovation les unes en fonction des autres.

Or, dans la théorie micro-économique il n'en va pas ainsi. Ce que l'on appelle le modèle de concurrence parfaite dépeint un monde fictif dans lequel des agents économiques paisibles prennent des décisions d'offre et de demande sans se préoccuper les uns des autres, en fonction du prix qu'ils lisent sur leur écran d'ordinateur. Les modèles de concurrence imparfaite sont présentés comme un compromis : au prix du relâchement d'hypothèses requises par la perfection, on se rapprocherait de la réalité. Mais la concurrence parfaite demeure la norme, car les équilibres de concurrence imparfaite sont en général inefficients et les nouvelles hypothèses sont parfois encore plus irréalistes que celles qu'elles remplacent...

→ *Concurrence parfaite, Concurrence imparfaite.*

CONCURRENCE FISCALE

Alignement des systèmes fiscaux nationaux afin d'attirer des entreprises, des capitaux ou des hommes.

La concurrence fiscale est d'autant plus forte que l'assiette de l'impôt, la base sur laquelle il est établi, est mobile : les capitaux sont très mobiles, les entreprises aussi, les ménages moins. Les États tentent donc d'ajuster leur fiscalité de façon à éviter des fuites ou favoriser une délocalisation à leur profit.

La concurrence fiscale a deux grands types d'effets : elle fait pression sur les budgets publics et elle tend à alléger la pression fiscale sur les facteurs les plus mobiles au détriment des autres. C'est ainsi que, dans le cadre européen, en raison de la concurrence fiscale, la taxation sur le travail a eu tendance à s'alourdir, au moment même où elle s'allégeait sur les entreprises et le capital.

→ *Impôt.*

CONCURRENCE IMPARFAITE

Structure de marché dans laquelle les hypothèses de la concurrence pure et parfaite ne sont pas réalisées sans que pour autant il s'agisse de monopole. La remise en cause de l'hypothèse d'atomicité — avec l'oligopole — et de l'hypothèse d'homogénéité — avec la concurrence monopolistique — en constituent les deux principales applications.

→ *Concurrence monopolistique, Concurrence pure et parfaite, Marchés (Structure de), Monopole, Oligopole.*

CONCURRENCE MONOPOLISTIQUE

Structure de marché caractérisée par la différenciation des produits.

Dans ce cas, les produits n'étant pas parfaitement substituables, chaque producteur dispose de marges de manœuvre et peut influer sur le prix — ce qui permet d'établir un lien entre sa situation et celle du monopole. Toutefois, la substitution existe et l'entrepreneur doit tenir compte du report éventuel de la demande sur les biens comparables. La concurrence monopolistique, théorisée dans les années 1930 par l'économiste britannique Chamberlin, rassemble donc des éléments *a priori* contradictoires du monopole et de la concurrence.

→ *Concurrence imparfaite, Concurrence pure et parfaite (Conditions de la), Marchés (Structure de), Monopole.*

CONCURRENCE PARFAITE
(Modèle de)

Modèle de référence de la théorie microéconomique néo-classique.

♦ Le modèle de l'équilibre général, tel qu'il a été formalisé par Arrow et Debreu dans le prolongement de Walras, ne prétend pas décrire la réalité. Il énonce les hypothèses nécessaires pour que le marché fonctionne parfaitement, c'est-à-dire comme si une « main invisible » (selon la métaphore d'Adam Smith) conduisait des agents mus par leur intérêt particulier à réaliser, sans le rechercher, l'intérêt collectif (défini comme un optimum de Pareto).

Les trois hypothèses majeures de ce modèle de concurrence parfaite sont très restrictives :

– *les prix sont considérés comme des paramètres des fonctions de décision* des agents, ce qui implique l'existence d'un tiers extérieur et neutre, souvent appelé le commissaire-priseur, pour afficher gratuitement ces prix (un par bien), afin qu'ils soient connus de tous ;

– les agents pensent que *ces prix affichés*, qu'ils ne peuvent manipuler, *sont des prix d'équilibre*. Ces prix, supposés égaliser l'offre et la demande sur chaque marché, ne devraient donc plus varier. C'est parce qu'ils forment ces conjonctures que les agents acceptent de prendre leurs décisions sur la base de ces prix et ne cherchent pas à en anticiper d'autres ;

– les agents ne procèdent entre eux à *aucun échange direct* : ils formulent leurs offres et leurs demandes auprès du commissaire-priseur qui les centralise et les confronte globalement.

Ces hypothèses, indispensables à la mise en équations du problème de l'équilibre général, confirment que le modèle de concurrence parfaite ne se rapporte, ni de près, ni de loin, à la concurrence telle qu'on se la représente couramment. Il décrit plutôt une économie centralisée. De plus, ce marché « parfaitement concurrentiel » n'a rien

de spontané, il suppose au contraire l'intervention d'une autorité extérieure pour faire respecter les règles du jeu. C'est la condition nécessaire pour que les agents n'exercent aucun pouvoir, ni sur le marché, ni les uns sur les autres.

→ *Concurrence, Concurrence pure et parfaite, Néo-classiques (Économie, théorie), Optimum, Pareto.*

CONCURRENCE PURE
ET PARFAITE
(Conditions de la)

Conditions présentées par les manuels de microéconomie comme la traduction économique des hypothèses du modèle de concurrence parfaite.

On présente souvent ces cinq conditions en faisant comme si leur réalisation garantissait que l'on obtienne les résultats bénéfiques du modèle de concurrence parfaite alors qu'elles ne correspondent pas aux hypothèses de ce modèle qui est celui de l'équilibre général. Ce sont les modèles de concurrence imparfaite qui y font référence afin d'étudier ce qui advient si elles ne sont pas respectées :

– *l'homogénéité du produit* : un marché se définit par rapport à un produit bien déterminé (on ne devrait pas parler du marché de l'automobile car les voitures de sport ne sont pas en concurrence avec les routières, ni du marché du travail, car les polytechniciens ne sont pas en concurrence avec les non-diplômés) ; l'homogénéité renvoie à un critère objectif — tous les producteurs offrent un produit présentant les mêmes caractéristiques — et à un critère subjectif — les acheteurs ne font pas de distinction en fonction d'une marque ou d'une qualité présumée et préfèrent systématiquement le moins cher car les produits sont parfaitement substituables (biens fongibles) ;

– *l'atomicité du côté de l'offre et de la demande* : cela signifie qu'il y a suffisamment d'offreurs ou de demandeurs pour qu'aucun d'eux ne puisse exercer un pouvoir sur le marché, c'est-à-dire parvenir à influencer le prix en modifiant les quantités qu'il offre ou qu'il demande ; on associe souvent cette hypothèse à celle selon laquelle chaque offreur ou demandeur est preneur de prix (*price taker*), il considère le prix comme une donnée qu'il ne peut manipuler, et non faiseur de prix (*price maker*), ce qui signifierait que l'un des intervenants, ou une coalition d'intervenants sur le marché, réussirait à « faire » le prix ; rappelons que dans le modèle de concurrence parfaite, c'est le commissaire-priseur qui fait les prix ; dans ce cadre, un monopoleur serait aussi « preneur de prix » ;

– *la libre entrée* : un marché est contestable si aucune barrière n'empêche quiconque d'y entrer pour concurrencer ceux qui s'y trouvent déjà et s'il est facile d'en sortir (car la difficulté à sortir, par exemple à revendre une usine de savonnettes si l'on décide ensuite de racheter une usine de patinettes, est un frein à l'entrée) ;

– *la libre circulation des facteurs de production* : cette condition n'est en fait qu'une conséquence de la condition précédente ; elle signifie que le capital et le travail doivent pouvoir se déplacer librement à la recherche des occasions les plus rémunératrices ; la libre circulation du capital implique la possibilité de placer ou d'investir son argent où l'on veut dans le monde ; la libre circulation du travail implique l'ouverture des frontières aux flux migratoires ;

– *l'information parfaite* : les offreurs et les demandeurs sont parfaitement informés des caractéristiques des produits (lien évident avec l'hypothèse d'homogénéité) et des prix auxquels ils sont proposés, d'où le prix unique pour chaque bien ; on notera que, dans le modèle de concurrence parfaite, le prix unique n'est pas un résultat mais un postulat, puisqu'il est affiché par le commissaire-priseur ; l'hypothèse d'information parfaite évite que certains profitent d'un avantage particulier pour manipuler le marché, ce qui serait le cas si les vendeurs connaissaient des défauts cachés des marchandises ignorés par les acheteurs ou si des spéculateurs savaient un peu avant les autres qu'une entreprise bien cotée s'apprête à déclarer des pertes, etc.

La liste de ces conditions suffit à montrer que l'intention est de décrire ce que serait le marché idéal.

♦ Dans la réalité, on observe au contraire de nombreuses « imperfections » :

– les produits sont différenciés : les concurrents cherchent à nous convaincre que leur produit (importance de la marque) est original, exceptionnel, qu'il surclasse les autres, etc. ;

– il y a des oligopoles (quelques entreprises en concurrence seulement), des cartels (des accords entre concurrents pour s'entendre sur les prix et se partager le marché), voire des monopoles (une seule entreprise, comme EDF pour l'électricité, du moins pour l'instant) ;

– il existe des barrières à l'entrée : ainsi, en France, de nombreuses professions sont protégées, donc fermées (pharmaciens, notaires, chauffeurs de taxi, etc.) ;

– les entreprises prennent leurs décisions en se préoccupant des actions et réactions des autres ;

– la technologie est une arme dans la concurrence (Microsoft contre IBM) : il existe des barrières à l'entrée du fait des brevets, des dépenses de recherche qui induisent des coûts fixes souvent très importants, donc des coûts moyens décroissants sur une grande partie de l'échelle de production, etc. ;

– l'information n'est pas parfaite : qu'il s'agisse de la qualité des produits, des comportements des salariés, etc. ; la preuve en est que l'on est souvent disposé à payer pour acquérir une meilleure information (en passant du temps à comparer les prix, en consultant des revues de consommateurs, des journaux financiers, etc.).

→ *Néo-classique (Économie, Théorie).*

CONCURRENCE PURE ET PARFAITE (Formation des prix)

Cette formation des prix se fait dans le cadre suivant : on suppose que les rendements sont croissants puis décroissants ; les courbes de coût marginal et de coût moyen sont décroissantes puis croissantes ; par ailleurs, la courbe de coût marginal coupe la courbe de coût moyen en son minimum.

On distingue l'équilibre de court terme de l'équilibre de long terme.

1. À court terme

À court terme, le nombre d'entreprises est fixé.

Les entreprises maximisent le profit pour un prix donné. Quelle est la situation dans laquelle le profit est maximal ? C'est lorsque le coût marginal est égal au prix. En effet, si on appelle P le prix et Q la quantité, le profit est :

Profit = Recette totale – Coût total
$$= RT - CT = (P \times Q) - CT$$

Le profit est maximal lorsque sa dérivée est nulle (par rapport à la variable Q, quantité produite)

$$P' = 0 \text{ quand } (RT)' - (CT)' = 0$$

Or la dérivée de la recette totale ($d (P \times Q)/dQ$), c'est le prix ; la dérivée du coût total (dCT/dQ), c'est le coût marginal.

Le profit est maximal lorsque :

$$\text{Prix} - C \text{ mar} = 0 \text{ soit :}$$

Prix = Coût marginal

Sur le graphique, l'équilibre de court terme est donné par le point A, le profit correspondant est alors représenté par le rectangle ABCD (dont un côté représente la quantité produite et l'autre le profit moyen, différence entre le prix et le coût moyen).

2. À long terme

À long terme, le nombre d'entreprises varies. Le profit élevé attire de nouvelles entreprises, d'où résulte une augmentation de l'offre (graphique de droite) qui fait baisser le prix. Tant qu'il existe un profit, de nouvelles firmes sont attirées, ce qui fait baisser le prix, jusqu'à disparition du profit. Or le profit disparaît quand le prix est égal au coût moyen. L'équilibre de long terme est donc donné par le point A', où l'on a :

Prix = C.mar et Prix = C. moy. d'où

Prix = coût marginal = coût moyen

On voit donc que la concurrence dans ce modèle a des effets bénéfiques : aucun agent ne peut imposer sa volonté, tout surprofit tend à disparaître, les entreprises ont tendance à produire au minimum de coût moyen (situation la meilleure pour le fonctionnement de l'économie). En élargissant le modèle, la théorie montre que le consommateur est souverain et qu'il guide la production via la demande solvable et le profit, que les

Concurrence pure et parfaite

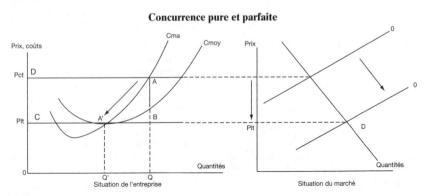

Situation de l'entreprise   Situation du marché

facteurs de production sont rémunérés de façon rationnelle et équitable.

En fait, la portée de l'analyse néo-classique de la concurrence est liée au caractère irréaliste des hypothèses. Face au décalage entre le modèle théorique et la réalité des marchés, deux types d'attitudes se retrouvent. Pour certains économistes, le modèle doit être rejeté parce qu'il ne traduit pas la réalité et il tend à jouer un rôle idéologique, en diffusant une image idyllique du marché. Pour d'autres, qui défendent le modèle néo-classique, et qui n'ignorent pas le décalage entre théorie et réalité, le modèle est un modèle à suivre : il est nécessaire de prendre des mesures pour que le marché réel se rapproche du marché idéal, ce qui ne peut n'apporter que des avantages : loi sur la concurrence, incitation à la mobilité des travailleurs.

──▸ *Barrières à l'entrée, Concurrence imparfaite, Marchés (Structure de), Monopole, Monopole naturel, Néo-classique (Économie, théorie), Price taker/Price maker, Rationalité, Stratégie (d'entreprise).*

CONDORCET (Paradoxe de)

Il est impossible d'agréger les votes (préférences) des individus en une préférence collective cohérente avec ces choix individuels, dès lors que les préférences individuelles sont différentes et étalonnées de manière ordinale.

Ce principe de non-transitivité des préférences collectives construites par sommation de préférences individuelles transitives est à l'origine de la réflexion sur les problèmes d'agrégation tant en politique qu'en économie, et notamment sur la problématique du *bridge* et du *no bridge*, de passage de la microéconomie à la macroéconomie ou de recherche des fondements microéconomiques des agrégats macroéconomiques.

Le philosophe, mathématicien, économiste et révolutionnaire français Marie Jean Antoine Nicolas Caritat (marquis de Condorcet, 1743-1794), réfléchissant à l'organisation politique de la démocratie et, en conséquence, au vote majoritaire, découvrit un « paradoxe du vote », énoncé dans le *Discours préliminaire* de l'*Essai sur l'application de l'analyse à la probabilité des décisions rendues à la pluralité des voix* (1785), et qui depuis porte son nom. Une décision collective prise à la majorité par addition des votes des électeurs peut ne pas être cohérente (c'est-à-dire être en contradiction) avec les choix de ces mêmes électeurs.

♦ Exemple : prenons trois individus (1, 2, 3) et trois situations (A, B, C). Les préférences (les choix politiques en tant que citoyens, mais ce pourrait être les goûts en tant que consommateurs) de 1 sont telles qu'il préfère A à B et B à C. 2, lui, préfère B à C et C à A. Enfin, 3 préfère C à A et A à B. Soit :
– pour 1 : $A \geq B \geq C$;
– pour 2 : $B \geq C \geq A$;
– pour 3 : $C \geq A \geq B$.
♦ On voit ici que deux individus sur trois préfèrent A à B (ce sont 1 et 3) ; de même, deux individus sur trois préfèrent B à C (ce sont 1 et 2). On peut donc supposer que A sera choisi. Or, deux individus sur trois préfèrent C à A (ce sont 2 et 3). Les préférences agrégées ne sont plus transitives.

Le prix Nobel d'économie (1972), Kenneth Arrow, dans *Choix collectif et préférences individuelles* (1951), a repris le problème et abouti à un résultat analogue connu sous le nom de « théorème d'impossibilité » : on ne peut déduire une relation de préférence collective cohérente des relations de préférence de chacun des agents. Il est aussi appelé théorème du *no bridge* : il n'y a pas de pont entre l'analyse microéconomique et l'analyse macroéconomique ; chacune a sa logique et ses méthodes. Arrow démontre même que tout système de vote (et pas seulement le vote à la majorité) conduit à cette même impossibilité de déduire un choix collectif cohérent des choix individuels, hormis le cas de la dictature, dans lequel le choix collectif est ramené à celui d'un seul individu.

Le paradoxe de Condorcet fait partie d'un ensemble de « paradoxes agrégatifs » qui se posent dès lors qu'on veut passer de l'individu à la collectivité, de la partie au tout, du particulier au général… le tout étant plus que (ou étant différent de) la somme des parties qui le composent.

→ **Effet émergent d'agrégation (ou de composition ou effet émergent), Indice, Individualisme méthodologique, Sen Amartya.**

CONFÉDÉRATION

→ **Fédération.**

CONFLIT CULTUREL

Opposition larvée ou affrontement déclaré ayant pour enjeux les questions éthiques et religieuses et, plus généralement, les modèles culturels : les styles de vie, les mœurs et leur réglementation.

Expression à géométrie variable, peu codifiée en sciences sociales, pouvant s'appliquer à des situations diverses : clivages internes à une collectivité locale ou nationale, souvent en rapport avec le changement social et le décalage culturel (par exemple, l'opposition modernité/tradition, libéralisme culturel/ rigorisme moral) ou bien avec des différenciations ethniques et religieuses ; oppositions virtuelles ou déclarées entre cultures sociétales (conquêtes coloniales et acculturation imposée, « choc des civilisations » selon l'expression d'Huntington qui désigne par là la compétition tant politique que culturelle qui se développerait entre les grandes aires de civilisation), tensions générées par la mondialisation culturelle opposant la modernité rationnelle et sécularisée à vocation universelle aux cultures et aux traditions particulières.

→ **Conflit social, Culture, Post-matérialisme, Révolution culturelle.**

CONFLIT SOCIAL

Discorde, lutte, affrontement entre groupes sociaux opposés par leurs intérêts, leur position ou leurs idées.
Conflits sociaux (pluriel) : conflits entre agents sociaux dans la sphère de la production.
Conflits du travail : concernent plus particulièrement les rapports conflictuels entre employeurs et travailleurs salariés.

♦ Conflits latents (tensions, désaccords) ou conflits ouverts : manifestations de mécontentement, grèves.

Employé au singulier, le terme a une valeur générale : l'affrontement entre les acteurs sociaux sur le fonctionnement et les buts de l'organisation sociale, la répartition des revenus, la distribution du pouvoir, les droits et obligations, les orientations des politiques, etc. Les conflits de classe sont souvent au centre du conflit social — par exemple, l'affrontement mouvement ouvrier/bourgeoisie dans le capitalisme concurrentiel. Marx et les marxistes parlent de lutte de classes : celle-ci structure la société et constitue le moteur de l'Histoire.

Mais d'autres conflits se superposent aux premiers : conflits ethniques (ou raciaux), religieux, linguistiques, culturels. Les conflits politiques en sont en partie la traduction.

♦ On oppose couramment en sciences sociales les *théories de l'intégration* et les *théories du conflit*.
♦ Les premières, sans nier les conflits, privilégient l'harmonieuse complémentarité des rôles et, plus généralement, les facteurs de cohésion sociale. Dans ce cas, le conflit, révélateur de dysfonctions, est un facteur d'équilibre : il est l'occasion de remédier à des défauts du système.
♦ Les secondes mettent l'accent sur les processus de domination et d'exploitation, sur l'opposition irréductible entre les groupes. Dans cette optique, le conflit se révèle être un facteur décisif de changement social.

→ **Consensus, Intégration (sociale), Mouvement social ; Annexes 27, 47.**

CONFORMITÉ

> Comportement en accord avec les normes et les valeurs du groupe, de la collectivité.

La conformité connaît plusieurs degrés : elle peut être stricte ou relative. On parle de *conformisme* social pour étiqueter un attachement pointilleux aux règles établies, aux valeurs dominantes alors même que de nombreux acteurs prennent une certaine distance à leur égard.

♦ Ce comportement est en particulier le cas d'individus et de groupes en stratégie d'ascension sociale (réelle ou illusoire).

→ *Déviance.*

CONGLOMÉRAT

> Groupe constitué d'entreprises aux activités diversifiées.

Ces entreprises se trouvent soumises, à la suite d'un processus de concentration, au contrôle stratégique d'une société mère ; les caractéristiques du groupe ainsi constitué sont les suivantes :
– l'objectif principal est la diversification des activités, les entreprises du groupe sont donc indépendantes les unes des autres en ce qui concerne leurs produits et leurs réseaux commerciaux ;
– le groupe se développe essentiellement par la croissance externe (prise de participation, absorption) ;
– la logique ultime du groupe est financière : il s'agit avant tout de maximiser la valeur d'un portefeuille d'actions.

→ *Concentration (des entreprises), Groupe (entreprises).*

CONJONCTURE

> Ensemble des éléments concourant simultanément à caractériser une situation temporaire donnée.

La *conjoncture économique* est étudiée par des organismes spécialisés (INSEE, Direction de la Prévision, BIPE, OFCE…) à l'aide de modèles économétriques qui intègrent et relient les principaux paramètres constitutifs des grands équilibres macroéconomiques : production, emploi, prix, solde extérieur, etc.

♦ Ainsi, le niveau des stocks, les carnets de commande, les intentions d'achat des ménages et d'investissement des entreprises, etc., sont pris en compte pour l'équilibre de la production et des prix ; l'investissement, les salaires, la productivité, la demande interne et externe, etc., pour l'équilibre de l'emploi ; les dépenses publiques, les rentrées de TVA, etc., pour l'équilibre budgétaire ; les taux de change, les prix du pétrole, les différentiels d'inflation, le PIBET (PIB de l'étranger), etc., pour l'équilibre des échanges extérieurs.

À partir de statistiques portant sur un passé récent, les conjoncturistes prolongent les tendances observées, les corrigent pour tenir compte des inflexions probables qui affecteront certains paramètres et en tirent les prévisions pour un avenir proche (analyse de court terme : < 1 an). Les éléments dont les variations sont négligeables ou nulles sur une courte période constituent les données structurelles, rigides, par opposition aux variables conjoncturelles, instables.

♦ À distinguer des variations saisonnières : l'augmentation des ventes de muguet en mai ne signifie pas que la conjoncture s'améliore pour les vendeurs !

Ainsi, les politiques conjoncturelles visent à rétablir les grands équilibres par des moyens d'effet rapide (action par les taux d'intérêt, par le budget ; contrôle des changes, etc.) alors que les politiques structurelles agissent en profondeur (politique à moyen ou long terme de formation professionnelle, de restructuration industrielle, de décentralisation, de recherche, etc.).

→ *Cycles, Expansion, Modèle (économique), Prévision/Prospective, Production (Capacités de), Structure.*

CONSCIENCE COLLECTIVE

Notion employée par Durkheim pour désigner « l'ensemble des croyances et des sentiments communs d'une même société (formant) un système déterminé qui a sa vie propre [...] elle ne change pas à chaque génération mais elle relie au contraire les unes aux autres les générations successives ».

→ *Durkheim.*

CONSCIENCE DE CLASSE

→ *Classe(s) sociale(s), Marx ; Annexe 27.*

CONSEIL DE L'EUROPE

→ *Europe : les organisations européennes.*

CONSEIL DES BOURSES DE VALEUR

→ *Sociétés de Bourse.*

CONSEIL ÉCONOMIQUE ET SOCIAL

Assemblée consultative créée par la Constitution en 1958 en vue d'associer les principales forces économiques et sociales du pays aux décisions politiques. Elle émet des avis sur des projets de textes législatifs ou réglementaires qui lui sont soumis par le gouvernement, et, plus généralement, sur tout problème à caractère économique et social.

Ses 200 membres sont désignés par le gouvernement pour cinq ans, les uns, sur proposition des organisations socio-économiques représentatives (syndicats de salariés, CNPF, etc.), les autres, en tant que personnalités qualifiées dans le domaine économique, social, scientifique ou culturel.

Son rôle est défini par l'article 67 de la Constitution.

CONSENSUS

Au sens général : accord entre personnes ou groupes de personnes.

Au sens sociopolitique : accord des forces politiques ou des partenaires sociaux sur certains problèmes (Défense nationale, modernisation de l'appareil productif).

→ *Contrôle social.*

CONSOLIDATION

Opération comptable consistant à annuler les opérations qu'un groupe d'agents ou d'entreprises, appartenant à un même ensemble, effectuent entre eux.

Le compte consolidé d'un groupe financier décrit les activités et le patrimoine des différents éléments du groupe et élimine les créances et les dettes que les entreprises de ce groupe ont les unes sur les autres : si un groupe comprend deux sociétés, A et B ; si A réalise un profit de 1 million de francs et B une perte de 0,5 million, alors le groupe aura un résultat consolidé bénéficiaire de 0,5 million de francs.

→ *Dette (Consolidation de la).*

CONSOMMATEUR (THÉORIE DU)

Ensemble d'analyses microéconomiques qui permettent de déterminer la demande d'un bien à partir du comportement d'optimisation du consommateur, c'est-à-dire de maximisation de sa satisfaction sous contrainte de revenu (équilibre du consommateur).

Dans le modèle standard néoclassique, le consommateur cherche un maximum de satisfaction (d'utilité). Rationnel et souverain (libre appréciation subjective de ce qui lui est utile = « ophélimité » paretienne), il répartit ses dépenses de consommation entre différents biens (il se constitue un « panier de biens ») en tenant compte à la fois de ses préférences et de sa contrainte budgétaire : ses ressources sont limitées par rapport à des biens dont le prix, non nul, représente un coût pour lui (rareté qui explique son comportement rationnel d'optimisation). Comparant différents biens deux à deux et différents paniers de biens deux à deux (soit différentes combinaisons de différentes quantités de biens), et les classant par ordre de préférence (approche ordinale de l'utilité), il choisit celui qui représente la plus grande utilité totale pour une dépense compatible avec son budget. On obtient donc la demande du consommateur pour chacun des biens considérés (nombre d'unités demandées).

♦ *Une nouvelle théorie du consommateur est apparue dans les années 1960,* à la suite des travaux de Gary S. Becker (prix Nobel 1992), pour tenter de contrer les tentatives d'explication de la consommation par des variables psycho-sociologiques (par exemple, processus macro-social et historique de création de besoins nouveaux pour des biens nouveaux), et qui remettaient donc en cause l'hypothèse néo-classique de la stabilité des préférences du consommateur, dont les choix ne sont supposés dépendre que de variables économiques (prix et revenu).

♦ Cette hypothèse fut sauvegardée par une translation d'une logique de consommation à une logique de production de satisfactions. Le consommateur ne cherche pas à combiner des biens consommés, ayant besoin du bien X ou du bien Y ; il cherche en fait à produire de manière optimale différentes catégories de satisfactions correspondant à des catégories de besoins (par exemple, besoin de déplacement) à l'aide de différents biens (char, fiacre ou automobile...). Les biens deviennent des facteurs de production de satisfactions : ils peuvent donc changer alors même que la fonction d'utilité (dont les arguments sont des besoins stables) reste stable.

♦ En complément, le temps ainsi que le capital humain sont intégrés à la fonction de production de satisfactions, au même titre que les biens, comme ressources rares : le consommateur arbitre entre différentes manières de produire des satisfactions en utilisant des biens et des services (activités domestiques qui prennent plus ou moins de temps) et en utilisant son capital humain. L'augmentation des revenus du travail accroît le coût d'opportunité d'un usage du temps consacré à la consommation (on renonce à des revenus de plus en plus élevés) : l'augmentation de la consommation de services destinés à économiser du temps (se faire livrer des pizzas...) s'en trouverait expliquée ; de même que la réduction du nombre d'enfants par famille (on produit autant de satisfaction parentale en consacrant moins de temps à moins d'enfants mais avec plus de biens et de services éducatifs...) ; de même, les pratiques différenciées de loisirs (faire du sport ou le regarder à la télévision, chanter ou écouter des CD) s'expliqueraient par les différences de dotation en capital humain de savoirs et savoir-faire correspondants... Tout comportement relève d'un calcul économique : *homo politicus* et *homo sociologicus* sont totalement absorbés par *homo œconomicus*...

→ *Coût d'opportunité,* Homo œconomicus, *Indifférence (Courbe d').*

CONSOMMATION (finale, intermédiaire)

Destruction par l'usage. La consommation entraîne la disparition, plus ou moins rapide, par destruction ou par transformation, des biens ou services utilisés.

On distingue :
– *la consommation intermédiaire* (CI) qui représente la valeur des biens et services totalement transformés (planche pour une table) ou détruits (électricité) au cours du processus de production ;
– *la dépense de consommation finale* (DC) qui représente la valeur des biens et services acquis pour la satisfaction directe des besoins individuels ou collectifs ; elle inclut les loyers imputés

que les propriétaires de leur logement se versent implicitement à eux-mêmes ; en revanche, les achats de logements sont considérés comme un investissement.

Il s'agit de la dépense effectivement supportée par le ménage (la partie remboursée des médicaments est par exemple exclue) ; elle ne correspond donc pas à la valeur des biens et services réellement consommés par celui-ci (il a bénéficié du médecin, ou de l'éducation dispensée au lycée). On affecte à la DC des administrations ce qui correspond en fait à la consommation par les ménages de services financés par la collectivité (défense, éducation, santé, etc.), sauf pour la fraction qui a donné lieu à paiements partiels (par exemple, les droits d'inscription à l'université). C'est pourquoi la partie individualisable de cette consommation (l'éducation ou la santé, mais pas la défense ou la police) est ajoutée à la DC des ménages pour former leur *consommation finale effective* ; la partie non individualisable demeure affectée en consommation effective des administrations et correspond à une *consommation collective* (défense, police, justice, administration) ; les services collectifs présentent en effet les trois caractéristiques suivantes :

– ils peuvent être fournis simultanément à tous les membres d'une collectivité (défense) ;

– la consommation de ces services ne requiert pas l'accord explicite des personnes concernées ;

– la fourniture d'un service collectif à un individu ne réduit pas la quantité disponible pour les autres membres de la collectivité.

On retiendra que la DC est une dépense, que l'on peut mettre en relation avec un revenu disponible, alors que la consommation effective est un meilleur indicateur du niveau de vie.

→ *Besoin, Bien intermédiaire, Coefficient budgétaire, Comptabilité nationale ; Annexes 28, 33.*

CONSOMMATION COLLECTIVE

Consommation de biens ou de services satisfaisant des besoins collectifs et dont le financement est principalement pris en charge par une administration publique (État, collectivité locale, Sécurité sociale).

Certains de ces biens et services sont collectifs (défense, police, justice, administration, infrastructures), mais tous ne le sont pas (éducation, santé). Dans ce dernier cas (consommations collectives individualisables), c'est la présence de fortes externalités positives qui explique la prise en charge par la collectivité.

→ *Bien (ou service) collectif, Comptabilité nationale.*

CONSTANT/COURANT

→ *Déflation, Prix.*

CONSUMÉRISME

(en anglais *consumerism*)
Mouvement de défense des consommateurs.

Les associations de défense des consommateurs, sans remettre en cause l'économie de marché, considèrent qu'il convient que, en face d'entreprises puissamment organisées pour imposer leur prix, leur image de marque et leur produit, soit érigé un pouvoir coalisé des consommateurs. Ce contre-pouvoir suppose de contrer la publicité par une information fondée sur des tests comparatifs de produits en laboratoire et permettant de faire jouer la concurrence entre les producteurs.

En France, la défense du pouvoir d'achat a plus été le fait des salariés et de leurs syndicats que d'associations de consommateurs puissantes.

♦ Cette faiblesse a conduit l'État à prendre l'initiative de la défense du consommateur : création d'un secrétariat d'État à la

Consommation et d'un Institut national de la consommation (INC).

Le mouvement est beaucoup plus développé en Grande-Bretagne, en Suède et surtout aux États-Unis où de véritables campagnes de boycott de produits sont organisées avec succès.

→ *Société de consommation.*

CONTINGENTEMENT

Limitation quantitative par la puissance publique des mouvements d'hommes, de produits, de capitaux, notamment avec l'étranger.

Exemple : pour protéger l'économie nationale de la concurrence étrangère, un gouvernement décide que les importations de certains produits ne pourront dépasser une limite déterminée de façon :

– absolue : au-delà du quota, montant autorisé, les importations sont interdites ou sont soumises à une augmentation importante des droits de douane ;

– relative : il est interdit au fournisseur étranger de dépasser un certain taux de pénétration du marché intérieur.

→ *Protectionnisme, Quota.*

CONTRAINTE EXTÉRIEURE

Influence des échanges extérieurs d'un pays engendrant une limitation des marges de manœuvre de la politique économique.

Dans les années 1980, la contrainte extérieure est essentiellement commerciale et tient à la nécessité d'éviter un déficit extérieur durable.

L'intensité de la contrainte extérieure est très variable : elle est d'autant plus forte que le pays est ouvert aux échanges commerciaux, aux flux de capitaux et que l'appareil de production est inadapté aux échanges extérieurs ; elle est de nature différente selon que la monnaie est intégrée dans une zone de parités fixes (le SME, par exemple) ou qu'elle flotte.

Pour la France, la contrainte extérieure a pris la forme suivante : la politique économique doit éviter une relance de l'activité qui aboutirait à creuser le déficit extérieur, des taux d'intérêt faibles qui susciteraient des sorties de capitaux intempestives et un taux d'inflation élevé qui handicaperait la compétitivité.

Au cours des années 1990, la contrainte extérieure devient financière (il s'agit d'éviter des déficits publics) et plus institutionnalisée, dans le cadre du traité de Maastricht.

Toutefois, la notion de « contrainte » extérieure ne doit pas masquer le fait qu'il s'agit d'une contrainte choisie, contrepartie de l'ouverture de l'économie sur le reste du monde.

→ *Balance des paiements, Commerce extérieur, Dévaluation, Europe communautaire (union monétaire), Extraversion, Internationalisation, Mundell (Triangle d'incompatibilité de), Politique économique.*

CONTRAINTE SOCIALE

Modalités selon lesquelles la réalité sociale (la collectivité, les institutions, les normes, les représentations collectives...) s'impose à l'individu.

Pour Durkheim, faits sociaux et contrainte sont intimement liés : « [Ces faits] consistent en manières d'agir, de penser et de sentir, extérieures à l'individu et qui sont douées d'un pouvoir de coercition en vertu duquel ils s'imposent à lui » (*Règles de la méthode…*).

→ *Contrôle social, Durkheim.*

CONTRAT DE TRAVAIL

Convention par laquelle une personne (le salarié) s'engage à mettre son activité à la disposition d'un employeur, sous la subordination duquel il se place, moyennant une rémunération.

Ce contrat est donc de nature très particulière. C'est pourquoi il est, dans les pays développés, encadré par des règles très strictes s'efforçant de protéger le salarié contre l'arbitraire de l'employeur.

Celui-ci peut être une personne morale ou physique. Le contrat peut ne pas être conclu personnellement par le chef d'entreprise mais par son représentant qualifié. En revanche, le salarié doit être une personne physique.

Le contrat n'est pas obligatoirement écrit, sauf dans le cas d'un contrat à durée déterminée ou d'un contrat passé avec des travailleurs à temps partiel ou à domicile.

Le contrat de travail de droit commun est le *contrat à durée indéterminée (CDI)*. Cependant, il existe d'autres types de contrat de travail : contrat à durée déterminée (CDD), contrat de travail temporaire, contrat de travail intermittent, d'adaptation à l'emploi, de qualification, d'apprentissage, d'emploi-jeune, etc.

La rupture du contrat de travail revêt le caractère d'une *démission* si le salarié en prend l'initiative, d'un *licenciement* si c'est l'employeur. Ce dernier est soumis à des règles de forme et de fond très précises et entraîne pour l'employeur l'obligation de verser certaines indemnités, notamment l'indemnité légale de licenciement.

→ *Droit du travail.*

CONTRAT SOCIAL

Notion de philosophie politique : pacte fondateur instituant la vie en société et par là l'ordre social.

1. Les théories du contrat social développées au XIXᵉ et XXᵉ siècles par Hobbes, J. Locke et J.J. Rousseau, quoique divergentes à bien des égards, se rejoignent sur un point central : l'ordre social n'est pas inscrit dans l'ordre cosmique ou divin de la nature mais procède d'un pacte établi entre les hommes. Par ce pacte (fiction logique ou évènement historique), ceux-ci se déssaisissent de leur liberté naturelle au profit d'une autorité souveraine légitime, garante de la sécurité de chacun et du bien commun.

J.J. Rousseau qui consacre l'expression par son ouvrage *Du contrat social* (1762) cherche à concevoir cette autorité comme la souveraineté du peuple en exercice : la volonté générale qui en résulte est à la fois l'émanation des individus associés et la loi à laquelle chacun se soumet.

2. Par dérivation (usage contemporain) : accord explicite ou compromis implicite passé entre des forces sociales aux intérêts divergents, visant à développer une politique où chacune des parties trouve des avantages tout en étant bénéfique pour la collectivité dans son ensemble.

→ *État, Hobbes, Locke, Régulation sociale.*

CONTRATS (Théorie des)

Théorie fondée sur l'hypothèse que des contrats bien spécifiés sont la meilleure solution aux problèmes de coordination et de motivation des actions des agents économiques.

Les contrats sont des accords volontaires entre des parties qui trouvent mutuellement profitables de s'engager à exécuter des actions ou à respecter des règles et des procédures. En amenant les individus à adopter un comportement coopératif, ils permettent de résoudre des problèmes de coordination et de motivation : chacun peut planifier son action en fonction de ce qu'il attend de l'autre et anticiper les gains qu'il retirera de son comportement. En procurant un gain mutuel, les contrats rapprochent de l'optimum.

Certains auteurs définissent la firme comme un nœud de contrats, entre ceux qui apportent des capitaux et ceux qui apportent leur travail : le marché devient ainsi une forme parmi d'autres de coordination par les contrats.

Les contrats parfaits sont à la fois complets — il est possible de spécifier de façon précise ce que chacun doit faire en toute circonstance et de répartir pour chaque éventualité les coûts et les bénéfices, y compris en cas de non-respect du contrat — et exécutoires (un contrat complet devrait l'être puisque tout a été prévu…).

♦ Dans la réalité, différents facteurs empêchent l'établissement des contrats parfaits : il est impossible de prévoir toutes les éventualités où les coûts de transaction seraient trop élevés ; les individus ont des comportements opportunistes, ils reviennent sur la parole donnée, ils donnent une interprétation partiale de la situation, etc. Malgré ces imperfections, les théoriciens des contrats essaient de définir, par cas, le contrat optimal. Cela suppose notamment de prendre en compte les asymétries informationnelles, par exemple aléa moral. Quand les intérêts particuliers des parties divergent, par exemple entre employeur et employé, on rejoint la théorie de l'agence : l'enjeu de la définition du contrat est d'inciter l'agent, le salarié ou le manager, à prendre en compte l'intérêt du principal, l'entreprise ou les actionnaires ; il s'agit donc de trouver le système de primes et de pénalités le plus motivant.

La théorie des contrats s'applique tout particulièrement au contrat de travail et au contrat d'assurance.

→ *Agence (Relation d'/Théorie de l'), Aléa moral, Asymétrie informationnelle, Coûts de transaction, Droits de propriété (Théorie des).*

CONTRE-CULTURE

Modèle culturel et orientations normatives délibérément élaborés par un groupe en opposition aux normes et valeurs « légitimes » de la société environnante.

Se différencie du terme plus large de sous-culture (ou sub-culture) par la démarche plus ou moins volontaire des individus qui y participent comme par le rejet explicite de tout ou partie des traits culturels dominants. Une sous-culture est caractérisée par la différence, l'autonomie et l'altérité ; la contre-culture se construit en opposition et par la contestation. En ce sens, cette dernière est à rapprocher de la déviance volontaire (il s'agit de marginaux et non de marginalisés) et, dans certains cas, de la contre acculturation.

♦ L'univers des contre-cultures est extrêmement varié dans le temps et dans l'espace. Il peut s'agir de dissidences religieuses à dimension communautaire (hérésies médiévales, sectes, fondamentalismes contemporains), de mouvements sociopolitiques prônant des modèles alternatifs de fonctionnement de la société (par exemple, les aspects contre-culturels du mouvement socialiste), de mouvances culturelles communautaires comme le phénomène hippie des années 1960-1970 (permissivité sexuelle contre rigorisme moral, culture néo-artisanale contre technologies industrielles), de minorités ethniques ou « raciales » rompant avec le modèle d'assimilation (par exemple, les « musulmans noirs » aux États-Unis) ou encore des micro-cultures d'adolescents en rupture de ban (*corner boys*, jeunes banlieusards).

La volonté affichée des acteurs de s'opposer aux institutions dominantes ne doit pas masquer la relativité de certaines ruptures. Toute contre-culture est tributaire de la culture globale à laquelle elle s'oppose. Les acteurs reproduisent, sans s'en rendre compte, nombre de ses archétypes (les hippies reprennent certaines valeurs des « pionniers »). Dans certains cas, l'establishment reprend — et récupère — certains de ses éléments.

→ *Culture, Déviance, Marginalité, Sous-culture/Sub-culture.*

CONTRE-POUVOIRS

Groupes et entités organisées faisant contre-poids au pouvoir central : partis politiques, syndicats, groupes d'intérêt, médias, voire institutions religieuses.

La notion de contre-pouvoir est associée à la démocratie. L'exercice effectif des libertés publiques favorise la constitution d'acteurs organisés qui développent un regard critique sur la politique menée par l'État et/ou mobilisent des forces pour contrer ou infléchir certaines de ses actions. La presse, parfois qualifiée de « quatrième pouvoir », exerce dans certaines circonstances un véritable pouvoir d'influence. Ce peut être le cas également de certaines personnalités ou d'autorités jouissant de prestige moral.

♦ Dans les régimes non démocratiques, les contre-pouvoirs n'ont généralement pas le droit à l'existence mais ne sont pas toujours inexistants : dans la Pologne sous régime communiste, l'Église catholique exerçait un magistère moral limité mais réel ; en Iran, la presse indépendante, périodiquement poursuivie, critique l'arbitraire théocratique.

→ *Groupe de pression, Libertés publiques.*

CONTRIBUTION SOCIALE GÉNÉRALISÉE (CSG)

Nouvel impôt, créé par la loi du 29 décembre 1990, assis sur l'ensemble des revenus : salaires, traitements des fonctionnaires, revenus de remplacement (pensions de retraite, indemnités de chômage, etc.), revenus du patrimoine et produits des placements.

Son taux, uniforme pour tous les revenus, est, depuis 1998, de 7,5 %. Le produit de la CSG, qui s'est substituée à la cotisation salariale maladie, est destiné au financement de la protection sociale.

→ *Fiscalité, Impôt.*

CONTRÔLE DES PRIX

Réglementation par les pouvoirs publics de l'évolution des prix, afin de modifier leur fixation spontanée et de prévenir soit des hausses, soit des baisses d'un ou de plusieurs produits.

Cette intervention peut être indirecte et prendre la forme, par exemple, d'une action sur l'offre, par stockage du produit ou limitation de la production. L'interven-

tion directe, elle, peut prendre la forme soit d'une taxation, c'est-à-dire de la fixation d'un prix minimal ou maximal par l'État, soit d'un blocage des prix, c'est-à-dire l'interdiction de toute hausse pendant une période donnée. Le contrôle peut également être incitatif et prendre la forme de contrats de programme entre l'Administration et les professions concernées.

C'est souvent un élément important des politiques anti-inflationnistes (par exemple, le blocage des prix de 1982). Depuis 1978 et surtout depuis 1986, le gouvernement français a réalisé la suppression progressive du contrôle des prix.

CONTRÔLE DU CRÉDIT

→ *Politique monétaire.*

CONTRÔLE SOCIAL

Ensemble de moyens dont dispose une société, une collectivité pour amener ses membres à adopter des conduites conformes aux règles prescrites, aux modèles établis, pour assurer le maintien de la cohésion sociale.

Le contrôle social s'observe aux différents étages de la société. À l'échelle de la société globale, il est le plus souvent formel : le non-respect des lois est passible de sanctions physiques. Le système de contrôle est délégué à des agents spéciaux (police, justice, institutions disciplinaires). Mais la réalité du contrôle social est beaucoup plus large : toute collectivité partielle l'exerce de façon informelle et plus ou moins intensément ; les membres du groupe font pression sur ceux de leurs membres qui, en s'écartant des règles tacitement établies, menacent la cohésion et le bon fonctionnement du groupe.

Les mécanismes de contrôle informel sont très variables : pressions morales, admonestations, stigmatisations, mécanismes d'exclusion (de fait, sinon de droit).

→ *Conformité, Déviance, Institution(s), Normes, Rôle.*

CONVENTION COLLECTIVE

Accord signé entre une ou plusieurs organisations syndicales et un employeur ou une association d'employeurs (union professionnelle, syndicats patronaux) et fixant les conditions d'emploi, de travail, les grilles salariales et les garanties sociales.

Une convention collective de branche peut être « étendue » par décision du ministre du Travail à l'ensemble des salariés de la branche, que leur entreprise soit ou non membre des organisations patronales signataires.

Les conventions collectives ont l'ambition d'être davantage que des accords ponctuels ou des compromis temporaires : elles peuvent déboucher sur des changements importants comme la création des allocations complémentaires de chômage ou l'adoption de la mensualisation des rémunérations ouvrières. En France, les lois de 1950 et de 1971 en fournissent le cadre juridique. Celle de 1950 prévoit des conventions de branche professionnelle au niveau national, régional ou local. Tenant compte de l'évolution des pratiques, la loi de 1971 facilite la conclusion d'accords d'entreprise et consacre la validité des accords au niveau national interprofessionnel : ceux-ci peuvent être érigés en règles applicables à plusieurs branches ou à l'ensemble des branches professionnelles. En 1982, les lois Auroux ont rendu obligatoires la négociation annuelle d'entreprise et la négociation de branche.

La multiplication des négociations et des conventions collectives à partir des années 1960 est un signe, parmi d'autres, de l'institutionnalisation des relations de travail.

⟶ *Auroux (Lois), Institutionnalisation, Relations du travail ou professionnelles, Syndicalisme des salariés.*

CONVENTION (selon Keynes)

Pour Keynes, le futur est incertain, sa connaissance impossible mais les individus sont obligés de prendre des décisions qui les engagent à long terme (investissement, placement etc.). La convention est la base qui fournit un guide et un repère pour l'action : c'est un état de l'opinion, une croyance partagée, qui indique aux individus comment percevoir l'état du futur (de manière optimiste ou pessimiste) et de prendre les décisions en conséquence.

D'où une triple caractéristique : *l'autoréférence* (la convention n'a de base qu'elle même, elle peut être durable ou changer brutalement), *la spécularité* (en situation d'incertitude, la meilleure manière d'agir est d'imiter ou de suivre l'opinion générale), *l'autoréalisation* ou prophétie autoréalisatrice (si tout le monde pense que les affaires vont mal aller, la chute de la dépense confirmera cette opinion).

♦ La notion de convention s'oppose donc à la rationalité néo-classique : esprits influençables contre individu souverain et calculateur, incertitude contre information parfaite ou probabilisable, contrainte collective de la convention contre agrégation des comportements individuels, état incertain des situations contre mécanismes autorégulateurs du marché. Ce dernier point justifie la politique économique active qui a pour but de briser la convention néfaste.

⟶ *Anticipations, Incertitude, Keynes, Keynésianisme/Keynésien(s).*

CONVENTIONS (Théorie des)

Théorie économique apparue à la fin des années 1980 en France (J.-P. Dupuy, F. Eymard-Duvernay, O. Favereau, A. Orlean, R. Salais, L. Thévenot) qui oppose à l'approche néo-classique une vision inspirée de l'institutionnalisme.

Elle s'intéresse moins à l'échange en tant que tel (travail contre argent) qu'aux conditions de l'échange (contrat de travail) qui renvoient à des institutions (des règles ou des habitudes communes) ; elle considère que le comportement des agents économiques ne peut être expliqué uniquement par le principe de rationalité individuelle.

→ *Calcul économique,* Homo œconomicus, *Institutionnalisme, Rationalité.*

CONVERGENCE

Processus de rapprochement des caractéristiques quantitatives ou qualitatives à l'intérieur d'un groupe de pays.

Trois grands types de convergence peuvent être distingués :

– la convergence des *niveaux de développement* : certains auteurs veulent vérifier l'hypothèse selon laquelle les pays les moins développés ont des taux de croissance supérieurs, ce qui engendre un rattrapage et donc une convergence des niveaux de développement ;

– l'idée de *convergence des modes d'organisation* consiste à poser que les différents modes d'organisation convergent vers un modèle commun, par exemple vers le modèle de l'économie de marché ;

– l'Union européenne, depuis le début des années 1990, se réfère aux critères de convergence qui renvoient à une *convergence de variables monétaires et financières* vers une norme censée favoriser la stabilité des prix.

→ *Europe communautaire (union monétaire).*

CONVERTIBILITÉ

Possibilité, donnée par les autorités monétaires d'un pays, d'échanger la monnaie nationale à tout moment contre de l'or et/ou des devises étrangères.

On distingue la *convertibilité externe,* réservée aux non-résidents, et la *convertibilité interne* qui permet à tout résident d'acquérir librement de l'or ou des devises étrangères.

La convertibilité peut être totale, ou seulement partielle dès que le contrôle des changes limite les possibilités de conversion pour certaines opérations (exemple : la convertibilité est accordée pour les échanges de devises liés aux échanges de biens et services, mais des restrictions existent pour les opérations liées aux mouvements de capitaux) ou pour certains agents (quota imposé aux touristes).

La convertibilité constitue un facteur favorable aux échanges internationaux ; ainsi, un exportateur étranger accepte des francs en règlement s'il est sûr de pouvoir convertir les francs dans sa propre monnaie ou dans une monnaie internationale, le dollar par exemple. Le mode de convertibilité dépend du régime de change : en régime de parités fixes, les agents connaissent le prix minimal (exprimé en or ou en devise) auquel ils peuvent vendre leurs avoirs monétaires ; ainsi, la convertibilité du dollar en or de 1944 à 1971 consiste en une équivalence garantie entre 35 dollars et une once d'or fin. En revanche, lorsqu'une monnaie flotte, la convertibilité totale signifie que les transactions sont complètement libres, le cours n'est pas garanti (cas du dollar depuis 1973).

→ *Change (Taux de ou Cours du), Changes (Contrôle des), Système monétaire international (SMI).*

COOPÉRATION (interentreprises)

Accord entre des entreprises juridiquement indépendantes pour mettre en commun des ressources financières, humaines et de savoir-faire, afin de réaliser conjointement des activités créatrices de valeur, telles que recherche et développement, production, commercialisation.

La coopération, la création d'alliances constituent aujourd'hui une alternative à la concentration : plutôt que d'opérer des fusions ou des acquisitions, les entreprises coopèrent (exemples : coopérations technologiques, coopérations dans le secteur bancaire…). Cette coopération peut être réalisée avec des entreprises concurrentes, fournisseurs ou clientes. D'un point de vue théorique, la coopération fait l'objet d'analyses originales : elle est considérée comme une troisième forme de coordination, entre le marché et la hiérarchie (à l'intérieur d'une organisation) ; les théoriciens l'interprètent donc à la lumière des théories des organisations ou des structures de marché.

→ *Alliance, Organisations (Économie des).*

COOPÉRATIVE

Entreprise collective dont les membres, associés à égalité de droits et d'obligations, mettent en commun travail et éventuellement capital pour satisfaire eux-mêmes leurs besoins sans dépendre du marché et sans rechercher le profit.

Issues, au XIXᵉ siècle, du mouvement ouvrier associationniste, socialiste ou chrétien, les coopératives se distinguent des entreprises socialistes, car leur capital est privé, et des entreprises capitalistes car, sociétés de personnes, chaque membre n'y a qu'une voix, et les bénéfices éventuels y sont distribués non à proportion des parts de capital de chaque membre, mais par une ristourne au prorata de son travail, de ses achats ou de ses livraisons. On distingue les *coopératives de consommateurs* (commerce de détail, crédit, logement) des *coopératives de producteurs* comme les SCOP, Société coopérative ouvrière de production, et les coopératives agricoles (coopératives d'utilisation du matériel agricole de commercialisation des produits, GAEC ou Groupement agricole d'exploitation en commun).

♦ En 1844, vingt-huit ouvriers tisserands anglais fondèrent la Société des équitables pionniers de Rochdale, première coopérative de consommation et modèle du genre.

CORPORATION

Association constituée par les membres d'une même profession afin d'en réglementer l'accès et l'exercice.

Florissantes aux XVᵉ et XVIᵉ siècles, les corporations regroupaient marchands et artisans, qu'ils fussent maîtres, apprentis ou compagnons. Facteur de sclérose économique pour les libéraux (parce qu'elles réglementaient de manière restrictive la concurrence, les techniques de production, les horaires de travail), elles furent abolies par Turgot en 1776. La chute de Turgot ayant suspendu cette abolition, c'est la loi d'Allarde de mars 1791 qui les supprima définitivement.

♦ Le fascisme, dans ses différentes variantes nationales, tenta d'en faire la structure de base d'un nouvel ordre économique, social et politique, à la fois dirigiste et fondé sur la collaboration entre patrons et ouvriers.
♦ Mussolini, en 1939, transforma la Chambre des députés en Chambre des faisceaux et corporations.

Le corporatisme survit aujourd'hui, sous des formes atténuées, quand se constituent des corps intermédiaires pour la défense d'intérêts catégoriels.

♦ Exemples : les ordres professionnels, les syndicats professionnels, les chambres des métiers, les professions à *numerus clausus* (taxis, pharmaciens…).
♦ Les théoriciens du corporatisme furent, au XIXᵉ siècle, en France : René de La Tour du Pin, Albert de Mun et Frédéric Le Play.

→ *Ancien régime économique, Fascisme, Mercantilisme.*

CORPORATISME

→ *Corporation.*

CORRÉLATION ou COVARIATION

Variation simultanée de deux variables dans le même sens (les deux croissent ou décroissent en même temps) ou en sens opposés (l'une croît tandis que l'autre décroît).

L'intensité de la liaison entre les deux variables est mesurée par le coefficient de corrélation qui peut varier entre –1 et +1. Plus la valeur de ce coefficient est proche de 1, plus les variables sont fortement corrélées. Cependant, *la variation simultanée de deux variables n'indique pas forcément une relation de cause à effet* : leur variation peut dépendre d'un autre phénomène.

Un exemple célèbre montre que le prix du blé sur le marché mondial et le nombre de rongeurs ont une forte corrélation négative. Leur variation simultanée dépend en fait du volume de la récolte de blé : une récolte abondante fait le plus souvent baisser le prix de ce produit mais... fait augmenter le nombre de rongeurs !

COTISATION SOCIALE

Versement obligatoire effectué par l'employeur et le salarié au profit des administrations de Sécurité sociale et destiné au financement d'un ou plusieurs risques couverts par celles-ci.

L'assiette des cotisations, le taux, la répartition entre employeur et salarié sont variables selon les régimes et les risques. Par exemple, au régime général des salariés, la cotisation sociale pour la vieillesse est égale à 6,5 % du salaire plafonné pour le salarié ; pour l'employeur, elle est égale à 8,2 % du salaire plafonné augmenté de 1,6 % sur la totalité du salaire.

→ *Charges sociales, Prestations sociales, Sécurité sociale.*

COUR DES COMPTES

Juridiction administrative créée par la loi du 16 décembre 1807, chargée d'assurer un contrôle de la gestion financière de l'État et des établissements publics.

Rapport de la Cour des comptes : compte rendu des initiatives prises par la Cour des comptes pour vérifier la régularité de l'usage des deniers publics.

♦ Le rapport de la Cour des comptes est publié chaque année au *Journal officiel*. De larges extraits en sont repris par la presse.

COURANT/CONSTANT

→ *Déflation, Prix.*

COURBE EN J

→ *Dévaluation.*

COURNOT (Augustin)

→ *Annexe 6.*

COURS FORCÉ

→ *Billet de banque, Monnaie.*

COURS LÉGAL

→ *Billet de banque, Monnaie.*

COURTAGE

→ *Intermédiation.*

COÛT D'OPPORTUNITÉ

Le coût d'opportunité d'une ressource (exemple : de l'argent) dans un emploi quelconque (exemple : achat d'une machine) équivaut au gain maximum que l'on aurait pu obtenir dans le meilleur emploi alternatif possible (exemple : placement sur le marché financier).

Toute décision induit un coût d'opportunité puisque l'affectation d'une ressource quelconque (argent, travail, temps, etc.) à un emploi implique simultanément la renonciation à tout autre emploi.

COÛT SALARIAL

Somme des dépenses incombant à l'employeur en contrepartie de l'emploi de travail salarié. Le coût salarial inclut la rémunération directe (salaire brut + congés payés + primes) et les cotisations légales ou conventionnelles (Sécurité sociale, ASSEDIC, retraites complémentaires, etc.).

La notion économique la plus pertinente est le coût salarial réel unitaire :
– réel : on divise le coût salarial par un indice de prix ;
– unitaire : on divise le coût salarial réel par les quantités produites pour tenir compte de la productivité du travail.

Ainsi, un coût salarial élevé n'est-il pas un obstacle à la compétitivité si le coût par unité produite reste bas grâce à une productivité du travail elle aussi élevée.

Il est nécessaire de distinguer ce que coûte une heure de travail, le coût horaire de la main-d'œuvre (appelé ici CHMO) et le coût salarial inclus dans une unité produite, le coût salarial unitaire (appelé ici le CSU).

$$CSU = \frac{\text{Coût salarial total}}{\text{Quantités produites}}$$

$$= \frac{\text{Nbre d'heures de travail x CHMO}}{\text{Quantités produites}}$$

$$CSU = \frac{CHMO}{\text{Productivité horaire du travail}}$$

→ **Productivité.**

COÛTS DE PRODUCTION

Ensemble de dépenses ou de charges associées à la production et à la commercialisation d'un bien ou d'un service.

On distingue en premier lieu les coûts *prévisionnels* ou préétablis (*ex ante*), par nature incertains puisque prévus avant la production et la vente du produit, et les *coûts constatés* (*ex post*), réels ou *historiques*, qui sont calculés à partir de la comptabilité analytique. On analyse également les coûts directs et les coûts indirects. En général, l'entreprise connaît assez bien les *coûts directs*, qui totalisent toutes les charges liées directement et exclusivement au produit analysé (salaires des travailleurs directement productifs, amortissement du matériel utilisé exclusivement pour ce produit, etc.).

Le calcul des *coûts indirects* est plus délicat puisqu'il suppose qu'on parvienne à ventiler entre différents produits des charges qui les concernent simultanément (rémunération du personnel de direction, loyer d'un local où l'on fabrique plusieurs produits, etc.). La somme des coûts directs et indirects donne les *coûts complets*.

On peut distinguer également dans le cadre de la courte période — dans laquelle l'équipement est donné — les *coûts fixes* (machines, bâtiments), qui sont l'ensemble des charges supportées par l'entreprise quel que soit le volume de son activité, et les *coûts variables* qui peuvent être proportionnels au volume de la production (les matières premières par exemple) ou qui ne varient que par palier.

La somme des *coûts fixes* (CF) et des *coûts variables* (CV) forme le *coût total*. La fonction *de coût* donne le coût minimum de chaque volume de production.

$CT(q) = CF + CV(q)$ (le prix des inputs étant donné, CT et CV dépendent seulement des quantités produites). On appelle *coût moyen* (CM) le coût total divisé par les quantités produites :

$CM(q) = CF/q + CV(q)/q$

Le *coût marginal* peut être défini comme le supplément de coût résultant de la production d'une unité supplémentaire.

La courbe de coût marginal coupe la courbe de coût moyen au minimum de celle-ci ; elle est au-dessus de la courbe de coût moyen quand ce dernier croît, au-dessous lorsqu'il décroît. On démontre que le profit est maximum lorsque le niveau de production est tel que le coût marginal est égal au prix de vente (recette marginale).

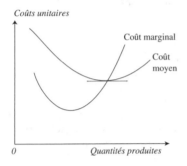

◆ Au départ, les coûts fixes pèsent lourdement sur les coûts moyens ; ensuite, machines et bâtiments sont progressivement « amortis » et les coûts variables tendent à l'emporter sur les coûts fixes ; la courbe des coûts moyens est décroissante puis croissante, on obtient donc une courbe en U (voir graphique).

◆ Pour un entrepreneur rationnel non contraint par ses débouchés, la courbe de coût marginal n'est pas en U mais en J. Des rendements factoriels décroissants sont une condition nécessaire pour que le coût marginal soit une fonction croissante des quantités produites.

→ *Concurrence pure et parfaite, Production (Fonction de).*

COÛTS DE TRANSACTION

Ensemble des coûts qu'implique toute transaction marchande au-delà du prix d'achat ou de vente d'un bien ou d'un service. Ces coûts de l'échange marchand expliquent qu'il puisse être, le cas échéant, moins coûteux d'organiser la production d'un bien en l'intégrant à une entreprise plutôt que de l'acheter (« faire » plutôt que « faire faire » ; choix : « make or buy »).

Ronald Coase (prix Nobel d'économie 1991) est à l'origine de cette notion, dans son article de 1937 « The Nature of the Firm », dans lequel il cherche à expliquer pourquoi les organisations existent (par exemple, les entreprises). Contrairement à l'hypothèse néo-classique de transactions marchandes parfaitement fluides et transparentes, Coase (courant néo-institutionnaliste) observe que le transfert de droits de propriété et d'usage sur les biens et services (l'échange marchand) implique des coûts de transaction importants, non inclus dans leur prix :

– coûts de recherche et d'annonce correspondant à la mise en contact des offreurs et des demandeurs (particulièrement s'ils sont peu nombreux et dispersés) ;

– coûts d'information sur les spécifications du produit (particulièrement s'il est nouveau ou complexe), *menu costs* (coûts d'impression des catalogues ou menus) ;

– coûts de négociation sur le prix (le prix n'est pas « crié » gratuitement par un commissaire-priseur et l'accord sur les prix n'est pas toujours spontané) ;

– coûts de rédaction des contrats (d'autant plus qu'il faut prévenir des risques importants de défauts de qualité du produit) ;

– coûts de contrôle de l'exécution (de suivi) du contrat (contrôle de qualité à la livraison, lettres de rappel, recours contentieux, etc.).

De ce fait, la coordination d'activités séparées (division du travail), par l'intermédiaire du marché, peut s'avérer plus coûteuse qu'une coordination en interne, au sein d'une organisation, selon des modalités non marchandes : règlements et hiérarchie.

L'activité sera internalisée (intégrée) à l'entreprise, ou l'entreprise sera créée, chaque fois que les coûts d'organisation seront inférieurs aux coûts de transaction : la frontière de l'entreprise varie donc en fonction de l'évolution relative des coûts d'organisation (qui croissent avec la taille de l'entreprise) et de transaction.

Oliver Williamson (« Les Institutions de l'économie », 1994 ; « The Mechanisms of Governance », 1996) a développé cette notion au sein de ce qu'il nomme « l'économie des coûts de transaction ». Il prend en compte plusieurs facteurs pouvant générer des coûts de transaction : la rationalité limitée (problèmes complexes), les comportements opportunistes en asymétrie d'information (avec aléa moral), l'importance relative des actifs spécifiques / actifs génériques, la fréquence des transactions, l'incertitude, le faible nombre des prestataires. Il conclut qu'un choix est possible entre différents modes de coordination, permettant de réaliser des échanges de manière optimale :
– la hiérarchie, soit l'entreprise comme « structure de gouvernance », mais aussi « nœud de contrats » ;
– le marché concurrentiel ;
– la planification ;
– la promesse dans le cadre d'un contrat d'échange.

♦ On a pu expliquer par les coûts de transaction :
– la constitution des firmes multinationales (par intégration-filialisation d'entreprises produisant à l'étranger) ;
– le passage au XVIIIᵉ siècle du *domestic system* et de la manufacture dispersée, ou de la proto-industrie, à la manufacture concentrée puis au *factory system* (système usinier) ; il devenait moins coûteux de contrôler en interne des ouvriers salariés ;
– l'intervention du législateur qui, en fixant une norme, réduit les coûts de transaction des agents privés et facilite leurs échanges ;
– l'établissement de relations professionnelles stables dans le cadre d'une entreprise : contrat de travail à long terme (réducteur d'incertitude, en ce qu'il implique des obligations réciproques et donc des comportements prévisibles) qui réduit les coûts de transaction par rapport à une embauche journalière (contrat à court terme du type contrat *spot*) ;
– la politique de *downsizing* et de recentrage sur le métier des grandes firmes (baisse des coûts de transaction + baisse des coûts d'organisation dans les PME sous-traitantes) ;
– la création de sociétés fantômes constituées d'un donneur d'ordres équipé d'un… téléphone et « faisant faire » tout par d'autres… ;
– le succès d'Internet qui, en réduisant les coûts de transaction, permet d'alléger les structures d'organisation.

⟶ *Coase, Entreprise, Firme multinationale (FMN)/Firme transnationale, Sous-traitance.*

COUVERTURE MÉDICALE UNIVERSELLE

⟶ *CMU.*

CRÉATION MONÉTAIRE

⟶ *Monnaie.*

CRÉDIBILITÉ MONÉTAIRE ou FINANCIÈRE

Confiance acquise par les pouvoirs publics auprès des acteurs privés quant à la rigueur de leur politique monétaire et financière.

En matière monétaire, les pouvoirs publics acquièrent une crédibilité lorsqu'ils réussissent à convaincre les agents économiques de leur volonté de lutter contre l'inflation et de ne pas recourir à la dévaluation, ce qui rend les marchés de titres nationaux plus attractifs. Cette bonne réputation ne peut être acquise qu'au cours du temps, mais le choix des responsables monétaires et financiers et l'existence de règles limitant les marges de manœuvre des pouvoirs publics peuvent renforcer la crédibilité d'une monnaie.

De même, dans le domaine financier, un pays à la recherche de moyens de financement extérieurs tente de convaincre les bailleurs de fonds étrangers de sa solvabilité future. Dans tous les cas, ce besoin de crédibilité reflète la dépendance des États par rapport aux marchés.

→ *Nouvelle économie classique (NEC).*

CRÉDIT

(du lat. *credere* « croire, faire confiance »)

Mécanisme par lequel un débiteur obtient un bien ou de la monnaie d'un créancier en échange de la promesse d'un paiement différé de la contrepartie, majoré d'un intérêt.

♦ Le débiteur émet et remet une reconnaissance de cette dette appelée créance.

Le crédit permet donc de disposer d'un bien produit par autrui avant d'en avoir produit soi-même l'équivalent : il rend effective une demande, jusque-là virtuelle, et anticipe une production à venir qu'il facilite. C'est un moyen essentiel de financement de l'économie.

Le crédit a un coût à la charge du débiteur : sa dette sera majorée d'un intérêt. Si le crédit n'est pas financé par l'épargne d'un agent s'abstenant de consommer au profit d'un emprunteur, il l'est par une création monétaire nette de la part d'une banque.

♦ Une banque crée de la monnaie scripturale en créditant pour un prêt le compte d'un client. À partir d'une encaisse en monnaie centrale, la banque crée ainsi de la monnaie de banque pour un montant supérieur : c'est le multiplicateur de crédit.

Spécialisées dans leur distribution, les banques offrent des crédits que l'on distingue selon la durée (court, long ou moyen terme), la destination (*crédit à l'équipement, crédit à la consommation, crédit immobilier, crédit à l'exportation*, etc.), les garanties demandées (nantissements divers, warrant, cautionnement) et la possibilité de mobilisation de la créance par le créancier (le prêteur se refinance en cédant la créance contre liquidités).

◆ **Crédit (comptabilité)**

En comptabilité, *crédit* (colonne de droite) s'oppose à *débit* (colonne de gauche) : on porte en crédit les opérations ayant donné naissance à une créance au profit d'un tiers.

◆ **Crédit (finances publiques)**

En finances publiques, les *crédits budgétaires* sont les ressources dont sont dotées les administrations pour couvrir les dépenses prévues par leur budget.

→ *Banque, Financement, Intérêt/Taux d'intérêt, Intérêt : taux nominal/taux réel, Intermédiation, Monnaie, Multiplicateur monétaire (de crédit).*

CRÉDIT (Encadrement du)

→ *Politique monétaire.*

CRIMINALITÉ ET DÉLINQUANCE

Le crime, comme le délit et les contraventions, désigne toute infraction à la loi passible de sanctions.

Criminalité : ensemble des actes criminels au sein d'une population, à une époque donnée.

Délinquance : désigne à la fois les conduites caractérisées par des délits et la dimension sociale du phénomène (délinquance juvénile par exemple).

Au sens juridique, le droit pénal français distingue les crimes, les délits et les contraventions d'après la gravité des infractions commises et des peines encourues.

♦ Les contraventions sont jugées par les tribunaux de police. Les délits sont jugés par les tribunaux correctionnels, les crimes par les cours d'assises. Les crimes correspondent aux infractions les plus graves (crimes de sang, gangstérisme). Les délits proprement dits recouvrent les atteintes courantes à la propriété et les actes de violence plus ou moins involontaires. Les contraventions correspondent aux infractions les moins graves.

♦ Les statistiques ne peuvent faire état que des actes criminels mis en évidence et éventuellement réprimés. Une augmentation de la criminalité « enregistrée » peut être due au seul développement de l'appareil répressif (toutes choses égales par ailleurs).

Au point de vue sociologique, la criminalité et la délinquance sont abordées en fonction de l'organisation sociale et des valeurs qui orientent une société donnée. S'agissant de la délinquance, l'attention sera portée sur sa dimension sociale : délinquance juvénile, délinquance en col blanc.

♦ L'adéquation entre normes sociales et normes légales est partielle, surtout dans les sociétés complexes. Certains actes délictueux sont plus ou moins légitimés par la société ou une partie du corps social.
♦ Pour Durkheim, le crime est un acte réprouvé par le corps social et passible de la répression pénale. Il est défini non par rapport à l'individu qui le commet mais par rapport à la société qui le punit. C'est un phénomène « normal », « ... lié aux conditions de toute vie collective », observable dans toute société. Ce faisant, la criminalité, toujours définie par rapport à une culture, est une réalité éminemment relative. « Non seulement le droit et la morale varient d'un type social à l'autre, mais encore ils changent pour un même type si les conditions de l'existence collective se modifient » *(Les Règles de la méthode sociologique)*.

→ *Déviance, Durkheim.*

CRISE

Au sens courant : période de dépression ou de stagnation durable de la conjoncture économique.

Au sens strict : processus de retournement du cycle économique en son point le plus haut, qui interrompt la phase d'expansion et précipite l'économie dans la dépression. En effet, les théoriciens du cycle n'isolent pas la crise du mouvement d'ensemble dont elle constitue seulement un moment.

♦ On oppose parfois les *crises d'Ancien Régime*, qui étaient des *crises de sous-production* agricole, aux *crises de surproduction* qui apparaissent à la fin du XVIIIe siècle avec le capitalisme industriel : dans le cas de la crise de 1847-1848, ce sont les mauvaises récoltes de 1845-1846 qui ont précipité la surproduction industrielle, selon l'enchaînement typique d'une *« crise des ciseaux »* ; il s'agit des ciseaux des prix, la hausse des prix agricoles entraîne une baisse du revenu réel des consommateurs, donc une baisse de la demande de produits non agricoles et une surproduction dans l'industrie provoquant une baisse des prix industriels.

Jusqu'à la Seconde Guerre mondiale, les crises se sont succédé périodiquement : 1857, 1864-1866, 1873-1877, 1882-1884, 1890-1893, 1900-1904, 1907, 1913, 1920-1922, 1929. La crise des années 1930, précédée par une crise de surproduction agricole, par une baisse des prix des matières premières, et par la désorganisation du système économique et monétaire international, est déclenchée par un krach boursier (le « jeudi noir ») et bancaire américain qui dégénère en récession économique mondiale : effondrement de la production, déflation, montée spectaculaire du chômage, contraction du commerce international.

En comparaison, la crise ouverte en 1974-1975 présente de nombreuses originalités : stagflation jusqu'en 1979-1980 puis désinflation ensuite, alternance de reprises et de récessions, progression ralentie du commerce international ; caractère non cumulatif de la récession de 1974-1975 (qui s'explique principalement par le maintien, jusqu'à la fin des années 1970, de la demande assurée par les politiques keynésiennes et la place occupée par les revenus de transfert) et hausse des prix.

Toute crise renvoie aux tensions et aux déséquilibres de la période antérieure et prépare l'avenir par les mutations dont elle constitue à la fois la matrice et l'enjeu.

→ *Croissance, Cycles, Dépression, Récession.*

CRISE FINANCIÈRE

Altération de tout ou partie du système financier.

Les crises financières, qui avaient pratiquement disparu entre 1929 et le début des années 1980, se sont multipliées depuis cette date. La libéralisation des flux de capitaux, la désintermédiation et l'essor extraordinaire des marchés de titres, la concentration des acteurs et leur activité de plus en plus diversifiée, sous la forme de conglomérats financiers, fragilisent les systèmes financiers et rendent les propagations des crises plus rapides et plus graves.

♦ On distingue différentes formes de crises financières qui peuvent s'additionner.

♦ *Les krachs boursiers* se caractérisent par un effondrement des cours des titres en bourse, essentiellement des cours des actions. Le plus fameux, en dehors de celui de 1929, est celui de 1987 ; il existe aussi des krachs obligataires, moins spectaculaires.

♦ *Les crises de solvabilité* se traduisent par la défaillance d'emprunteurs, en fait de gros emprunteurs, les États. C'est ainsi qu'en 1982, le Mexique a déclaré son insolvabilité, suspendant le paiement de la charge de sa dette et déclenchant une grave crise financière au niveau des banques, les créances des banques sur des États étant partiellement ou totalement dévalorisées.

♦ *Les crises bancaires* prennent la forme de faillite d'institutions financières, faillite d'un gros établissement et, dans le pire des cas, faillites en chaîne (crise des caisses d'épargne américaine de 1983 à 1989 aboutissant à un sauvetage par le Trésor américain, faillite de la banque Barings en 1995).

♦ *Les crises de change* se traduisent par l'effondrement des cours d'une ou de plusieurs monnaies ; les années 1992-1993 ont connu une intense crise de change au sein du SME, aboutissant, en 1992, à la sortie de la lire et de la livre puis, en 1993, à l'élargissement des marges de fluctuation à plus ou moins 15 %.

Le krach d'Octobre 1987 a associé une crise du dollar et un effondrement des cours boursiers sur l'ensemble des places financières. Au milieu des années 1990 se sont développées des crises financières régionales aux multiples facettes :
– la crise mexicaine de 1994 a cumulé un krach, une dévaluation de la monnaie et une importante fuite de capitaux (« effet tequila ») ;

– la « crise asiatique » de 1997 (mise en flottement du baht thaïlandais le 2 Juillet 1997) s'est traduite par une succession de crises bancaires, des effondrements des marchés boursiers et des cours des monnaies sur les marchés des changes entraînant une forte récession ;
– la crise russe du rouble et du marché des obligations d'État en 1998 ;
– le krach boursier des valeurs technologiques (« e-krach » du printemps 2000) et ses conséquences sur l'ensemble des valeurs et des marchés en 2001 et 2002 ; ce dernier krach s'est accentué à la suite de scandales financiers (affaire Enron et Arthur Andersen, affaires WorldCom, Tyco, Global Crossing, etc.) qui ont gravement porté atteinte à la confiance, notamment des petits actionnaires, dans les institutions et les agents mêmes du capitalisme financier et dans leur aptitude à garantir la transparence et la sincérité des comptes publiés : analystes financiers, presse financière, dirigeants d'entreprise, agences de notation, commissariat aux comptes, « gendarmes » de la bourse (SEC...), cabinets d'audit et de conseil... Le vote par le Congrès américain de la loi Sarbanes-Oxley en Juillet 2002, encadrant la profession comptable et renforçant les peines encourues par les dirigeants d'entreprise, peut s'interpréter comme un certain retour à la régulation étatique du capitalisme, destiné à restaurer la confiance.
– les crises du real brésilien et du peso argentin (2002).

Les crises dépassant largement la sphère financière ont des effets réels et peuvent créer une récession par de nombreux mécanismes : reconstitution de l'épargne et baisse de la consommation (effet de richesse), asphyxie des entreprises qui manquent de crédits bancaires ou des ressources sur les marchés (« credit crunch » et fuite des capitaux vers la qualité et la liquidité), faillites d'entreprises, déflation par la dette (« debt deflation » selon Irving Fisher ; 1933)...

L'illusion d'une autorégulation spontanée du marché a laissé place à un pragmatisme de la part des autorités publiques. Aux États-Unis, les fonds publics ont été mobilisés pour sauver les caisses d'épargne (principe « too big to fail »…). En 1987, les grands pays, tirant les leçons de la crise de 1929 et des effets désastreux d'une politique restrictive, se sont mobilisés pour injecter des liquidités et atténuer la violence de la crise, la Fed américaine notamment apparaissant alors comme un « prêteur en dernier ressort mondial ». Le FMI intervient aussi, dans la crise asiatique par exemple.

Néanmoins, l'intervention à chaud par une injection de liquidité est insuffisante et risque d'avoir des effets pervers (problème de « l'aléa moral » : le sauvetage des banques encourageant un nouveau comportement à risque de financement imprudent…). C'est la raison pour laquelle elle doit se doubler d'une prévention des crises par des mécanismes de surveillance et donc par la recherche d'une nouvelle architecture financière et d'une bonne gouvernance mondiales.

→ *Crise, Krach, Prêteur en dernier ressort.*

CROISSANCE

> Augmentation soutenue, pendant une période longue, de la production d'un pays. Généralement, on retient le PIB, Produit intérieur brut, à prix constants comme indicateur de croissance.

Il importe de distinguer plusieurs notions :

1. *Croissance et expansion :* si le cadre temporel de la croissance est le long terme, celui de l'expansion est le court ou le moyen terme.

2. *Croissance et développement :* certains auteurs qualifient la croissance de phénomène quantitatif et le développement de phénomène qualitatif. Il faut cependant remarquer qu'à long terme une croissance de la production implique des modifications structurelles, démographiques, techniques, sectorielles, etc.

D'une façon très générale, on peut énoncer comme principaux facteurs de croissance : l'augmentaîon de la population active et de la qualification de la main-d'œuvre, l'accumulation du capital, les progrès de la division et de l'organisation du travail, le progrès technique et les innovations.

3. *Croissance équilibrée/déséquilibrée :* la *croissance équilibrée* est celle qui correspond à une croissance régulière grâce au respect des grands équilibres (des prix, de l'emploi, du commerce extérieur, des finances publiques).

La *croissance déséquilibrée* est celle qui privilégie l'investissement dans des secteurs très limités afin d'exercer des effets d'entraînement sur l'ensemble de l'économie.

→ *Développement, Domar (Modèle de), Expansion, Harrod (Modèle de) ; Annexe 23.*

CROISSANCE ENDOGÈNE
(Théories de la, modèles de)

> Nouvelles théories de la croissance économique qui intègrent les facteurs explicatifs tels que les externalités, les rendements croissants, l'effort de recherche, la formation, les dépenses publiques.

Dans les modèles traditionnels, notamment celui de R.M. Solow (1956), la croissance économique dépend de deux facteurs : la croissance démographique et le progrès technique (sans leur intervention, l'économie finirait par stagner, à cause des rendements décroissants). Or, ces deux facteurs ne sont pas expliqués par ces modèles : ils sont introduits comme des facteurs exogènes (ainsi le progrès technique apparaît-il comme une « manne qui tombe du ciel »).

Dans les modèles de croissance endogène (l'un des premiers étant celui de

Paul Romer [1986]), la productivité globale des facteurs (qui n'était qu'un résidu dans les anciens modèles) résulte de l'accumulation de différentes formes de capital : capital physique, capital humain, capital technologique tels que les stocks de connaissances et de savoir-faire valorisables économiquement, capital public, infrastructures. C'est parce que ces différentes formes de capital génèrent des externalités (des avantages gratuits pour d'autres agents que ceux qui réalisent les investissements), notamment le capital technologique (qui a les caractéristiques d'un bien public, au sens où les connaissances, une fois produites, sont disponibles pour tous, hormis le dépôt d'un brevet) que l'on s'affranchit des rendements décroissants (si le rendement social du capital accumulé est constant, la croissance peut se poursuivre indéfiniment).

De ces modèles on peut retenir les deux résultats suivants :

– si la croissance est un processus endogène cumulatif, alors ce sont les pays les plus avancés qui ont les meilleures chances de continuer à progresser (on explique ainsi que se creusent les inégalités entre pays développés et pays pauvres) ;

– l'intervention de l'État apparaît comme un facteur de croissance (subvention de la recherche, effort en faveur de l'éducation et de la formation, financement des grandes infrastructures).

→ *Endogène/Exogène, Modèle (économique) ; Annexes 22, 23.*

CROISSANCE ÉQUILIBRÉE/ DÉSÉQUILIBRÉE

→ *Croissance.*

CROISSANCE EXTENSIVE

Croissance du capital s'effectuant par vagues successives dans un champ élargi, sans bouleversement majeur des conditions de production (peu ou pas de gains de productivité).

CROISSANCE INTENSIVE

Croissance du capital accompagnée d'une transformation rapide du processus de production produisant des gains de productivité importants par l'utilisation croissante des machines et du progrès technique.

CROISSANCE INTERNE/ EXTERNE

Modalités de la croissance d'une entreprise ou d'un groupe.

La croissance est dite *interne* lorsque l'unité de production étend sa capacité de production en créant elle-même ou en acquérant des actifs physiques (machines, bâtiments, etc.) ou immatériels (dépenses de recherche).

La croissance est dite *externe* lorsque l'entreprise devient propriétaire ou prend le contrôle d'unités de production qui existent déjà (par fusion, absorption, etc.).

La prise de contrôle d'une société anonyme peut s'opérer par trois modes d'acquisition d'actions : par l'échange direct, l'entreprise acquiert auprès de l'actionnaire principal (ou des gros actionnaires) un volume d'actions suffisant pour prendre le contrôle de l'entreprise ; par achat en bourse et par offre publique d'achat (OPA), lorsque le capital est dispersé entre un grand nombre d'actionnaires.

Si les périodes de croissance économique et de développement de la demande sont plus favorables aux stratégies de croissance interne, en revanche, lorsque les marchés stagnent, régressent ou progressent lentement, les entreprises sont incitées à progresser par croissance externe.

Du point de vue macroéconomique, la croissance interne a des effets plutôt positifs sur l'emploi, à l'inverse de la croissance externe qui engendre des réorganisations et des réductions d'effectifs.

Pour l'entreprise, la croissance externe est un moyen rapide et relativement peu coûteux d'étendre des parts de marché et d'acquérir des actifs immatériels, tels que des brevets, des licences, des savoir-faire, des réseaux de distribution ou de clientèle, une image de marque.

━━▶ *Action, Concentration (des entreprises), Offre publique d'achat (OPA).*

CROZIER (Michel)

Sociologue français contemporain né en 1922, spécialiste de la sociologie des organisations.

Ses travaux sur le phénomène bureaucratique (titre de l'un de ses ouvrages) ont eu beaucoup d'influence.

Ses derniers ouvrages développent l'analyse dite stratégique centrée sur les relations de pouvoir et le comportement des acteurs dans les grandes organisations.

◆ Ouvrages principaux : *Le phénomène bureaucratique* (1963) ; *L'acteur et le système* (1977) ; *L'État modeste* (1987, éd. augm. 1991).

━━▶ *Analyse stratégique, Bureaucratie, Organisation ; Annexe 44.*

CSP

━━▶ *Catégories socioprofessionnelles (CSP).*

CULTURALISME

Courant anthropologique américain (développé à partir des années 1930) influencé par la psychologie et la psychanalyse et centré sur l'étude des comportements humains appréhendés comme manifestation du modèle culturel d'une société.

Les concepts fondamentaux élaborés par ce courant sont ceux de modèle culturel (ou *pattern*) et de personnalité de base. Les culturalistes insistent sur la relativité des formes et des orientations culturelles jusque dans les domaines au premier abord les plus « naturels » : prime éducation, rapports entre les sexes, âges de la vie ; l'individualité biologique est entièrement investie par la culture.

> PRINCIPAUX REPRÉSENTANTS
> DU CULTURALISME
> Ruth Benedict (1887-1948), *Pattern of Culture*, 1934.
> Margaret Mead (1901-1978), *Mœurs et sexualités en Océanie*, 1932-1935.
> Abraham Kardiner (1891-1981), psychanalyste venu à l'anthropologie.
> Ralph Linton (1893-1953), *Le fondement culturel de la personnalité*, 1945.

━━▶ *Culture, Mead, Personnalité de base/ statutaire.*

CULTURE

La notion, essentielle en sciences humaines, se distingue nettement de son sens courant en usage dans la langue française.

Au sens courant : connaissances scientifiques, artistiques, littéraires, d'un individu ; l'homme cultivé s'oppose à l'individu « inculte ». *Au niveau sociétal* : patrimoine des œuvres intellectuelles et artistiques.

Afin de lever les confusions, les sociologues parlent de *culture savante* pour désigner les savoirs « supérieurs » et les dispositions esthétiques des personnes à haut niveau d'instruction. Cette culture socialement valorisée correspond à des pratiques culturelles s'opposant aux divertissements dits « populaires ».

Au sens anthropologique (ethnologie, sociologie) : manières de faire, de sentir, de penser propres à une collectivité humaine.

La notion globale est construite sur l'opposition à la nature : elle relève de la culture tout ce qui est acquis et transmis (par opposition à l'inné), tout ce qui fait des hommes des êtres créateurs de leurs propres conditions d'existence. En ce sens, tout groupe humain partage une culture dans la mesure où toute société, quelle qu'elle soit, élabore et pratique des techniques, des règles de conduite et construit une représentation du monde, etc. Les ethnologues qui ont imposé ce sens ont voulu par là battre en brèche la vision ethnocentrique dominante de la supériorité des « sociétés civilisées » (en l'occurrence l'Europe) sur des sociétés « non civilisées », « sauvages », démunies des richesses de la culture (entendue dans son sens commun). Les enquêtes ethnographiques montrent, par exemple, que les sociétés sans écriture connaissent une organisation sociale originale et des conceptions du monde aussi riches et complexes que les nôtres.

La notion anthropologique de culture est accentuée de différentes façons qui peuvent être regroupées autour de deux pôles.

La culture comme ensemble systémique

♦ « Totalité où entrent les ustensiles et les biens de consommation, les chartes organiques réglant les divers groupements sociaux, les idées et les arts, les croyances et les coutumes » (Malinowski). Ce « vaste appareil » se confond avec le tout social, avec la société. Ses éléments constitutifs sont interdépendants.

La culture comme modèle de comportements (pattern)

♦ « Configuration des comportements appris et de leurs résultats, dont les éléments composants sont partagés et transmis par les membres d'une société donnée » (Linton). L'accent est mis sur le ou les système(s) de normes sur l'orientation fondamentale d'une société ou d'un groupe humain.

Les dénominateurs communs de ces définitions sont la diversité des systèmes sociaux, des finalités que se donnent les collectivités humaines (relativisme culturel) ; la dimension culturelle de la plupart des manifestations de l'être humain, y compris dans les domaines qui semblent relever *a priori* de la nature :

organisation de la famille, techniques du corps, etc.

Société, culture et sous-cultures : un système culturel se rapporte à une société (*culture bantoue*) ou à un ensemble de sociétés (*culture occidentale*). Dans ce dernier cas, la culture nationale (*culture française*) est une variante d'un ensemble plus vaste dont elle partage nombre de traits fondamentaux. En revanche, une société complexe, divisée socialement, connaît des sous-cultures particulières correspondant aux différents groupes sociaux (classes, minorités ethniques ou religieuses) qui la composent.

⟶ ▶ *Contre-culture, Sociétés primitives, Sociétés segmentaires (ou lignagères), Société traditionnelle, Sous-culture/Sub-culture.*

CULTURE DE MASSE

Ensemble des messages et des valeurs véhiculées par les mass-médias (presse, radio, télévision, publicité) et autres entreprises culturelles (industries du cinéma, du disque, parcs de loisirs).

Le phénomène de la culture de masse est relativement récent et est associé aux notions de « société de consommation » ou de « civilisation des loisirs ». À l'amont du processus, l'importance des moyens engagés (capitaux, personnel), la standardisation des produits expliquent que l'on parle d'industrie culturelle.

♦ Le développement de la culture de masse a été présenté comme un facteur d'uniformité culturelle. Cette thèse a été fortement critiquée par des sociologues qui insistent sur les différences de consommation (sélection des programmes, réception des messages) selon les groupes sociaux.

CULTURE LÉGITIME

⟶ *Légitimité.*

CURRENCY SCHOOL, CURRENCY PRINCIPLE / BANKING SCHOOL, BANKING PRINCIPLE

« École, principe de la circulation (ou de la devise) » par opposition à « l'École, principe de la banque ».

À partir des années 1810-1814 (à la suite de la publication du *Bullion report* sur l'origine de l'inflation des années de guerre), une controverse (« *The Bullionist controversy* ») s'est développée en Angleterre à propos de l'émission de monnaie dans le cadre du régime de l'étalon-or ; par simplification, on regroupe les différents protagonistes en deux écoles : la *currency school* et la *banking school*. La première affirme le principe selon lequel les billets émis par la Banque centrale doivent être la stricte contrepartie de ses réserves en or. La seconde considère qu'on doit laisser la Banque centrale libre d'émettre de la monnaie au-delà de l'encaisse-or en contrepartie de crédits à l'économie.

Les partisans du principe de la devise (les théoriciens de la *Currency school* D. Ricardo et ses disciples, R. Torrens), refusent de considérer les billets comme des instruments de crédit à l'économie ; ce sont des instruments de paiement dont l'émission recèle un danger d'inflation, celle-ci étant uniquement d'origine monétaire. L'offre de monnaie fiduciaire est exogène (elle provient de la sphère politico-monétaire et risque d'être discrétionnaire) et, à la différence de l'or, poten-tiellement sans limite. En outre, elle ne peut avoir d'effet que sur la variation du niveau général des prix (et sur le taux de change), sans aucun effet réel de stimulation des échanges et de la production (théorie quantitative de la monnaie dichotomiste) : il faut donc la contrôler strictement. Elle ne doit être émise (couverture-or à 100 %) qu'en contrepartie d'un accroissement du stock d'or national, consécutif à un excédent de la balance commerciale et d'une hausse du taux de change.

Au contraire, pour les théoriciens de la *banking school*, la monnaie n'a d'effet inflationniste, conformément à la théorie quantitative, que pour sa composante-or (et, le cas échéant, le papier-monnaie : billets inconvertibles), soit la monnaie proprement dite ; mais la monnaie bancaire (les billets convertibles, puis les avoirs en compte courant), étant émise en contrepartie de crédits à l'économie, correspond aux besoins de l'activité. Sa création ne saurait être inflationniste car, d'une part, elle répond à une demande des agents issue de la sphère réelle (conception endogène de la monnaie) et, d'autre part, elle est temporaire.

Les partisans de la *currency school* obtiennent gain de cause avec le *Bank Charter Act* de 1844 (loi bancaire de Robert Peel) : la Banque d'Angleterre est divisée en deux départements, celui de la banque et celui de l'émission, le premier ne pouvant recevoir de billets du second qu'en échange d'un montant égal en or.

Mais *le principe de la banque l'emporte en France* à la même époque, et il inspirera les théories intégrationnistes et endogènes de la monnaie (par exemple, post-keynésiens).

⟶ *Inflation, Monnaie, Monnaie (Théorie quantitative de la), Multiplicateur monétaire (de crédit).*

CVS (Corrigé des variations saisonnières)

Qualificatif relatif à des données statistiques dont on a éliminé les mouvements saisonniers. Certaines variables économiques connaissent chaque année des fluctuations régulières en fonction du mois, du trimestre ou de l'année (par exemple, la « pointe » annuelle du chômage en septembre).

La correction des variations saisonnières, ou désaisonnalisation, s'efforce, par différentes méthodes, d'éliminer ce mouvement saisonnier pour mettre en évidence la tendance, ou *trend*, suivie par la variable étudiée. À partir de ce *trend*, on peut calculer par période (mois, trimestre) des coefficients saisonniers qui permettent de corriger les chiffres observés appelés données brutes.

La méthode des CVS repose sur deux hypothèses :
– le phénomène saisonnier ne se déforme pas d'une année sur l'autre ;
– sur l'année, les variations saisonnières se compensent.

→ *Tendance.*

CYCLE DE VIE DES INDIVIDUS (Théorie de l'épargne)

Théorie du comportement d'épargne qui considère que l'épargne dépend moins du taux d'intérêt (comme le pensent les classiques) ou du revenu (Keynes) que de l'âge de l'individu ; celui-ci emprunte, épargne pendant une grande période de sa vie, la vie active, et désépargne de sa retraite à son décès.

Épargne et cycle de vie

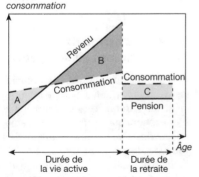

A : endettement ; B : épargne ; C : désépargne

Cette théorie, qui aboutit à l'idée que le taux d'épargne d'une économie dépend de sa structure démographique, peut être complétée par la prise en compte des patrimoines hérités et légués par l'individu.

La théorie de l'épargne a été développée en particulier par Modigliani. Né en 1918 à Rome où il a obtenu un doctorat en droit, il a émigré aux États-Unis où il s'est spécialisé en économie. Prix Nobel en 1985.

→ *Épargne ; Annexe : Prix Nobel d'économie.*

CYCLE DE VIE DES PRODUITS (Théorie du)

Théorie selon laquelle l'évolution au cours du temps des ventes d'un produit peut être représentée par une courbe en S et décomposée en quatre phases successives : le lancement, le décollage, la maturité, le déclin.

Sur cette base, R. Vernon a proposé une analyse de l'évolution au cours du temps de la division internationale du travail : le produit est lancé dans le pays qui l'a créé (il s'agit généralement d'un pays développé jouissant d'un potentiel d'innovations) puis exporté, lorsque la demande s'accroît, vers des pays d'égal niveau de développement. Ensuite, la production une fois normalisée, la recherche d'économies sur les coûts peut justifier une délocalisation de la fabrication (dans des pays où la main-d'œuvre est bon marché). Un pays développé peut ainsi être conduit à importer un produit qu'il exportait lors d'une phase antérieure. Lorsque le produit atteint la phase de déclin dans les pays riches, il est possible de trouver des débouchés dans les PED.

CYCLES

Mouvements de l'activité économique alternés, récurrents, d'amplitude et de périodicité régulières. Utilisé sans autre précision que le qualificatif « économique », le terme désigne les cycles Juglar. Économistes et historiens ont observé la superposition de plusieurs mouvements cycliques de périodicité différente : aux cycles « courts » (Juglar mais aussi Kitchin) s'opposent les cycles « longs » (cycle ou mouvement long de Kondratieff), voire des mouvements séculaires (*trends* de très longue durée affectant la production, les prix ou une autre grandeur économique).

Le *cycle Juglar* (ou cycle majeur ou cycle des affaires) porte le nom de l'économiste français ayant mis en évidence dès 1860 le retour périodique des crises.

Au XIXe siècle et dans la première moitié du XXe, il varie de 6 à 11 ans avec une dominante de 10 ans et se repère à partir des fluctuations de l'activité économique ; il s'observe dans tous les pays capitalistes développés de façon quasi simultanée. Le cycle peut être décomposé en quatre phases :

1. *l'expansion :* mouvement ascendant avec tendance à la hausse des prix et des revenus ;

2. *le point de retournement* qui interrompt la phase d'expansion (la « crise » dans son sens strict) ; ce moment correspond aussi au « maximum cyclique » ;

3. *la dépression ou récession* (qui, avec la phase 2, correspond à la crise au sens courant) : contraction générale et cumulative de l'activité accompagnée — du moins jusqu'à la Seconde Guerre mondiale — de la baisse des prix et des revenus nominaux, de la hausse du chômage ;

4. *la reprise :* deuxième point de retournement (de la baisse à la hausse de l'activité) et amorce d'un nouveau cycle.

Après la Seconde Guerre mondiale, les fluctuations de la production sont nettement atténuées : dans plusieurs pays développés (France, Japon, Allemagne…), les taux de croissance restent toujours positifs, les récessions désignent un simple ralentissement de l'activité tandis que les prix restent orientés à la hausse. La période ouverte par le premier choc pétrolier est marquée à nouveau par des récessions au sens premier du terme (1974-1975, 1980-1982, 1991...) sans que l'on puisse parler d'un retour à l'identique du cycle majeur.

Le *cycle de Kitchin* (du nom d'un économiste américain), en particulier aux États-Unis, a une durée limitée à environ 3 ans.

Il affecte de nombreuses branches, s'observe à partir de l'activité économique et est provoqué par les variations des stocks.

Certains cycles sont spécifiques à des activités données en raison de contraintes ou de caractéristiques particulières : le *cycle saisonnier* est annuel (diminution de l'activité du bâtiment en hiver, ralentissement de la production industrielle en été, etc.) ; le *cycle agricole* varie en fonction du type de production (par exemple, le cycle du porc dure 32 mois).

Le *cycle (ou mouvement long) de Kondratieff :* cycle long s'étendant sur environ un demi-siècle, repéré entre autres par l'économiste soviétique Kondratieff en 1926 *(Les Vagues longues de la conjoncture)*, essentiellement à partir des mouvements pluridécennaux des prix de gros ou de détail et marqué par la succession de deux phases de longueur à peu près égale (20-25 ans) dénommées phases A et B par F. Simiand. La phase A est caractérisée par une tendance à la hausse des prix et une croissance soutenue de la production ; la phase B par la baisse des prix et une croissance économique ralentie.

Entre la fin du XVIIIᵉ siècle et la Première Guerre mondiale, cinq phases (correspondant à deux cycles et demi) se seraient succédé : 1788-1815 (phase A), 1815-1848-1850 (phase B) 1848-1850-1873 (phase A), 1873-1896 (phase B appelée parfois « grande dépression » bien qu'elle ne corresponde pas, globalement, à un recul de la production), 1896-1913 (phase A).

♦ Plusieurs économistes et historiens ont voulu repérer, après la Première Guerre mondiale, de nouveaux cycles Kondratieff. Cette vision est problématique car les mouvements longs des prix, à la base du repérage des phases A et B, n'obéissent plus aux caractéristiques du XIXᵉ siècle et montrent une tendance à l'inflation continue en dehors des récessions au XXᵉ siècle.

À côté des explications monétaires (évolution de l'offre de métal précieux), l'explication la plus connue des mouvements longs est due à Schumpeter : les phases A sont liées à des « grappes » d'innovations majeures, à leur diffusion. Ainsi la révolution ferroviaire et les progrès de la métallurgie expliqueraient la phase A 1848-1873. À l'inverse, l'épuisement de leurs effets dynamiques, leurs retombées négatives sont à l'origine du ralentissement de la croissance et de tendances récessionnistes. L'évolution du capitalisme est ainsi marquée par une « destruction créatrice » : la disparition et l'apparition de nouvelles techniques, la « mise en place de nouvelles fonctions de production » scandent son développement.

♦ L'analyse de Schumpeter, quelque peu délaissée pendant les décennies 1950 et 1960, a suscité un regain d'intérêt avec le ralentissement de la croissance depuis 1974. Celui-ci serait à mettre en relation avec l'essoufflement de la dynamique fordiste (banalisation des biens d'équipement ménagers lancés dans les années 1930 à 1950) et une décélération du rythme de l'innovation entre les années 1960 et 1970. Thèse stimulante mais fragile et controversée.

→ *Chocs, Crise, Innovation, Révolution industrielle, Schumpeter ; Annexe 13.*

DARWINISME

Théorie biologique développée par le naturaliste anglais Charles Darwin (1809-1882) dans son ouvrage *De l'origine des espèces au moyen de la sélection naturelle* (1859). Les deux apports fondamentaux de Darwin sont la filiation entre les espèces et la sélection naturelle ; selon celle-ci, seuls les individus les plus aptes parviennent à survivre et donc à transmettre à leur descendance leurs caractéristiques innées favorables, permettant ainsi à leur espèce d'évoluer et de s'adapter au milieu.

◆ Darwin est influencé par Malthus et sa vision d'un monde où tous ne peuvent survivre.
◆ Le darwinisme s'est heurté et se heurte encore (par exemple, dans les milieux intégristes protestants des États-Unis) au fixisme qui interprète la Genèse et la Bible à la lettre et nie toute filiation entre les espèces, toute évolution.

Darwinisme social : le darwinisme, théorie de la sélection naturelle, déformé et appliqué à la société, donna naissance au *darwinisme social.*

Les inégalités économiques, sociales ou raciales sont une donnée naturelle et manifestent la légitime domination des élites qu'il convient d'accepter en ce qu'elle est bénéfique à tous.

La bourgeoisie anglo-saxonne, triomphante au XIXᵉ siècle, trouvait là une justification biologique, prétendument scientifique, au système de la libre concurrence, aux guerres coloniales, voire à toute domination, y compris raciale. Les principaux théoriciens du darwinisme social sont en fait deux ultralibéraux, plus influencés par Malthus que par Darwin : l'anglais Herbert Spencer (1820-1903) et l'américain William Graham Sumner (1840-1910).

→ *Acquis/inné, Racisme.*

DÉBOUCHÉS (loi des)

→ *Say.*

DEBREU (Gérard)

→ *Annexe : Prix Nobel d'économie.*

DÉCENTRALISATION/ DÉCONCENTRATION

La *décentralisation administrative* opère un transfert de compétences à des autorités locales élues (par exemple de l'État central aux conseils régionaux).

La *déconcentration* opère un transfert au profit de fonctionnaires nommés par l'État et agissant dans le cadre d'une circonscription locale (par exemple des administrations centrales à leurs services extérieurs départementaux). Se référer aux lois de décentralisation de 1982 et 1983, dites « lois Defferre ».

La *décentralisation industrielle*, pièce maîtresse de toute politique d'aménagement du territoire, consiste à favoriser l'implantation d'entreprises dans des zones géographiques périphériques en déclin, afin de corriger les effets d'un développement spontané inégal au seul profit d'un centre menacé d'engorgement.

⟶ *Administration, Échange inégal, Pôle de croissance/Pôle de développement.*

DÉCILES

Valeurs d'un caractère qui partagent l'effectif total d'une série en 10 groupes égaux, les valeurs de la série étant classées par ordre croissant. Il y a neuf déciles notés de 1 à 9, D_1 à D_9.

Le premier décile est tel que 10 % de l'effectif de la série lui sont inférieurs et 90 % lui sont supérieurs ; le deuxième décile est tel que 20 % de l'effectif de la série lui sont inférieurs, 80 % lui sont supérieurs, etc.

$$D_1 \quad D_2 \quad D_3 \quad D_4 \quad D_5 \quad D_6 \quad D_7 \quad D_8 \quad D_9$$

♦ Ainsi, dans l'analyse de la répartition des revenus d'une population, on classe les ménages par revenus croissants et les 9 déciles sont les valeurs du revenu qui partagent les ménages en 10 groupes numériquement égaux ; bien entendu, la valeur totale des revenus de chaque groupe est différente et croissante.

Le 5e décile, D5, est égal à la médiane, qui partage l'effectif total en deux parties égales.

On peut calculer un écart et un rapport entre deux déciles. Dans l'analyse des revenus, on utilise fréquemment l'écart entre le décile le plus élevé D_9 et le décile le plus faible D_1, en calculant $D_9 - D_1$, ou bien le rapport interdécile D_9/D_1 qui mesure l'inégalité (ou la dispersion) des revenus considérés.

♦ Attention, on trouve parfois le terme « déciles » utilisé pour désigner non pas les valeurs du caractère, mais la somme des valeurs du caractère comprises dans les 10 groupes égaux. Par exemple, on dira que 10 % des ménages les plus pauvres se partagent 5 % du revenu national.

DÉCOLLAGE

Traduction de *take-off* qui, chez l'économiste américain W.W. Rostow, désigne la troisième des cinq étapes de la croissance économique par lesquelles passe, selon lui, toute société au cours du processus de développement.

Le décollage, période brève d'une ou deux décennies, s'opère lorsque le taux d'investissement systématique des bénéfices dans les industries nouvelles, qui tirent l'ensemble de l'économie, franchit le seuil des 10 % du revenu national, permettant d'atteindre une croissance régulière auto-entretenue.

Le décollage s'accompagne d'un changement dans les techniques élevant la productivité de l'agriculture, d'un changement dans les structures sociales (exode rural) et dans les mentalités.

⟶ *Gerschenkron (Modèle de), Révolution industrielle, Rostow.*

DÉFAILLANCES DU MARCHÉ

⟶ *Marché (Défaillances du).*

DÉFICIT BUDGÉTAIRE

Situation dans laquelle les recettes du budget de l'État sont inférieures aux dépenses. Le budget peut être voté en déséquilibre.

L'analyse keynésienne considérait, en période de sous-emploi, le déficit budgétaire comme un moyen de soutenir ou d'accroître la demande globale et donc de stimuler la croissance et l'emploi.

L'analyse libérale, allergique à tout interventionnisme, préconisait une gestion équilibrée ou excédentaire des finances publiques et marquait sa préférence pour un recours à la politique monétaire. D'une inspiration voisine, la nouvelle analyse libérale, reprenant et prolongeant les idées monétaristes, développe une argumentation critiquant la politique budgétaire pour trois raisons : une relance budgétaire provoque la hausse des taux d'intérêt et crée des effets d'éviction au détriment de l'investissement privé. Elle risque d'être inefficace en raison de l'instabilité du coefficient multiplicateur si la consommation dépend du revenu permanent et non du revenu courant. Enfin, si un déficit crée une épargne supplémentaire (effet Ricardo-Barro), l'effet de la relance est nul.

En fait, les effets de la politique budgétaire ne sont pas mécaniques. Ils dépendent, tout d'abord, de la nature de la dépense publique : il n'est pas illogique que l'État, comme les entreprises, comme les ménages, ait un niveau de dépenses (consommation + investissement) supérieur à son revenu, à condition que le niveau d'investissement, et donc de création de richesses, soit élevé. Les effets macro-économiques du déficit dépendent aussi du mode de financement : pendant les années de croissance et d'inflation chronique (1945-1975), le déficit était financé par les banques et par conséquent à des taux d'intérêt réels faibles, voire négatifs. Aujourd'hui, le déficit public est financé exclusivement par l'emprunt et donc le recours à l'épargne à des taux d'intérêt réels positifs élevés. Dès lors, le coût du déficit public est très élevé.

L'union monétaire européenne impose aux États membres une discipline budgétaire rigoureuse : les déficits des administrations publiques ne doivent pas dépasser 3 % du PIB.

→ *Équivalence ricardienne (ou Théorème Ricardo-Barro), Politique budgétaire.*

DÉFICIT PUBLIC

Notion plus large que celle de déficit budgétaire, puisqu'elle englobe également le solde des recettes et dépenses des collectivités locales et celui de la Sécurité sociale.

En Comptabilité nationale, on parle de besoin de financement des administrations.

→ *Dépenses publiques.*

DÉFLATEUR

Grandeur statistique permettant d'éliminer la hausse des prix qui gonfle artificiellement la valeur des biens et des services. Il permet de passer d'une grandeur exprimée à *prix courants* (ou en *francs courants*, ou en valeur) à une grandeur exprimée à *prix constants* (ou en *francs constants*, ou en *volume*).

Il existe différents types de déflateurs selon la série statistique étudiée : indice des prix à la consommation, indice des prix du PIB, indice des prix à l'exportation, etc.

La méthode généralement utilisée est la suivante. Soit l'évolution du PIB à prix courants et celle de l'indice des prix du PIB retracées dans le tableau suivant :

	T1	T2
Indice d'évolution du PIB à prix courants	100	106,9
Indice des prix du PIB (déflateur)	100	104,9

◆ L'évolution du PIB à prix constants est : 106,9/104,9 × 100 =101,9.

◆ Le PIB a augmenté, à prix constants, de 1,9 %.

→ *Indice, Inflation.*

DÉFLATION

Contraction des grandeurs économiques nominales, baisse des prix, des salaires, réduction de la masse monétaire qui peut s'accompagner d'une contraction des grandeurs réelles, baisse de la demande de la production, de l'emploi, etc.

La déflation résulte soit du mouvement spontané de l'économie (dans les périodes de dépression au XIXᵉ siècle), soit d'une politique économique qui recherche une baisse des coûts et des prix par une contraction de la demande.

♦ Un exemple en est fourni par la politique Tardieu-Laval en France, en 1934-1935, de baisse des salaires des fonctionnaires.

La politique de déflation, fortement critiquée par Keynes, n'aboutit pas souvent aux résultats escomptés : les prix restent rigides, la balance commerciale s'améliore faiblement alors que le chômage s'accroît et que la production baisse ou stagne. Après la Seconde Guerre mondiale, la croissance, le keynésianisme dominant et la disparition des cycles semblaient avoir sonné le glas de la déflation. Toutefois, les politiques menées dans certains pays en développement, en application des recommandations du FMI, peuvent être assimilées à des politiques déflationnistes.

La déflation n'est ni l'opposé de l'inflation (hausse des prix), ni synonyme de désinflation (ralentissement de l'inflation).

→ *Dépression, Désinflation, Keynes.*

DEFM (Demandes d'emploi en fin de mois)

Les « demandes d'emploi en fin de mois » sont des catégories regroupant la grande majorité des demandeurs d'emploi ; l'ANPE en distingue huit.

La statistique la plus connue du public, en raison de sa forte médiatisation, est celle des DEFM : chaque fin de mois, l'ANPE publie le nombre de demandeurs d'emploi inscrits dans ses fichiers. En fait, le chiffre généralement repris et commenté par les médias est celui des seules DEFM de catégorie 1.

Or, si cette catégorie regroupe la grande majorité des demandeurs d'emploi, elle n'est que l'une des huit distinguées par l'ANPE.

Les demandeurs des huit catégories sont tous inscrits à l'ANPE et tenus de rechercher effectivement un emploi (sauf dans les catégories 4 et 5), mais ils se distinguent par leur situation personnelle et le type d'emploi recherché.

Les huit catégories de DEFM			
Caté-gorie	Situation du demandeur d'emploi		Type d'emploi recherché
	sans emploi	immédiatement disponible	
1	Oui	Oui (y compris activité < 78 heures)	CDI à temps plein
2	Oui	Oui (y compris activité < 78 heures)	CDI à temps partiel
3	Oui	Oui (y compris activité < 78 heures)	CDD
4	Oui	Non (par exemple, formation)	Tout type d'emploi
5	Non	Non	Tout type d'emploi
6	Oui	Non (activité > 78 heures)	CDI à temps plein
7	Oui	Non (activité > 78 heures)	CDI à temps partiel
8	Oui	Non (activité > 78 heures)	CDD

→ *Chômage, Population sans emploi à la recherche d'un emploi (PSERE).*

DÉLINQUANCE

→ *Criminalité et délinquance.*

DÉLIT D'INITIÉ

→ *COB.*

DÉLOCALISATION

Terme apparu avec la crise de 1974-1975 pour désigner les phénomènes de mobilité géographique du capital à la recherche du plus fort taux de profit ; des usines ferment ici pour s'implanter là où les conditions de la production sont plus avantageuses.

Souvent utilisée par des FMN (firmes multinationales), la délocalisation remodèle la DIT (division internationale du travail). La recherche d'une main-d'œuvre adaptée (peu coûteuse, disciplinée ou qualifiée), de matières premières, d'énergie ou de débouchés proches, explique les *stratégies de délocalisation*.

♦ La délocalisation peut ne concerner que certains segments d'activité : première transformation, montage, centres de recherche, réseaux de distribution, sièges sociaux (dans les paradis fiscaux), etc. Les inégalités de développement entre nations dépendent alors de l'importance de la valeur ajoutée par chaque segment et de ce qu'il en restera sur place comme contrepartie en revenus (salaires, profits et intérêts).

Mais, de plus en plus, la recherche d'un environnement juridique favorable apparaît déterminante : une réglementation peu contraignante du travail, de la fiscalité, des changes ou des activités polluantes, attire les entreprises, ce qui conduit parfois les États, mis en concurrence par les FMN, à une surenchère dans la déréglementation (création de zones franches, de zones d'entreprises par exemple) pour éviter la désindustrialisation et le chômage.

⟶ *Division internationale du travail (DIT), Firme multinationale (FMN)/Firme transnationale.*

DEMANDE

Quantité d'un bien ou d'un service qu'un individu (demande individuelle), ou que l'ensemble des individus intéressés par ce bien ou ce service (demande du marché), souhaite acheter, à un prix donné.

♦ Cette définition microéconomique appelle trois précisions : la demande est l'expression d'une intention d'acheter (*ex ante*), à ne pas confondre avec ce qui a déjà été acheté (*ex post*) ; cette intention doit correspondre à un pouvoir d'achat (on ne prend en compte que la demande solvable) ; la demande est un flux (mesuré au cours d'une période de temps donnée).

On appelle *fonction de demande* (ou loi de la demande) la relation qu'on établit, toutes choses égales par ailleurs, entre les quantités demandées d'un bien et le prix de ce bien ; en général, cette fonction est décroissante.

En macroéconomie, on définit la demande globale comme la somme des emplois possibles de la production : consommation finale + investissement + exportations + variation des stocks.

La *demande effective* telle que la définit Keynes est plus complexe : c'est celle qu'anticipent les entrepreneurs (*ex ante*), demande de biens de production et de consommation ; cette demande correspond à un seuil au-dessus duquel les entrepreneurs ne prendront pas le risque d'embaucher et de produire par crainte d'une insuffisance de la demande.

♦ Keynes raisonne en économie fermée, donc sans inclure les exportations, mais en intégrant l'intervention de l'État (dépenses publiques).

⟶ *Keynes, Marché, Offre.*

DÉMOCRATIE

(du gr. *demos* « le peuple » et *kras, kratos* « le pouvoir »)
Forme d'organisation sociale et politique qui doit assurer aux individus la maîtrise de leur destin individuel et collectif, et où la liberté ne s'arrête que là où commence celle d'autrui.

Cherchant à concilier liberté et égalité, la démocratie est un idéal politique qui repose sur des modalités concrètes rarement toutes réunies, et courte est la liste des pays respectant les droits de l'homme.

Le processus historique de démocratisation des sociétés a d'abord connu, à la fin du XVIIIe et au début du XIXe siècle, l'étape de la *démocratie libérale* ; la démocratie n'y est envisagée que comme un mode de gouvernement (démocratie politique) : la loi, expression de la volonté générale, est une contrainte que les individus s'imposent librement à eux-mêmes, elle est votée par des représentants de la nation qui recherchent l'intérêt général.

♦ L'électeur désigne des représentants non de ses intérêts mais d'une nation abstraite dont ils seront les interprètes : les libertés publiques se limitent à des droits théoriques, formels, individuels et politiques, surtout opposables à l'État, qui se doit d'intervenir le moins possible sinon pour les faire respecter. Les principaux droits ainsi reconnus sont : le droit de propriété, la liberté du commerce et de l'industrie, la sûreté de la personne, la liberté d'aller et venir, la liberté d'opinion et de conscience, le droit de vote et d'éligibilité aux fonctions publiques, la liberté d'association, de réunion, et de la presse…

♦ L'usage que les individus feront de ces libertés permettra, ou non, leur épanouissement : le bonheur est une affaire privée, l'égalité étant celle des droits et non des conditions.

Cette conception, progressiste en ce qu'elle posait le principe de l'État de droit et admettait l'égalité comme absence de privilèges légaux, convenait à la bourgeoisie éclairée. Reprise par le mouvement ouvrier, elle fut élargie de manière que l'épanouissement dans la liberté ne restât pas qu'une simple possibilité juridique théorique, n'étant réellement accompli que pour une minorité : la liberté se devait d'être réelle, c'est-à-dire égale pour tous. Tel est l'objectif de la *démocratie sociale* : l'État, démocratisé, crée les conditions réelles de l'épanouissement des individus en leur reconnaissant des droits économiques et sociaux. Le droit contractuel n'y suffisant pas, l'intervention de l'État pour assurer l'éducation, le plein-emploi, la protection sociale, est reconnue comme nécessaire et manifeste la solidarité (la fraternité) dont on attend l'égalité des chances, garante d'une réelle liberté.

→ *Citoyenneté, Contre-pouvoirs, État, État-providence, Libertés publiques, Parti politique, Représentation politique, Tocqueville ; Annexe 26.*

DÉMOGRAPHIE

(du gr. *demos* « peuple » et *graphein* « écrire »)

Étude quantitative des populations ou collectivités humaines et de leur évolution. Par extension, le terme peut désigner la croissance d'une population, par exemple dans l'expression « une démographie galopante ».

La démographie, en tant qu'approche statistique, est l'une des plus anciennes sciences sociales puisque les premiers recensements de population remontent à l'Antiquité. Cependant, elle n'a connu son plein épanouissement qu'à partir de la deuxième moitié du XIXe siècle.

Cette science s'attache d'abord à décrire l'état d'une population à un moment donné : effectifs, composition par âge et sexe, statut matrimonial, activité professionnelle, etc. Elle cherche également à mettre en évidence par l'analyse de la mortalité, de la natalité et des mouvements migratoires, la « dynamique » d'une population, c'est-à-dire son évolution passée et future. De manière récente, elle s'intéresse aux causes profondes de ces évolutions et aborde les problèmes économiques et sociaux. Elle débouche alors sur des projections à moyen et long terme.

→ *Fécondité, Mortalité, Natalité, Sauvy.*

DÉPENDANCE

> État de subordination plus ou moins prononcé d'une économie nationale vis-à-vis d'autres économies et des marchés internationaux.

La dépendance revêt différentes formes : dépendance commerciale (exportations concentrées sur un ou deux produits primaires, position de faiblesse sur les marchés mondiaux, détérioration des termes de l'échange), technologique (retard, importation d'équipements, de savoir-faire coûteux ou inadaptés), financière (insuffisance de l'épargne domestique et endettement durable), culturelle (subordination aux productions culturelles étrangères), etc.

Limitée pour des économies développées (par exemple, les formes de la contrainte extérieure), elle prend un caractère aigu pour les pays en développement : la dépendance est alors, selon les théories « dépendantistes » (F. Perroux, C. Furtado, R. Prébish), la manifestation des relations asymétriques entre économies dominantes et économies dominées (dépendantes) ou, pour reprendre les termes introduits par R. Prebish, entre le « centre » et la « périphérie » ; la dépendance est, dans cette optique, l'une des causes de blocage du développement.

⟶ *Contrainte extérieure, Domination, Échange inégal, Économie du développement, Perroux, Termes de l'échange.*

DÉPENSES PUBLIQUES

> Dépenses de l'État (appelées « dépenses budgétaires »), des collectivités locales, des administrations de Sécurité sociale financées par prélèvements obligatoires.

Le montant de ces dépenses, rapporté au PIB, est considéré comme l'indicateur fondamental du poids des administrations publiques dans l'économie. Ce ratio est supérieur à 30 % dans la plupart des grands pays de l'OCDE et 40 % en France.

Les dépenses publiques peuvent être classées en plusieurs domaines :
– production de biens et services collectifs ;
– transferts sociaux ;
– subventions diverses à l'économie ;
– service de la dette publique.

⟶ *Budget de l'État (Loi de Finances), Déficit public, Prélèvements obligatoires.*

DÉPRÉCIATION

> Perte de valeur d'une monnaie, par rapport aux autres monnaies, qui résulte de la baisse du cours sur le marché des changes.

⟶ *Dévaluation.*

DÉPRESSION

> Phase du cycle économique caractérisée par une contraction cumulative de l'activité : baisse du volume de la demande et de la production, baisse des revenus réels, montée du chômage.

La dépression est enclenchée par le retournement brutal de la conjoncture (la crise au sens restreint du terme), annoncé souvent, avant la Seconde Guerre mondiale, par un krach boursier et des faillites bancaires. Sa durée peut être relativement longue et la contraction être de forte ampleur (dans le cas contraire, on préfère parler de récession).

♦ Exemples : la dépression de 1882-1885 (trois ans de contraction ; en France, baisse de 9 % du produit global), la grande dépression des années 1930.
♦ Attention, le terme est parfois employé dans un sens différent : ce que les historiens appellent « la grande dépression des années 1873-1896 » ne désigne pas une contraction continue sur vingt-trois ans mais, essentiellement en France et Grande-

Bretagne, une période de faible croissance en moyenne, hachée par des crises aiguës (par exemple, 1882-1885) et correspondant à une phase B du cycle Kondratieff.

→ *Crise, Cycles, Récession.*

DÉRÉGLEMENTATION

Suppression progressive de règles, fixées par les pouvoirs publics, qui encadrent l'activité de secteurs économiques : suppression du contrôle des prix et des changes, suppression de l'autorisation administrative de licenciement, suppression de normes de sécurité dans le transport aérien ou de normes visant à limiter la pollution.

La réglementation constituant l'une des formes de l'intervention de l'État dans la vie économique, la déréglementation est une revendication logique des économistes libéraux au même titre que la réduction des prélèvements obligatoires.

Selon des économistes libéraux, notamment les représentants de l'école du *Public choice*, la prolifération des règlements édictés par la bureaucratie étatique émousse les initiatives, étouffe la liberté d'entreprise et entrave le dynamisme de l'économie de marché alors même qu'elle induit des coûts pour la société.

Sur le plan théorique, la déréglementation est justifiée par l'idée que le marché peut s'autoréguler sans intervention extérieure. Sur le plan pratique, elle ne se limite pas à la suppression de règles, elle inclut également le déplacement du lieu de production des règles (de l'État vers les acteurs sociaux) et le changement de forme des règles (la législation étant remplacée par des relations contractuelles).

→ *Libérale (Politique économique),* **Public choice** *(École du).*

DÉSAISONNALISATION

→ *CVS.*

DÉSARTICULATION

Rupture de l'équilibre traditionnel des économies sous-développées entraînée par la domination des puissances industrielles : destruction des activités rurales, absence de complémentarité entre les secteurs.

Cette notion est introduite à partir d'une critique de l'analyse dualiste pour laquelle le secteur « traditionnel » serait resté en dehors du développement. En réalité, loin d'être resté immuable, ce secteur a connu des régressions : la domination économique et coloniale s'est traduite par l'appropriation des meilleures terres pour les cultures d'exportation et par la ruine de l'artisanat. Les pôles dynamiques ne sont pas intégrés à l'ensemble de l'économie, mais peuvent avoir des effets négatifs dans les secteurs « non développés ».

→ *Dualisme (pays en développement), Économie du développement.*

DESCENDANCE FINALE

Nombre moyen d'enfants effectivement mis au monde par les femmes d'une génération réelle donnée. Cet indicateur de fécondité ne peut se calculer qu'une fois achevée la vie féconde de la génération étudiée.

La descendance finale évolue plus lentement et connaît moins d'à-coups que l'indicateur conjoncturel puisqu'il ne prend pas en compte les modifications du calendrier des naissances (par exemple, les naissances différées pour cause de guerre).

→ *Fécondité.*

DÉSÉCONOMIE

→ *Externalité, Rendements factoriels/ Rendements d'échelle.*

DÉSÉPARGNE

→ *Épargne.*

DÉSÉQUILIBRE (Théorie du)

Rupture de l'équilibre entre grandeurs économiques, par exemple un excès d'offre sur les marchés des biens et du travail qui entraîne surproduction et chômage.

La notion de déséquilibre est aussi floue que la notion d'équilibre à laquelle elle fait nécessairement référence. Un flou dont témoigne par exemple le concept keynésien d'équilibre de sous-emploi.

Ainsi, les théoriciens du déséquilibre raisonnent-ils dans le cadre de l'équilibre général à prix fixes.

La *théorie du déséquilibre* est issue des travaux de Clower et Leijonhufvud (milieu des années 1960) et approfondie par les travaux d'auteurs tels que Barro et Grossman, Benassy, Hénin, Malinvaud ; elle s'efforce de jeter un pont entre néoclassiques et keynésiens en recherchant les fondements microéconomiques des déséquilibres macroéconomiques.

La critique du modèle néo-classique de l'équilibre général porte principalement sur l'hypothèse d'information parfaite et sur le rôle de la monnaie réduite à sa fonction d'intermédiaire des échanges. Dans une économie où l'information est imparfaite et où les prix sont fixes à court terme, des déséquilibres apparaissent sur les marchés. En cas d'excès de demande, les demandeurs sont rationnés ; en cas d'excès d'offre, les offreurs ne peuvent réaliser toutes les ventes qu'ils souhaitaient.

Équilibres à prix fixes

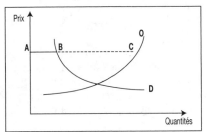

◆ *Excédent* : dans ce cas de figure, le prix est supérieur au prix d'équilibre, d'où résulte un excès d'offre. Les échanges se font sur le *côté court* au niveau de AB et c'est l'offre qui est contrainte par la demande.

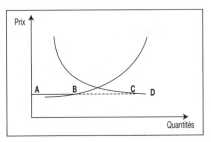

◆ *Pénurie* : dans ce cas de figure, le prix est inférieur au prix d'équilibre, d'où résulte un excès de demande. Les échanges se font sur le *côté court* au niveau de AB et c'est la demande qui est contrainte par l'offre.

Ces déséquilibres se propagent de marché en marché (exemple : le chômage entraîne une baisse de la consommation et un excès d'offre sur le marché des biens). La théorie du déséquilibre permet d'analyser de nombreux problèmes concrets, par exemple le chômage ou l'atonie de l'investissement.

→ *Équilibre, Malinvaud, Stagflation.*

DÉSINDEXATION DES SALAIRES

Remise en cause de l'indexation des salaires sur les prix, c'est-à-dire des mécanismes assurant une progression minimale des salaires nominaux égale à celle des prix.

Elle peut résulter d'une décision des pouvoirs publics interdisant l'indexation dans les contrats ou d'une évolution du comportement des employeurs qui, en période de chômage élevé et de crise, peuvent imposer une rigueur salariale.

Généralisée au cours des années 1980 dans les pays développés, la désindexation a engendré des progressions plus lentes et même des régressions des salaires réels, contribué à la désinflation et à un partage du revenu national plus favorable aux entreprises.

⟶ *Indexation.*

DÉSINFLATION

Ralentissement de l'inflation. Le taux d'inflation diminue, sans devenir nul ou négatif. La hausse des prix continue, mais à un moindre rythme.

À distinguer de la déflation, qui est un processus de baisse généralisée des prix en situation de contraction de la demande.

Politique de désinflation compétitive : nom donné à la politique économique menée en France à partir de 1983. Elle vise à réduire le différentiel d'inflation avec les principaux partenaires de la France, principalement l'Allemagne. Elle doit permettre ainsi de conforter le franc par rapport au DM (politique de franc fort dans la perspective de l'UEM), de restaurer la compétitivité-prix des exportations françaises et ainsi de desserrer la contrainte extérieure. Elle correspond à un refus de relancer l'activité par une politique keynésienne de soutien de la demande globale.

⟶ *Déflation, Inflation, Politique économique conjoncturelle.*

DÉSINTERMÉDIATION

Recul relatif de l'activité bancaire traditionnelle.

L'activité bancaire traditionnelle, collecte de dépôts et octroi de crédits, recule en raison d'un double mouvement : les détenteurs de fonds tendent à opérer des placements sur les marchés de titres offrant une meilleure rémunération, alors que les emprunteurs (les gros) trouvent des ressources moins chères sur ces mêmes marchés.

Toutefois, la désintermédiation s'accompagne moins d'un recul de l'activité bancaire que d'un redéploiement, les banques accentuant leurs interventions sur les marchés financiers.

⟶ *Banque, Marché financier.*

DÉSINVESTISSEMENT

⟶ *Investissement.*

DESTRUCTION CRÉATRICE

⟶ *Innovation.*

DÉSUTILITÉ

Insatisfaction, perte d'utilité.
Dans la théorie néo-classique, le travail est source de désutilité parce qu'il réduit le temps libre consacré au loisir (le coût d'opportunité d'une heure de travail correspond à l'utilité de l'heure de loisir à laquelle on renonce pour aller travailler...). Le salaire réel est censé compenser cette désutilité.

L'individu réalise donc un arbitrage travail/loisir en fonction du niveau de salaire réel qu'on lui propose sur le marché du travail (puisque le salaire réel détermine la capacité à consommer, l'arbitrage s'effectue finalement, pour un niveau de salaire réel donné, entre l'utilité marginale de la consommation et l'utilité marginale du loisir).

⟶ *Utilité (valeur)/Utilité marginale.*

DÉTERMINISME

Postulat scientifique selon lequel un état donné du réel produit nécessairement tel(s) phénomène(s) (ébullition de l'eau à 100 °C sous la pression atmosphérique normale).

Le déterminisme affirme l'existence de lois de la nature, c'est-à-dire de

« rapports nécessaires entre les choses » (Montesquieu).

> *Déterminisme social* : l'essor des sciences sociales s'est accompagné de la tentative d'appliquer aux réalités humaines le postulat déterministe. Le déterminisme social ne saurait cependant être calqué sur celui des faits physiques. Si les hommes sont soumis à des forces, à des logiques, qui leur échappent, ils sont aussi, à certains égards, créateurs de leur histoire.

À partir de la variation des taux de suicide selon la religion, le statut matrimonial, la conjoncture sociale et économique, etc., Durkheim énonce que le suicide croît avec le relâchement des liens sociaux ; cette proposition a pour lui la forme d'une loi scientifique.

La similitude des techniques n'entraîne pas, *ipso facto*, la similitude des cultures. Le modèle déterministe en sciences sociales est avant tout relatif et « probabiliste ».

DÉTOUR DE PRODUCTION

→ *Capital ; Annexes 9, 14.*

DETTE

> Somme empruntée par un débiteur (l'emprunteur) à un créancier (le prêteur). On distingue les dettes à court terme, dont l'échéance est inférieure à un an, et les dettes à long terme.

La *dette publique* est l'ensemble des emprunts effectués par l'État. Si elle est à long terme, on parle de *dette consolidée*, à court terme de *dette flottante*.

La *dette extérieure* est constituée de l'ensemble des engagements pris par les agents économiques d'un pays envers d'autres agents économiques extérieurs.

DETTE (Consolidation de la)

> Opération consistant, pour un agent économique ou un pays, à obtenir la transformation de tout ou partie de sa dette en une autre dette dont les échéances sont reportées dans le temps.

Un pays consolide sa dette lorsqu'il obtient un rééchelonnement de ses remboursements — il paiera plus tard ce qu'il devait payer maintenant, mais il paiera globalement plus cher — ou lorsqu'il rembourse ses emprunts passés grâce à de nouveaux emprunts — ce qui est une autre façon de reporter les échéances.

→ *Dette (Service de la).*

DETTE (Encours de la)

> Montant total des emprunts contractés par un pays à une date donnée.

DETTE (Service de la)

> Somme versée chaque année au titre des remboursements du capital emprunté (amortissement) et du paiement des intérêts par un pays endetté. En fait, tous les pays sont endettés, mais à des degrés très divers.

Le rapport du service de la dette en pourcentage des exportations de biens et services (par exemple 16,4 % au Mexique en 2000, selon la Banque centrale) est souvent utilisé pour analyser la situation financière d'un pays et sa capacité d'endettement supplémentaire.

→ *Amortissement financier.*

DÉVALUATION

> Au sens strict, dans un système de parités fixes, modification officielle à la baisse de la valeur d'une monnaie dans le but d'améliorer le solde commercial.
>
> La dévaluation s'inscrit dans le cadre d'un système de parités fixes. Depuis le flottement généralisé des monnaies en 1973, certaines monnaies flottantes enregistrent des dépréciations qui peuvent être, dans leurs conséquences, analysées comme des dévaluations.

La dévaluation s'opère dans un contexte de déficit de la balance commerciale entraînant un déficit des opérations courantes et donc une pression à la baisse sur le cours de la monnaie. En règle générale, le déficit provient d'une inflation plus forte dans le pays que dans le reste du monde ; de fait, il est possible de distinguer les dévaluations défensives, qui ont pour but de « remettre les pendules à l'heure » en ajustant sur la parité d'achat, et les dévaluations offensives qui visent une sous-évaluation de la monnaie.

L'objectif de la dévaluation est ainsi d'améliorer le solde extérieur par une action sur les volumes par le biais des prix. Les exportations sont rendues moins chères, ce qui tend à accroître leur volume ; les importations sont plus chères, ce qui incite les acheteurs nationaux à se détourner des produits étrangers pour acheter des produits nationaux.

◆ Toutefois, cette réaction exige des délais et, dans un premier temps, le solde se dégrade, ce qui explique la « courbe en J ».

Courbe en J

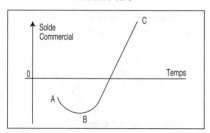

◆ On part d'un déficit commercial (A). La dévaluation a des effets prix qui dominent (de A à B), puis la balance commerciale s'améliore par les effets volume (de B à C).

◆ En fait, la réalité s'éloigne souvent de ce schéma idyllique qui repose entièrement sur l'élasticité de la demande, sur la réaction de la demande, qu'elle soit étrangère ou nationale, aux variations de prix. Des effets pervers peuvent se manifester lorsque les acheteurs étrangers ne modifient pas leurs achats quand le prix baisse (exemple des produits de luxe) et lorsque les nationaux maintiennent leurs importations (dites incompressibles) malgré une hausse de prix (cas des machines très perfectionnées, des importations de matières premières…) ; en d'autres termes, lorsque la compétitivité repose moins sur les prix que sur la nature des produits, les effets néfastes de la dévaluation risquent de l'emporter sur les effets positifs.

◆ En outre, la réussite d'une dévaluation suppose deux conditions : d'une part, l'inflation ne doit pas annuler le bénéfice de la variation de taux de change ; d'autre part, un maintien de la demande nationale à un niveau élevé risque d'entraîner un prélèvement important sur l'économie nationale (des importations d'un niveau élevé à un prix plus fort). C'est la raison pour laquelle les politiques d'accompagnement des dévaluations tendent à comprimer la demande interne (politique monétaire et politique budgétaire restrictives, éventuellement rigueur salariale), de façon à lutter contre l'inflation et à limiter les transferts de pouvoir d'achat vers l'étranger.

Au cours des années 1980, les cercles vicieux de la dévaluation (ou de la dépréciation) sont manifestes. L'enchaînement est fréquemment le suivant : la dévaluation fait augmenter le coût des produits importés, ce qui attise l'inflation ; l'inflation engendre à son tour un maintien du déficit extérieur, ce qui peut conduire à une nouvelle dévaluation. Ce constat de l'échec de la dévaluation explique le progrès des politiques de monnaie forte.

⟶ *Balance des paiements, Commerce extérieur, Compétitivité, Contrainte extérieure, Dépréciation, Élasticité, Parité de pouvoir d'achat (PPA), Politique de change, Système monétaire international (SMI).*

DÉVELOPPEMENT

Transformation des structures démographiques, économiques et sociales, qui, généralement, accompagnent la croissance. On insiste ici sur l'aspect structurel (industrialisation, urbanisation, salarisation, institutionnalisation, etc.) et qualitatif (transformation des mentalités, des comportements, etc.) de l'évolution à long terme.

Certains auteurs, au contraire, adoptent une conception normative du développement :

– lorsque des économistes « tiers-mondistes » parlent de croissance sans développement ou de « développement du sous-développement », ils cherchent à montrer que la croissance ne se traduit pas, dans les pays dominés de la périphérie, par un véritable progrès économique et social (monopolisation des ressources par une minorité de privilégiés, appauvrissement des campagnes, misère des bidonvilles, déculturation, etc.) ;

– lorsque d'autres économistes ou des sociologues préconisent un développement sans croissance, ils cherchent à montrer que la transposition du modèle de développement occidental enferme les pays du Tiers monde dans le piège de la dépendance alors qu'un véritable développement présuppose que chaque pays conserve la maîtrise des conditions matérielles de la reproduction de sa société et de sa culture.

Partant d'une réflexion sur les voies et moyens du développement, certains s'interrogent — la fin étant souvent dans les moyens — sur la finalité même du développement. L'objectif peut-il être le changement pour le changement, toute pratique traditionnelle étant condamnable en soi ? Les nations en développement doivent-elles s'aligner sur des pays « modèles » alors même que ceux-ci sont souvent en crise ?

→ *Croissance, Développement (Modèles de), Économie du développement, Expansion, Progrès, Tiers monde.*

DÉVELOPPEMENT DURABLE (ou SOUTENABLE)

(en anglais : *sustainable development*)
Nouveau mode de développement officiellement proposé comme objectif à leurs États membres par la CNUED et la Banque mondiale ; il est théoriquement inspiré par la volonté de concilier l'amélioration du bien-être des générations présentes avec la sauvegarde de l'environnement pour les générations futures.

La notion fut proposée pour la première fois dans le rapport Brundtland, « Notre avenir à tous » (rapport de la Commission mondiale sur l'environnement et le développement en 1987) ; elle a été entérinée, en 1992, par le sommet de Rio de la CNUED et par le rapport de la Banque mondiale.

Le développement soutenable est envisagé sur le très long terme ; il s'agit « de répondre aux besoins des générations actuelles sans compromettre la possibilité de répondre à ceux des générations à venir ».

→ *CNUED, Économie de l'environnement.*

DÉVELOPPEMENT EXTRAVERTI

→ *Extraversion.*

DÉVELOPPEMENT (Modèles de)

Interprétations, exemples ou schémas d'orientation du développement : l'expression renvoie à des acceptions variées en raison même des sens divers que prend le terme « modèle ». Il faut par ailleurs distinguer *modèles de développement* et *modèles de croissance* : ces derniers sont élaborés pour un stade de développement donné, alors que les premiers (même s'ils utilisent encore le terme de croissance) impliquent ou visent une modification importante, voire décisive, des structures socio-économiques ; c'est la raison pour laquelle ces modèles concernent au premier plan les PED ainsi que les processus historiques de transformation des sociétés traditionnelles en sociétés industrielles.

→ *Croissance, Décollage, Développement, Économie du développement, Gerschenkron (Modèle de), Hirschman, Marx, Révolution industrielle, Rostow, Tiers monde.*

DÉVERSEMENT SECTORIEL

Passage de la population active, sur le très long terme, du secteur primaire au secteur secondaire (« révolution industrielle ») puis au secteur tertiaire (société « post-industrielle »).

Cette transformation de la structure de la population active a reçu plusieurs explications :

– par la croissance économique et l'élévation du niveau de vie : le déversement sectoriel correspond à l'évolution de la demande finale sous l'effet de l'augmentation du revenu. Le consommateur déplace sa demande de la satisfaction des besoins primaires (par exemple : alimentation, secteur primaire) vers les produits industriels (logement, habillement, équipement ménager, automobiles…), puis vers les services (santé, éducation, loisirs…) : ceux-ci ont une forte élasticité-revenu ;

– par le progrès technique dans l'agriculture et surtout dans l'industrie : les gains de productivité sont en moyenne deux à trois fois plus élevés dans l'industrie que dans les services. La baisse du prix relatif des produits industriels qui

en résulte élève le pouvoir d'acheter des services ; le progrès technique dans un secteur, J. Fourastié et A. Sauvy se sont attachés à le démontrer, génère des emplois dans d'autres secteurs ;

– par la complexité croissante de l'organisation socio-économique : multiplication des fonctions administratives, financières, juridiques, informationnelles, d'assurance… ;

– par le coût relativement faible en capital de la création d'un emploi dans le tertiaire (montant de l'investissement initial/nombre d'emplois directs créés) : faible intensité capitalistique de la combinaison productive dans la plupart des services ;

– par l'externalisation, hors des entreprises industrielles, d'activités de « services destinés aux entreprises » (surveillance, restauration, publicité…) ;

– par la féminisation de l'emploi : le travail des femmes génère des emplois de service (crèches, auxiliaires domestiques…) ;

– par les inégalités de revenu : les services à la personne (une part importante des services destinés aux ménages) consistent en du temps échangé contre du temps ; l'acheteur a d'autant plus intérêt à utiliser le temps de travail d'autrui que son temps vaut plus cher que celui du prestataire de service.

Problèmes liés au déversement sectoriel

Il y a aujourd'hui une « crise » du déversement sectoriel : la concentration massive (≈ 70 %) de la population active dans le secteur tertiaire, secteur à gains de productivité modérés, pose le problème de son financement, c'est-à-dire du transfert à son profit des gains de productivité des autres secteurs, soit par le mécanisme des prix relatifs pour les services marchands, soit par celui des prélèvements obligatoires pour les services non marchands.

♦ De cette crise, le modèle de l'économiste américain W. Baumol donne une représentation et une interprétation. Son modèle ne retient que deux secteurs : l'un où le progrès technique accroît rapidement la productivité horaire, l'autre où la valeur de la production dépend peu du progrès technique et beaucoup de la durée et de la qualité de la relation humaine directe entre le consommateur et le prestataire. Deux hypothèses le complètent : par contagion et souci d'égalité, les salaires progressent au même rythme dans les deux secteurs ; et la demande pour les deux catégories de produits n'est que peu influencée par l'évolution de leurs prix relatifs (exemple typique : la demande de soins médicaux).

♦ Le résultat est le suivant : concentration des emplois dans le secteur à gains de productivité modérés et donc ralentissement de la croissance de la productivité moyenne et de la croissance économique. À court terme, le développement du tertiaire est créateur d'emplois, à long terme, ce serait moins sûr.

→ *Sauvy, Tertiarisation.*

DÉVIANCE

Écart durable par rapport aux normes socialement établies, pouvant susciter la réprobation de l'entourage, plus généralement de la collectivité : « conduites scandaleuses », « comportements amoraux », « illicites ».

Notion large recouvrant aussi bien des actes délictueux que les conduites minoritaires ne contrevenant pas formellement à la loi. La réaction sociale peut aller du simple dénigrement aux actions punitives (mécanismes d'exclusion, sanctions pénales). La déviance est une notion relative. Des comportements jugés déviants à l'origine peuvent être par la suite progressivement acceptés par le plus grand nombre (exemple : cohabitation juvénile). En cela, la déviance participe au changement social.

♦ Dans toute société complexe divisée socialement, certaines normes et valeurs diffèrent d'un groupe à l'autre. Ce qui est tenu pour déviant dans l'un est légitimé dans l'autre. Cette opposition de modèles culturels peut être à l'origine de conflits plus ou

moins aigus (éducation des enfants, normes sexuelles, attitudes à l'égard de la religion).

♦ Le courant interactionniste américain a renouvelé l'approche de la déviance en mettant l'accent moins sur les transgressions et les motivations des intéressés que sur les mécanismes par lesquels la collectivité écarte certains de ses membres en les désignant comme déviants (théorie de l'étiquetage). De ce point de vue, « la déviance n'est pas une qualité de l'acte commis (…). Le déviant est celui auquel cette étiquette a été appliquée avec succès » (H.S. Becker).

→ *Conformité, Contrôle social, Criminalité et délinquance, Étiquetage, Exclusion, Interactionnisme, Marginalité, Normes.*

DEVISE

Monnaie étrangère : toute monnaie devient une devise dès lors qu'elle est détenue par des non-résidents.

C'est un *actif monétaire* pour les agents économiques qui la détiennent ; les devises constituent une part des réverses — des liquidités — des Banques centrales. C'est une *dette* des institutions monétaires qui les émettent. En ce sens, leur valeur dépend de la confiance que leur accordent leurs détenteurs, confiance qui dépend notamment de l'attitude des Banques centrales ; c'est pourquoi elles sont soumises à des arbitrages financiers (détermination des taux de change).

→ *Arbitrage, Liquidités internationales.*

DIACHRONIQUE

→ *Synchronique.*

DICHOTOMIE

→ *Réel/Monétaire, Réel/Financier.*

DIFFÉRENCIATION

Processus de définition d'un produit ou d'un service doté de caractéristiques originales.

Les entreprises mènent des stratégies de différenciation des produits en leur attribuant des caractéristiques, objectives ou subjectives originales, qui leur permettent de créer des niches, de limiter la substituabilité par rapport à d'autres produits et d'élever les prix de vente. Par exemple, la multiplication des formes de pains ou de yogourts offre une plus grande variété de produits et donne la possibilité d'augmenter les prix et donc la valeur ajoutée. À la concurrence par les prix (produire les mêmes produits moins cher) se substitue une concurrence par la qualité, qui permet une augmentation des prix.

L'entreprise peut se spécialiser dans un produit différencié ou conjuguer diversification et différenciation en proposant plusieurs produits différenciés ; dans ce cas, elle bénéficie des économies de gamme (ou économies d'envergure), les mêmes ressources participant à la production de différents produits. L'analyse microéconomique montre que la différenciation engendre une forme de concurrence imparfaite dans laquelle la demande est élastique par rapport au prix, l'entreprise peut être *price maker*.

Pour le consommateur, l'augmentation de la consommation et le progrès technique s'accompagnent d'un besoin de produits différenciés.

⟶ *Concurrence imparfaite.*

DIFFUSION/ DIFFUSIONNISME

Diffusion : en anthropologie, processus par lequel des éléments culturels (techniques, connaissances, institutions) sont adoptés et répandus hors de leur aire culturelle d'origine.

Diffusionnisme : doctrine mettant l'accent sur le phénomène de diffusion dans la théorie de l'évolution des sociétés : le changement socioculturel se fait essentiellement par contacts entre cultures, l'humanité progresse davantage par emprunts que par inventions.

♦ Courant anthropologique développé entre la fin du XIXe et le début du XXe siècle. Principaux représentants : les Allemands Frobenius et Graebner. Sans que l'on puisse le taxer de diffusionniste, F. Boas a insisté sur l'importance des phénomènes d'emprunt.

⟶ *Acculturation.*

DILEMME DU PRISONNIER

⟶ *Jeux (Théorie des).*

DIRIGISME

Régime économique dans lequel l'État exerce un pouvoir d'orientation et de contrainte sans faire disparaître les structures caractéristiques d'une économie capitaliste.

⟶ *État, Plan/Planification.*

DISCRIMINATIONS NON TARIFAIRES

⟶ *Barrières non tarifaires.*

DISPARITÉ

Écart entre différents éléments d'un même ensemble. À l'intérieur d'un pays, on parle de disparités régionales, culturelles, sociales, etc.

DISPERSION

Écart plus ou moins important des valeurs prises par une variable par rapport à sa moyenne.

⟶ *Écart-type.*

DISPONIBILITÉS MONÉTAIRES

Sous-ensemble de la masse monétaire.

Les *disponibilités monétaires* sont composées des billets et pièces en circulation ainsi que des dépôts à vue en francs. Elles correspondent à l'agrégat M1 qui regroupe tous les moyens de paiement émis ou gérés par les établissements de crédit, les centres de chèques postaux et le Trésor.

→ *Masse monétaire/Agrégats monétaires et placements financiers.*

DISTINCTION

→ *Effet d'imitation/de démonstration, Halbwachs, Style de vie ; Annexes 30, 33.*

DISTRIBUTION COMMERCIALE

Ensemble des activités et opérations mettant les produits à la disposition des consommateurs (finals ou intermédiaires).

Les distributeurs jouent un rôle d'intermédiaire et d'ajustement entre les offreurs et les demandeurs : le commerce de gros, par la constitution de stocks, régularise les flux en garantissant des débouchés importants aux producteurs et des approvisionnements réguliers aux détaillants ; ceux-ci, tout en conseillant la clientèle, orientent la production vers les goûts des consommateurs.

Dans cette mesure, la distribution joue un rôle économique qui justifie une prise de marge. Mais la concurrence doit jouer entre les distributeurs et entre les différentes formes de commerce (commerce isolé, commerce associé ou groupements d'achat, grand commerce intégré tel que VPC, grands magasins, hyper et supermarchés, supérettes, etc.). Cela est nécessaire pour que les gains de productivité à la production soient répercutés dans les prix de vente au consommateur final et ne soient pas absorbés par la distribution.

DIT

→ *Division internationale du travail (DIT).*

DIVIDENDE

Rémunération touchée par l'actionnaire d'une entreprise. Le dividende est, à la différence de l'intérêt perçu par les créanciers, variable ; il dépend du bénéfice de l'entreprise et de la politique de répartition adoptée — autofinancement ou distribution aux actionnaires.

→ *Action.*

DIVISION DU TRAVAIL

Répartition du travail entre des individus ou des groupes spécialisés dans des activités complémentaires.

Dès qu'une société s'organise, elle instaure une division sociale du travail, c'est-à-dire une répartition des tâches au sein de la société. Les activités sont réparties selon le sexe, l'âge, l'appartenance à des castes ou des ordres, etc.

La division du travail comporte deux aspects très différents. Le chef d'entreprise organise une répartition des tâches entre salariés dans le cadre d'un processus de production ; cette forme de division du travail est imposée à des individus qui n'entretiennent pas entre eux des rapports d'échange (ouvriers d'une usine). Elle est nettement différente de la spécialisation qui s'opère entre producteurs indépendants ou entre entreprises. Dans ce cas, les agents spécialisés dans une activité vendent un bien ou un service (société de services informatiques par exemple). Par ailleurs, dans l'entreprise, la division du travail horizontale entre salariés d'un même niveau hiérarchique (entre ouvriers spécialisés ou entre ouvriers qualifiés) s'oppose à la division du travail verticale dans laquelle les salariés disposent, selon leur niveau dans la hiérarchie, d'un degré d'initiative et de pouvoir très inégal (division du travail entre cadres et exécutants).

♦ Selon Durkheim, la division du travail social est le fondement du lien social puisque son développement induit une « solidarité organique » entre les individus différenciés, mais rendus interdépendants par la complémentarité des fonctions qu'ils exercent.

♦ Parmi les économistes, le plus célèbre avocat de la division du travail (DT) est A. Smith qui, dans *La richesse des nations* (1776), par l'exemple de la manufacture d'épingles, tend à démontrer que la DT est l'un des principaux facteurs de la croissance économique parce que la spécialisation des travailleurs engendre des gains de productivité et facilite le développement du machinisme.

♦ Dans *Le Capital*, Marx dépasse le point de vue de Smith pour analyser les tendances de la division capitaliste du travail : la division manufacturière du travail fondée sur la segmentation du travail et la spécialisation de chaque ouvrier a créé le « travailleur parcellaire ». Cette parcellisation des tâches a pour conséquences la déqualification du travailleur et la dévalorisation de la force de travail. La division manufacturière du travail constitue la base du machinisme : la généralisation de l'usage des machines achève la destruction des métiers et approfondit la séparation entre la conception et l'exécution.

♦ À partir de la fin du XIXᵉ siècle, l'évolution de la division technique du travail est influencée par l'œuvre la plus connue de F.W. Taylor : *Principles of Scientific Management* (1911).

⟶ *Fordisme, Marxisme, Smith, Taylor/ Taylorisme ; Annexe 2.*

DIVISION INTERNATIONALE DU TRAVAIL (DIT)

Répartition de la production mondiale de biens et de services entre pays ou zones économiques plus ou moins spécialisées.

La DIT est en effet l'expression de la spécialisation des différents pays qui participent au commerce international. Les théoriciens des relations économi-ques internationales s'efforcent d'expli-quer l'origine et l'évolution de la DIT. Selon les courants de pensée, l'accent est mis sur les avantages (optimum mondial, facteur de développement, etc.) ou sur les inconvénients (dépendance, échange inégal, etc.) de la DIT.

Jusqu'aux années 1970, la division internationale du travail s'articule autour d'un échange de type colonial, les pays développés important des matières pre-mières en provenance des PED et expor-tant des produits manufacturés entre eux et vers les PED. La crise des années 1970 révèle et accentue une nouvelle division internationale du travail : certains PED améliorent leur position d'exportateurs de matières premières (pétrole par exem-ple), d'autres percent comme exporta-teurs de produits manufacturés (NPI) tandis que les positions des pays déve-loppés (Japon, États-Unis, Europe) se hiérarchisent en fonction de leurs capaci-tés à maîtriser les nouvelles technologies. Toutefois, nombre de PED sont toujours partie intégrante de l'ancienne division internationale du travail.

⟶ *Avantage (absolu, comparatif), Com-merce international, Échange inégal ; Annexe 5.*

DIVORCE/DIVORTIALITÉ

Rupture légale du mariage.

Instauré en France sous la Révolution (1792), aboli en 1816, le divorce est rétabli en 1884. La loi de 1975 en libéralise les conditions (divorce par consentement mutuel). On observe actuellement une aug-mentation sensible des divorces en Europe.

La fréquence des divorces est mesurée par des indices de **divortia-lité**. L'un des plus usités, la somme des divorces réduits, résulte de l'addition, pour une année donnée, des taux de divorce relatifs à chaque promotion de mariage (ensemble des mariages de l'année X).

♦ *Calcul de la somme des divorces réduits.*
On rapporte le nombre de divorces d'une année à l'effectif initial de la promotion de mariage dont ces divorces sont respectivement issus. On obtient ainsi des taux dont l'addition constitue pour une année la somme des divorces réduits (réduits parce que les divorces de toutes durées se trouvent réduits à un même dénominateur commun, c'est-à-dire 100).

→ *Nuptialité.*

DOLLAR (dollar des États-Unis)

Monnaie nationale des États-Unis jouant un rôle international de premier plan.

De l'après-guerre au début des années 1970, le dollar, convertible en or, a été étalon du Système monétaire international. Depuis la suspension de la convertibilité du dollar en or (1971), et surtout depuis l'adoption des changes flottants, le dollar a perdu son rôle d'étalon mais il reste la première monnaie de facturation de réserve et de libellé des opérations financières ; ses fluctuations ont de grandes répercussions sur l'économie mondiale.

→ *Système monétaire international (SMI).*

DOLLAR STANDARD

→ *Système monétaire international (SMI).*

DOMAR (Modèle de)

Le modèle de croissance de Domar (1948) résulte de la volonté d'étendre les principes de l'analyse keynésienne de la courte à la longue période.

Il est fondé sur la distinction entre les deux effets de tout investissement : un effet de revenu (création de revenus supplémentaires par le jeu du multiplicateur) et un effet de capacité (augmentation de la capacité de production). Pour que la croissance soit équilibrée, il faudrait que ces deux effets soient égaux : la demande supplémentaire créée par l'augmentation des revenus ouvrant suffisamment de débouchés à l'offre supplémentaire créée par l'augmentation des capacités de production. Domar démontre qu'il n'y a aucune raison pour qu'il en soit durablement ainsi : le système capitaliste est condamné au déséquilibre, puis à la stagnation.

Ce modèle est souvent associé à celui de Harrod.

→ *Harrod (Modèle de).*

DOMICILIATION

Indication par le tiré, sur un effet de commerce ou un chèque, de l'adresse où le bénéficiaire pourra se faire payer : en général, une banque (domiciliation bancaire).

→ *Effet de commerce.*

DOMINATION

Fait d'avoir les moyens matériels, institutionnels ou spirituels d'exercer le pouvoir sur quelque chose, d'imposer durablement sa volonté à autrui.

Cette notion relationnelle unit deux agents : dominant/dominé. Les rapports de domination mettent aux prises des individus et des groupes (bourgeoisie/prolétariat, classe dirigeante/autres classes, colons/indigènes), mais aussi des unités économiques (grandes firmes/PME) et des entités nationales (pays industriels/PED, États-Unis/autres puissances, ex-URSS/pays de l'Est). Diversité donc des rapports de domination aussi bien dans les domaines concernés (réalités sociale, politique, culturelle, économique) que dans leurs modalités : rapports de force inégaux, privilèges institutionnels, mais aussi influence (prestige, croyances en une supériorité tenue pour légitime).

Les types de domination légitime selon Max Weber

Dans la terminologie weberienne, le terme de domination est associé à la reconnaissance de l'autorité d'un agent ou d'un « ordre » de la part des individus qui y sont soumis : il y a « croyance en la légitimité » (plus ou moins forte) de ces pouvoirs. Les sources de légitimité sont toutefois fort diverses. Max Weber distingue ainsi trois types de domination légitime :
– la domination traditionnelle reposant sur la force — voire le caractère sacré — de la tradition ;
– la domination charismatique (du grec *charisma* : la grâce) reposant sur la croyance dans les qualités exceptionnelles d'un individu (prophète, chef militaire, leader politique) ;
– la domination rationnelle-légale reposant sur la légalité et le bien-fondé des règles régissant une institution ou une instance de la société. Dans ce cas, le pouvoir est lié à la fonction, non à la personne.

♦ Ce dernier type de domination caractérise les sociétés modernes mais Max Weber insiste sur le fait qu'aucun de ces types ne se présente à l'état pur : la domination rationnelle peut fort bien s'accommoder d'une dimension charismatique, ou encore, la domination charismatique peut se perpétuer par la force de la tradition (le prestige du chef peut se transmettre à ses descendants).

➤ *Autorité, Classe dirigeante, Dépendance, Hégémonie, Légitimité, Pouvoir ; Annexe 49.*

DON

Transfert de biens sans contrepartie immédiate.

Dans plusieurs sociétés primitives, le don entre dans le cadre de l'échange non marchand : système de dons et de contredons établissant des liens de réciprocité hors de la sphère des échanges commerciaux, comme l'a montré M. Mauss.

En économie : modalité de l'aide entre pays.

➤ *Aide au développement, Mauss, Potlatch ; Annexe 35.*

DOT

Expression plus pertinente : compensation matrimoniale. Série de biens et de services offerts par le fiancé et ses parents aux parents de la fiancée pour conclure le mariage et compenser, pour la famille de la femme, la perte d'un de ses membres.

Dans bien des cas, la compensation offerte par la famille du fiancé est accompagnée d'un contre-don de la part de l'autre famille.

Il ne faut pas voir dans la dot le « prix » de la femme. La dot participe du principe général de réciprocité qui n'a rien à voir avec une mesure de la valeur entre marchandises.

♦ La dot « à la française », à savoir les biens qu'apporte à son époux la femme qui se marie, est un cas très particulier.

➤ *Échange, Mariage.*

DOUANE (Droits de)

Prélèvement établi par l'État sur une marchandise à l'occasion de son passage à la frontière. L'ensemble des droits en vigueur à un moment donné est appelé *tarif douanier*.

Les droits peuvent s'appliquer soit à l'importation, soit à l'exportation. Avec la libération des échanges qui a suivi la Deuxième Guerre mondiale, ils ont perdu leur importance dans de nombreux pays.

Un droit *ad valorem* est établi en pourcentage de la valeur du produit ; un droit *spécifique* en valeur absolue pour un produit particulier. Le tarif extérieur commun de la CEE est *ad valorem* pour la quasi-totalité des produits.

→ **Barrières non tarifaires, Protectionnisme, Union douanière.**

DROIT

Ensemble de règles imposées aux membres d'une société pour que leurs rapports sociaux, échappant à l'arbitraire de la violence individuelle, soient conformes aux principes dominants de l'organisation sociale.

Les sources du droit sont différentes dans les pays de droit oral et de droit écrit ; dans les premiers, la source est la coutume, dans les sociétés de droit écrit, la source est la loi, les règlements, les traités et la jurisprudence inspirés par la doctrine.

♦ La jurisprudence est constituée des décisions antérieures de la justice formant des précédents et sur lesquels un juge pourra fonder sa décision dans un cas qu'il jugera semblable. Complétant et interprétant la loi, la jurisprudence est unifiée par les juridictions supérieures : Cour de cassation pour les juridictions de l'ordre judiciaire, Conseil d'État pour celles de l'ordre administratif, et tribunal des conflits.

♦ La doctrine est constituée des interprétations du droit contenues dans les articles et thèses publiés par les professeurs de droit.

Les règles juridiques (de droit) sont des normes sanctionnées par le pouvoir judiciaire des juridictions (du latin *jus* « le droit » et *dicere* « dire ») qui disent le droit. L'ensemble des règles applicables à un type particulier de rapports sociaux forme une branche du droit (droit commercial, droit constitutionnel, droit judiciaire privé, droit pénal, droit civil, droit du travail, etc.). Regroupées en un seul recueil, ces règles sont codifiées (Code civil, Code du travail, Code d'administration communale, etc.).

→ **Droit du travail, Légitimité.**

DROIT DU SOL

Selon le *jus soli* ou droit du sol (cas des États-Unis et de la France), la naissance dans le pays d'accueil d'un enfant de parents étrangers confère à l'intéressé la nationalité de ce pays.

Ce principe complète le *jus sanguinis*, acquisition de la nationalité par filiation d'ascendants. En France, les articles 23 et 44 du Code de la nationalité (loi de 1889) définissent le droit du sol comme suit :
– est français de naissance tout enfant né en France dont l'un des parents au moins (étranger ou non) est lui-même né en France (article 23, principe du « double droit du sol ») ;
– deviennent français, à leur majorité, les enfants de parents étrangers si ces enfants sont nés en France et y résident depuis l'âge de 13 ans (article 44, principe du « simple droit du sol »).

(L'article 44, modifié de façon restrictive en 1993, a été rétabli et assoupli en 1998 (Loi Guigou) tout en autorisant l'acquisition de la nationalité dès 13 ans avec le consentement des parents.)

♦ *A contrario*, dans les pays qui ne reconnaissent que le *jus sanguinis*, les descendants d'immigrés nés sur le territoire national restent étrangers. Cela a longtemps été le cas de l'Allemagne jusqu'aux modifications récentes des années 1990.

→ **Immigration et immigrés, Républicain (Modèle).**

DROIT DU TRAVAIL

Ensemble des règles juridiques applicables aux relations de travail, individuelles et collectives, entre les employeurs privés et les salariés qui en dépendent. Bien que certains de leurs principes soient communs, les relations entre les employeurs publics et leurs salariés relèvent du droit administratif.

◆ Entre la fin du XVIIIe et la fin du XIXe siècle, le travail salarié ne fait l'objet d'aucun traitement juridique propre. La loi Le Chapelier et la loi d'Allarde (1791) « mettent le travail sur le même plan que le négoce... » (A. Supiot) ; il est assimilé à un bien que l'individu est susceptible de vendre comme n'importe quelle autre marchandise. Les premières réglementations (par exemple, en 1841, interdiction d'embaucher des enfants de moins de 8 ans) apparaissent isolées. Ce n'est qu'à la fin du XIXe et au début du XXe siècle qu'émerge en France un droit du travail spécifique et distinct du Code civil (1892, création de l'Inspection du travail ; 1906, élaboration d'un Code du travail ; loi de 1910 sur le droit du travail). La loi de 1936 sur l'extension des conventions collectives, les mesures prises à la Libération et les Lois Auroux votées en 1982 sont des étapes importantes dans son développement.

Le droit du travail se présente comme une série de prescriptions de caractère impératif, contrôlée par l'administration et sanctionnée par les tribunaux.

Pendant longtemps, les autorités étatiques ont édicté unilatéralement les règles du droit. Avec le développement des conventions collectives, une part non négligeable des dispositions en matière de travail a pour source la négociation et les accords entre les partenaires sociaux, ceux-ci pouvant être étendus par l'État à une branche ou à l'ensemble des branches sous forme de décrets ou de lois. Par ailleurs, les conventions internationales peuvent être une source du droit.

Le champ du droit du travail est vaste : outre les règles relatives à l'embauche, au contrat de travail et au licenciement, il comprend les principes de rémunération (SMIC), la réglementation du rythme et des conditions de travail, la représentation du personnel et les groupements professionnels, les litiges individuels et les conflits collectifs, les grilles de qualification et la formation professionnelle, etc.

➤ *Auroux (Lois), Convention collective, Réduction du temps de travail, Relations du travail ou professionnelles, Syndicats des salariés.*

DROITS DE L'HOMME

Historiquement, ensemble des droits politiques et civils reconnus aux individus par la *Déclaration des droits de l'homme et du citoyen* (1789).

Cette déclaration s'inspire des idéaux de la Révolution française (Liberté, Égalité, Fraternité). Ces principes sont à la base de la démocratie moderne.

◆ Quelques-uns des principes de la Déclaration de 1789 : égalité politique et sociale de tous les citoyens ; respect de la propriété ; respect des opinions et des croyances ; liberté de la parole et de la presse.

Aujourd'hui, droits politiques et sociaux dont le respect est lié à l'exercice de la démocratie.

Tout en se référant aux principes de 1789, les déclarations et conventions actuelles, en particulier la *Déclaration universelle des droits de l'homme* votée par les Nations unies en 1948, les adaptent aux problèmes contemporains (condamnation de la torture, droit à l'intégrité physique et morale) et les élargissent aux plans social, économique et culturel (dépassement de l'optique individualiste de 1789, prise en considération des aspirations collectives). L'adhésion officielle de certains pays aux principes des droits de l'homme ne signifie pas forcément leur respect.

➤ *Démocratie.*

DROITS DE PROPRIÉTÉ (Théorie des)

Théorie fondée sur l'hypothèse que l'attribution de droits de propriétés bien définis est une condition de l'efficacité économique.

Un droit de propriété est le droit, garanti par la société, de choisir les usages d'un bien économique : le propriétaire se voit reconnaître le droit d'utiliser le bien (*usus*, par exemple occuper son appartement), d'en retirer un revenu (*fructus*, par exemple louer son appartement), d'en disposer (*abusus*, par exemple de vendre son appartement) ; ce droit s'exerce dans le cadre de la loi (qui permet de posséder une voiture mais interdit les excès de vitesse).

Selon la théorie, les droits parfaits doivent être subjectifs (attribués à un individu déterminé), exclusifs (pas de propriété simultanée d'un même bien), librement cessibles (condition d'existence d'un marché). Toutefois, parce que l'information est imparfaite et qu'il faut respecter les obligations contractuelles définissant les droits des autres parties, les droits de propriété ne sont souvent que des droits de contrôle résiduel, au sens de droits de décider de l'utilisation d'un actif qui n'ont pas été prédéterminés (par exemple, le droit de licencier). La propriété privée est un stimulant efficace dès lors qu'elle associe à ce droit de contrôle résiduel le droit de s'approprier le bénéfice résultant de l'utilisation de l'actif. C'est ce que montre *a contrario* l'échec des économies « socialistes » : les dirigeants des entreprises (qui exerçaient le contrôle résiduel) ne pouvaient s'approprier les bénéfices (qui revenaient à l'État). C'est ce qui conduit à attribuer aux salariés une fraction des bénéfices, afin de les intéresser aux performances de l'entreprise dans son ensemble, au-delà de leur service particulier…

Les droits de propriété ont donc pour fonction d'inciter les individus à créer (brevets sur les inventions), conserver (on entretient mieux la voiture dont on est propriétaire que la voiture que l'on loue) et valoriser des actifs (maximiser le bénéfice). Ils permettent également l'internalisation des externalités (exemple des droits à polluer), mais la constitution de ces droits génère des coûts de transaction qu'il faut comparer aux avantages attendus.

→ *Coase (Théorème de), Contrats (Théorie des), Coûts de transaction, Économie de l'environnement.*

DROITS DE TIRAGE

Crédit potentiel dont chaque pays peut disposer auprès du FMI ; son montant est défini en fonction de la quote-part du pays.

Les crédits peuvent être soit automatiques et inconditionnels, soit subordonnés à l'adoption d'une politique économique négociée avec le FMI ; ils peuvent d'autre part être totalement remboursables ou seulement partiellement remboursables (droits de tirage spéciaux).

→ *Fonds monétaire international (FMI).*

DROITS DE TIRAGES SPÉCIAUX (DTS)

Unités de compte utilisées dans le cadre du FMI et créées en 1969. C'est une monnaie panier définie comme la combinaison de plusieurs monnaies dont les pondérations sont depuis 1991 : dollar (40 %), mark (21 %), yen (17 %), franc et livre (11 % chacun) ; sa valeur est donc variable.

Chaque pays a un compte en DTS auprès du Fonds monétaire international, sur lequel s'effectuent trois types d'opérations : des dépôts en devises — le pays reçoit des DTS en contrepartie de devises —, des crédits accordés par le FMI, ou bien enfin des allocations. Dans ce dernier cas, le FMI met des DTS à la disposition des pays et crée ainsi des liquidités internationales.

→ *Fonds monétaire international (FMI).*

DUALISME (marché du travail)

Analyse selon laquelle la segmentation du marché du travail a tendance à évoluer vers une bipolarisation des emplois en matière de statut (nature des contrats de travail) et de carrière.

→ *Emploi, Travail.*

DUALISME (pays en développement)

Analyse qui caractérise la structure des économies sous-développées par la juxtaposition d'un « secteur moderne » et d'un « secteur traditionnel ».

Le premier est dominé par des unités de production à forte intensité capitalistique, souvent tournées vers l'extérieur (filiales de FMN, négoce, entreprises étatiques). Le second, relevant d'un système largement précapitaliste, regroupe l'agriculture de subsistance, l'artisanat et le petit commerce. Les écarts de productivité sont considérables d'un secteur à l'autre. Les échanges intersectoriels sont restreints et il n'y a pas ou peu d'effets d'entraînement du secteur dit « moderne » sur le reste de l'économie.

♦ Le dualisme se rencontre à d'autres niveaux : spatial (fortes disparités régionales), urbain (les quartiers modernes et les autres), culturel (modèle occidental/modèles traditionnels).

♦ La théorie du dualisme a été critiquée, en particulier sur le compartimentage de l'économie et sa présentation d'un secteur traditionnel n'évoluant pas (analyse alternative en termes de désarticulation).

→ *Désarticulation, Économie du développement, Économie souterraine (économie informelle), Société traditionnelle.*

DUMPING

Pratique consistant à vendre à perte pour s'introduire sur un marché, accroître sa part ou éliminer les concurrents.

DUMPING SOCIAL

Action qui vise à tirer un avantage des différences de réglementation et de coût du travail entre différentes régions ou pays.

Les acteurs peuvent être les entreprises qui se délocalisent, ou les États qui jouent sur les règles sociales pour attirer entreprises et emplois. Le dumping social suppose une liberté de circulation des marchandises et des capitaux et une faible mobilité de la main-d'œuvre (sinon les conditions de travail et de rémunération auraient tendance à se rapprocher).

→ *Délocalisation, Europe (union ou intégration économique).*

DUOPOLE

Situation de marché résultant de la confrontation de deux offreurs et de nombreux demandeurs.

→ *Concurrence.*

DUOPSONE

Situation de marché résultant de la confrontation de nombreux offreurs et de deux demandeurs.

→ *Concurrence.*

DURKHEIM (Émile)

Sociologue français (1858-1917), considéré comme l'un des fondateurs de la sociologie moderne.

Ses *Règles de la méthode sociologique* font partie des textes fondateurs qui influencent la démarche sociologique contemporaine. Il définit la spécificité des faits sociaux qui ne peuvent être réduits aux faits psychologiques et qui doivent être expliqués par d'autres faits sociaux. Ce faisant, il s'efforce de montrer le caractère déterminant des phénomènes collectifs dans les comportements individuels. Son étude sur le suicide (une des premières études sociologiques utilisant les séries et les corrélations statistiques) illustre sa méthode : ce phénomène ne se distribue pas au hasard mais varie en intensité selon des faits socio-culturels (cohésion sociale, anomie). Toute son œuvre est basée sur l'idée que la « société n'est pas une simple somme d'individus mais […] une réalité spécifique qui a ses caractères propres ».

Parallèlement, sa pensée est traversée en permanence par ce que l'on appelle aujourd'hui la question du lien social et, partant, celle de la cohésion au sein d'une société. Durkheim distingue l'intégration (conscience commune, interaction entre les membres du groupe, buts collectifs) et la régulation (action régulatrice du pouvoir sociétal dont l'efficacité est subordonnée à la légitimité de l'autorité). Le développement de la division du travail, tout en renforçant l'individualité, développe l'interdépendance des individus entre eux par la multiplication des échanges. Cette cohésion sociale peut être mise en péril par défaut d'intégration (« égoïsme », cloisonnement) ou de régulation (anomie). Durkheim incrimine en particulier le changement social trop rapide (qui dissout des instances intégratrices sans en forger de nouvelles) et les dysfonctionnements de la division du travail (excès de division dans le cadre d'une contrainte sans réciprocité).

♦ Principaux ouvrages : *De la division du travail social* (1893) ; *Les règles de la méthode sociologique* (1895) ; *Le suicide* (1897) ; *Les formes élémentaires de la vie religieuse* (1917).

⟶ *Anomie, Conscience collective, Contrainte sociale, Criminalité et délinquance, Fait social, Représentations collectives, Sociologie, Solidarité ; Annexe 29.*

DYARCHIE

⟶ *Pouvoir (Formes de).*

E

EBE (Excédent brut d'exploitation)

Mesure du profit qui correspond au solde du compte d'exploitation (Comptabilité nationale).

Ce solde, qui mesure ce qui reste au secteur institutionnel après rémunération des salariés et versement des impôts liés à la production (sauf TVA), est indépendant de la nature des capitaux utilisés (capitaux propres ou capitaux empruntés).

♦ Si l'entreprise est fortement endettée, elle peut dégager un EBE important mais qui sera ensuite amputé par les frais financiers qu'elle devra verser.
♦ Dans le cas particulier des entrepreneurs individuels, l'EBE représente à la fois la rémunération du travail et celle du capital.

→ *Comptabilité nationale, Profit, Rentabilité.*

ÉCART-TYPE (ou ÉCART QUADRATIQUE)

Mesure de la dispersion d'une variable autour de sa moyenne. Il est égal à la racine carrée de la moyenne des carrés des écarts des différentes valeurs de la variable à leur moyenne. La formule de calcul est la suivante :

$$\sigma = \sqrt{\frac{1}{n} \Sigma (x_i - \bar{x})^2}$$

σ = écart-type
x_i = valeur de la variable pour l'observation i
$\bar{x}$ = moyenne de la variable
n = nombre d'observations

→ *Dispersion.*

ÉCHANGE

Mode de circulation des biens et services impliquant une évaluation, une négociation, un accord de deux volontés et un transfert entre les parties.

Pour les économistes néo-classiques, l'échange implique toujours un calcul coût/avantage et est une pratique de toutes les sociétés, mais présente sous des formes diverses : échange monétaire, troc, corvée, don, etc.

Pour beaucoup d'anthropologues, au contraire, l'échange économique n'est qu'une forme de circulation des biens parmi d'autres ; il se distingue d'autres modes de répartition, comme ceux fondés sur le don ou sur des contributions obligatoires à une autorité centrale redistributive (État, Sécurité sociale).

Ainsi, pour eux, le partage, dans les sociétés de chasseurs-collecteurs, de même que le tribut, la corvée, l'offrande, le don et la redistribution, ne sont pas des formes d'échange de nature économique, c'est-à-dire où seule compte la comparaison coût/avantage ; ils sont des modes distincts de circulation des biens, de nature également sociale, religieuse, politique. Reliant les hommes entre eux selon leur statut (suzerain, père de famille, prêtre, vassal, fils, etc.), et pour des biens spécifiques, ces modes de répartition se distinguent de l'échange marchand, qui relie, lui, les choses entre elles de manière impersonnelle et indifférenciée.

♦ En effet, dans le cas de l'échange marchand, n'importe qui peut acheter ou vendre n'importe quoi : tout bien s'échange contre tout autre en fonction de sa seule valeur d'échange. Mais les cadeaux portent sur des biens spécifiques non substituables : il n'est pas indifférent d'offrir à Noël 100 F de pâtes ou 100 F de chocolats fins, alors que dans l'échange, leur valeur est la même. Peu à peu, les rapports marchands pénètrent la famille et il n'est pas rare de voir les parents échanger, avec leurs enfants, lavage de la voiture contre argent de poche.

♦ La généralisation de l'échange monétaire par l'économie de marché, qui fonde, en théorie, la circulation des biens sur la propriété privée, la liberté de contracter, la substituabilité des marchandises et l'égalité juridique des contractants, a représenté un déclin du rôle du monarque dans la répartition des biens entre ses sujets. Tout en favorisant la croissance économique, ce fut aussi un facteur de dissolution des liens et des solidarités communautaires : ceux qui ne peuvent rien vendre peuvent difficilement survivre en économie de marché ; il fallut bien maintenir ou restaurer, dans ce cas, les pratiques redistributives (charité, solidarité familiale ou nationale) ou d'autosubsistance, hors de l'échange marchand.

Reprenant les thèses de René Girard (*La Violence et le Sacré*), certains économistes (Aglietta, Orléan) admettent qu'à l'origine des échanges se trouverait le désir d'imiter autrui en se l'appropriant (meurtre, anthropophagie) ou, pratique moins violente, en s'appropriant une chose lui appartenant. En fait, l'échange monétaire n'a pas aboli mais simplement voilé la « violence

mimétique » originelle, en la détournant sur la monnaie.

⟶ *Mariage, Mauss, Potlatch, Répartition, Troc, Valeur d'échange ; Annexes 2, 31, 35, 41.*

ÉCHANGE INÉGAL

> Il y a échange inégal entre deux pays quand, à balance commerciale supposée équilibrée, le contenu en travail des importations n'est pas égal à celui des exportations.

Cette analyse est développée par des économistes, principalement marxistes, fondant la valeur des marchandises sur la quantité de travail nécessaire à leur production. Ils considèrent l'échange inégal comme une forme d'exploitation d'un pays par un autre, qui obtient à son profit un transfert net de valeur (Arghiri Emmanuel dans *L'échange inégal*, 1969). Au contraire, pour les néo-classiques, l'échange est toujours égal en situation de concurrence pure et parfaite, et mutuellement avantageux conformément à la loi des avantages relatifs comparés.

Plus généralement, se pose le problème de l'inégale répartition internationale des gains de productivité dégagés par chaque pays. Quand pour un pays, les gains de productivité se traduisent par une augmentation des quantités produites, il risque, selon Prébisch, de voir baisser le prix relatif mondial de ses exportations ; si les biens exportés ont une demande peu sensible aux variations de prix, les gains de productivité sont alors transférés aux pays importateurs. Les pays développés, au contraire, parviennent à conserver leurs gains de productivité (ils sont souvent affectés à la hausse des revenus), sans que la hausse relative du prix de leurs exportations n'entraîne une baisse significative de demande. En effet, leurs produits disposent d'une avance technique renouvelée qui les met à l'abri des efforts de substitution des pays en développement.

La spécialisation et l'échange, pour les partisans de cette théorie, s'ils restent mutuellement avantageux, profitent donc surtout aux pays qui se spécialisent dans les produits nouveaux à forte valeur ajoutée par du travail hautement qualifié et rémunéré.

→ *Avantage (absolu, comparatif), Économie du développement, Impérialisme, Termes de l'échange.*

ÉCHANGE INTERNATIONAL

Ensemble des opérations commerciales et financières réalisées par des agents économiques résidant dans des pays différents. Au sens large, il comprend :
– des échanges de marchandises et de services : exportations et importations ;
– des mouvements de capitaux à court et long terme ;
– des transferts (dons) sans contrepartie.

Les échanges internationaux des différents pays sont comptabilisés dans les balances des paiements. Depuis 1945, l'échange international s'est rapidement développé grâce, notamment, à la croissance économique générale et à l'abaissement des barrières douanières réalisé dans le cadre du GATT ou d'unions douanières régionales.

→ *Balance des paiements, Commerce international, GATT (General Agreement on Tariff and Trade).*

ÉCHANTILLON

Sous-ensemble tiré d'un ensemble plus vaste (« population mère ») et présentant les mêmes caractéristiques, la même composition interne que l'ensemble.

♦ Exemple : un échantillon représentatif de la population française comportera, au

degré d'erreur près, les mêmes proportions d'hommes et de femmes, le même pourcentage d'ouvriers parmi les actifs, etc., que la « population mère ».

Les échantillons sont constitués soit suivant la méthode des quotas, soit « au hasard » ; dans ce cas, la représentativité suppose une taille minimale.

→ *Sondage.*

ÉCHELLE MOBILE

Mécanisme d'ajustement des salaires en fonction d'un indice, en général celui des prix à la consommation. Rendue en partie responsable de l'inflation, la notion d'échelle mobile a été éliminée de la fixation des revenus au début des années 1990 en France. Il en subsiste cependant quelques aspects : le SMIC reste indexé sur l'évolution des prix à la consommation, ainsi que certaines prestations sociales (retraites, allocations chômage, etc.).

→ *Indexation.*

ÉCOLE DE CAMBRIDGE (Nouvelle)

Ensemble d'économistes postkeynésiens de l'université de Cambridge (Angleterre), connus pour avoir critiqué, au cours des années 1950 et 1960, la théorie néo-classique de la croissance et de la répartition.

Ont travaillé à Cambridge des économistes très différents.

♦ La première école, néo-classique, s'est formée autour d'Alfred Marshall (1842-1924), auquel a succédé Arthur C. Pigou (1877-1959) ; parmi ses apports, on peut citer le raisonnement en équilibre partiel, décliné différemment selon la durée des périodes, et la reformulation de la théorie quantitative de la monnaie (équation de Cambridge). Keynes (1883-1946) a, lui aussi, enseigné à Cambridge, mais la nouvelle école de Cambridge s'est constituée après la guerre, autour d'économistes post-keynésiens, tels que Joan Robinson (1903-1983) et Nicolas Kaldor (1908-1986).

Contrairement à la première, cette nouvelle école s'est opposée à la théorie néo-classique, et tout particulièrement à des économistes enseignant dans une autre université de Cambridge, située dans une banlieue de Boston, aux États-Unis. La « guerre des deux Cambridge » opposa en effet, au cours des années 1950 et 1960, d'un côté Robinson et Sraffa (1898-1983), de l'autre Samuelson et Solow, autour de la question de l'utilisation, dans les modèles de croissance, d'une fonction de production macroéconomique faisant apparaître le capital comme une grandeur homogène.

Contournant le problème de l'agrégation de biens hétérogènes (une grue + un camion = ?), les néo-classiques se référaient à un mystérieux facteur de production appelé « le capital » ; selon les Cambridgiens, pour mesurer « le capital », il faut connaître les prix qui permettent d'agréger ses différentes composantes (une grue qui vaut 300 + un camion qui vaut 100 = 400), donc connaître la rémunération des facteurs, qui entre dans le coût de production et, par conséquent, leur productivité marginale, y compris celle de ce « capital » (raisonnement circulaire).

Les modèles de croissance cambridgiens sont fondés sur une relation entre l'accumulation du capital (qui détermine le rythme de croissance de l'économie, directement et via le progrès technique) et la répartition du revenu national (car l'accumulation dépend du taux de profit, qui dépend en retour du taux d'accumulation).

→ *Keynésianisme/Keynésien(s)* ; *Annexes 10, 19, 22, 23.*

ÉCOLE DE CHICAGO (sciences économiques)

Groupe d'économistes liés à l'université de Chicago dont F.H. Knight nommé en 1928, fut le premier représentant. Les partisans de l'École de Chicago sont avant tout des libéraux, par exemple le monétariste Milton Friedman (ainsi que J. Viner, G.J. Stigler).

Ils considèrent que le système du marché concurrentiel est fondamentalement stable et efficace, à condition que la croissance de la masse monétaire soit régulière. Ces économistes critiquent presque toutes les formes d'intervention de l'État dans la vie économique (d'où leurs polémiques avec les keynésiens). Les cycles sont expliqués par les variations brutales de la politique monétaire, et la crise par l'excroissance de l'État keynésien (réglementation, déficits, nationalisations, fiscalité, etc.).

♦ Actuellement, on rattache à l'École de Chicago : G. Becker (théorie du capital humain), R.H. Coase (théorie des droits de propriété) et les fondateurs de l'École du *Public choice*, J.M. Buchanan et G. Tullock.

→ *Monétarisme,* Public choice (École du) ; *Annexes 20, 24.*

ÉCOLE DE CHICAGO (sciences sociales)

Constellation de chercheurs formés au département de sociologie de l'Université de Chicago, qui donnèrent dans les années 1920 et 1930 une impulsion décisive à la sociologie empirique de facture ethnographique tout en jetant les bases de la sociologie urbaine. William Thomas et Robert E. Park peuvent en être considérés comme les fondateurs. Avec eux, E. Burgess, L. Wirth, R. Mc Kenzie, F. Trasher en sont les principaux représentants.

William Thomas donne le coup d'envoi avec sa monumentale enquête sur « Le paysan polonais en Europe et aux États-Unis » (1918-1920). Robert E.

Park (1864-1944), au départ journaliste (tout en ayant fait des études approfondies de sociologie aux États-Unis et en Allemagne), joua un rôle décisif en incitant nombre d'étudiants en sciences sociales à se lancer dans des enquêtes de terrain basées sur l'observation directe. De fait, les chercheurs de Chicago des années 1920 ont largement contribué à mettre au point les techniques d'enquête qualitative de la sociologie contemporaine (procédures d'observation, techniques d'entretien, méthode biographique, etc.).

Parallèlement, Park avec Burgess et Mc Kenzie (la première génération après le travail initiateur de Thomas) développent une problématique de « l'écologie humaine » en milieu urbain : la ville est un tout complexe rassemblant des éléments matériels, sociaux, culturels en perpétuelle interaction. Cette proposition, valable pour tout espace social, est particulièrement vérifiée pour la grande ville (dont Chicago constitue le champ d'études privilégié) : « Dans les conditions de la vie urbaine, les institutions se développent rapidement [...] les processus de leur développement sont accessibles à l'observation [...] » ; en outre, « chaque caractéristique de la nature humaine [y] est non seulement visible, mais grossie » (R.E. Park). Dans cette direction est affirmée l'existence d'un mode de vie spécifiquement urbain marqué par le relâchement des liens communautaires traditionnels, l'individualisation, le brassage social, la fréquence des comportements déviants, etc.

Plus ou moins en rapport avec cette problématique, plusieurs études (certaines devenues des classiques) abordèrent des thèmes qui constituent aujourd'hui des champs importants de la sociologie :

– les immigrés et les minorités ethniques. W. Thomas, à partir de son étude sur les immigrés polonais, élabore un modèle dynamique d'acculturation collective avec ses phases de désorganisation et de réorganisation ;

– la marginalité sociale, illustrée entre autres par les études de Nels Anderson sur les « hobos » (sans-abri et/ou travailleurs saisonniers) et de Cressey sur les danseuses professionnelles ;

– la délinquance juvénile (par exemple, la célèbre étude de Trasher, *The Gang*, sur les bandes de jeunes) et la criminalité professionnelle (par exemple, *Le voleur professionnel* de E. Sutherland).

♦ Remarque : le label « École de Chicago » est parfois employé pour désigner des sociologues postérieurs qui, tout en étant formés ou influencés par les fondateurs, s'en démarquent substantiellement (en particulier le courant interactionniste).

→ *Interactionnisme ; Annexe 36 ; Annexe : Grands courants de la sociologie, p. 536.*

ÉCOLOGIE

Science des échanges et des équilibres naturels ou « science des relations des êtres vivants, plantes et animaux, entre eux et avec leur milieu » (E. Haeckel, 1866).

À côté d'une *écologie naturelle* issue des sciences naturelles, de la biologie et de la géographie physique, s'est développée à partir d'elle une *écologie politique* qui étudie l'impact des activités productives humaines sur les équilibres naturels. Par son objet comme par sa démarche normative (comment faut-il produire ?), elle se rapproche de l'économie politique et entre en concurrence avec elle.

L'*écologie politique* a donné naissance à un mouvement politique, le *mouvement écologiste*, dont l'objectif est de transformer la manière de produire et de consommer afin de sauvegarder l'environnement naturel.

→ *CNUED, Écologistes (Doctrines), Économie de l'environnement, Externalités.*

ÉCOLOGISTES (Doctrines)

Ensemble des courants de pensée se réclamant de la défense prioritaire de l'environnement naturel. Les thèses écologiques ont trouvé un écho important à l'occasion de la publication du rapport Meadows (MIT) en 1972 au Club de Rome, des crises pétrolières, des famines au Sahel et de toutes les catastrophes écologiques majeures récentes dont la fréquence et la gravité ont paru s'accentuer (*Torrey Canyon*, *Amoco Cadiz*, Ixtoc-1, Minamata, Los Alfaques, boues rouges de la Montedison, sels des Potasses d'Alsace, Seveso, Mexico, Bhopal, Bâle, Three Miles Island, Tchernobyl, *Exxon Valdez*...).

Au sein du mouvement écologiste, différentes lignes de partage peuvent être observées.

Sur le plan économique, celle qui sépare une écologie libérale réformiste d'une écologie radicale.

L'écologie libérale compte sur les mécanismes du marché et sur une législation incitative, progressive et concertée, pour résoudre les problèmes d'environnement. L'internalisation des coûts de la nature dans le calcul économique des entreprises et des ménages (au besoin par des taxes et des subventions), l'innovation technique (techniques propres, voiture propre, etc.), l'essor d'un capitalisme vert (éco-business, éco-industries...) permettront de gérer économiquement les ressources de la nature, sans porter atteinte à la croissance et à l'emploi. L'écologie libérale réformiste se veut réaliste et optimiste : en remplaçant le capital naturel par du capital technique, on peut même accroître les capacités productives des générations futures.

L'écologie radicale s'inspire notamment des thèses de K. Boulding, de N. Georgescu-Rœgen et d'I. Illich. Les techniques industrielles, en cherchant à satisfaire un besoin, génèrent d'autres insatisfactions qu'elles essayent de réduire en créant de nouveaux outils, etc. La croissance se nourrit de ses propres dégâts : l'économie est contre-productive. La croissance est à la fois néfaste et illusoire. Néfaste, elle détruit des ressources non renouvelables et génère des coûts sociaux : exclusion, précarité, chômage technologique, aliénation technique et marchande, perte du sens et de l'autonomie face à l'État et aux outils marchands (hétéronomie). Illusoire, car il n'y a valeur ajoutée croissante que parce que les prix ne prennent pas en compte les désutilités croissantes ; en fait, il y a valeur retranchée.

Partie de la défense de l'environnement, l'écologie radicale aboutit au problème de l'emploi et à la nécessaire adoption d'une autre logique de production que le productivisme libéral ou d'inspiration marxiste. Puisqu'il n'y aura pas d'emplois pour tous, il faut découpler les revenus de l'emploi (voir A. Gorz) et redéfinir la part et le rôle de l'État, du marché et de la sphère des activités autonomes (triangle de S.C. Kolm). Les activités autonomes, hors marché, sont conviviales, peu polluantes parce qu'utilisant des techniques alternatives ; elles seront favorisées par l'instauration d'une allocation universelle, véritable droit de l'homme, de nature économique. Le contrôle de la technoscience, jusqu'ici soumise à des impératifs de profit ou de puissance (voir L. Mumford, J. Ellul), le primat de l'éthique sur l'économique, complètent un programme qui, en résumé, conteste au capitalisme son aptitude à relever démocratiquement et sans crise le défi de l'environnement.

Sur le plan philosophique, on observe également une opposition entre une écologie anthropocentriste organisée autour de l'homme et une écologie biocentriste organisée autour de tous les êtres vivants, hommes mais aussi animaux et plantes.

→ *CNUED, Écologie, Économie de l'environnement, Externalité.*

ÉCONOMÉTRIE

Application des techniques mathématiques et statistiques à l'analyse des phénomènes économiques.

Elle s'est développée à partir des années 1930, surtout dans les pays anglo-saxons, en particulier grâce aux progrès des données statistiques. Elle a pour but d'établir et de mesurer des corrélations entre les variables économiques.

À partir d'une relation théorique entre une ou plusieurs variables explicatives (par exemple, le revenu des ménages) et une variable expliquée (par exemple, la consommation), elle s'efforce de quantifier les paramètres qui relient les différents types de variables à l'aide de techniques statistiques appropriées (régression, calcul de coefficients de corrélation).

Le développement de l'analyse macroéconomique, les progrès dans l'élaboration des statistiques ont conduit les économètres à construire des modèles comprenant parfois un grand nombre d'équations (plusieurs centaines pour les plus gros) et qui cherchent à rendre compte du fonctionnement réel d'une économie, à prévoir son évolution future en fonction de certaines hypothèses, à étudier l'effet de telle ou telle mesure de politique économique.

➙ *Modèle (économique).*

ÉCONOMIE
(aspect polysémique)

L'économie comme *discipline scientifique* au sein des sciences sociales : économie politique, science économique (le « dictionnaire d'économie »).
L'économie comme *système productif* : l'ensemble des activités productives d'un pays, d'une région, d'une branche (l'« économie française », l'« économie méditerranéenne », l'« économie du tourisme », etc.).

L'économie comme *comportement* : comportement d'épargne (« être économe », « faire des économies » : préférer le terme « épargne ») ou comportement de gestion au moindre coût des ressources rares (principe d'économicité : par exemple, « faire des économies d'échelle ») ou comportement de non-utilisation (« faire l'économie d'un discours » = ne pas parler).

ÉCONOMIE
(Grands courants de l')

➙ *Annexe, p. 536.*

ÉCONOMIE (sciences économiques)

Science qui étudie la production, la répartition et la circulation des richesses.

Avant l'émergence des sociétés « modernes », ce que nous appelons aujourd'hui l'économie n'existait pas en tant que telle — comme une sphère d'activités spécifiques — mais était imbriquée dans les autres institutions sociales (parenté, politique, religion).

Avec l'avènement du « marché autorégulateur », l'économie s'est séparée des autres institutions sociales et a soumis le reste de la société à ses propres lois. C'est donc une théorie de la société capitaliste que s'efforcent d'élaborer les économistes classiques : Smith s'interroge sur la nature et les causes de la « richesse des nations » ; Ricardo définit l'économie politique comme une « recherche sur la répartition du produit de l'industrie entre les classes qui concourent à sa formation ».

Marx présente au contraire son œuvre comme une « critique de l'économie politique ». Il nie l'existence de lois économiques « naturelles » et cherche à rendre compte de l'originalité historique du mode de production capitaliste. De ce point de vue, l'économie pourrait être définie comme l'analyse des rapports historiquement déterminés que les hommes entretiennent avec la nature (forces productives) et entre eux (rapports de production) dans la production de leurs conditions matérielles d'existence.

Actuellement, le sens dominant est donné par la *définition* dite *formelle* de L. Robbins, pour qui « l'économie est la science qui étudie le comportement humain en tant que relation entre les fins et les moyens rares à *usages alternatifs* » (1932).

♦ *Usage alternatif*, usage qui implique un choix : je peux acheter soit un dictionnaire d'économie, soit un enregistrement de la Callas, avec la même somme d'argent ; je peux limiter mon travail et mes revenus ou travailler plus pour gagner plus.

Cette définition est dite formelle car elle prétend s'appliquer à *toutes les situations* dans lesquelles l'homme doit effectuer des choix.

♦ *Toutes les situations*, ce qui signifie quelles que soient les sociétés ou les cultures (des Bochimans aux Anglo-Saxons) et quelle que soit la nature de l'activité.

À l'opposé de cette conception, on trouve la *définition substantive* ou matérielle : pour des auteurs tels que Polanyi, l'économie est un « processus institutionnalisé » d'interaction entre « l'homme et son environnement naturel et social » qui permet un approvisionnement en « moyens matériels de satisfaire les besoins » (1957).

→ *Classique(s) (Économie, économistes), Institutionnalisme, Marx, Néo-classique (Économie, Théorie), Polanyi.*

ÉCONOMIE DE L'ENVIRONNEMENT

Branche de la science économique qui cherche à évaluer les coûts de la dégradation de l'environnement naturel, les coûts de la dépollution et de la préservation de la nature, et, plus globalement, qui préconise des politiques environnementales efficaces.

L'économie de l'environnement cherche à concilier l'économie et l'écologie : comment produire sans détruire de manière irréversible les ressources naturelles ?

Un certain nombre de coûts de la production sont externes à l'appareil productif : les coûts de la nature, notamment, sont des dommages pour lesquels le producteur n'a rien à payer. Les externalités négatives que sont les diverses pollutions devraient conduire à internaliser les coûts de la nature dans le calcul économique de tous les agents. D'où, deux questions : peut-on évaluer monétairement tous les coûts de la nature ? Comment les internaliser ?

1. *L'internalisation par les droits de propriété*

Le néo-libéral Ronald Coase propose de recourir à des droits de propriété (sur les ressources).

Deux cas de figure sont possibles :
– le producteur-pollueur est détenteur des droits de propriété et c'est aux victimes de ce pollueur potentiel de l'indemniser préventivement pour le manque à gagner qu'il subira en acceptant ainsi de ne pas utiliser son droit de propriété absolu en réduisant sa production. Le voisin gêné par le bruit de l'atelier achète le silence du propriétaire et l'indemnise du manque à gagner ;
– le droit de propriété sur la ressource (droit au silence, etc.) est initialement reconnu aux victimes potentielles : elles seront indemnisées par le producteur-pollueur pour les dommages subis.

Dans les deux cas, les coûts sont évalués monétairement, internalisés, et l'optimum est atteint.

Le système se heurte cependant à des limites : il est inapplicable pour des pollutions globales (pluies acides, effet de serre, atteinte à la couche d'ozone...) pour lesquelles les victimes sont mal identifiables, parfois inconscientes de l'être (problème de l'information et de la transparence sur ce marché de la pollution), les dommages difficilement évaluables (comment évaluer le risque accru d'un cancer plus précoce par rapport aux autres facteurs de risque ?), les pollueurs mal identifiables (tout le monde rejette du CO_2), et les générations futures incapables de négocier les indemnités...

2. *L'internalisation par la taxation : le principe pollueur/payeur*

C'est la solution héritée des théoriciens de l'économie du bien-être (A.-C. Pigou, A. Marshall), les premiers à avoir analysé les externalités. L'intervention de l'État est ici modérée : il fixe une taxe égale au montant du dommage, à la charge du pollueur, qui peut être aussi incité à investir dans du matériel non polluant pour ne pas la payer. L'État peut aussi subventionner celui qui investit dans la dépollution. Là aussi, il est difficile d'évaluer le dommage pour les pollutions globales ou à long terme.

3. *L'internalisation par un marché des droits à polluer*

L'État ou une agence spécialisée, partant d'un niveau de pollution souhaitable, émet des droits à polluer, en quantité plus ou moins limitée selon le niveau à atteindre. Ces droits s'échangent sur un marché : le moins pollueur peut ainsi vendre au plus pollueur ses droits en excédent, leur prix devenant dès lors un coût interne pour ce dernier. Assez efficace pour les pollutions locales, ce système se heurte à la difficile évaluation des niveaux souhaitables pour les pollutions globales et à la difficile répartition équitable des droits à polluer entre les nations.

4. *Le problème de l'irréversibilité et des dommages non marchands*

Certains dommages sont inévaluables dans la mesure où ils ne se feront sentir qu'à long terme ; l'action de dépollution n'a donc pas encore commencé et son coût ne peut être évalué. Non pris en compte dans le calcul économique, ces dommages potentiels peuvent s'avérer irréversibles lorsqu'ils seront devenus évaluables. Autre problème similaire : quelle valeur attribuer à des ressources non marchandes (par exemple des espèces végétales ou animales non utilisées par l'homme mais qu'il détruit) ?

5. *Le choix des politiques de protection de la nature*

La méthode utilisée est celle de l'analyse coût/avantage. Chaque politique a un coût (coût de la dépollution envisagée). Il est comparé à l'avantage procuré (coût de la pollution évitée). L'État choisira les politiques dont l'avantage égale ou excède le coût. On se heurte encore ici à la difficile évaluation monétaire des pollutions à long terme (effet de serre à l'horizon 2050...).

6. *Le problème du taux d'actualisation*

Dépolluer dès aujourd'hui pour lutter contre un dommage à venir pose un problème d'actualisation : il faut comparer deux valeurs qui ne sont pas simultanées dans le temps (à supposer résolue leur évaluation monétaire).

Il est difficile d'affirmer que la théorie économique a des solutions sûres pour relever le défi écologique, ni qu'elle n'en a aucune. Ce constat conforte aussi bien ceux qui font confiance aux mécanismes du marché que ceux qui proposent, dans le doute, des moratoires, une réglementation, voire une interdiction des activités contribuant aux pollutions globales.

→ *Coase, Développement durable (ou soutenable), Droits de propriété (Théorie des), Écologie, Écologistes (Doctrines), Économie du bien-être, Externalité.*

ÉCONOMIE DE L'INFORMATION

Branches de la science économique qui s'intéressent soit aux conséquences de défaut d'information, soit au processus d'accumulation de l'information.

D'une part, toute une partie de la pensée économique qui a connu un essor très vif dans les dernières décennies s'est intéressée aux effets d'une insuffisance de l'information des agents sur la coordination et donc l'efficacité du système économique.

C'est ainsi que, selon Coase, certains coûts informationnels expliquent l'existence de l'entreprise. Pour Hayek, le marché est un processus d'émergence et de partage de l'information.

Toutefois, c'est Arrow qui est à l'origine d'une grande part de la théorie de l'économie de l'information : il traite non seulement de la décision en situation d'incertitude mais il s'intéresse également aux capacités limitées à traiter l'information et aux coûts d'information et de communication qui en résultent ; il relie ces coûts aux formes organisationnelles.

De plus, il met en évidence les asymétries informationnelles (aléa moral et sélection adverse) qui sont au cœur de l'analyse de l'assurance, des contrats et des relations d'agence, lorsque l'asymétrie d'information se double d'une asymétrie de pouvoir.

Le défaut d'information et la rationalité limitée qui en découle sont au centre de théories moins standards que sont les approches évolutionnistes et conventionnalistes.

D'autre part, le développement des activités immatérielles et de la « nouvelle économie » relance l'intérêt de l'analyse de l'information comme un bien. Il s'agit en réalité d'un bien qui présente des caractéristiques spécifiques : un coût fixe élevé et un coût marginal faible, un mode de consommation qui en fait un bien public (non-rivalité, non-exclusion) et des externalités de réseau : l'utilité du bien dépend du nombre d'utilisateurs de ce bien.

→ *Agence (Relation d', Théorie de l') Bien (ou service) collectif, Coase, Hayek.*

ÉCONOMIE DE L'OFFRE
(*Supply side economics*)

Célèbre pour avoir inspiré le programme économique du président américain Reagan, ce courant, développé à partir des années 1970, animé notamment par G. Gilder et A. Laffer (université de Californie du Sud), veut montrer que les difficultés économiques contemporaines proviennent d'une insuffisance de l'offre de facteurs de production due à l'intervention de l'État.

♦ Cette nouvelle approche est fondée sur une réhabilitation de la loi de Say (l'offre crée sa propre demande ; il ne saurait y avoir, dans une économie de marché, d'excès d'offre durable et généralisé), sur les thèses de R. Mundel (qui préconisait une politique d'austérité monétaire associée à une forte réduction des impôts pour lutter contre la stagflation) et de A. B. Laffer (selon lequel une fiscalité trop lourde induit une réduction des recettes fiscales parce qu'elle déprime l'économie). L'économie de l'offre, qui fut à l'origine l'un des piliers de la « reaganomie », politique économique du président R. Reagan, apparaît comme une « contre-révolution keynésienne ».

Les économistes de l'offre considèrent que le ressort de la croissance réside dans l'esprit d'entreprise et les mécanismes du marché. Or, pour eux, le système fiscal mis en place par l'« État-providence » a modifié artificiellement les prix relatifs au détriment du travail, de l'épargne et de l'investissement, qui sont les facteurs du dynamisme de l'économie. Ce diagnostic a conduit les économistes de l'offre à soutenir le vote de la proposition 13 en Californie (réduction des impôts fonciers en 1978), la décision du Congrès d'alléger l'impôt sur les plus-values (1978), le projet de loi Kemp-Roth visant à réduire l'impôt sur le revenu (adopté en 1981). Selon eux, en diminuant simultanément les impôts sur les personnes et les entreprises, d'une part, et les dépenses publiques d'intervention économique et sociale, d'autre part, on favorise une relance de l'activité — ce qui permet de résorber le déficit budgétaire initial —, car le revenu marginal du travail et de l'épargne, la rentabilité des investissements s'accroissent : c'est l'augmentation de la rémunération des facteurs de production qui stimule l'offre.

♦ Les griefs à l'encontre de l'État keynésien ne s'arrêtent pas là : on l'accuse d'avoir porté atteinte à la concurrence (subventions aux entreprises en difficulté, prolifération des réglementations), brouillé les signaux du marché (impôts, tarifs publics), déresponsabilisé les pauvres et les chômeurs qui sont devenus des assistés, dissuadés de faire des efforts pour améliorer leur sort (thèse présentée par Gilder), sans parler des effets pervers des politiques économiques (effets d'éviction sur le marché des biens et des capitaux, laxisme inflationniste).

♦ L'horizon des politiques de l'offre est le long terme : pour que les ajustements aient le temps de s'effectuer sur les marchés, il faut accepter les fluctuations et les perturbations, y compris les coûts sociaux, qui surviennent à court terme. Cette position est fondée sur une confiance totale dans les mécanismes de régulation automatique d'une économie de marché.

→ *Keynésianisme/Keynésien(s), Laffer (Courbe de).*

ÉCONOMIE D'ENDETTEMENT/ DE MARCHÉS FINANCIERS

État d'un système financier qui se caractérise par la prédominance de l'intermédiation bancaire et par la nature administrée des taux d'intérêt, par opposition à l'« économie de marchés financiers ».

Pour caractériser les systèmes financiers nationaux, c'est-à-dire la manière dont sont drainées, dans le cadre d'une économie, les ressources des agents disposant d'excédents (ménages essentiellement) vers les agents à besoin de financement (entreprises et administrations), on distingue deux cas de figure extrêmes :
– dans l'économie d'endettement, les agents se financent principalement auprès d'intermédiaires financiers, alors que, dans l'économie des marchés financiers, le financement s'opère de façon prépondérante sur le marché financier par émission de titres (finance directe) ;
– dans l'économie d'endettement, les taux d'intérêt sont administrés. Ils résultent du comportement de l'offre (Banque centrale et banques). Les banques sont assurées de trouver un financement auprès de la Banque centrale, prêteur en dernier ressort. En revanche, en économie de marchés financiers, les taux d'intérêt, flexibles, résultent de la rencontre entre une offre et une demande, et les banques ne sont pas assurées de pouvoir se refinancer auprès de la Banque centrale.

♦ Cette distinction, dont l'origine se trouve chez Hicks, permet de comparer les systèmes financiers dans l'espace (la France entrant, à la différence des États-Unis, dans le modèle d'économie d'endettement) et dans le temps (les années 1980 ont fait progresser la finance directe au détriment de l'intermédiation). Toutefois, le terme d'économie d'endettement peut prêter à confusion : il y a endettement lorsque l'entreprise a recours à sa banque mais aussi lorsqu'elle émet des obligations sur le marché financier ! En outre, les banques interviennent aujourd'hui très activement sur le marché financier.

→ *Banque, Financement, Intermédiation, Marché financier.*

ÉCONOMIE DE SUBSISTANCE

Forme d'organisation économique orientée vers la satisfaction directe des besoins matériels.

Des unités de production restreintes (familles, maisonnées, villages) consomment une part importante de leur production. Les échanges économiques sont restreints, cantonnés aux biens rares et sans médiation monétaire générale (certains objets servent de valeur d'échange mais celle-ci ne s'attache qu'à quelques catégories de biens). L'économie de subsistance caractérise d'abord les sociétés primitives et, dans une certaine mesure, les sociétés agricoles traditionnelles (dans ces dernières, les échanges sont plus développés et l'usage de la monnaie est plus répandu).

Économie de subsistance ne veut pas dire pour autant économie de pénurie. Plusieurs ethnologues (Sahlins en particulier) ont montré que des sociétés de chasseurs-collecteurs vivent dans une abondance relative : besoins matériels limités et ressources « naturelles » en excédent.

→ *Besoin, Rareté, Sociétés primitives.*

ÉCONOMIE DU BIEN-ÊTRE

Ensemble de théories micro-économiques cherchant principalement à répondre à la question : entre plusieurs situations économiques possibles — chaque situation étant caractérisée par la façon dont sont répartis les ressources et les revenus —, laquelle est la meilleure ?

L'économie du bien-être, qui prend son essor à partir de la publication de l'ouvrage de Pigou, *The Economics of Welfare* (1920), repose sur des hypothèses de nature individualiste (l'individu est le seul juge de son bien-être et le bien-être de la société est exclusivement défini à partir du bien-être de chacun des individus) et fait souvent référence à un théorème fondamental : sous certaines conditions, l'équilibre de marché est un optimum de Pareto.

→ *Optimum.*

ÉCONOMIE DU DÉVELOPPEMENT

Ensemble des différentes théories économiques et socio-politiques qui se sont succédé depuis 1945 et ont cherché à la fois à expliquer la nature du sous-développement (approche positive) et à proposer des politiques de développement (approche normative).

Trois grandes étapes historiques sont à distinguer qui ont déterminé l'évolution des théories du développement.

1945-1975 : libéralisme contre tiers-mondisme

Selon le libéralisme, le sous-développement est un retard dans un processus de croissance de long terme.

◆ Rostow dans les *Étapes de la croissance économique — Manifeste non communiste* (1960) présente un schéma de développement linéaire ; la Grande-Bretagne ouvre la voie et tous les autres pays suivent avec retard, en passant par les mêmes étapes que la devancière : société traditionnelle, conditions préalables au décollage (développement de l'agriculture et des infrastructrures, unification du marché national), décollage (doublement du taux d'investissement, au-delà de 10 % du revenu national), marche vers la maturité (généralisation de la croissance à partir des secteurs moteurs), ère de la consommation de masse.

Le problème du sous-développement se réduit à un problème d'élévation du taux d'épargne et d'investissement, de transfert de capital et de technologie, et d'imitation des pays plus avancés.

Deux fondateurs de l'économie du développement, A. Lewis et Th. Schultz (tous deux prix Nobel d'économie en 1979), nuancent l'analyse libérale.

◆ William Arthur Lewis : économie mondiale divisée entre cœur et périphéries, dualisme de l'économie des pays en développement ; secteur capitaliste moderne (industrie, mines, agriculture marchande) / secteur traditionnel (agriculture de subsistance et activités informelles) ; schéma d'élévation du taux d'investissement par mise au travail industriel du surplus de la main-d'œuvre excédentaire du secteur traditionnel (→ taux de profit élevés et constants dans le secteur moderne qui absorbe progressivement tout le surplus de main-d'œuvre → investissement et croissance…).

◆ Theodore W. Shultz : importance de l'agriculture ; un fort potentiel de développement réside dans le comportement du « paysan rationnel », dont la productivité marginale n'est pas nulle (opposition à Lewis), qui doit pouvoir faire des choix fondés sur des prix vrais, et dont il faut élever la productivité par l'éducation et la formation (investissement en « capital humain »).

L'hétérodoxie développementaliste et structuraliste

◆ A. Gerschenkron (1962) et le « grand rush » (*spurt*) : remise en cause du schéma rostowien de développement linéaire univoque ; les pays d'industrialisation tardive (au XIXe siècle, Allemagne, Russie, Japon...) ont cherché des substituts aux conditions préalables qui leur faisaient défaut (notamment plus d'intervention de l'État mais aussi priorité aux grandes entreprises, intégration banque/industrie...) ; en conséquence, l'industrialisation s'analyse « non comme une série de pures répétitions de la première industrialisation [...] mais comme un système ordonné de déviations graduelles par rapport à cette industrialisation ».

◆ Ragnar Nurkse (1953) et le double cercle vicieux de la pauvreté : une épargne préalable présuppose un revenu élevé, mais celui-ci exige un investissement préalable que seule une épargne préalable peut financer... Rompre les cercles vicieux de manière volontariste : théorie du « big push » de Paul N. Rosenstein-Rodan (dès 1943 à propos de l'Europe de l'Est et du Sud-Est) ; programme d'accroissement de l'investissement dans tous les secteurs.

◆ Le structuralisme (F. Perroux, A. O. Hirschman) : économies sous-développées caractérisées par dualisme, désarticulation, extraversion, asymétries et effet de domination qui impliquent de promouvoir un nouveau développement en favorisant les effets d'entraînement (= externalités positives), en contrant les effets de stoppage (par exemple, fuite des cerveaux) et en recherchant la justice (« tout l'homme, tous les hommes »).

◆ Opposition entre les partisans de la croissance déséquilibrée, Perroux et Hirschman, et ceux de la croissance proportionnée ou équilibrée (*balanced growth*) ; P. N. Rosenstein-Rodan et Ragnar Nurske.

La théorie de la dépendance

Le blocage du développement des PED tient au problème de leur spécialisation primaire héritée de la colonisation qui entraîne la détérioration des termes de l'échange.

◆ En 1949, Hans W. Singer montre la détérioration des termes de l'échange et conclut à la nécessité de l'industrialisation par substitution aux importations (ISI). C. Furtado, dans le cadre de la CEPAL (Commission économique pour l'Amérique latine des Nations unies), prône pour le Brésil l'ISI et le « désarollisme », politique de développement industriel accéléré, et dénonce les inégalités qui freinent le développement.

L'école de la dépendance réclame l'instauration d'un NOEI (nouvel ordre économique international), ce qui débouche sur la création de la CNUCED (1964) prônant en faveur du *fair trade* (commerce loyal). Critique de l'aide, notamment « liée », et de ses effets de dépendance. Sont proposés : planification souple, ou programmation du développement (Meade, Prebisch), protectionnisme pour les industries naissantes.

Les théories néo-marxistes

Elles dénoncent l'impérialisme et le néocolonialisme, l'exploitation et le développement extraverti.

◆ Arghiri Emmanuel : théorie de *L'échange inégal* (1969) ; du fait de la mobilité internationale du capital et de l'inégale rémunération du travail entre pays développés et PED, à balance commerciale même équilibrée, le contenu en travail des exportations du Sud vers le Nord est supérieur à celui des exportations du Nord vers le Sud : les pays capitalistes développés, classe ouvrière comprise, exploitent les travailleurs des pays en développement.

Pierre Jalée : critique du « pillage du Tiers monde ».

Samir Amin (*L'Accumulation à l'échelle mondiale*, 1970) : développement inégal par détérioration des termes de l'échange pour les pays de la périphérie.

Quelques politiques proposées :

– planification impérative (Ch. Bettelheim, M. Dobb) ;

– déconnexion entre le capitalisme international et le développement autocentré (*self-reliance*), modèle chinois (« compter sur ses propres forces »). Modèle indien (« modèle de Feldman-Mahalanobis », inspiré d'un théoricien de la planification soviétique (Feldman, 1927-1928) et repris par un économiste indien dans les années 1950 : priorité à l'accumulation dans le secteur des biens de production (= industrie lourde) dont découlera une industrialisation en aval ; schéma repris par G. Destanne de Bernis : théorie des « industries industrialisantes » (1960).

1975-1995 : NPI et pragmatisme des stratégies d'industrialisation

L'émergence des NPI conduit à l'analyse de leur combinaison réussie de stratégies d'industrialisation :
– par substitution d'importations (ISI déjà proposée par Singer et Furtado…) ;
– par stratégie de filières ;
– par stratégie de promotion des exportations (ISE).

Critique par les libéraux des théories tiers-mondistes de la domination et de la stratégie ISI (Bela Balassa : passage nécessaire à l'ISE par le libre-échange et la privatisation) ; critique de la théorie de la dégradation des termes de l'échange (Haberler et Viner dès 1953) ; constat de la réussite de la révolution verte (par transfert de technologie).

Réévaluation du rôle de l'agriculture et du schéma Rostow-Bairoch (modernisation de l'agriculture comme préalable à l'industrialisation).

Crise de la dette extérieure des PED (ouverte par la crise mexicaine de 1982) et rôle du FMI :

♦ – le fondement théorique des plans d'ajustement structurel (PAS) « imposés » par le FMI repose sur la théorie monétaire de la balance des paiements : l'excès de création monétaire interne, en stimulant consommation et investissement, est à l'origine du déficit des paiements courants qui conduit à une fuite en avant dans l'endettement extérieur ; il convient donc, en régime de changes fixes, de stopper cet endettement ;
– l'ajustement structurel : la mise en œuvre des PAS conditionne l'octroi de crédits par le FMI (« conditionnalité ») ;
– « l'ajustement »… : stabilisation à court terme par rapport aux déséquilibres macroéconomiques : suppression du déficit budgétaire, jugé également responsable de l'excès de demande, par diminution des dépenses publiques, dévaluation pour renchérir les prix des produits importés, plafonnement des crédits à l'État… ;
– … « structurel » : amélioration sur le long terme des structures de l'économie ; privatisations, libéralisation des échanges de biens et services et de capitaux, déréglementation…

Le « consensus de Washington » (le terme date de 1990) : c'est la conception libérale du développement et de la bonne gouvernance-pays qui prévaut au sein du FMI et de la Banque mondiale et qui sous-tend les PAS.

Théorie du « développement durable » (à l'origine : rapport Brundtland et Sommet de Rio, 1992, de la CNUED) : respect de la biodiversité, ménager les possibilités de développement des générations futures ; débat sur l'instauration de « permis négociables » (marché des droits à polluer d'inspiration coasienne).

Théorie et mesure du « développement humain » : travaux de Amartya Sen qui inspirent le PNUD dans son élaboration d'indicateurs (notamment IDH).

1995-2001 : d'autres analyses

Les théories de la croissance endogène (Romer, Lucas, Barro…) ont mis en évidence le rôle des externalités positives (que l'État peut produire ou subventionner), l'importance de l'investissement public et privé en capital humain, le rôle des dépenses, en parties publiques, de R&D et d'infrastructures. Mais elles tendent à nier la distinction croissance/développement.

Les théories de la « convergence conditionnelle » (Barro…) : à partir du modèle néo-classique de croissance, elles mettent l'accent sur les conditions structurelles de la convergence, notamment le rôle favorable de certaines variables institutionnelles (respect des droits), de la scolarisation de base, de la démocratie (mais sans excès de redistribution…).

Le « nouveau contractualisme » consacre un certain retour de l'État : pour conduire les changements, réguler les marchés, créer des institutions incitatives. La contribution théorique et pragmatique de plus en plus importante du PNUD : le développement implique de concilier démocratie et marché (« gouvernance démocratique », « développement humain durable », approche du développement par les droits de l'homme).

L'apport de Joseph Stiglitz pour un « développement démocratique, équitable et durable » : généralement considéré comme appartenant au courant de la NEK (nouvelle économie keynésienne) :

– il ne pense pas que l'État doive se substituer aux agents privés en investissant directement, par exemple pour relancer la demande ;

– il insiste sur la nécessité de maîtriser la libre circulation des mouvements de capitaux à court terme (comme l'ont fait, par exemple, le Chili et la Chine qui ont échappé à la tourmente de 1997-1998) ;

– il rappelle que l'avantage comparatif n'a rien de naturel et se construit par des stratégies ;

– il pense que l'augmentation du PIB n'est pas une fin en soi et que le développement n'est pas qu'un problème technique d'ajustement, mais une « transformation de la société ».

L'apport d'Amartya Sen, prix Nobel d'économie 1998, dans *Un nouveau modèle économique – Développement, justice, liberté* 1999 :

– le développement comme liberté, mesuré par les revenus *et* les « capacités » (= libertés ou facultés réelles, la pauvreté étant un état de « privation de capacités ») ;

– rôle des valeurs (la démocratie : participation de l'ensemble des populations au débat sur les valeurs et les traditions à respecter, ou à ne plus respecter) ;

– refus de l'occidentalocentrisme (« la culture européenne n'est pas la seule voie vers une modernisation réussie ») ;

– mais distance vis-à-vis du discours sur les « valeurs asiatiques » favorables au développement.

⟶ *Aide au développement, Ajustement structurel, Avantage (absolu, comparatif), Banque mondiale, CNUCED, CNUED, Croissance, Échange inégal, Filière, Firme multinationale (FMN)/Firme transnationale, Industrialisation par substitution, Termes de l'échange, Tiers monde.*

ÉCONOMIE INDUSTRIELLE

Branche de la science économique ayant pour objet l'étude du fonctionnement des firmes et des relations entre firmes se trouvant en concurrence sur un marché. Le qualificatif « industrielle » a une acception large : il est relatif à toute activité économique organisée « industriellement » (division technique du travail, recherche de l'efficience) et en prise active sur le marché.

A. Marshall est considéré comme le fondateur de l'économie industrielle ; il forge des instruments d'analyse qui servent de base à cette discipline, en particulier les rendements croissants (remise en cause des rendements décroissants de Ricardo) et les économies d'échelle internes et externes qui en sont à l'origine tout en étant facteur de croissance des firmes. Cette dynamique pose selon lui un problème, celui de la compatibilité entre la concurrence pure et parfaite et des situations de monopole (ou quasi-monopole) engendrées par l'accroissement de la taille de certaines entreprises. De fait, l'analyse de Marshall est le point de départ de la littérature consacrée à la concurrence imparfaite. L'économie industrielle contemporaine s'est progressivement enrichie, privilégiant une approche systémique ; elle s'est constitué un cadre d'analyse selon la séquence suivante : conditions de base (environnement, caractéristiques de l'offre et de la demande), structures des marchés (constellation des firmes, formes de concurrence), stratégies des firmes (visant éventuellement à modifier l'environnement), performances résultant de ces stratégies.

Ce cadre d'analyse a été récemment remis en cause, du moins remanié. La théorie des marchés contestables en est un exemple.

⟶ *Concurrence, Marchés contestables (Théorie des), Marshall.*

ÉCONOMIE MIXTE

> Mode d'organisation d'une économie nationale marqué par la coexistence et la complémentarité d'une régulation de marché et d'une intervention active de l'État dans la sphère productive, par le biais d'entreprises publiques en particulier.

L'économie mixte concerne des économies de marché dans lesquelles l'intervention de l'État est effective — à la différence de la conception de l'État-gendarme — mais elle ne se réduit ni à la seule régulation conjoncturelle, ni à la seule intervention dans le domaine social (État-providence).

Cette notion, qui s'applique aux économies nationales, ne doit pas être confondue avec celle de société d'économie mixte qui se définit par l'association d'apports privés et publics dans le capital d'une entreprise.

⟶ *État, État-providence, Secteur privé/ public, Société d'économie mixte.*

ÉCONOMIE-MONDE

> Selon Fernand Braudel, « fragment de l'univers, morceau de la planète économiquement autonome, capable pour l'essentiel de se suffire à lui-même et auquel ses liaisons et ses échanges intérieurs confèrent une certaine unité organique » (*Civilisation matérielle, Économie et Capitalisme, XVᵉ-XVIIᵉ siècles*, tome III *Le Temps du Monde* [1979]).

Le concept d'économie-monde a pour « inventeurs » l'historien français Fernand Braudel (1902-1985), le premier à l'utiliser et, à sa suite, Immanuel Wallerstein, sociologue et historien américain de l'économie, d'inspiration marxiste, et auteur notamment du *Système du monde du XVᵉ siècle à nos jours* et du *Capitalisme historique*, 1985.

Il ne faut pas confondre la notion d'économie-monde (une économie formant un monde) avec celle d'économie mondiale, qui concerne l'économie du monde pris en son entier. Pour Braudel, plusieurs économies-mondes peuvent coexister au sein de l'économie mondiale et se partager l'espace peuplé de la planète, sans pratiquement commercer entre elles par leurs régions limitrophes.

L'existence d'économies-mondes est très ancienne : la Phénicie, Carthage, la Grèce hellénistique, etc.

♦ Les caractéristiques d'une économie-monde sont les suivantes :
– tout d'abord c'est un espace géographique, aux limites relativement stables dans le temps (sauf rupture et recomposition), bordé de zones peu animées, inertes. Espace géo-économique donc, dont les limites ne correspondent pas nécessairement avec celles, politiques, d'un empire ou d'un État-nation ;
– ensuite cet espace est polarisé, il gravite autour et au profit d'une *ville-centre*, capitaliste, dominante, d'une *ville-monde*, qui centralise et répartit « les informations, les marchandises, les capitaux, les crédits, les hommes, les ordres, les lettres marchandes » ;
– enfin l'économie-monde est hiérarchisée en zones successives, concentriques, de moins en moins participantes et de plus en plus subordonnées et dépendantes.

L'Europe, depuis le XIᵉ siècle, a vu se succéder plusieurs économies-mondes correspondant aux différents centres qui les ont animées tour à tour. Jusqu'en 1750, quatre cités-États se sont succédé : Venise, Anvers, Gênes, Amsterdam. Puis, avec la révolution industrielle s'instaure l'ère des dominations nationales : avec Londres, puis New York à partir de 1929.

Aujourd'hui, le *système-monde* serait caractérisé par une seule économie-monde étendue aux limites de l'économie mondiale (mondialisation), *l'économie-monde capitaliste*, dont le cœur se chercherait entre trois pôles prétendant à la domination : la triade Amérique du

Nord, Japon-Pacifique, Europe occidentale.

⟶ ▸ *Braudel.*

ÉCONOMIE SOCIALE

Ensemble des activités économiques qui, dans une économie développée, n'ont pas pour motif principal le profit. Ces activités peuvent prendre des formes juridiques variées : associations (loi de 1901), mutuelles, coopératives.

⟶ ▸ *Association, Coopérative.*

ÉCONOMIE SOUTERRAINE (économie informelle)

Ensemble des activités productrices de biens ou de services qui échappent à la régulation par l'État (ou « au regard de l'État » selon Pierre Rosanvallon).

Il s'agit d'activités légales (le travail domestique, l'entraide entre voisins), ou illégales (« travail au noir » ou trafic de drogue) qui échappent partiellement à la comptabilisation (parce que frauduleuses et/ou non déclarées) ; mais les comptables nationaux s'efforcent toutefois d'en évaluer une partie (par exemple en tenant compte des redressements opérés après les contrôles fiscaux).

Cet ensemble est donc hétérogène. On distingue parfois économie souterraine marchande (appelée parfois « économie occulte ») et économie souterraine non marchande (« économie autonome ») : la première est composée d'activités légales non déclarées (pour échapper à la réglementation sociale et fiscale), telles que le « travail au noir » ou les ateliers clandestins, et d'activités délictueuses (trafic de drogue, prostitution, corruption, fausse monnaie, usure, etc.) ; la seconde inclut le travail domestique (autoconsommation, services rendus aux enfants, bricolage, etc.), les services de voisinage et le bénévolat (associations).

Dans les pays les moins développés, le secteur informel occupe une place très importante (parfois dominante). Là aussi, il convient de distinguer les activités domestiques (au sens large : celles qui contribuent à la survie et à la reproduction de la famille, du clan, du village…), souvent traditionnelles (dans un cadre rural), des activités marchandes, souvent liées au sous-emploi et à la misère dans des périphéries urbaines surpeuplées. Ces dernières ne sont pas seulement la conséquence de la destructuration de ces sociétés ; elles témoignent également d'une créativité (par exemple dans la récupération de matériaux) que certains économistes interprètent comme le signe de l'émergence d'une forme d'économie originale et porteuse d'avenir (Serge Latouche).

⟶ ▸ *Produit intérieur brut (PIB).*

ÉCONOMIE SPATIALE

Étude de la localisation des activités productives, se démarquant de l'analyse traditionnelle, qui considère que l'espace est international, chaque pays constituant un point relié aux autres par des flux (de marchandises, de capitaux et d'hommes).

◆ Thünen (1826), A. Weber (1909), Hotelling se sont intéressés à la localisation des activités agricoles, industrielles et commerciales, compte tenu des coûts de transport. La théorie des lieux centraux de Christaller et Lösh propose une explication des agglomérations (concentration urbaine) par les économies d'échelle et les effets externes.

⟶ ▸ *Délocalisation, Externalité, Localisation, Rendements factoriels/Rendements d'échelle.*

ÉCONOMIES D'ÉCHELLE

⟶ ▸ *Rendements factoriels/Rendements d'échelle.*

ÉCONOMIES D'ENVERGURE ou DE GAMME

Gains d'efficacité liés à l'utilisation de facteurs de production pour la production de biens différents. Se distinguent des économies d'échelle, qui supposent des gains d'efficacité liés à l'utilisation sur une plus grande échelle de facteurs de production pour la production d'un même bien.

→ *Concentration (des entreprises).*

ÉCONOMISME

En sciences sociales, tendance de certaines théories à réduire l'explication des comportements sociaux à leur seul mobile économique. Il n'y aurait donc pas d'autonomie du social ou du politique par rapport à l'économique. L'expression est employée dans un sens dépréciatif.

Deux dérives économicistes opposées sont généralement mises en cause :
– celle d'un marxisme quelque peu simplifié pour lequel les hommes n'auraient d'idées, de mobiles, de conscience ou de représentations que déterminés par leur place dans les rapports de production (superstructure, simple reflet de l'infrastructure) ;
– celle de certains libéraux comme les théoriciens du « capital humain » (G. Becker, par exemple) qui auraient tendance à réduire l'individu à un *homo œconomicus* pratiquant en toute situation (choix politiques et vote, mariage, famille, divorce, études, etc.) un calcul coût/avantage, toute rationalité n'étant en dernier ressort qu'une rationalité instrumentale de nature économique.

→ Homo œconomicus, *Marxisme, Rationalité, Utilitarisme.*

ÉCU

Unité de compte du SME, créée en 1979 et remplacée par l'euro, monnaie unique européenne, à partir de 1999.

De 1979 à 1998, le SME a comporté une unité de compte commune, l'écu (originellement ECU : *European Currency Unit*). L'écu était une monnaie panier, dont la valeur était la somme pondérée des différentes monnaies des Communautés européennes, chaque monnaie ayant son poids propre.

À l'origine n'existaient que des écus, dits officiels, détenus par les Banques centrales en contrepartie de dépôts en dollars ou en or. Mais l'écu, plus stable que les monnaies qui le composaient, s'est révélé attractif pour les opérations commerciales et surtout financières : en libellant une opération en écu, les opérateurs réduisaient le risque de change. L'usage privé de l'écu s'est développé.

À la différence de l'euro, qui s'est substitué à l'écu en janvier 1999, l'écu n'était pas une véritable monnaie : sa valeur dépendait des monnaies qui le composaient, il n'y avait pas de système monétaire chargé de l'émettre et de le gérer, sa circulation scripturale était limitée et il n'existait pas de circulation de pièces et de billets.

→ *Euro, Europe communautaire (union monétaire).*

EFFET BALANÇOIRE

Lien entre la variation des taux d'intérêt et la valeur des obligations.

Les obligations sont des titres émis, pour la plupart, à un taux d'intérêt fixé à l'émission et invariable. Lorsque les taux d'intérêt augmentent, les cours des obligations émises antérieurement tendent à baisser parce que les nouvelles obligations ont un meilleur rendement et sont, par conséquent, plus demandées.

◆ Supposons une obligation A de 1 000 € émise au taux d'intérêt de 10 %. Son revenu annuel est de 100 €.

Supposons une nouvelle obligation B de 1 000 € émise ultérieurement au taux d'intérêt de 12,5 %. Son revenu annuel est de 125 €.

Si le cours de l'obligation A reste de 1 000 €, personne ne voudra l'acheter, son revenu de 100 € étant inférieur à celui de l'obligation B, 125 € pour la même valeur du titre.

En fait, comme l'intérêt perçu pour A est toujours de 100 €, son cours baissera jusqu'à ce que le revenu de 100 € corresponde à un rendement de 12,5 % égalisé avec celui de la nouvelle obligation B, c'est-à-dire jusqu'à 800 €.

Inversement, toute baisse des taux d'intérêt s'accompagne d'une hausse des cours des obligations précédemment émises à un taux plus élevé.

→ *Obligation.*

EFFET D'ÂGE/EFFET DE GÉNÉRATION

Explication, par l'âge des individus concernés, d'un phénomène social (effet d'âge) ; explication, par la génération à laquelle ils appartiennent, d'un phénomène social (effet de génération).

Les jeunes se révoltent, plus ou moins, contre leurs parents à l'âge de l'adolescence, et ce depuis… des générations : la génération n'explique donc rien, c'est un effet d'âge. De nombreux comportements sont ainsi liés au cycle de vie : comportements démographiques (peu d'enfants mis au monde par des femmes de plus de 35 ans…), comportements économiques (endettement des jeunes ménages, dépenses de santé importantes de la part des retraités, etc.), comportements politiques (le vote conservateur des personnes âgées, etc.).

Un certain pacifisme a caractérisé la génération ayant connu la guerre de tranchées lors de la Première Guerre mondiale : effet de génération. Il concerne ceux qui, ayant eu à peu près le même âge lors d'un événement singulier (la génération du Front populaire) ou à une époque (la génération romantique du début du XIXᵉ siècle), en ont gardé des caractéristiques comportementales communes. Il est parfois difficile de dissocier les deux effets : la révolte des étudiants en mai 1968 en France était sans doute davantage imputable à leur génération, celle du baby boom, qu'à leur âge. Pour faire la part des choses, on peut recourir à l'analyse comparative de cohortes successives.

→ *Âge, Cohorte.*

EFFET DE CLIQUET

Caractère irréversible à court terme de l'évolution d'une variable. Dans un ménage, par exemple, si le revenu baisse de manière temporaire, la consommation se modifie peu ou pas. Dans les pays développés, les revenus nominaux augmentent et ne baissent pratiquement jamais (il n'en va pas de même pour les revenus réels).

→ *Revenu permanent.*

EFFET DE COMMERCE

Titre portant créance d'une somme d'argent payable à vue à l'échéance indiquée, en général 90 jours.

Il peut se transmettre par endossement, c'est-à-dire par signature au dos de l'effet. Chaque endosseur se déclare alors responsable du paiement à l'égard du payeur suivant. Lorsque le débiteur fait défaut à l'échéance, le dernier créancier, porteur de l'effet, peut faire officiellement constater le non-paiement. Certains effets de commerce sont escomptables par les banques.

Les principaux effets de commerce sont : la lettre de change (ou traite), le billet à ordre, le chèque, le warrant, le mandat.

→ *Escompte/Réescompte/Taux d'escompte.*

EFFET DE LEVIER

Conséquence positive (ou négative) de l'endettement sur la rentabilité des capitaux propres de l'entreprise.

Si la rentabilité économique, c'est-à-dire le taux de profit, est supérieure au taux d'intérêt des capitaux empruntés, la rentabilité financière des capitaux propres est d'autant plus forte que l'endettement est important : cet effet d'accroissement de la rentabilité des capitaux propres par l'endettement est appelé « effet de levier ».

Entreprise n° 1	
Capitaux propres	100
Capitaux empruntés	**0**
Taux d'intérêt	10 %
Taux de profit	20 %
Intérêts versés	**0**
Profit réalisé	$100 \times 20 \% = \mathbf{20}$
Rentabilité des capitaux propres	$\dfrac{20}{100} = \mathbf{20\ \%}$

Entreprise n° 2	
Capitaux propres	100
Capitaux empruntés	**100**
Taux d'intérêt	10 %
Taux de profit	20 %
Intérêts versés	**10**
Profit réalisé	$(100 + 100) \times 20 \%$ $= \mathbf{40}$
Rentabilité des capitaux propres	$\dfrac{40 - 10}{100} = \mathbf{30\ \%}$

→ *Rentabilité.*

EFFET D'ENTRAÎNEMENT

Il y a effet d'entraînement quand une entité économique motrice (entreprise, branche, secteur, région ou nation) tire par ses commandes en biens intermédiaires ou capitaux la production des entités situées en amont et/ou transfère en aval ses gains de productivité.

L'effet d'entraînement du secteur moteur dépend de sa vitesse (taux de croissance) et de son poids relatif dans l'ensemble économique considéré (pourcentage de la valeur ajoutée et de l'investissement).

Le chemin de fer au XIXe siècle a joué un rôle moteur : par ses commandes d'acier et de charbon en amont et, en aval, par la mobilité accélérée, à moindre coût, des marchandises et des hommes.

→ *Perroux, Pôle de croissance/Pôle de développement.*

EFFET DE REVENU

→ *Substitution (des biens et des facteurs).*

EFFET DE SEUIL

On parle d'*effet de seuil* lorsque l'existence d'un seuil provoque une modification du comportement des agents économiques : certains chefs d'entreprise, par exemple, préfèrent ne pas dépasser le seuil de 49 salariés pour ne pas avoir à créer un comité d'entreprise et bloquent leur embauche à ce niveau.

EFFET D'ÉVICTION

Effet de l'extension des activités du secteur public, au détriment du secteur privé (celui-ci se trouve évincé).

Il y a éviction directe lorsque l'augmentation des dépenses publiques induit une contraction des dépenses privées. Par exemple, en situation de plein-emploi, si l'augmentation du budget de l'État s'accompagne d'une augmentation des impôts, les ménages seront incités à réduire leur demande privée en fonction de la réduction de leur revenu après impôt.

Il y a éviction indirecte ou éviction financière lorsque les entreprises privées se trouvent partiellement évincées du marché financier par les emprunts que l'État lance pour financer le déficit budgétaire : les capitaux drainés par l'État ne sont plus disponibles pour financer les investissements des entreprises privées ; l'augmentation de la demande de capitaux induite par l'intervention de l'État provoque une hausse du taux d'intérêt qui renchérit le coût des ressources financières des entreprises et les dissuade d'investir.

♦ L'effet d'éviction est l'un des arguments que les économistes libéraux utilisent pour critiquer les politiques budgétaires expansionnistes ; les économistes keynésiens répondent que la réalisation de cet effet dépend d'hypothèses très restrictives (plein-emploi, politique monétaire neutre, etc.).

→ *Économie de l'offre* (Supply-side economics).

EFFET D'IMITATION/ DE DÉMONSTRATION

Propagation, dans une société, de normes de comportements à partir d'un modèle : imitation des modes anglo-saxonnes, imitation des procédés de fabrication de l'entrepreneur dynamique par ses concurrents, imitation par les pays sous-développés des modèles de développement et des normes de consommation importés des pays industrialisés.

Dans le cas particulier de la consommation, Duesenberry a analysé l'« effet de démonstration » : toute catégorie sociale cherche à acquérir les biens distinctifs de la catégorie immédiatement supérieure.

♦ Ce sont les biens qui permettent de faire la démonstration de son statut social. D'où l'expression *to keep up with the Jones* : rivaliser avec les Jones… ; avoir la même voiture, etc.

Le groupe social le moins favorisé cherche en permanence à imiter le plus favorisé.

La publicité, par ses arguments, s'appuie sur cet effet : l'ostentation est le but proposé de la consommation. Cette analyse implique un consensus sur le modèle de consommation : si chaque catégorie sociale cherche à rattraper la précédente et à distancer la suivante, toutes participeraient donc à une même course dont elles accepteraient le principe, à la remorque de leaders impulsant les modes et dont elles ne contesteraient pas les privilèges enviés.

♦ Mais, par définition, on ne peut démocratiser un privilège, ni se distinguer en se conformant ; consommé en masse, le produit n'est plus le même, ni dans sa valeur d'usage (on ne démocratise pas la poularde de Bresse mais le poulet de batterie), ni dans sa valeur-signe (on n'éprouvera jamais le plaisir qu'avaient les premiers à être les premiers) ; de cette uniformisation naissent la frustration et le nouveau désir de se distinguer : cette dialectique distinction/ imitation est l'un des ressorts de la société de consommation.

→ *Niveau de vie, Schumpeter, Société de consommation.*

EFFET ÉMERGENT D'AGRÉGATION (ou DE COMPOSITION ou EFFET ÉMERGENT)

Processus par lequel le résultat collectif, global, d'actions individuelles non concertées est différent de celui voulu à l'origine par les individus. Quand ce résultat global est contraire aux intentions initiales des individus, on parle alors d'effet pervers.

Le tout n'est donc pas la simple somme des parties qui le composent. Les raisonnements liés aux effets de composition relèvent pour partie de l'analyse sociologique. En sociologie, les exemples abondent :
– si chaque habitant d'une ville décore son balcon seulement pour en jouir de sa fenêtre, la ville sera fleurie et fera le bonheur des touristes. Effet émergent : il ne correspond pas aux intentions individuelles ;
– si chaque citoyen s'arme, pour sa sécurité, de couteaux, revolvers, coup-de-

poing américains…, il finit par régner une totale insécurité dans la cité. Ici : effet pervers.

La notion d'effet d'agrégation est un concept central des théories de l'individualisme méthodologique : même si le phénomène global constaté est différent de ce qu'en attendaient les individus ou même s'il est contraire (effet pervers), il n'est que le résultat de l'agrégation de leurs conduites individuelles, dont il faut partir. Pour les théories structuralistes ou holistes ou culturalistes, au contraire, un fait social, global, ne trouve son explication que dans un autre fait social : par exemple, l'augmentation du taux de suicide (fait social) s'expliquera par la montée de l'anomie (autre fait social).

En science économique, on trouve aussi de nombreux exemples d'effet d'agrégation, même si l'expression, parfois empruntée aux sociologues, est peu usitée.

♦ Selon A. Smith, la « main invisible » a le pouvoir de transmuer les intérêts, les passions et les vices individuels en un intérêt général qu'il n'était pas dans l'intention des individus d'établir.
♦ Pour les néo-classiques, l'optimum économique et social qui résulte de comportements individuels de maximisation est bien la conséquence d'un effet de composition (optimum ≠ maximum).
♦ Pour Marx, même si les comportements individuels sont déterminés par les structures, ils s'agrègent souvent de manière perverse : ainsi, les capitalistes, en élevant la composition organique du capital pour maintenir ou accroître leurs profits, font collectivement baisser le taux de profit.
♦ Keynes fonde son analyse macro-économique sur la constatation que ce qui est bénéfique pour une entreprise isolée (baisse des salaires, baisse des coûts) peut être désastreux s'il s'agit d'un comportement collectif (baisse de la masse des salaires, baisse de la demande).

Cette distinction entre la rationalité au niveau des agents individuels (ménage, entreprise) et celle qui émerge au niveau global de l'économie nationale ou mondiale explique l'existence des deux disciplines, si difficiles à relier (problème du *no bridge*), que sont la microéconomie, qui analyse le comportement de l'agent, et la macroéconomie, qui analyse les relations entre agrégats.

→ *Agrégat, Effet pervers, Holisme (méthodologique), Individualisme méthodologique, Main invisible, Optimum ; Annexe 49.*

EFFET FISHER

→ *Fisher (Effets).*

EFFET PERVERS

Effet non désiré et contraire de comportements ou de prises de décision individuels.

Exemples : Le comportement des agents qui anticipent l'achat de biens pour éviter de se les procurer à un prix plus élevé peut aggraver l'inflation.

L'instauration de règles visant à accroître la rationalité et l'efficacité du fonctionnement d'une organisation (« cercle vicieux bureaucratique ») peut, au contraire, en accroître la lourdeur bureaucratique.

♦ En sociologie, la notion est développée par R. Boudon.

→ *Bureaucratie, Effet émergent d'agrégation (ou de composition ou effet émergent) ; Annexes 23, 44, 49.*

EFFET PIGOU

→ *Pigou (Effet).*

EFFET WICKSELL

→ *Wicksell.*

EFFICACITÉ/EFFICIENCE

Relation entre un résultat et les moyens utilisés pour l'obtenir.

C'est le terme anglais d'*efficiency* qui a incité certains auteurs à distinguer l'efficience de l'efficacité.

Une action sera jugée efficace si elle atteint son but, quels que soient les moyens utilisés pour y parvenir ; elle ne sera jugée efficiente que si le résultat est obtenu avec une économie de moyens, donc sur la base d'un calcul d'optimisation visant à minimiser les coûts.

Prenons l'exemple d'un moustique qui vous importune. Si vous le détruisez avec un lance-flammes, vous êtes efficace : le moustique est anéanti (mais la maison a brûlé). Si vous le neutralisez grâce à un insecticide se caractérisant par un coût unitaire particulièrement faible et des effets secondaires anodins, alors vous êtes efficient. La productivité est un indicateur de l'efficience d'une technique de production.

EFFICIENCE (Salaire d')

> Niveau de salaire d'équilibre pour l'entreprise en ce qu'il minimise le coût salarial par unité de travail efficient.

Il existe plusieurs théories du salaire d'efficience (notamment théorie pronée par Stiglitz et Yellen au début des années 1980) qui ont comme point commun de supposer qu'existe une relation croissante entre l'effort consenti par les travailleurs, dont dépend leur efficience (productivité) et le salaire que l'entreprise leur verse. Si cette relation existe, le coût salarial par unité produite (salaire/productivité) ne varie plus comme le salaire : il peut baisser quand le salaire augmente si la productivité du travail augmente plus vite que le salaire (élasticité supérieure à 1 de la fonction d'effort) ; il peut au contraire augmenter quand le salaire baisse… ce qui perturbe la relation classique entre demande de travail et salaire. Les entreprises sont en effet incitées à augmenter le salaire jusqu'au niveau pour lequel l'élasticité de la fonction d'effort devient égale à 1

(au-delà, l'augmentation du salaire ne serait plus compensée par une augmentation proportionnelle de l'effort) ; ce niveau détermine le salaire d'efficience. On explique ainsi la rigidité à la baisse du salaire réel (en dessous du salaire d'efficience, l'entreprise réalise moins de bénéfices) et le chômage involontaire (il existe des chômeurs disposés à travailler pour un salaire inférieur au salaire d'efficience mais les entreprises n'ont pas intérêt à profiter de cette situation pour baisser les salaires).

Les modèles de salaire d'efficience sont fondés sur des hypothèses d'asymétrie informationnelle : anti-sélection (offrir un salaire plus élevé que le salaire courant permet d'attirer de meilleurs candidats si l'on ne peut connaître aisément leur compétence réelle) et risque moral (un salaire élevé dissuade le travailleur opportuniste de « tirer au flanc » lorsque l'entreprise n'a pas la possibilité de contrôler sans coût excessif son efficience, parce qu'il risque de perdre cet avantage ou de se retrouver au chômage s'il est surpris en train de « tricher » ; le salaire élevé fidélise les travailleurs qui pourraient sinon changer d'entreprise avant que les coûts supportés pour les former soient amortis, etc.).

→ *Asymétrie informationnelle, Risque moral, Flexibilité, Salaire de réservation.*

EFFORT SOCIAL DE LA NATION

> Jadis appelé « Budget social », ce document est annexé à la loi de Finances qui décrit l'évolution, au cours des trois années précédentes, des dépenses et des recettes des principaux régimes sociaux. Un document contenant les prévisions de ces organismes est également annexé à la loi de Finances.
>
> Depuis la loi du 25 juillet 1994, l'ensemble de ces données fait l'objet d'un débat au Parlement.

→ *Protection sociale.*

ÉGALITARISME

Attitude politique de revendication systématique de l'égalité non seulement formelle (égalité des droits) mais aussi de l'égalité réelle, au détriment des libertés. Le terme est donc péjoratif.

Chez Tocqueville : passion pour l'égalité, qui, croissant avec l'égalisation des conditions dans les sociétés démocratiques, porte en elle le danger de la servitude à travers le despotisme de la majorité.

Toute aspiration à plus d'égalité est vite taxée d'égalitarisme par ceux qui défendent leurs privilèges, c'est-à-dire leurs avantages légaux (en principe abolis) ou hérités. Vouloir une société fondée sur l'égalité des chances et donc sur l'équité n'exclut pas les inégalités de fait, dès lors qu'elles résultent d'efforts et de mérites inégaux et non de dotations initiales inégales en capital économique, social, culturel, voire biologique. Cette attitude ne devrait donc pas être considérée comme égalitariste, mais comme égalitaire.

Pour Tocqueville, le problème est celui du danger que comporte l'égalitarisme (il dit « la passion de l'égalité ») de conduire à la « concentration graduelle de tous les droits politiques dans les mains d'un seul représentant de l'État ».

En effet, l'égalisation des conditions (montée de la classe moyenne, généralisation du salariat, égal souci du bien-être matériel...) qui caractérise l'état social démocratique, entraîne, de manière contradictoire, un double mouvement :

– d'une part, la passion de l'égalité : elle rend les individus envieux et intolérants à la moindre différence. Cela peut les conduire, pour abolir les différences résiduelles, au « despotisme législatif », au « despotisme démocratique », à la « tyrannie de la majorité ». D'autant plus que s'ouvrent deux autres chemins vers la servitude : « le goût du bien-être les détourne de se mêler du gouvernement, et l'amour du bien-être les met dans une dépendance de plus en plus étroite des gouvernants » ;

– d'autre part, l'amour de l'indépendance politique, au risque de l'anarchie. Mais Tocqueville d'ajouter : « Pour moi, loin de reprocher à l'égalité l'indocilité qu'elle inspire, c'est de cela principalement que je la loue. Je l'admire en lui voyant déposer au fond de l'esprit et du cœur de chaque homme cette notion obscure et ce penchant instinctif de l'indépendance politique, préparant ainsi le remède au mal qu'elle fait naître. »

De cet équilibre instable, mais qui peut faire basculer la démocratie dans le despotisme, Tocqueville tire la conclusion qu'il faut renforcer le penchant vers la démocratie libérale en développant les contre-pouvoirs (liberté de la presse...), les associations et la décentralisation.

→ *Tocqueville.*

ÉGALITÉ (Les différentes conceptions de l')

Les différentes conceptions de l'égalité sont les suivantes :

– l'égalité comme *égalité des droits* : cette égalité, formelle, juridique, ignore, puisque ses dispositions sont générales, les cas d'espèce, les situations singulières ; elle est parfaitement compatible avec de fortes inégalités sociales mais elle exclut par principe tout privilège légal. C'est elle qu'ont instituée les révolutions américaine et française du XVIIIe siècle ;

– l'égalité comme *égalité des conditions* : elle a été présentée et développée par Tocqueville ; elle désigne une égalité des statuts sociaux (mais qui ne se réduisent pas aux statuts juridiques, ce qui reviendrait au cas précédent de l'égalité des droits...). Les « conditions » des classes sociales se rapprochent : les différences sont fonctionnelles et n'impliquent pas de hiérarchie du prestige ; les goûts et les modes de vie sont partagés ; c'est une égalité citoyenne, caractéristique de *l'état social démocratique* ; elle est compatible avec des inégalités de revenus, mais les inégalités de classes sont rendues supportables par une forte mobilité sociale (mobilité nette, démocratique) ;

– l'égalité comme *égalité sociale* : au-delà des égalités formelles, il s'agit de l'égalité réelle des individus, seule considérée comme juste par une bonne partie du mouvement socialiste et plus particulièrement par les communistes. Tocqueville la dénonce comme une utopie dangereuse : « la passion de l'égalité » ou égalitarisme. Elle s'apparente pour le mouvement socialiste à une société sans classes. Pour les marxistes, elle correspondrait, dans la phase transitoire du socialisme, encore marquée par la rareté, au principe de « chacun selon ses capacités, *à chacun selon son travail* » (principe considéré comme beaucoup plus juste que celui caractérisant, en fait, le capitalisme : « à chacun selon son capital »…). Puis viendrait, avec l'abondance permise par la libération de l'homme de toute exploitation, le communisme, fondé sur le principe de « chacun selon ses capacités, *à chacun selon ses besoins* » ;

– l'égalité comme *égalité des chances* : elle est souvent considérée comme la meilleure conception de l'équité (égalité proportionnée) et ne laisserait subsister que des « inégalités justes », c'est-à-dire des inégalités ne reflétant que les différences de mérite (difficile à définir), soit des inégalités profitables aux plus démunis (principe de différence de John Rawls, qui affirme : « L'injustice est simplement constituée par les inégalités qui ne bénéficient pas à tous ») ; elle impliquerait des actions de discrimination positive (*affirmative action* en anglais) visant à corriger les inégalités initiales héritées (de la nature ou du milieu social d'origine).

→ *Égalitarisme, Équité, Rawls.*

ÉLASTICITÉ

En économie, désigne la variation relative d'une grandeur (effet) par rapport à la variation relative d'une autre grandeur (cause).

♦ Par exemple, si la demande d'un bien augmente de 15 % quand son prix baisse de 10 %, l'élasticité de la demande de ce bien par rapport au prix sera de :

$$e = \frac{+\,15\,\%}{-\,10\,\%} = -\,1{,}5$$

♦ Il s'agit parfois de la valeur absolue du résultat, ici 1,5.

Les élasticités les plus souvent utilisées sont les suivantes :

– *élasticité de l'offre ou de la demande* d'un bien par rapport à son prix ;

– *élasticité de la consommation* par rapport au revenu ; des importations par rapport au taux de croissance ;

– *élasticité croisée* (ou de substitution) : variation de l'offre ou de la demande d'un bien en fonction de la variation du prix d'un autre bien. Par exemple, si la demande de thé augmente de 20 % quand le prix du café augmente de 10 %, l'élasticité croisée est de 2.

→ *Dévaluation, Marché (Théorie du), Substitution (des biens et des facteurs).*

ÉLIAS (Norbert)

Sociologue allemand naturalisé britannique (1897-1990) connu pour ses écrits sur « le processus de civilisation ».

♦ Formé dans les années 1920 à la sociologie allemande, alors dominée par la figure prématurément disparue de Max Weber, N. Élias développa vite une pensée originale.

Le processus de civilisation (1935), l'ouvrage majeur de sa jeunesse, établit une sociogenèse de l'évolution des mœurs et de l'émergence parallèle de l'État à partir de la Renaissance. La domestication des émotions et des pulsions dans les rangs de l'aristocratie puis de la bourgeoisie obéit à une double logique : la volonté de se démarquer du peuple — essentiellement les paysans — aux mœurs « rudes », la monopolisation progressive de la violence par l'État, qui pacifie l'espace social et qui impose des règles de civilité aux catégories qui le représentent. La vie de cour, marqué par l'autocontrôle en est l'aboutissement (provisoire).

Au centre de sa démarche se trouve la notion de configuration, autrement dit les situations d'interdépendance qui lient irréductiblement les individus. Élias entend ainsi dépasser le dualisme individu/société : pas de configuration sans individus mais réciproquement pas d'individus en dehors des configurations.

♦ Principaux ouvrages : *Le processus de civilisation* (1935) (publié en français en deux volumes successifs : *La civilisation des mœurs*, 1973, *La dynamique de l'Occident*, 1987) ; *Logiques de l'exclusion* (1965) ; *Sport et civilisation* (1986).

──▶ *Exclusion.*

ÉLITE(S)

1. Proche du sens commun et, selon Pareto : catégories restreintes d'individus reconnus pour leur qualité éminente, leur capacité à servir la société, leur supériorité : « élite de la nation », élites intellectuelles, élite sportive.

Réalité à la fois singulière et plurielle. Définition impliquant un jugement de valeur (« les meilleurs »).

♦ Ainsi, Pareto entend par élite d'une société « les gens qui ont à un degré remarquable des qualités d'intelligence, de caractère, d'adresse, de capacités en tout genre » (*Traité de sociologie générale*, 1917).

2. Groupes de personnes placées au sommet de la hiérarchie dans telle ou telle instance de la société, et qui, de ce fait, détiennent de l'influence ou exercent un pouvoir important : élite politique, élites universitaires.

En ce sens, il y a pluralité des élites. Le sociologue Mosca, privilégiant le pouvoir politique, parle d'*une* élite (au singulier), « minorité organisée » assimilée à la « classe dirigeante ».

♦ La thèse élitiste est illustrée par W. Mills. L'« élite du pouvoir » aux États-Unis est constituée selon lui d'élites (politique, militaire, économique) qui conjuguent leurs actions pour former une unité de pouvoir dominant la société.

──▶ *Classe dirigeante, Démocratie, Hiérarchie, Stratification sociale.*

ÉMIGRATION

──▶ *Migration.*

ÉMISSION

Mise en circulation dans le public de monnaie fiduciaire (billets, pièces) par la Banque centrale (émission monétaire), ou de valeurs mobilières par une entreprise, l'État ou un établissement public (émission de titres).

──▶ *Bourse des valeurs, Monnaie, Valeur mobilière.*

EMMANUEL (Arghiri)

──▶ *Échange inégal.*

EMPLOI

Au sens le plus fréquent : exercice d'une profession rémunérée. Au sens macroéconomique, ce terme désigne l'utilisation, par l'économie nationale, de la population désireuse de travailler.

Le plein-emploi est la situation dans laquelle l'ensemble de la population trouve à exercer une occupation pour un niveau de salaire satisfaisant ; le sous-emploi, celle dans laquelle la demande d'emploi excède l'offre, le suremploi la situation inverse.

> *Au sens de la Comptabilité nationale :* désigne le fait d'affecter des ressources à une utilisation donnée.

Le tableau d'entrées-sorties (TES) présente les emplois en sortie et les ressources en entrées. Il distingue emplois intermédiaires, ou biens et services utilisés dans le processus de production, et emplois finals, qui correspondent à la demande finale : consommation, FBCF, variations de stocks, exportation.

——➤ *Chômage, Comptabilité nationale.*

EMPLOI ATYPIQUE/ EMPLOI TYPIQUE

La notion d'emploi typique désigne le modèle de référence tel qu'il pouvait être défini à l'issue de la période des Trente Glorieuses : emploi salarié à temps plein, stable (contrat à durée indéterminée), assorti de garanties légales ou conventionnelles (dans le cadre de conventions collectives), offrant à son titulaire des perspectives de carrière et d'amélioration du pouvoir d'achat.

Les emplois atypiques sont ceux qui ne se conforment pas au modèle ci-dessus : il s'agit d'emplois soit à temps plein mais précaires (contrat à durée déterminée, missions d'intérim), soit à temps partiel (parfois voulu, souvent subi), peu protégés, n'offrant pas de perspectives de carrière, parfois de nature indéterminée, à la frontière du stage de formation et de l'emploi salarié.

Ces emplois sont également qualifiés d'atypiques. Leur développement est important depuis la crise : l'évolution des rapports de force entre les employeurs et les organisations syndicales, la montée du chômage, l'évolution des modes de gestion de la main-d'œuvre (recherche de la flexibilité), le relatif désengagement de l'État expliquent leur accroissement.

L'impact de ces emplois sur le fonctionnement du marché du travail est important en termes de flux (chômage récurrent), d'autant qu'il est concentré sur certaines catégories de la population.

——➤ *Dualisme (marché du travail), Flexibilité.*

EMPLOIS AIDÉS

Emplois et quasi-emplois bénéficiant d'aides directes ou indirectes de la part des administrations publiques dans le cadre de la lutte contre le chômage. Ces dispositifs concernent tant le secteur marchand que le secteur non marchand. Avec les stages de formation, ils forment l'ossature des mesures dites « actives » de la politique de l'emploi, qui prennent pour cibles les catégories les plus exposées au chômage.

Les emplois aidés dans le secteur marchand

Les mesures visent à favoriser l'embauche de certaines catégories de main-d'œuvre, comme le versement de primes à l'embauche, l'allègement des charges sociales, la prise en charge des coûts de formation. Elles ont concerné surtout les jeunes depuis les SIVP (*stages d'insertion à la vie professionnelle*, 1984-1991) et les *contrats de qualification* (à partir de 1985), jusqu'aux *contrats-jeunes* (pour les 16-22 ans non titulaires du bac) créés en 2002. Certaines mesures ont été prises en faveur des chômeurs longue durée et de personnes confrontées à des difficultés spécifiques : les *contrats de réinsertion* (1987-1995) ou *de retour à l'emploi*, les *contrats initiative-emploi* (CIE) créés en 1995.

Les emplois aidés dans le public et parapublic (secteur associatif et mutualiste)

Il s'agit, dans ce cas, de la création d'emplois à temps partiel temporaires de la part des administrations publiques, collectivités locales et parfois de l'économie sociale. Plusieurs dispositifs se sont succédé en direction des jeunes, en particulier les *travaux d'utilité collective* (TUC) (1984-1989), remplacés par les *contrats emploi-solidarité* (CES) en 1990 (qui restent le dispositif le plus important). À partir de fin 1997 ont été développés les *emplois-jeunes* qui présentent la particularité d'être des emplois à temps plein à durée de 5 ans. En 2002, la nouvelle majorité a annoncé le non-renouvellement d'une grande partie de ces derniers et la création du CIVIS (contrat d'insertion dans la vie sociale). D'autres mesures ont été prises en direction des chômeurs longue durée (dont certains types de CES) et/ou des femmes (programmes locaux d'insertion).

♦ L'efficacité de ces mesures est très variable. Dans le secteur marchand, l'incidence nette en termes d'emplois créés est difficile à mesurer, entre autres à cause de *l'effet d'aubaine* : pour les employeurs qui auraient de toute façon embauché, les aides constituent non une mesure incitative mais un gain supplémentaire inattendu (« une aubaine »).
♦ En ce qui concerne les embauchés, les résultats les plus probants concernent les individus les mieux formés. Les dispositifs destinés aux demandeurs d'emploi les moins qualifiés (comme certaines catégories de CES) leur permettent certes d'occuper pendant un certain temps une activité (faiblement) rémunérée mais n'ouvrent que peu de perspectives (faible pourcentage de retours à un emploi « normal »).

⟶ *Emploi atypique/Emploi typique, Politique de l'emploi.*

EMPLOYABILITÉ (INEMPLOYABILITÉ)

> Capacité d'un individu (ou d'un groupe d'individus) à occuper un emploi. L'inemployabilité désigne la qualité contraire.

L'employabilité dépend de nombreux paramètres : le niveau de formation initiale, l'âge, les capacités physiques et de résistance au stress, etc. Cette notion récente est souvent utilisée dans l'analyse du chômage de longue durée ; on considère généralement que l'employabilité diminue rapidement avec la durée du chômage.

⟶ *Chômage, Emploi.*

EMPLOYÉS

> Terme à double sens :
> 1. Tout agent travaillant pour le compte d'un employeur, synonyme de salarié ou de personnel (les employés de Rhône-Poulenc, les personnels de l'Éducation nationale).
> 2. Travailleurs salariés, subalternes non manuels : employés de bureau, employés de commerce, employés dans des services divers. C'est ce deuxième sens qui s'impose.

Le code des PCS regroupe sous le terme employés (groupe 5) cinq catégories d'actifs : 1. les employés de la Fonction publique ; 2. les policiers et les militaires ; 3. les employés administratifs d'entreprise ; 4. les employés de commerce ; 5. les personnels des services directs aux entreprises.

L'ancien code des CSP ne distinguait que deux catégories : employés de bureau et employés de commerce, les personnels de service formant un groupe à part. Tout en maintenant la différence entre les professions de bureau et les professions de commerce, la nouvelle nomenclature introduit la distinction administrations publiques/entreprises.

Ces catégories sociales, surtout les employés de bureau, ont connu depuis un siècle des transformations considérables : gonflement des effectifs avec la tertiarisation et le développement des organisations, différenciation interne (au début du siècle le terme employés rassemblait aussi bien les « collaborateurs » que les employés aux écritures), féminisation (le taux de femmes dépasse aujourd'hui 80 %). Monde hétérogène, cette nébuleuse empiète sur les classes populaires et sur les classes moyennes.

→ *Catégories socioprofessionnelles (CSP).*

EMPRUNT

Opération par laquelle une personne, une société ou l'État se procure une somme d'argent moyennant le paiement d'un taux d'intérêt et le remboursement à une ou plusieurs dates fixées à l'avance (ou échéances).

Il peut se caractériser par sa durée : on parle d'emprunts à *court terme* pour ceux dont l'échéance est fixée à moins d'un an, à *moyen terme* pour ceux dont l'échéance est fixée entre un et cinq ans, à *long terme* pour les autres. Les emprunts peuvent être effectués par un recours à une banque (crédit) ou par émission d'un titre (obligation).

Les emprunts peuvent être affectés à l'investissement ou à la consommation ; dans ce dernier cas, on parle de vente à tempérament. On peut distinguer également les emprunts en fonction de la nature du débiteur : *privés*, s'il s'agit d'un particulier, *publics* s'il s'agit de l'État ; ou de la nationalité du créancier : emprunts extérieurs s'il s'agit d'étrangers. Les emprunts, notamment publics, peuvent être indexés, par exemple sur le cours de l'or (emprunt Giscard de 1976).

→ *Banque, Intérêt/Taux d'intérêt, Marché financier.*

ENCADREMENT DU CRÉDIT

→ *Politique monétaire.*

ENCAISSE

Ensemble des avoirs liquides — c'est-à-dire des avoirs qui peuvent servir pour le règlement des transactions : billets, dépôts bancaires — détenus par un agent.

→ *Liquidité, Monnaie.*

ENCAISSES RÉELLES

→ *Pigou (Effet).*

ENCLOSURES

Littéralement : terme anglais signifiant l'action d'enclore, de clôturer.
Désigne le grand mouvement de remembrement des terres agricoles qui se développe en Angleterre au XVIᵉ siècle puis au XVIIIᵉ siècle afin de constituer des terres individuelles d'un seul tenant et encloses.

Il s'accompagne du partage individuel et donc de la disparition des communaux. Au XVIIIᵉ siècle, ces enclosures sont imposées par plus de 5 000 « actes » du Parlement entre 1730 et 1820. En mettant fin au système d'*openfield* et aux « servitudes collectives », elles favorisent une nouvelle rotation des terres (suppression de la jachère, alternance de céréales et de plantes fourragères). Ce mouvement est à l'origine de bouleversements socio-économiques considérables.

→ *Révolution agricole.*

ENCOURS DE LA DETTE

→ *Dette (Encours de la).*

ENDETTEMENT

Ensemble des dettes à court, moyen et long terme d'un agent économique. On parle d'endettement extérieur pour désigner la situation qui résulte du financement par le recours à l'emprunt international du déficit permanent des échanges extérieurs d'un pays.

→ *Dette, Économie d'endettement/de marchés financiers.*

ENDOGAMIE

> (du gr. *endo* « en dedans » et *gamos* « mariage »)
>
> Règle qui recommande ou prescrit le mariage à l'intérieur d'un groupe social.

Cette règle revêt des formes très différentes selon les sociétés : endogamie « ethnique » (tribu), endogamie de caste, endogamie de parenté (clan, plus rarement lignage ou parentèle).

Les groupes de référence étant divers, toute société est à la fois exogame et endogame.

♦ L'endogamie désigne parfois la propension à se marier, dans nos sociétés modernes, avec un conjoint appartenant au même milieu social ou résidant dans la même aire géographique (endogamie spatiale). Il serait préférable de désigner par homogamie (*homos* = le même) ce résultat de stratégies individuelles orientées par des déterminations sociales plus ou moins inconscientes, et de réserver la notion d'endogamie à l'effet de prescriptions sociales parfaitement connues des intéressés (qui doivent, en principe, s'y soumettre).

⟶ *Exogamie, Filiation, Homogamie, Lignage/ Clan, Mariage.*

ENDOGÈNE/EXOGÈNE

> Couples de termes opposés.
>
> *Endogène* : qui est dû à une ou des causes internes au phénomène étudié.
>
> Inversement, *exogène* : qui s'explique par des raisons extérieures au phénomène étudié.

Qualificatifs souvent utilisés en sciences économiques et sociales. S'agissant du changement social, on parlera de processus endogènes pour désigner ceux qui sont déterminés par des causes internes à un système social et de processus exogènes dans le cas inverse (par exemple, changements dus au contact avec d'autres cultures). Ces deux logiques peuvent coexister.

Ainsi, pour Marx, les transformations du système socioéconomique ont pour origines à la fois la lutte de classe (facteur endogène) et le progrès technique (facteur exogène). Ce dernier est néanmoins tributaire de l'accumulation du capital (et renvoie donc aux rapports entre classes).

En modélisation macroéconomique, on appelle « variables endogènes » celles dont la valeur est déterminée par les équations des modèles à partir d'hypothèses ou de données appelées « variables exogènes ».

⟶ *Acculturation, Changement social, Croissance endogène (Théorie de la, modèles de), Fonction (sens sociologique), Modèle (économique).*

ENGEL (Loi d')

> « Plus un individu, une famille, un peuple sont pauvres, plus grand est le pourcentage de leurs revenus qu'ils doivent consacrer à leur entretien physique dont la nourriture représente la part la plus importante. » Cette première loi a été énoncée par Ernst Engel, économiste et statisticien allemand (1821-1896), dans une étude des budgets des familles publiée en 1857 et complétée en 1895.

On attribue parfois abusivement à Ernst Engel la paternité de plusieurs autres lois :
– deuxième loi : la part des dépenses consacrées aux vêtements est approximativement la même, quel que soit le revenu ;
– troisième loi : la part des dépenses consacrées à l'habitation, au chauffage et à l'éclairage est invariable, quel que soit le revenu ;
– quatrième loi : la part des dépenses diverses (éducation, santé, loisirs…) s'accroît avec le revenu.

Engel ne les a pas présentées comme des lois, à la différence de la première, parce que le résultat de ses enquêtes ne l'autorisait pas à affirmer la constance et la généralité des relations sous-jacentes.

♦ *N.B. :* ne pas le confondre avec Friedrich Engels.

→ *Consommation (finale, intermédiaire).*

ENGELS (FRIEDRICH)

Théoricien socialiste (1820-1895), auteur notamment de *Esquisse d'une critique de l'économie politique* (1844), *Origine de la famille, de la propriété privée et de l'État* (1884), co-auteur avec K. Marx entre autres du *Manifeste du parti communiste* (1848), des *Programmes de Gotha et d'Erfurt* (1875-1891) ; il assura la publication des 2e et 3e tomes du *Capital* de Marx.

→ *Marx, Marxisme.*

ENQUÊTE

Toute recherche empirique sur un groupe humain ou un phénomène social, consistant à recueillir des données afférentes, à les analyser et, éventuellement, à les interpréter.

Les enquêtes constituent la matière première de la recherche empirique en sciences sociales. Il faut cependant noter qu'il n'y a pas de coupure tranchée entre travail empirique et élaboration théorique. Le programme d'enquête est fonction des objectifs et des hypothèses que le chercheur ou l'institution de recherche se donne. Inversement, au cours même de l'enquête, les hypothèses et les perspectives initiales sont remaniées.

On a coutume de distinguer les méthodes dites quantitatives et les méthodes dites qualitatives. Elles ne sont pas forcément exclusives les unes des autres. Certaines recherches les utilisent tour à tour. On peut malgré tout opposer les enquêtes qui privilégient la production de données quantitatives et celles qui privilégient la description et l'analyse de facture « ethnographique ».

Les méthodes quantitatives consistent essentiellement en enquêtes par questionnaire. Dès que la population observée atteint une certaine taille, on procède le plus souvent par sondage auprès d'un échantillon de cette population. Les enquêtes de l'INSEE se caractérisent par l'ampleur des moyens et des résultats bruts obtenus. Les sociologues et les démographes peuvent s'en servir en procédant à une analyse dite secondaire qu'on peut définir comme la réexploitation des données déjà collectées selon des objectifs propres à ces chercheurs.

♦ Les méthodes qualitatives sont préférentiellement utilisées dans les enquêtes dites de terrain. Le terrain désigne à la fois l'objet de l'étude et le cadre, c'est-à-dire le contexte local où vit le groupe, où se déroule le phénomène étudié. Ce type d'enquête requiert une fréquentation durable du « milieu » étudié par le chercheur. La méthode principale est celle de l'observation directe (ou en situation), relevé systématique des pratiques et des comportements d'un groupe ou d'une collectivité, du fonctionnement effectif d'une organisation, du déroulement d'un rituel, etc. Le chercheur a souvent recours à l'observation participante : il occupe un emploi ou remplit une fonction formelle ou informelle dans l'entité en question.
♦ Le recours aux entretiens — qui donnent la parole aux enquêtés sur des thèmes donnés — est une autre technique privilégiée dans les enquêtes de terrain, mais elle est aussi utilisée, à titre d'exploration préalable, dans les enquêtes par questionnaire (elle contribue dans ce cas à construire le questionnaire à partir des préoccupations et des attitudes relevées dans cette phase initiale).
♦ Enfin, les chercheurs en sciences sociales, à l'instar des historiens, pratiquent la collecte documentaire, plus précisément des documents dits « de première main » (« sources primaires ») : archives publiques ou privées (correspondance, journaux), presse, tracts, procès verbaux d'organisations, etc.

→ *Échantillon, École de Chicago (sciences sociales), Ethnographique (Méthode), Sondage.*

ENTENTE

Accord, formel ou secret, entre entreprises ou pays producteurs en vue d'harmoniser leurs politiques pour réduire la concurrence dans leur secteur d'activité. Il peut porter sur les prix, les quantités produites ou la répartition géographique du marché.

La politique de concurrence de l'Union européenne interdit les ententes qui ont pour objectif ou pour effet de restreindre la concurrence. Il existe toutefois des dérogations possibles pour des ententes favorisant le progrès économique ou technologique.

♦ L'entente se distingue du cartel ; ce dernier en est une forme institutionnalisée par l'existence d'organes communs de gestion, mais sans qu'il y ait intégration par le moyen du capital comme dans le trust. En ce sens, l'OPEP (Organisation des pays exportateurs de pétrole) est bien un cartel, car elle dispose d'un siège, de services communs (secrétariat permanent, etc.).

⟶ *Concentration (des entreprises).*

ENTREPRISE

Unité de décision économique qui peut prendre des formes différentes ; elle utilise et rémunère travail et capital pour produire et vendre des biens et des services sur le marché dans un but de profit et de rentabilité. Elle constitue l'institution centrale du capitalisme.

Les formes d'entreprises sont très variées et il est possible d'opérer des distinctions selon la taille, le secteur d'activité, le statut juridique (entreprise individuelle, SARL, société anonyme, coopérative, entreprises publiques…). La forme de propriété influe sur le mode de fonctionnement de l'entreprise ; dans les économies capitalistes développées, c'est la société anonyme privée qui est la forme dominante.

En fait, la notion économique d'entreprise peut renvoyer à trois niveaux d'analyse : *l'établissement*, unité et lieu physique d'organisation de la production (usine, bureau…), *la société*, réalité juridique, fiscale et comptable, et le *groupe*, réalité financière. Dans le cas de l'entreprise

financièrement indépendante et ne comprenant qu'un établissement, ces trois niveaux sont confondus alors que, dans d'autres cas, certaines décisions sont prises au niveau de l'établissement (organisation de la production), d'autres au niveau de la société, les orientations stratégiques étant définies au niveau du groupe.

L'objectif principal de l'entreprise est la recherche du profit, qui est distribué aux actionnaires ou réinvesti dans l'entreprise (autofinancement). Ce dernier cas permet la croissance et l'indépendance de la firme. Mais l'entreprise peut rechercher à maximiser, soit la masse des profits, soit le ratio profit sur capital, c'est-à-dire un indicateur de rentabilité.

Du point de vue théorique, l'analyse de l'entreprise, de la firme a été fortement influencée par la théorie des organisations (Simon) et la théorie des coûts de transactions (Coase, Williamson en particulier). Selon cette dernière, l'entreprise est un mode de coordination alternatif au marché et, lorsque les coûts de transaction sont élevés, la hiérarchie, c'est-à-dire l'entreprise, peut être plus efficace que le marché. Par ailleurs, la théorie de l'agence met l'accent sur les rapports entre actionnaires et dirigeants.

⟶ *Capitalisme, Concentration (des entreprises), Coûts de transaction, Groupe (entreprises), Marché, Organisation, PME/PMI, Profit, Rentabilité, Salariat.*

ENTREPRISE INDIVIDUELLE

Entreprise gérée par une personne physique pour son compte propre et non pour le compte d'associés réunis par un contrat de société.

ENTREPRISE(S) PUBLIQUE(S)

Entreprises du secteur marchand contrôlées par l'État (ou par une collectivité publique). La notion de contrôle renvoie soit à la détention par l'État de la totalité ou de la majorité du capital, soit, quand il n'y a pas de capital social, à la tutelle plus ou moins étroite exercée par la puissance publique sur la gestion de l'entreprise.

Les entreprises publiques se distinguent des administrations publiques, qui ne vendent pas, comme les premières, leurs biens et leurs services sur le marché.

♦ Du point de vue institutionnel et juridique, sont considérés comme appartenant au secteur public « les établissements publics à caractère industriel et commercial » (EPIC), les sociétés nationales d'économie mixte, les sociétés dont la majorité du capital est détenue par l'État, les filiales des sociétés et établissements précédents (INSEE).

Dans l'ancien système de Comptabilité nationale (CN), les entreprises publiques françaises étaient réparties en deux ensembles :

1. Les « grandes entreprises nationales » (GEN).

Elles regroupaient sept entreprises (EDF, GDF, Charbonnages de France, SNCF, RATP, Air France, Air Inter) auxquelles on adjoignait les P. et T.

2. Les entreprises industrielles exposées à la concurrence nationale et internationale. Exemples : Renault, Bull, Thomson, etc.

Cette distinction n'existe plus. Le nouveau système de CN prévoit une répartition des sociétés non financières (SNF) en trois sous-secteurs en fonction du contrôle exercé. Ainsi, il existe un sous-secteur SNF publiques correspondant aux SNF contrôlées par une administration publique (APU).

Selon l'INSEE : « Fin 2000, l'État contrôle 1 500 entreprises françaises, soit 2 000 de moins qu'en 1986. Le *secteur public d'entreprises* emploie 1,1 million de salariés contre 2,35 millions fin 1986. Il représente 7,8 % des actifs salariés (18,6 % en 1986) » (TEF 2001).

→ *Administration/Administration publique/ APU, Économie mixte, Nationalisation, Politique industrielle, Privatisation.*

ÉPARGNE

1. Partie du revenu qui, pendant une période donnée, n'est pas consacrée à la consommation.

2. Au sens courant, « épargner » signifie faire des économies, mettre en réserve. En anglais, *to save* « épargner », signifie également sauvegarder.

♦ Cette notion connaît plusieurs interprétations. Pour les néo-classiques, l'épargne est une consommation différée dans le temps : l'individu accepte de renoncer à une consommation immédiate parce que l'épargne ainsi réalisée lui permettra d'augmenter son revenu futur, donc sa consommation future. Cet arbitrage entre consommation présente et consommation future dépend de l'évolution prévisible du revenu durant la vie de l'individu, de son degré de préférence pour le présent et du taux d'intérêt. Pour les keynésiens, l'épargne apparaît comme un résidu et son montant dépend de l'importance du revenu.

Cette relation entre l'épargne et le revenu est mesurée par deux propensions, la *propension moyenne à épargner*, PME, rapport entre l'épargne (notée S ou E) et le revenu (noté Y ou R) :

$$PME = \frac{S}{Y} \left(ou \ \frac{E}{R} \right)$$

et la *propension marginale à épargner*, Pme, rapport entre la variation de l'épargne (ΔS) et la variation du revenu (ΔR) :

$$Pme = \frac{\Delta S}{\Delta Y} \left(ou \ \frac{\Delta E}{\Delta R} \right)$$

Plus l'on devient riche et plus la part relative de l'épargne dans le revenu est importante.

Les ménages partagent leur revenu courant entre la consommation et l'épargne ; ils décident de la forme que prendra cette épargne. Le montant total de l'épargne étant déterminé, les ménages décident de la part qu'ils souhaitent conserver sous la forme d'épargne liquide, c'est-à-dire sous la forme d'encaisses monétaires. Ce problème est celui de la préférence pour la liquidité :

c'est le taux d'intérêt qui incite l'individu à renoncer, en partie ou en totalité, à la liquidité de son épargne.

♦ Trois points doivent être soulignés :
– premièrement, la distinction entre la consommation et l'épargne n'est pas toujours aisée : l'achat de timbres de collection par un philatéliste est-il un acte de consommation (satisfaction immédiate) ou un acte d'épargne (placement) ? ;
– deuxièmement, tous les agents économiques peuvent épargner : par exemple, l'État, à condition qu'il dégage un excédent budgétaire, ou l'économie nationale, grâce à une balance des paiements courants excédentaire, mais surtout les entreprises, qui épargnent pour autofinancer leurs investissements ;
– troisièmement, l'épargne n'est pas nécessairement un acte individuel et volontaire. Il existe une *épargne involontaire*, ou *épargne forcée*, qui prend diverses formes : le prélèvement sur le revenu opéré par les impôts, le prélèvement opéré par l'inflation (la hausse des prix permettant aux entreprises de s'autofinancer). Il existe une épargne collective, par exemple les cotisations sociales pour la retraite : si le financement des retraites de base ne passait pas par le circuit de la Sécurité sociale, les ménages seraient contraints de compenser en augmentant leur épargne individuelle (c'est le cas du Japon).

———▶ *Consommation (finale, intermédiaire), Cycle de vie des individus (Théorie de l'épargne), Effet d'âge/Effet de génération, Marché financier, Propension, Revenu permanent.*

ÉPARGNE (Comptabilité nationale)

L'épargne brute apparaît comme le solde du compte d'utilisation du revenu.

Pour les ménages, leur épargne brute excède la formation brute de capital fixe (FBCF : acquisition de logement) qui est le principal emploi de ce compte, d'un montant qui constitue leur capacité de financement ; celle-ci correspond à leur épargne financière puisqu'elle est égale au solde de leur compte financier.

Cette épargne financière prend deux formes distinctes, qui correspondent aux deux emplois principaux de la capacité de financement : les ménages peuvent acheter des titres (actions ou obligations) sur le marché financier, ou se contenter de détenir des dépôts auprès des institutions financières.

Le taux d'épargne est donné par le rapport de l'épargne brute (EB) au revenu disponible brut (RDB) soit EB/RDB ; pour le taux d'épargne financière, on substitue la capacité de financement (CF) à l'épargne brute et l'on obtient CF/RDB ; pour le taux d'épargne non financière, on retient la FBCF, ce qui donne FBCF/RDB.

Pour les entreprises, l'épargne brute correspond au profit retenu qui sera disponible pour l'autofinancement, ce qui conduit à mesurer le taux d'autofinancement par le rapport EB/FBCF. L'épargne nette est égale à l'épargne brute moins l'amortissement économique.

———▶ *Capacité de financement.*

ÉPARGNE SALARIALE

Modalité particulière d'épargne collective, fonctionnant dans le cadre de l'entreprise. Les sommes épargnées par les salariés de l'entreprise peuvent être augmentées par l'employeur et bénéficient de déductions fiscales spécifiques.

Elle comporte trois volets : la participation, l'intéressement, les fonds de pension. Une loi de 2000 élargit le système aux petites et moyennes entreprises.

———▶ *Épargne, Fonds de pension.*

ÉPISTÉMOLOGIE

Étude critique de la connaissance scientifique, de ses principes et résultats.

◆ Dans l'optique positiviste, la science est à elle-même sa propre justification : elle est validée par sa méthode, et celle-ci est à son tour validée par ses résultats. Dès lors, il n'y a pas de place pour une épistémologie, une méthodologie suffit.

L'épistémologie veut au contraire interroger la science dans sa prétention à élaborer un savoir objectif, c'est-à-dire un savoir indépendant du statut du sujet (la loi de la pesanteur vaut pour un Chinois comme pour un Français, elle ne dépend pas de nos caprices). À quelles conditions peut-on produire des connaissances objectives ? Cette question se pose surtout en sciences sociales, car les objets étudiés sont aussi des sujets (nous tous), qui agissent en fonction de leur propre représentation d'eux-mêmes et du monde (valeurs, croyances, etc., mais aussi connaissance du monde économique et social, dont les théories scientifiques). Un épistémologue se demande par exemple : y-a-t-il un progrès des connaissances en sciences sociales ? Y-a-t-il une démarcation nette entre science et idéologie ? Les théories sont-elles départagées par des tests empiriques ? etc. Quelques noms de grands épistémologues : K. Popper, T. Kuhn, I. Lakatos, P. Feyerabend, de même que les sociologues Durkheim et Weber.

ÉQUILIBRE

> Situation dans laquelle les différentes forces économiques en présence se compensent et se neutralisent.

Cette définition a des sens différents selon les théories.

Dans la *conception walrassienne* : à l'équilibre tous les agents ont atteint leur objectif maximal, personne ne souhaite « bouger » ; cet état de l'économie est caractérisé par l'égalité de l'offre et de la demande sur tous les marchés, c'est *l'équilibre général* (*l'équilibre partiel* désignant cette égalité pour un seul marché, toutes choses égales par ailleurs).

Tout état de l'économie qui se prolonge durablement, même si certains agents sont rationnés (par exemple des entreprises qui rencontrent des problèmes de débouchés ou des chômeurs involontaires) ; cette définition permet aux keynésiens d'appeler *équilibre de sous-emploi* une situation d'équilibre sur les marchés des produits et de la monnaie compatible avec du chômage involontaire.

Ce que l'on appelle improprement la *théorie du déséquilibre* étudie en fait des situations d'*équilibre à prix fixes* (l'ajustement sur les marchés s'effectuant plus rapidement par les quantités que par les prix, par exemple lorsque les entreprises préfèrent stocker les marchandises invendues plutôt que de baisser leurs prix) ou *équilibres non walrassiens* (puisque les agents doivent réviser leurs plans initiaux en tenant compte des contraintes quantitatives qu'ils subissent).

L'école suédoise (Myrdal, Lindahl) utilise souvent la notion d'équilibre dans un autre sens : l'équilibre est atteint lorsque les anticipations des agents sont parfaitement réalisées (les valeurs *ex post* des variables correspondent à leur valeur *ex ante*).

Les équilibres *ex post* (en fin de période) masquent des déséquilibres *ex ante* lorsque les agents ne parviennent pas tous à réaliser leurs plans (conçus au début de la période) ; par exemple, bien que les projets d'investissement des entreprises ne soient pas nécessairement compatibles avec le montant que les ménages désirent épargner, au terme d'une période donnée, l'investissement total réalisé est nécessairement égal à l'épargne.

◆ La notion d'*équilibre économique* ne doit pas être confondue avec la notion d'*équilibre comptable* : le compte de résultat d'une entreprise qui subit des pertes est nécessairement équilibré ; il y a nécessairement égalité ressources/emplois au niveau macroéconomique, même si le taux de chômage est élevé ; la balance des paiements est un compte équilibré (somme des débits = somme des crédits) qui recouvre des déséquilibres (de la balance des transactions courantes, de la balance des capitaux, etc.). La notion d'équilibre n'est pas toujours conçue comme un instrument d'analyse et devient parfois une norme pour la politique économique : on justifie les politiques d'austérité par le souci de rétablir les « grands équilibres » (équilibre du budget de l'État, des comptes de la Sécurité sociale, de la balance commerciale, etc.), comme si l'équilibre était souhaitable en soi. L'idée sous-jacente est que l'on finit toujours par payer (cher) un déséquilibre : on paye le déficit budgétaire, donc l'endettement public, par une hausse des impôts, la hausse des taux d'intérêt, l'éviction de dépenses privées ; on paye le déficit extérieur, donc l'endettement, par une dépréciation de la monnaie, une dépendance accrue, etc.

→ *Déséquilibre (Théorie du),* Ex ante/Ex post, *Keynes, Marché, Néo-classique (Économie, Théorie), Optimum, Politique économique, Walras ; Annexes 8, 10, 11, 16, 21.*

ÉQUILIBRE BUDGÉTAIRE

→ *Déficit budgétaire.*

ÉQUILIBRE EMPLOIS/ RESSOURCES

→ *Comptabilité nationale.*

ÉQUILIBRE EXTÉRIEUR

Situation dans laquelle une nation pratique l'échange international sans s'endetter ou accroître son endettement extérieur. Le solde de son compte de transactions courantes est nul.

La nation peut régler ses importations de biens et services et les revenus qu'elle verse au reste du monde grâce à ses recettes d'exportation et aux revenus que lui verse le reste du monde (aux « transferts courants » près).

La question que se posent les économistes est de savoir comment une telle situation d'équilibre peut être obtenue : quels sont les mécanismes d'ajustement de la balance des paiements ?

Les économistes libéraux mettent en général l'accent sur des mécanismes de marché à caractère auto-équilibrant, à travers des effets de prix (ou effets de substitution).

♦ C'est le cas de Hume et de Ricardo, à propos de l'étalon-or et de son *specie flow mechanism* : un déficit commercial, réglé par des sorties d'or, contracte la masse monétaire fiduciaire interne dont l'or est la contrepartie ; de ce fait, le niveau général des prix baisse (analyse quantitativiste), la compétitivité-prix externe est restaurée par cette flexibilité des prix intérieurs, les consommateurs substituent les produits nationaux aux produits étrangers devenus relativement plus chers : le volume des exportations augmente et celui des importations diminue.

♦ Un mécanisme similaire peut caractériser un régime d'étalon de change-or (GES), ou devise (étalon-dollar), ou de changes flottants :
– dans les deux premiers cas, les variations des réserves de change agissent sur la masse monétaire interne ;
– en régime de changes flottants (voir les analyses de M. Friedman), point n'est besoin de flexibilité des prix intérieurs : c'est la variation libre du taux de change en fonction des flux monétaires liés au commerce international qui assure la flexibilité des prix internationaux.

Les économistes keynésiens mettent en évidence des mécanismes d'ajustement par des effets de revenu, liés au multiplicateur, les déséquilibres extérieurs s'expliquant par un « décalage conjoncturel » : un déficit correspond à un ralentissement de la demande pour les produits nationaux par rapport à la demande de produits étrangers, il en résulte un ralentissement de la croissance et du revenu intérieur (effet multiplicateur négatif), ce qui se traduit par une baisse des importations, la propension à importer étant une fonction du revenu : retour à l'équilibre.

♦ Dans la réalité, ces mécanismes théoriques ont mal fonctionné du fait des hypothèses « fortes » qui les sous-tendent :

flexibilité des prix, plein-emploi des facteurs, et forte élasticité-prix des offres et des demandes pour les modèles libéraux ; stabilité de la propension à importer, de la politique du taux de marge des firmes, bonne spécialisation internationale, pour les modèles keynésiens.

Souvent, les États-nations ont dû restaurer leur équilibre extérieur par des mesures de politique économique qu'on peut ramener à l'alternative : *dévaluation compétitive* (ou dépréciation provoquée en régime de flottement impur) ou *politique de déflation* (ou de désinflation compétitive, ou « d'ajustement structurel »). Dans le premier cas, on cherche à retrouver l'équilibre externe sans sacrifier l'équilibre interne et déprimer l'activité ; dans le deuxième cas, la réduction des coûts internes implique des sacrifices douloureux en termes de revenus, d'activité et d'emploi.

À noter enfin que la variation des taux de change dans l'actuel régime de changes flottants résulte de moins en moins des mouvements de marchandises et de plus en plus des mouvements de capitaux monétaires et financiers : les fortes variations récentes des taux de change ne semblent pas avoir particulièrement contribué à l'équilibre des balances des paiements courants.

→ *Balance des paiements, Contrainte extérieure, Dévaluation, Politique de change, Système monétaire international (SMI).*

ÉQUIPEMENT DES MÉNAGES

Ensemble des biens de consommation durables (réfrigérateurs, téléviseurs, automobiles, etc.) utilisés par les ménages.

Le taux d'équipement est la proportion (en %) de ménages propriétaires d'un bien donné par rapport à l'ensemble. Par exemple, le taux d'équipement des ménages français en réfrigérateurs était, dans les années 1990, de 97 %.

ÉQUITÉ

Forme supérieure de l'égalité correspondant à une égalité juste parce que proportionnée.

◆ L'équité est une notion ancienne : elle est, selon Aristote, le principe qui caractérise la *justice distributive* (donner à chacun son dû, selon sa situation particulière, sa valeur, son mérite, son statut social dans la cité : notion d'égalité *proportionnelle*) ; en revanche, le principe d'égalité, d'équivalence, s'applique en matière de *justice commutative* (appelée aussi corrective), c'est-à-dire dans les échanges privés fondés sur la réciprocité (1 000 € de blé contre 1 000 € de lait ; l'échange ne devant pas modifier la position relative des classes de citoyens, considérée comme équitable par la cité).

Appliquée aux décisions de justice des tribunaux, l'équité correspond à l'idée qu'il est plus juste d'appliquer la règle de droit, égale pour tous, en la modulant pour tenir compte de la situation particulière du justiciable (par exemple, ses intentions, sa bonne ou mauvaise foi, son niveau d'instruction, l'existence de circonstances atténuantes, etc.) : le « jugement en équité » complète, corrige et humanise le jugement en stricte légalité formelle.

En matière de justice sociale et de répartition des biens, l'équité conduit à *proportionner* les rétributions (les « biens » distribuables : revenus, marchandises, services publics, mais aussi emplois, fonctions, titres, honneurs, prestations sociales…) à la situation particulière d'un individu ou d'une catégorie particulière d'individus et cela en fonction de critères de justice. Cela conduit nécessairement à considérer que des rétributions inégales peuvent être plus justes que des rétributions égales.

◆ Sous l'occupation allemande, les cartes de rationnement prévoyaient des rations alimentaires plus fortes pour les J3, c'est-à-dire pour les adolescents en pleine croissance : d'inégales rations étaient donc considérées comme plus justes que des rations égales…

La *discrimination positive* (*affirmative action* en anglais) consiste, au nom de l'équité, souvent assimilée à l'égalité des chances, à moduler les droits afin de « donner plus à ceux qui ont le moins », ou souffrent de handicaps (naturels ou socioculturels) ou de discriminations : il s'agit donc d'une inégalité juridique compensatrice (par exemple, un soutien scolaire pour les élèves en difficulté).

→ *Égalitarisme, Égalité (Les différentes conceptions de l'), Rawls.*

ÉQUIVALENCE RICARDIENNE (ou THÉORÈME RICARDO-BARRO)

Selon un théorème énoncé en premier lieu par Ricardo, il y aurait équivalence entre l'augmentation de la dette publique aujourd'hui et l'augmentation des impôts requise demain par le remboursement de cette dette et le paiement des intérêts. Dans un article publié en 1974, Robert Barro reprend ce théorème pour montrer qu'une réduction d'impôts financée par une augmentation de la dette publique n'a pas l'effet expansionniste qu'en attendent les keynésiens (relance de la demande) parce que les agents privés anticipent immédiatement les hausses d'impôts à venir et épargnent par conséquent le supplément de revenu disponible dû à l'allègement fiscal. Le raisonnement qui conduit à ce résultat peut se résumer ainsi : la dette publique ne représente pas une richesse nette pour les agents privés car c'est une créance qu'ils détiennent sur eux-mêmes.

→ *Nouvelle économie classique (NEC).*

ESCLAVAGE

Mode d'utilisation de la force de travail, dominant sous l'Antiquité, et dans lequel la personne même du travailleur est une marchandise que possède son maître.

L'esclave a un statut proche de celui de l'animal domestique, car il est nié dans son humanité et privé de tout droit : capturé lors de guerres ou de razzias, puis contraint au travail, sa production, comme sa personne, est propriété de son maître ; celui-ci l'entretient comme capital productif, peut le vendre, le louer, le punir, le tuer (ce n'est pas son intérêt) et le contraindre à se reproduire pour constituer un véritable cheptel d'esclaves.

Relativement bien traité en Grèce et à Rome, surtout en ville quand il disposait d'une qualification recherchée (médecins et précepteurs grecs à Rome), l'esclave pouvait être affranchi par son maître — étape intermédiaire vers la pleine citoyenneté.

Peu à peu remplacé par le servage, dans lequel le serf (*servus*, « esclave » en latin) est attaché à la glèbe mais n'est pas lui-même propriété du seigneur, l'esclavage réapparaît, sous une forme aggravée, avec la mise en valeur des colonies d'Amérique au XVIᵉ siècle : les conditions de travail dans les plantations et le manque de main-d'œuvre sont tels que les colons, ne voulant pas payer les salaires correspondants, ont recours au travail forcé d'esclaves capturés sur les côtes d'Afrique (traite des Noirs et commerce triangulaire).

♦ L'esclavage aujourd'hui a officiellement disparu mais il semble persister autour de la mer Rouge et dans certains pays d'Afrique. Les Nations unies continuent de lutter contre l'esclavage qui subsiste aussi sous la forme de la traite des femmes et des enfants (prostitution) ou sous la forme du travail forcé des enfants.

→ *Commerce triangulaire, Servage.*

ESCOMPTE, RÉESCOMPTE, TAUX D'ESCOMPTE

Opération de crédit résultant de l'achat d'un effet de commerce par une banque à un client. Le prix payé par la banque correspond à la valeur de l'effet de commerce, déduction faite de l'agio. L'agio est une somme d'argent qui incorpore différents éléments, notamment le montant de l'intérêt que la banque prélève afin de rémunérer le prêt qu'elle consent en achetant à son client, le créancier, un effet de commerce avant son échéance. Le taux de l'intérêt s'appelle le *taux d'escompte.*

Un créancier mobilise donc ainsi une créance avant son échéance, c'est-à-dire obtient immédiatement, en contrepartie d'un papier commercial (lettre de change, billet à ordre, chèque, warrant) qui n'était pour lui qu'une promesse de paiement, la somme d'argent correspondante, diminuée des agios ; à charge pour le banquier d'obtenir le remboursement de l'effet auprès de son souscripteur initial (le « tiré »).

La banque peut à son tour se refinancer, c'est-à-dire obtenir des liquidités, en cédant l'effet à la Banque centrale : c'est le réescompte. Le *taux de réescompte*, appelé taux d'escompte central, est un taux directeur pour les opérations d'escompte ; fixé par la Banque centrale, il fut longtemps l'un des instruments privilégiés de sa politique du crédit. En abaissant ce taux, la Banque centrale abaissait le coût du crédit dans l'économie et donc favorisait la création monétaire et la relance de l'activité. Inversement, le relèvement du taux d'escompte visait à lutter contre la surchauffe inflationniste. Aujourd'hui, cette technique est abandonnée au profit d'une action plus souple, au jour le jour, par intervention de la Banque centrale sur le marché monétaire où elle peut intervenir en achetant ou en vendant des titres contre des liquidités (politique d'open market).

→ *Banque, Crédit, Effet de commerce, Politique monétaire.*

ESPÉRANCE DE VIE

« Moyenne des durées de vie d'une génération imaginaire qui serait soumise toute sa vie aux taux de mortalité par âge de l'année d'observation » (INSEE, *Tableaux de l'économie française*).

La génération est dite imaginaire — ou fictive — en ce sens qu'on lui fait parcourir tous les âges de la vie en lui faisant subir, à chaque âge, les conditions de mortalité observées sur les différentes générations réelles de l'année étudiée.

♦ Sans autre précision, il s'agit de l'espérance de vie à la naissance (82,2 ans pour les femmes, 74,6 ans pour les hommes en France en 1998).
♦ Cette notion ne doit pas être confondue avec celle de *durée moyenne de vie*, calculée rétrospectivement pour l'ensemble d'une génération.

Espérance de vie à un âge donné, 30 ans par exemple : nombre moyen d'années restant à vivre pour les personnes de la population fictive ayant atteint cet âge.

Âges (années)	ESPÉRANCE DE VIE AUX DIFFÉRENTS ÂGES			
	Espérance de vie aux âges indiqués (années et dixièmes d'année)			
	Hommes		Femmes	
	1950	1999	1950	1999
Moins d'1 an	63,4	75,0	69,2	82,5
1 an	66,2	74,4	71,3	81,8
20 ans	48,7	55,8	53,6	63,1
40 ans	30,7	37,0	35,2	43,7
60 ans	15,4	20,2	18,4	25,3
75 ans	7,0	10,1	8,4	12,9
85 ans	3,6	5,3	4,4	6,6

(Extrait de *Tableaux de l'économie française*, 2002-2003).

→ *Mortalité.*

ÉTABLISSEMENT PUBLIC

Organisme de droit public créé par un décret qui fixe ses missions, la composition de ses instances dirigeantes et ses règles de fonctionnement. Il existe différents types d'établissements publics : administratifs, scientifiques et techniques (organismes de recherche), etc.

ÉTALON-DOLLAR (ou *DOLLAR STANDARD*)

→ *Système monétaire international (SMI).*

ÉTALON MONÉTAIRE

→ *Système monétaire international (SMI).*

ÉTALON-OR

→ *Système monétaire international (SMI).*

ÉTAT

Forme institutionnalisée du pouvoir suprême, qui, par le monopole de la violence légale, crée l'ordre social par la loi. Le pouvoir d'État s'exerce dans les limites d'un territoire (souveraineté territoriale) et il correspond le plus souvent à une nation (forme moderne de l'État-nation). Institution, il se manifeste concrètement comme un ensemble d'organes politiques et administratifs : le gouvernement, le Président, le Parlement, les administrations, etc. Cet appareil d'État s'incarne dans des hommes, les représentants de l'État, avec lequel ceux-ci ne se confondent pas dans un État de droit.

Pourquoi cette invention de l'État ? Selon G. Burdeau, l'homme aurait inventé ce pouvoir abstrait pour assurer, par-delà la personne du chef, du monarque, la continuité du pouvoir (« le Roi est mort, vive le Roi ! ») et pour masquer, sanctifier et donc faciliter l'obéissance concrète à un autre homme. En présentant le pouvoir politique comme d'essence abstraite, supra-humaine, voire divine aux origines, on lui a conféré une légitimité pouvant justifier son caractère absolu.

◆ Avec l'État moderne, la substitution d'une légitimité humaine, sociale, populaire même, à la légitimité divine a représenté, depuis le XVIIIe siècle, une telle révolution qu'elle n'est pas encore totalement entrée aujourd'hui dans les esprits. Et l'État républicain a conservé parfois les ors, les pompes et le paternalisme de la monarchie afin que la magie de l'obéissance continue d'opérer sur un peuple désormais proclamé souverain.

En démocratie, l'exercice du pouvoir constituant par le peuple n'a pas aboli la distinction entre gouvernants et gouvernés, même si désormais les seconds désignent les premiers au suffrage universel. Les gouvernants, agissant au nom de l'État, qu'ils incarnent temporairement, sont soumis à la Constitution et aux lois (principe de légalité des actes administratifs), sous le contrôle du juge (en France : Conseil constitutionnel et Conseil d'État) : l'État démocratique est un État de droit, il exclut l'arbitraire.

Le contrat social constitutif de l'État moderne traduit en principe l'adhésion volontaire à un projet de vouloir-vivre ensemble, formalisé dans la Constitution, et fondé, non sur une contrainte venue d'en haut, mais sur la conscience civique des avantages mutuels que procure la vie sociale : l'État devient la nation organisée par elle-même.

L'État démocratique, produit du contrat que passent entre eux les membres de la société civile, est l'institution dont celle-ci se dote pour produire du droit, c'est-à-dire un ordre juridique d'une rationalité supérieure, en subordonnant le pouvoir de chacun au pouvoir suprême de tous.

Selon l'*analyse marxiste*, la distinction entre l'État, abstraction au service de l'intérêt général, et ses organes, son appareil, ses représentants est une mystification, une illusion. D'un point de vue matérialiste, l'État n'apparaît plus que comme l'instrument de domination d'une classe sur une autre, caché derrière la façade de l'intérêt général. Il se réduit à ses organes de répression (justice, armée, police) et de domination idéologique (presse, Églises, école...). La démocratie et les libertés bourgeoises sont formelles, théoriques.

À cette vision, on a pu opposer que, sans libertés formelles, c'est-à-dire reconnues juridiquement, il ne peut y avoir de libertés réelles, et que la violence interindividuelle, présente dans toute société, légitime l'existence de l'État.

Les *libéraux* restent méfiants à l'égard du pouvoir d'État. Ils souhaitent que celui-ci soit limité par l'équilibre entre ses organes, par la séparation des pouvoirs agissant comme contre-pouvoirs (« seul le pouvoir arrête le pouvoir »).

♦ Ils souhaitent un État minimal dans ses fonctions (défense, justice, police) : celles d'un État-gendarme, appliquant, en arbitre, les règles générales d'un jeu social conçu pour le plein exercice des libertés individuelles ; un État du laisser-faire, laisser-passer, qui s'en remet, pour le reste et l'essentiel, à la négociation contractuelle entre individus libres et égaux en droit, c'est-à-dire au marché.

À cette conception libérale ancienne, mais renaissante au cœur de la crise, s'oppose la *conception social-démocrate*, d'inspiration socialiste et keynésienne, de l'État-providence (*Welfare State*).

L'État, par ses interventions dans la vie économique et sociale, par la gestion partiellement fiscalisée de services publics, assure les équilibres macroéconomiques et macrosociaux nécessaires au maintien de la cohésion sociale, à la survie d'un secteur privé rentabilisé par la socialisation des pertes, et, en définitive, à la sauvegarde de la démocratie.

⟶ *Administration/Administration publique/ APU, Démocratie, État-providence, Externalité, Hobbes, Légitimité, Locke, Marx, Montesquieu, Nation, Politique économique, Pouvoir.*

ÉTAT DE DROIT

Forme démocratique de l'État, caractérisée par l'application du principe de légalité : toute autorité publique dans un État de droit soumet son action au respect des lois et règlements, y compris ceux qu'elle a établis.

L'État de droit suppose qu'existe pour les citoyens la possibilité légale d'un recours juridictionnel (devant des tribunaux) contre toute décision d'une autorité publique (recours pour excès de pouvoir, contrôle de la légalité des actes administratifs et de la constitutionnalité des lois). Cette conception de l'État et de la démocratie, issue du libéralisme, repose sur l'idée d'une nécessaire protection de l'individu contre l'arbitraire du pouvoir par une limitation de celui-ci, y compris le pouvoir législatif, par le droit. Elle peut conduire à l'affaiblissement du rôle joué par la loi et le Parlement et, symétriquement, à la possibilité d'un « gouvernement des juges ».

⟶ *Démocratie, État.*

ÉTAT DE NATURE

En philosophie politique, situation conçue comme étant celle des hommes avant qu'ils ne forment, par contrat social, une société, civile (Rousseau) ou politique (Hobbes).

La référence à « l'état de nature » est constante chez les penseurs politiques du contrat social et de la genèse de l'État. Représenté par eux comme naturellement bon (le mythe du « bon sauvage ») ou comme animé par des passions destructrices (« l'homme est un loup pour l'homme » chez Hobbes), l'homme à « l'état de nature » n'a que de lointains rapports avec ce qu'enseigneront ultérieurement les sciences humaines comme l'anthropologie historique ou l'ethnologie sur les sociétés « primitives ». À l'opposition état sauvage / état civilisé se substituera alors l'opposition entre une organisation sociale fondée sur le *gens*, la phratrie et la tribu, dans laquelle prévalent les liens de parenté, et une organisation sociale fondée sur le territoire, la propriété et dotée d'un pouvoir politique spécialisé.

⟶ *Contrat social, Hobbes, Rousseau.*

ÉTAT-NATION

→ *Nation.*

ÉTAT-PROVIDENCE

(en anglais : *Welfare State* « État de bien-être »)
Conception de l'intervention de l'État, qui s'est imposée après la Seconde Guerre mondiale, selon laquelle l'État doit jouer un rôle actif dans la recherche du progrès économique et social. Parfois, la notion d'État-providence est employée de façon plus restrictive pour désigner le seul système de protection sociale.

Cette conception s'oppose à celle de l'État-gendarme (appelé parfois « État protecteur »), selon laquelle l'État reste cantonné dans des fonctions non économiques (protection des individus et de la propriété par l'armée, la justice et la police) avec toutefois un devoir de prise en charge des activités non rentables (infrastructures).

L'État-providence, dont l'inspiration théorique est le keynésianisme, associe ainsi progrès social et dynamisme du système économique : la recherche du plein-emploi et les systèmes de protection sociale et d'éducation participent au soutien de la demande et à l'entretien de la force de travail tout en répondant à des besoins sociaux. La crise, qui débute dans les années 1970, aboutit à une remise en cause de l'État-providence ou du moins à une conception plus restrictive de l'intervention de l'État.

→ *Économie mixte, État, Keynes, Politique économique ; Annexe 15.*

ÉTHIQUE

Ensemble de principes d'action pour un individu ou une organisation (notamment l'entreprise) qui reposent sur un système de valeurs.

La référence à l'éthique se développe aujourd'hui sous la pression de l'opinion publique et en réaction contre des organisations qui instrumentalisent l'éthique. C'est ainsi que se développent les « fonds éthiques », qui sélectionnent les placements financiers en fonction de critères, tels que la nature des produits, les relations avec les salariés, la promotion des femmes, la prohibition du travail des enfants, la protection de l'environnement, la protection des animaux. De même, l'adoption de « codes éthiques » par les entreprises pose des principes en matière de relations avec les salariés, les consommateurs, les concurrents, les fournisseurs (pots de vins) et résultent d'une stratégie défensive (réaction à des scandales) ou offensive (amélioration d'une image de marque, fidélisation des salariés).

ETHNICITÉ

Modalités par lesquelles des individus ou des groupes s'identifient et sont identifiés sur la base de différences établies à partir de traits culturels imputés à une origine commune et mises en avant dans les interactions sociales. Le terme est employé entre autres à propos des minorités « ethniques » et des stratégies déployées par ces groupes ou leurs représentants pour s'affirmer dans un système politique national.

Ce néologisme d'origine anglo-saxonne est avant tout utilisé à propos des États-nations (pays occidentaux, pays en développement), caractérisés par la coexistence d'une majorité se revendiquant « de souche » et de populations d'origines diverses, migrants implantés plus ou moins récemment ou autochtones « minorisés » (Indiens aux États-Unis), occupant souvent des positions sociales subalternes. Aussi n'est-on pas en présence de différences ethniques originaires mais de clivages socioculturels résultant de processus d'acculturation et d'interactions multiples entre les différents segments de la collectivité nationale : ces clivages résultent autant de processus identitaires et de catégorisations par autrui que de caractéristiques « objectives » (pratiques langagières, normes, styles de vie). Il y a sans doute des survivances de la culture d'origine mais s'élaborent progressivement des constructions sociales et culturelles originales : des expressions en témoignent (les « Chicanos » aux États-Unis ou les « Maghrébins », voire les « Beurs » en France).

♦ En réaction aux discriminations et aux stigmatisations des groupes majoritaires peut se produire un rejet de l'assimilation, se traduisant par une volonté de reconstruction rétrospective — largement imaginaire — de la culture d'origine (*ethnical revival*). Si cette dernière option se diffuse dans le ou les groupes concernés, une tendance à « l'ethnicisation » des relations sociales peut se faire jour.

♦ On peut distinguer une ethnicité symbolique et diffuse, faite d'allégeance communautaire et d'affirmation identitaire, et une ethnicité volontariste et « politique », mobilisant des ressources variées pour lutter contre les inégalités et discriminations et revendiquer des droits. On rejoint à ce stade la notion de multiculturalisme politico-idéologique et les débats qu'elle suscite.

───► *Acculturation, Communautarisme, Ethnie, Multiculturalisme, Républicain (Modèle).*

ETHNIE

(du grec *ethnos*, « peuple »)
Population partageant une histoire et des traits culturels supposés communs (langue, us et coutumes, représentations), se réclamant d'une même origine (réelle ou imaginaire). À une ethnie peut correspondre — ce n'est pas toujours le cas — un espace propre, associé éventuellement à une unité d'ordre politique. La notion s'applique en priorité aux sociétés dites primitives et traditionnelles.

Malgré des confusions, fréquentes au XIXe siècle, un ensemble ethnique n'est pas assimilable à un groupe racial, notion qui n'a d'ailleurs pas de valeur scientifique. Il est avant tout une réalité sociale et culturelle, cimentée autant par l'identité subjective (sentiment d'appartenance) que par les catégorisations extérieures (le regard d'autrui).

♦ Le terme se répand au cours des XIXe et XXe siècles. De façon similaire aux Grecs qui opposaient les *ethnê* « barbares » à leur *polis* (cité) organisée politiquement, il entend s'appliquer aux peuples supposés moins développés, dépourvus de système étatique. Sa diffusion répond aussi aux impératifs d'encadrement administratif et culturel des populations sous tutelle coloniale. D'où l'ambiguïté de ce vocable : utilisé par les anthropologues, pour restituer la diversité culturelle des groupements humains, il est par ailleurs connoté plus ou moins péjorativement en désignant « une sorte de nation par défaut » (A. Rivera). En outre, par le jeu réciproque de la politique coloniale et des logiques communautaristes dans les nouveaux ensembles nationaux, s'est développé un processus de « naturalisation » des ensembles ethniques alors même que des anthropologues contemporains (F. Barth, J. L. Amselle) s'attachent à montrer leur caractère construit, fragile et mouvant.

───► *Aire culturelle, Culture, Ethnicité, Lignage/Clan.*

ETHNOCENTRISME

Fait de percevoir l'autre (les étrangers, les membres des autres groupes ethniques et sociaux) selon les normes et les valeurs de son propre groupe (peuple, ethnie, classe sociale).

Se traduit le plus souvent par la valorisation de soi et la dépréciation des autres. Si l'ethnocentrisme est un comportement que l'on observe dans tout groupe, dans toute société (Lévi-Strauss), il peut revêtir des formes aiguës : négation des différences culturelles (l'autre non civilisé, non « policé ») engendrant différentes formes de racisme.

ETHNOCIDE

> Destruction de la culture d'un peuple résultant du contact inégal et brutal, largement subi, avec les représentants d'un système socioculturel objectivement dominateur.

À ne pas confondre avec le génocide, destruction physique d'une population (par exemple, le génocide arménien).

Terme forgé par l'ethnologue R. Jaulin qui montre comment des sociétés indiennes d'Amérique latine ont perdu leur raison d'être et, partant, leur existence, par imposition de pratiques et de normes occidentales, au nom de la supériorité de la civilisation « blanche ». Aboutissement de l'ethnocentrisme, de la négation de l'autre.

→ *Acculturation.*

ETHNOGRAPHIE

→ *Ethnologie/Ethnographie.*

ETHNOGRAPHIQUE (Méthode)

> Étude *in situ* de collectivités, d'institutions, de manifestations de la vie sociale procédant par observation directe et entretiens. Recoupe largement la notion d'« enquête de terrain », autrement dit qui s'effectue sur les lieux d'interaction des individus et des groupes étudiés. La méthode ethnographique s'applique aussi bien à l'étude de populations de sociétés dites primitives ou traditionnelles qu'à des enquêtes sur des milieux sociaux et des institutions de sociétés développées.

L'utilisation des vocables « ethnographie », « méthode ethnographique » par les sociologues s'explique par les emprunts faits aux procédures d'observation élaborées par les anthropologues. Ceux-ci ayant affaire à des populations fort éloignées culturellement et ne disposant pas, en général, de documentation préalable, privilégièrent l'observation méthodique des techniques et des comportements et le contact avec des « informateurs » et des traducteurs. Malinovski recommandait une « immersion » de l'ethnologue dans le milieu étudié.

Si elles ont en commun certains principes et certaines procédures (une présence prolongée sur le terrain, le plan d'observation, etc.), les méthodes ethnographiques des sociologues diffèrent sur plusieurs plans de celles des ethnologues, en particulier le recours fréquent à l'observation participante et l'usage beaucoup plus développé de l'échange verbal.

→ *Enquête, Ethnologie/Ethnographie.*

ETHNOLOGIE/ ETHNOGRAPHIE

> L'*ethnologie* (terme forgé à partir des mots grecs *ethnos* « peuple » et *logos* « discours ») est une science ayant pour objet l'analyse comparée des cultures et des sociétés humaines, principalement celles qualifiées de « primitives » ou traditionnelles. Ce terme correspond à ce que l'on entend dans les pays anglo-saxons par *anthropologie sociale et culturelle*. Elle a pour base le travail ethnographique.
>
> L'*ethnographie* « consiste dans l'observation et l'analyse des groupes humains considérés dans leur particularité [...] tandis que l'ethnologue utilise de façon comparative [...] les documents présentés par l'ethnographe » (C. Lévi-Strauss, *Anthropologie structurale*, 1958).

♦ L'*enquête* en *ethnologie* et en *ethnographie* s'appuie sur deux techniques complémentaires : l'observation directe (description systématique des pratiques, des « us et coutumes ») et l'enquête orale. Celle-ci exige le recours à des « informateurs » (membres de la société observée) auprès desquels sont recueillis des éléments non perceptibles par l'observation directe.

Le développement de ces disciplines est lié au vaste inventaire des sociétés non occidentales qui a accompagné la découverte et la conquête du monde par l'Europe. Le type de sociétés étudié par l'ethnologie explique l'attention portée aux systèmes de parenté, aux mythes, au rapport de l'homme à la nature, réalités à la fois fondamentales et spécifiques de ce type de sociétés. De là, également, l'importance accordée aux contacts entre sociétés différentes et à leurs effets (phénomènes d'acculturation).

♦ *Les rapports entre l'ethnologie et la sociologie* sont étroits : elles ont le même objet d'étude (les sociétés, les cultures, les institutions). Cependant, le terme *sociologie* est plutôt réservé à l'étude des sociétés industrielles complexes. D'où des méthodes d'investigations et des préoccupations spécifiques.

⟶ **Anthropologie, Culture, Ethnocide, Sociétés primitives.**

ETHNOMÉTHODOLOGIE

Démarche sociologique développée aux États-Unis depuis les années 1960, proche de l'interactionnisme symbolique, centrant son intérêt sur le savoir ordinaire des membres d'une société. H. Garfinkel et A. Cicourel en sont les principaux représentants.

Le terme a été forgé par Garfinkel pour désigner l'étude des méthodes cognitives (lexiques, procédures de réflexion) auxquelles recourent les individus dans la vie quotidienne (conversations, gestion domestique…) ou dans certaines situations sortant de la routine (participation

comme juré dans un tribunal) pour comprendre, s'y retrouver et agir dans ces mêmes circonstances. Ces méthodes constituent en quelque sorte des savoirs élaborés au fil des pratiques sociales (analysées comme interactions). Le préfixe « ethno » est utilisé en référence aux ethnosciences (par exemple, ethnobotanique), c'est-à-dire au savoir courant de la société ou d'un groupe social. Cette démarche postule une relation de continuité entre la connaissance ordinaire et le discours professionnel des sociologues. Par ailleurs, et contrairement à Durkheim, elle affirme que les faits sociaux, loin d'être objectifs et stables, sont le produit de l'activité continuelle des individus.

⟶ *Interactionnisme ; Annexe 46.*

ETHOS

Terme utilisé par Max Weber pour désigner tout à la fois le système de valeurs intériorisé, la conduite de vie et la morale pratique propres à un groupe social.

Dans sa célèbre étude *L'éthique protestante et l'esprit du capitalisme* (1905), il parle de l'ethos puritain de certains milieux protestants en établissant les correspondances entre la croyance religieuse (le salut par la foi), l'ascétisme comme style de vie (le rejet des jouissances mondaines) et la vocation à accumuler rationnellement de l'argent (réussite professionnelle manifestant la gloire de Dieu). Cette analyse permet ainsi de mettre en relations les valeurs et les pratiques, y compris celles apparemment éloignées de la vie privée.

♦ Le concept d'ethos a été repris par P. Bourdieu comme dimension particulière de l'« habitus », à savoir l'intériorisation des valeurs du groupe (classe ou fraction de classe).

⟶ *Ascétisme, Habitus, Rationalité, Weber ; Annexe 32.*

ÉTIQUETAGE

Terme utilisé par les interactionnistes américains pour rendre compte des mécanismes par lesquels des individus ou des groupes sont publiquement désignés comme déviants ou non conformes, mais aussi des enchaînements divers qui en dérivent : catégorisations dévalorisantes des étiquetés, ajustements de ces derniers à ces désignations, renforcement du contrôle social (réaffirmation des règles et des normes en vigueur).

Cette approche, développée entre autres par E. Lemert, K. Erickson et H. Becker, met l'accent moins sur les actes de transgression ou sur les individus qui les commettent que sur les processus sociaux de production de la déviance. L'infraction à la règle du groupe n'engendre pas à elle seule le fait social de la déviance. Les groupes sociaux et, en particulier, « les entrepreneurs de morale » (Becker) créent la déviance en forgeant des normes et en disqualifiant des individus supposés les avoir transgressées. L'étiquetage est le « processus au terme duquel (des individus) sont considérés comme étrangers au groupe ». En ce sens, il est mise à l'index et discrédit moral.

On peut mettre en parallèle les analyses de Goffman sur la stigmatisation. Dans le jeu des interactions, le stigmate n'est pas seulement une marque, une blessure mais « tout attribut qui entraîne un discrédit profond » de celui qui le porte.

S'agissant des individus visés, la théorie de l'étiquetage ne se limite pas à l'acte de la désignation ; elle inclut leurs réactions, autrement dit la façon dont ils négocient leur « statut » de déviant ou de stigmatisé. H. Becker parle de « carrière déviante » pour rendre compte des individus étiquetés qui intériorisent leur statut et rejoignent des groupes déviants déjà organisés.

→ **Becker, Déviance, Exclusion, Goffman, Interactionnisme.**

EURATOM

→ *Europe communautaire (histoire des communautés européennes).*

EURL

→ *Société (sens juridique).*

EURO

Monnaie unique de l'Europe à partir de 1999, se substituant aux monnaies nationales des pays faisant partie de l'union monétaire. Les douze premiers pays sont l'Allemagne, la France, l'Italie, l'Espagne, le Bénélux, le Portugal, l'Irlande, la Finlande, l'Autriche, la Grèce.

L'euro est géré dans son émission par la Banque centrale européenne (BCE) et le Système européen de banques centrales (SEBC). Le passage à la monnaie unique comporte deux temps forts : le 1er janvier 1999, basculent les opérations externes et les opérations sur les marchés financiers ; au début de 2002, les pièces et billets en euro se substituent au monnaies nationales. Entre ces deux dates, l'euro se développe sous la forme de monnaie scripturale à un rythme qui dépend du comportement des agents économiques ; en effet, c'est la règle du « ni... ni », ni obligation, ni interdiction d'utiliser l'euro. Le fonctionnement de l'euro repose sur une discipline budgétaire stricte.

→ *Écu, Europe communautaire (union monétaire).*

EURODEVISES

Avoirs détenus dans une monnaie autre que la monnaie du pays où est située la banque qui gère ces avoirs. Lorsqu'une banque effectue des crédits dans une monnaie différente de celle du pays, elle fait des eurocrédits.

♦ Des avoirs en francs dans une banque située hors de France sont des eurofrancs.

➤ *Système monétaire international (SMI).*

EURODOLLARS

Avoirs en dollars déposés dans des banques extérieures aux États-Unis.

♦ Plutôt que d'eurodollars, mieux vaudrait parler de xénodollars dans la mesure où ces avoirs ne sont pas seulement situés en Europe mais dans l'ensemble du monde, en particulier en Asie.

➤ *Système monétaire international (SMI).*

EURO-ÉMISSIONS

Émission d'obligations dans une monnaie qui n'est pas celle de la place financière sur laquelle le titre est émis. Les euro-obligations se différencient des obligations internationales classiques qui sont des titres émis par des non-résidents sur une place étrangère dans la monnaie de cette place.

♦ Par exemple, si une entreprise française émet un emprunt en dollars à Francfort, c'est une euro-obligation, mais si cette obligation est émise en marks, il s'agit d'une obligation internationale classique.

EUROPE (financière)

➤ *Europe (union ou intégration économique).*

EUROPE COMMUNAUTAIRE (histoire des communautés européennes)

L'Europe communautaire s'est construite progressivement, des traités de Rome de 1957 qui créent un marché commun, aux accords de Maastricht de 1992, qui organisent la transition à la monnaie unique, en passant par le marché intérieur de 1992-1993.

Après l'expérience de la Communauté européenne du charbon et de l'acier (CECA) instaurée en 1951, les *traités de Rome* de 1957 instituent la Communauté économique européenne (CEE) — et l'Euratom qui concerne l'énergie atomique. Le projet est principalement de créer un « marché commun », consistant tout d'abord en une union douanière pour les produits industriels : suppression des droits de douane entre les pays membres et instauration d'un tarif extérieur commun. Mais le marché commun va au-delà de l'union douanière et pose aussi le principe de la création d'un marché du travail commun et d'un marché des capitaux unifié.

L'union douanière est réalisée vers 1968, mais la liberté de circulation des capitaux n'est effective qu'en 1990 et la liberté de circulation des travailleurs suppose une reconnaissance des diplômes acquise très progressivement. Les traités de Rome posent en outre les principes de la Politique agricole commune (PAC) et créent les institutions communautaires. Constituée initialement autour de six pays, l'Allemagne, la France, l'Italie et les trois pays du Benelux (Belgique, Pays-Bas, Luxembourg), l'Europe s'est élargie à quatre reprises : en 1973 (Royaume-Uni, Irlande, Danemark), en 1981 (Grèce), en 1986 (Espagne, Portugal) et en 1995 (Finlande, Autriche, Suède). En 2004, l'Union européenne va s'élargir à 10 nouveaux pays, quatre de l'Europe centrale (Pologne, République tchèque, République slovaque, Hongrie), trois pays baltes (Lituanie, Lettonie, Estonie), un pays issu de l'ex-Yougoslavie (Slovénie), deux îles (Chypre, Malte).

L'*Acte unique*, adopté en 1985-1987, pose comme perspective pour le 1er janvier 1993 un grand marché intérieur résultant de la suppression des entraves aux échanges, l'objectif étant de créer un choc sur l'appareil productif européen qui le mette en mesure de tenir tête aux concurrents américains et japonais. Pour les marchandises, les arrêts aux frontières, les obstacles fiscaux, les différences de normes techniques et les privilèges accordés dans le cadre des marchés publics doivent être éliminés ou réduits. La liberté de circulation des capitaux et la liberté de circulation des personnes (et non seulement des travailleurs) sont, elles aussi, relancées.

Le *traité de Maastricht*, adopté en 1992, comporte un volet politique et un volet économique et monétaire. Du point de vue politique, de nouveaux domaines d'intervention entrent dans le champ de compétence de l'Europe : la politique étrangère et de sécurité et des interventions en matière de police et de justice ; toutefois, dans ces domaines, l'organisation reste interétatique, aucun pays ne pouvant être contraint d'adopter des décisions auxquelles il n'adhère pas. Par ailleurs, de nouveaux principes sont posés, concernant, en particulier, la citoyenneté européenne et la subsidiarité. Surtout, le traité organise le passage à la monnaie unique (critères de convergence) et le mode de fonctionnement de l'union économique et monétaire : une monnaie, une politique monétaire et une politique de change uniques, des autorités monétaires indépendantes et un dispositif de surveillance des « déficits publics excessifs ».

Le *traité d'Amsterdam* (1997) et le *traité de Nice* (2000) ont essentiellement porté sur la modernisation des institutions afin de les rendre plus efficaces et mieux en mesure de répondre aux besoins d'une Union européenne élargie : élargissement du vote à majorité qualifiée, possiblité de coopérations renforcées, limitation de la taille de la Commission... Par ailleurs, la Défense, la politique extérieure et de sécurité commune (PESC), et tout ce qui concerne la liberté de circulation des personnes ont enregistré des progrès. Une procédure de définition d'objectifs communs de politique de l'emploi a été adoptée. Mais ces réformes sont très insuffisantes et une « Convention » pour

la réforme profonde des institutions européennes est mise en place en 2002 qui doit aboutir à de nouveaux traités et donc une simplification des textes, un renforcement des institutions et une réduction du « déficit démocratique ».

⟶ *Europe communautaire (institutions), Europe communautaire (politique agricole commune ou PAC), Europe communautaire (système monétaire européen ou SME), Europe communautaire (union monétaire), Europe (union ou intégration économique), Intégration (économique), Subsidiarité.*

EUROPE COMMUNAUTAIRE (Élargissement de l')

Intégration de nouveaux membres dans la Communauté européenne.

Les élargissements successifs ont concerné des pays du nord (1973 : Royaume-Uni, Irlande, Danemark) des pays du sud (1981, Grèce ; 1986 Espagne, Portugal), puis l'Autriche, la Finlande et la Suède en 1995. En 2004, l'union européenne va s'élargir à 10 nouveaux pays, 4 de l'Europe centrale (Pologne, République tchèque, République slovaque, Hongrie), trois pays baltes (Lituanie, Lettonie, Estonie), un pays issu de l'ex Yougoslavie (Slovénie), deux îles (Chypre, Malte). Les adhésions de la Bulgarie et de la Roumanie sont retardées. Le cas de la Turquie n'est pas fixé.

Les critères d'intégration sont l'appartenance au continent européen, le respect de règles démocratiques (y compris les droits des minorités nationales), une économie de marché et « l'acquis communautaire », c'est-à-dire l'adoption des règles juridiques communes.

L'adhésion des pays de l'Europe centrale et orientale pose des problèmes institutionnels — comment prendre des décisions dans le cadre d'une union passant de 15 à plus de 25 membres dont de nombreux pays faiblement peuplés ? —, des problèmes de mutations structurelles et de viabilité des politiques communes, en particulier la politique agricole commune (PAC) et la politique sociale, les pays candidats étant de gros bénéficiaires potentiels de ces politiques.

Les pays concernés sont six pays d'Europe centrale (Pologne, Hongrie, République tchèque, Slovaquie, Bulgarie, Roumanie), trois pays baltes (Estonie, Lettonie, Lituanie), un pays issu de l'ex-Yougoslavie (Slovénie), deux îles méditerranéennes (Chypre et Malte), la Turquie.

En 2000, la Commission considérait que la Turquie ne répondait pas aux critères politiques. En ce qui concerne les critères économiques (existence d'une économie de marché et capacité à affronter la concurrence étrangère), Malte et Chypre y répondaient, la Turquie, la Bulgarie et la Roumanie ne répondaient à aucun des deux critères, les autres pays satisfaisaient au premier critère mais non au deuxième : Estonie, Hongrie, Pologne et République tchèque pouvant y répondre dans un avenir proche ; Lituanie, Lettonie et Slovaquie à moyen terme.

⟶ ▶ Europe communautaire (histoire des communautés européennes).

EUROPE COMMUNAUTAIRE (institutions)

L'organisation européenne est composée :
– de deux instances de décision : l'une représentant les États, le *Conseil des ministres* ; et l'autre l'Europe, la *Commission* ;
– d'une instance élue au suffrage universel : le *Parlement* ;
– et de deux organes de contrôle : la *Cour de justice* et la *Cour des comptes*.

Le *Conseil des ministres*, principal organe de décision, rassemble les représentants de différents pays, soit les ministres des Affaires étrangères, soit les ministres techniques en fonction des questions traitées (ministres de l'Agriculture pour les questions agricoles, etc.). Les décisions sont prises soit à l'unanimité (ce qui donne un droit de veto à chaque pays, respecte les souverainetés nationales, mais ralentit le processus d'intégration), soit à la majorité qualifiée, chaque pays ayant un nombre de voix proportionnel à sa taille. La présidence du Conseil des ministres est assurée de façon tournante tous les six mois par chacun des pays.

Le *Conseil européen*, créé en 1975, rassemble les chefs d'État et de gouvernement et prend les grandes décisions stratégiques.

La *Commission* (située à Bruxelles), composée de commissaires indépendants des gouvernements de leur pays d'origine, joue un rôle fondamental dans le domaine législatif par son rôle dans la préparation des projets et leur adoption, dans le domaine exécutif, et même dans le domaine juridictionnel, en particulier en matière de concurrence.

Le *Parlement européen* (situé à Strasbourg) composé de parlementaires élus depuis 1979 au suffrage universel dans chaque pays, joue un rôle croissant dans l'élaboration des lois, le contrôle bubgétaire et le contrôle de la Commission.

La *Cour de Justice des Communautés Européennes*, C.J.C.E. (située à Luxembourg) arbitre les litiges qui peuvent surgir entre personnes physiques, personnes morales, institutions européennes, États nationaux au sujet de l'application des traités.

EUROPE COMMUNAUTAIRE (politique agricole commune ou PAC)

Politique commune de l'Europe visant à moderniser l'agriculture, améliorer les flux commerciaux agricoles et soutenir les revenus des agriculteurs. Depuis le début des années 80, la PAC est soumise à des crises et des réformes récurrentes.

Les *marchés de produits agricoles* ont été le premier lieu d'application d'une politique commune, la politique agricole commune (PAC) qui repose sur différents principes, la libre circulation des marchandises, l'unicité du prix, la préférence communautaire (le protectionnisme agricole européen) et la solidarité financière. En fait, jusqu'au milieu des années 1980, la politique agricole a consisté en une politique de prix relativement élevés : un prix minimum est assuré par des mécanismes de soutien et d'intervention, soit par le biais d'achats, soit par le biais de subventions à l'exportation (appelées « restitutions »), alors qu'un « prélèvement » est appliqué aux produits en provenance du reste du monde.

Au milieu des années 1980, le système se heurte à des difficultés qui tiennent à sa réussite : la PAC a permis une progression commerciale très forte de la production et de la productivité, une réduction des déficits commerciaux et même l'apparition, pour certains produits, d'excédents massifs ; il en résulte des problèmes budgétaires (le budget communautaire encaisse des recettes lorsque l'on importe et subit des ponctions lorsque l'on exporte) et, d'autre part, une pression internationale en faveur de la limitation de la protection de l'agriculture européenne provenant, bien évidemment, des États-Unis dont l'agriculture est fortement subventionnée et exportatrice, mais aussi des pays du Cairns (Canada, Australie, Nouvelle-Zélande...) pays développés dont l'agriculture est peu ou pas subventionnée et des pays en voie de développement. En outre, les critiques de l'aide à l'agriculture par le biais du soutien des prix se font plus vives : il est reproché au mécanisme d'aider d'autant plus les exploitations qu'elles sont plus grandes et plus performantes, de fausser l'offre et la demande — qui est restreinte —, et d'« irresponsabiliser » les agriculteurs qui ne sont pas confrontés à une baisse des cours quand l'offre augmente.

Différentes mesures sont prises, à partir de 1980, qui modifient en profondeur la nature même de la PAC. C'est, tout d'abord, une action sur les prix européens : la baisse des prix et la réduction de l'écart avec les prix mondiaux limitent les volumes financiers des soutiens et rendent plus faciles les importations. Par ailleurs, l'action sur les prix se double d'une action directe sur l'offre : limitation des quantités garanties par les prix, fixation de quotas pour la production de lait, mises en jachère. De plus, la politique de soutien par les revenus, et non plus seulement par les prix, voit le jour, ce qui permet de mieux cibler l'aide, en la réservant à certaines exploitations, définies en fonction de leur taille relativement faible, du caractère extensif et peu polluant de la production. Enfin, les accords de l'Uruguay round de décembre 1993 impliquent que les marchés européens soient plus ouverts et que les soutiens internes et à l'exportation soient considérablement réduits. À la fin des années 90, les problèmes sanitaires (crise de la « vache folle ») et d'environnement prennent une importance de premier rang. L'Agenda 2000, en 1997, donne différentes orientations pour limiter les effets négatifs de la culture intensive, en visant l'augmentation de la sûreté, de la qualité des aliments et une meilleure intégration des objectifs environnementaux, et, lors du sommet de Berlin, en mars 1999, est adopté un dispositif donnant la possibilité à chaque État de moduler les aides au profit des petites exploitations et du développement rural.

→ *Europe communautaire (histoire des communautés européennes), Europe (union ou intégration économique), FEOGA, Fonds structurels européens, Intégration (économique).*

EUROPE COMMUNAUTAIRE (système monétaire européen ou SME)

Volet monétaire de la construction européenne qui s'est incarné dans le système monétaire européen à partir de 1979 (un système de parités fixes plus l'écu) et qui laisse place à la monnaie unique à partir du 1er janvier 1999.

L'objectif initial du système monétaire européen consistait à créer une zone de stabilité monétaire et un début de monnaie européenne susceptible à terme de concurrencer le dollar. La zone de parités fixes ne repose pas sur un étalon mais sur des grilles de parités. Chaque monnaie est définie par un cours pivot par rapport à chacune des autres et le cours sur le marché des changes ne doit pas excéder ± 2,25 % européen (± 6 % dans certains cas), ce qui définit un cours pivot, un plafond et un plancher.

Cours pivot, cours maximum et minimum en franc de certaines monnaies européennes (fixés en 1987)

	Cou-ronne	Mark	Florin	Franc
Cours en franc	danoise	alle-mand	néer-landais	belge
Maxi-mum	0,899	3,43	3,04	0,166
Pivot	0,879	3,35	2,98	0,162
Mini-mum	0,86	3,28	2,91	0,159

Cette zone de parités fixes implique donc une obligation pour les autorités monétaires nationales d'intervenir sur le marché des changes pour maintenir les taux de change entre ces limites. En outre, les cours pivots ne sont pas immuables et peuvent être modifiés dans le cadre de changements de grilles de parités (une douzaine entre 1979 et 1992). Le SME comporte en outre la création de l'écu.

Le SME a effectivement constitué une zone de stabilisation monétaire : si les modifications de parités ont été fréquen-

tes durant les quatre premières années, elles sont devenues rares, de 1983 à 1987, et, de 1987 à 1992, le SME a connu une stabilité remarquable, avec toutefois une crise en septembre 1992. Le SME a constitué un facteur favorable aux échanges intra-européens parce qu'il a réduit l'incertitude sur les taux de change mais il imposait des contraintes de politique économique aux pays membres dont les taux d'intérêt comme les hausse de prix ne devaient pas s'éloigner des taux d'inflation des partenaires, en particulier de l'Allemagne. En effet, le SME était une zone asymétrique dans laquelle l'Allemagne joue un rôle de leader.

Le SME est remplacé en 1999 par une union monétaire. Les membres de l'Union européenne, non membres de l'union monétaire, peuvent adhérer à un « SME bis » autour de l'euro avec des marges de ± 15 %.

→ *Contrainte extérieure, Dévaluation, Écu, Europe communautaire (union monétaire), Mundell (Triangle d'incompatibilité de).*

EUROPE COMMUNAUTAIRE (union monétaire)

Prévue par les traités de Maastricht, l'union monétaire européenne se traduit par la création d'une monnaie unique, la disparition des monnaies nationales, la création d'institutions européennes (Système européen de banques centrales, SEBC, et Banque centrale européenne, BCE) prenant en charge la politique monétaire et la politique de change communes et la mise en place de contraintes pesant sur les politiques économiques nationales, en particulier en matière budgétaire.

Un premier projet, élaboré dans le cadre du rapport Werner en 1971, prévoyant l'union monétaire avant 1980, n'a pas abouti, en raison de la crise du système monétaire international et d'une insuffisante coordination des politiques économiques. Dans le prolongement de l'Acte unique, le rapport Delors en 1989 puis le traité de Maastricht de 1992 ont relancé le projet d'union monétaire.

Adoption de la monnaie unique

Cinq « critères de convergence » doivent être réalisés pour l'intégration à l'union monétaire : un taux d'inflation qui ne dépasse pas de plus de 1,5 % les taux des trois meilleurs pays ; des taux d'intérêt à long terme qui ne doivent pas dépasser de plus de 2 % ceux des trois meilleurs en matière de hausse de prix ; l'appartenance à la bande étroite du SME, et deux critères de « déficits publics excessifs » : un déficit public inférieur à 3 % du PIB et une dette publique (stock de dettes résultant des déficits successifs et des remboursements passés) inférieure à 60 % du PIB.

Ces critères impliquent des politiques budgétaires de rigueur (hausse des prélèvements, baisse des dépenses) ayant, à court terme, des effets négatifs sur l'activité, le revenu et l'emploi.

L'adoption de la monnaie unique se fait en deux temps : le 1er janvier 1999, les marchés financiers et les opérations avec l'extérieur basculent en euro et, au cours du premier trimestre 2002, la mise en circulation des pièces et des billets en euro s'accompagne de la disparition des monnaies nationales.

Fonctionnement de l'union monétaire

L'euro est une monnaie unique qui se substitue aux monnaies existantes.

La politique monétaire, par nature unique, est confiée à la Banque centrale européenne (BCE) qui est indépendante des instances économiques (Commission et Conseil des ministres des finances), et qui a pour objectif, absolument prioritaire, la lutte contre l'inflation. La BCE utilise les instruments classiques des réserves obligatoires et du maniement des taux d'intérêt par intervention sur le marché monétaire. L'expérience des premières années a mis en évidence que la

BCE était moins pragmatique que son homologue américaine, la Réserve fédérale, et moins audacieuse dans la baisse des taux d'intérêt pour stimuler l'activité économique. En revanche, la politique de change s'est révélée souple, laissant le cours de l'euro baisser de près de 1,20 dollar à moins de 0,85 en 2001 pour remonter en 2002 et dépasser la parité.

Dans le cadre de l'union monétaire, les pays restent maîtres de leur politique budgétaire mais des procédures limitent leur marge de manœuvre. En effet, selon les dispositions du traité, durcies par le Pacte de stabilité adopté en 1996, l'adoption de l'euro s'accompagne d'une limitation, non d'une disparition, de l'autono-mie budgétaire des États : ceux-ci doivent rechercher l'équilibre budgétaire et ne pas dépasser, sous peine de sanctions, la norme fatidique de 3 % pour le ratio entre le déficit des administrations publiques et le PIB, ce qui se révèle très difficile à respecter lorsque la conjoncture se ralentit, comme en 2002, réduisant la croissance des rentrées fiscales.

Enjeux de la monnaie unique

L'adoption d'une monnaie unique présente de nombreux avantages : suppression des coûts de conversion des monnaies les unes dans les autres, disparition totale de l'incertitude de change, économies d'échelle sur les marchés de capitaux, atténuation de la contrainte extérieure et augmentation du poids monétaire de l'Europe au niveau mondial par le biais d'une monnaie unique.

L'Union monétaire implique des modifications profondes de la politique économique qui peuvent avoir des effets défavorables. La priorité absolue donnée à la lutte contre l'inflation et la discipline budgétaire peuvent se révéler néfastes en termes de croissance et d'emploi. La coexistence d'une politique monétaire unique et d'une multiplicité de politiques budgétaires nationales non coordonnées peut ne pas être favorable à une relance européenne. La disparition des politiques de change nationales pose le problème de la régulation des « chocs asymétriques », chocs qui touchent une économie nationale mais non de façon équivalente la totalité de l'Europe : trouvera-t-on les réponses (budgétaires en particulier) à des problèmes que, traditionnellement, on tentait de résoudre par une dévaluation, devenue aujourd'hui impossible ?

→ *Europe communautaire (histoire des communautés européennes), Europe communautaire (système monétaire européen ou SME), Europe (union ou intégration économique), Intégration (économique).*

EUROPE : LES ORGANISATIONS EUROPÉENNES

Différents modes de rassemblement des pays européens autour d'une logique économique, politique ou militaire. Si l'Europe de l'Ouest est ainsi structurée principalement autour des institutions communautaires, il existe de nombreuses autres organisations d'importances très inégales.

L'*Europe communautaire*, qui s'est successivement appelée Communautés économiques européennes (CEE), Communauté européenne (CE) pour devenir Union européenne constitue la principale forme d'organisation européenne : sur la logique économique initiale s'est progressivement créée une logique politique. Autour du noyau de départ (France, Allemagne, Italie, Benelux), elle a accueilli ensuite le Royaume-Uni, l'Irlande et le Danemark, puis la Grèce, puis l'Espagne et le Portugal et enfin la Suède, la Finlande et l'Autriche. Il est décidé, en 1997, un élargissement à venir concernant Chypre et cinq pays de l'Est : Pologne, Hongrie, République tchèque, Slovénie et Estonie.

Il existe toutefois d'autres organisations.

Une organisation économique, l'AELE, l'*Association européenne de libre-échange*, regroupe la plupart des pays d'Europe occidentale n'appartenant pas à l'Union européenne ; elle se rétrécit au fur et à mesure de l'élargissement de celle-ci.

La principale organisation politique est le *Conseil de l'Europe*. Créé en 1948, il regroupe les pays d'Europe occidentale et favorise l'adoption de conventions, la plus importante étant la convention des droits de l'homme, entrée en vigueur en 1953 et dont la Cour européenne des droits de l'homme de Strasbourg (à ne pas confondre avec la Cour de Justice des Communautés Européennes de Luxembourg) est chargée de veiller à l'application. Le Conseil de l'Europe est aussi à l'origine de conventions dans de nombreux autres domaines tels que la santé, le travail, la prévention des conflits, le patrimoine...

L'*Union de l'Europe occidentale (UEO)* est une organisation à vocation militaire créée en 1954 ; c'est essentiellement une institution de rencontre favorisant la conclusion d'accords dont l'importance est relativement modeste.

Certaines organisations ont un objet européen mais comportent aussi des pays non européens : avec un objectif de concertation économique (*OCDE*), d'alliance militaire (*alliance atlantique* et *OTAN*) ou plus récemment de développement des pays de l'Est (*BERD*) ou politique et militaire : à la suite des accords d'Helsinki a été créée, en 1975, la *Conférence sur la sécurité et la coopération en Europe (CSCE)*, qui regroupe pays européens et Amérique du Nord, principalement destinée à régler de façon préventive les différents conflits. L'effondrement du communisme à l'Est a donné un nouvel élan à la CSCE, qui entend jouer un rôle important en matière de paix et de droits de l'homme.

→ *Europe communautaire (histoire des communautés européennes), Europe communautaire (institutions), OCDE.*

EUROPE (sociale)

→ *Europe (union ou intégration économique).*

EUROPE (union ou intégration économique)

Ensemble économique, constitué dans le cadre de la communauté européenne, et caractérisé par un marché commun des produits, des services, du travail et du capital, des politiques communes et une coordination partielle des politiques nationales.

Le *grand marché des marchandises* repose sur la libre circulation des marchandises. Avant l'Acte unique, ce principe s'était traduit par l'élimination des droits de douane à l'intérieur de la communauté et la création d'un tarif extérieur commun par rapport au reste du monde. L'Acte unique donne un nouvel élan au grand marché en éliminant d'autres entraves aux échanges de marchandises : la suppression des arrêts aux frontières, l'harmonisation des normes techniques, la réduction des priorités nationales accordées dans le cadre des marchés publics et le rapprochement des taux de TVA (fiscalité indirecte) ; le grand marché permet une meilleure spécialisation et favorise la constitution de grandes entreprises, bénéficiant d'économies d'échelle.

L'*Europe financière*, le grand marché des capitaux, repose sur trois principes, sur trois « libertés ». Les institutions financières bénéficient du libre établissement dans les autres pays de la communauté, sous le contrôle du pays d'accueil. Depuis 1990, la liberté de circulation concerne toutes les sortes de capitaux : non seulement les capitaux longs (crédits commerciaux, investissements directs, investissements de portefeuille…), mais aussi les capitaux courts. Enfin, le principe de libre prestation des services financiers permet aux institutions financières de proposer leurs services par le biais de filiales dans tous les pays de la communauté, sous le contrôle du pays d'origine. Si l'Europe financière permet une meilleure allocation des capitaux et une baisse des taux d'intérêt, elle crée des risques d'instabilité monétaire et financière.

L'*Europe sociale* fait l'objet de divergences profondes en raison de l'ampleur des différences nationales de développement social et de choix politiques. Selon une optique volontariste, la définition d'un niveau minimum élevé de protection devrait compléter la construction de l'Europe économique et prémunir contre les risques de dumping social. Cette harmonisation sociale reste modeste et, dans le domaine du travail, la construction européenne s'est essentiellement traduite par la mise en œuvre de la libre circulation des travailleurs (par la reconnaissance des diplômes), par une réglementation minimale commune (par exemple sur l'égalité entre les sexes) et par la stimulation de la concertation européenne (sommet de Luxembourg, 1997).

◆ Outre le marché unique à l'intérieur duquel les personnes, les biens, les services et les capitaux peuvent circuler librement, l'union économique comporte une coordination des politiques macroéconomiques plus ou moins effective et des politiques communes. La politique la plus ancienne est la *politique de concurrence* qui pose des règles concernant le contrôle de la concentration et l'action d'une entreprise particulière (abus de situation dominante), d'entreprises agissant de concert (interdiction des ententes), ou des pouvoirs publics (monopoles publics, ou aides faussant la concurrence).
◆ En outre, on peut inclure dans l'union économique les politiques communes visant à l'ajustement structurel et au *développement régional* ainsi que les politiques en matière de recherche et de technologie.

→ *FEOGA.*

ÉVASION DE CAPITAUX

Sortie de capitaux vers l'étranger ayant pour but d'échapper à des mesures fiscales, douanières, etc.

ÉVASION FISCALE

Comportement d'adaptation à la réglementation fiscale de la part de contribuables qui utilisent toutes ses possibilités à seule fin de payer moins d'impôts.

Ce manque à percevoir pour l'État est parfois la contrepartie logique de ses propres incitations fiscales : s'il souhaite par exemple encourager l'épargne financière en détaxant les plus-values boursières, ce qui permet l'évasion fiscale, il doit s'attendre à un moindre rendement des impôts fonciers, l'épargne abandonnant, comme souhaité, l'immobilier.

Si l'évasion fiscale est parfaitement légale, il n'en est pas de même de la fraude, illégale.

⟶ *Impôt.*

ÉVOLUTIONNISME

Théories anthropologiques relatives à l'évolution des sociétés humaines : l'humanité prise dans son ensemble progresserait par étapes, des formes archaïques d'organisation sociale vers des formes complexes de civilisation.

Les différentes sociétés emprunteraient le même chemin : le schéma d'évolution est dit unilinéaire. Ce « progrès » est associé à un développement continu, nécessaire, qui se répète d'une société à une autre, quoique à des rythmes inégaux : les différentes sociétés représentent des stades différents de l'évolution universelle ; les sociétés dites primitives sont les témoins résiduels de l'« enfance de l'humanité ».

◆ Les thèses évolutionnistes ont été développées au XIXᵉ siècle parallèlement aux travaux de Darwin sur l'évolutionnisme biologique. Morgan en anthropologie et Comte et Spencer en sociologie en sont les principaux représentants. Le schéma évolutionniste inspire des auteurs contemporains (tels que Rostow et ses « étapes de la croissance économique »).

⟶ *Darwinisme, Progrès.*

ÉVOLUTIONNISME (en économie)

Courant de pensée, né au début des années 1960 (Nelson et Winter, puis Freeman, Dosi), de la contestation des hypothèses néo-classiques sur la rationalité et l'équilibre et privilégiant, dans le prolongement des analyses de Schumpeter, la dynamique économique engendrée par le progrès technique.

L'évolutionnisme ne s'identifie pas à une vision linéaire et gradualiste de l'histoire dans la mesure où il peut exister des ruptures ; par ailleurs, les processus d'apprentissages sont fondamentaux, dans un monde où il existe une multiplicité de trajectoires et l'histoire dépend du cheminement choisi (la dépendance par rapport au sentier : *path dependent*).

EX ANTE/EX POST

Ces deux expressions renvoient à une distinction fondamentale entre la grandeur des variables économiques résultant des *projets et des anticipations* des agents économiques (*ex ante*) et la grandeur de ces mêmes variables telle qu'on peut *effectivement la mesurer* « après coup » (*ex post*).

Ex post, l'économie paraît toujours équilibrée (achats = ventes ; ressources = emplois, etc.), mais il s'agit alors d'un *équilibre comptable*. *Ex ante*, du fait de la non-coordination des plans des agents économiques, il n'y a pas équilibre (sauf coïncidence) : par exemple, les projets d'investissement des entreprises ne correspondent pas aux projets d'épargne de ces entreprises et des ménages.

♦ Ce type de raisonnement est souvent utilisé par les keynésiens et les postkeynésiens, mais aussi, plus généralement, par tous ceux qui considèrent que l'incertitude est une caractéristique essentielle de l'économie de marché.

⟶ *Équilibre, Keynes.*

EXCÉDENT

Terme utilisé pour désigner une situation dans laquelle une grandeur (exportations, recettes du budget) est supérieure à une autre (importations, dépenses du budget). On parle notamment d'excédent budgétaire et d'excédent extérieur.

En démographie, l'excédent naturel correspond à une différence positive des naissances sur les décès, l'excédent migratoire à celle des immigrants sur les émigrants, l'excédent global à l'augmentation de la population, compte tenu du mouvement naturel et des mouvements migratoires.

Au pluriel, ce terme peut désigner le surplus d'une production par rapport aux besoins solvables (par exemple, les excédents de beurre de la CEE).

⟶ *Déficit budgétaire.*

EXCÉDENT BRUT D'EXPLOITATION

⟶ *EBE.*

EXCLUSION

Perte ou défaut d'insertion (travail, réseaux sociaux), mises à l'écart et marginalisation d'individus ou de catégories sociales.

Avec la crise sociale des années 1980-1990, le terme désigne avant tout des processus socio-économiques de précarisation et d'éviction : des individus refoulés durablement du monde du travail, paupé-risés, en voie de désaffiliation et socialement marginalisés. La privation d'emploi s'accompagne fréquemment de difficultés d'accès au logement et aux soins, d'isolement relationnel et de pertes de capacité, de « disqualification sociale ». La logique purement économique n'est pas seule en cause : jouent également des handicaps sociaux divers, le déficit initial d'instruction, l'absence locale d'opportunités, la stigmatisation qui s'attache à certaines appartenances, la rupture des liens familiaux et amicaux (avant ou pendant le processus d'exclusion). Exclusion et pauvreté entretiennent des rapports étroits mais ne se recoupent que partiellement : nombre de ménages classés comme pauvres (revenus en dessous du seuil de pauvreté) ont des emplois et sont insérés socialement comme beaucoup de leurs concitoyens.

♦ Cependant, l'exclusion ne saurait être réduite aux seuls mécanismes socio-économiques. Dans le temps et dans l'espace, elle revêt de multiples aspects, elle obéit à des logiques très diverses : individus et groupes peuvent être exclus, rejetés, refoulés pour raison politique (non-allégeance au parti ou à une idéologie), religieuse (non-appartenance à la confession dominante), ethnique (minorités stigmatisées ou opprimées), sexuelle (comportement ou étiquetage non conformes), pour handicaps physique (invalidité) ou mental (folie ou ce qui est perçu comme tel) et plus généralement pour déviance ou marginalité.

⟶ *Déviance, Étiquetage, Marginalité, Pauvreté, Ségrégation.*

EXERCICE (comptable)

Laps de temps pendant lequel sont comptabilisées les recettes et les dépenses.

L'*exercice budgétaire* est, en France, égal à l'année civile (du 1er janvier au 31 décembre), mais ce n'est pas le cas dans tous les pays : au Japon et aux États-Unis, par exemple, il va du 1er avril au 31 mars. Pour les entreprises, l'exercice comptable, qui sépare deux bilans, est égal à douze mois, sans qu'il y ait obligation de le faire correspondre à l'année civile.

━━▶ *Budget de l'État (Loi de Finances), Comptabilité d'entreprise.*

EXODE RURAL

Flux migratoire des campagnes vers les villes.

Fait majeur des sociétés en voie d'industrialisation (l'Europe dès le XIXᵉ siècle, les pays en développement aujourd'hui). Il se caractérise par le départ des agriculteurs ou de leurs enfants (exode agricole proprement dit), mais aussi des ruraux non agriculteurs (artisans, travailleurs itinérants, gens sans emploi). Il correspond à la « modernisation » de l'agriculture (augmentation de la productivité) et au développement des emplois industriels et tertiaires, le plus souvent localisés en espace urbain.

━━▶ *Déversement sectoriel, Enclosures, Migration, Révolution agricole.*

EXOGAMIE

(du gr. *exo* « au-dehors » et *gamos* « mariage »)
Règle matrimoniale qui impose à l'individu de choisir son conjoint en dehors de son groupe de parenté.

La règle est universelle s'agissant de la famille nucléaire. Dans les sociétés à filiation unilinéaire, la règle d'exogamie s'applique à des groupes de parenté plus importants (famille étendue, lignages).

━━▶ *Endogamie, Filiation, Lignage/clan, Mariage ; Annexe 41.*

EXOGÈNE

━━▶ *Endogène/Exogène, Fonction (sens sociologique).*

EXPANSION

Phase ascendante du cycle économique caractérisée par l'augmentation du volume de la production et de la demande pendant une courte ou une moyenne période.

Des phases successives d'expansion peuvent être entrecoupées de périodes de stagnation ou de récession ; lorsque l'on passe à la longue période, on n'analyse plus l'expansion mais la croissance.

━━▶ *Croissance, Cycles.*

EXPLOITATION

Au sens marxiste, rapport social asymétrique selon lequel un groupe s'approprie sans contrepartie directe le produit du travail d'un autre groupe.

Il s'agit d'un rapport entre les groupes sociaux (et non d'inégalités au sein de chaque groupe). L'exploitation appartient au domaine économique : on dit que le seigneur féodal exploite ses serfs parce qu'il n'échange aucun bien économique en contrepartie de la corvée ; si l'on sort de la relation économique, on peut toujours prétendre que les serfs achètent leur sécurité avec leur corvée ; l'existence d'un surproduit ou d'un surplus est une condition nécessaire de l'exploitation.

Marx voit l'originalité de l'exploitation capitaliste, par rapport aux formes antérieures, dans l'existence d'un contrat de travail qui assure une liberté au travailleur de signer ou de ne pas signer ce contrat ; en fait, les conditions du marché du travail (chômage par exemple) font que cette liberté n'est que formelle. Il considère que l'exploitation du prolétariat par la bourgeoisie réside dans l'appropriation par cette dernière de la plus-value créée par le prolétariat.

Dans *le langage courant*, l'exploitation désigne la situation, soit des plus défavorisés, soit d'individus dont la rémunération est inférieure aux normes en vigueur ; pourtant, un individu qui gagne 1 524 € par mois, mais produit 3 049 € par mois, est plus « exploité » qu'un autre qui gagnerait 762 € par mois, mais ne produirait que 915 € par mois.

⟶ *Plus-value.*

EXPORTATIONS

Flux de marchandises et de services sortant du territoire national. En Comptabilité nationale, le montant des exportations est affecté en emplois au compte du reste du monde.

Les exportations enregistrées dans la balance commerciale ne comprennent que les marchandises.

⟶ *Balance des paiements, Importations.*

EXTÉRIEUR

Ensemble des unités institutionnelles non résidentes c'est-à-dire qui n'effectuent pas d'opérations économiques pendant un an ou plus sur le territoire économique national. En Comptabilité nationale, l'extérieur est appelé reste du monde et désigne simplement les comptes où sont enregistrées toutes les opérations entre des unités résidentes et des unités non résidentes. Le territoire économique national inclut la France métropolitaine mais ne comprend pas les DOM-TOM (en revanche, ces derniers sont inclus dans l'optique de la balance des paiements).

⟶ *Balance des paiements.*

EXTERNALISATION DES EMPLOIS

Pratique récente des entreprises de « recentrage sur le métier » qui consiste à n'utiliser en propre qu'un

minimum de salariés à statut normal (CDI) pour l'activité productive principale et à organiser en dehors d'elles, selon des modalités juridiques moins contraignantes (par exemple, sous-traitance), la production du reste des intrants nécessaires, par des travailleurs externes, de ce fait précarisés.

L'externalisation des emplois est au cœur de la crise de la « société salariale » et de son compromis fordiste : peu à peu le droit commercial (contrats de fourniture, de sous-traitance… individualisés, réversibles) se substitue au droit du travail jugé trop contraignant (contrat de travail régi par des conventions collectives et des lois sociales).

L'externalisation des emplois, recherchée pour sa flexibilité, a stoppé le processus pluriséculaire de salarisation de l'emploi et de protection juridique des salariés : par filialisation, sous-traitance, essaimage, télétravail, recours à l'intérim, se multiplient des emplois atypiques et notamment ceux de « faux indépendants » ; ainsi d'un gérant d'EURL (Entreprise unipersonnelle à responsabilité limitée) dont le volume d'activité, le revenu — qui n'est plus un salaire protégé par la réglementation du SMIC, mais un paiement à la prestation — dépendent de l'entreprise cliente ou donneuse d'ordre, mais pas sa couverture sociale, désormais à sa charge.

L'externalisation des emplois participe de la politique d'allégement des effectifs (*downsizing*) des entreprises, qui fait de l'emploi la principale variable d'ajustement.

L'externalisation est enfin l'une des causes, statistique, de la tertiarisation de l'économie : de nombreuses entreprises de « services destinés aux entreprises » se sont multipliées par externalisation d'emplois de type tertiaire (gardiennage, restauration, entretien, comptabilité, conseil, publicité, etc.) par des entreprises industrielles.

EXTERNALITÉ

> Un agent économique crée un effet externe lorsqu'il procure à autrui par son activité une utilité, un avantage gratuits ou une désutilité, un dommage, sans compensation monétaire.

Bref, tout coûte mais tout ne se paye pas... L'effet est « externe » par rapport au marché et à son système de prix.

L'externalité survient quand, volontairement ou non, l'entreprise ne paye pas, partiellement ou totalement, les facteurs qu'elle utilise ou quand elle procure des satisfactions gratuites : elle rejette alors sur son environnement (travailleurs, autres entreprises, communes, nature, voisinage...) des coûts (ou déséconomies externes) ou des avantages (ou économies externes).

♦ Exemples *d'externalités négatives* : les coûts sociaux (travail dangereux sans prime de risque, trajet domicile-travail non payé, mobilité professionnelle subie, précarité, etc.) et les coûts de la nature (fumées, nuages toxiques, déchets, bruit, encombrements, dégradation des sites, disparition des espèces, épuisement du sol et du sous-sol, etc.).

♦ Exemples *d'externalités positives* : implantation d'un siège social d'entreprise à proximité d'un restaurant où la clientèle va affluer ; construction par l'État d'un RER qui accroît la valeur des terrains pour ses riverains ; les exemples d'externalité positive de la part des entreprises privées sont rares puisque leur logique même est de faire payer leurs services.

Ainsi la notion d'externalité est-elle au cœur de la réflexion sur le rôle respectif de l'État et du marché. En effet, l'existence même d'externalités s'interprète comme l'un des dysfonctionnements du marché puisqu'elles empêchent la réalisation d'une allocation optimale des ressources, d'un optimum parétien. Si un agent, une entreprise par exemple, crée une externalité positive, il n'en sera pas rémunéré et aura donc tendance à sous-produire ; inversement, en cas d'externalité négative, il y aura surproduction, par rapport à l'optimum, puisque, les dommages ne coûtant rien à leur auteur, celui-ci ne sera pas incité à réduire son activité. L'État trouve donc une légitimité conforme à la logique du marché lorsqu'il intervient pour provoquer l'internalisation des coûts externes dans le calcul économique des agents, par exemple par la taxation : en taxant les activités privées génératrices d'effets externes négatifs, le système de prix reflète alors mieux l'ensemble des coûts. L'économie du bien-être (voir Pigou) admet ainsi la taxation des pollueurs par l'État (principe pollueur/payeur). Mais lorsque l'État produit des services gratuits financés par les contribuables, il modifie l'allocation des ressources qui résulterait des mécanismes du marché : il produit à la fois des externalités positives au profit de ceux qui perçoivent plus qu'ils ne contribuent (il y a même des prestations non contributives) et des externalités négatives au détriment des contribuables qui payent plus qu'ils ne reçoivent ; il y a redistribution des revenus.

→ *Économie de l'environnement, Économie du bien-être, État-providence, Optimum, Pareto.*

EXTRANTS/INTRANTS

> *Inputs* ou intrants, biens ou services entrant dans le processus de fabrication (facteurs de production).
>
> *Outputs* ou extrants, biens ou services produits (produits).
>
> On peut se représenter l'entreprise comme un agent qui achète des *inputs* et les combine afin de vendre l'*output* ainsi obtenu. La matrice *input-output* de Leontieff correspond approximativement au tableau entrées-sorties de la Comptabilité nationale.

→ *Comptabilité nationale.*

EXTRAPOLATION

Opération fréquemment utilisée en prévision et qui consiste à calculer la valeur d'une variable à partir des tendances constatées dans le passé.

Par exemple, si la vente d'un produit augmente régulièrement de 5 % par an depuis dix ans, il est possible d'extrapoler cette tendance sur l'année suivante, en faisant croître de ce taux le chiffre atteint dans l'année.

→ *Prévision/Prospective.*

EXTRAVERSION

L'économie d'un pays est dite extravertie lorsqu'elle est, au sens étymologique, « tournée vers l'extérieur » : une part très élevée de sa production doit être exportée pour financer des importations nécessaires à sa consommation et à son investissement ; l'économie est subordonnée à des économies étrangères.

L'extraversion peut concerner des pays développés. Cependant, on utilise principalement ce terme dans le cas des pays en développement.

Ceux-ci ont hérité du pacte colonial des structures productives conçues pour les besoins de la métropole. Cette extraversion a été accentuée, dans la période postcoloniale, par l'attraction exercée par les économies développées.

Ses manifestations sont : l'exportation systématique vers les marchés extérieurs, plus solvables, la sortie des capitaux, la fuite des cerveaux, l'imitation des modèles de développement étrangers...

♦ Contre l'extraversion, certains économistes proposent une stratégie de développement autocentré.

→ *Contrainte extérieure, Économie du développement, Tiers monde.*

F

FAB (Franco à bord)

Méthode de comptabilisation des importations et des exportations qui consiste à retenir la valeur du produit sans inclure les coûts de transport et d'assurance sur le trajet international. Elle est utilisée depuis 1971 en France. En anglais : FOB (*free on board*).

→ *CAF.*

FAIT SOCIAL

Toute manifestation de la réalité humaine ayant une dimension collective et revêtant une certaine régularité : la famille nucléaire, la délinquance juvénile, le salariat, la monnaie, etc.

Selon Durkheim, les faits sociaux sont extérieurs à l'individu et s'imposent à lui. Ils se distinguent des phénomènes psychiques, « lesquels n'ont d'existence que dans la conscience individuelle et par elle ».

♦ Ne pas confondre *fait social* et *problème social*. Ce dernier est un phénomène de société qui pose question à la collectivité : l'alcoolisme, la délinquance juvénile, le chômage. Beaucoup de faits sociaux ne sont pas perçus comme problèmes sociaux : la mode, par exemple.

→ *Annexe 35.*

FAMILLE

Au sens large, ensemble de personnes apparentées (la parentèle pour un individu donné).

Dans un sens plus restreint mais le plus employé : le groupe élémentaire composé le plus souvent d'un homme et d'une femme (unis par des liens socialement reconnus) et de leurs enfants (issus de cette union ou adoptés) vivant sous le même toit (le « foyer familial »).

♦ Quand il s'agit du groupe restreint corésident, il est nécessaire de distinguer le noyau familial et le groupe domestique, ce dernier pouvant abriter en sus (ou être réduit à) des personnes non apparentées.

♦ Les sociétés européennes connaissent depuis longtemps la famille conjugale ou famille nucléaire, c'est-à-dire l'unité familiale réduite aux parents et aux enfants non mariés. C'est le modèle dominant dès la fin du Moyen Âge. La famille nucléaire est également présente dans de nombreuses sociétés traditionnelles non européennes.

♦ Cependant, la famille nucléaire ou élémentaire n'est pas une institution universelle. D'autres modèles ont existé et continuent d'être présents dans certaines sociétés : familles étendues (coexistence sous un même toit et une même autorité de plusieurs cellules conjugales apparentées), familles polygames (ensemble polynucléaire composé par exemple de plusieurs unités matricentrées − femmes et enfants −

reliées par un seul conjoint mâle). Dans certaines sociétés à filiation unilinéaire, la cellule nucléaire n'est pas socialement reconnue.

Fonctions de la famille

La famille, institution de base de l'organisation sociale, remplit de multiples fonctions mais de façon très variable selon les sociétés : sexualité et conjugalité légitimes (mais est-ce encore la norme ?), procréation (à laquelle peut se substituer l'adoption), socialisation primaire (en concurrence et en complémentarité aujourd'hui avec l'instance scolaire), apprentissage des rôles sexuels (contribution essentielle mais non monopole : par exemple, les classes d'âge dans certaines sociétés traditionnelles, les médias et les groupes de pairs de nos jours), liens et solidarité entre les générations (elle n'est pas la seule à le faire). L'extension du salariat entraîne le déclin prononcé de la fonction de production.

Certaines fonctions s'avèrent fondamentales mais ne sont pas ou plus reconnues comme telles : ainsi en est-il de la reproduction sociale via la transmission des biens patrimoniaux et l'héritage culturel.

Une crise de l'institution familiale ?

Depuis les années 1970, la famille connaît des évolutions rapides dans plusieurs sociétés occidentales : baisse des mariages, unions libres et ruptures (divorces ou séparations) plus fréquentes, poussée des naissances hors mariage. La plus grande instabilité conjugale entraîne une augmentation des familles dites monoparentales (un parent seul vivant avec un ou des enfants) et des familles dites recomposées (couple avec enfants dont l'un au moins est issu d'une union précédente de l'un des conjoints).

On a évoqué une crise de la famille ou une crise de l'institution familiale. Plutôt que de crise, il conviendrait de parler de *désinstitutionnalisation*. Cette expression appliquée à la famille peut s'entendre de deux façons : soit une perte d'institutionnalité, une tendance aux arrangements individuels soustraits aux normes sociales (la « famille-contrat ») ; soit une remise en cause du modèle institutionnel qui prévalait jusque dans les années 1960 (la famille moderne avec mariage électif, couple stable et rôles sexuels nettement différenciés), remise en cause s'accompagnant de l'élaboration tâtonnante de nouveaux modèles conjugaux et familiaux. Cette seconde interprétation relativise l'individualisation des pratiques : les nouvelles manières de faire en matière de conjugalité et d'arrangement familial ont des chances de constituer, au fur et à mesure qu'elles se développent, de nouvelles formes institutionnelles.

⟶ *Filiation, Groupe domestique, Mariage, Parenté, Polygamie/Polygynie/Polyandrie, Socialisation.*

FAO (*Food and Agriculture Organization*)

Organisation internationale pour l'agriculture et l'alimentation, la FAO, fondée en 1945, est l'une des organisations spécialisées du système des Nations unies.

Comprenant plus de 120 États membres (un pays = une voix), son siège est à Rome et sa vocation est « d'élever le niveau de nutrition et les conditions de vie des populations, d'améliorer le rendement de la production et l'efficacité de la répartition de tous les produits alimentaires et agricoles ».

⟶ *ONU.*

FASCISME

À l'origine, mouvement politique antidémocratique fondé par Mussolini en 1919 (de *fasci* « faisceaux », emblème des licteurs de la Rome antique). Par extension, mouvements et régimes politiques d'extrême droite nés après la Première Guerre mondiale.

S'alimentant des troubles sociaux de la crise de 1929, il s'étendra de l'Italie à d'autres pays sous des formes voisines : national-socialisme allemand, rexisme belge, phalange et franquisme espagnols, « ligues » et pétainisme français, etc. Ceux-ci représentent des variantes nationales du modèle mussolinien, mais s'en distinguent par des caractéristiques spécifiques, par exemple le racisme et l'antisémitisme pour le nazisme.

♦ L'idéologie fasciste plonge ses racines dans le courant conservateur qui, au XIXᵉ siècle, refuse les transformations démocratiques et les idées libérales issues de la Révolution française et de la philosophie des Lumières ; mais il innove par son discours — plus que par sa pratique — populiste, révolutionnaire, socialiste même, bien que fondamentalement antimarxiste.

♦ L'idéologie fasciste se définit comme une réaction : contre la liberté et les droits naturels de l'individu, elle exalte les devoirs envers la nation, la famille, le parti et la soumission et l'obéissance au chef qui les incarne ; contre la raison, elle glorifie l'instinct, la foi ; contre le droit et le contrat, elle prône la violence légitime des forts ; contre le débat démocratique et contradictoire, elle vante l'unanimité ; contre la délégation de pouvoir, les corps intermédiaires et le contrôle parlementaire, elle impose la confiance directe plébiscitée ; contre les minorités et le respect de leurs différences, elle affirme l'identité conforme, l'uniforme ; contre le pluralisme, le parti unique ; contre la séparation des pouvoirs, la toute-puissance du guide suprême ; contre les classes et leurs luttes d'intérêt, le corporatisme.

♦ Globalement, elle exalte la nation, la race supérieure, le combat. Conception totale de l'homme, l'idéologie fasciste est, avec le stalinisme, l'une des grandes idéologies totalitaires au XXᵉ siècle.

Le fascisme est une réaction de peur. Brutalement privés, par les guerres ou les crises, de certitudes, de communautés stables intégratrices, de références, d'identité, certains aspirent à la sécurité de structures stables, à un ordre imposé.

Le fascisme au pouvoir s'incarne dans le parti de masse qui permet la mobilisation des foules, l'encadrement et le contrôle de larges groupes sociaux, la multiplication des organisations spécifiques tels les mouvements de jeunesse, les milices, etc.

Le nazisme s'est distingué des autres mouvements fascistes en radicalisant et en exacerbant certaines de leurs tendances : un contrôle social généralisé ; la répression violente des opposants politiques, la persécution et l'extermination des Juifs, Tziganes, etc. ; des politiques annexionnistes et des guerres de conquête contre les démocraties occidentales.

Le fascisme représente encore aujourd'hui une menace pour la démocratie, ses valeurs et ses institutions. Toujours renaissant à l'occasion des crises, il exploite tout mécontentement par un discours démagogique et simpliste, où se mêlent traditionnellement l'antiparlementarisme, l'exploitation des « affaires » et des « scandales », et la désignation de « boucs émissaires » rendus responsables de tous les maux (les francs-maçons, les Juifs, les fonctionnaires, les immigrés, les communistes, les « métèques », le fisc, les Arabes, les politiciens, etc.).

Responsable au XXᵉ siècle, avec le stalinisme, des plus grands massacres qu'ait connus l'humanité, le fascisme pourrait renaître de l'oubli de ces massacres, de la manipulation de l'histoire (par exemple les tentatives des « historiens » révisionnistes d'introduire le doute sur l'existence des chambres à gaz)…

→ *Corporation, Totalitarisme.*

FBCF (Formation brute de capital fixe)

Valeur des acquisitions, nettes de cessions, par les producteurs résidents, d'actifs fixes utilisés de façon répétée ou continue dans le processus de production pendant au moins un an.

La FBCF inclut :
– les investissements matériels ; par exemple, l'acquisition de bâtiments, de machines, de matériels de transport, de

logements, la construction de routes, de ponts, etc. ;
– des investissements immatériels, correspondant à l'acquisition de logiciels, d'œuvres récréatives, littéraires ou artistiques originales (y compris audiovisuelles) et à des dépenses de prospection pétrolière et minière.

La FBCF n'inclut donc pas tous les investissements immatériels : elle ne prend en compte ni les dépenses de recherche-développement, ni les dépenses de formation.

→ **Bien de production, Comptabilité nationale, Investissement.**

FDES (Fonds de développement économique et social)

Compte spécial du Trésor, créé en juin 1955. Il retrace les prêts d'équipement, de productivité, de décentralisation accordés aux collectivités locales ou aux entreprises publiques.

Il est alimenté par le remboursement des prêts accordés précédemment et par des subventions budgétaires.

Le FDES a joué un rôle essentiel dans le financement des entreprises et de l'économie française jusque dans les années 1960 ; puis son rôle a décliné et est devenu marginal aujourd'hui.

FÉCONDITÉ

Comportement effectif d'un couple, d'une population, vis-à-vis de sa reproduction (nombre d'enfants, espacement des naissances, âge des parents, etc.).

La fécondité peut se mesurer de différentes manières.

Le *taux global de fécondité générale* est le rapport entre le nombre de naissances vivantes et le nombre de femmes en âge de procréer (15-49 ans). Ce taux est sensible à la structure par âge de la population féminine.

♦ Or, à l'intérieur même de la tranche 15-49 ans, il existe une grande variabilité de la fécondité. C'est pourquoi on calcule le taux de fécondité pour chaque âge (on rapporte les naissances issues de mères d'un âge donné à l'effectif des femmes de cet âge), opération qui sert au calcul de l'indicateur synthétique de fécondité.

♦ L'*indicateur conjoncturel* (ou *synthétique*) *de fécondité* (ou somme des naissances réduites) permet de calculer le nombre moyen d'enfants auxquels les mères donneraient le jour si les générations futures avaient le même taux de fécondité par âge que les générations actuelles. Il est égal à la somme des taux de fécondité pour chaque âge (de 15 à 49 ans) établis pour une année donnée.

♦ Ce calcul, qui revient à accorder une pondération identique aux différentes classes d'âge, quel que soit leur effectif, élimine donc l'effet de structure que constitue la répartition par âge des femmes en âge de procréer.

♦ Cet indicateur mesure la fécondité « du moment », il ne doit pas être confondu avec la descendance finale.

Taux de reproduction et remplacement des générations : une autre manière d'apprécier le comportement procréateur d'une population consiste à effectuer les calculs précédents en ne retenant que le nombre des naissances féminines (au lieu du nombre total des naissances). Cet indicateur appelé taux de reproduction permet d'étudier le remplacement des générations, puisqu'il mesure le rapport entre le nombre de filles dans la génération des enfants et celui des femmes dans celle des parents ; il peut être brut ou net. Lorsqu'il est brut, ce taux se calcule simplement en multipliant l'indicateur synthétique de fécondité par 48,8 %, proportion de filles à la naissance dans chaque génération. Lorsqu'il est net, le taux de reproduction prend en compte pour l'année considérée non seulement les taux de fécondité, mais aussi les taux de mortalité.

♦ Pour remplacer ses générations, un pays doit avoir un taux net de reproduction égal à 1 (1 fille remplaçant 1 mère) ; cela correspond à un indice synthétique de fécondité de 2,1 dans les pays industrialisés et d'environ 2,6 dans les pays en développement, compte tenu des conditions de mortalité.

→ *Descendance finale, Natalité.*

FED (*Federal Reserve System*)

Ensemble de douze banques régionales de réserve assurant aux États-Unis le rôle de Banque centrale fédérale, dirigé par un conseil des gouverneurs (sept gouverneurs nommés par le président des États-Unis, et formant le *Federal Reserve Board*).

Créé en 1913 pour assurer le solvabilité d'un système bancaire secoué par des faillites, tout en garantissant la représentation des intérêts locaux, le FED a évolué dans le sens d'une plus grande centralisation : outre l'émission de monnaie fiduciaire, il fixe de manière unifiée les taux, le niveau des réserves obligatoires, la politique d'open-market ; il réglemente le crédit et la rémunération des dépôts ; il intervient sur le marché des changes et joue le rôle de banque du Trésor.

→ *Banque centrale, Dollar (dollar des États-Unis), Système monétaire international (SMI).*

FÉDÉRATION/ CONFÉDÉRATION (internationale)

Association d'États ou de territoires.
Fédération : groupement d'États ou de provinces fédérées qui transfèrent à un État fédéral une partie de leur souveraineté et de leurs compétences.

Au minimum, sont en général transférées : la monnaie, la défense et les relations extérieures (par exemple, les États-Unis d'Amérique, l'Allemagne,

l'Union soviétique officiellement dissoute en 1991, le Nigeria, le Canada...).

L'État fédéral est généralement organisé sur la base d'une double représentation parlementaire : celle des citoyens (par exemple, la Chambre des représentants américaine) et celle des États-membres (par exemple, le Sénat américain).

Confédération : association d'États ou de territoires souverains qui transfèrent certaines de leurs compétences à un organisme commun, la Confédération, sans que celle-ci ne devienne un nouvel État.

La Confédération prend généralement les décisions à l'unanimité des États ou à une majorité renforcée ; ses décisions, en outre, ne sont pas appliquées directement aux citoyens par une administration propre, mais indirectement par l'intermédiaire des administrations des États confédérés (par exemple, la Confédération des États-Unis entre 1781 et 1787).

♦ La construction politique de l'Europe voit s'affronter les partisans d'une Europe fédérale et les partisans d'une Europe confédérale, une Europe des États.

FÉODALISME

(de « fief »)
Système politique et social caractérisant l'Europe médiévale entre le xe et le xiiie siècle.

Le féodalisme résulte de la désagrégation du pouvoir royal et de la contraction des échanges.

Le système féodal est articulé autour de deux ensembles institutionnels : les rapports de vassalité et l'institution seigneuriale.

Les premiers désignent les liens personnels de dépendance entre seigneurs : un seigneur (le suzerain) remet une terre (un fief) à un subordonné (le vassal) tout en lui assurant sa protection. Ce dernier, qui peut se prévaloir du titre de seigneur en prenant possession du fief, doit, en échange, aide et assistance à son suzerain.

La seigneurie désigne à la fois les terres appartenant au seigneur et les prérogatives exercées sur les paysans : pouvoir de justice, corvées et taxes diverses. Les paysans sont soit libres (vilains, manants), soit serfs (attachés à la glèbe), mais les uns et les autres sont assujettis aux corvées et à la taille.

♦ Ce système ignore l'échange monétaire impersonnel, caractéristique de l'économie de marché : corvée, services et contributions en nature dépendent des liens personnels de chacun, constitutifs de son statut (servage, vassalité...). À partir du XIIIe siècle, on assiste à la dissolution progressive de cet ordre féodal avec la renaissance du pouvoir central et le développement des rapports marchands.

→ *Ancien Régime économique, Échange.*

FEOGA (Fonds européen d'orientation et de garantie agricoles)

Organisme européen qui a une double mission, celle de participer à la garantie, c'est-à-dire au soutien des prix agricoles (FEOGA section garantie ou FEOGA-G), et celle d'agir sur les structures afin de favoriser la modernisation de l'agriculture et des zones rurales : le FEOGA dans sa section orientation ou FEOGA-O constitue un fonds structurel européen.

→ *Europe communautaire (politique agricole commune ou PAC), Fonds structurels européens.*

FERMAGE

Mode de faire-valoir en agriculture caractérisé par la location de la terre par un agriculteur (le « fermier »), celui-ci étant propriétaire de son capital d'exploitation (machines, bétail). Au sens restreint, désigne le montant du loyer de la terre versé au propriétaire.

→ *Métayage.*

FIDUCIAIRE (Monnaie)

(du lat. *fides* « confiance »)
Désigne la monnaie circulant sous forme de billets. Elle est créée par l'institut d'émission ; en France, la Banque de France.

→ *Monnaie.*

FILIALE

Société dont le capital est détenu à plus de 50 % par une autre société dite « société mère ».

♦ On distingue les filiales directes (A possède plus de 50 % de B) et les filiales indirectes ou sous-filiales (A possède plus de 50 % de B qui détient plus de 50 % de C).
♦ Par extension, on appelle filiale une société B dont le conseil d'administration est désigné par la société A même si celle-ci n'a pas 50 % du capital de B, la domination de A sur B résultant d'une dispersion du reste du capital entre de nombreux petits actionnaires.

→ *Concentration (des entreprises), Croissance interne/externe, Groupe (entreprises).*

FILIATION

Liens reconnus entre des individus qui descendent les uns des autres. Pour l'individu (ego) par rapport auquel sont définis les liens de parenté : les ascendants et descendants.

La dimension sociale de la filiation a plus de poids que l'aspect biologique de la procréation : la consanguinité n'est pas toujours synonyme de parenté (voir plus loin) ; inversement, il peut y avoir filiation sans liens du sang (adoption). Le système de filiation détermine le plus souvent le mode de résidence et les règles de transmission du nom, des biens, des droits et privilèges.

On oppose filiation unilinéaire et filiation indifférenciée.

Filiation unilinéaire : reconnaissance de liens de filiation au profit d'une seule lignée :

– *filiation patrilinéaire* : descendance en ligne paternelle ; les parents sont ceux auxquels l'individu est relié par l'intermédiaire du père ;

– *filiation matrilinéaire* : descendance en ligne maternelle, cas symétrique du précédent.

♦ La filiation matrilinéaire ne doit pas être confondue avec le matriarcat. Le plus souvent, la domination des hommes se marque, dans ce mode de filiation, par l'autorité dévolue au frère de la mère, qui possède, le cas échéant, les biens de la lignée.

Le système unilinéaire entraîne la formation de groupes particuliers : les lignages et les clans. Le lignage matrilinéaire est le groupe de parenté auquel se rattache ego à travers sa mère. Il ne comprend pas les enfants des fils ; situation inverse avec la filiation patrilinéaire.

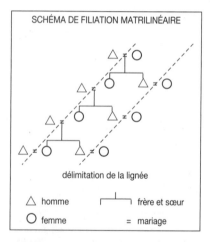

SCHÉMA DE FILIATION MATRILINÉAIRE

délimitation de la lignée

△ homme   ⌐ frère et sœur
○ femme   = mariage

Filiation indifférenciée ou cognatique : la parenté est transmise aussi bien par le père que par la mère, donc reconnue des deux côtés (système bilatéral). Principe en usage dans les sociétés comme la nôtre.

♦ Toutefois, la transmission du nom par le père témoigne de l'inflexion patrilinéaire vivace autrefois et pas complètement disparue de nos jours.

➜ **Lignage/clan, Parenté.**

FILIÈRE (de production)

Ensemble des activités qui contribuent à titre principal à la production d'une même catégorie de produits finals.

Ainsi, la filière « bois », de l'amont vers l'aval (c'est-à-dire des matières premières jusqu'à la commercialisation du produit final), comprend-elle la sylviculture (l'exploitation des forêts), la menuiserie, la fabrication de meubles, la vente des meubles, ainsi que, en amont de ces branches, les activités de production des machines-outils et autres biens d'équipement nécessaires, et les activités de recherche afférentes au bois.

La filière « viande bovine » comprend la production d'aliment pour le bétail, l'élevage, l'abattage, la boucherie en gros et au détail…

FILIÈRE (Politique de)

Politique industrielle cherchant à favoriser le développement d'un ensemble intégré d'entreprises situées à des stades différents du processus de production d'une même famille de produits.

On considère qu'une stratégie d'industrialisation dite de « *remontée de filière* » permet à un pays d'assurer, à partir du produit final, une maîtrise technique et une autonomie de plus en plus grandes à mesure qu'il développe, vers l'amont, la production des produits de base (activités extractives à forte intensité capitalistique et technologique) et des biens d'équipement, ainsi que la recherche (intensités, en savoir-faire et valeur ajoutée, croissantes). Un pays en développement peut aussi chercher à valoriser ses produits de base en les transformant sur place (par exemple, développement, en aval, de la filière pétrochimique par les pays de l'OPEP).

Le Japon est souvent cité pour avoir su passer de la filière métallique, avec deuxième transformation de l'acier, à la filière électronique. Certains NPI d'Asie sont passés de la filière textile aux composants électroniques et ainsi à la filière électronique.

En théorie, la politique de filières s'oppose à la politique de créneaux (spécialisation en fonction des avantages comparatifs dans le segment de production le plus rentable) ; dans la pratique, les difficultés de mise en œuvre tendent à estomper cette opposition.

→ *Économie du développement.*

FILIÈRE (Stratégie de)

Stratégie consistant à privilégier, au sein d'un groupe, les activités interdépendantes et complémentaires pour bénéficier d'effets de synergie. Il y a synergie lorsque les performances de l'ensemble sont supérieures à la somme des performances de chaque élément isolé de l'ensemble.

Le groupe qui a choisi cette stratégie mène une politique globale visant à renforcer la cohérence et l'intégration de l'ensemble des activités. La domination d'une filière s'obtient par la maîtrise des segments stratégiques ; par exemple, on domine la filière électronique à partir de l'industrie des composants.

→ *Concentration (des entreprises).*

FILIÈRE INVERSÉE

→ *Galbraith ; Annexe 25.*

FINANCE DIRECTE

→ *Économie d'endettement, Financement, Marché financier.*

FINANCEMENT

Action de fournir l'argent nécessaire à la réalisation d'une opération économique. Pour une entreprise, le financement peut se faire à partir des bénéfices réalisés antérieurement (autofinancement). En faisant appel au marché financier (émission d'actions ou d'obligations), on parle de financement direct ; ou au crédit bancaire, il s'agit alors de financement indirect, par intermédiation.

Le schéma distingue le financement direct et le financement par intermédiation.

Dans le financement direct, l'emprunteur et le prêteur sont en relation directe : par exemple, une entreprise émet des obligations qui sont souscrites par des ménages ; le taux d'intérêt est payé par l'emprunteur (l'entreprise) au prêteur (le ménage).

Dans le cas de l'intermédiation, des institutions financières, les banques, sont créancières des agents à qui elles prêtent (elles perçoivent un taux d'intérêt) et débitrices de ceux qui placent des fonds chez elles (elles versent un taux d'intérêt sauf pour les comptes chèques qui ne sont pas rémunérés). Cependant, pour la plupart, les banques à court de liquidités (de monnaie Banque de France) peuvent s'adresser à la Banque de France qui les refinance moyennant un taux d'intérêt.

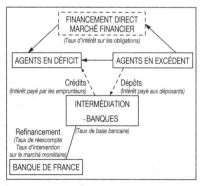

→ *Banque, Économie d'endettement, Intermédiation.*

FINANCES PUBLIQUES

Ensemble des dépenses et des recettes de l'État et des collectivités publiques. Ce terme désigne également la discipline qui a pour but d'étudier les mécanismes et les règles régissant les recettes et les dépenses de l'État et des collectivités publiques.

→ *Budget de l'État (Loi de finances), Dépenses publiques, Prélèvements obligatoires.*

FIRME

Synonyme d'entreprise industrielle et commerciale.

→ *Entreprise.*

FIRME MULTINATIONALE (FMN)/ FIRME TRANSNATIONALE

Firme possédant ou contrôlant des entreprises implantées dans plusieurs pays et en mesure d'élaborer une stratégie qui s'appuie sur les différences socio-économiques de ces pays.

L'internationalisation de l'activité des entreprises est un phénomène ancien, mais qui s'est accéléré après la Seconde Guerre mondiale. Les stratégies d'expansion à l'étranger s'organisent autour de différents objectifs. Le premier objectif est celui du contrôle et de l'exploitation des matières premières. Dès le XIXᵉ siècle, des entreprises industrielles européennes, puis américaines, ont investi les pays possesseurs de matières premières pour créer des courants d'échange vers les pays riches. Cette stratégie d'implantation à l'étranger, qui se décide en fonction de la localisation des matières premières, est dominante à la fin du XIXᵉ siècle et au début du XXᵉ siècle, mais reste une réalité aujourd'hui.

À ce premier objectif, acheter, il faut en associer un autre, vendre. Les limites à la croissance interne de l'entreprise l'incitent à rechercher des débouchés externes par les exportations et le développement de filiales à l'étranger. Ce type de stratégie suppose que le pays d'accueil constitue un marché attractif. Les pays développés sont le lieu privilégié d'implantation de ce type d'investissement (IDE : Investissements directs à l'étranger).

Depuis une vingtaine d'années, une nouvelle raison de produire à l'étranger a pris une importance croissante : la pression sur les coûts de production. Les différences de coûts salariaux directs et indirects incitent les entreprises à délocaliser leur activité vers les pays à bas coûts de main-d'œuvre : c'est la logique de la DIPP (« décomposition internationale des processus productifs »).

La mondialisation des marchés constitue un milieu favorable au progrès des FMN : mobilité plus grande des marchandises, des hommes, des produits, des capitaux, des technologies et des informations. Par ailleurs, l'économie mondiale reste très fractionnée et les FMN exploitent ces différences de coûts de main-d'œuvre, de niveau de développement, de dotation en matières premières, de régime fiscal ou douanier…

♦ La théorie des coûts de transaction (Coase, Williamson) a beaucoup apporté à l'explication de la multinationalisation des firmes : une activité productive à l'étranger, nécessaire à une firme, sera internalisée par celle-ci (intégrée par filialisation au sein du groupe) si les coûts de transaction d'un simple échange marchand sont jugés trop importants ; le « faire » l'emporte alors sur le « faire faire ». Par exemple, en situation d'asymétrie d'information avec risque de comportement opportuniste d'un fournisseur (qui tricherait sur la qualité, ne respecterait pas les délais, etc.), une firme aurait intérêt à l'absorber (intégration verticale).

♦ L'analyse, dans le cadre de la théorie des jeux, des stratégies des firmes en situation d'oligopole a également permis d'expliquer certains comportements de localisation (par exemple, conquérir un marché étranger par implantation locale pour renforcer sa position vis-à-vis de son concurrent national).

Les FMN limitent les marges de manœuvre de la politique économique : elles peuvent, par des opérations entre filiales (« commerce captif » avec pratique des « prix de transfert »), atténuer l'impact des mesures de politique économique (notamment fiscale) dans les pays d'accueil. Pourtant, l'idée d'un contrôle strict de l'activité des FMN, assez répandue dans les années 1970, n'est plus reprise aujourd'hui ; on considère surtout qu'elles peuvent être, sous certaines conditions, source d'apport en capitaux, de transfert de technologies, de création d'emplois et d'élévation du savoir-faire de la main-d'œuvre ; d'où des politiques « d'attractivité territoriale » (pour attirer les IDE des FMN), qui peuvent parfois dériver vers un certain dumping social ou fiscal, la « mauvaise régulation chassant la bonne » (R. Boyer). Voir les débats autour de l'AMI. Cependant, les FMN restent attachées à leur pays d'origine, « ce qui est bon pour General Motors est bon pour les États-Unis et réciproquement », qui favorise leurs activités. En cas de difficultés, elles se replient sur leur pays d'origine (théorie du sanctuaire).

◆ Certains auteurs préféraient utiliser la notion de *firme transnationale (FTN)*, en soulignant que de telles entreprises, en traversant les frontières nationales, étaient en mesure de planifier leur développement directement à l'échelle mondiale.

◆ Aujourd'hui, cette dernière étape du processus de multinationalisation (produit non différencié conçu pour un marché mondial unifié, actionnariat et dirigeants sans nationalité dominante...) correspond plus à la notion de « firme globale », qui ne conviendrait, pour le moment, qu'à un tiers des FMN.

→ *Concentration (des entreprises), Délocalisation, Impérialisme ; Annexe 25.*

FISCALITÉ

Réglementation définissant les impôts d'une collectivité locale, d'un pays ou d'un organisme international (Union européenne, par exemple) et leur perception.

→ *Impôt, Parafiscalité, Politique budgétaire, Prélèvements obligatoires.*

FISHER (Effets)

1. Effet de l'inflation anticipée sur le niveau des taux d'intérêt nominaux.

Les prêteurs se déterminent en fonction du taux d'intérêt réel qu'ils souhaitent obtenir (lui-même fonction de leur taux de préférence marginale pour le présent) ; ils en déduisent le taux d'intérêt nominal qu'ils annoncent aux emprunteurs en ajoutant au taux réel le taux d'inflation anticipé (puisque ce dernier vient amputer le pouvoir d'achat du capital et des intérêts nominaux qui leur sont dus). Si l'on suit cette conception, présentée en 1930 par Fisher dans *La Théorie de l'intérêt*, ce serait l'inflation qui serait responsable de l'existence de taux d'intérêts nominaux élevés et non l'inverse (les politiques monétaires « laxistes » visant à faire baisser les taux d'intérêt produiraient l'effet contraire dès lors que les agents anticiperaient leurs conséquences inflationnistes).

2. Effet cumulatif de la déflation sur le surendettement réel des agents économiques.

Cet effet est mis en évidence par Fisher dans un article portant essentiellement sur la phase dépressive du cycle (et pour cause, sa publication datant de 1933). Lorsqu'ils constatent, au terme de la phase euphorique du boom, qu'ils sont surendettés, les agents économiques cherchent à se désendetter en réalisant leurs actifs ; ces ventes massives et précipitées induisent une baisse des prix qui accroît au contraire la valeur réelle des dettes ; un processus cumulatif se trouve ainsi enclenché : « C'est l'effort même des individus pour diminuer le fardeau des dettes qui l'augmente, car l'effet global de la course à la liquidation est de gonfler chaque dollar à rembourser [...]. Plus les débiteurs payent plus ils doivent. »

→ *Déflation, Intérêt/Taux d'intérêt ; Annexe 12.*

FISHER (Irving)

> Économiste et statisticien américain (1887-1947) célèbre pour ses analyses de la monnaie et du taux d'intérêt.

Le nom d'Irving Fisher est souvent associé à la théorie quantitative de la monnaie parce qu'on lui doit la formulation de l'équation à partir de laquelle il a établi une relation causale entre les variations de la quantité de monnaie en circulation et les variations du niveau général des prix (dans son ouvrage de 1911, *Le Pouvoir d'achat de la monnaie*) :

$$M.V = P.T$$

où le volume des transactions (T) et la vitesse de circulation (V) sont donnés ; le niveau des prix (P) est alors déterminé par le stock de monnaie (M). Dans son livre *100 % Money* (1935), Fisher proposait une réforme radicale du système monétaire : il s'agissait de réserver le monopole de la création monétaire à l'État afin de limiter l'instabilité de l'économie capitaliste en régulant l'offre de crédit et le niveau du taux d'intérêt.

→ *Monnaie (Théorie quantitative de la) ; Annexe 12.*

FLEXIBILITÉ

> Ajustement rapide des quantités, des prix et des qualités aux variations du volume et de la structure de l'offre et de la demande sur les marchés.

Au cœur de la théorie néo-classique se trouve cette idée que la flexibilité des prix sur les marchés permet la résorption des désajustements temporaires entre les offres et les demandes (par exemple, la baisse du salaire réel sur le marché du travail doit permettre la résorption du chômage).

♦ Plus largement, la doctrine libérale voit dans les diverses rigidités et réglementations héritées de plusieurs décennies d'intervention de l'État (et des syndicats) l'une des causes principales de la crise des années 1970 ; elle préconise en conséquence la suppression des règles qui entravent la liberté d'entreprendre et la régulation par le marché. Au-delà, la flexibilité peut être vue comme la réponse d'entreprises confrontées à un contexte macroéconomique nouveau : intensification de la concurrence (du fait de l'internationalisation des marchés et de la relative saturation de certains d'entre eux), accélération du progrès technique, volatilité de la demande, importance croissante de la qualité, nécessité de réagir rapidement aux chocs exogènes (fluctuations du prix de l'énergie, des taux de change, krachs financiers, etc.).

Les changes sont flexibles (ou flottants) lorsque le cours des devises fluctue sans intervention des Banques centrales en fonction des variations de l'offre et de la demande sur le marché des changes.

La production est flexible quand elle s'adapte aux variations quantitatives et qualitatives de la demande, ce qui nécessite des équipements polyvalents, une programmation des machines-outils liée à une interchangeabilité des outils (ateliers flexibles).

Flexibilité du travail

Dans le cas du marché du travail, la flexibilité peut se décomposer en plusieurs éléments :
– *la flexibilité quantitative externe* (possibilité d'embaucher et de licencier librement en fonction des fluctuations de l'activité) *ou interne* (modulation du temps effectif de travail) ;
– *la flexibilité des rémunérations* ;

– *la flexibilité fonctionnelle* (polyvalence des travailleurs et souplesse de l'organisation) ;

– *l'externalisation* (utilisation de sous-traitants ou d'entreprises de travail temporaire).

→ *Emploi atypique/Emploi typique, Équilibre, Néo-classique (Économie, théorie).*

FLEXION
(des taux d'activité)

Variation des taux d'activité résultant de la création d'emplois.

Dans un bassin d'emploi, la création d'emplois suscite de nouvelles demandes (qui ne s'étaient pas manifestées auparavant), de telle sorte que la réduction du nombre de chômeurs ne correspond pas au nombre d'emplois supplémentaires pourvus.

♦ Exemple : quand un supermarché s'ouvre dans une localité où cinq vendeuses sont inscrites à l'ANPE et qu'il offre justement cinq emplois de vendeuse, le chômage des vendeuses ne sera pas annulé si deux autres personnes, jusqu'alors considérées comme inactives, se déclarent intéressées par ces offres d'emploi.

→ *Chômage.*

FLOTTEMENT

→ *Système monétaire international (SMI).*

FLUCTUATIONS

Irrégularités de l'évolution des grandeurs économiques (production, prix, emploi, revenus, investissement…) au cours du temps.

Sans que cela soit une règle générale, le terme fluctuations suggère des mouvements alternés ascendants et descendants, soit en valeur absolue, soit en valeur relative (dans ce dernier cas, cela correspond à des accélérations et à des ralentisse-

ments). Ces mouvements affectent aussi bien le court terme (évolutions conjoncturelles) que les moyen et long termes. Quand les fluctuations de la croissance obéissent à une certaine régularité (périodicité des phases ascendantes et descendantes), il s'agit de cycles économiques.

→ *Conjoncture, Cycles.*

FLUX

Grandeur économique mesurée au cours d'une période de temps donnée (elle s'oppose à la notion de stock).

On distingue les *flux réels*, qui portent sur des biens et services, les *flux monétaires*, qui sont généralement la contrepartie des premiers (par exemple, le salaire est la contrepartie de la location de la force de travail), et les *flux financiers*, qui portent sur des créances et des dettes.

♦ Exemple : au début du mois, un agent économique dispose de 610 € sur son compte en banque ; il s'agit d'un stock de monnaie à ce moment précis. Au cours du mois, il reçoit un revenu de 1 524 € sur lequel il consomme 1 372 €, 152 € étant ainsi thésaurisés ou épargnés ; revenu, consommation et thésaurisation sont des flux. À la fin du mois, le stock de monnaie est de 762 €.

→ *Stock.*

FOB (*Free on board*)

→ *FAB.*

FOGEL (Robert William)

Né en 1926, prix Nobel d'économie en 1993, avec Douglas North, l'un des fondateurs de la nouvelle histoire économique.

Sa méthode consiste à se référer à une théorie économique — reposant sur la rationalité des individus — et à traiter des données statistiques lourdes et originales. Ses thèses principales sur l'histoire américaine portent sur le caractère non inévitable du chemin de fer — ce qui implique que les subventions de l'État pour promouvoir de nouvelles techniques ne sont pas justifiées — et la rentabilité de l'esclavage — il remet en cause la thèse de l'irrationalité économique des propriétaires d'esclaves — et sur les relations entre alimentation et comportements économiques et sociaux.

→ *North ; Annexe : Prix Nobel d'économie.*

FONCTION (sens mathématique et statistique)

> Relation mathématique entre deux variables ou plus du type $Y = f(x, z)$, qui peut être utilisée en économie et dans les autres sciences sociales.

Les fonctions sont utilisées pour tester des relations empiriques entre variables. Supposons par exemple que l'on se réfère à une explication de la consommation par le revenu et que l'on choisisse une relation de type linéaire.

On écrit : $C = a + b\,Y$, où C est la consommation et Y le revenu.

Dans cette formulation, C et Y n'ont pas une position symétrique : c'est la consommation qui est déterminée par le revenu et non l'inverse. C est une variable endogène et Y une variable exogène. Il est possible de tester cette relation, à partir de données chiffrées, pour savoir s'il existe effectivement une corrélation (variation liée) entre les deux variables ou si elles sont indépendantes.

Toutefois, l'interprétation peut être délicate parce que l'existence d'une corrélation peut renvoyer à plusieurs types d'explications. Par exemple, le taux d'activité des femmes est lié de façon négative au nombre de leurs enfants. Trois interprétations sont possibles :
– les femmes ont moins d'enfants parce qu'elles travaillent ;
– les femmes travaillent parce qu'elles ont moins d'enfants ;
– avoir peu d'enfants et travailler s'explique par un choix commun.

♦ En outre, les fonctions sont utilisées en formalisation économique pour expliciter les raisonnements et en montrer la cohérence sans que l'on teste nécessairement les fonctions posées. Walras fournit un exemple classique d'utilisation de fonctions mathématiques non vérifiées empiriquement.

→ ♦ *Endogène/Exogène, Statistiques ; Annexe 6.*

FONCTION (sens sociologique)

> Rôle que jouent un processus, une institution dans un système social global (société) ou partiel (collectivité, organisation). Par analogie avec le fonctionnement d'un organisme ou d'une machine.

♦ Un système social n'est pas un organisme, sinon par analogie : il ne possède pas de mécanisme strict d'autorégulation.

Sens employé dans l'analyse fonctionnelle et systématisé par le courant fonctionnaliste. Exemples : l'examen remplit la fonction de sélection légitime ; la famille remplit plusieurs fonctions : reproduction, socialisation primaire, protection de l'individu, etc.

À la suite de Merton, on peut distinguer *fonctions manifestes* et *fonctions latentes*. Les premières sont explicites et reconnues sans problème par le corps social : l'organisation des activités sportives, la culture du corps par les clubs sportifs. Les secondes sont moins explicites (associations sportives comme lieu de socialisation par exemple) et parfois masquées ou difficilement reconnues ; leur mise en évidence n'est pas acceptée d'emblée (pratiques sportives comme conduite de distinction sociale, par exemple, telles que golf, jogging, etc.).

→ *Fonctionnalisme, Institution(s), Merton ; Annexes 40, 45.*

FONCTIONNALISME

Ensemble de courants anthropologiques et sociologiques qui considèrent le système social comme une totalité unifiée dont tous les éléments (division du travail, institutions, idéologies) sont nécessaires à son bon fonctionnement ; on postule la cohésion des éléments entre eux.

La société, assimilée à un organisme vivant ou à une machine, s'autorégule et tend à l'équilibre. Ces courants insistent sur l'intégration et négligent ou tiennent pour secondaires les conflits et les dysfonctionnements. Ils occupent une place importante dans la sociologie américaine contemporaine.

♦ Un bon exemple est fourni par la stratification sociale, thème central de plusieurs travaux fonctionnalistes américains, dont ceux de Parsons. La stratification sociale est analysée comme le produit nécessaire d'une division du travail fonctionnelle : la valeur et le rang des positions sociales dépendent de leur importance pour le maintien et le fonctionnement de la société. Les inégalités de statut et de revenu en sont le résultat logique.

♦ L'organisation sociale ainsi conçue assure l'intégration de ses membres, l'adaptation du système à son environnement et l'ajustement des moyens aux buts visés.

Du fonctionnalisme absolu au fonctionnalisme relativisé

La théorie sociale au XIXᵉ siècle est marquée — à des degrés divers — par des présupposés fonctionnalistes, comme l'atteste l'influence du modèle biologique. Ce n'est cependant qu'au début du XXᵉ siècle que le fonctionnalisme comme théorie et méthode d'analyse est développé.

B. Malinowski, anthropologue britannique — dont l'œuvre ethnologique de terrain est beaucoup plus riche que son schéma théorique —, crée le terme et formule les règles du fonctionnalisme classique (dit encore « absolu » en raison de son caractère systématique) à partir de ses études sur les sociétés primitives.

♦ Empruntant explicitement à l'organicisme, il postule que tout système social peut être ramené à des fonctions correspondant à des besoins et à des buts vitaux : « Chaque coutume, chaque objet, chaque idée et chaque croyance remplit une fonction vitale, […] représente une partie indispensable d'une totalité organique. » La coopération entre les éléments est harmonieuse, tout ce qui existe est à la fois utile et nécessaire.

Le caractère contestable de plusieurs de ces hypothèses, surtout quand on les transpose à des sociétés complexes et socialement différenciées, a conduit à des remaniements importants des principes d'analyse fonctionnalistes. K. Merton, sociologue américain, en est le promoteur le plus reconnu. Rejetant le modèle organiciste, il abandonne le postulat de la nécessité fonctionnelle de toute structure. Il admet que certains processus peuvent être dysfonctionnels en faisant obstacle à l'adaptation du système.

→ *Fonction (sens sociologique), Merton, Organicisme, Parsons, Stratification sociale ; Annexes 40, 45.*

FONDS COMMUNS DE PLACEMENT

→ *OPCVM.*

FONDS DE PENSION

Modalité particulière d'épargne salariale. Les fonds de pension sont alimentés par l'épargne des salariés, le plus souvent complétée par l'entreprise et dotée d'avantages fiscaux. Lors de sa retraite, le bénéficiaire reçoit une rente viagère.

Ces fonds existent depuis le début du siècle dans les pays anglo-saxons et du nord de l'Europe. Avec le vieillissement de la population et l'importance des sommes accumulées en prévision des retraites à servir, ils ont pris une importance considérable sur les marchés financiers.

Les représentants des salariés sont souvent associés à la gestion des fonds. Ils s'intéressent de près à la rentabilité des entreprises où ils investissent, le plus souvent sur un horizon à long terme. Les plus grands fonds sont ceux des enseignants américains et des fonctionnaires de l'État de Californie ; le plus connu, celui qui gère les pensions des veuves écossaises.

——→ *Épargne salariale, Investisseurs institutionnels (« Zinzins »).*

FONDS DE ROULEMENT NET

——→ *Comptabilité d'entreprise.*

FONDS MONÉTAIRE INTERNATIONAL (FMI)

Institution internationale ayant aujourd'hui principalement pour rôle de fournir des crédits aux pays qui connaissent des déficits extérieurs et qui, en contrepartie, prescrit des politiques économiques.

Au sein du FMI, créé par les accords de Bretton Woods en 1944, chaque pays dispose d'une quote-part (établie en fonction de sa place dans les échanges internationaux), qui détermine les dépôts qu'il effectue, les crédits (droits de tirage) dont il peut bénéficier et le nombre de voix au sein des organismes du FMI.

◆ Chaque pays effectue des dépôts d'un montant égal à sa quote-part pour 25 % en devises et 75 % en monnaie nationale (avant 1976 : 25 % en or et 75 % en monnaie nationale). À partir de ces dépôts s'effectuent des tirages : le pays emprunteur peut obtenir du FMI des devises (franc, dollar, etc.) et céder de sa propre monnaie.

◆ Les droits de tirage (*ordinaires ou normaux*, par opposition aux droits de *tirage spéciaux*) sont provisoires, puisqu'ils sont remboursables en trois ou cinq ans et limités.

Le FMI avait, à l'origine, un rôle de gardien du système de parités fixes et de prêts à partir des dépôts dans les différentes devises. Son rôle s'est progressivement transformé.

Le flottement généralisé des monnaies à partir de 1973 a rendu caduque la surveillance du système de parités fixes.

La création des DTS (droits de tirage spéciaux) et leur autonomisation par rapport au dollar ont permis au FMI de disposer d'une unité de compte propre et de pouvoir distribuer de façon plus souple des fonds aux pays membres.

Surtout, les énormes problèmes de financement rencontrés, en particulier par les pays en développement, depuis la fin des années 1970, ont entraîné une transformation profonde du FMI dont le rôle financier s'est considérablement développé. Il a multiplié ses interventions, recherché de nouvelles ressources et développé son influence sur les pays qui font appel à ses crédits. Le FMI conditionne son aide à l'adoption de mesures de politique économique, mesures dont l'efficacité est fréquemment discutée mais auxquelles sont subordonnés, non seulement les prêts du FMI, mais aussi les crédits accordés par les grandes banques.

——→ *Bretton Woods (Accords de), Droits de tirage, Droits de tirage spéciaux (DTS), Système monétaire international (SMI).*

FONDS PROPRES

Ressources de l'entreprise qui proviennent de l'entreprise elle-même — autofinancement — ou de ses propriétaires — apport en numéraire des actionnaires.

Les fonds propres s'opposent aux dettes exigibles (fonds empruntés principalement sous forme d'émission d'obligations ou d'emprunt bancaire). Dès lors, l'ampleur des fonds propres influe sur la solvabilité de l'entreprise, sur sa capacité à régler ses dettes et sur son indépendance financière. Depuis le milieu des années 1980, les entreprises et, dans une plus large mesure, les banques sont engagées dans un processus de renforcement des fonds propres, qui les autonomise par rapport à leurs créanciers.

→ *Comptabilité d'entreprise.*

FONDS STRUCTURELS EUROPÉENS

Le Fonds social européen (FSE), créé en 1958, le Fonds européen d'orientation et de garantie agricoles dans sa section orientation (FEOGA-O) et le Fonds de développement régional (FEDER) créé en 1975, sont les trois fonds structurels des communautés européennes, chargés depuis 1989 d'assurer, par leur intervention, une politique de cohésion économique et sociale par une aide à certaines régions (en retard ou en reconversion), à certaines catégories (chômeurs de longue durée et jeunes à la recherche d'un emploi) ou à l'agriculture et l'espace rural.

→ *Europe (union ou intégration économique).*

FONGIBLE

Désigne les biens de caractéristique identique et dont les unités de ce fait sont substituables : yaourts nature, poulets d'élevage, quintaux de blé dur, barils de pétrole brut de type *arabian light*, pommes golden, etc., sont des exemples de biens fongibles, c'est-à-dire homogènes, reproductibles, et dont chaque unité peut se substituer à une autre.

→ *Concurrence, Substitution (des biens et des facteurs).*

FORCE(S) PRODUCTIVE(S)

Selon Marx, capacité de production d'une économie : instruments techniques et savoir-faire des producteurs.

Conçues comme des « mouvements d'appropriation de la nature par l'homme », leur développement est, pour cet auteur, un facteur déterminant de l'histoire des sociétés.

→ *Marx, Mode de production.*

FORDISME

1. Méthode de production développée par Henry Ford, à partir de la Première Guerre mondiale, prolongeant et dépassant le taylorisme.

La parcellisation du travail, l'installation de convoyeurs et de lignes de montages (les chaînes), la normalisation et la simplification des composants, la mécanisation entraînent d'importants gains de productivité dans la production de produits standardisés.

2. Stratégie de développement de l'entreprise mise en valeur par Ford et associant une production de masse à une politique de salaires élevés.

Ford fut l'un des premiers à distribuer une partie des gains de productivité, sous la forme d'augmentations de salaires, dans l'intention d'ouvrir des débouchés à la production.

3. Nom que les théoriciens de l'École de la régulation donnent au régime d'accumulation intensive centré sur la consommation de masse et associé à une régulation monopoliste, qui a prédominé dans les pays capitalistes développés pendant les Trente Glorieuses (1945-1974-1975).

→ *Division du travail, Régulation (École de la).*

FORFAIT

Fixation d'une grandeur monétaire à l'avance et de façon invariable.

Le salaire est une rémunération forfaitaire dans le sens où, le plus souvent, son montant est fixé à l'avance, indépendamment des résultats du salarié ou de l'entreprise. En matière fiscale, certaines catégories sont imposées au forfait par référence à une base d'imposition prédéterminée.

FORMATION

De manière générale, action d'éduquer, de transmettre des connaissances.

L'organisation de la formation est constituée de deux volets principaux :
– *la formation initiale* qui correspond à l'appareil scolaire et universitaire. Obligatoire jusqu'à 16 ans, elle donne aux individus un niveau de formation qui détermine en partie le type d'emplois auxquels ils peuvent accéder : niveau VI et V bis, sorties du collège (sans qualification professionnelle) ; niveau V, sorties de l'année terminale de CAP ou de BEP (second cycle court professionnel), sorties du second cycle long (lycée) avant la classe terminale ; niveau IV, sorties des classes de terminales des lycées ou abandon des scolarisations post-baccalauréat avant d'atteindre le niveau III ; niveau III, sorties avec un diplôme de niveau bac + 2 ans (DUT, BTS, DEUG, etc.) ;
– *la formation professionnelle continue* est le fait de personnes déjà en activité (salariées ou non) qui cherchent à développer leurs compétences. Les employeurs sont tenus de participer au financement de cette activité à hauteur de 1,5 % de la masse salariale.

FORMATION BRUTE DE CAPITAL FIXE

→ *FBCF.*

FRANC

Unité monétaire utilisée en France et dans quelques pays francophones (franc belge, franc suisse). Son nom provient d'une pièce d'or de 1360 frappée de la devise *Francorum rex* « Roi des Francs ». Le franc est officiellement l'unité monétaire française depuis la loi du 7 Germinal an XI (28 mars 1803). Défini par rapport à l'or jusqu'en 1937, il l'est par rapport au dollar jusqu'en 1973 et par rapport aux autres monnaies européennes à partir de 1979.
Son symbole est F depuis 1988.

→ *Écu, Système monétaire européen (SME), Système monétaire international (SMI).*

FRANC CFA (Communauté financière africaine)

Unité monétaire existant depuis 1945 et utilisée dans certaines anciennes colonies françaises d'Afrique. Le franc CFA a été dévalué en 1994 et vaut, en 2000, 0,01 F.

→ *Zone franc.*

FRANC CFP (Communauté financière Pacifique)

Unité monétaire créée en 1945, utilisée en Polynésie française et en Nouvelle-Calédonie. Le franc CFP vaut, en 2000, 0,055 F.

→ *Zone franc.*

FRANCHISE/FRANCHISAGE

(en angl. *franchising*)
Contrat par lequel une entreprise concède à des entreprises indépendantes, en contrepartie d'une redevance, le droit de se présenter sous sa raison sociale et sa marque pour vendre des produits ou services. Ce contrat s'accompagne généralement d'une assistance technique.

FRAUDE FISCALE

→ *Évasion fiscale.*

FRIEDMAN (Milton)

Prix Nobel en 1976 (né en 1912), professeur à l'université de Chicago, il est le représentant le plus connu du courant monétariste. Partisan du libéralisme, opposé au courant keynésien (critique de la courbe de Phillips, notions de revenu permanent, de chômage naturel, etc.), il s'est fait l'avocat du flottement pur des monnaies et d'une politique monétaire liée au respect rigoureux d'une norme stable de croissance de la masse monétaire. Friedman n'est cependant pas un ultra-libéral, comme en témoigne par exemple sa proposition d'impôt négatif.

♦ Ouvrages principaux : *Théorie de la consommation* (1957) ; *Histoire monétaire des États-Unis* (avec A. Schwartz en 1963) ; *Inflation et systèmes monétaires* (1969, édition française).

→ *Chômage naturel (Taux de), École de Chicago (sciences économiques), Monétarisme, Phillips (Courbe de), Revenu permanent ; Annexe 20, Annexe : Prix Nobel d'économie,.*

FRIEDMANN (Georges)

Sociologue français (1902-1978), fondateur de la sociologie du travail en France.

Son œuvre est axée sur « les problèmes humains du machinisme industriel » (titre d'un de ses premiers ouvrages paru en 1947), et les coûts sociaux du taylorisme (*Le Travail en miettes*, 1956).

→ *Taylor/Taylorisme, Travail.*

FRISCH (Ragnar)

→ *Annexe : Prix Nobel d'économie.*

FUITE DES CERVEAUX

(En anglais *brain drain*)
Phénomène d'émigration d'une main-d'œuvre hautement qualifiée attirée par les conditions de travail et de vie que lui offre un pays étranger.

Les différences de niveau de développement entraînent des différences de rémunération pour les chercheurs, les cadres, les techniciens et les professions libérales : elles induisent un flux de main-d'œuvre des pays moins développés vers les pays les plus riches, privant les premiers des moyens en hommes de leur développement, bien qu'ils aient assumé le plus souvent le coût de leur formation.

→ *Développement, Échange inégal, Pôle de croissance/Pôle de développement.*

FUSION – ACQUISITION

Opération au cours de laquelle deux sociétés A et B se réunissent dans une nouvelle société AB et disparaissent en tant que telles, une des deux sociétés se fond dans l'autre (fusion-absorption).

Les actionnaires des sociétés fusionnées reçoivent en échange de leurs titres des actions de la nouvelle société issue de la fusion ou de la société absorbante.

Ce sont des opérations complexes à réaliser, qui exigent que l'apport net soit rémunéré par des titres, que le projet de fusion comporte toute une série d'éléments imposés (motifs de l'opération, dates d'arrêté des comptes des sociétés, détermination de la parité d'échange...) qui fassent l'objet d'une publicité préalable.

Souvent, les alliances constituent des préalables aux fusions.

→ *Alliance, Croissance interne/externe.*

FUTURE MARKET

→ *Marché à terme/Marché de contrats à terme.*

GALBRAITH (John Kenneth)

Économiste américain né en 1908 dont l'œuvre critique les analyses néo-classiques et les politiques économiques d'inspiration monétariste.

Démocrate, il eut des responsabilités auprès du président Kennedy et comme ambassadeur en Inde.

Dans ses ouvrages, dont les plus connus sont *L'ère de l'opulence* (1958) et *Le nouvel État industriel* (1967), il s'attache à montrer le rôle de la grande entreprise et à décrire la réalité des mécanismes de pouvoir.

À la théorie de la souveraineté du consommateur, qui considère que le consommateur est à l'origine du processus économique, l'entreprise se pliant aux injonctions que lui transmet le marché, Galbraith oppose la thèse de la « filière inversée » selon laquelle l'initiative vient de l'entreprise, qui définit les besoins et les modes de satisfaction des besoins, le consommateur n'intervenant qu'en fin de processus, de façon passive. Son analyse du pouvoir dans l'entreprise révèle l'importance de la « technostructure », l'ensemble des ingénieurs et techniciens qui, à la différence de la direction (les managers), ne prennent pas de décisions, mais orientent les choix par la nature des informations qu'ils recueillent et transmettent.

⟶ *Technocratie ; Annexe 25.*

GATT (*General Agreement on Tariff and Trade*)

Accord général sur les tarifs et le commerce signé en 1947, à l'initiative des États-Unis, par 22 pays, afin de créer un dispositif transitoire dans l'attente de la ratification de la charte de La Havane qui prévoyait la création d'une Organisation internationale du commerce. Le GATT a regroupé plus de 100 pays effectuant plus de 80 % du commerce mondial. La ratification n'est jamais intervenue. Le GATT a été remplacé à partir du 1er janvier 1995 par l'OMC, organisation mondiale du commerce.

Les dispositions initiales du GATT visent à favoriser la libéralisation des échanges commerciaux internationaux par le respect de quelques principes :
– *le principe de non-discrimination* : chaque pays doit accorder aux autres la clause de la nation la plus favorisée (tout avantage accordé à un pays doit être étendu aux autres) ; selon le principe du traitement national, les produits importés ne doivent pas être défavorisés par rapport aux produits nationaux (pas de fiscalité discriminatoire par exemple) ; aucun pays ne doit subventionner directement ou indirectement ses exportations (crédits à des taux très avantageux par exemple) ;

– *le principe de consolidation* : chaque pays s'engage à ne pas revenir sur les concessions qu'il accorde aux autres, de sorte que l'évolution aille toujours dans le sens d'une plus grande libéralisation ;

– *le principe des négociations commerciales multilatérales* (NCM) : la plupart des clauses du GATT interdisent les protections non tarifaires (exemple : le contingentement des importations, les discriminations fiscales ou réglementaires ne sont pas autorisés) ; dès lors, les pays signataires doivent négocier entre eux les barèmes douaniers ; ils le font au cours de conférences internationales, les « Rounds ».

♦ Au cours du Dillon Round (1960-1962), la CEE a accepté de réduire de 20 % ses tarifs douaniers avec tout pays qui accorderait la même réduction. Le Kennedy Round (1964-1967) s'est traduit par une diminution d'un tiers environ des droits de douane portant sur les produits industriels. Le Tokyo Round (1973-1979) a abouti à une nouvelle réduction du même ordre et à l'édiction d'une série de codes qui limitent les possibilités de protectionnisme non tarifaire ou de concurrence déloyale (code anti-dumping par exemple). L'Uruguay Round (1986-1994) a porté surtout sur l'agriculture et les services. Il a été marqué par de nombreux conflits entre l'Europe et les États-Unis à propos des productions agricoles. Il s'est achevé sur la signature, le 15 avril 1994, de l'accord de Marrakech portant création de l'OMC à compter du 1er janvier 1995.

En tant qu'accord général sur les tarifs douaniers et le commerce (et non en tant qu'organisation), le GATT fait désormais partie de la structure de base des accords de l'OMC, avec l'AGCS (Accord général sur le commerce des services), l'ADPIC (Accord sur les aspects des droits de propriété intellectuelle qui touchent au commerce) et ceux concernant le règlement des différends – accords qui font l'objet de nouveaux cycles de négociations au sein de l'OMC.

→ *Barrières non tarifaires, CNUCED, Organisation mondiale du commerce (OMC), Protectionnisme.*

GÉNÉRATION

Au sens courant : production d'un descendant par ses géniteurs.

Au sens démographique : désigne soit l'espace de temps moyen qui sépare les parents des enfants (environ 25 ans), soit l'ensemble des personnes nées une même année, ou un même groupe d'années (la génération de 1968, par exemple).

L'analyse générationnelle considère que le comportement des individus selon l'âge n'est pas immuable dans le temps mais varie en fonction de l'époque de leur naissance. Chacune des générations qui constituent la population d'un pays à un instant donné n'a-t-elle pas connu une histoire différente de celles qui l'ont précédée ? Cette optique s'oppose à l'analyse transversale qui suppose que les comportements par âge observés une année donnée se reproduiront dans le futur.

→ *Effet d'âge/Effet de génération.*

GÉNOCIDE

→ *Ethnocide.*

GENRE (Relations de)

Relations entre les sexes (les « genres ») et, plus généralement, modalités selon lesquelles chaque société définit et institue respectivement leur place et leurs rôles. Le terme genre, contrairement à celui de sexe, implique que la différenciation « hommes/femmes » est sociale et culturelle et non simplement biologique.

Le vocable « genre », au-delà de son sens grammatical, est d'usage récent ; il a été introduit aux États-Unis dans les années 1970 pour dénaturaliser la différence des sexes comme le souligne la sociologue américaine A. Oakley : « "Sexe" est un mot qui fait référence aux différences biologiques entre mâles et femelles (…). "Genre", en revanche, est un terme qui renvoie à la culture : il concerne la classification sociale en "masculin" et "féminin" (…). On doit admettre l'invariance du sexe comme la variabilité du genre » (*Sex, gender and Society*, 1972).

♦ Nombre de travaux historiques, ethnographiques et sociologiques ont mis en évidence la dimension culturelle des statuts masculin et féminin et des rapports entre hommes et femmes. Ces statuts et ces rapports sont socialement institués. En atteste la variabilité des modèles de rôles et des images attribuées à l'un ou l'autre sexe en dépit d'une domination masculine jusqu'à nos jours quasi universelle.

♦ Dans plusieurs sociétés paysannes traditionnelles, les femmes se voient attribuer des tâches physiques lourdes (portage de l'eau, des enfants) ou pénibles (repiquage du riz) peu conciliables avec les présupposés courants concernant la fragilité du deuxième sexe. Dans ses enquêtes sur les populations mélanésiennes, l'anthropologue américaine M. Mead montre que les idéaux masculin et féminin sont différents d'une petite société à l'autre. Les représentations que l'on se fait des sexes et jusqu'aux images sexuées du corps sont éminemment variables dans le temps et dans l'espace.

Les études dénommées « relations de genre » (*Gender relations*, en anglais) ou « rapports sociaux de sexe », qui se sont multipliées depuis les années 1970, entendent mettre l'accent sur l'importance des clivages entre « masculin » et « féminin » dans les différentes sphères de la vie sociale (sphères conjugale et domestique, économique et professionnelle, religieuse, scolaire, politique), et des rapports que ces clivages nouent entre eux comme le montrent les débats actuels sur la parité.

➝ *Parité hommes/femmes, Rôles féminin et masculin.*

GENRE DE VIE (ou MODE DE VIE)

Ensemble des manières de vivre d'un groupe humain, caractérisé par les conditions matérielles d'existence et l'organisation de la vie quotidienne : rapport à l'environnement, modalités et conditions de travail, nature des ressources, formes d'habitat, façons de consommer, types de loisirs, etc.

Notion qualitative, à la différence de celle de niveau de vie qui est quantitative. À un même niveau de ressources peuvent correspondre des genres de vie différents (ménage ouvrier en milieu urbain et familles d'agriculteurs en milieu rural par exemple).

♦ La notion de genre de vie évolue dans le temps et l'espace. Dans les sociétés à technique rudimentaire, l'adaptation au milieu physique est centrale. Dans les sociétés complexes et développées, ce sont les contraintes économiques et sociales qui prennent le dessus, tandis que les différences sociales entraînent la pluralité des genres de vie.

➝ *Culture, Niveau de vie, Travail ; Annexe 33.*

GÉRONTOCRATIE

(du gr. *geron* « vieillard » et *kras, kratos* « puissance »)
Pouvoir détenu par les plus âgés, « les anciens », dans une collectivité donnée.

Le terme, employé de manière péjorative, a souvent été appliqué à l'ex-URSS et à la Chine, compte tenu de l'âge des membres du Bureau politique dans ces deux pays.

GERSCHENKRON (Modèle de)

Présentation modélisée des modalités de développement des « pays neufs » (fin XIXᵉ -début XXᵉ siècle) qui se sont industrialisés après les pays pionniers de la Révolution industrielle (GB, Belgique, France).

À la différence de Rostow qui met en avant des conditions de démarrage uniformes débouchant sur « la croissance auto-entretenue », Gerschenkron, historien anglais, insiste sur les obstacles à la croissance rencontrés par les pays suiveurs et sur les moyens politico-économiques par lesquels ils ont contourné ces difficultés.

L'élément le plus important est constitué par l'intervention décisive de l'État, à la fois substitut et complément de l'initiative privée : mobilisation des capitaux, développement de l'infrastructure (et commandes induites), protection ou création d'entreprises, veille technologique, etc.

♦ Parallèlement, l'importance du financement par le capital bancaire se substitue à l'auto-financement insuffisant, l'épargne étrangère se substitue à l'épargne intérieure limitée, les technologies importées se substituent à la technologie nationale embryonnaire.

Ce modèle s'applique avant tout à la Russie (fin du XIXᵉ-début du XXᵉ siècle) et au Japon de l'ère Meiji mais il concerne partiellement d'autres pays comme l'Allemagne (par exemple, le complexe étato-bancaire) ou même les États-Unis (rôle de l'État fédéral dans l'avancée de la « Frontière », importance des capitaux importés).

♦ On pourrait fort bien actualiser le modèle en prenant en compte des expériences de développement comme celles de la Corée du Sud ou du Mexique, toutes deux caractérisées par le rôle majeur de l'État dans le cadre d'une économie de marché.

⟶ *Décollage, Développement (Modèles de), Rostow.*

GESTION

Ensemble des procédures, des pratiques et des politiques mises en œuvre dans les entreprises et qui visent à assurer un fonctionnement satisfaisant ; ses points d'application principaux sont la vente, le financement, l'organisation, la gestion des ressources humaines, le marketing, la comptabilité et le contrôle des résultats.

La gestion se situe au niveau de l'entreprise et adopte les solutions qui paraissent les meilleures ; mais, à la différence de la microéconomie, qui constitue une approche théorique et normative du fonctionnement des entreprises, elle est plus concrète et donc plus immédiatement opérationnelle.

La gestion se fonde sur la *comptabilité*, qui permet non seulement de suivre le fonctionnement de l'entreprise par le biais du bilan et du compte de résultats, mais aussi d'étudier les coûts et les prix, d'établir des contrôles et des prévisions.

Le *marketing* recouvre les rapports entre l'entreprise et son marché, qu'il s'agisse de la connaissance de ce marché — à travers l'étude de la concurrence et des besoins potentiels de la clientèle — ou de l'action sur le marché par la distribution, la publicité, la politique des prix.

La finance de l'entreprise consiste à rechercher au moindre coût, éventuellement en préservant l'indépendance de la firme, des modes de financement courts (trésorerie) ou longs (financement des entreprises) et, par ailleurs, à placer de façon optimale les ressources dont elle dispose.

La *gestion des ressources humaines* vise à traiter les flux (recrutement, embauche, licenciement, promotion…), les rémunérations et la formation du personnel.

⟶ *Audit, Comptabilité d'entreprise, Entreprise, Stratégie (d'entreprise), Taylor/Taylorisme.*

GIFFEN (Bien)

Bien dont la demande augmente avec le prix contrairement au schéma classique selon lequel la demande d'un bien est d'autant plus forte que le prix est faible.

Les biens Giffen sont des biens inférieurs, biens dont la demande baisse lorsque le revenu augmente et dont la demande augmente lorsque le revenu baisse. Mais à la différence des autres biens inférieurs, l'augmentation de leurs prix provoque une telle baisse du pouvoir d'achat (effet revenu négatif), que, malgré la hausse de leur prix, leur demande augmente car l'achat d'autres biens est abandonné. En cas de famine (situation analysée par Giffen à partir de l'exemple de l'Irlande au XIXᵉ siècle), bien que le prix des produits de première nécessité (pommes de terre, pain, etc.) augmente beaucoup, les ménages les plus pauvres sont contraints d'en acheter davantage et d'y consacrer l'essentiel de leurs revenus.

→ *Demande, Élasticité.*

GINI (Coefficient de)

→ *Lorenz (Courbe de)/Gini (Coefficient de).*

GLISSEMENT/MOYENNE

Variation en pourcentage d'une grandeur entre deux dates.

◆ Si un revenu est égal à 100 le 1/1/1993 et à 105 le 1/1/1994, il a augmenté en glissement de 5 % au cours de l'année 1993 ; on dit aussi en niveau (voir schéma ci-dessous.)

Cette mesure est différente de la mesure « en moyenne » : pour connaître l'augmentation en moyenne en 1993, il est nécessaire de comparer le niveau moyen de 1993 (par exemple 102 si le revenu a été la moitié de l'année à 100 et l'autre moitié à 104) au niveau moyen de l'année précédente (par exemple 96 si le niveau a été de 94 la moitié de l'année et de 98 l'autre moitié), soit 6,25 %.

GLOBALISATION

Émergence ou renforcement d'acteurs (notamment des firmes), de marchés et de régulations à l'échelle mondiale.

Les termes de mondialisation et de globalisation sont extrêmement proches ; toutefois, lorsque l'on envisage la finance, on se réfère plus à globalisation qu'à mondialisation et l'anglais utilise davantage le terme de *globalization*.

→ *Mondialisation (de l'économie).*

GOFFMAN (Erwing)

Sociologue canadien (1922-1982), l'un des maîtres à penser du courant interactionniste. Son œuvre est centrée sur sa conception de l'interaction et plus généralement de la vie sociale comme rituel théâtral (modèle dramaturgique).

◆ Connu aussi pour son analyse originale des « institutions totales » ; dans *Asiles* (1961), il montre comment les conduites de l'interné dans un hôpital psychiatrique peuvent se comprendre comme des réponses adaptées aux contraintes locales, lui permettant ainsi « de tourner les prétentions de l'organisation relatives à ce qu'il devrait faire […] et, partant, à ce qu'il devrait être ».
◆ Ouvrages principaux : *La mise en scène de la vie quotidienne* (1956-1959) ; *Asiles* (1961) ; *Les rites d'interaction* (1967).

→ *Ethnométhodologie, Interactionnisme ; Annexe 43.*

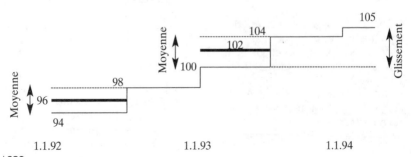

GOLD BULLION

→ *Système monétaire international (SMI).*

GOLD EXCHANGE STANDARD

→ *Système monétaire international (SMI).*

GOLD SPECIE

→ *Système monétaire international (SMI).*

GOULOT D'ÉTRANGLEMENT

(On dit parfois goulet d'étranglement.)

Difficulté pour une partie de l'appareil de production de répondre immédiatement à l'accroissement de la demande.

Par exemple, en cas d'accroissement de la demande des ménages ou de demande externe consécutive à une dévaluation, les producteurs peuvent ne pas être en mesure de fournir les biens demandés. Il en résulte une tension sur les prix et éventuellement un recours aux importations.

→ *Demande, Offre.*

GOUVERNANCE

Mode de contrôle, d'organisation, de coordination et de régulation s'exerçant au sein d'entités économiques ou géopolitiques complexes plus ou moins étendues. On distingue principalement la *gouvernance globale* (au niveau de l'économie mondiale), la *gouvernance-pays* (au niveau des États-nations) et la *gouvernance-entreprise* (même si d'autres niveaux, ou domaines, de gouvernance sont à mentionner : gouvernance urbaine, gouvernance de l'Internet...).

♦ « Gouvernance » est à distinguer de « gestion » ou de « management » (termes trop limités aux principes qui doivent guider les décisions des gestionnaires, alors qu'on s'intéresse aux structures de gouvernance, à la fois institutions et mécanismes, plus impersonnels, qui les encadrent) et de « gouvernement » (qui implique trop une centralisation du pouvoir de direction et une césure entre gouvernants et gouvernés).

La notion de *governance* (traduite en français par gouvernance) exprime autant l'exigence d'une réflexion sur les rapports d'autorité et de pouvoir qu'un besoin de mettre à jour le rôle des acteurs non étatiques dans les mécanismes de régulation. Les experts insistent sur le fait que la complexité du monde moderne oblige les États à limiter leur champ d'action et à entrer dans des réseaux d'action avec des partenaires privés.

À l'occasion des politiques d'ajustement structurel, un rapport de la Banque mondiale de 1989 souligne que le redressement économique dans les économies en développement nécessite une *good governance*.

♦ La « bonne gouvernance » prescrite alors aux pays en développement est d'inspiration libérale (*governance = governing without government*) et correspond à ce qu'on a appelé, à la suite de J. Williamson, le « consensus de Washington » (illustration de ce que certains dénonçaient comme « la pensée unique ») : équilibre budgétaire (réforme fiscale, réduction des dépenses publiques, suppression des subventions), libéralisation des échanges extérieurs (marchandises et capitaux), privatisations, déréglementation, transparence des organes de décision, lutte prioritaire contre l'inflation...

♦ Une autre conception de la gouvernance peut être qualifiée d'« institutionnaliste ». La réforme de l'État, de ses capacités et de ses fonctions est toujours considérée comme la condition du succès économique. Mais il convient en outre d'accroître les capacités de toutes les institutions qui permettent de promouvoir des processus, des normes et des valeurs favorables au développement. Parallèlement, les différents courants néo-institutionnalistes cherchent à produire une théorie générale des institutions, des « structures de gouvernance » et des « modes de gouvernance » observables dans l'économie.

♦ Une troisième conception de la gouvernance-pays tente d'analyser les rapports entre le marché et la démocratie, afin de déterminer si ces rapports, et les arrangements institutionnels qui les caractérisent, évoluent dans un sens favorable au développement, à l'équité et à la justice sociale. Ce sont les conséquences sociales néfastes des politiques d'ajustement structurel qui ont conduit à reconsidérer en ce sens la conception de la gouvernance. Celle-ci se veut désormais un appui aux gouvernements afin qu'ils « prennent en compte les intérêts de l'ensemble de la population et redistribuent les ressources disponibles de façon équitable ». Elle inclut des éléments politiques et sociaux : respect des droits humains, meilleur ciblage des groupes bénéficiaires, choix de politiques visant à un développement durable et équitable, participation de la société civile.

La réflexion sur la *gouvernance globale, mondiale*, est confrontée au problème de la maîtrise du processus de mondialisation (libéralisation accélérée des échanges financiers et commerciaux dans le monde, évolution technologique incessante, développement rapide des communications transfrontalières, crises systémiques, écarts croissants de développement).

Au niveau des entreprises, semblent se généraliser, à partir du modèle anglo-saxon, les principes du *corporate governance* (« gouvernement d'entreprise » qui correspond au développement d'un capitalisme patrimonial, ou actionnarial, dominé par les gestionnaires des fonds de pension et autres investisseurs institutionnels).

→ *Capitalisme, Mondialisation (de l'économie).*

GOUVERNEMENT D'ENTREPRISE

Traduction de l'anglais *corporate governance*.
Ensemble des mécanismes organisationnels qui délimitent les marges de manœuvre des dirigeants des entreprises et influencent la nature des décisions prises.

Ce concept, dont l'origine remonte aux travaux de Berle et Means (1932) sur les conséquences de la séparation de la propriété et de la direction dans les grandes entreprises, est aujourd'hui au cœur des débats sur le fonctionnement et les performances des firmes. Il existe des mécanismes de gouvernement internes (rôle des actionnaires à travers l'assemblée générale et le conseil d'administration, culture d'entreprise…) et externes (environnement légal, réglementaire, sociétal…). On oppose les gouvernements d'entreprise de type anglo-saxon, caractérisés par le rôle dominant des marchés et des actionnaires, et ceux de type allemand et japonais reposant sur l'intégration des logiques des différents partenaires (salariés, clients, fournisseurs, financiers, pouvoirs publics), le modèle latin constituant une forme hybride.

→ *Gouvernance.*

GRAMSCI (Antonio)

Théoricien marxiste et homme politique italien (1891-1937).

Son œuvre théorique renouvelle le marxisme. Les concepts gramsciens de société civile, d'hégémonie, d'intellectuel organique ont influencé de nombreux travaux de sociologie politique.

→ *Hégémonie.*

GRESHAM (Loi de)

« La mauvaise monnaie chasse la bonne. »

Lorsqu'il existe deux monnaies définies dans un rapport fixe, les agents ont tendance à conserver la « bonne », et donc à se défaire de la « mauvaise » : la bonne est thésaurisée, la mauvaise circule.

♦ Ainsi, au XIXe siècle, lorsque le prix de l'argent s'élève au-dessus de son pair avec l'or, les agents gardent l'argent et règlent en or ; la mauvaise monnaie (l'or) circule et chasse la bonne (l'argent) qui est thésaurisée.

♦ Attribuée à Gresham, banquier anglais du XVIᵉ siècle, cette loi lui est en fait très antérieure et est déjà formulée par Aristophane.

→ *Bimétallisme.*

GROUPE (entreprises)

Ensemble de sociétés dépendant d'un centre de décision qui définit les orientations stratégiques.

Au sens strict : le groupe comprend une société mère et ses filiales directes ou indirectes, c'est-à-dire l'ensemble des entreprises dont elle détient plus de 50 % du capital et qu'elle contrôle financièrement.

Au sens large : le groupe comprend la tête de groupe et les entreprises dépendantes, que les relations de dépendance soient financières, commerciales (entreprises sous-traitantes), technologiques ou personnelles, etc.

♦ Du point de vue empirique, on connaît les groupes au sens financier puisque les filiales et les participations importantes doivent être déclarées, mais on ne peut appréhender les groupes au sens large alors qu'ils représentent en fait les vrais lieux de pouvoir économique.

Les groupes peuvent être classés en fonction de leur activité principale (groupes industriels, groupes bancaires...) et en fonction de la nature du contrôle du groupe exercé par l'actionnaire ou le groupe d'actionnaires dominant.

Il existe des groupes sous contrôle familial (Michelin, Peugeot), sous contrôle étatique (Renault), sous contrôle étranger (IBM, BP), sous contrôle coopératif. L'autocontrôle correspond à la situation où aucun actionnaire n'est en mesure d'exercer une influence et où les dirigeants du groupe n'ont de compte à rendre qu'à des actionnaires dispersés.

→ *Concentration (des entreprises).*

GROUPE DES CINQ/ GROUPE DES SEPT/ GROUPE DES HUIT (G5/G7/G8)

Sorte de directoire mondial constitué par les représentants des cinq ou sept ou huit pays les plus industrialisés, réunissant soit les ministres de l'Économie et des Finances, soit, lors de « sommets », leurs chefs d'État et de gouvernement, afin de définir des politiques économiques et monétaires concertées.

G5 : États-Unis, Allemagne, Royaume-Uni, France, Japon.

G7 : les mêmes + Italie et Canada.

G8 : les mêmes + la Russie.

La nécessité d'un mimimum de coordination des politiques économiques et monétaires des grands pays industrialisés s'est imposée sous la pression des événements ; depuis le premier choc pétrolier, deux grandes réunions monétaires historiques du G5 sont à mentionner :

– le 22 septembre 1985 : les *accords du Plaza* à New York. Le G5 décide d'une intervention concertée des Banques centrales pour faire baisser le dollar. Objectifs : réduire le déficit commercial américain, alléger la dette du Tiers monde et la facture pétrolière ;

– le 22 février 1987 : les *accords du Louvre* à Paris. Interventions concertées des Banques centrales pour stabiliser le dollar dans sa chute.

La périodicité des « sommets » des chefs d'État et de gouvernement est désormais annuelle.

L'histoire récente du G7 reflète la difficulté de dépasser la logique des intérêts nationaux, mais aussi la montée d'un ordre politique mondial capitaliste tripolaire (États-Unis, Japon, Union européenne).

→ *Système monétaire international (SMI).*

GROUPE DES DIX

→ *Club des dix.*

GROUPE DES SOIXANTE-DIX-SEPT

Groupe, créé en 1964 lors de la première CNUCED, réunissant au départ 77 pays en développement. Il en regroupe aujourd'hui plus de 130 et est considéré comme le porte-parole du Tiers monde — et en particulier des pays non alignés — à l'ONU et dans de nombreuses organisations internationales.

Ses revendications essentielles concernent la création d'un nouvel ordre économique international, qui ferait une place plus satisfaisante aux pays en développement et organiserait l'allégement de la dette publique de ces pays.

→ *CNUCED.*

GROUPE DOMESTIQUE

Ensemble de personnes partageant un même espace résidentiel qu'elles soient ou non apparentées.

Dans l'Europe préindustrielle, le groupe domestique pouvait comprendre, outre le noyau familial avec des ascendants ou des collatéraux, des domestiques, des apprentis, voire des compagnons. Au XIXᵉ siècle, les demeures bourgeoises abritaient couramment des « gens de maison ». Ce genre de regroupement est de nos jours exceptionnel.

Ce que nous nommons aujourd'hui un ménage tel qu'il est défini par l'INSEE (corésidents formant une unité de consommation) est constitué le plus souvent par une famille nucléaire (parfois monoparentale), mais il peut s'agir aussi de couples sans enfant, de personnes seules (cas en nette augmentation),

beaucoup plus rarement de « communautés ».

→ *Famille, Ménage.*

GROUPE ÉLÉMENTAIRE (OU PRIMAIRE)

En sciences sociales, groupe restreint, en général durable, caractérisé par l'intensité des rapports entre ses membres, une certaine intimité des relations et un minimum de solidarité. Le groupe élémentaire par excellence est la famille, mais on peut ranger sous ce terme quantité de groupes comme les groupes d'amis, les équipes ou les groupes d'affinité sur les lieux de travail, dans les associations, les bandes de jeunes, etc.

Intimité et solidarité ne signifient pas forcément fusion harmonieuse ; les conflits internes peuvent y être aigus, les interrelations donner lieu à des jeux d'alliance, à des luttes pour l'ascendance au sein du groupe. Les psychosociologues Moreno (inventeur de l'analyse sociométrique) et K. Lewin (pionnier de la « dynamique des groupes ») ont jeté les bases de l'analyse du fonctionnement complexe de ces groupes.

♦ Les groupes élémentaires sont parfois dénommés *groupes primaires*, ce qui reprend la terminologie forgée au début du siècle par le sociologue américain C.H. Cooley qui insistait sur l'engagement personnel élevé dans les interrelations au sein de ces groupes ; il les opposait aux *groupes secondaires*, dans lesquels les relations se limitent aux rôles sociaux et aux rapports « fonctionnels ».

→ *Groupe social, Psychologie sociale, Relations humaines, Rôle, Sociométrie.*

GROUPE DE PRESSION

(ou « groupe d'intérêt » ou « groupe d'influence » ; en angl. *lobby, lobbies*).
Regroupement de personnes physiques ou morales autour d'un

intérêt spécifique commun et qui s'organisent pour orienter les décisions des pouvoirs publics dans un sens favorable à celui-là.

Ils sont distincts des partis, dont la vocation est la conquête et l'exercice du pouvoir politique, et qui doivent donc relayer et intégrer en un programme suffisamment général et synthétique les intérêts multiples des citoyens. Les syndicats de salariés, les syndicats et groupements professionnels sont les plus connus, mais toute association, toute entreprise, est susceptible de se muer en groupe de pression. Leur action peut être ouverte ou souterraine, illégale (corruption, menaces, voies de fait) ou légale (affichage, distribution de tracts, manifestations, délégations, réunions publiques, campagnes de presse et de publicité, etc.).

Les groupes de pression peuvent poser un problème à la démocratie car les intérêts les plus légitimes ne sont pas forcément les plus puissants (ni les plus faibles non plus).

⟶ *Association, Lobby(ies)/Lobbying.*

GROUPE DE RÉFÉRENCE

Groupe auquel l'individu s'identifie, dont il emprunte les valeurs et les normes et entend adopter le style de vie.

Restreint (groupe de pairs, sous-groupe particulier) ou plus large (groupe social, communauté), le groupe de référence coïncide souvent avec le groupe d'appartenance (dont le sujet est objectivement membre) mais il peut être un groupe différent de ce dernier, extérieur (*out-group*) à l'individu qu'il peut alors avoir le désir d'intégrer à plus ou moins brève échéance.

Pour les situations de non-coïncidence, Merton a lié groupe de référence

et « socialisation anticipatrice » : celle-ci consiste dans l'apprentissage et l'intériorisation des valeurs du groupe (groupe de référence) auquel on veut appartenir ; ce processus favoriserait son adaptation au sein du groupe d'accueil tout en pouvant générer des tensions (contradictions non résolues entre les valeurs du groupe d'origine et celles du groupe d'élection).

Il peut y avoir adhésion aux codes d'un groupe extérieur, désir d'assimilation, sans pour autant qu'il y ait mobilité effective : par exemple, des employés ou des ouvriers peuvent prendre comme groupe de référence les classes moyennes, calquer certains traits de leur style de vie ou de leurs comportements mais rester à la périphérie de ces milieux.

♦ Ainsi, dans les années 1960, Goldthorpe et Lockwood ont récusé l'idée d'un embourgeoisement massif de la classe ouvrière : l'augmentation du niveau de vie et certaines aspirations propres aux *middle classes* ne modifiaient pas leur image de travailleur manuel et n'aboutissaient pas à leur insertion dans l'univers social des cols blancs.

⟶ *Acculturation, Groupe social, Mobilité sociale ; Annexe 40.*

GROUPE SOCIAL

(de l'italien *groppo* « nœud », « assemblage »)
Tout ensemble d'individus formant une unité sociale durable, caractérisée par des liens internes — directs ou indirects — plus ou moins intenses, une situation et/ou des activités communes, une conscience collective plus ou moins affirmée (sentiment d'appartenance, représentations propres) ; cette unité est reconnue comme telle par les autres.

Terme général correspondant à des réalités fort diverses. Cependant, la notion de groupe s'oppose toujours à celle de catégorie sociale.

GROUPE ET CATÉGORIE

Le *groupe* est une unité collective « réelle ». Ayant une existence propre, il implique des liens, de la communication entre ses membres.

Une *catégorie* est une collection d'individus ayant des caractéristiques communes (revenu, degré de formation, possession d'un bien quelconque) sans pour autant former une collectivité pour les individus ainsi regroupés. La catégorie est constituée par l'observateur ; le groupe existe par lui-même.

Notons que les CSP, catégories constituées par l'INSEE à partir d'attributs communs aux individus qui les composent, peuvent constituer des groupes « réels ».

Les critères de classification des groupes sont nombreux. Celui de la taille est important car il oppose des ensembles très différents.

Les *groupes restreints*, rassemblant peu de personnes (famille, groupe de pairs, groupe de voisinage, gang, etc.), se caractérisent surtout par l'interconnaissance, les rapports directs entre leurs membres. C'est le cas en particulier des *groupes primaires*.

Opposés aux premiers, les *groupes de grande envergure* sont des groupements à distance dans lesquels les relations sont indirectes, médiatisées par des institutions. L'appellation *groupes sociaux* leur est plus spécialement réservée : ils forment l'armature principale de la structure sociale et sont le produit de la stratification sociale (classes, groupes statutaires, castes, élites) ou de la différenciation socioculturelle (groupes ethniques et religieux).

Entre les deux pôles, quantité de *groupes de taille intermédiaire* contribuent à former le tissu social : collectivités locales (villages, quartiers urbains), groupements économiques (collectivités de travail, associations professionnelles), ou encore groupements volontaires (clubs sportifs, syndicats, associations culturelles, partis politiques, etc.).

——▶ **Catégories socioprofessionnelles (CSP), Classe(s) sociale(s), Famille, Groupe élémentaire (ou primaire), Organisation, Stratification sociale.**

GVT (Glissement vieillesse technicité)

La masse salariale d'une entreprise ou d'une administration évolue sous l'effet de deux facteurs : les augmentations générales de salaires qui s'appliquent à l'ensemble des agents (ou à de grandes catégories) et les augmentations individuelles (promotions, primes, etc.). Ces dernières peuvent résulter de l'ancienneté (V) ou d'une amélioration de la qualification (T). Le glissement vieillesse technicité, terme issu des négociations salariales de la fonction publique pendant les années 1960, est la résultante de ces facteurs.

On incorpore souvent dans le GVT les « effets de noria », c'est-à-dire l'effet des flux d'entrées et de départs sur le salaire moyen. Par exemple, si une administration recrute de jeunes fonctionnaires (en bas de l'échelle des salaires) pour compenser le départ à la retraite de fonctionnaires en haut de l'échelle, le salaire moyen diminue, en dépit de l'augmentation annuelle générale.

H-I-J

HAAVELMO (Théorème de)

À partir d'un budget équilibré, une augmentation égale des dépenses publiques et des recettes budgétaires se traduit par une augmentation de même montant du revenu national ($\Delta G = \Delta T = \Delta Y$). L'équilibre budgétaire n'est donc pas neutre : il a un effet expansionniste si le budget augmente. T. Haavelmo a été le premier à le montrer (en 1945).

HABITUS

Terme utilisé par le sociologue P. Bourdieu pour désigner « ce que l'on a acquis et qui s'est incarné de façon durable dans le corps, sous forme de dispositions permanentes » (*Questions de sociologie*).

Il est le produit de l'histoire individuelle et sociale des agents comme récapitulation de leurs apprentissages sociaux (famille et milieu social, système éducatif, collectifs de travail...). Il fonctionne comme « matrice de perceptions, d'appréciations et d'actions » (*Esquisse d'une théorie de la pratique*), autrement dit, en générant des représentations typées du monde (par exemple : perception de la hiérarchie sociale, des rôles familiaux, de l'univers du travail), il conditionne les pratiques (le choix du conjoint, les conduites politiques, l'engagement professionnel...). Il ne s'agit pas forcément d'obéissance à des règles mais de jeu à la fois libre (l'individu développe des stratégies) et contraint (il intériorise les règles du jeu social).

L'habitus est simultanément attribut de l'individu et réalité de groupe ou de classe : confrontés aux mêmes conditions d'existence, disposant de types de ressources semblables, soumis à des trajectoires similaires, leurs membres partagent des systèmes de dispositions communs.

♦ Bien qu'il l'ait développée de manière originale, la notion d'habitus est antérieure à P. Bourdieu. Durkheim et Weber l'utilisaient en empruntant la notion aristotélicienne d'« hexis » (dispositions psychiques influencées entre autres par l'éducation).

→ *Bourdieu, Comportement, Ethos ; Annexe 49.*

HALBWACHS (Maurice)

Sociologue français (1877-1945), disciple de Durkheim. S'est intéressé aux facteurs sociaux de la consommation, aux sous-cultures de classes, à la mémoire collective.

Halbwachs occupe une place importante dans la sociologie française de la première moitié du XXᵉ siècle. Ses études sur les classes sociales (structures de la consommation de la classe ouvrière, spécificité des classes moyennes, entre autres) établissent un pont entre le courant durkheimien de la fin du XIXᵉ siècle (lequel ne les prenait guère en considération) et les tendances qui se développent après la Seconde Guerre mondiale (autour de G. Friedmann et H. Chombart de Lauwe en particulier).

♦ Ouvrages principaux : *La classe ouvrière et les niveaux de vie* (1912) ; *Les cadres sociaux de la mémoire* (1925).

⟶ *Annexe 33.*

HARROD (Modèle de)

Ce modèle de croissance néo-keynésien, dont les premières versions datent de 1939 et 1948, est parfois présenté de façon synthétique comme le *modèle de Harrod-Domar*.

Harrod distingue plusieurs taux de croissance : le taux de croissance *naturel*, déterminé par le taux de croissance de la population et le progrès technique ; le taux de croissance *nécessaire* (« warranted »), qui est le taux de croissance nécessaire pour que les entreprises réalisent leurs anticipations ; le taux de croissance *anticipé*, qui est le taux de croissance décidé par les entrepreneurs compte tenu de leurs anticipations sur les débouchés ; le taux de croissance *réalisé*, observé *ex post*.

Harrod démontre alors que toute déviation à partir de l'équilibre a tendance à s'accentuer, les taux de croissance anticipé et réalisé s'éloignant de plus en plus du taux de croissance nécessaire. Il en conclut que le processus de croissance est fondamentalement instable (image du « fil du rasoir ») et que la probabilité d'une croissance équilibrée de plein-emploi est, contrairement à ce que pensent les néo-classiques, très faible.

⟶ *Domar (Modèle de).*

HAYEK (Friedrich August von)

Prix Nobel d'économie en 1974, Hayek (1899-1992) était un Autrichien exilé en Grande-Bretagne pendant les années 1930, puis aux États-Unis après la guerre. Théoricien des sciences sociales, il a consacré l'essentiel de son œuvre à démontrer la supériorité de la société libérale sur toutes les autres formes d'organisation sociale.

Hayek n'est pas seulement l'anti-Marx, il s'est également opposé à l'interventionnisme keynésien et aux conceptions réductrices des néo-classiques. Selon lui, le marché est la meilleure réponse possible au problème de la régulation des sociétés complexes, notamment parce qu'il favorise la circulation de l'information et la découverte des solutions les plus efficaces. Contre les partisans du constructivisme, qui prétendent gouverner et transformer la société en fonction d'un plan, il justifie son plaidoyer pour la liberté individuelle par sa croyance en l'existence d'un ordre spontané.

♦ Ouvrages principaux : *Prix et production* (1931) ; *La route de la servitude* (1944) ; *Droit, législation et liberté* (1971-1978).

⟶ *Incertitude ; Annexe 14, Annexe : Prix Nobel d'économie.*

HECKSHER-OHLIN-SAMUELSON (Théorème HOS)

Théorème élaboré par les économistes suédois Heckscher et Ohlin et complété par l'économiste américain Samuelson. Appelé également « loi de proportion des facteurs », il s'inscrit dans la lignée de la pensée libérale sur l'échange international (loi des avantages comparatifs).

Il montre que, sous un certain nombre d'hypothèses, si les dotations en facteurs de production (capital-travail) sont différentes entre deux pays et si les proportions de facteurs utilisés dans la fabrication de deux produits diffèrent, alors, en économie ouverte, chaque pays a intérêt à se spécialiser dans la production et l'exportation du bien qui utilise intensivement le facteur de production qui est relativement abondant et à importer les produits dont la production requiert le facteur de production rare. Tout l'édifice repose sur la « dotation naturelle » de chaque pays en facteurs de production.

Il en résulte une tendance à l'égalisation des prix des facteurs de production dans les différents pays, puisque le facteur qui est abondant dans un pays est davantage demandé, alors que le facteur rare, moins demandé, voit son prix baisser.

Soient deux pays :	A	B
Dotation naturelle	Main-d'œuvre abondante Capital rare	Main-d'œuvre rare Capital abondant
Prix des facteurs	Salaire faible Prix du capital élevé	Salaire élevé Prix du capital faible
Spécialisation	Activité faiblement capitalistique	Activité fortement capitalistique

⟶ *Avantage (absolu, comparatif), Krugman ; Annexe 19.*

HÉGÉMONIE

(du gr. *hegemôn* « chef »)
Domination générale exercée par exemple par une nation sur d'autres pays (exemple : l'hégémonie américaine dans les années 1950) ou par une classe sur l'ensemble de la société (hégémonie de la bourgeoisie).

Gramsci insiste sur la dimension idéologique et institutionnelle de l'hégémonie ; elle se distingue de la coercition (l'exercice du pouvoir par la contrainte). Une classe dominante est hégémonique quand, par le contrôle des institutions de la société civile (Église, École, médias, etc.), elle diffuse ses valeurs dans toute la société et exerce ainsi sa « direction culturelle ». En ce sens, une certaine légitimité est conférée à l'acteur hégémonique.

♦ Dans la Grèce antique (VIe et VIIe siècles av. J.-C.), le terme désigne la suprématie d'une cité dans les fédérations des peuples hellènes.

⟶ *Classe dirigeante, Domination, Gramsci, Légitimité.*

HÉRÉDITÉ SOCIALE

Maintien de la position sociale d'une génération à l'autre, exprimé dans le langage courant par l'adage traditionnel : « Tel père, tel fils. »

Dans les sociétés contemporaines, la position sociale (ou *status*) étant mesurée pour l'essentiel par la profession, on parlera d'hérédité sociale quand le fils en vient à occuper le même statut socioprofessionnel que le père. Récemment, le développement de l'activité féminine a permis de s'intéresser à l'hérédité sociale père-fille.

♦ *Hérédité au sens étroit :* le fils exerce la même profession que le père ; *au sens large :* le fils occupe une position similaire dans la hiérarchie sociale (père médecin, fils cadre supérieur).

On emploie également les termes d'« immobilité » et de « viscosité » par opposition au processus de mobilité intergénérationnelle. Comme fait social d'importance, l'hérédité des positions est une dimension essentielle de l'existence des classes sociales et du processus de reproduction sociale.

⟶ *Héritage culturel, Mobilité sociale, Reproduction sociale.*

HÉRITAGE CULTUREL

> Processus par lesquels les valeurs, les normes et les comportements, mais aussi les aptitudes relatives au savoir, sont transmis d'une génération à l'autre dans le cadre de la famille et de l'entourage.

L'héritage culturel s'oppose à l'hérédité *biologique*. Il résulte de processus sociaux comme l'éducation, l'inculcation de dispositions culturelles et de valeurs éthiques (processus appelé socialisation). Dans une société divisée socialement, les modèles transmis diffèrent plus ou moins selon les milieux sociaux. S'agissant de la culture savante, ces différences peuvent s'analyser comme des inégalités : les enfants des classes supérieures reçoivent un « capital culturel » plus important que ceux des classes populaires.

♦ Expression forgée par P. Bourdieu, le *capital culturel* désigne un ensemble de qualifications intellectuelles, socialement sanctionnées (diplômes, filières scolaires, etc.).

➝ *Bourdieu, Culture, Personnalité de base statutaire, Reproduction sociale, Socialisation.*

HEURISTIQUE
(ou EURISTIQUE)

> (du gr. *heuriskein* « découvrir »)
> Nom féminin ou adjectif (« méthode heuristique » de Socrate, faisant découvrir à ses élèves ce qu'il voulait leur enseigner). Ensemble des procédés de recherche et d'invention conduisant à la découverte ; puis science de la découverte (étude de ses conditions psychosociologiques).

➝ *Innovation, Invention, Recherche-Développement (R-D).*

HICKS (John Richard, sir)

> Économiste anglais né à Warwick en 1904, professeur à Oxford, prix Nobel en 1972.

Les contributions de J.R. Hicks à la théorie économique sont très diverses : elles concernent des domaines tels que la reformulation de l'équilibre général walrassien (existence et stabilité de l'équilibre), la répartition des revenus (entre les facteurs de production en fonction de leur productivité marginale), la théorie du capital (dans la lignée de l'école autrichienne), l'économie du bien-être (critères de compensation), l'analyse des fluctuations et du cycle, du progrès technique, etc.

Deux parties de son œuvre attirent particulièrement l'attention : il fut l'un de ceux qui jetèrent les bases de la théorie néo-classique moderne ; il s'efforça de réaliser une synthèse entre la théorie néo-classique et la théorie keynésienne (le célèbre schéma IS-LM de Hicks et Hansen).

♦ Ouvrages principaux : *Théorie des salaires* (1932) ; « Mr. Keynes and the Classics » (*Econometrica,* 1937) ; *Valeur et capital* (1939) ; *Capital et croissance* (1965) ; *Temps et capital* (1973).

➝ *Économie d'endettement, IS-LM (Modèle) ; Annexes 16, 19, Annexe : Prix Nobel d'économie.*

HIÉRARCHIE

> 1. Organisation d'un ensemble où chaque élément est supérieur à l'élément suivant selon des critères de nature normative : hiérarchie des valeurs, hiérarchie des besoins.
> 2. Ensemble social caractérisé par une échelle descendante de pouvoir, de privilèges, de situations qui implique la subordination des échelons inférieurs aux échelons supérieurs.

S'appliquant aux *organisations* (armée, Église, partis autoritaires, entreprises), le principe hiérarchique se présente comme une échelle de commandement, un classement ordonné des grades et des fonctions. Plus largement, la hiérarchie peut caractériser la *structure sociale*. C'est en ce sens que l'on parle de *hiérarchie sociale*. Elle est le principe de base des systèmes de castes et des sociétés d'ordres. Sans être une réalité de droit, elle est également présente, d'une certaine manière, dans les sociétés de classes : les appellations « classes supérieures » et « classes moyennes » témoignent de la représentation d'un corps social segmenté verticalement.

♦ Les classes, telles qu'elles sont définies par Marx, ne forment pas un système hiérarchique : il y a rapports de domination, d'exploitation, d'exclusion et non un classement ordonné.

──▶ *Caste, Classe(s) sociale(s), Statut/Status, Stratification sociale.*

HIRSCHMAN (Albert O.)

Économiste et politologue américain d'origine allemande (fuit le nazisme en 1933), né en 1915.

Spécialiste de l'économie du développement dont il fut l'un des pionniers ; connu à ce titre pour avoir défendu la thèse de la croissance déséquilibrée (à la fois constat et source éventuelle de dynamisme). Cependant, son œuvre déborde largement ce domaine et la science économique elle-même : plusieurs de ses travaux, à commencer par ceux consacrés aux questions économiques, sont centrés sur l'enchevêtrement des mécanismes de marché et des logiques politiques et sociales dont ne sont pas absentes les considérations morales. Dans cette optique, l'économie pure est à la fois irréaliste et réductrice.

♦ L'ouvrage *Exit, Voice and Loyalty* (1970) est une illustration exemplaire de cette démarche : la dialectique de la défection (*exit*) et de la prise de parole (*voice*) joue aussi bien pour la sphère économique que pour les institutions sociales et politiques. Dans le champ de l'économie contemporaine, Hirschman ne peut être classé que comme un « hétérodoxe ».

♦ Ouvrages principaux : *Stratégie du développement économique* (1958) ; *Exit, Voice and Loyalty* (1970) (traduction française sous le titre : *Face au déclin des entreprises et des institutions*) ; *Les passions et les intérêts* (1977) ; *Bonheur privé, action publique* (1982).

──▶ *Croissance, Économie du développement.*

HISTORICISME

1. Théorie selon laquelle les faits historiques (et sociaux) sont interprétés différemment selon la situation historique (et sociale) de l'historien (ou de tout autre spécialiste au sein des sciences sociales). Dans ce sens, certains préfèrent l'emploi du terme « historisme ».

2. Au sens de Karl Popper, tendance ou prétention critiquables de certaines théories à vouloir dégager les lois de l'évolution historique.

Le marxisme se veut historiciste dans le premier sens, car pour lui les concepts et théories sont historiquement déterminés : la validité d'une théorie est historiquement limitée, la théorie est un produit qui émerge du processus historique, et toute théorie joue un rôle actif sur le déroulement de l'histoire. En ce sens l'historicisme (ou historisme) est donc une conception relativiste des sciences sociales : il n'est pas de vérité absolue hors du temps, ni hors d'une société donnée.

Le marxisme (mais aussi les théories de A. Comte ou de H. Spencer) est en revanche dénoncé comme historicisme dans le deuxième sens. Il n'y aurait pas, selon K. Popper, de lois de l'histoire et la prétention du marxisme à les élaborer ne serait pas scientifique.

Les deux sens se rejoignent dans cette interrogation fondamentale pour les sciences sociales : que vaut une théorie qui pose que toute théorie, donc elle-même en principe, n'a qu'une validité relative à l'histoire ?

──▶ *Idéologie, Marxisme, Popper.*

HOBBES (Thomas)

Philosophe anglais (1588-1679), célèbre pour sa théorie de l'État développée dans le *Léviathan* (1651), précurseur de la science politique libérale.

La pensée de Hobbes, marquée par la physique de son temps, est matérialiste et mécaniste. Cela apparaît dans sa conception de l'homme, du pouvoir politique et du rôle de l'Église.

L'homme est désir de pouvoir : à l'état de nature, « l'homme est un loup pour l'homme », cherchant sa sécurité dans un pouvoir absolu sur autrui ; chacun faisant de même, et le faible pouvant tuer le fort, une égale insécurité règne : l'état de nature est un état de bestialité insupportable à l'homme. Avec raison, les hommes vont donc, par contrat social, constituer artificiellement un corps politique dont l'âme sera le Souverain, le « Léviathan », auquel ils auront abandonné le pouvoir absolu. Par ses lois, le souverain, qu'il soit un monarque ou une république, empêchera chacun de nuire à son prochain, la paix civile régnera et tout ce qui ne sera pas interdit sera autorisé, la liberté s'accordant avec un pouvoir absolu légitimé par une obéissance consentie.

Quant au pouvoir de Dieu, s'il est dans son essence supérieur à celui du souverain, il n'est pas de ce monde : les prêtres doivent s'en tenir à leur mission d'enseignement, le commandement relevant du souverain, seul chef d'une église qui se confond avec le corps politique.

◆ Hobbes apparaît donc comme un précurseur : sont en germe dans sa théorie à la fois la conception démocratique et laïque de l'État fondée sur le consentement et la conception libérale de l'État-gendarme extérieur aux individus naturellement possessifs.

→ *Contrat social.*

HOLDING

Société de portefeuille qui détient et gère des participations dans plusieurs entreprises afin d'orienter leur activité en fonction de la stratégie du groupe.

Forme que peut prendre une société mère pour contrôler un groupe d'entreprises.

→ *Concentation (des entreprises), Groupe (entreprises).*

HOLISME (méthodologique)

(du gr. *holos* « qui forme un tout »)
En sciences sociales, interprétation globalisante du fonctionnement et de l'évolution de la société. Elle suppose que le tout social et culturel est d'une nature différente des éléments qui le composent (les individus, les groupes restreints).

Les comportements individuels sont analysés avant tout comme le produit des structures sociales. La démarche holistique privilégie ainsi les déterminations structurelles, les « effets de système » aux dépens de l'autonomie et du jeu des acteurs, du rôle que jouent les individus dans les phénomènes sociaux.

L'*individualisme méthodologique* entend s'opposer à cette démarche.

→ *Durkheim, Individualisme méthodologique ; Annexe 29.*

HOLISTE (Société)

(du gr. *holos* « entier, qui forme un tout »)
Selon l'anthropologue L. Dumont, est holiste une société où l'individu est subordonné à des fins collectives prioritaires ; elle s'oppose à la société moderne individualiste où la société valorise les fins poursuivies par les individus.

Louis Dumont oppose la société holiste, comme celle de l'Inde, société de castes, à la société individualiste égalitariste, comme celle de la France, dans laquelle est affirmée la valeur première de l'être humain individuel comme incarnation de l'humanité tout entière, et comme tel, égal à tout autre homme et libre.

HOMOGAMIE

(du gr. *homos* « semblable » et *gamos* « mariage »)
Le fait de choisir son conjoint dans un milieu semblable au sien.

C'est un fait social attesté par la fréquence de ce phénomène dans les sociétés traditionnelles comme dans les sociétés contemporaines.

Dans ces dernières, sa mesure est obtenue en croisant la CSP du père de l'époux et celle du père de l'épouse.

L'homogamie est avant tout *sociale* (tendance à se marier avec quelqu'un appartenant au même milieu social ou à un milieu social proche), mais peut revêtir d'autres aspects : *homogamie géographique* (mariage avec un conjoint proche spatialement), *ethnique* (fréquence des mariages au sein des minorités ethniques) ou *religieuse* (mariages entre coreligionnaires).

→ *Endogamie, Mariage.*

HOMO ŒCONOMICUS

Modèle du comportement humain fondé sur les principes de rationalité et de maximisation.

L'*homo œconomicus* est rationnel, ce qui signifie qu'il a des préférences (il préfère le cinéma au théâtre) et que ses choix sont cohérents (si, en plus, il préfère le théâtre au golf, alors il préférera le cinéma au golf) ; il est également maximisateur, ce qui signifie qu'il recherche le maximum de satisfaction ou de gain pour le minimum de peine, de dépenses, de sacrifices (l'entrepreneur s'efforce d'utiliser ses ressources le mieux possible afin de rendre son profit maximal). Finalement, l'*homo œconomicus* s'avère intéressé, mais pas uniquement, par l'argent (il peut préférer tout sacrifier à la défense de son honneur par exemple), et égoïste (ce qui peut le conduire à adopter un comportement altruiste pour donner aux autres une bonne image de lui-même). Cette représentation abstraite de l'homme, bien que souvent contestée, constitue le modèle dominant en sciences économiques et sociales (individualisme méthodologique).

→ *Individualisme méthodologique, Libéralisme, Optimum, Rationalité ; Annexe 24.*

HOS

→ *Heckscher-Ohlin-Samuelson (Théorème HOS), Libre-échange (Théorie du).*

HOT MONEY

→ *Capitaux flottants (ou Hot money).*

HUME (David)

Philosophe écossais (1711-1776), fondateur de l'empirisme philosophique, et dont le *Traité de la nature humaine* (1739) a fortement influencé son ami Adam Smith.

Pour lui, l'expérience est l'unique source du savoir. Son empirisme appliqué à l'économie et à la politique conduit au refus de tout dogmatisme : tout régime politique évolue naturellement, s'adaptant aux changements économiques, sans qu'il soit besoin de définir un meilleur régime pour le remplacer ; car le pouvoir est légitimé par la durée : la stabilité politique, celle d'un pouvoir fort équilibré par la liberté économique, étant la condition de l'essor économique du pays.

→ *Libéralisme, Smith.*

HYPOTHÈQUE

> Garantie réelle établie au profit d'un créancier sur un immeuble appartenant à son débiteur. Si la créance n'est pas remboursée à l'échéance prévue, celui qui détient l'hypothèque peut faire procéder à la vente de l'immeuble et se rembourser en priorité.

L'hypothèque doit être inscrite à la Conservation des hypothèques.

Le marché hypothécaire, très ancien en France, a pris beaucoup d'extension depuis 1967 et constitue un aspect important du crédit immobilier.

HYSTÉRÈSE/HYSTERESIS

> Persistance de l'effet après disparition de la cause.

Exemples : la baisse du dollar intervenue dans la deuxième moitié des années 1980 n'a pas permis le rétablissement du commerce extérieur américain (retard de l'effet attendu), parce que la hausse qui l'avait précédée, ayant été à la fois durable (1979-début 1985) et de grande amplitude (de moins de 4 F à plus de 10 F), la compétitivité de l'économie américaine s'en était trouvée durablement affectée (persistance de l'effet).

Le ralentissement de la progression des salaires réels au cours de la décennie 1980 ne s'est pas accompagnée, comme l'aurait voulu la théorie libérale du marché du travail, d'une réduction du taux de chômage, ce qui conduit certains économistes à affirmer qu'au bout d'un certain temps le chômage dure parce qu'il… dure (le phénomène s'entretenant de lui-même). Les modèles d'hysteresis cherchent à expliquer la persistance du chômage après que sa cause principale présumée (une rémunération relative du travail trop élevée) a cessé d'agir.

Ces modèles mettent principalement l'accent sur la distinction entre les travailleurs intégrés et ceux qui se trouvent durablement exclus du marché du travail.

→ *Équilibre.*

IDÉAL-TYPE

→ *Type idéal.*

IDENTITÉ

> Façons dont un individu ou un groupe se définissent eux-mêmes et sont définis par autrui : l'identité est autant une construction de l'acteur lui-même qu'une catégorisation de la part des institutions et de la société.

L'identité individuelle est simultanément une identité sociale, elle est une construction jamais achevée, produit d'éléments attribués par autrui et d'éléments élaborés par l'intéressé (« identité pour soi »). D'abord conférée par l'appartenance sociale d'origine (identité héritée), elle se construit à travers les expériences du sujet tout en étant continuellement conditionnée par le regard de l'entourage et les identifications des institutions et de la société globale. Dans une société différenciée comme la nôtre, l'individu a plusieurs identités particulières en fonction de ses différentes appartenances et de ses multiples rôles et statuts (professionnel, public et privé). L'identité sociale se présente alors comme la synthèse — cohérente ou non — de ses identités particulières.

S'agissant des groupes, on parle *d'identités collectives* : groupes professionnels, collectivités locales, classes (au plan local et/ou national), communautés ethniques ou religieuses, etc. Celles-ci se construisent également à travers des expériences et des processus de différenciation par rapport aux autres autruis collectifs qui impliquent des références communes et une solidarité interne. On a souligné l'importance des démarcations, des oppositions et des luttes dans la constitution identitaire du groupe : « c'est le conflit qui constitue et organise l'acteur » (A. Touraine).

→ *Classe(s) sociale(s), Groupe social, Socialisation, Statut/Status ; Annexe 47.*

IDÉOLOGIE

> Mise en forme plus ou moins élaborée d'idées, de croyances et de représentations propres à une époque, une société, un groupe social, voire à certaines instances.

Le champ du terme est large : des représentations collectives les plus générales (Durkheim utilise ce vocable) aux constructions intellectuelles délibérées pour défendre une orientation (doctrines sociales ou politiques) et aux discours visant à légitimer les intérêts d'un groupe social. Dans ce dernier cas, le mot peut revêtir une connotation négative : justification camouflée d'intérêts particuliers, de positions dominantes ou expression de conceptions morales tenues pour bornées (« idéologie petite-bourgeoise »).

Si, dans une perspective matérialiste, Marx et Engels postulent que « la production des idées, des représentations [...] est intimement liée au commerce matériel des hommes » (autrement dit, à la structure économique et sociale), on retrouve grosso modo, dans leurs écrits, la distinction opérée plus haut : au sens large, « les formes idéologiques » renvoient aux « représentations que se font les individus [...] (expression consciente — réelle ou imaginaire) du monde social » (*L'idéologie allemande*). Dans une acception plus

restreinte, l'idéologie est une vision déformée, inversée de la réalité sociale, faite d'« illusions », de « fantasmagories ». Par ailleurs, à l'image des rapports sociaux, le monde des idées est marqué par la domination des « pensées de la classe dominante », expression idéale des rapports matériels dominants.

> ♦ Karl Mannheim, sociologue d'origine hongroise de l'entre-deux guerres, est connu pour avoir distingué les idéologies, élaborées par des groupes dominants, visant à justifier l'ordre social existant, et les utopies, ou idéologies protestataires, émanant de groupes dominés, qui sont des constructions imaginaires tournées vers l'avenir et contestant l'organisation sociale présente.

Depuis les années 1960, il est courant de parler de la « fin des idéologies ». On invoque non seulement l'écroulement ou le déclin des grands systèmes doctrinaires (fascisme, communisme, voire religions établies), ce qui apparaît recevable, mais également la fin des spéculations et des constructions « idéelles » au profit des techniques, de la science et de l'expertise, ce qui semble beaucoup plus contestable.

→ *Représentations collectives.*

ILLUSION MONÉTAIRE

> Illusion dont sont victimes les agents économiques qui prennent leurs décisions en fonction des variables nominales (exprimées en quantités de monnaie courante) et non en fonction des variables réelles (mesurées à prix constants ou en pouvoir d'achat) : un individu est victime de l'illusion monétaire lorsqu'il se croit plus riche sous prétexte que son revenu nominal a augmenté alors que les prix ont augmenté dans la même proportion.

> ♦ Selon les néo-classiques, les agents économiques ne sont pas victimes de l'illusion monétaire : ainsi, les travailleurs déterminent-ils leur offre de travail en fonc-

tion du salaire réel. Keynes admet au contraire qu'il puisse y avoir illusion monétaire : en cas de stabilité du salaire nominal et de hausse des prix, il y aura réduction du chômage parce que les travailleurs ne modifieront pas leur offre de travail (alors que les entrepreneurs réviseront à la hausse leur demande de travail).

→ *Anticipations, Nominale (Valeur).*

IMMIGRATION ET IMMIGRÉS

Immigration : en termes de *flux*, entrée et établissement dans un pays de personnes étrangères. Comme *fait social*, ensemble des immigrés ; réalités sociales, culturelles et politiques associées à la présence de populations immigrées ou issues de l'immigration. On distingue l'immigration de travail (temporaire, surtout composée d'individus de sexe masculin) et l'immigration d'« installation » (durable ou définitive, avec regroupement familial).

Immigrés : résidents nés à l'étranger. Plus précisément, personnes nées à l'étranger, entrées sur le territoire du pays d'accueil avec une nationalité étrangère et y résidant habituellement. Certains d'entre eux (un tiers en France) obtiennent la nationalité du pays en question. Ne pas confondre par conséquent étrangers et immigrés.

Selon la définition ci-dessus, les enfants d'immigrés nés dans le pays d'accueil ne sont pas eux-mêmes immigrés. En toute rigueur, il est donc impropre de parler d'« immigrés de la seconde (ou troisième) génération », même si cette expression a été et est encore employée. L'acquisition de la nationalité pour les enfants d'immigrés étrangers est réglée par le droit du sol.

→ *Assimilation, Droit du sol, Migration, Républicain (Modèle).*

IMMOBILISATIONS

→ *Comptabilité d'entreprise.*

IMPÉRIALISME

Tendance d'un État — ou de groupes économiques dominants d'une nation — à établir des relations de domination sur une autre région.

L'impérialisme a pris au cours de l'Histoire des formes et des connotations différentes : il peut être une doctrine ou une réalité ; sa logique dominante peut être politique et militaire, idéologique et culturelle ou économique.

La forme la plus ancienne est celle de l'*impérialisme politique et militaire* — la constitution d'empires tels que l'Empire romain ou l'Empire napoléonien. L'impérialisme politique s'est systématisé sur le plan idéologique en raison du développement du nationalisme aux XIXe et XXe siècles : les auteurs impérialistes, en particulier en Allemagne, cherchent des justifications à l'expansionnisme national dans l'histoire, la culture, voire la biologie !

Au XIXe siècle, la colonisation et la constitution d'empires construits sur une base essentiellement économique induisent une deuxième forme d'impérialisme : l'expansion du capitalisme passe par la colonisation ou le contrôle de régions moins développées. Dès lors, l'*impérialisme économique* devient une doctrine, défendue par des hommes tels que Leroy-Beaulieu en France ou Disraeli en Grande-Bretagne, et une réalité, fortement dénoncée par les marxistes. Rosa Luxemburg et Lénine montrent le caractère inéluctable de l'expansion du capitalisme hors du territoire national. Selon Lénine, l'impérialisme, « stade suprême du capitalisme », est caractérisé par l'exportation des capitaux en correspondance avec l'affirmation du *capital financier* (interpénétration du capital bancaire et du capital industriel).

Après la Seconde Guerre mondiale, l'indépendance politique des pays en développement s'accompagne d'une forte dépendance économique qui, pour certains, est une forme de néo-colonialisme, voire d'impérialisme. Quatre logiques principales constitueraient la base de cet impérialisme : une logique de contrôle des matières premières, une logique d'extension des marchés, une logique d'exploitation d'une main-d'œuvre peu chère et une logique de contrôle politique.

♦ L'impérialisme culturel et idéologique joue aussi un rôle économique — étendre des modèles de consommation — et un rôle politique — renforcer l'image de marque d'un système économique et politique.

Toutefois, la thèse du caractère inéluctable de l'impérialisme, c'est-à-dire la proposition selon laquelle l'expansion du capitalisme implique l'exploitation des pays en développement, doit être nuancée par plusieurs séries d'arguments :
– le capitalisme peut très bien s'accommoder du développement du Tiers monde — ou d'une partie de celui-ci — dans la mesure où il permet l'extension des marchés ;
– le capitalisme n'a pas le monopole de l'impérialisme : l'Union soviétique avait instauré avec les pays de l'Est des relations économiques inégales.
Les pays du Tiers monde tentent aujourd'hui moins de remettre en cause l'existence des relations avec les pays développés que l'inégalité dans l'échange.

⟶ *Économie du développement, Firme multinationale (FMN)/Firme transnationale, Internationalisation, Lénine.*

IMPORTATIONS

En Comptabilité nationale, flux de biens et de services en provenance de l'extérieur. Le montant d'importations est affecté, en ressources, au compte du reste du monde.
Les importations enregistrées dans la balance commerciale ne comprennent que les marchandises (biens matériels).

⟶ *Balance des paiements, Extérieur.*

IMPÔT

Versement obligatoire, effectué par les individus ou les entreprises, sans contrepartie immédiate, au profit de la puissance publique (État, collectivités locales).

L'impôt sert d'abord à financer les dépenses publiques. Cependant, l'importance des sources en jeu (près de 25 % du PIB) fait de la fiscalité un instrument de politique économique et sociale.

♦ Résultant d'une contrainte, le développement de l'impôt est lié à l'affirmation de l'autorité de l'État. Sous la féodalité, l'impôt est perçu en partie par le seigneur sur son fief, et en partie par les fermiers généraux pour le compte du roi. À partir de la Révolution, le système fiscal se centralise et se perfectionne. Dans la plupart des démocraties occidentales, le vote de l'impôt est à la base du contrôle, par le Parlement, de l'activité gouvernementale.

Actuellement, les règles concernant ce domaine sont du ressort de la loi. Trois paramètres essentiels permettent de définir un impôt :
– *l'assiette* désigne la grandeur économique (revenu, chiffre d'affaires, patrimoine, valeur ajoutée) qui sert de base au calcul de l'impôt. Cette assiette peut être modulée pour tenir compte de la situation individuelle des agents économiques. Par exemple, en France, en dessous d'un certain seuil, le revenu n'est pas imposable. De même, le quotient familial permet de tenir compte du nombre d'enfants du ménage ;
– *le taux* : il s'agit du pourcentage appliqué à l'assiette pour calculer le montant de l'impôt. On distingue l'*impôt proportionnel*, où le taux est le même, quelle que soit l'importance de la base fiscale, l'*impôt progressif* où le taux augmente avec la valeur de l'assiette, et l'*impôt dégressif* où le taux diminue ;
– *les modalités de recouvrement* : l'impôt peut être versé par l'agent économique, ou « prélevé à la source » (l'individu per-

çoit son revenu amputé du montant de l'impôt correspondant qui est directement versé au fisc). Cependant, la personne qui verse l'impôt peut être différente de celle qui en supporte la charge : le commerçant, par exemple, reverse la TVA au fisc, mais en répercute le montant dans le prix de vente du produit au consommateur.

♦ L'importance des flux financiers en jeu permet de considérer l'impôt comme un élément central de la politique économique. Il joue un rôle dans la régulation conjoncturelle : un allégement du poids de la fiscalité est censé relancer l'activité et inversement. L'impôt peut également remplir une fonction incitative : dégrèvements fiscaux pour les revenus procurés par l'épargne afin d'encourager celle-ci, par exemple.

♦ Enfin, le système fiscal peut être utilisé comme instrument de réduction des inégalités : progressivité de l'impôt sur le revenu, taux élevé de la TVA sur les produits de luxe, etc. Mais cette utilisation de l'impôt se heurte à des limites : importance de l'évasion fiscale chez les foyers non salariés, poids faible de l'impôt sur le revenu dans l'ensemble du prélèvement fiscal.

⟶ *Budget de l'État (Loi de Finances), Concurrence fiscale, Fiscalité, Prélèvements obligatoires.*

IMPÔT DIRECT/INDIRECT

L'*impôt direct* est payé et supporté par la même personne. Il ne peut être répercuté dans le prix d'un produit. Les principaux impôts directs français sont : l'impôt sur le revenu des personnes physiques (IR), l'impôt sur les sociétés, l'impôt sur les grandes fortunes, les droits de succession.

À l'inverse, l'*impôt indirect* peut être répercuté dans le prix d'un produit : taxe sur le chiffre d'affaires, taxe à la valeur ajoutée, droits de douane.

♦ L'impôt direct est en général considéré comme plus équitable que l'impôt indirect, car il tient compte de la situation personnelle du contribuable. Le système fiscal français se caractérise, contrairement à celui des autres pays de la CEE, par une prépondérance des impôts indirects.

IMPÔT SUR LE REVENU

Impôt dont l'assiette est constituée par le revenu des personnes physiques (IR) ou des entreprises constituées sous forme de société (impôt sur les sociétés, IS).

L'IR s'applique non seulement aux salaires, mais à toutes les catégories de revenus perçus par le foyer fiscal (personnes faisant une déclaration commune) : bénéfices industriels et commerciaux, revenus financiers, loyers, etc. C'est un impôt progressif, c'est-à-dire dont le taux augmente avec le revenu et qui possède un aspect redistributif en raison du « quotient familial », système qui favorise les foyers avec enfants.

L'impôt sur les sociétés (IS) est lui aussi prélevé par l'État. Son assiette est constituée par les bénéfices industriels et commerciaux réalisés par les sociétés.

INCERTITUDE

Situation dans laquelle se trouvent les agents économiques lorsqu'ils ignorent ce que sera leur environnement dans un avenir proche ou lointain.

Dans la version la plus courante de la théorie de l'équilibre général (Arrow-Debreu), le problème de l'incertitude ne se pose pas en raison de l'hypothèse d'un système complet de marchés (chacun peut planifier ses échanges, car il existe des marchés ouverts pour n'importe quelle échéance).

Un progrès dans l'analyse de l'incertitude est réalisé, dans le cadre de la *théorie microéconomique* des contrats, lorsque l'on prend en compte l'imperfection de l'information à partir de laquelle les individus effectuent leurs choix. L'hypothèse d'asymétrie d'information conduit par exemple à étudier les problèmes qui apparaissent lorsque l'incertitude porte sur les biens échangés (cas bien connu des voitures d'occasion) ou sur les comportements des protagonistes (cas de l'assuré qui peut avoir intérêt à se laisser voler sa voiture ou du travailleur qui peut essayer de « tirer au flanc »). Les agents cherchent à se protéger, imparfaitement, de l'incertitude en passant des contrats (ce qui suppose que le système judiciaire veille à leur exécution) ; ce type d'analyse s'applique tout particulièrement au cas particulier du contrat de travail.

Chez *Keynes*, le futur est incertain en un sens radical : nous ne savons pas ce qui se passera demain (par exemple, quel sera le taux d'intérêt dans six mois). Cette incertitude, à la différence du risque, n'est pas probabilisable : les agents économiques sont contraints de fonder leurs décisions sur des anticipations (par exemple, les entrepreneurs lorsqu'ils décident du volume de la production et du niveau de l'emploi en fonction de la demande anticipée), d'où l'importance des conventions (pour stabiliser les comportements), de la préférence pour la liquidité (la monnaie constitue « un pont entre le présent et l'avenir ») et des risques de crises financières (lorsque les spéculateurs n'ont plus d'autres points de repère que leur propre image).

Hayek met également au centre de son argumentation le problème de l'information mais il y voit au contraire la principale justification du marché (la décentralisation de la prise de décision étant la procédure la plus efficace dès lors que l'information pertinente est disséminée et qu'il n'existe aucune position en surplomb d'où il serait possible de voir la société globale).

→ *Anticipations, Convention (selon Keynes), Hayek, Keynes ; Annexes 15, 21.*

INCESTE (Prohibition de l')

> Règle qui interdit les mariages entre proches parents : entre mère et fils, frère et sœur, oncle et nièce, etc.

Si toutes les sociétés prohibent l'inceste, ce ne sont pas partout les mêmes relations conjugales qui sont qualifiées d'incestueuses. Ainsi, le mariage entre cousins germains peut, selon les cas, être interdit ou au contraire recommandé. Pour Lévi-Strauss, la prohibition de l'inceste est l'une des rares règles sociales commune à toutes les sociétés.

→ *Filiation, Lévi-Strauss, Mariage ; Annexe 41.*

INCOMPATIBILITÉ (Triangle d')

→ *Mundell (Triangle d'incompatibilité de).*

INDEXATION

> Technique consistant à faire varier une grandeur en fonction d'une autre variable économique ou index (indice des prix à la consommation, par exemple). Elle a pour but d'éviter une perte de pouvoir d'achat en période d'inflation.

L'indexation peut s'appliquer :
– *aux salaires :* le SMIC est indexé sur les prix ;
– *à l'épargne :* l'emprunt Giscard de 1973 était indexé sur le cours du Napoléon ;
– *aux revenus de transfert :* les retraites sont le plus souvent indexées sur l'évolution du salaire moyen par tête.

Les effets de l'indexation sont controversés. Pour les uns, il s'agit d'une garantie permettant aux agents économiques de garder la confiance indispensable au bon fonctionnement de l'économie. Pour les autres, l'indexation est un mécanisme puissamment inflationniste, responsable de la spirale « prix-salaires ».

→ *Désindexation des salaires.*

INDICATEUR

> Grandeur calculée à date régulière et permettant d'apprécier l'évolution économique ou sociale.

Les indicateurs peuvent être :
– *économiques* (taux de croissance du PNB, indice des prix) ou *sociaux* (taux de fécondité, espérance de vie…) ;
– *macroéconomiques* (à l'échelle d'un pays ou d'un groupe de pays : taux de croissance de la production industrielle) ou *microéconomiques* (à l'échelle d'une entreprise : évolution du chiffre d'affaires) ;
– *conjoncturels* (évolution mensuelle du nombre de demandeurs d'emploi) ou *structurels* (répartition par âge de la population active).

⟶ *Agrégat, Carré magique.*

INDICATEURS BOURSIERS

> Indicateurs synthétiques représentatifs du cours des actions sur les marchés boursiers. Ils se différencient par leur champ — nombre et nature des valeurs prises en compte — et par leur mode de calcul.

L'évolution d'une place boursière se mesure par des indicateurs synthétiques. Ces derniers permettent de mesurer les performances boursières des investisseurs et des gestionnaires de portefeuilles et servent de support à des contrats à terme et aux options négociés sur les marchés dérivés.

Principaux indices français

Le CAC 40. Créé en 1988 (base 1 000 au 31-12-1987), indice « vedette », il sert de support aux contrats cotés sur le MATIF et le MONEP et il est composé des 40 actions françaises les plus actives, sélectionnées en fonction de deux critères : la capitalisation boursière (appartenir aux cent premières capitalisations) et la liquidité (volumes échangés). L'indice est calculé en continu pendant toute la séance.

Les SBF 120 et 150 (base 1 000 au 31-12-1990) ont été lancés simultanément fin 1993. Ils s'emboîtent comme des poupées russes : toute valeur appartenant au CAC entre dans le SBF 120 et toute valeur du SBF 120 entre dans le SBF 150.

INDICATEURS BOURSIERS	
États-Unis	
• Dow Jones Industrials	• *30 valeurs industrielles*
• Standard & Poors 500	• *500 actions* Le plus large et le plus parlant des indices.
Grande-Bretagne	
• Financial Times 100 (FT 100 ou footsie 100)	• *100 actions* Cet indice est le plus parlant de la Bourse de Londres où il est utilisé comme support pour des contrats à terme.
France	
• CAC général (appelé aussi SBF)	• *239 actions du règlement mensuel et du comptant* L'indice le plus représentatif du marché.
• CAC 40	• *40 actions* Même s'il n'est pas le plus fiable, cet indice est le plus utilisé par les professionnels et sert de support à un contrat à terme.
Allemagne fédérale	
• FAZ	• *100 actions* Indice assez représentatif du marché.
• DAX	• *30 actions* Équivalent au CAC 40 français, cet indice servira de support au contrat d'indice à terme.
Japon	
• Nikkei	• *225 actions*
• Topix	• *1 165 actions* L'indice montant de la Bourse de Tokyo, le plus représentatif du marché.

Depuis 1995, la bourse dispose d'un indice spécifique aux valeurs moyennes : le MIDCAC, deux indices composés des principales valeurs admises sur le Second Marché et Nouveau marché.

Principaux indices dans le monde

Aux États-Unis, l'indice Dow-Jones Industrials, plus communément appelé le Dow Jones, porte sur un petit nombre (30) de valeurs cotées au Stock Exchange de New York, soit environ 20 % de la capitalisation boursière. L'indice représente une moyenne de cours exprimés en dollar.

Toutefois, cet indice le plus connu ne reflète qu'imparfaitement le marché, et les professionnels suivent l'indice Standard and Poors qui prend en compte 500 valeurs.

L'indice NASDAQ, créé en 1971, est l'indice phare des valeurs technologiques.

À Tokyo, l'indice Nikkei, qui porte sur environ 225 valeurs, est obtenu, comme l'indice CAC français, par une moyenne pondérée par la capitalisation boursière.

Nouveaux indices de l'Europe boursière

Quatre nouveaux indicateurs (1998-1999) (deux larges, deux étroits diffusés en euro et en dollar) ont été créés pour servir de référence à partir de la création de l'euro ; ils ont été élaborés par la société Dow Jones :

– Dow Jones Stoxx : 666 actions de société, il couvre les 15 pays de l'Union, plus la Suisse ;

– Dow Jones Euro stoxx : 326 des valeurs de la zone euro ;

– Dow Jones Euro Stoxx 50 : 50 valeurs de la zone euro ;

– Dow Jones Stoxx 50 : 50 valeurs de l'Europe tout entière.

> ➤ *CAC 40, Capitalisation boursière, MONEP.*

INDICATEUR DE DÉVELOPPEMENT HUMAIN (IDH)

> Indicateur de développement, calculé chaque année depuis 1990 par le Programme des Nations unies pour le Développement (PNUD).
>
> De caractère composite — il prend en compte la longévité, le savoir et le niveau de vie —, il est supposé mieux mesurer le processus complexe du développement que l'indicateur du PNB par habitant de la Banque mondiale.

À l'origine de l'IDH, on trouve le principe suivant : construire un outil de mesure commun aux différents pays pour rendre compte, mieux qu'un indicateur purement monétaire, de la dimension qualitative du progrès socio-économique. Il doit ainsi permettre aux citoyens et aux gouvernants d'évaluer les progrès accomplis, de déterminer les domaines d'intervention prioritaire, de comparer les expériences des différents pays.

Le mode de calcul de l'IDH est le suivant : pour chaque pays, on fait la moyenne de trois indices spécifiques, un pour la longévité, un pour le savoir, un troisième pour le niveau de vie. Chacun de ces indices a une valeur, comprise entre 0 et 1, calculée à partir d'une ou deux variables statistiques (deux pour l'indice de savoir). La valeur 0, pour l'un ou l'autre de ces indices qui composent l'IDH, correspond à la valeur minimale que pourrait prendre la variable observée ; la valeur 1 correspond à la valeur maximale. Depuis la réforme de 1994, la valeur minimale de chaque variable est celle qui a été observée au cours des trente dernières années et la valeur maximale celle attendue au cours des trente prochaines années ; aucun pays développé n'atteint aujourd'hui ces valeurs maximales.

Indice de longévité : la variable en est l'espérance de vie. Valeur minimale : 25 ans ; valeur maximale : 85 ans. Un pays dans lequel l'espérance de vie serait de 55 ans — donc à mi-chemin des valeurs extrêmes — aurait un indice de longévité de 0,5.

Indice de savoir : ici, deux variables entrent en compte, le taux d'alphabétisation des adultes (pour les deux tiers de cet indice), le nombre moyen d'années d'études (pour un tiers). Valeurs extrêmes : 0 % et 100 % pour le premier, 0 et 15 années pour le second.

Indice de niveau de vie (ou de revenu) : la variable est ici le PIB réel par habitant en dollars (ajustés par les parités de pouvoir d'achat). Valeur 0 de l'indice pour 200 dollars, valeur 1 pour 40 000 dollars. Mais à partir de 5 120 dollars, ce qui correspond à la moyenne mondiale actuelle du PIB réel/hab./an en dollars ajustés, on procède à un abattement progressif pour tenir compte du fait que l'accroissement du revenu n'augmente pas le bien-être de manière linéaire, mais décroissante à la marge : le progrès est considérable quand on passe de 200 à 400 dollars/hab./an, modéré pour un même gain de 39 800 à 40 000 dollars.

INDICE

> Nombre qui mesure la variation relative d'une grandeur entre deux situations différentes, dans le temps ou dans l'espace, l'une de ces situations étant prise comme référence pour le calcul.

Un indice est dit **simple ou élémentaire** quand il ne porte que sur une seule grandeur.

Soit une variable Y (exemple : le prix d'un objet), qui passe de la valeur Y_0 (exemple : 10 €) à la date 0, à la valeur Y_t (exemple : 15 €) à la date t ; alors l'indice de Y à la date t, base 1 à la date 0, est $I_{t/0} = Y_t/Y_0$ (15/10 = 1,5).

Par convention, on décide souvent que l'indice vaut 100 l'année de base, ce qui donne :
$$I_{t/0} = (Y_t/Y_0) \times 100$$
$$= 1,5 \times 100$$
$$= 150.$$

Dès que l'on veut résumer par un indice l'évolution de plusieurs grandeurs (exemple : les prix de milliers de produits), il faut calculer un **indice synthétique** en faisant la moyenne pondérée des indices élémentaires : il est logique d'accorder plus de poids dans le calcul de la hausse générale des prix à l'indice du prix de la viande qu'à l'indice du prix du caviar, parce que la viande représente une part plus importante du budget des ménages que le caviar.

Mais la structure des dépenses des ménages se transformant au cours du temps, les coefficients de pondération (exemple : part de la viande dans le total des dépenses) ne sont pas les mêmes l'année de base et l'année d'arrivée ; *lorsque l'on choisit de retenir les pondérations de l'année de base, on calcule un indice de Laspeyres.*

Exemple : L(p)t/0 = Laspeyres (prix) de l'année t, base 100 l'année 0 =

$$P = \frac{\sum\limits_{1}^{n} P_i^t \times Q_i^0}{\sum\limits_{1}^{n} P_i^0 \times Q_i^0} \times 100$$

(P_i^t = prix du produit i l'année t ; q = quantité).

Lorsque l'on choisit de retenir les pondérations de l'année d'arrivée, on calcule un indice de Paasche :

$$P = \frac{\sum\limits_{1}^{n} P_i^t \times Q_i^t}{\sum\limits_{1}^{n} P_i^0 \times Q_i^t} \times 100$$

Au lieu de s'intéresser à l'évolution des prix, on peut s'intéresser à l'évolution des quantités et calculer des *indices de volume. Si l'on choisit de pondérer les* quantités par les prix de l'année de base, on calcule un Laspeyres-volume :

$$\text{Vol} = \frac{\sum\limits_{1}^{n} P_i^0 \times Q_i^t}{\sum\limits_{1}^{n} P_i^0 \times Q_i^0} \times 100$$

En pondérant les quantités par les prix de l'année d'arrivée, on calcule un Paasche-volume :

$$\text{Vol} = \frac{\sum\limits_{1}^{n} P_i^t \times Q_i^t}{\sum\limits_{1}^{n} P_i^t \times Q_i^0} \times 100$$

L'indice des valeurs globales mesure l'évolution des prix et des quantités :

$$V = \frac{\sum\limits_{1}^{n} P_i^t \times Q_i^t}{\sum\limits_{1}^{n} P_i^0 \times Q_i^0} \times 100$$

On constate que :
IVG = $L(p) \times P(q) = P(p) \times L(q)$.

Exemple : Indice de valeur du PIB = Indice de prix du PIB (Paasche-prix) × Indice de volume du PIB (Laspeyres-quantités).

INDICE DES PRIX À LA CONSOMMATION

Indice mensuel des prix à la consommation calculé par l'INSEE.

Depuis février 1993, cet indice comprend 265 postes (au lieu de 296 auparavant).

♦ Sont exclus, entre autres, du champ de la consommation couvert par cet indice : les achats de logement (et les dépenses de gros entretien), l'achat de valeurs mobilières, les cotisations sociales et les primes d'assurance, les intérêts sur le crédit à la consommation, les impôts directs (on notera que l'INSEE propose deux variantes : tabac compris ou non).

La population de référence, jusqu'à la fin 1992, était les « ménages urbains dont le chef est employé ou ouvrier » ; c'est désormais l'« ensemble des ménages ». Mais, pour servir de base à certains calculs d'indexation, notamment celui du SMIC, l'INSEE continuera à publier un indice portant sur l'ancienne population de référence. L'évolution de chaque poste est repérée à partir de l'évolution des prix des articles censés représenter le poste : l'INSEE suit ainsi 167 000 séries de prix.

UTILISATION DES NOUVEAUX INDICES DES PRIX À LA CONSOMMATION, BASE 1990		
Population de référence	*Couverture en termes de produits*	*Utilisations*
Ensemble des ménages	y compris tabac	information publique comparaisons internationales travaux scientifiques
	hors tabac	revalorisation des contrats privés
Ménages urbains dont le chef est ouvrier ou employé	y compris tabac	analyse des séries longues de prix
	hors tabac	revalorisation du SMIC revalorisation des contrats privés

Les pondérations sont révisées chaque année.

⟶ *Déflateur, Indice, Panier de la ménagère.*

INDIFFÉRENCE (Courbe d')

Selon la théorie microéconomique du consommateur, étant donné deux biens quelconques, on appelle *courbe d'indifférence* d'un consommateur une courbe reliant toutes les combinaisons de quantités de ces biens qu'il considère comme équivalentes (parce qu'elles lui apportent la même satisfaction).

On appelle *carte d'indifférence* l'ensemble des courbes d'indifférence d'un consommateur.

♦ Exemple : imaginons, en conservant l'exemple « évangélique » du pain et du vin, que l'individu *a* soit indifférent entre les biens suivants décrits dans les colonnes successives du tableau ci-dessous, où le pain est évalué en kilogrammes et le vin en litres :

Pain	1	3/4	1/2	1/4	0
Vin	0	1/7	1/3	3/5	1

Ce tableau indique que l'individu est indifférent entre, non seulement 1 kg de pain et 1 L de vin, mais aussi entre chacun de ces biens et les biens composites (750 g pain, 14,3 cL vin ; 500 g pain, 33,3 cL vin ; ou 250 g pain, 60 cL vin).

Tous ces biens équivalents entre eux peuvent être représentés par des points sur une courbe tracée dans un repère plan où le pain est mesuré en abscisse et le vin en ordonnée, comme sur la figure ci-après.

Si l'on admet que tous les points de la courbe sont en fait des biens composites équivalents entre eux, alors la figure donne l'image d'une *courbe d'indifférence* de l'agent *a*.

♦ Exemple emprunté à F. Poulon, in *Économie générale*, Dunod, 1991.

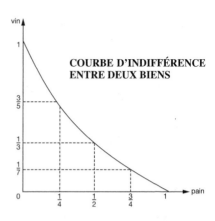

COURBE D'INDIFFÉRENCE ENTRE DEUX BIENS

⟶ *Consommateur (Théorie du), Consommation (finale, intermédiaire), Demande.*

INDIVIDUALISATION

Processus d'autonomisation (relative) des individus dans les différentes sphères de la vie sociale et représentations qui les accompagnent.

Cette tendance, qui caractériserait l'avènement des sociétés modernes, a été repérée dès le XIXᵉ siècle (Tocqueville, Durkheim) et plus longuement analysée au XXᵉ (Élias, Dumont). Elle serait la confluence de logiques sociales (déclin des sociétés d'ordres et de castes, des communautés traditionnelles), économiques (place du contrat dans les économies de marché), politiques (montée de l'individu citoyen) et culturelles (individu proclamé comme valeur). Malgré tout, ces analyses ne cessaient pas pour autant de pointer les déterminismes sociaux et les contraintes institutionnelles.

Le thème a été repris récemment. On serait en présence d'« une deuxième révolution individualiste » (G. Lipovetski). Sont ici invoqués les processus de désinstitutionnalisation dans les sphères privée (conjugalité, famille) et publique (déclin des structures d'encadrement), dans l'ordre des croyances (individualisation du religieux) et dans le monde du travail (individualisation des trajectoires).

Ces diagnostics demandent à être relativisés. Selon la formule de L. Dumont, si « à partir d'un certain moment de l'histoire occidentale, les hommes se sont vus comme des individus [...] [ils] n'ont pas cessé d'être des êtres sociaux le jour où ils se sont conçus d'une façon contraire » (*Homo hierarchicus*, 1966). Les phénomènes de désinstitutionnalisation s'accompagnent de l'élaboration de nouvelles normes.

♦ L'individualisation n'est pas seulement un processus d'émancipation, elle peut aussi être instrumentalisée par des agents comme les entreprises (responsabilisation et individualisation de la gestion des compétences). Les injonctions à « être comptable de soi-même » en viennent à masquer l'affaiblissement des solidarités et la fragilisation des individus dont les ressources économiques, sociales et culturelles sont faibles.

→ *Holiste (Société), Individualisme, Solidarité, Tocqueville.*

INDIVIDUALISME

Au sens doctrinal : l'individu est une valeur fondamentale, supérieure aux valeurs collectives du groupe, de la société.

Sur le plan politique, il se traduit par une revendication des droits de l'individu contre l'emprise des pouvoirs de l'État. L'individualisme doctrinal est généralement associé au libéralisme, qu'il soit politique ou économique.

Au sens sociologique : développement de l'autonomie relative de l'individu dans les sociétés modernes (choix du conjoint, aménagement de l'espace privé, libre arbitre, etc.).

Cette tendance est relative, en ce sens que les individus sont toujours soumis aux normes sociales et aux déterminismes socio-économiques.

→ *Holiste (Société) ; Annexe 26.*

INDIVIDUALISME MÉTHODOLOGIQUE

En sciences sociales, démarche selon laquelle « un phénomène social quel qu'il soit [...] doit, pour être expliqué, être conçu comme le produit de l'agrégation d'actions individuelles » (R. Boudon, *Encyclopaedia Universalis*).

Elle s'oppose à la démarche dite « holiste » qui privilégie au contraire le jeu des structures pour rendre compte des comportements des agents et des évolutions sociétales.

Si l'expression est surtout utilisée aujourd'hui par des sociologues (en particulier, en France, par R. Boudon et son courant), son origine est à rechercher du côté des économistes et des épistémologues : elle apparaît pour la première fois sous la plume de K. Menger ; F. von Hayek et K. Popper énoncent l'un et l'autre les bases du paradigme.

L'accent mis sur les acteurs individuels va de pair avec une conception de l'action centrée sur la rationalité et l'intentionnalité ; les acteurs cherchent à optimiser leurs décisions, du moins ont-ils de « bonnes raisons » pour adopter tel comportement ou telle attitude. Ce postulat est à rapprocher de l'utilitarisme de l'économie classique et du paradigme du « choix rationnel » prégnant dans les sciences sociales anglo-saxonnes. Toutefois, des sociologues français représentatifs de cette démarche entendent amender le modèle de l'*homo œconomicus* : ainsi, « la méthodologie individualiste [...] n'interdit pas et exige même que les individus soient considérés comme insérés dans un contexte social » (R. Boudon) ; les motivations peuvent être autres qu'utilitaires. Enfin, point de convergence avec des économistes, la rationalité des acteurs peut s'avérer limitée par la prise en compte des attentes ou des actions des autres agents.

Dans cette optique, l'agrégation des comportements individuels peut créer des phénomènes sociaux non attendus, souvent indésirables, appelés « effets de combinaison », « effet émergent » ou « effet pervers ». Par exemple, l'investissement scolaire accru de nombreux ménages entraîne pour tous l'élévation du seuil requis (en matière de dépenses et de diplômes) pour la réussite sociale. Dans cette perspective, le changement social, pour une large part produit de ces effets pervers ou émergents, ne saurait être expliqué par l'établissement de lois ou l'invocation d'un *deus ex machina*.

♦ En sciences économiques, de nombreuses approches théoriques se réfèrent explicitement à l'individualisme méthodologique, en particulier la microéconomie et les théories d'inspiration walrasienne. Le courant marxiste et la théorie de la régulation s'inscrivent plutôt dans une perspective holiste (bien que le qualificatif ne soit pas utilisé par ces économistes), alors que d'autres courants occupent une position intermédiaire ou sont difficilement classables (théorie keynésienne, théorie des conventions…).

━━▶ *Boudon, Effet émergent d'agrégation (ou de composition ou effet émergent), Effet pervers, Holisme (méthodologique),* **Homo œconomicus,** *Néo-classique (Économie, théorie), Utilitarisme ; Annexe 48.*

INDUSTRIALISATION

1. Développement des activités industrielles, extraction et transformation des matières premières.

♦ L'industrialisation se traduit par une part croissante, dans l'emploi et le PIB, du secteur secondaire. Certains voient aujourd'hui dans la tertiarisation de l'économie et la crise de certaines industries traditionnelles l'amorce d'un mouvement historique de désindustrialisation.

2. Extension à d'autres secteurs des méthodes de production de l'industrie : combinaison productive à forte intensité capitalistique, forte division technique du travail (ainsi de l'agriculture qui devient… une industrie lourde).

━━▶ *Développement (Modèles de), Révolution industrielle, Service(s), Société industrielle, Société postindustrielle.*

INDUSTRIALISATION PAR SUBSTITUTION

1. La politique d'*industrialisation par substitution d'importations* consiste à promouvoir des industries nationales dans les branches correspondant aux produits importés afin d'assurer un développement sans dépendance extérieure : biens de consommation tout d'abord, puis, par remontée de filière, biens intermédiaires et biens d'équipement correspondants.

Cette stratégie de développement, suivie, entre autres, par le Brésil, implique que l'État oriente les flux de capitaux vers ces branches en leur offrant : protection tarifaire sélective (laissant passer les biens et les technologies nécessaires à leur équipement), facilités d'endettement, accès privilégié aux devises (contrôle des changes sélectif et surévaluation de la monnaie nationale).

Conditions de réussite de cette politique (*a contrario*, ses limites) : marché intérieur permettant par sa taille et/ou sa solvabilité d'offrir des débouchés suffisants et des économies d'échelle, appel limité, sous peine de déficit extérieur accru, aux capitaux, techniques et équipements étrangers, et donc concentration sur quelques pôles d'industrialisation.

2. L'*industrialisation par substitution d'exportations* consiste à développer prioritairement les industries exportatrices capables de substituer aux produits de base des exportations à plus forte valeur ajoutée.

Elle implique un État capable d'imposer des sacrifices à la population puisqu'elle suppose : des bas salaires pour faire jouer l'avantage comparatif, un fort exode rural, une faible consommation de produits nationaux et étrangers (production tournée vers la demande étrangère et monnaie sous-évaluée), un effort de qualification de la main-d'œuvre et une épargne importante drainée vers les grands groupes exportateurs. L'appel aux investissements des FMN complète cette politique, extravertie, qui est celle par excellence des NPI (Nouveaux Pays industrialisés) d'Asie, lors de la première étape d'industrialisation.

→ *Économie du développement, NPI.*

INDUSTRIE

Au sens général, activité, travail humain.

Dans le langage économique courant, ce terme désigne le secteur de transformation des produits grâce à l'utilisation de la main-d'œuvre salariée et du capital.

Plusieurs classifications sont possibles :
– industrie des biens de production et industrie des biens de consommation ;
– industrie extractive (mines, pétrole, etc.) et industrie de transformation (mécanique, textile, etc.) ;
– industrie lourde et industrie légère.

→ *Économie industrielle, Politique industrielle.*

INFLATION

Déséquilibre économique se traduisant par une hausse continue du niveau général des prix. Cette définition est extrêmement large parce que les types d'inflation sont nombreux et que le phénomène ne peut être appréhendé qu'à travers le symptôme commun à toutes les inflations, la hausse des prix. C'est la nature du déséquilibre qui permet de différencier les types d'inflation et les types d'explication.

L'inflation monétaire trouve son origine dans l'émission excessive de monnaie ; l'afflux de métaux précieux au XVIe siècle et le recours massif à la « planche à billets » pendant et après la Première Guerre mondiale ont été la cause de l'inflation. Du point de vue théorique, l'école quantitativiste (Irving Fischer) au XIXe siècle et, aujourd'hui, les monétaristes, privilégient l'explication par la monnaie. Toutefois, il semble que, de nos jours, la monnaie soit moins la cause de l'inflation que la condition permissive.

L'inflation par la demande provient de l'excès de la demande sur l'offre. Au niveau global, la demande, qu'elle émane des ménages (consommation), des entreprises (investissement), de l'État (déficit) ou de l'extérieur (exportations), tend à dépasser l'offre. L'inélasticité de l'offre, son incapacité à répondre à l'accroissement de la demande (en raison par exemple d'une situation de plein-emploi), expliquent donc ce type d'inflation. Le déséquilibre peut ne pas être global, mais sectoriel, et se diffuser dans l'économie. L'explication de l'inflation par la demande se situe du point de vue théorique dans le prolongement de l'analyse keynésienne.

L'inflation par les coûts situe l'origine de l'inflation dans un déséquilibre de la formation des prix au sein de l'entreprise : l'augmentation des coûts, qu'il s'agisse des coûts salariaux, du coût des consommations intermédiaires (pétrole par exemple) ou des coûts financiers, associée à la volonté des entreprises de maintenir leurs profits, favorise une hausse des prix.

Ce sont des *explications structurelles* qui sont à l'origine des analyses contemporaines ; elles envisagent les déséquilibres inflationnistes comme la résultante des structures du capitalisme contemporain : la formation des prix sur les marchés oligopolistiques se traduit par une rigidité des prix à la baisse. De plus, les modes de formation des salaires dépendent, plus que par le passé, de facteurs sociaux — intervention de l'État par la fixation d'un salaire minimum et rôle de la négociation salariale. L'inflation est ainsi étroitement liée à la formation des revenus.

♦ Les politiques de lutte contre l'inflation se comprennent par le type d'explication de l'inflation retenue.
Si l'inflation est d'*origine monétaire*, le remède consiste à limiter la création de monnaie, par exemple par une hausse des taux d'intérêt.
La thèse de l'inflation *par la demande* conduit à limiter la demande (action sur les salaires et réduction du déficit public) et à accroître la flexibilité de l'offre (amélioration de la mobilité du travail).
La lutte contre l'*inflation structurelle* se révèle plus délicate à mettre en œuvre : politique de concurrence, amélioration de la fluidité du marché du travail ; mais c'est surtout la politique des revenus qui retient l'attention.

À partir des années 1990, l'économie mondiale s'installe dans une période de faible inflation pour différentes raisons : la libéralisation du commerce mondial exerce une forte pression sur les prix, les salaires sont désindexés et les taux de chômage, encore élevés en Europe, créent une pression sur les hausses de salaires, les banques centrales maîtrisent la hausse de la masse monétaire et les cours des matières premières ont moins d'effets inflationnistes que par le passé.

→ *Désinflation, Masse monétaire/Agrégats monétaires et placements financiers, Monnaie, Monnaie (Théorie quantitative de la), Politique monétaire.*

INFORMATIQUE

Créé en 1962, ce terme désigne le traitement automatique de l'information. L'informatique met en œuvre un grand nombre de disciplines (mathématiques, électronique) pour construire et utiliser des ordinateurs qui permettent de traiter des nombres, des lettres ou des signes.

Les applications de cette science concernent actuellement de nombreux domaines : calcul scientifique, statistique, gestion, enseignement, médecine, etc.

→ *Révolution industrielle.*

INFRASTRUCTURES

Ensemble des équipements collectifs de base nécessaires à la vie économique de la nation : routes, ponts, voies ferrées, canaux, ports, réseaux de télécommunications...
Au singulier, pour les marxistes : structure économique de la société formant couple avec la superstructure (institutions juridico-politiques et idéologies), qu'elle détermine en *dernière instance.*

♦ En ce deuxième sens, cette base économique représente les conditions dans lesquelles les hommes produisent leur vie matérielle. Elle est constituée des rapports de production, eux-mêmes déterminés par le niveau de développement des forces productives.
♦ De la contradiction entre l'accroissement des forces productives et les rapports de production naît le changement de mode de production (asiatique, antique, féodal, bourgeois).

→ *Mode de production, Superstructure(s).*

INITIATION (Rite d')

Cérémonie qui marque l'accession d'un jeune au statut d'adulte dans nombre de sociétés primitives. Plus généralement, acte solennel par lequel un individu est introduit comme membre d'un groupe (confrérie, société secrète).

Selon les cas, l'initié aura à subir des épreuves, à apprendre des mythes, à faire l'apprentissage de rituels.

◆ M. Mead a proposé d'expliquer les difficultés des adolescents dans les sociétés modernes par l'absence de rite de passage marquant clairement l'accession au statut d'adulte.

→ *Âge, Rite.*

INITIÉ (Délit d')

→ *COB.*

INNÉ

→ *Acquis/Inné.*

INNOVATION

Application industrielle et commerciale d'une invention. Ce processus se situe en aval de l'invention : recherche fondamentale → découverte fondamentale → recherche appliquée → invention → **innovation** *(prototype → développement → production et commercialisation).*

Concept clé chez Joseph Schumpeter, l'innovation se présente pour lui comme de nouveaux produits, de nouvelles méthodes de production et de transports, de nouveaux marchés, de nouveaux types d'organisation industrielle, de nouvelles sources de matières premières ou d'énergie.

Elle résulte de l'initiative de l'entrepreneur dynamique et constitue le principal facteur du cycle des affaires et du changement économique propre au capitalisme : la *destruction créatrice.*

→ **Cycles, Recherche-Développement (R-D), Schumpeter.**

INPUTS/OUTPUTS

→ *Extrants/Intrants.*

INSTITUTIONNALISATION

Processus par lequel des situations, des pratiques, des relations entre acteurs sont progressivement organisées de façon stable selon des normes largement reconnues par le corps social ou les parties en présence.

Institutionnalisation des relations de travail : développement de procédures entre partenaires sociaux dégageant des compromis durables et stabilisant les conflits entre patronat et travailleurs.

Institutionnalisation d'une activité professionnelle (on parle également de *professionnalisation*) : établissement de règles sanctionnant cette activité et précisant le statut de ceux qui l'exercent.

→ *Institution(s), Régulation sociale.*

INSTITUTIONNALISATION DU MARCHÉ

Processus historique par lequel, grâce à des institutions (règles juridiques, normes, valeurs, organismes...) à caractère économique, social, politique et culturel, a pu s'imposer, dans de nombreux pays, une économie de marché.

Certains auteurs, tenant compte de ce caractère global, complexe, multidimensionnel et systémique, parlent de mise en place d'une « société de marché », tout en s'interrogeant sur sa cohésion (son aptitude à maintenir le lien social) et donc sur sa pérennité.

◆ Cette notion est l'objet d'un enjeu à la fois scientifique et politique.
Le marché n'est-il qu'un simple mécanisme économique de détermination des prix permettant l'allocation des ressources rares ? Ou plus, un système économique autorégulé par la loi de l'offre et de la demande ? Ou plus encore, une société d'échanges marchands généralisés ? Le marché a-t-il toujours existé comme une donnée pre-

mière, naturelle, biologique de l'espèce humaine, considérée dès lors comme marchande par essence ? Ou au contraire est-il apparu tardivement.

Quelque peu schématiquement, le débat scientifique oppose les *économistes classiques*, plus généralement les libéraux, à certains *anthropologues ou économistes critiques*.

Pour les premiers, le marché est un ordre naturel, résultant du « penchant qui porte [les hommes] à trafiquer, à faire des trocs et des échanges d'une chose pour une autre » (A. Smith).

À cela, les seconds répondent que l'échange peut ne pas être marchand (par exemple, l'échange cérémoniel de cadeaux, dons et contre-dons), que l'échange marchand n'implique l'économie de marché que s'il est généralisé à la plupart des biens ; et qu'enfin l'économie de marché ne s'est pas auto-instituée, elle a été socialement et politiquement construite.

À l'appui de cette thèse, le fait que l'État a aboli un certain nombre de règles correspondant à l'ordre corporatiste et féodal ancien, par exemple en France par la loi Le Chapelier et le décret d'Allarde, provoquant en cela résistances et oppositions. L'État a construit le socle juridique de l'économie de marché : en garantissant la légalité des contrats, notamment du contrat de travail, constitutif du salariat ; en légalisant la monnaie à tous usages ; en assurant la sécurité de la circulation des biens et des personnes ; en réglementant les activités marchandes et la concurrence. Car l'économie de marché n'est pas le régime de la liberté absolue : celle-ci conduit aux monopoles et il faut donc réinstituer la concurrence (législation antitrust). « Pas de liberté donc, pour le renard, de pénétrer dans le libre poulailler, pour y manger les libres poules » (Jaurès).

Mais toutes ces règles n'ont d'efficacité qu'intériorisées comme des conventions plus ou moins tacites, comme

autant d'éléments d'une culture, d'un habitus marchand, faisant l'objet d'un contrôle social : acceptation de l'hétéronomie (dépendre pour la satisfaction de ses besoins de la production d'autrui), respect de la parole donnée, respect de la propriété, de l'argent, etc.

Pour Polanyi, c'est l'extension, par la force, des rapports marchands au travail, à la terre et à la monnaie, ainsi que la prétention de l'idéologie libérale à confier la régulation sociale à la seule loi de l'offre et de la demande, qui ont conduit les sociétés occidentales, à travers cette « grande transformation », destructrice des solidarités communautaires et du lien social, au bord de l'implosion et aux grandes crises des XIXᵉ et XXᵉ siècles d'où sont nés, en réaction, divers totalitarismes.

La crise de la transition dans les pays qui avaient opté pour l'économie planifiée, centralisée prouve, *a contrario*, combien le laisser-faire n'est pas le sésame automatique vers l'économie de marché… car cette crise traduit un déficit institutionnel (un droit commercial, bancaire, etc., est à réinventer ; un appareil d'État honnête, fort, impartial est à construire) et culturel (esprit d'entreprise non mafieux par exemple).

→ *Institutionnalisme, Marché, Polanyi ; Annexe 8.*

INSTITUTION(S)

(du latin *instituere* « établir », « fonder »)

Au sens juridique et politique : ensemble de règles (lois, coutumes prescriptions) organisant la société (le droit, les lois fondamentales, la Constitution) ou certaines de ses instances (les institutions religieuses, économiques, familiales, etc.).

Dans les sociétés complexes, les institutions sont souvent structurées par des organisations : les institutions politiques (pouvoir législatif et exécutif), les appareils judiciaire et scolaire, etc.

> *Au sens sociologique :* fait social « institué », autrement dit, forme établie et durable de pratiques et de normes sociales ayant des fonctions propres dans un système social : le mariage, la famille, l'École, la religion, la propriété, etc.

♦ Durkheim et ses disciples donnent de l'institution une définition très large. Ainsi, pour Mauss et Fauconnet, une institution est « un ensemble d'actes ou d'idées tout institué que les individus trouvent devant eux et qui s'impose plus ou moins à eux ».
♦ Les sociologues contemporains réservent le terme aux réalités organisées et complexes.

En ce sens, l'institution est une réalité beaucoup plus large que son cadre juridique et organisationnel : la famille comme institution sociale déborde sa dimension juridique.

♦ Le Code civil fixe les obligations entre époux, les droits et devoirs des enfants vis-à-vis de leurs parents. Il ne définit pas les rôles conjugaux ni l'ensemble des rapports entre parents et enfants. Ces différents traits, ajoutés à d'autres, forment l'institution familiale au sens sociologique du terme.

L'institution définit ce qui est socialement légitime et, comme telle, agit comme contrainte sociale, indépendamment des règles légales. Ce faisant « les institutions [sont] vivantes, […] elles se forment, fonctionnent et se transforment… » (Mauss et Fauconnet). Leur évolution peut précéder la modification des lois. L'institution a partie liée à la reproduction mais aussi à la production des rapports sociaux.

> *Au sens économique :* ensemble des organes et des règles qui influent sur le fonctionnement de l'économie.

La théorie néo-classique, dans sa formulation la plus élémentaire, ignore les institutions, si ce n'est pour en déplorer les effets néfastes sur le jeu pur du marché : État, syndicats, salaire minimum. Mais l'analyse institutionnaliste traditionnelle (Veblen, Commons…) considère que les institutions sont parties prenantes du fonctionnement de l'économie et l'analyse néo-institutionnaliste propose des explications de l'émergence des institutions à partir du comportement des agents qui disposent d'une information imparfaite ou ont une rationalité limitée.

⟶ *Fait social, Fonction (sens sociologique), Institutionnalisation, Régulation sociale.*

INSTITUTIONNALISME

> Désigne les analyses d'économistes (ou de socio-économistes), qui ont en commun de récuser tout ou partie de l'axiomatique néo-classique et de mettre l'accent sur les institutions, plus généralement sur les faits socio-culturels, dans leur approche de la réalité et de l'évolution économiques.

Dans son acception étroite, « l'Économie institutionnelle » renvoie au courant de la pensée économique américaine représenté par des auteurs comme Veblen, Mitchell et Commons, courant prolongé après la Seconde Guerre mondiale par un « néo-institutionnalisme » illustré entre autres par Galbraith, Dunlop et Myrdal.

Au sens large, l'institutionnalisme peut inclure nombre d'économistes hétérodoxes dont les recherches répondent quelque peu à la définition liminaire. De ce point de vue, des figures aussi célèbres que Marx ou Weber ne sont pas étrangères, à certains égards, à ces orientations et ce n'est pas par hasard que l'on a pu parler d'un institutionnalisme allemand représenté par A. Wagner.

♦ **1. Le noyau de l'analyse institutionnelle**
Au départ est récusée l'abstraction désincarnée de l'analyse marginaliste néo-classique ainsi que l'irréalisme de ses postulats.

Les individus ne peuvent être assimilés à la figure de l'*homo œconomicus* tout comme l'activité économique ne peut l'être au marché autorégulateur : l'économie excède le (ou les) marchés et ceux-ci, loin d'être des données *a priori*, sont des construits socio-historiques.

La sphère économique ne peut être appréhendée indépendamment du système social et politique, elle est structurée par les institutions socio-économiques. Les rapports entre agents économiques ne sont pas seulement des transactions marchandes mais obéissent aussi à des règles (droit commercial, droit du travail), des normes, des conventions, des représentations.

♦ 2. Les précurseurs de l'institutionnalisme

Th. Veblen (1857-1929), célèbre pour avoir mis en évidence les déterminants psycho-sociaux des comportements économiques, est considéré comme le père spirituel de l'institutionnalisme américain. Après lui, Commons analyse le système économique du point de vue de ses fondements légaux ; J.B. Clark et W. Mitchell se réclament d'une approche pluridisciplinaire des faits économiques tout en prônant une intervention active de l'État (ils ont joué un rôle en ce sens lors du *New Deal*). Dans l'Allemagne wilhelmienne, une puissante tradition historico-économique explique en partie les résistances à la révolution marginaliste. Adolphe Wagner (1835-1917), qui se veut avant tout économiste, met en cause la « dogmatique anglaise » (le libéralisme classique) et entend promouvoir une approche des réalités économiques connectée aux institutions et au Droit.

♦ 3. La mouvance institutionnaliste contemporaine

L'œuvre de J.K. Galbraith, sans être réductible à l'institutionnalisme, se situe dans la perspective de Veblen en développant une approche socio-économique de la grande firme et du pouvoir dans les organisations.

Gunnar Myrdal (1898-1987), économiste suédois connu d'abord pour ses analyses en théorie monétaire, s'éloigna progressivement de l'orthodoxie économique en s'intéressant aux problèmes du développement ; à la fin de sa carrière, il milita explicitement pour une approche institutionnelle.

En économie du travail « institutionnelle », J.T. Dunlop fait figure de fondateur avec la notion de « système de relations industrielles » liant les acteurs, le contexte, l'idéologie et l'ensemble des règles explicites ou tacites.

♦ 4. Autour de l'institutionnalisme

Au-delà des courants nommément catalogués comme institutionnalistes, nombre d'auteurs et de recherches gravitent autour de cette mouvance.

L'économie du développement a partie liée avec l'institutionnalisme dès lors qu'elle entend récuser les approches universalisantes du paradigme néo-classique : les travaux de Gunnar Myrdal, A.O. Hirschman, F. Perroux en sont l'illustration.

Aux frontières de l'économie, de l'histoire et de l'anthropologie, l'œuvre de Polanyi pose avec acuité les rapports entre activité économique et société (problématique de l'« encastrement » de l'économique opposée à son autonomisation). Dans ses derniers travaux, l'un des textes est significativement intitulé « l'économie en tant que procès institutionnalisé ».

♦ 5. Le néo-institutionnalisme

Depuis les années 1980, l'analyse des institutions a connu un regain de vigueur. C'est principalement la (nouvelle) microéconomie qui s'efforce de donner des interprétations aux différentes institutions (l'entreprise, le contrat de travail, les syndicats, l'État…), à partir des comportements rationnels des individus. D'autres courants s'inscrivent dans une approche néo-institutionnaliste : les approches évolutionnistes, conventionnalistes et régulationnistes.

Plus proche de nous, l'École de la Régulation rejoint sur certains points l'approche institutionnelle (en particulier la notion centrale d'institutions régulatrices).

Récemment, « l'Économie des Conventions » est articulée autour des notions d'institutions au sens large (élaboration collective de règles et de conventions).

→ **Conventions (Théorie des), Évolutionnisme, Galbraith, Hirschman, Institution(s), Microéconomie (nouvelle), Perroux, Polanyi, Régulation (École de la).**

INSTITUTIONS FINANCIÈRES

Secteur institutionnel regroupant les unités institutionnelles résidentes dont la fonction principale est de financer — collecter, transformer répartir des moyens de financement — et/ou de gérer des produits financiers.

Les institutions financières sont réparties en deux catégories :

– *les établissements de crédit et assimilés :* la Banque de France, le Fonds de stabilisation des changes, les banques, la BFCE, les caisses d'épargne, la Caisse des dépôts et consignations, les sociétés financières (crédit-bail mobilier et immobilier, vente à crédit, etc.), les institutions financières spécialisées (Crédit foncier, Crédit national, CEPME, CAECL, SDR, etc.) ;

– *les organismes de placement collectif en valeurs mobilières* (OPCVM), principalement les SICAV et les FCP. Le Trésor public est un agent financier non distinct de l'État (ses opérations sont portées au compte de celui-ci).

——➤ *Banque, Intermédiation, OPCVM.*

INSTITUTIONS PUBLIQUES

Ensemble constitué par la législation (lois et règlements) et les organes chargés de son application (les pouvoirs publics).

Les institutions publiques sont donc des institutions politiques qui comprennent :

– les libertés et droits reconnus aux citoyens dans le cadre de la législation et de la jurisprudence ;

– l'organisation juridictionnelle (CSM, tribunaux judiciaires, administratifs …) ;

– les organes politiques de l'État (Parlement, gouvernement, présidence de la République) ;

– l'appareil d'État (administration centrale et déconcentrée) ;

– les collectivités publiques décentralisées (collectivités locales, établissements publics…) ;

– les organes supranationaux (UE, ONU…).

——➤ *Administration, État, Institutions.*

INTÉGRATION (économique)

1. Synonyme de *concentration verticale* : regroupement au sein d'une même firme (ou d'un même groupe) des activités situées en amont (fournisseurs) ou en aval (clients) de sa propre production.

2. *Intégration économique,* de nature territoriale : constitution d'un espace économique unique à partir d'économies nationales cloisonnées.

L'intégration économique comporte différents degrés selon la typologie, classique, élaborée par Bela Balassa :

– la première forme correspond à la *zone de libre-échange* à l'intérieur de laquelle les échanges de marchandises sont libérés entre les partenaires : droits de douane et limitations quantitatives sont abolis. En revanche, pour ce qui est des échanges avec le reste du monde, chaque pays reste maître de sa protection propre ;

– l'*union douanière* se caractérise, non seulement par le libre-échange entre les partenaires, mais aussi par l'adoption d'un « tarif extérieur commun » par rapport aux pays tiers ;

– à la différence des deux précédentes formes, qui portent exclusivement sur le marché des produits, le *marché commun* consiste dans une ouverture de l'ensemble des marchés, marché des produits, marché du travail, marché des capitaux et repose donc sur la libre circulation des hommes et des capitaux ;

– les trois premières formes visent à créer un grand marché par la suppression des entraves aux échanges : implicitement, le marché est censé créer des effets positifs et l'action porte sur la suppression des réglementations néfastes pour les échanges. L'*union économique* se caractérise, quant à elle, par une approche plus volontariste qui intègre non seulement la régulation par le marché, mais aussi le rôle régulateur des interventions étatiques : l'union économique, c'est le marché commun plus l'harmonisation des politiques économiques ;

– la phase ultime de l'intégration, l'*union économique et monétaire* comporte, non seulement une mise en place de politiques communes, mais aussi la création d'une zone de parités fixes entre les membres et éventuellement la création d'une monnaie commune.

——▶ *ALENA, Europe communautaire (histoire des communautés européennes), Europe communautaire (politique agricole commune ou PAC), Europe communautaire (système monétaire européen ou SME), Europe communautaire (union monétaire), Europe (union ou intégration économique).*

INTÉGRATION (sociale)

État ou processus d'insertion d'individus ou de groupes dans un même ensemble (collectivité, société) acquérant ainsi un minimum de cohésion.

Ce terme est polyvalent : le ou les sens communs interfèrent aussi bien avec ceux usités dans le langage politique qu'avec les significations particulières qu'il prend dans les sciences sociales.

Le sens commun assigne au mot plusieurs réalités : l'intégration (ou l'absence d'intégration) de l'individu au groupe (la famille, le groupe de pairs, la collectivité qu'il fréquente, le groupe sportif...) ; l'intégration d'un groupe dans un ensemble plus large : les travailleurs salariés dans l'entreprise, les immigrés dans la classe ouvrière ou dans la collectivité nationale ; il s'agit soit d'une situation observable à un moment donné, soit d'un processus faisant passer d'une situation d'extériorité à une insertion plus ou moins forte.

Le processus est à double face : les individus ou groupes concernés adoptent à des degrés divers les règles, us et coutumes de la collectivité (processus d'acculturation), parallèlement, la collectivité, dans sa majorité, les accepte plus ou moins comme membres à part entière. À noter que l'acceptation n'est pas forcément fonction du degré d'assimilation des intéressés : il peut y avoir rejet de l'autre imaginairement perçu comme « asocial », dangereux, bizarre... indépendamment de ses caractéristiques (par exemple, le racisme antimaghrébin visant des « beurs » largement assimilés).

La sociologie ménage une place importante au phénomène d'intégration dans plusieurs théories. Chez Durkheim, l'intégration est garante du fonctionnement même de la société ; son insuffisance débouche sur l'anomie, l'égoïsme et le suicide.

Thématique semblable chez Parsons : l'intégration est présentée comme l'un des quatre impératifs fonctionnels de tout système d'action ; la fonction principale de la communauté (au niveau sociétal) est de prescrire les obligations et de spécifier les appartenances de ses membres par l'intériorisation des normes et la différenciation en termes de statuts et de rôles.

D'une manière générale, les analyses fonctionnalistes se présentent comme des théories de l'intégration qui interprètent les conflits, comme des « dysfonctions » plutôt que comme des antagonismes irréductibles.

Les chercheurs de l'École de Chicago, de leur côté, ont multiplié des enquêtes sur les processus d'assimilation des minorités aux États-Unis.

——▶ *Acculturation, Conflit social, Consensus, Fonctionnalisme, Parsons ; Annexes 29, 45.*

INTERACTIONNISME

Mouvance sociologique américaine vivace à partir des années 1960 ; les auteurs qui s'en réclament (H. Blumer, E. Goffman, A. Strauss, H. Becker...)

partagent l'idée que la réalité sociale ne s'impose pas telle quelle aux individus ou aux groupes, mais qu'elle est en permanence modelée et reconstruite par eux à travers les processus d'interaction. En cela, ils s'opposent tant aux postulats (intégration fonctionnelle) qu'aux méthodes fonctionnalistes (techniques quantitativistes) et privilégient les études monographiques fondées sur l'observation directe, *in situ*, voire, dans certains cas, l'observation participante.

Ils sont les héritiers directs ou indirects de l'École de Chicago (formés dans la même université, ils reprennent à leur compte le style d'enquête et l'attention portée aux minorités et aux déviants). Le modèle analytique est inspiré des analyses pionnières de G.H. Mead sur les prises de rôles et la construction du « soi » ; il revient à H. Blumer de forger l'expression « interactionnisme symbolique ».

L'interaction est définie par la façon dont « les individus cherchent à ajuster mutuellement leurs lignes d'actions sur les actions des autres perçues ou attendues » (H.S. Becker). Elle concerne aussi bien les rencontres « face à face » que les relations internes aux institutions ou les actions collectives. Ce cadre d'analyse constitue simultanément une critique de l'orthodoxie fonctionnaliste : la conformité aux normes acquises ou prescrites est relative, les individus s'écartent plus souvent qu'il n'est dit des rôles assignés par les institutions.

♦ Les analyses de facture interactionniste se sont développées dans plusieurs directions, en particulier : la théorie de l'« étiquetage » (H.S. Becker, E. Lemert) qui voit dans la déviance moins une transgression de l'ordre social qu'une caractérisation statutaire conférée à des individus ou à des petits groupes ; la vie sociale comme scène théâtrale (E. Goffman), dans la mesure où, dans les processus d'interaction les plus communs, les individus sont toujours en représentation, tenant les rôles qu'ils estiment adéquats à la situation. Par ailleurs, le modèle interactionniste est l'un des points de départ de l'« ethnométhodologie ».

→ *École de Chicago (sciences sociales), Ethnométhodologie, Goffman ; Annexe 43.*

INTERBRANCHE

→ *Commerce international, Krugman.*

INTERDÉCILES

→ *Déciles.*

INTERDIT

Acte, pratique, comportement prohibés par une société ou un groupe social. Exemples : tabous alimentaires, langagiers (interdiction de prononcer certains mots), prohibition de l'inceste.

Les interdits sont essentiellement de caractère religieux dans les sociétés traditionnelles. Ils apparaissent souvent moins catégoriques dans les sociétés contemporaines. Par ailleurs, l'interdit ne signifie pas son respect : il est transgressé tout comme l'est la loi.

→ *Conformité, Criminalité et délinquance, Déviance, Inceste (Prohibition de l') ; Annexe 41.*

INTÉRESSEMENT

→ *Participation.*

INTÉRÊT/TAUX D'INTÉRÊT

Rémunération du capital prêté, versé par l'emprunteur au prêteur ; il est fixé lors de la conclusion du contrat comme un pourcentage du capital prêté.

Diversité des taux d'intérêt

On dénombre une grande variété de taux d'intérêt qui se différencient en fonction de la longueur du crédit —

court terme, moyen terme, long terme — et de la nature des circuits de financement : certains taux se réfèrent au marché monétaire, et plus précisément aux opérations interbancaires, d'autres au marché financier sur lequel se nouent, par les obligations, des emprunts longs, et d'autres enfin aux conditions imposées par les banques à leur clientèle.

♦ Sur le marché monétaire, différents taux expriment le loyer de l'argent à court terme dans les opérations interbancaires, en particulier le *taux au jour le jour* ou taux *moyen pondéré (TMP)* et le *taux moyen mensuel (TMM)* ; ces taux fluctuent autour des taux d'intervention de la Banque de France — taux d'appel d'offre et taux des pensions à 7 jours. Le taux de réescompte est tombé en désuétude.

♦ Sur le marché financier, pour exprimer le prix de l'argent à long terme, on se réfère principalement aux taux d'émission des titres à taux fixes, *taux des obligations garanties par l'État (TMO)*, qui concernent le secteur public hors État, et taux des obligations non garanties (secteur privé).

♦ *Le taux de base bancaire (TBB)* est un taux directeur du coût du crédit fixé par les grandes banques commerciales. Le TBB est censé fixer le coût du crédit pour les meilleures entreprises, c'est un taux minimal.

♦ En principe, les taux d'intérêt appliqués aux différentes échéances devraient être hiérarchisés, les taux des opérations les plus longues étant plus élevés que les taux des opérations à échéance plus courte ; en fait, il arrive que les taux de court terme dépassent les taux de long terme.

Importance économique du taux d'intérêt

Pour les ménages, il a un impact sur la rémunération de l'épargne et sur le coût du crédit, crédit à la consommation et crédit pour l'acquisition de logement.

Pour les entreprises, le taux d'intérêt influe sur les coûts financiers et sur l'investissement ; des taux d'intérêt élevés peuvent décourager l'emprunt et rendent les placements financiers plus avantageux que les investissements dans l'entreprise.

Le taux d'intérêt joue aussi sur la charge de la dette de l'État. Les flux de capitaux avec l'extérieur dépendent des taux d'intérêt ; des taux élevés attirent les capitaux étrangers.

Enfin, le taux d'intérêt constitue une variable stratégique de la politique monétaire. La restriction de la croissance de la masse monétaire passe ainsi par une hausse des taux, la relance par une baisse. Toutefois les autorités monétaires ne sont pas libres de fixer le taux d'intérêt en raison de l'influence de celui-ci sur la balance des paiements et le taux de change.

→ **Wicksell ; Annexes 9, 12, 14, 15.**

INTÉRÊT : taux nominal/ taux réel

Taux nominal : intérêt dont le taux est établi lors de la conclusion du contrat et est, en principe, fixe.
Taux réel : intérêt dont le taux tient compte de l'évolution des prix.

La charge financière effective pour l'emprunteur et la rémunération du prêteur ne dépendent pas seulement du *taux d'intérêt nominal*, mais aussi de l'inflation : la hausse des prix a pour résultat de faire baisser la valeur du capital à rembourser. Ainsi, soit un agent endetté pour un an d'une somme de 1 000 €, et un taux d'inflation de 5 % ; l'individu rembourse effectivement 1 000 € (et règle les intérêts) à la fin de l'année, mais le pouvoir d'achat, et donc la charge réelle du remboursement, ont baissé de 5 %. C'est pourquoi on utilise le *taux d'intérêt réel* qui exprime le poids (ou le revenu) effectif de la dette (du placement).

Taux d'intérêt réel =
taux d'intérêt nominal – hausse des prix.

(Ce mode de calcul n'est qu'approximatif : pour un calcul rigoureux, il faut faire le rapport des indices).

Les taux d'intérêt réels peuvent être négatifs, lorsque la hausse des prix est supérieure aux taux d'intérêt nominaux.

◆ Exemples : **Taux de rendement des obligations et hausse des prix** (à une période charnière)

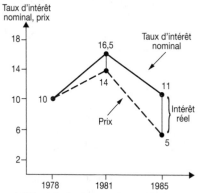

◆ S'il est facile de connaître *a posteriori* un taux d'intérêt réel en comparant les taux d'intérêt nominaux et la hausse des prix constatée, l'agent économique qui prend une décision engageant son avenir en est réduit à des anticipations sur le taux d'intérêt réel ; en effet, s'il connaît le taux d'intérêt nominal, il est confronté à une incertitude sur les prix futurs et donc sur les taux d'intérêt réels à venir.

France, taux d'intérêt à court terme nominal, taux d'inflation, et taux d'intérêt réel, 1970-1999, % (source : INSEE)

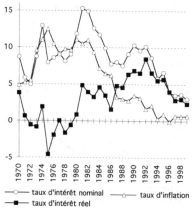

INTÉRÊT (Théories de l')

Du point de vue théorique, deux grandes explications du taux d'intérêt marquent l'histoire de la pensée économique.

Les classiques considèrent que l'individu est confronté à un choix entre la consommation immédiate (consommation de biens) et l'épargne, c'est-à-dire la consommation différée ; comme il a une préférence pour le présent, il ne choisit de reporter dans le futur sa consommation que s'il reçoit une compensation qui est le taux d'intérêt ; l'épargne dépend du taux d'intérêt. Dans cette perspective, on dit que le taux d'intérêt « rémunère l'abstinence », qu'il est le « prix du temps », la « récompense de l'attente », l'expression de la « préférence pour le présent ».

Pour *Keynes*, la propension à épargner (le choix entre épargne et consommation) ne s'opère pas en fonction du taux d'intérêt mais du revenu ; le taux d'intérêt intervient dans un autre arbitrage, entre actifs placés, qui sont immobilisés et rapportent un intérêt, et actifs liquides (la monnaie), qui peuvent être utilisés immédiatement mais qui n'apportent aucun revenu. Détenir de la monnaie, c'est se priver d'un intérêt lié à un placement : le taux d'intérêt est alors le prix de la renonciation à la liquidité.

Le taux d'intérêt est ainsi au carrefour de l'analyse réelle (équilibre épargne investissement) et de l'analyse monétaire, ce qui est synthétisé par la courbe IS-LM.

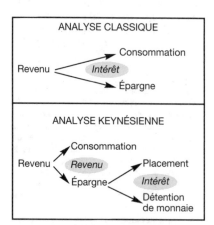

➤ *Fisher (Effets), IS-LM (Modèle).*

INTÉRIEUR

➝ *Agrégat, Comptabilité nationale.*

INTERMÉDIATION

Situation dans laquelle une institution financière (une banque) collecte des ressources auprès de ceux qui ont des excédents et effectue des prêts au profit de ceux qui ont des déficits.

Ainsi, les banques accordent-elles des crédits aux entreprises et aux ménages en collectant des ressources sous forme de dépôts sur des comptes chèques et comptes d'épargne. Il y a intermédiation dans la mesure où la créance détenue par les agents à excédent (sur un compte bancaire, un livret…) est différente de la dette des agents à déficit (par crédit bancaire).

L'intermédiation se distingue du *courtage*. Le courtage, en matière financière, consiste à mettre en relation, moyennant une rémunération, l'acheteur et le vendeur d'un titre. C'est ainsi que les ménages peuvent s'adresser à leur banque pour se procurer, ou vendre, des titres émis par les entreprises ou le Trésor public. Dans ce cas, la banque joue un rôle de courtage dans une opération de financement direct, sans qu'il s'agisse pour autant d'intermédiation : elle ne collecte pas de dépôts pour octroyer des crédits.

◆ Dans l'intermédiation, la créance du prêteur final se différencie de la dette de l'emprunteur final. La différence peut concerner le volume : la banque collecte des fonds de taille faible par rapport aux crédits qu'elle octroie. La durée peut être un deuxième facteur de différence : la banque a des ressources plus courtes que ces emplois (« transformation »). Enfin, le risque pour le prêteur final est fortement atténué par la mutualisation des risques opérée par la banque.
◆ L'intermédiation traditionnelle repose sur le lien collecte de dépôts — crédit. Il

est possible d'envisager une autre forme d'intermédiation, l'intermédiation financière dans laquelle l'intermédiaire émet des titres différents de ceux qu'il possède (OPCVM, par exemple).

➝ *Banque, Économie d'endettement, Financement, Marché financier, OPCVM.*

INTERNATIONALISATION

Élargissement du champ d'activité d'une entreprise ou d'une économie au-delà du territoire national.

Les entreprises s'internationalisent de deux façons : soit par leurs opérations commerciales, en achetant des produits étrangers ou en développant leurs exportations, soit par l'investissement, en créant ou en prenant le contrôle de sociétés étrangères ; les firmes multinationales sont le résultat de ce deuxième type de stratégie.

De façon analogue, une économie s'internationalise lorsqu'elle s'ouvre à l'étranger, tant pour ses opérations commerciales que pour ses opérations financières. L'internationalisation est simultanément un processus favorable à la croissance et à la création de relations d'interdépendances économiques, et une évolution qui rend les économies plus dépendantes de leur environnement et l'économie mondiale plus instable.

◆ Il est possible de mesurer le *degré d'ouverture* d'une économie par la part prise par les exportations dans la demande finale d'un pays.
◆ Le tableau page suivante met en rapport le marché mondial (la production mondiale) et les échanges mondiaux, faisant apparaître une progression du degré d'ouverture des économies nationales.

L'internationalisation de l'économie mondiale engendre une *globalisation* des marchés, tout particulièrement des marchés financiers ; les marchés sont fortement intégrés au niveau mondial,

DONNÉES SUR LES ÉCHANGES MONDIAUX DE PRODUITS MANUFACTURÉS				
	1973	1980	1988	2000
A. Marché mondial (mds $ courants)	2 500	6 000	10 000	24 000
B. Échanges mondiaux (mds $ courants)	400	1 200	2 220	6 800
C. Degré mondial d'ouverture (B/A)	15,3 %	19,7 %	22,2 %	28,5 %

Source : CEPII

chaque marché devenant un compartiment d'un marché mondial. D'où naît une contrainte extérieure.

———▶ Commerce extérieur, Contrainte extérieure, Firme multinationale (FMN)/Firme transnationale, Mundell Fleming (Modèle de).

INTERVENTION DE L'ÉTAT

———▶ Dirigisme, État, État-providence, Politique économique.

INTRA BRANCHE

———▶ Commerce international, Krugman.

INTRANTS

———▶ Extrants/Intrants.

INVENTION

Résultat d'une découverte sous la forme d'un produit ou d'un processus de production nouveaux, susceptibles d'être brevetés. L'invention est généralement le fruit d'une recherche appliquée, elle-même issue d'une découverte scientifique fondamentale. Son application industrielle constitue le processus plus vaste de l'innovation.

———▶ Brevet (d'invention), Innovation.

INVESTISSEMENT

Opération par laquelle une entreprise acquiert des biens de production ; c'est un flux qui vient renouveler ou accroître le stock de capital (toute définition de l'investissement renvoie donc à une définition du capital).

Cette définition exclut de l'investissement l'achat d'actifs financiers ; bien que, dans le langage courant, on parle souvent de « l'argent investi à la bourse », il faut préférer alors le terme « placement » pour éviter toute confusion.

Au sens large, l'investissement est l'engagement du capital dans le processus de production.

L'investissement en capital fixe consiste en l'achat de biens durables qui sont utilisés pendant plusieurs cycles de production, ce qui correspond à ce que la Comptabilité nationale définit comme la formation brute de capital fixe ; la variation de stocks, notamment la production qui n'a pas trouvé de débouchés, est traitée comme un investissement involontaire puisque, avec la FBCF, elle compose la formation brute de capital, c'est-à-dire l'investissement.

Le capital fixe est un stock qui varie en fonction de deux flux opposés : un flux positif qui est l'*investissement brut*, un flux négatif constitué par les déclassements (mises au rebut du matériel, dues à l'usure ou à l'obsolescence).

L'investissement net, qui correspond à la différence entre ces deux flux, mesure donc la variation de la capacité productive (et non la variation de la valeur patrimoniale du stock de capital possédé par les entreprises, celle-ci faisant intervenir l'amortissement, qui est une provision financière, et non les déclassements, qui correspondent à des sorties physiques).

◆ On oppose parfois les *investissements productifs* — acquisitions de matériel et de constructions par les entreprises pour produire des biens et des services — aux *investissements non productifs* — principalement les investissements de l'État et des collectivités locales (équipements collectifs) ainsi que les achats de logement par les ménages —, mais cette distinction repose manifestement sur un jugement de valeur.

Il semble plus rigoureux d'essayer de faire le partage entre les *investissements de remplacement*, qui viennent compenser des déclassements, les *investissements de capacité*, destinés à accroître la capacité de production et favorables à la création d'emplois, et les *investissements de modernisation* ou *de productivité*, motivés par la recherche d'une baisse des coûts unitaires devant résulter d'une économie de facteurs de production pour un même niveau de production, ce qui se traduit souvent par des suppressions d'emplois.

Dans la réalité, cette distinction est un peu artificielle : un investissement de remplacement (d'une machine usée par exemple) ou de capacité inclut presque toujours un investissement de productivité (on profite du remplacement pour acheter une machine plus performante).

L'effort d'investissement d'un pays ou d'un secteur est souvent mesuré en calculant un *taux d'investissement*, soit le rapport entre l'investissement brut et la valeur ajoutée (FBCF/VA).

♦ La chute de cet indicateur en période de crise conduit à s'interroger sur les déterminants de la décision d'investir. On en recense généralement quatre : la *demande anticipée* (les entreprises cherchent à ajuster leurs capacités de production à l'évolution des débouchés) qui permet de mettre en évidence l'effet d'accélération ; la *rentabilité* ou *profitabilité* (l'entreprise décide d'investir si elle escompte un taux de profit supérieur au coût réel des capitaux empruntés pour financer l'investissement) ; la *situation financière* (lorsqu'une entreprise se rapproche du seuil d'insolvabilité, elle préfère utiliser les profits réalisés pour se désendetter plutôt que pour investir) ; le *coût relatif du capital et du travail* (si le coût de la main-d'œuvre augmente trop rapidement, les entreprises préfèrent substituer du capital au travail).

Certains auteurs considèrent qu'une partie de la baisse de l'effort d'investissement est imputable aux instruments de mesure, parce qu'on ne prend pas en compte le développement récent des *investissements immatériels* ; ceux-ci, qui correspondent à des dépenses de Recherche-Développement (R-D), de formation, d'acquisition de logiciels, de publicité, sont enregistrés en Comptabilité nationale comme des consommations intermédiaires ou des salaires.

→ *Accumulation du capital, Capital, Multiplicateur, Principe d'accélération (accélérateur), Productivité, Rentabilité ; Annexes 12, 14, 23.*

INVESTISSEMENT À L'ÉTRANGER

Engagements de capitaux effectués par des particuliers ou par des entreprises hors du territoire national.

→ *Investissement direct à l'étranger (IDE).*

INVESTISSEMENT DIRECT À L'ÉTRANGER (IDE)

« Engagements de capitaux effectués en vue d'acquérir un intérêt durable, voire une prise de contrôle, dans une entreprise exerçant ses activités à l'étranger », d'après le FMI.

Un flux d'investissement direct peut correspondre :
– à *la création* d'une entreprise par un investisseur étranger ;
– à *l'acquisition d'au moins 10 %* du capital d'une société déjà existante (étrangère pour l'investisseur) ;
– au *réinvestissement* des bénéfices par la filiale sur le territoire d'implantation ;
– à *des opérations entre maison mère et filiale* à l'étranger : augmentation de capital, prêts divers, avances, etc.

→ *Investissement.*

INVESTISSEURS INSTITUTIONNELS (« Zinzins »)

Ensemble d'intervenants sur le marché boursier (Caisse des dépôts, compagnie d'assurances, caisses de retraites, SICAV et fonds commun de placement, fonds de pension, fonds spéculatifs...) qui recherchent une rentabilisation de leur portefeuille, mais qui peuvent être conduits à intervenir, à la demande des pouvoirs publics, pour régulariser le marché.

➤ *Bourse des valeurs, Épargne salariale, Fonds de pension.*

INVISIBLES

➤ *Balance des paiements.*

IS-LM (Modèle)

Modèle dû à J.R. Hicks (1937), popularisé par A. Hansen (1952), qui donne une représentation algébrique et graphique d'un certain nombre de relations posées plus ou moins explicitement par Keynes dans la *Théorie générale*. Le principal apport du modèle originel réside dans la détermination simultanée, en économie fermée, du revenu national et du taux d'intérêt à partir d'une interaction entre le marché des biens et services (IS) et le marché de la monnaie (LM). Le modèle a été principalement utilisé pour prévoir les conséquences des politiques monétaire et budgétaire.

La version de base consiste en une reformulation conjointe de la théorie néo-classique et de la théorie keynésienne destinée à permettre leur comparaison terme à terme. Deux oppositions apparaissent immédiatement : contrairement à l'hypothèse néo-classique de dichotomie réel/monétaire, il y a interaction entre le marché des biens et le marché de la monnaie ; il n'existe pas de marché du travail pour garantir la réalisation du plein-emploi alors qu'il s'agit du principal pilier du modèle néo-classique.

La courbe IS représente l'ensemble des combinaisons de taux d'intérêt (i) et de revenu (Y) qui assurent l'équilibre sur le marché des biens et des services. Sur ce marché, le niveau général des prix étant donné, l'offre (le produit, Y) correspond au revenu, qui se partage entre la consommation (C) et l'épargne (S)

$$Y = C + S$$

La demande globale (D) se décompose en consommation (C) et investissement (I) $(D = C + I)$; l'équilibre entre l'offre et la demande dépend donc de l'équilibre entre l'investissement et l'épargne (I = S implique Y = D).

L'investissement est une fonction décroissante du taux d'intérêt (car la hausse du taux d'intérêt, en augmentant le coût du financement pour les entreprises, réduit le montant des investissements rentables). L'épargne est une fonction croissante du revenu (les pauvres n'ont pas les moyens d'épargner...). Ainsi la courbe IS représente les couples de valeurs (Y, i) compatibles avec la réalisation de l'équilibre sur le marché des biens et des services (I = S) ; la pente de IS est négative : si i diminue, I augmente, alors S doit augmenter aussi (I = S) ; cela présuppose que Y augmente également, donc i et Y varient en sens inverse (cette pente est d'autant plus forte que l'investissement est moins sensible aux variations du taux d'intérêt).

La courbe LM représente l'ensemble des combinaisons de taux d'intérêt (i) et de revenu (Y) qui assurent l'équilibre sur le marché monétaire. Sur ce marché, l'offre M est déterminée par la politique de la Banque centrale), $M_0 = M$.

La demande, L (comme liquidité), se partage en une demande d'encaisses de transaction (L_1) et de spéculation (L_2).

La demande d'encaisse de transactions est une fonction croissante du niveau du revenu (plus on est riche, plus on dépense... et plus on a besoin de moyens de paiement).

La demande d'encaisses de spéculation L_2 s'explique ainsi : les spéculateurs conservent leurs encaisses monétaires lorsque le cours des titres financiers est élevé, car ils anticipent alors une baisse. Ils les utilisent au contraire pour acheter des titres quand leur cours est bas, espérant réaliser une plus-value à la hausse ; L_2 est une fonction décroissante du taux d'intérêt (car le cours des titres varie en sens inverse du taux d'intérêt par l'effet balançoire), $L_2 = L_2$ (i). La condition d'équilibre est donc donnée par

$M = L_1 (Y) + L_2(i)$.

La courbe LM représente les couples de valeurs (Y, i) compatibles avec cet équilibre ; sa pente est positive, « phase normale » : si i augmente, L_2 diminue, alors L_1 doit augmenter (M étant donné, $L_1 = M – L_2$). La partie horizontale de la courbe correspond à la « trappe à liquidité » (le taux d'intérêt est tellement faible que toute la monnaie est thésaurisée) et la partie verticale à la « phase classique » (il n'y a plus de thésaurisation, toute la monnaie est placée).

L'intersection des courbes IS et LM donne le couple de valeurs (Y, i) qui est compatible avec l'équilibre sur le marché des biens et services et sur le marché de la monnaie. Dès lors que le marché du travail ne participe pas à la détermination de l'équilibre global, on peut très bien imaginer que le couple (Y, i) corresponde à un « équilibre de sous-emploi ».

♦ Selon les keynésiens fondamentalistes, le schéma IS-LM, bien qu'il soit construit à partir de relations énoncées dans la *Théorie générale*, est avant tout une tentative de « récupération » qui vise à réintégrer l'hérésie keynésienne au sein du courant de pensée dominant : le niveau du revenu et de l'emploi ne sont pas déterminés par des courbes d'offre et de demande sur des marchés interdépendants, mais par la demande effective, donc par les anticipa-

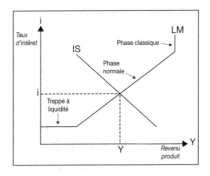

tions de débouchés et de profits des entrepreneurs (ce qui conduit soit à retenir une analyse séquentielle des marchés, le rationnement sur le marché des biens et services induisant le rationnement sur le marché du travail, comme le montre la théorie du « déséquilibre », soit à retenir une représentation de l'économie en forme de circuit).

Le modèle IS-LM est souvent utilisé pour représenter les effets de la politique économique. Une politique d'augmentation de la masse monétaire se traduit par un déplacement de la courbe LM vers la droite : on constate qu'elle est d'autant plus efficace (c'est-à-dire qu'elle exerce un effet d'autant plus important sur le niveau du revenu) que l'on s'éloigne de la trappe à liquidités. Une politique budgétaire d'augmentation de la dépense se traduit par un déplacement de la courbe IS vers la droite : cette fois, la politique menée est d'autant plus efficace que l'on s'éloigne de la « zone classique » (où il y a éviction complète de l'investissement privé par l'investissement public).

Incidence de l'ouverture de l'économie sur IS et LM

Jusqu'ici, IS-LM a été envisagé dans le cadre d'une économie fermée. Lorsque l'on envisage une économie ouverte, trois innovations doivent être introduites :

– en ce qui concerne les biens et les services, il est nécessaire de tenir compte des importations (à côté de la consommation et de l'épargne) et de la propension à importer ;

– pour ce qui est des flux de capitaux, il faut prendre en compte l'impact du taux d'intérêt sur les entrées et les sorties de capitaux qui varie en fonction du degré de mobilité de ceux-ci ;

– enfin pour ce qui est de la monnaie, une balance des paiements excédentaire entraîne soit une création de monnaie en régime de changes fixes, soit un ajustement par le taux de change en régime de changes flottants.

⟶ *Keynes, Mundell Fleming (Modèle de), Politique économique, Politique économique conjoncturelle ; Annexe 16.*

ITEM

Terme se rapportant aux enquêtes par questionnaire ; possède des sens relativement différents selon les cas. Il peut s'agir de la question ou « entrée » dans un questionnaire standardisé, dans un sondage.

Peut désigner également une réponse « préformée » si les questions sont fermées (on parle au pluriel d'items préformés) ou d'une réponse type si les questions sont ouvertes : dans ce cas, les enquêteurs ramènent l'ensemble des réponses à un nombre restreint d'attitudes.

J

JACHÈRE

(terre laissée en jachère, ou jachère)

Terre cultivable temporairement non ensemencée. Cette technique permet de laisser la terre « se reposer », même si elle est parfois travaillée.

Avant la révolution agricole, la méthode de l'assolement triennal prévoyait, sur une même sole, une rotation de cultures sur trois ans (deux années de culture plus une année improductive de jachère). La suppression de la jachère, grâce à l'alternance des céréales et des plantes fourragères à racines profondes destinées au bétail, a permis d'élever les rendements et, en interdisant la vaine pâture, a conduit à l'abandon des pratiques communautaires liées à l'openfield.

⟶ *Assolement, Révolution agricole.*

JETON DE PRÉSENCE

Rémunération des membres des conseils d'administration des sociétés par actions, allouée pour leur participation à ces conseils.

Autrefois, accordée en contrepartie d'un jeton métallique remis aux administrateurs effectivement présents au conseil. Aujourd'hui, son montant est fixé annuellement par l'assemblée générale et elle constitue une charge d'exploitation comptabilisée dans les frais généraux.

JEUX (Théorie des)

Théorie qui cherche à rendre compte des stratégies et des décisions des individus en interaction (le comportement de chaque joueur dépendant des comportements observés ou attendus des autres joueurs) dans le cadre imparti par les règles (du jeu).

Pour chaque jeu, le théoricien recherche une ou plusieurs solutions conformes à l'hypothèse de rationalité individuelle (chacun cherchant à obtenir le maximum pour lui-même). On distingue les solutions non coopératives (chaque individu prend sa décision indépendamment des autres, mais sans ignorer l'effet attendu des décisions des autres sur sa situation personnelle, situation typique en microéconomie) des solutions coopératives (les choix sont effectués en commun si les protagonistes y trouvent leur avantage mutuel).

♦ L'exemple le plus connu est le dilemme du prisonnier : deux voleurs présumés sont interrogés séparément par la police qui leur propose le « marché » suivant : celui qui dénonce l'autre reçoit une prime ; celui qui est dénoncé reste en prison dix ans ; si les deux se dénoncent l'un l'autre, la peine tombe à cinq ans chacun ; si personne ne parle, les deux sont libres. Ce qui donne le tableau :

joueur A \ joueur B	se tait	dénonce l'autre
se tait	libre / libre	prime / 10 ans
dénonce l'autre	10 ans / prime	5 ans / 5 ans

♦ Pour chaque joueur, la stratégie de dénonciation est dominante (ce qui signifie qu'elle est plus avantageuse, quel que soit le choix de l'autre : elle permet de gagner plus si l'autre se tait et de perdre moins si l'autre dénonce aussi) : il n'y a donc qu'une seule solution non coopérative (dénonciation réciproque) qui correspond à un équilibre de Nash (aucun joueur ne pouvant obtenir un gain supplémentaire par un changement unilatéral de stratégie, l'autre conservant sa stratégie d'équilibre), mais pas à un optimum de Pareto (puisque les deux gagneraient à se taire). Des choix rationnels d'un point de vue individuel ne conduisent donc pas à une situation rationnelle pour la collectivité (l'ensemble des individus). La solution coopérative serait préférable, mais elle pose le problème du respect des engagements pris (rien ne contraint les individus s'étant engagés à se taire à rester fidèles à leur promesse). Or les situations de type dilemme du prisonnier sont nombreuses : cartel (OPEP par exemple), guerre des prix, campagnes publicitaires rivales, etc.

Les apports de la théorie des jeux sont à la fois stimulants (il s'agit d'une nouvelle façon d'aborder certaines situations, notamment la concurrence imparfaite) et décevants (il semble très difficile de trouver des solutions uniques, efficientes et réalistes).

→ *Assurance, Effet émergent d'agrégation (ou de composition ou effet émergent), Néo-classique (Économie, Théorie), Optimum.*

JEUX RÉPÉTÉS

Situation envisagée par la théorie des jeux dans laquelle le même jeu est reproduit à plusieurs reprises. Le comportement des joueurs prend en compte les possibilités de réaction dans les étapes ultérieures (représailles) ce qui permet d'interpréter les phénomènes tels que la réputation et la crédibilité.

→ *Jeux (Théorie des).*

JEVONS (William Stanley)

→ *Néo-classique (Économie, Théorie).*

JOINT-VENTURE

(Terme anglais ; littéralement « entreprise risquée en commun », co-entreprise).

Filiale commune à deux ou plusieurs entreprises indépendantes et créée d'un commun accord, sans qu'aucune ne la domine quel que soit le montant de sa participation. Cette technique financière est un moyen de collaboration entre sociétés pour la réalisation d'un même projet difficile (développement d'un nouveau produit par exemple) ; elle est souvent utilisée dans le cadre d'une coopération économique internationale.

JUGLAR (Clément)

Économiste français (1819-1905) connu pour avoir mis en évidence le caractère périodique des crises et leur intégration dans des cycles dont la durée varie de six à dix ans.

Il montre l'interdépendance des phénomènes « réels » et des phénomènes monétaires dans le déroulement de ces cycles qui portent aujourd'hui son nom.

♦ Ouvrage principal : *Les crises commerciales et leur retour périodique en France, en Angleterre et aux États-Unis*, 1862.

⟶ *Cycles.*

JUSTICE SOCIALE

> Ensemble des principes qui régissent la définition et la répartition équitable des droits et des devoirs des membres de la société.

L'économie normative contemporaine fait référence à plusieurs courants de la philosophie politique et morale ; ceux-ci se distinguent par les réponses qu'ils proposent à cette question de la construction d'une société juste :

– les *utilitaristes*, tels que John Harsanyi, font de la maximisation du bien-être du plus grand nombre d'individus le critère de la justice sociale ; ce bien-être collectif est un agrégat des satisfactions des préférences individuelles ; une action est juste si elle a pour conséquence de maximiser le bien-être de tous les individus concernés par cette action ;

– les *libertariens*, tels que R. Nozick, placent au-dessus de toute autre valeur le respect de la liberté de choix individuelle dans le cadre d'un système de droits de propriété qui garantit que la liberté des uns n'est pas menacée par la liberté des autres ; dans une telle société, est juste toute transaction entre individus résultant d'un libre accord de leurs volontés ;

– le *libéralisme égalitaire*, tel que l'a défini John Rawls, cherche à conjuguer la liberté pour chacun de mener la vie qui lui semble bonne — c'est le versant libéral — avec le souci d'offrir à chacun les mêmes chances d'atteindre cet objectif — c'est le versant égalitaire, au sens d'équitable ; une telle société garantit d'abord les libertés individuelles, mais elle se soucie de l'égalité des chances et ne tolère que les inégalités qui sont compatibles avec la maximisation de la situation des membres les plus désavantagés ;

– le *marxisme* part du principe que la liberté réelle implique l'égalité réelle ; la société juste est donc celle qui a aboli l'exploitation de l'homme par l'homme et dans laquelle on applique la règle de « chacun selon ses capacités, à chacun selon ses besoins » ;

– les *communautariens*, tels que C. Taylor, récusent toutes les théories fondées sur l'hypothèse d'un individu souverain, indépendant des autres ; selon eux, il faut partir de la réalité indépassable d'individus socialisés dans des groupes distincts les uns des autres par leur histoire et leur culture ; dès lors, la société juste est celle qui recherche le bien commun tel qu'il est défini par les membres d'une même communauté.

⟶ *Égalité, Équité, Rawls.*

K

KAHN (Richard F.)

Économiste anglais ayant exposé en 1931 la théorie du multiplicateur d'emploi : l'emploi primaire créé dans une branche va occasionner une distribution de revenus supplémentaires, donc des dépenses supplémentaires ; pour satisfaire cette augmentation de la demande, il faut produire plus, donc créer des emplois secondaires ; le multiplicateur correspond au nombre d'emplois secondaires créés pour chaque emploi primaire.

→ *Keynes, Multiplicateur.*

KALDOR-VERDOORN (Loi de)

Relation, initialement connue sous le nom de « loi de Verdoorn » (1948) avant d'être reprise par N. Kaldor (1966), et qui établit un lien de causalité entre le taux de croissance (du produit) et le taux de croissance de la productivité, d'une part, et l'emploi, d'autre part.

Cette relation empiriquement tirée de l'observation statistique est bien à entendre ainsi : la croissance économique est à l'origine des gains de productivité (et non l'inverse).

Kaldor, refusant l'intégration du progrès technique à une fonction de production, construit une « fonction de progrès technique » reliant le taux de croissance du produit par travailleur (indicateur de productivité du travail) au taux de croissance du capital par travailleur. La croissance de la productivité, pour un niveau de progrès technique donné, non incorporé, s'explique en premier lieu par des rendements d'échelle croissants (économies d'échelle) qui réduisent les coûts unitaires. D'autres facteurs expliquent la relation : un fort taux de croissance permet une incorporation plus rapide du progrès technique aux équipements, plus vite déclassés et renouvelés ; les anticipations sont favorables aux investissements de Recherche et Développement, eux-mêmes plus facilement financés. Dès lors, toute réduction de la demande, interne ou externe, par des politiques déflationnistes (Kaldor dénonce la politique économique thatchérienne), en ralentissant la croissance, dégrade la productivité et donc la compétitivité-prix et donc en retour la demande et la croissance…

♦ La loi de Kaldor-Verdoorn est au cœur de la controverse sur l'interprétation de l'origine de la crise de 1974-1975 : elle conduirait à considérer le ralentissement de la productivité non comme la conséquence d'un hypothétique ralentissement du progrès technique antérieur au premier choc pétrolier mais comme la conséquence de l'effet récessif de ce choc.

KANTOROVITCH (Leonid Vitalievitch)

→ Annexe : Prix Nobel d'économie.

KENNEDY ROUND

→ GATT.

KEYNES (John Maynard)

Économiste britannique (1883-1946). Son œuvre a exercé une influence considérable sur la pensée et les politiques économiques contemporaines.

L'analyse keynésienne s'oppose à la théorie néo-classique sur des points essentiels :

– macroéconomique, elle établit d'emblée des relations entre des agrégats au niveau le plus global : le fonctionnement général d'une économie ne peut être déduit de l'agrégation (c'est-à-dire de la somme) des comportements individuels, il a sa logique propre ;

– elle privilégie le circuit (approche en termes de flux) contre le marché ;

– elle place l'incertitude au cœur de l'analyse ;

– elle cesse de considérer la monnaie comme un simple lubrifiant. La monnaie n'est pas neutre, elle n'influence pas seulement le niveau des prix mais également le niveau de la production ;

– elle accorde une grande importance aux anticipations des agents ; celles-ci ne sont pas entièrement rationnelles puisque le futur est incertain ;

– elle intègre l'État, acteur essentiel, et préconise son intervention pour pallier les défaillances de l'économie du marché.

Outre ses analyses novatrices sur la monnaie, l'axe majeur de l'œuvre de Keynes est constitué par la théorie de l'emploi. Le niveau de l'emploi dépend de la *demande effective* qui correspond à son tour au volume de production décidé par les entrepreneurs en fonction de leurs anticipations sur les ventes et la rentabilité des investissements. Or, contrairement aux thèses classiques, rien ne garantit que ce volume de production corresponde au plein-emploi. Dans certaines circonstances, un équilibre durable de sous-emploi peut s'établir.

♦ Les ajustements par le marché, loin de réduire le chômage, peuvent aggraver la situation : augmentation de la préférence pour la liquidité — et donc du niveau des taux d'intérêt —, baisse des investissements des entreprises...

Dans ces conditions, il appartient à l'État de relancer la demande en agissant sur la consommation et/ou l'investissement. L'augmentation des dépenses étatiques (distribution de revenus, offre de débouchés aux entreprises, notamment par le biais de grands travaux) a le même effet amplifié que le multiplicateur d'investissement. L'activité économique relancée agit favorablement sur l'emploi (embauches directes et indirectes). Cette politique implique la pratique d'un déficit budgétaire qui sera réduit à terme par l'augmentation des recettes fiscales générée par la croissance retrouvée.

Par ailleurs, une politique monétaire conséquente (injection de liquidités, baisse des taux d'intérêt) stimule la décision d'investir. Ainsi, pour Keynes, l'intervention de l'État s'avère nécessaire pour sortir l'économie du sous-emploi et de la crise ; elle constitue le remède obligé pour restaurer l'efficacité du capitalisme.

Keynes reste à bien des égards un libéral. Le capitalisme est le meilleur système à condition qu'il « soit intelligemment dirigé », selon ses propres termes.

♦ Ouvrages principaux : *Essai sur la réforme monétaire* (1923) ; *Traité sur la monnaie* (1930) ; *Théorie générale de l'emploi, de l'intérêt et de la monnaie* (1936).

——▶ *Anticipations, Circuit économique, Convention (selon Keynes), Demande, Emploi, Incertitude, IS-LM (Modèle), Keynésianisme/ Keynésien(s), Multiplicateur, Mundell Fleming (Modèle de), Préférence pour la liquidité, Sous-emploi ; Annexe 15.*

KEYNÉSIANISME, KEYNÉSIEN(S)

Ensemble des théories et des politiques économiques inspirées à des degrés divers par l'œuvre de Keynes.

La pensée de Keynes a donné lieu à des interprétations diverses.

Tout un courant dominant s'est efforcé de réaliser la synthèse entre les analyses néo-classique et keynésienne : en témoignent les travaux de Hicks (son schéma IS/LM) et de Samuelson. Plus récemment, la « théorie du déséquilibre », courant représenté en France par E. Malinvaud et B. Benassy, reformule l'équilibre général en intégrant certaines hypothèses de Keynes (rigidité des prix en courte période).

D'autres théoriciens insistent au contraire sur la rupture entre Keynes et l'économie classique. C'est le cas de l'École de Cambridge, avec J. Robinson, et de certains économistes français (Barrère, Fitoussi, Poulon).

Enfin, des successeurs de Keynes, en élargissant son analyse à la longue période, ont élaboré des modèles de croissance spécifiant les conditions de l'équilibre sur les marchés. Les plus connus sont ceux de Harrod, Domar et Kaldor.

Les politiques dites keynésiennes désignent d'abord les politiques anti-crise de relance par la demande. Plus largement, elles englobent les politiques sociales et les politiques de plein-emploi développées après la Seconde Guerre mondiale à partir des rapports Beve-

ridge (1942 et 1944) qui constituent leur soubassement doctrinal. En règle générale, les politiques d'inspiration keynésienne relativisent l'efficacité de l'instrument monétaire et privilégient l'action par le budget.

——▶ *Déséquilibre (Théorie du), École de Cambridge (Nouvelle), Emploi, État-providence, Hicks, IS-LM (Modèle), Keynes, Malinvaud, Politique budgétaire, Politique économique ; Annexes 15, 19, 20, 23.*

KITCHIN

——▶ *Cycles.*

KLEIN (Lawrence R.)

——▶ *Annexe : Prix Nobel d'économie.*

KONDRATIEFF

——▶ *Cycles.*

KONZERN

Terme allemand, créé après la Première Guerre mondiale, désignant un groupe d'entreprises participant souvent au même processus de production (sidérurgie, par exemple), soumises à une direction unique, mais qui conservent cependant des identités juridiques distinctes. L'intégration est réalisée par le biais de participations financières croisées : l'entreprise A possède une partie du capital en actions de l'entreprise B, et inversement.

——▶ *Concentration (des entreprises), Conglomérat, Entente, Trust.*

KOOPMANS (Tjalhing Charles)

——▶ *Annexe : Prix Nobel d'économie.*

KRACH

Effondrement des cours des valeurs mobilières sur le marché boursier ; sa durée est variable (plusieurs jours, plusieurs semaines, parfois plusieurs mois...) et le niveau antérieur des cours n'est pas retrouvé rapidement.

Dans le cycle économique classique, un krach boursier déclenche fréquemment la crise et la dépression (sans pour autant en être la cause fondamentale) : il entraîne des difficultés et des faillites bancaires, la crise du crédit (*credit-crunch*) et, de proche en proche, de graves difficultés pour les entreprises industrielles et commerciales. D'abord à travers le phénomène de la déflation par la dette (*debt-deflation*, analysée par I. Fisher en 1933) : plus les débiteurs liquident leurs actifs pour acquitter leurs dettes, plus les prix baissent et plus la valeur réelle des dettes restantes augmente. Ensuite, à cause de l'« effet de richesse » : la dévalorisation par le krach des patrimoines financiers conduit à leur reconstitution par augmentation de l'épargne au détriment de la consommation. Enfin, par la diminution des capacités d'emprunt des entreprises du fait de l'effondrement de leur capitalisation boursière.

De nos jours, les krachs boursiers n'ont pas disparu, comme le montre éloquemment l'épisode d'octobre-novembre 1987 (la chute des cours à Wall Street fut même plus forte en une journée que celle du Jeudi noir, en octobre 1929), la chaude alerte d'octobre 1989, le krach immobilier et financier japonais de 1990, le krach des bourses asiatiques en 1997 et ses répercussions à Wall Street en septembre 1998, et surtout le « e-krach » des valeurs de la nouvelle économie le 10 mars 2000, accentué en décembre 2000, l'indice NASDAQ (indice américain des valeurs technologiques) ayant perdu plus de 60 % de sa valeur en moins d'un an... Tout cela manifeste la fragilité financière systémique d'une économie mondialisée dérégulée.

♦ L'explication financière des krachs est, le plus souvent, fournie par ce qui précède : une envolée des cours sans commune mesure avec l'évolution de l'activité économique ; souvent dénommée « bulle financière », celle-ci est alimentée par une spéculation effrénée ; les cours ne sont plus fixés en fonction de la valeur intrinsèque des entreprises mais des anticipations « haussières » (la hausse nourrit la hausse).

→ ► *Bourse des marchandises, Bourse des valeurs, Bulle financière, Crise, Crise financière.*

KRUGMAN (Paul R.)

Économiste américain qui contribue largement au renouvellement actuel de l'économie internationale.

Krugman reprend et dépasse les approches traditionnelles d'un échange international reposant sur des différences de productivité (Ricardo) ou des différences de dotation des facteurs de production (HOS : Hecksher, Ohlin, Samuelson) ; cet échange aboutit à une spécialisation interbranche, entre pays de spécialisation et éventuellement de développement différents, chaque pays se spécialisant dans l'activité dans laquelle il dispose d'un avantage comparatif (Royaume-Uni dans le textile et Portugal dans le vin, selon l'exemple de Ricardo).

Krugman systématise la remise en cause des hypothèses traditionnelles de la concurrence et des rendements décroissants : si les rendements sont croissants, la spécialisation internationale trouve d'autres fondements, chaque pays pouvant rechercher dans la spécialisation un moyen de bénéficier des économies d'échelle, ce qui explique un commerce intrabranche entre pays de niveau de développement analogue.

Deux pays peuvent avoir intérêt à produire, l'un des batteries et l'autre des carburateurs si, pour chacun, l'augmentation de la taille des marchés permet des économies d'échelle : c'est ainsi que la France et l'Allemagne développent des échanges intrabranche, dans la branche automobile par exemple.

→ *Commerce international, Hecksher-Ohlin-Samuelson (Théorème HOS), Monopole naturel, Ricardo.*

KULA

Système d'échanges d'objets cérémoniels pratiqué par les indigènes d'îles mélanésiennes (îles Trobriand en particulier).

Ces échanges prennent la forme de cadeaux qui devront être rendus ultérieurement (dons et contre-dons) ; ils lient des partenaires réguliers et s'effectuent selon un parcours circulaire où transitent dans un sens des colliers et en sens inverse des bracelets.

Étudiée par Malinowski et Mauss, la kula est un exemple d'échanges de biens s'effectuant sans monnaie et dont la signification dépasse la logique marchande, l'aspect utilitaire étant très secondaire dans la transaction.

→ *Don, Échange, Potlatch ; Annexe 35.*

KUZNETS (Simon)

→ *Annexe : Prix Nobel d'économie.*

LAFFER (Courbe de)

Courbe construite par l'économiste américain Arthur Laffer, dans l'intention de démontrer qu'au-delà d'une certaine pression fiscale, toute augmentation du taux d'imposition diminue les recettes fiscales au lieu de les augmenter. « Trop d'impôt tue l'impôt. »

Face à une hausse des prélèvements obligatoires, les actifs réduisent leur offre de travail — le choix à la marge entre travail et loisir s'effectue au détriment du travail, du fait de la baisse du coût d'opportunité du loisir — et les détenteurs de capitaux renoncent à investir, puisque les gains anticipés seraient amputés par l'impôt. Il en résulte un ralentissement de l'activité économique, une perte de richesses, donc un manque à gagner pour l'État lui-même.

Derrière le schéma, l'idée défendue est simple : les barèmes et les taux progressifs qui pénalisent les plus riches ont surtout pour effet de décourager les individus les plus entreprenants, ceux dont dépend le dynamisme de l'économie.

♦ La baisse des taux d'imposition par l'administration Reagan aux États-Unis, au début des années 1980, conformément aux vœux des théoriciens de l'offre comme A. Laffer, n'a pas eu les effets attendus : le taux d'épargne a poursuivi sa baisse, le déficit budgétaire et l'endettement de l'État ont connu une progression spectaculaire et la relance qui en fut la conséquence a semblé davantage conforme au schéma keynésien des théoriciens de la demande ; enfin, les inégalités de revenu après impôt se sont creusées. La courbe de Laffer n'a pas de véritable fondement théorique.

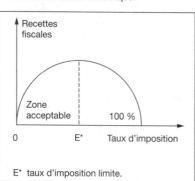

E* taux d'imposition limite.

⟶ *Économie de l'offre, Impôt, Politique économique conjoncturelle.*

LAFFONT (Jean-Jacques)

Économiste français né en 1947, qui a largement contribué au renouvellement de la microéconomie et de la théorie de l'équilibre général, par la prise en compte des asymétries d'informations et de l'imperfection de la concurrence.

Il est l'un des fondateurs de la théorie des incitations et en développe des applications dans le domaine de l'assurance, de l'économie industrielle, de l'économie publique et donc de la réglementation.

L'Association économique européenne a créé en 1993 un prix destiné aux jeunes économistes européens et l'a attribué à J.J. Laffont et J. Tirole.

♦ Ouvrages principaux : *Incentive in public decision making* (1979 avec Green) ; *Fondements de l'économie publique* (1982) et *Économie de l'incertain et de l'information* (1985) ; *A Theory of Incentives in Regulation and Procurement* (1993, en collaboration avec J. Tirole).

⟶ *Microéconomie (nouvelle).*

LAÏCITÉ

Principe de séparation entre l'instance religieuse et la sphère publique. L'État, l'École publique, les institutions politiques sont dégagés de toute immixtion de la part des autorités et des institutions religieuses.

La république française, pionnière en ce domaine, a érigé solennellement la laïcité, en fondant l'école laïque (lois scolaires de 1881-1882) et en édictant la loi de séparation de l'Église et de l'État (1905).

La laïcité ne signifie pas l'interdiction des activités religieuses. La loi de 1905 « garantit le libre exercice des cultes » (art. 1er). En revanche, « la République ne reconnaît aucun culte » (art. 2) ; les croyances et les pratiques liées aux croyances ressortent du domaine privé.

La laïcité à la française a peu d'équivalents à l'étranger, même si la laïcisation de fait est une tendance répandue. Aux États-Unis, s'il y a bien séparation des Églises et de l'État, la religion reste une référence quasi officielle (le Président prête serment sur la Bible).

⟶ *Républicain (Modèle), Sécularisation.*

LAISSER-FAIRE

⟶ *Libéralisme.*

LASPEYRES

⟶ *Indice.*

LÉGITIMITÉ

Qualité de ce qui est accepté et reconnu par les membres d'une société.

En science politique : il convient de distinguer la légitimité de la *légalité* qui définit ce qui est conforme à la loi.

La légitimité du pouvoir peut se fonder sur Dieu, la force, la durée, la légalité de l'investiture, la légalité des actes, le respect réel des droits de l'homme.

♦ La théorie de la légitimité de droit divin procède de saint Paul et de son *Épître aux Romains* où il affirme : « Il n'y a point d'autorité qui ne vienne de Dieu et les autorités qui existent ont été instituées de Dieu. »

Si, dans les démocraties, légalité et légitimité coïncident le plus souvent, de nombreux exemples dans l'histoire de la France prouvent que les deux notions ne se recouvrent pas toujours : Napoléon Ier était-il légitime parce que continuateur de la Révolution, ou usurpateur illégitime pour la même raison ? Qui de Pétain ou de De Gaulle incarnait la légitimité sous l'Occupation ?

En sociologie : le point de départ est celui de la définition générale (ce qui est reconnu et accepté), mais les mécanismes et les domaines de la légitimité sont accentués différemment.

Pour Max Weber, la légitimité qui confère l'autorité se fonde soit sur la tradition, soit sur le charisme, soit encore sur ce qu'il appelle l'« autorité rationnelle-légale » (ensemble de règles légales considérées comme rationnelles et donc valides), caractéristique des organisations modernes. Il applique d'abord la notion au pouvoir étatique. La légitimité de l'État entraîne celle de ses attributs. Ainsi, l'État « revendique avec succès, pour son propre compte, le monopole de la violence légitime ».

Max Weber parle également d'*ordre légitime* pour signifier la façon dont l'ordre social s'efforce d'être reconnu par l'ensemble des groupes sociaux, en particulier par ceux que cet ordre défavorise.

Des sociologues contemporains comme Bourdieu et ses disciples, influencés à la fois par Marx et Weber, replacent la légitimité dans le cadre des rapports de domination entre groupes sociaux.

En ce sens, la *culture légitime* est celle qui, sanctionnée par les diplômes, est plus largement la culture des groupes socialement dominants ; les groupes dominés la reconnaissent comme la culture par excellence (elle confère l'honneur social), bien qu'ils en soient souvent exclus.

♦ Toute institution cherche à acquérir et/ou conserver une légitimité : on désigne par légitimation le processus mis en œuvre par les acteurs sociaux pour faire reconnaître leur compétence, leur statut ou le pouvoir qu'ils détiennent.

La diversité des sources de la légitimité explique les nombreux conflits de légitimité qui ponctuent l'histoire des sociétés.

➤ *Autorité, Domination, État, Pouvoir.*

LEIJONHUFVUD

➤ *Déséquilibre (Théorie du).*

LÉNINE (Vladimir Ilitch Oulianov, dit)

Révolutionnaire et théoricien marxiste russe (1870-1924), organisateur de la révolution d'Octobre 1917 ; fondateur de l'Union soviétique et de la IIIᵉ Internationale communiste.

Ses analyses essentielles sont les suivantes :

– *sur le capitalisme :* l'impérialisme en est le stade suprême, caractérisé par la domination d'un capital financier (fusion du capital bancaire et du capital industriel) ;
– *sur l'organisation du parti :* centralisme démocratique ; discipline et professionnalisme d'une avant-garde de propagandistes et d'agitateurs apportant aux ouvriers la conscience politique de classe ;
– *sur l'État :* la dictature du prolétariat doit être différente de la dictature de la bourgeoisie car elle est la dictature d'une majorité.

♦ Ouvrages principaux : Le *développement du capitalisme en Russie* (1899) ; *Que faire ?* (1902) ; *L'impérialisme, stade suprême du capitalisme* (1916) ; *L'État et la Révolution* (1917) ; *Le gauchisme, maladie infantile du communisme* (1920).

➤ *Communisme, Marxisme.*

LEONTIEFF (Wassily)

➤ *Annexe 17, Annexe : Prix Nobel d'économie.*

LE PLAY (Frédéric)

Sociologue français (1806-1882), considéré comme l'un des fondateurs de la sociologie par enquête. Il est, notamment, l'auteur d'études monographiques sur les budgets familiaux. Privilégiant le rôle de la famille dans la société, il considère que le but de la vie économique doit être la paix sociale. La Société d'économie sociale qu'il a fondée en 1856 a eu une grande influence sur le catholicisme social et le mouvement patronal.

♦ Ouvrages principaux : Les *ouvriers européens* (1855) ; *La réforme sociale en France* (1855) ; *L'École de la paix sociale, son histoire, sa méthode, sa doctrine* (1881).

➤ *Annexe 28.*

LETTRE DE CHANGE

➤ *Effet de commerce.*

LÉVI-STRAUSS (Claude)

Anthropologue français, né en 1908, qui a joué un rôle important dans le développement du structuralisme.

Appliquant à l'anthropologie les concepts linguistiques de structure et de relations structurales, il a d'abord étudié les systèmes de parenté des sociétés primitives. Par-delà les modalités parfois très complexes des règles de mariage, il met en évidence des structures simples régissant l'échange des femmes entre les groupes. Dans la prohibition de l'inceste, il voit « moins une règle qui interdit d'épouser mère, sœur ou fille, qu'une règle qui oblige à donner mère, sœur ou fille à autrui ». Les règles matrimoniales, comme le langage, ont donc pour fonction d'assurer l'échange et la communication entre humains.

À partir de 1964, il applique la méthode structurale à l'étude des mythes. En comparant des versions différentes des mythes indiens d'Amérique, il tente de dégager des systèmes d'oppositions pertinentes capables de faire apparaître une signification à ces élaborations collectives inconscientes dans lesquelles on peut lire l'image que les hommes se font du monde et d'eux-mêmes.

♦ C'est ainsi que, dans *Le Cru et le Cuit* (*Mythologiques I*), il soutient que les termes culinaires peuvent être utilisés pour penser d'autres réalités, le cru symbolisant la nature et le « cuisiné » la culture.

♦ Ouvrages principaux : *Les structures élémentaires de la parenté* (1949) ; *Tristes tropiques* (1955) ; *Anthropologie structurale I* (1958) et *II* (1973) ; *Mythologiques* (1964-1971, 4 volumes) ; *Le regard éloigné* (1983).

⟶ ► *Inceste (Prohibition de l'), Mythe, Parenté, Structuralisme ; Annexe 41.*

LEWIS (sir Arthur)

⟶ ► *Annexe : Prix Nobel d'économie.*

LIBÉRALE (Politique économique)

Les politiques économiques libérales trouvent leur inspiration dans les théories économiques classiques et néo-classiques, et visent deux objectifs complémentaires : une intervention minimale de l'État et le libre jeu du marché. En outre, elles s'insèrent le plus souvent dans des politiques économiques qui privilégient la lutte contre l'inflation par rapport à la lutte contre le chômage.

Mais il faut en fait constater le décalage possible entre la construction théorique libérale et les doctrines ou politiques libérales effectives.

♦ De nombreux exemples historiques montrent comment les politiques se référant au libéralisme peuvent s'éloigner sensiblement des modèles théoriques : c'est ainsi que les courants libéraux peuvent prôner le protectionnisme ou réclamer une intervention de l'État, pour opérer une relance par exemple. De même, les libéraux ne sont en général pas hostiles à une intervention de l'État sur les salaires… lorsque cela se traduit par une rigueur accrue.

1. La politique conjoncturelle d'inspiration libérale donne la priorité à la politique monétaire sur la politique budgétaire.

En matière budgétaire, le libéralisme préconise trois objectifs, qui peuvent se révéler contradictoires :
– une compression des dépenses publiques : l'intervention de l'État ne doit pas supplanter les initiatives privées ;
– une compression des charges fiscales : la fiscalité ne doit ni décourager les individus, ni fausser le jeu du marché ;
– une élimination du déficit public : celui-ci est financé soit par la création de monnaie, ce qui est inflationniste, soit par l'emprunt, ce qui engendre des effets d'éviction au détriment du secteur privé.
En matière monétaire, le libéralisme, se traduit par :
– la priorité accordée à la lutte contre l'inflation ;

– le rejet d'un financement du déficit public par l'émission de monnaie ;
– le refus des instruments de la politique monétaire, tels que l'encadrement du crédit, qui faussent le jeu du marché ;
– une préférence pour l'action par les taux d'intérêt ou par le contrôle de la base monétaire.
Les pays de l'Union européenne voient leur politique conjoncturelle nationale — notamment monétaire, mais également budgétaire — contrainte par ce cadre européen.

2. Les politiques économiques libérales ont depuis quelques années des objectifs structurels pour assurer un meilleur fonctionnement du marché :
– sur le marché des produits : libération des prix et politique de concurrence ;
– sur les structures de production : privatisation des entreprises publiques ;
– sur le marché du travail : flexibilité de l'emploi et des salaires (suppression ou atténuation du SMIC) ;
– remise en cause de l'État-providence : retrait de l'État dans des domaines tels que l'éducation, la protection sociale.

→ *Concurrence, État, Hayek, Marché, Néo-libéralisme, Optimum.*

LIBÉRALE (Théorie)

→ *Classique(s) (Économies, économistes), Libéralisme, Néo-classique (Économie, théorie).*

LIBÉRALISATION (des échanges)

Ensemble de mesures tendant à faciliter le développement des échanges internationaux en supprimant les obstacles douaniers ou d'autre nature.

→ *Avantage (absolu, comparatif), Europe communautaire (histoire des communautés européennes), Europe (union ou intégration économique), GATT, Libre-échange (Théorie du), Protectionnisme.*

LIBÉRALISME

Ensemble d'idées, de doctrines, de théories, parfois très différentes, s'appliquant aux aspects de la vie de l'homme en société — tels que l'éthique, le politique, l'économique —, qui sont fondées sur l'affirmation première du principe de liberté. Les principaux clivages résultent par conséquent de la diversité des conceptions de la liberté et des domaines d'application de la pensée libérale.

On doit d'abord distinguer le libéralisme politique du libéralisme économique.

Le *libéralisme politique* est fondé sur la notion de droits naturels de l'homme dont dérivent des droits politiques (droit de participer aux décisions collectives, protection contre l'arbitraire, pluralisme).

♦ *Droits naturels de l'homme :* sûreté de la personne, droit de penser, d'expression, d'association, etc. ; une excellente illustration en est fournie par la Déclaration d'indépendance des États-Unis d'Amérique rédigée par Jefferson : « Tous les hommes sont créés égaux ; ils sont dotés par le Créateur de certains droits inaliénables ; parmi ces droits se trouvent la vie, la liberté et la recherche du bonheur. »

Le *libéralisme économique* est fondé sur la notion de droits économiques : droit à disposer librement de sa force de travail (contre l'esclavage) et des produits de son travail (légitimation de la propriété privée), liberté d'échanger, de contracter, d'entreprendre, etc., ce qui justifie l'économie de marché, mais n'exclut *a priori* ni l'intervention de l'État (lorsque le marché est en échec et que les personnes concernées donnent leur accord), ni d'autres formes d'organisation (associations, coopératives, etc.).

Ces deux types de libéralisme ne coïncident pas toujours, comme le démontrent la pratique du libéralisme économique par des dictatures (par exemple le Chili sous Pinochet) ou le libéralisme politique de la majorité des économistes keynésiens.

De plus, la confusion est accrue par la référence, souvent implicite, à l'éthique libérale, laquelle se définit par une certaine tolérance en matière de mœurs, d'idées, de goûts.

Finalement, la gamme est étendue puisqu'elle va des *libertariens*, pour lesquels la liberté est une fin en soi et qui ne supportent aucune limitation à l'autonomie individuelle, rejetant toute intervention de l'État, jusqu'aux *utilitaristes* qui voient seulement dans la liberté le moyen le plus efficace, mais non l'unique moyen, d'obtenir le maximum de bien-être matériel, en passant par ceux qui adoptent des définitions variées de l'État minimal. L'accord se fait généralement sur les fonctions « régaliennes » de l'État (armée, justice, police), mais il n'en va pas de même pour d'autres aspects, par exemple l'existence d'une monnaie publique (rejetée par Hayek).

♦ Mais le libéralisme n'est pas l'anarchisme, il postule l'existence d'un ordre social ; se pose alors un dilemme : comment concilier la liberté individuelle, le refus de toute contrainte extérieure, et l'ordre social ? Hayek donne une réponse en affirmant que l'ordre libéral est spontané (les premiers libéraux parlaient d'« ordre naturel »).

⟶ *Classique(s) (Économie, économistes), Démocratie, Libérale (Politique économique), Marché, Néo-classique (Économie, théorie) ; Annexes 2, 5.*

LIBÉRATOIRE (Pouvoir)

⟶ *Pouvoir libératoire (de la monnaie).*

LIBERTÉS PUBLIQUES

Ensemble des droits et prérogatives reconnus aux individus, pris isolément ou associés, face à la puissance publique. Les libertés publiques sont constitutives de la démocratie. Elles sont fixées par la loi et garanties par la Constitution (en France, de nos jours, la Constitution de 1958).

Les libertés publiques ont pour origines historiques la révolution libérale anglaise du XVIIᵉ (l'*Habeas Corpus* de 1679), la Constitution américaine de 1787 lors de l'indépendance des jeunes États-Unis et surtout la Déclaration des Droits de l'homme et du citoyen de 1789, acte fondateur de la Révolution française. Elles n'ont cependant été acquises que progressivement (par exemple, la liberté de la presse), surtout en ce qui concerne celles qui n'étaient pas reconnues au départ (libertés collectives dans la sphère du travail).

On peut les classer en quatre grandes catégories :
– *les libertés de la personne* : liberté de circulation, d'opinion et de conscience (en particulier religieuse) ;
– *les libertés d'expression collective* : liberté de réunion, liberté de la presse ;
– *les libertés liées à l'activité économique* : liberté d'entreprendre, liberté du travail ;
– *les libertés liées à l'action collective* : liberté syndicale, droit de grève.

⟶ *Démocratie, Libéralisme.*

LIBRE-ÉCHANGE (Théorie du)

Théorie et doctrine qui, appliquant les thèses libérales aux échanges internationaux, préconise la spécialisation internationale et la suppression de toute entrave aux échanges. Au « laisser faire » du libéralisme concurrentiel correspond ainsi le « laisser passer » du libre-échange.

Premier grand théoricien du libre-échange, A. Smith prolonge, au niveau international, ses analyses de la division du travail, montrant que chaque pays doit se spécialiser dans le domaine dans lequel il est le meilleur.

Ricardo renforce ces conclusions en montrant que le libre-échange est bénéfique, même dans le cas où un pays est meilleur qu'un autre pour toutes les productions. Le théorème HOS (Hecksher-

Ohlin-Samuelson) pose le principe selon lequel chaque pays doit s'ouvrir aux échanges et se spécialiser dans les activités productives qui utilisent largement les facteurs de production abondants et peu chers et qui économisent les facteurs de production rares et chers. Ces théories fondent le libre-échange et voient d'un œil peu favorable les zones d'intégration économique régionale, telles que le Marché commun européen.

♦ Toutefois, cette théorie fait l'objet de critiques en raison de ses hypothèses très strictes : l'hypothèse concurrentielle, qui envisage des échanges internationaux à partir d'entreprises de petite taille et qui sont *price taker*, n'est pas conforme à la réalité des échanges internationaux dominés par des grandes entreprises. L'hypothèse statique envisage les dotations en facteurs de production sans s'interroger sur l'origine de la division internationale du travail ; c'est la raison pour laquelle le protectionnisme cherche des arguments dans une vision dynamique des économies pour justifier la protection des économies naissantes.

L'argument libre-échangiste se renouvelle aujourd'hui et souligne les effets positifs de la concurrence et de la concentration, s'appuyant, en particulier, sur la théorie des marchés contestables.

⟶ *Avantage (absolu, comparatif), Commerce international, Division internationale du travail (DIT), Europe (union ou intégration économique), GATT, Hecksher-Ohlin-Samuelson (Théorème HOS), Internationalisation, Krugman, Libéralisme, Marchés contestables (Théorie des), Price taker/Price maker, Protectionnisme, Smith ; Annexe 5.*

LICENCE

⟶ *Brevet (d'invention).*

LIEN SOCIAL

Ce qui rattache les individus et les groupes les uns aux autres. Il peut s'agir de liens directs (ou relations « primaires ») basés sur l'interconnaissance : lien conjugal, familial, relations amicales, relations de voisinage, etc., ou de liens indirects tissés par la médiation d'institutions complexes : monde professionnel, associations, syndicats, partis, etc.

Trois types de liens jouissent d'un statut particulier dans les sciences sociales : l'échange marchand (le commerce, vecteur de relations), l'échange non marchand (circulation de biens symboliques, l'échange des femmes dans les sociétés traditionnelles, etc.), enfin le lien politique basé sur des sentiments de solidarité dans une collectivité nationale.

Les relations primaires, souvent fortes, sont faites aussi d'affrontements. L'échange marchand « fait lien » bien qu'il n'associe pas toujours des partenaires égaux ; les relations dites « secondaires » mêlent solidarité et rapports de forces ; plusieurs sociologues (entre autres, Simmel) ont souligné que les conflits, loin de se réduire à une adversité irréductible, engendrent le débat et la négociation, lesquels impliquent un minimum de reconnaissance mutuelle.

Depuis les années 1980, on évoque fréquemment le « relâchement des liens sociaux » ou encore la « perte du lien social ». Sont tour à tour invoqués la crise de l'institution familiale (fragilisation du couple, instabilité de la cellule nucléaire), le chômage massif, la précarisation des emplois et le déclin de la place du travail, la destructuration de communautés locales, l'individualisation des expériences et des trajectoires, etc. La prudence s'impose sous peine de verser dans le catastrophisme. Si dans le cas des processus d'exclusion et de marginalisation subies, le diagnostic semble pertinent (les exclus du travail ont souvent rompu leurs liens « primaires »), il est beaucoup plus problématique pour d'autres évolutions : la déconstruction de formes sociales, les phénomènes de désinstitutionnalisation n'impliquent pas nécessairement la perte de relations entre individus. Mieux vaut alors parler de *mutations du lien social.*

⟶ *Cohésion sociale, Communauté, Exclusion, Solidarité.*

LIGNAGE/CLAN

Groupes de filiation unilinéaires présents dans de nombreuses sociétés traditionnelles.

Lignage : groupe de personnes descendant d'un ancêtre commun, soit en ligne masculine (patrilignage), soit en ligne féminine (matrilignage).

La profondeur généalogique du lignage est variable (cinq ou six générations) mais l'ancêtre, est connu et déterminé. Le lignage est, sauf exceptions rarissimes, un groupe exogame. La propriété du sol est le plus souvent indivise. Le lignage (parfois le clan) organise la distribution des terres cultivées par les familles et les groupes de parenté. La croissance du groupe amène périodiquement la scission du lignage en *segments* rassemblant les personnes issues de tel ou tel descendant de l'ancêtre. C'est en ce sens que l'on parle de *sociétés segmentaires.*

Clan : regroupement de personnes qui affirment descendre d'un même ancêtre. À la différence du lignage, cet ancêtre est très lointain (ses descendants ne peuvent établir la chaîne généalogique complète qui les relie à lui) et le plus souvent mythique (il peut être associé à un animal totémique). Par ailleurs, le clan ne correspond pas forcément à une unité territoriale et ne constitue pas toujours un groupe exogame.

Clans et lignages sont généralement articulés. Le clan coiffe plusieurs lignages s'emboîtant les uns dans les autres. Alors que les lignages sont instables, périodiquement remaniés (segmentation), les clans sont des unités plus durables. L'importance de l'institution clanique est variable : dans certains cas, le clan contrôle un territoire continu, les différentes unités qui le composent sont rassemblées sous l'autorité politique d'un chef de clan ou d'un conseil des anciens ; dans d'autres cas, il ne se manifeste comme groupe organisé que de façon occasionnelle (guerres, cérémonies annuelles).

→ *Exogamie, Filiation, Sociétés segmentaires (ou lignagères), Tribalisme.*

LIQUIDITÉ

Aptitude d'un actif à être convertible en moyen de règlement, à bref délai et sans coût. Les différents actifs se caractérisent ainsi par une liquidité plus ou moins grande.

La monnaie constitue, par définition, un actif parfaitement liquide puisqu'elle sert au règlement des échanges. Les comptes d'épargne à vue présentent une liquidité moindre : ils ne peuvent donner lieu à émission de chèques, mais leur titulaire peut instantanément retirer ses fonds. D'autres actifs tels que les valeurs mobilières peuvent être convertibles en monnaie, mais avec une perte possible du capital. Enfin, certains actifs sont illiquides (immeubles, œuvres d'art), dans la mesure où leur conversion en monnaie exige du temps et peut impliquer une perte en capital.

Attention : ne pas confondre « liquidité », au singulier, qualité potentielle d'un actif, et « liquidités », au pluriel, qui désigne l'ensemble des moyens de paiement d'un pays ou d'une zone.

→ *Actifs, Monnaie.*

LIQUIDITÉ DE L'ÉCONOMIE (Taux de)

Ce taux s'exprime par le rapport entre un agrégat monétaire et un agrégat économique, par exemple : taux de liquidité de l'économie

$$= \frac{\text{masse monétaire}}{\text{produit intérieur brut}}$$

Il exprime le comportement de thésaurisation des agents économiques et varie à l'inverse de la vitesse de circulation de la monnaie.

→ *Épargne, Vitesse de circulation (de la monnaie).*

LIQUIDITÉS BANCAIRES

Ensemble des actifs détenus par les banques qui peuvent servir aux règlements entre la banque et l'extérieur : règlements interbancaires, règlements avec le Trésor, opérations sur devises.

Il s'agit de la monnaie Banque centrale — billets, mais surtout compte courant des banques à la Banque centrale — ou des créances qui peuvent facilement être échangées contre de la monnaie Banque de France (titres réescomptables).

→ *Banque, Banque centrale (Banque des banques), Monnaie, Politique monétaire.*

LIQUIDITÉS INTERNATIONALES

Les liquidités officielles correspondent aux réserves de change dont les Banques centrales disposent pour régler les déficits des balances des paiements. Elles comprennent : les avoirs en devises, en droits de tirage sur le FMI, les euros et les réserves en or. Les liquidités privées sont les avoirs en devises détenus par les banques et les entreprises.

→ *Système monétaire international (SMI).*

LIST (Friedrich)

Journaliste et économiste allemand (1789-1846). Favorable à l'union douanière entre les États allemands (*Zollverein*), il estime que le libre-échange sert avant tout les intérêts de la Grande-Bretagne. Il est partisan d'un protectionnisme permettant aux « industries dans l'enfance, industries naissantes », de se développer avant de se lancer dans l'échange international. Son influence a été considérable, notamment en Allemagne.

♦ Ouvrage principal : *Système national d'économie politique* (1840).

→ *Protectionnisme.*

LIVRE STERLING

Unité monétaire du Royaume-Uni. Dominante au XIXe siècle, elle a vu son importance décroître jusqu'à la fin des années 1970. En fait, la dévaluation de 1967 met fin à son rôle de monnaie de réserve et affaiblit son rôle international. En 2001, la Livre Sterling ne fait pas partie de la zone euro.

LOBBY(IES)/LOBBYING

→ *Groupe de pression.*

LOCALISATION

Au sens géographique : répartition dans l'espace des richesses naturelles, des activités économiques, des agglomérations urbaines, etc.
Au sens économique : stratégie des entreprises relative aux lieux d'implantation de leurs unités de production.

Les théories de la localisation tentent de rendre compte des différents facteurs expliquant les choix d'implantation des entreprises (infrastructure, main-d'œuvre, marchés locaux).

→ *Délocalisation.*

LOCKE (John)

Philosophe anglais (1632-1704), père de l'individualisme libéral, théoricien de la révolution anglaise (1688) et de la propriété.

L'empirisme est le fondement de sa philosophie ; il le conduit à une philosophie politique caractérisée par la recherche raisonnable du bonheur qui s'obtient par la propriété et la liberté. Le pacte social constitutif de la société civile a pour but principal la conservation de la propriété qui est un droit naturel.

Il plaide pour un gouvernement limité par sa mission, purement laïque, de conservation de la propriété et du bien-être, par son organisation (séparation des pouvoirs avec primat du législatif sur l'exécutif), et par un droit, théorique, du peuple à l'insurrection.

♦ Principaux ouvrages : *Lettre sur la tolérance* (1689) ; *Essai sur l'entendement humain* (1690) ; *Deux traités sur le gouvernement civil* (1690).

➤ *Contrat social.*

LOI DE FINANCEMENT DE LA SÉCURITÉ SOCIALE

Créée par la révision constitutionnelle de 1996, la loi de financement de la Sécurité sociale est soumise au vote du Parlement, chaque année à l'automne. Elle contient une prévision des principales tendances de l'évolution des régimes de Sécurité sociale, les actions mises en œuvre par le gouvernement pour atteindre l'équilibre des comptes sociaux, les mesures modifiant les prestations versées et leurs conséquences financières.

Sa mise en œuvre est évaluée chaque année par un rapport de la Cour des comptes qui propose des mesures correctrices.

➤ *Protection sociale.*

LOI DE FINANCES

➤ *Budget de l'État (Loi de Finances).*

LOMÉ (Convention de)

Accords de coopération entre l'Union européenne et les pays ACP (Afrique Caraïbes, Pacifique).

Succédant en 1975 aux conventions de Yaoundé, les conventions de Lomé établissent une coopération à trois composantes entre l'Europe communautaire et les pays dits ACP (Afrique Caraïbes, Pacifique), en majeure partie anciennes colonies européennes. D'une part, au niveau commercial, il est prévu un accès libre et unilatéral des produits ACP aux marchés européens (à l'exception des produits agricoles). Il est, d'autre part, créé des mécanismes d'assurances originaux (STABEX, SYSMIN) consistant en une compensation versée par la Communauté aux pays ACP confrontés à une baisse sévère des prix, et donc des revenus, tirés des exportations de produits bruts, agricoles ou miniers. Enfin, la Communauté octroie une aide financière à travers le Fonds d'aide au développement.

À la fin des années 1990, cette convention rencontre des difficultés : faible croissance de la plupart des pays ACP, diminution des avantages de Lomé en raison de l'abaissement général des tarifs douaniers dans le cadre de l'OMC, utilisation contestable des dotations budgétaires ; Lomé V tente de répondre à ces critiques tout en accentuant la conditionnalité politique et en tentant de favoriser la « bonne gouvernance ».

➤ *STABEX, SYSMIN.*

LONGITUDINALE/ TRANSVERSALE (Analyse, méthode)

Analyse longitudinale : étude du comportement ou des caractéristiques d'une cohorte au cours du temps.

Exemple : pour étudier la fécondité de la génération des femmes nées en 1940, on cumule le taux de fécondité des femmes de quinze ans en 1955, le taux de fécondité des femmes de seize ans en 1956..., le taux de fécondité des femmes de quarante-neuf ans en 1989. On suit ainsi la génération des femmes nées en 1940 tout au long de leur vie féconde. Les taux cumulés résument donc l'histoire des mêmes femmes au cours du temps.

L'inconvénient d'une telle méthode est évident : il faut attendre 1990 pour connaître la descendance finale de la génération 1940 !

Analyse transversale : étude du comportement ou des caractéristiques, observés une année donnée, d'une population composée de générations ou de cohortes successives.

Exemple : en 1990, il est possible de recenser les taux de fécondité par âge, de quinze ans à quarante-neuf ans (rappelons que le taux de fécondité pour l'âge x est = nombre d'enfants nés en 1990 d'une mère ayant x ans en 1990/ nombre de femmes ayant x ans en 1990) ; il ne s'agit plus ici des mêmes femmes (celles qui ont quinze ans en 1990 n'appartiennent pas à la même génération que celles qui ont seize ans en 1990).

Si les taux de fécondité par âge ne varient pas au cours du temps (les générations successives se comportent de la même façon), alors la méthode transversale permet de prévoir ce que sera la descendance finale (que l'on calculera grâce à la méthode longitudinale, mais trente-cinq ans plus tard !). Sinon, la méthode transversale ne fournit qu'un indicateur « du moment » (conjoncturel) : elle ne permet plus de prévoir l'évolution des comportements.

⟶ *Cohorte, Descendance finale, Fécondité.*

LORENZ (Courbe de)/GINI (Coefficient de)

La courbe de Lorenz est une courbe qui représente la concentration d'une variable pour une population donnée.

Après avoir classé la population (par exemple les ménages), par ordre croissant de la variable étudiée (par exemple le revenu), on porte en abscisse la proportion de la population pour laquelle la variable est inférieure à une valeur x (le pourcentage des ménages dont le revenu est inférieur au montant x). En ordonnée, on porte la proportion de la masse totale de la variable qui se rapporte à cette fraction de la population pour laquelle la variable est inférieure à x (pourcentage du total des revenus qui revient aux ménages dont le revenu est inférieur à x).

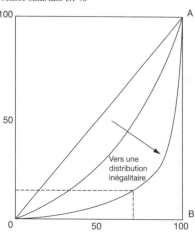

Masse salariale en %

Effectifs, en % cumulés

On porte en abscisse et en ordonnée les pourcentages cumulés croissants de 0 à 100 %. Cette courbe est située au-dessous de la diagonale : plus elle se rapproche de celle-ci, plus la concentration est faible, autrement dit, plus la répartition des revenus est égalitaire ; plus elle se rapproche des côtés du carré, plus la concentration est forte : une petite partie des ménages perçoit une fraction importante du total des revenus.

> *Le coefficient de Gini* est le rapport entre la surface de concentration (surface comprise entre la courbe et la diagonale 0A) et la surface du demi-carré 0BA.

Il peut donc varier entre zéro, distribution parfaitement égalitaire (tous les ménages perçoivent le même revenu) et 1, concentration maximale, où un ménage perçoit la totalité des revenus et tous les autres rien.

⟶ *Déciles.*

LUCAS (Robert)

> Économiste américain contemporain, chef de file de la nouvelle économie classique, prix Nobel 1995.

Lucas a eu pour professeur M. Friedman à l'Université de Chicago. Les premiers travaux de Lucas s'inscrivent dans le prolongement de la critique friedmanienne de la courbe de Phillips. Ils sont fondés sur l'idée que l'économie réelle est fondamentalement stable : les perturbations proviennent des problèmes d'information, à la suite de chocs monétaires ou réels.

Supposant que la situation normale des marchés est l'équilibre, Lucas innove en introduisant dans les modèles l'hypothèse d'anticipations rationnelles, qui sont des anticipations d'équilibre. Il en déduit que les fluctuations s'expliquent par des chocs monétaires imprévisibles qui provoquent des erreurs d'anticipation des prix relatifs : des entreprises croient par exemple que c'est seulement le prix de leur produit qui augmente alors qu'il augmente dans la même proportion que tous les autres.

Dans ces modèles, la politique économique de régulation par la demande s'avère totalement inefficace car les agents économiques anticipent les conséquences des mesures de politique économique annoncées et agissent pour les neutraliser.

Ce raisonnement conduit aussi à la critique par Lucas des modèles économétriques : les décisions de politique économique modifiant les anticipations, donc les comportements, il n'est pas possible d'évaluer les effets d'une politique économique à partir de modèles fondés sur l'observation des comportements passés.

⟶ *Anticipations rationnelles, Monétarisme, Nouvelle économie classique (NEC).*

LUDDISME

> Mouvement ouvrier d'origine anglaise qui s'opposait à l'introduction du machinisme dans l'industrie textile et caractérisé par le bris de machines souvent accompagné de grèves spontanées. Ce mouvement fut important dans le premier tiers du XIXe siècle, surtout en Grande-Bretagne, mais également en France (révolte des canuts).

LUTTE DES CLASSES

> Concept central de l'analyse marxiste. Antagonisme entre classes sociales à partir d'intérêts contradictoires, et pouvant prendre la forme extrême de la guerre civile.

Pour Marx, de cette lutte caractéristique des sociétés de classes naît le mouvement de l'Histoire (Marx et Engels : « L'histoire de toute société jusqu'à nos jours n'a été que l'histoire de luttes de classes », *Manifeste du parti communiste*). Les querelles dynastiques, les guerres de religion, les changements de régime, les luttes parlementaires n'en sont que des manifestations directes ou indirectes. Les classes, issues de la division sociale du travail propre à chaque mode de production, se divisent en classes exploiteuses et classes exploitées aux intérêts inconciliables, les unes vivant du surtravail des autres.

Les sociologues et historiens libéraux, sans réfuter l'existence de classes, nient que leurs intérêts soient inconciliables et que leur lutte puisse être le moteur de l'Histoire.

D'autres, non libéraux mais critiques vis-à-vis de Marx, reprennent la notion de lutte des classes en relativisant sa place dans la dynamique sociale et en éradiquant ses aspects messianiques. L'expression, plus ouverte, de conflit social est davantage utilisée.

⟶ *Classe(s) sociale(s), Conflit social, Marx ; Annexe 27.*

M

MAASTRICHT (Traité de)

——▶ *Europe communautaire (histoire des communautés européennes), Europe communautaire (système monétaire européen ou SME).*

MACROÉCONOMIE

Terme créé en 1933 par l'économiste R. Frish. Partie de la science économique qui s'intéresse aux quantités globales (PNB, Dépense nationale, Investissement), agrégées au niveau d'une région, d'un pays ou d'un groupe de pays et à leurs relations. Elle a souvent pour but d'éclairer la politique économique.

La macroéconomie a été fortement marquée par la pensée keynésienne. Selon Keynes, des propositions vraies au niveau individuel peuvent se révéler fausses au niveau global. Ainsi, si une entreprise baisse ses salaires, elle baisse son coût et ses prix, et augmente sa production et son emploi ; si toutes les entreprises abaissent les salaires, l'effet est inverse, la production et l'emploi se contractent sous l'effet d'une demande plus faible.

Keynes établit les bases d'une analyse macroéconomique qui étudie une fonction de consommation (et d'épargne), une fonction d'investissement, une fonction de demande de travail, une fonction de demande de monnaie... et propose un modèle de formation de l'équilibre global.

Trois grandes voies caractérisent l'analyse macroéconomique.

Dans un premier temps, un relatif consensus s'est établi autour de la construction IS-LM qui permettait de rassembler, sinon des analyses, du moins des méthodes communes.

L'analyse des nouveaux classiques s'est inscrite en opposition avec l'analyse keynésienne en revenant à un mode d'ajustement par la flexibilité des prix et à une conception dichotomique de l'économie.

En sens inverse, des économistes se sont intéressés aux déséquilibres, en envisageant les effets des équilibres à prix fixes et leurs causes (fondements microéconomiques de la macroéconomie).

——▶ *Déséquilibre (Théorie du), Effet émergent d'agrégation (ou de composition ou effet émergent), IS-LM (Modèle), Keynes, Mésoéconomie, Microéconomie, Nouvelle économie classique, Politique économique ; Annexe 15.*

MAGIE

Au sens *anthropologique*. Dans les sociétés primitives et dans nombre de sociétés traditionnelles, ensemble de pratiques invoquant ou mettant en jeu des forces mal définies, voire secrètes, en vue d'objectifs positifs : éloigner le mal, chasser les démons, conjurer la mort, accroître sa puissance, etc.

Les intéressés ont souvent recours aux magiciens (guérisseurs, chamans) mais peuvent eux-mêmes agir en usant de procédés jugés efficaces (cannibalisme, par exemple, acte par lequel on ingère la puissance de l'adversaire).

MAIN INVISIBLE

Expression employée par A. Smith, dans le livre IV des *Recherches sur la nature et les causes de la richesse des nations*, pour désigner le processus par lequel, dans une économie de marché, les décisions et les actes individuels sont rendus compatibles et concourent à l'intérêt général.

♦ « Ce n'est que dans la vue d'un profit qu'un homme emploie son capital à faire valoir l'industrie, et par conséquent il tâchera toujours d'employer son capital à faire valoir le genre d'industrie dont le produit promettra la plus grande valeur, ou dont on pourra espérer le plus d'argent ou d'autres marchandises en échange. [...] À la vérité, son intention en général n'est pas en cela de servir l'intérêt public, et il ne sait même pas jusqu'à quel point il peut être utile à la société. En préférant le succès de l'industrie nationale à celui de l'industrie étrangère, il ne pense qu'à se donner personnellement une plus grande sûreté ; et en dirigeant cette industrie de manière que son produit ait le plus de valeur possible, il ne pense qu'à son propre gain ; en cela, comme dans beaucoup d'autres cas, il est conduit par une *main invisible* à remplir une fin qui n'entre nullement dans ses intentions ; et ce n'est pas toujours ce qu'il y a de plus mal pour la société, que cette fin n'entre pour rien dans ses intentions. Tout en ne cherchant que son intérêt personnel, il travaille souvent d'une manière bien plus efficace pour l'intérêt de la société que s'il avait réellement pour but d'y travailler. »

→ *Concurrence, Libéralisme, Smith ; Annexe 2.*

MALESTROIT (Paradoxe de)

La hausse des prix des denrées constatée au XVIe siècle n'est qu'une apparence due aux manipulations qui ont dévalorisé la monnaie.

Si les prix en livres (livre tournoi, qui est une monnaie de compte) ont effectivement monté, en fait, exprimés en or, ils ont baissé car la livre a perdu beaucoup de sa valeur par rapport à l'or.

Plus célèbre encore est, en 1568, la réponse que fit Jean Bodin, économiste mercantiliste, à M. de Malestroit et à son paradoxe : il y a bien hausse des prix, en or, car les prix en livre ont monté plus que la livre n'a perdu de valeur en métal, et cela à cause d'un considérable afflux d'or et d'argent espagnols, consécutif à la découverte du Nouveau Monde.

♦ Cette théorie, selon laquelle la valeur d'une monnaie est inversement proportionnelle à sa quantité, sera nommée « Théorie quantitative de la monnaie » ; elle sera formulée et développée par Irving Fisher, en 1911, et reprise par le courant monétariste.

→ *Fisher, Mercantilisme, Monnaie (Théorie quantitative de la).*

MALINOWSKI (Bronislaw)

→ *Culture, Fonctionnalisme, Kula.*

MALINVAUD (Edmond)

Économiste français, né en 1923, directeur de l'INSEE, puis professeur au Collège de France.

S'inscrivant dans la lignée des ingénieurs-économistes français, Malinvaud intervient dans des domaines variés de l'analyse économique : micro et macro-économie, théorie pure et économétrie, étude des facteurs de la croissance française et théorie du chômage, etc. Par-delà la volonté de prendre en compte aussi bien les apports du courant néo-classique que ceux du courant keynésien, la référence originelle est la théorie de l'équilibre général (Arrow-Debreu). Les travaux les plus récents et les plus novateurs de Malinvaud portent sur la théorie de l'emploi et les politiques économiques de lutte contre le chômage (opposition du chômage keynésien et du chômage classique) ; ils constituent une contribution majeure à la théorie des équilibres non walrassiens à prix fixe (improprement appelée théorie du déséquilibre).

♦ Ouvrages principaux : *La croissance française* (en collaboration avec J.-J. Carré et P. Dubois, 1972) ; *Réexamen de la théorie du chômage* (1980, 1977, pour l'édition anglaise) ; *Essais sur la théorie du chômage* (1983).

→ **Déséquilibre (Théorie du).**

MALTHUS (Thomas Robert)

Économiste classique anglais (1766-1834), célèbre pour sa loi de population. Pasteur anglican devenu professeur d'économie politique, Malthus prédit le retour des famines et justifie les privilèges de l'aristocratie foncière.

On trouve notamment chez Malthus :

1. **Une théorie de la population**. Dans son *Essai sur le principe de la population* (1798), il postule que la population croît, naturellement, de manière géométrique (1, 2, 4, 8, 16, 32...), alors que les subsistances ne peuvent croître que de manière arithmétique (1, 2, 3, 4, 5, 6...).

♦ Cette progression arithmétique vient de la mise en culture, à mesure que la population et les besoins alimentaires augmentent, de terres de moins en moins fertiles.

De cette tendance à la surpopulation découle la misère des travailleurs. Mais celle-ci est le meilleur des stimulants : à la fois pour que les pauvres limitent eux-mêmes leur fécondité et pour que tous pratiquent le travail et les vertus chrétiennes. De cette nécessité de la misère, Malthus déduit qu'il faut supprimer toute forme d'assistance publique aux pauvres : elle ne pourrait que les inciter davantage à la procréation en altérant leur libre-arbitre, ce qu'en libéral conséquent, il ne peut admettre. Il propose donc la suppression de la loi sur les pauvres de 1795, qui prévoit un secours à domicile (complément de salaire).

Les moyens artificiels de limitation des naissances étant moralement exclus, il revient donc aux pauvres de pratiquer librement le *moral restreint* (l'abstinence sexuelle dans le célibat), qui seul améliorera leur condition.

2. **Une théorie de la croissance** : en 1820, dans ses *Principes d'économie politique*, Malthus réfute la « loi des débouchés » de J.-B. Say, reprise par Ricardo.

♦ Une augmentation préalable de la demande solvable est nécessaire comme « encouragement » à l'augmentation de la production, que celle-ci ne saurait donc induire ; or, en épargnant trop, les capitalistes et les propriétaires risquent de diminuer la demande effective pour les produits et de créer surabondance de capital et chômage. Pour lutter contre la surproduction, Malthus propose les débouchés du commerce intérieur et extérieur et va même jusqu'à préconiser une politique de grands travaux publics et l'accroissement du nombre des consommateurs « improductifs » (hommes d'État, soldats, juges, médecins, prêtres...). La misère n'apparaît soudain plus comme une conséquence de la surpopulation et les remèdes semblent bien éloignés du libéralisme de l'*Essai sur le principe de la population*.

L'œuvre de Malthus a eu et a une portée considérable, surtout pour sa théorie — pourtant contestée — de la population, qui fonde le malthusianisme.

⟶ *Classiques, Malthusianisme, Say ; Annexe 3.*

MALTHUSIANISME

Doctrine issue des écrits de Malthus qui vise à restreindre volontairement l'accroissement démographique par une limitation des naissances en vue de rétablir l'équilibre entre les ressources et la population.

◆ L'histoire démographique des pays développés atteste les limites de l'analyse malthusienne : l'élévation du niveau de vie a été suivie d'une baisse de la fécondité et ce mouvement s'amorce aujourd'hui dans les NPI. Pourtant, si un homme peut produire plus qu'il ne consomme, il est d'abord consommateur avant d'être producteur, et un poids relatif excessif des jeunes dans une population donnée rend difficile le financement simultané de l'investissement éducatif et de l'investissement plus directement productif. D'où un regain de faveur des théories de Malthus dans des pays du Tiers monde, sous la forme du *néomalthusianisme*, qui diffère du malthusianisme par une intervention de l'État en faveur de la contraception.

Le *malthusianisme économique*, par analogie, désigne les pratiques de ceux qui, trouvant un avantage à la rareté, tendent à la créer artificiellement, pour augmenter la valeur de leurs avoirs : restriction volontaire de production, stockage, rétention d'information, *numerus clausus*, destruction de produits et plus généralement toute politique de sous-emploi des facteurs de production (peur d'innover, d'investir, d'embaucher…).

◆ Ce malthusianisme économique est déjà présent dans la pensée de Malthus : il ne voit pas la nécessité d'importer du blé pour en faire baisser le prix, justifié selon lui.

⟶ *Croissance, Développement, Malthus, Natalisme.*

MANUFACTURE

(du latin *manus* « main » et *factura* « fabrication »)
Au sens courant : établissement où la fabrication était surtout manuelle (manufactures de Sèvres, des Gobelins créées par Colbert).

Par extension, tout établissement industriel ; en ce sens, quelque peu désuet, le mot a été remplacé par fabrique, usine, établissement, etc. ; il désigne encore cependant quelques entreprises anciennes : Manufacture des Tabacs, Manufacture d'armes et cycles de Saint-Étienne.

Au sens des historiens de l'économie : forme transitoire entre la production artisanale dans le cadre du *domestic system* et la grande industrie issue du *factory system*.

Caractérisée par une division du travail croissante, elle voit une multitude d'ouvriers, jusqu'alors occupés dans des ateliers familiaux indépendants, travailler sous l'autorité d'un capitaliste qui les réunit progressivement en un même bâtiment. La production y est spécialisée, mais selon deux modalités distinctes : soit se trouvent réunis des artisans de qualifications différentes (serruriers, menuisiers, etc.) qui fabriquent ensemble un seul type de produit (exemple : dans une manufacture de carrosses, le serrurier ne fabrique plus que des serrures de carrosses) ; soit se trouvent réunis des artisans de même spécialité dont on décompose le travail en opérations élémentaires (parcellisation des tâches) afin de fabriquer un produit simple (voir l'exemple d'A. Smith de la manufacture d'épingles). Dans la manufacture, on observe un approfondissement de la division du travail qui prépare le passage au stade suivant, la grande industrie moderne et ses usines caractérisées par le machinisme.

⟶ *Division du travail, Smith ; Annexe 2.*

MARCHAND/ NON MARCHAND

→ *Produit intérieur brut (PIB).*

MARCHÉ

> Lieu de rencontre entre une offre et une demande qui aboutit à la formation d'un prix.

Il existe plusieurs sortes de marchés qui se différencient par l'**objet de l'échange**.

Le *marché d'un produit particulier :* matières premières telles que le pétrole ou le cuivre, ou marché d'un produit fini (marché du livre).

Le *marché des biens et services* où sont mises en relation l'offre et la demande globale : dans la perspective keynésienne, l'ajustement se fait par le niveau de la production et par le niveau général des prix.

Le *marché du travail* met en relation l'offre et la demande de travail : cette confrontation aboutit à la formation d'un salaire et à la fixation d'un niveau d'emploi qui peut ne pas être le plein-emploi.

♦ Il faut se méfier du vocabulaire courant et de ses pièges. Les individus sont « demandeurs d'emplois » mais, du point de vue de l'analyse économique, offreurs de travail ; ils vendent leurs services sur le marché du travail. L'analyse économique privilégie ainsi la relation de marché alors que le vocabulaire courant souligne leur situation de demandeurs. De façon symétrique, les entreprises qui offrent des emplois constituent la demande de travail.

Le *marché des capitaux* sur lequel les agents économiques peuvent placer des fonds ou s'en procurer. Le support prend la forme de titres négociables (actions, obligations) sur le marché financier, de titres courts négociables sur le marché monétaire ou de créances non négociables (crédits bancaires).

Le *marché financier*, lieu d'émission et d'échange des valeurs mobilières, principalement les actions et les obligations.

Le *marché monétaire*, compartiment à court terme du marché des capitaux : les institutions financières, en manque de « monnaie Banque centrale », les trouvent sur ce marché tandis que les institutions ayant des excédents les placent moyennant une rémunération (taux d'intérêt). De plus, les entreprises peuvent intervenir pour emprunter (billets de trésorerie), ou placer des fonds.

Le *marché des changes* sur lequel s'échangent les devises les unes contre les autres et se forment les taux de change.

Différentes **structures de marché**, correspondant aux caractéristiques de l'offre et de la demande, peuvent être dégagées. L'analyse néo-classique définit ainsi la concurrence pure et parfaite, modèle idéal de marché qui se distingue du monopole, de l'oligopole, du monopsone, de l'oligopsone, du monopole bilatéral. En fait, les marchés peuvent être qualifiés de marchés de concurrence monopolistique, de marchés administrés ou de marchés segmentés.

→ *Concurrence, Marché financier, Marché monétaire.*

MARCHÉ À TERME, MARCHÉ DE CONTRATS À TERME

> Un *marché à terme* (en anglais *forward market*) est un marché sur lequel des transactions donnent lieu à paiement et livraison des actifs financiers ou des marchandises à une échéance ultérieure.
>
> Un *marché de contrats à terme* (en anglais *future market*) est un marché à terme où s'échangent des *contrats normalisés* portant sur des instruments financiers ou des marchandises utilisés à des fins de couverture de position au comptant, d'arbitrage ou de spéculation. Le MATIF est un marché de contrats à terme.

→ *MATIF, Terme (Opération à).*

MARCHÉ (Défaillances du) (*Market failures*)

Dans le cadre de la concurrence pure et parfaite, tout écart au modèle théorique.

L'énoncé des hypothèses de la concurrence pure et parfaite permet de dresser l'inventaire des défaillances possibles : hypothèses d'atomicité (nombre d'intervenants, *price maker* et non *price taker*), d'homogénéité (différenciation), de transparence (défaut d'information), de libre entrée (barrières à l'entrée), de mobilité parfaite (coûts des mutations) ; il faut ajouter deux autres formes de défaillance du marché, les externalités et les coûts des transactions.

Face aux défaillances du marché, on peut évoquer trois types d'attitudes théoriques.

Selon la première, qui s'inspire du libéralisme le plus strict, les défaillances du marchés sont des éléments perturbateurs qui empêchent le déroulement optimal du marché ; il faut donc les éliminer.

Selon la deuxième, les défaillances fondent un interventionnisme public : l'État doit palier les imperfections du marché.

La dernière voie est plus récente et moins normative ; elle consiste à envisager les institutions comme réactions aux imperfections du marché : c'est ainsi que l'entreprise est considérée par Coase comme une réaction à l'existence de coûts de transaction.

→ *Concurrence pure et parfaite, Externalité, Rendements factoriels/Rendements d'échelle.*

MARCHÉS CONTESTABLES (Théorie des)

Théorie développée à partir d'un ouvrage, *Contestable Markets and the Theory of Industry Structure* de W.J. Baumol, Y.C. Panzar, et D. Willig, publié en 1982.

Cette théorie propose une conception large de la concurrence : le degré de concurrence est fonction de la possibilité qu'ont les entreprises, non présentes sur le marché, d'y entrer et de contester la position acquise par les entreprises en place ; cette conception s'oppose à la conception traditionnelle pour laquelle la préservation de la concurrence est liée à la présence d'un grand nombre d'entreprises sur le marché.

Un marché contestable est un marché qui réunit deux conditions : liberté d'entrée (c'est déjà l'une des hypothèses de la concurrence pure et parfaite) et liberté de sortie.

L'essentiel de la théorie réside dans la liberté de sortie : les entreprises qui sortent après une tentative d'entrée ratée ne doivent pas risquer un montant de pertes trop important. Plus les coûts de sortie (c'est-à-dire les frais engagés pour se lancer sur le marché) sont faibles, plus les entreprises extérieures sont prêtes à tenter une entrée : le marché est contestable. Plus les coûts sont élevés, moins elles le sont : le marché est peu ou pas contestable. Pour qu'il le soit, les coûts de sortie doivent donc être proches de l'amortissement normal des moyens de production engagés.

Quand un marché est contestable, même s'il y a peu de (ou même un seul) producteurs, les producteurs présents sont amenés à agir comme en situation de concurrence pure et parfaite ; en effet, ils ne peuvent durablement réaliser des profits exorbitants sous peine de voir rapidement entrer sur le marché les concurrents potentiels attirés par cette perspective de profits.

La théorie des marchés contestables veut montrer que la réalisation de la concurrence pure et parfaite ne dépend pas d'abord du nombre de producteurs mais de la liberté d'entrée et de sortie sur les marchés. Il faut donc préserver les conditions de la contestabilité.

→ *Concurrence, Marché (Théorie du).*

MARCHÉ FINANCIER

> Composante du marché des capitaux, lieu d'émission et d'échange des valeurs mobilières, principalement les actions et les obligations.

On distingue marché primaire et marché secondaire.

Sur le **marché primaire** (marché du neuf), les entreprises émettent des actions ou des obligations et l'État des obligations.

> ♦ Le marché primaire est un marché fictif qui n'a pas d'existence réelle et s'opère par l'intermédiaire des banques, alors que le marché secondaire s'effectue dans le cadre physique d'une Bourse de valeurs.

Sur le **marché secondaire**, le marché boursier (marché de l'occasion), les opérateurs procèdent à des échanges des titres déjà émis. Les intermédiaires de ce marché sont les sociétés de Bourse ; les cours sont fixés en fonction de l'offre et de la demande.

En France, selon les conditions auxquelles les entreprises doivent répondre pour y être admises, on distingue trois marchés :
– le *premier marché* (dénomination depuis le 1er janvier 1998 de l'ancien marché de la cote officielle) ; il accueille les actions et les obligations des grandes entreprises et les obligations d'État ;
– le *second marché*, créé en 1983, accueille les petites et les moyennes entreprises ;
– le *nouveau marché*, créé en 1996, accueille de jeunes entreprises innovantes et à forte croissance (start-up, entreprises de haute technologie).

⟶ *MATIF, MONEP.*

MARCHÉ MONÉTAIRE

> Composante du marché des capitaux sur lequel s'échangent des titres courts contre des liquidités et qui constitue un point d'application de la politique monétaire.

Jusqu'en 1985-1986, en France, le marché monétaire était essentiellement un marché interbancaire réservé aux seules institutions financières, les unes prêteurs permanents (caisses de retraite en particulier…), d'autres emprunteurs permanents (organismes de crédit à long terme…), et d'autres tantôt prêteurs et tantôt emprunteurs (les banques). Les intervenants qui ont des excédents tirent un bénéfice de leurs placements, ceux qui ont des déficits trouvent les liquidités (la monnaie Banque de France) dont ils ont besoin. La Banque de France intervient comme prêteur et son taux d'intervention joue un rôle déterminant.

Depuis les réformes de 1985-1986, le marché monétaire comprend deux compartiments : le marché interbancaire et le marché des créances courtes négociables. Ce marché s'est ouvert aux agents économiques, les entreprises principalement, qui peuvent y trouver des ressources (par l'émission de billets de trésorerie) ou y placer des fonds (par l'acquisition de bons du Trésor, de certificats de dépôts négociables ou de billets de trésorerie d'autres entreprises). Étant donné le montant élevé des titres, 1 million minimum de francs, ce marché est, en fait, réservé aux gros opérateurs.

Par ailleurs, le marché monétaire est un lieu privilégié de régulation de la création de monnaie, la Banque centrale pouvant agir sur l'alimentation en liquidités (monnaie Banque centrale des banques) et sur le taux d'intérêt du marché.

⟶ *Banque, Banque centrale européenne (BCE) Bon du Trésor, Intérêt/Taux d'intérêt, Monnaie, Politique monétaire.*

MARCHÉS (Structure de)

> Différenciation des marchés en fonction du nombre d'intervenants, du côté de l'offre comme du côté de la demande.

En dehors des cas les plus analysés que sont la concurrence pure et parfaite, le monopole et la concurrence monopolistique, différents types de marchés sont, de façon classique, distingués. *Cf.* tableau ci-dessous.

⟶ *Concurrence imparfaite, Concurrence monopolistique, Concurrence pure et parfaite, Monopole, Oligopole.*

MARCHÉ (Théorie du)

Partie de la microéconomie qui étudie, d'une part, le comportement des agents (de l'entrepreneur tout particulièrement) sur un marché particulier et, d'autre part, l'ajustement global de l'offre et de la demande.

◆ La demande est représentée par une courbe décroissante : les acheteurs sont prêts à acheter d'autant plus de biens que les prix sont faibles.

◆ L'offre est considérée comme positivement liée au prix. Plus le prix est élevé, plus l'offre est importante. Cette hypothèse est plausible pour un marché sur lequel les biens existent et le coût d'acquisition est déjà réglé : sur un marché d'actions, les propositions de vente sont d'autant plus importantes que le prix est élevé.

Une courbe de demande décroissante

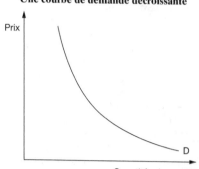

Quantités demandées

Une courbe d'offre croissante

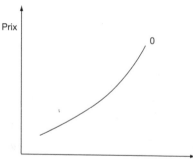

Quantités offertes

◆ Il existe un prix, dit prix d'équilibre, pour lequel les quantités offertes et demandées sont égales. On dit que cet équilibre est stable. Pour un prix P' supérieur au prix d'équilibre, l'offre est supérieure à la demande : le prix tend donc à baisser et à rejoindre le prix d'équilibre.

L'équilibre et la stabilité de l'équilibre

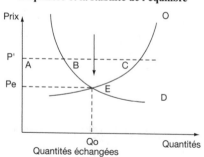

Quantités échangées

◆ À court terme, ce qui a été envisagé jusqu'ici, les courbes d'offre et de demande sont données. Mais elles peuvent, au cours du temps, se déplacer. Ainsi, lorsque la demande augmente et que la courbe se déplace sur la droite, le prix augmente, passant de P à P', les quantités aussi passant de Q à Q'.

LES DIFFÉRENTS TYPES DE MARCHÉS THÉORIQUES			
offreurs ⟍ demandeurs	un	plusieurs	multitude
un	monopole bilatéral	monopsone contrarié	monopsone
plusieurs	monopole contrarié	oligopole bilatéral	oligopsone
multitude	monopole	oligopole	concurrence parfaite

Les effets d'une hausse de la demande

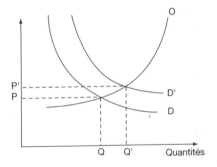

Les effets d'un prix minimum imposé : exemple du SMIC

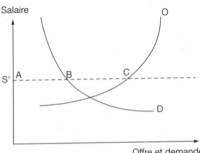

♦ Ce cadre d'analyse permet d'envisager la situation dans laquelle les pouvoirs publics imposent un prix différent de celui qui résulterait du seul jeu du marché. On considère ici le marché du travail sur lequel les pouvoirs publics imposent un salaire minimum supérieur au salaire d'équilibre. Pour ce salaire S', l'offre de travail (AC) est supérieure à la demande (AB), d'où résulte le chômage (BC). Cette analyse « explique » le chômage par l'intervention de l'État qui fixe un salaire trop haut ; on est aux antipodes de l'analyse keynésienne.

♦ En concurrence pure et parfaite, le prix pour la firme est une donnée qui s'impose, elle est *price taker*. À court terme, le profit est maximum si le coût marginal est égal au prix. Mais comme l'entreprise fait des profits importants, il se produit une modification de l'offre.

En effet, à plus long terme, ces profits attirent des entreprises sur le marché : l'offre s'accroît et le prix baisse, jusqu'au

moment où il devient égal au coût moyen, le profit a alors disparu.

En situation de concurrence pure et parfaite, l'entreprise qui maximise peut faire, à un moment donné, des profits très élevés, mais ces profits attirent de nouvelles entreprises jusqu'à disparition du profit. Si on laisse faire la concurrence, tout profit élevé disparaît et les entreprises sont contraintes d'adopter le niveau de production pour lequel le coût moyen est minimum, ce qui est indéniablement la meilleure situation pour la société (voir schémas concurrence pure et parfaite, formation des prix, p. 102).

→ *Concurrence, Équilibre, Marchés contestables (Théorie des), Microéconomie, Néoclassique (Économie, théorie) ; Annexe 18.*

MARGE BRUTE D'AUTOFINANCEMENT (*CASH FLOW*)

→ *Comptabilité d'entreprise, Profit.*

MARGINALISME

Courant de pensée fondé sur la théorie de l'utilité marginale et le raisonnement à la marge.

On désigne par « révolution marginaliste » les découvertes par Jevons, Menger et Walras, au début des années 1870, d'instruments d'analyse et de concepts qui furent à l'origine de la théorie néo-classique : la théorie subjective de la valeur, fondée au départ sur la notion d'utilité marginale ; le raisonnement « à la marge », qui allait permettre le développement d'une économie mathématique ; l'apparition d'un nouvel objet pour la science économique : l'allocation optimale de ressources rares entre des usages alternatifs.

Selon la théorie de l'utilité marginale, la valeur d'une unité d'un bien quelconque, c'est-à-dire le degré d'importance qu'un individu lui attribue, est déterminée par l'utilité de la dernière unité de ce bien dont l'individu peut disposer, donc par l'utilité marginale ; par exemple, la valeur d'un verre d'eau au milieu du désert est beaucoup plus élevée que la valeur du même verre d'eau à côté d'une fontaine. L'utilité marginale résume l'influence conjointe de l'utilité subjective et de la rareté sur la valeur des biens. Dans le cas des facteurs de production, l'utilité est mesurée par la productivité, donc leur valeur est déterminée par leur productivité marginale ; le taux d'intérêt, par exemple, qui rémunère les propriétaires du capital, est déterminé par la productivité marginale du capital.

Pour simplifier, on pourrait résumer ainsi le raisonnement marginaliste : en toute situation, l'agent économique est confronté à la rareté (ses ressources sont limitées alors que ses besoins sont « illimités ») ; cette rareté impose à l'agent, supposé rationnel, un calcul ; ce calcul peut toujours être ramené à un problème de maximisation sous contrainte (par exemple, le consommateur maximise son utilité sous la contrainte de son budget ; l'entrepreneur choisit le volume de production qui maximise son profit, compte tenu de ses ressources disponibles en facteurs de production). Dès lors, l'économie devient la science des choix rationnels, celle qui « étudie le comportement humain comme relation entre les objectifs et les moyens rares susceptibles d'usages alternatifs » (Robbins).

→ *Économie,* Homo œconomicus, *Micro-économie, Rationalité ; Annexes 4, 8, 10.*

MARGINALITÉ

Situation d'individus ou de groupes vivant en marge du fonctionnement dominant de la société.

La marginalité peut correspondre à un choix délibéré, volontaire : refus d'un mode de vie (« retour à la terre »), protestation contre certaines orientations de la société (pacifistes) ou encore volonté

de promouvoir des solutions alternatives au mode d'organisation dominant (« communautés »). Elle peut être aussi le résultat involontaire de mécanismes socio-économiques : mise hors circuit, précarisation statutaire (chômeurs longue durée, assistés sociaux). On parle alors d'un processus de *marginalisation.*

→ *Conformité, Déviance.*

MARIAGE

Institution sociale réglementant et sanctionnant l'union d'un homme et d'une femme (ou davantage dans les mariages polygames) et les liant par des obligations et des droits.

L'acte de mariage donne lieu à des cérémonies qui marquent la reconnaissance de ce lien par les conjoints, leurs parents et la société. Le mariage ne concerne pas seulement les conjoints, il remplit une fonction collective en tissant des liens de parenté, en nouant des alliances entre plusieurs familles et souvent entre des groupes entiers. Sur le plan économique, il se traduit, dans de nombreuses sociétés, par un échange de biens et de services entre les familles intéressées. En ce sens, le choix du conjoint y est rarement libre.

Règles de mariage : le pouvoir du mariage de créer des liens entre groupes de parenté entraîne, dans quasiment toutes les sociétés, des restrictions dans le choix du conjoint ; les règles du mariage consistent en interdictions (règles négatives) et en prescriptions (règles positives), elles-mêmes plus ou moins impératives (notion de mariage préférentiel).

La forme la plus simple de règle négative est la prohibition de l'inceste : interdiction du mariage entre parents proches ; obligation de prendre le conjoint hors du groupe familial d'origine. Cette règle universelle, mais dont la définition varie suivant les sociétés, répond aux exigences d'échange et d'alliance entre les individus et les groupes (Lévi-Strauss).

♦ Dans les sociétés primitives, dans nombre de sociétés traditionnelles, où la parenté est au centre de l'organisation sociale, l'échange matrimonial revêt une importance décisive tout en s'inscrivant dans un système d'échange beaucoup plus large (biens matériels, privilèges, prestations diverses) commandé par la réciprocité.

Dans nos sociétés où les groupes de parenté ne jouent pas un rôle comparable, le choix du conjoint, en dehors de l'interdiction de l'inceste, est libre en droit. Il est fréquemment soumis à diverses limitations de fait : proximité sociale des conjoints, commune appartenance religieuse ou ethnique, etc. (phénomènes d'homogamie).

→ *Dot, Exogamie, Famille, Filiation, Homogamie, Parenté, Polygamie/Polygynie/Polyandrie ; Annexe 41.*

MARSHALL (ALFRED)

→ *Néo-classique (Économie, théorie) ; Annexe 10.*

MARX (Karl)

Théoricien et militant socialiste allemand (1818-1883), philosophe, sociologue et économiste dont la pensée a profondément marqué la scène politique et les sciences sociales aux XIXe et XXe siècles.

L'œuvre de K. Marx a connu une longue postérité : le marxisme (ou les marxismes). On emploie souvent aujourd'hui le vocable de pensée *marxienne* pour qualifier l'œuvre propre de Marx. Le terme *marxiste* s'applique plutôt aux œuvres de ses interprètes et continuateurs.

Ses principaux axes en sont les suivants.

1. *Une critique de l'idéalisme* auquel il oppose le *matérialisme historique.* « Ce n'est pas la conscience des hommes qui détermine leur être, c'est inversement leur être social qui détermine leur conscience. » Par être social, Marx entend les conditions matérielles d'existence et les rapports de coopération et d'opposition que nouent les individus dans la production de leur existence. La structure économique est la base de tout l'édifice social.

Tout en la débarrassant de son substrat idéaliste, il reprend de Hegel la démarche dialectique selon laquelle toute réalité, toute forme sociale se comprend par la dynamique de ses contradictions internes (en l'occurrence les contradictions entre les forces productives et les rapports de production, les antagonismes entre classes).

2. *Une lecture de l'histoire sur le long terme* comme succession des modes de production. L'affirmation selon laquelle « les rapports de production bourgeois sont la dernière forme antagonique… » est typique de la dimension prophétique et évolutionniste de sa pensée (comme celle de nombre de ses contemporains) et apparaît aujourd'hui comme la plus datée.

3. *Une analyse historique et systémique du capitalisme* : origines et avènement du mode de production capitaliste (« accumulation primitive », passage de la manufacture à la fabrique) ; ses formes socio-économiques spécifiques (séparation capital/travail, division du travail industriel, extorcation de la plus-value, etc.) ; son devenir : forte dynamique de développement, bouleversement incessant de la production mais aussi contradictions internes grandissantes (les crises, la tendance à la baisse du taux de profit, le divorce entre socialisation croissante de la production et concentration continue du capital).

4. *Une théorie des classes et de la lutte de classes.* Notons ici la tension chez Marx entre le déterminisme techno-économique (les groupes sont des supports de processus structurels) et le jeu conflictuel des acteurs collectifs (« les hommes font leur propre histoire »).

5. *L'esquisse d'une théorie politique.* Certaines formules de Marx proclament la subordination de l'instance politique à l'économique mais plusieurs de ses analyses esquissent un schéma plus complexe où la scène politique possède une efficacité propre : rôle des croyances et des traditions, jeu des alliances, tendance à la bureaucratisation de l'État. Par ailleurs, Marx a imprimé sa marque à des concepts comme ceux d'idéologie et de domination.

♦ Ouvrages principaux (dont plusieurs cosignés avec F. Engels) : *L'idéologie allemande* (1846) ; *Le Manifeste du Parti communiste* (1848) ; *Le 18 Brumaire de Louis Napoléon Bonaparte* (1852) ; *Contribution à la critique de l'économie politique* (1859) ; *Le capital*, Livre I (1867) (Les livres II et III sont publiés après sa mort).

⟶ *Accumulation primitive, Capital, Classe(s) sociale(s), Division du travail, Engels, Exploitation, Idéologie, Lutte des classes, Marxisme, Matérialisme ; Annexes 7, 27.*

MARXISME

Outre l'œuvre de Marx, ensemble des théories (philosophiques, économiques et sociales) et des doctrines politiques qui s'en réclament. Plutôt que du marxisme, on devrait parler des marxismes.

Le pluriel s'impose pour plusieurs raisons : divergences d'interprétation de la pensée de Marx, diversité de ses prolongements et de ses développements ; enfin, différences de statut entre l'économie et les sciences sociales d'inspiration marxiste, les stratégies du mouvement ouvrier et les idéologies officielles des pays socialistes entre 1917 et 1989 (ces dernières tendant à légitimer le système existant).

Si l'on écarte les idéologies officielles (le « marxisme-léninisme » soviétique et le maoïsme), on peut distinguer :
– le marxisme classique de la Seconde Internationale, dominé par la social-démocratie allemande (Kautsky, Rosa Luxembourg, Hilferding) et russe (Plékhanov, Lénine) ;

– des auteurs plus ou moins hétérodoxes qui inaugurent un marxisme plus « culturel » (l'École de Francfort), tout en étant aux prises avec les tribulations (répercussions) de la révolution soviétique : A. Gramsci, K. Korsch, G. Lukàcs, Pannekoek ;

– le « marxisme occidental » postérieur à la Seconde Guerre mondiale, rassemblant des figures et des courants très divers mais présentant des traits communs comme l'éloignement de la pratique politique et des questions stratégiques ou encore le déplacement vers la philosophie, la culture et les sciences sociales. À noter que des auteurs, sans être marxistes, sont influencés par la pensée de Marx.

⟶ *Bourdieu, Engels, Gramsci, Matérialisme, Robinson ; Annexes : Économie (Grands courants de l'), Sociologie (Grands courants de la).*

MASSE MONÉTAIRE, AGRÉGATS MONÉTAIRES ET PLACEMENTS FINANCIERS

Ensemble des actifs liquides — c'est-à-dire susceptibles d'être utilisés dans les règlements de dettes — détenus à un moment donné par les agents économiques. La masse monétaire est donc un stock, mesuré, à une date déterminée, par le biais d'agrégats monétaires qui servent aussi à la définition des objectifs de la politique monétaire. Ce stock est un actif pour les agents économiques et une dette, un passif, pour les institutions monétaires ; celles-ci, lorsqu'elles émettent de la monnaie, acquièrent des actifs (créances sur l'étranger ou créances sur l'économie nationale) qui sont les contreparties de la masse monétaire.

Agrégats monétaires de la zone euro en 2002 en milliards d'euros

Billets et pièces en circulation	314
Dépôts à vue	1 967
M 1	**2 281**
Dépôts à terme de 2 ans ou moins	1 094
Dépôts avec préavis de 3 mois ou moins	1 417
M 2	**4 792**
Pensions	238
Titres d'OPCVM monétaires et instruments du marché monétaire	464
Titres de créance 2 ans ou moins	134
M 3	**5 628**

M1 = Billets et pièces en circulation + Dépôts à vue.
M2 = M1 + Dépôts à terme de 2 ans ou moins + Dépôts avec préavis de 3 mois ou moins.
M3 = M2 + Pensions + Titres d'OPCVM monétaires et instruments du marché monétaire + Titres de créance 2 ans ou moins.

Comme l'objectif est de cerner une demande potentielle, c'est-à-dire l'ensemble des fonds pouvant se porter sur les marchés, les agrégats monétaires incluent « outre les moyens de paiement, tous les placements que les agents non financiers considèrent comme une réserve de pouvoir d'achat immédiatement disponible parce qu'ils peuvent être convertis facilement et rapidement en moyens de paiement sans perte en capital » (Services de la Banque de France). Comme cette définition renvoie au comportement prêté aux agents économiques, les agrégats monétaires sont à la fois multiples et variables au cours du temps. Ils sont multiples dans la mesure où la liquidité des actifs peut être plus ou moins marquée. Par ailleurs, ils varient au cours du temps, dans la mesure où, du fait des innovations — par exemple la création de nouveaux produits liquides tels que les titres d'OPCVM de court terme — ou de l'évolution de comporte-ment, les frontières entre actifs monétaires et actifs non monétaires se déplacent.

→ *Action, Billet de trésorerie, Bon du Trésor, Marché financier, Monnaie, Obligation, OPCVM, Politique monétaire.*

MASSE SALARIALE

Ensemble des salaires versés pendant une période de temps (mois, année) dans une économie ou dans une entreprise. Son évolution dépend de celle du salaire moyen par tête et du nombre de salariés occupés.

MASS MEDIA

→ *Culture de masse.*

MATÉRIALISME

Par opposition à l'idéalisme, doctrine affirmant le primat de la matière, de la nature sur l'esprit. Les sensations et les représentations (idées) y ont leur source ; la pensée est conçue comme un produit du monde réel.

Le matérialisme a d'abord été formulé par les philosophes du XVIIIᵉ siècle : d'Holbach, Diderot, Helvetius. Il est qualifié de mécaniste dans la mesure où il réduit le réel aux phénomènes matériels les plus simples.

Le marxisme développe et approfondit le matérialisme. Au plan philosophique, il se présente comme un *matérialisme dialectique* (sans employer cette expression, Marx parle de dialectique matérialiste). Le *matérialisme historique* est l'application de la dialectique matérialiste à l'étude de la société et de ses transformations.

→ *Marx, Marxisme.*

MATIF (Marché à terme international de France)

Marché de la place financière française sur lequel s'échangent des contrats à terme sur quatre types de supports : taux d'intérêt (notionnel et PIBOR), cours d'actions (indice CAC 40), sur taux de change ou sur matières premières. L'intégration avec les places de Bruxelles et d'Amsterdam conduira à une redéfinition de son rôle.

Plus des deux tiers de l'activité sont réalisés sur les marchés de taux sur lesquels les opérateurs réalisent gains et pertes en fonction des variations des taux d'intérêt, ce qui leur permet soit de réduire les risques, soit de spéculer sur les variations de taux.L

Sur ce marché, les opérateurs s'échangent des contrats — principalement un emprunt obligataire « notionnel », c'est-à-dire une obligation d'État fictive de 10 % — pour une échéance déterminée. Le prix est fixé lors de la conclusion du contrat et il varie au jour le jour en fonction des taux d'intérêt et des anticipations. L'acheteur réalise des gains lorsque le cours monte (baisse des taux d'intérêt) et des pertes lorsque le cours baisse (hausse des taux d'intérêt). Inversement, le vendeur réalise des pertes lorsque le cours monte et des gains lorsque le cours baisse.

♦ Exemple de gain d'un acheteur : au temps t_0 un opérateur est en position d'acheteur de contrats au cours de 98 d'un montant unitaire de 100 000 €. Le lendemain, le cours monte à 99 (en raison d'une baisse des taux d'intérêt), son compte est crédité de 1 %, soit 1 000 € par contrat. Supposons qu'il déboucle son opération en se portant vendeur des contrats (au cours de 99) ; il reçoit alors le gain correspondant à la hausse des cours. En revanche, le vendeur, lui, a réalisé une perte. Dans le cas d'une baisse du cours (hausse des taux d'intérêt), c'est le vendeur qui gagne et l'acheteur qui perd. On voit que sur le MATIF, les opérateurs peuvent réaliser des gains en fonction des variations des taux d'intérêt.

Les intervenants sont de deux types.

Certains visent à réduire les risques et à compenser sur ce marché des pertes éventuelles qu'ils peuvent subir sur d'autres opérations. Supposons une institution financière détentrice d'obligations et qui risque une perte en capital si les taux d'intérêt augmentent ; elle se positionne sur le MATIF de façon à réaliser des gains dans la situation qui lui est défavorable du point de vue de son portefeuille ; elle est donc vendeur de contrats sur le MATIF. Si les taux d'intérêt s'élèvent, elle perd sur son portefeuille et réalise des gains compensatoires sur le MATIF.

D'autres, *les spéculateurs, prennent des risques* en anticipant des variations de taux ; à l'inverse des précédents, ces agents n'adossent pas l'opération sur leur portefeuille et, au lieu de rechercher à neutraliser les pertes par des gains, ils visent des gains purs... et courent le risque de pertes pures.

⟶ *Effet balançoire, Intérêt/Taux d'intérêt, Marché à terme/Marché de contrats à terme MONEP, Obligation.*

MATRIARCAT

Organisation sociale caractérisée par le pouvoir important des femmes dans la famille et le groupe de parenté, voire dans la communauté.

Il est souvent associé à la résidence matrilocale. Ce système est peu répandu. Ne pas confondre matriarcat et filiation *matrilinéaire* : cette dernière n'implique pas, en général, l'autorité féminine (l'autorité, le plus souvent, est dévolue au frère de la femme).

⟶ *Patriarcat.*

MATRICE

Tableau de chiffres à deux dimensions. La matrice est carrée si le nombre de lignes est égal au nombre de colonnes, sinon rectangulaire.

Les échanges internationaux, par exemple, peuvent être présentés de cette manière, les exportations étant classées par pays en ligne, et les importations en colonnes.

⟶ *TES.*

MATRILINÉAIRE

⟶ *Filiation.*

MAUSS (Marcel)

Sociologue et anthropologue français (1873-1950), disciple de Durkheim.

D'abord spécialiste des religions, il contribua au développement de l'ethnologie en France dans l'entre-deux guerres et, par son enseignement, suscita de nombreuses vocations.

Dans son œuvre la plus célèbre, l'*Essai sur le don*, il propose la notion de phénomène social total pour souligner que les faits sociaux, dans certains cas, « mettent en branle la totalité de la société et de ses institutions » : ainsi, en décrivant les échanges de cadeaux obligatoires appelés *kula* en Mélanésie, il montre que l'aspect économique ne peut être ici dissocié des aspects religieux, politique, juridique ou familial. Il montre ainsi que l'économique est encastré dans un système culturel global.

♦ Ouvrages principaux : *Sociologie et Anthropologie*, publié en 1950, contient ses écrits les plus célèbres dont *Esquisse d'une théorie générale de la magie* (1903) et *Essai sur le don* (1924).

⟶ *Échange, Kula, Potlatch ; Annexe 35.*

MEAD (George Hebert)

Socio-psychologue américain (1863-1931) qui joua un rôle important dans la genèse de l'interactionnisme symbolique avec sa théorie dynamique de la socialisation.

⟶ *Interactionnisme.*

MEAD (Margaret)

Anthropologue américaine (1901-1978) dont l'œuvre relève du courant culturaliste.

Influencée par la psychanalyse, elle étudia principalement la manière dont les formes d'éducation modèlent les personnalités et les comportements adultes très différents d'une société à l'autre. Elle s'intéressa aussi aux différences entre hommes et femmes : en s'appuyant sur trois sociétés primitives de Nouvelle-Guinée, elle démontra de façon exemplaire que les caractéristiques masculines et féminines, loin d'être naturelles, varient selon les sociétés.

♦ Ouvrages principaux : *Mœurs et sexualité en Océanie* (1935) ; *L'Un et l'Autre Sexe* (1948).

→ *Culturalisme, Initiation (Rite d').*

MEADE (James E.)

→ *Annexe : Prix Nobel d'économie.*

MÉCÉNAT

Soutien matériel apporté, sans contrepartie directe de la part du bénéficiaire, à une œuvre ou à une personne pour l'exercice d'activités présentant un intérêt général. Si une contrepartie directe est recherchée, il s'agit d'une action de parrainage (en angl., *sponsor, sponsoring*).

MÉDIANE

Valeur d'une série statistique qui partage en deux effectifs égaux les termes de la série ; le nombre d'observations supérieures à cette valeur est égal au nombre d'observations inférieures. Exemple : si, dans une entreprise, le salaire médian est de 1 500 €, alors une moitié des salariés gagne plus de 1 500 € et l'autre moins de 1 500 €.

→ *Déciles.*

MELTING-POT

(terme anglais signifiant « creuset »)

Désigne la nation américaine qui, comme un creuset, a accueilli en son sein des vagues successives d'immigrants d'origines diverses, et s'est constituée à partir de leur fusion.

L'accent est mis ainsi sur la puissance d'assimilation de l'*american way of life*. Celle-ci est à nuancer cependant : l'intégration des Noirs, bien qu'en bonne voie, n'est pas achevée plus d'un siècle après l'abolition de l'esclavage, les « Chicanos » (immigrés mexicains) et les Asiatiques forment des minorités encore mal acceptées, et les « WASP » (*White Anglo-Saxon Protestants* : descendants des premiers colons britanniques) sont encore surreprésentés parmi les élites. À ces inégalités se superpose une diversité culturelle qui a pu faire dire que la nation américaine était constituée de minorités.

MÉNAGE

Au sens de la Comptabilité nationale : secteur institutionnel regroupant l'ensemble des unités dont la fonction principale est la consommation et, éventuellement, la production dans le cadre d'une entreprise individuelle.

Les ménages tirent leurs ressources principales de la rémunération des facteurs de production (notamment les salaires), des transferts effectués par les autres secteurs et des produits de la vente pour les entreprises individuelles.

Au sens du recensement : l'ensemble des occupants d'un même logement (ménages ordinaires) et la population vivant dans des institutions (ménages collectifs) comme les militaires du contingent, les vieillards dans les hospices.

→ *Secteurs institutionnels.*

MENSUALISATION

Passage du salaire horaire au salaire mensuel, qui a pour effet de garantir dans une certaine mesure le revenu du salarié.

MERCANTILISME

Courant de la pensée économique, contemporain de la colonisation du Nouveau Monde et du triomphe de la monarchie absolue (XVIe et XVIIe siècles), qui considère que le prince, dont la puissance repose sur l'or et sa collecte par l'impôt, doit s'appuyer sur la classe des marchands et favoriser l'essor industriel et commercial de la nation afin qu'un excédent commercial permette l'entrée des métaux précieux.

Le mercantilisme représente plus un ensemble de mesures de politique économique qu'une vision théorique du fonctionnement de l'économie. S'inspirant d'un nationalisme économique, ces mesures requièrent l'intervention de l'État : protectionnisme douanier sélectif, sous-évaluation de la monnaie nationale, octroi de monopoles et de privilèges, réglementation des métiers, aide à la colonisation, création de manufactures royales, aide à la constitution de compagnies commerciales, aide à la marine, développement des transports, etc. Ces politiques ont créé tout à la fois les conditions préalables au décollage économique et à la constitution d'un capitalisme national ; ainsi conforté, celui-ci cherchera par la suite, dans le libéralisme, à s'émanciper de la tutelle de l'État.

♦ Les principaux représentants du mercantilisme sont, en France, J. Bodin, A. de Montchrestien, Colbert, P. de Boisguilbert, R. Cantillon ; en Angleterre, D. Hume, W. Petty, etc.

♦ Le courant mercantiliste ibérique a été plus particulièrement « bullionniste » (de l'angl. *bullion* : lingot), c'est-à-dire soucieux de retenir le métal précieux tiré des colonies espagnoles et portugaises, et le courant français plus « industrialiste » (colbertisme).

♦ Aujourd'hui de nombreux États, développés ou non, adoptent des politiques *néomercantilistes* : ils cherchent une issue à la crise dans l'excédent commercial par le protectionnisme, la sous-évaluation de leur monnaie, la compression de la demande intérieure et la promotion de leurs exportations.

→ *Bullionnisme, Colbertisme, Libéralisme, Physiocratie.*

MÉRITOCRATIE

Système de dévolution du pouvoir fondé sur le mérite.

Cette notion, plus journalistique et politique qu'issue de la recherche sociologique, est d'invention récente. Elle correspond à l'idée que les sociétés industrielles contemporaines, comme leurs entreprises, seraient ouvertes aux talents et connaîtraient une importante mobilité sociale, par circulation et promotion des élites, la sélection s'opérant en dehors de toute considération d'origine sociale, sur la base du seul mérite individuel.

♦ En fait, les études de mobilité sociale montrent que l'héritage socioculturel continue de jouer un rôle déterminant dans la sélection des élites.

→ *Démocratie, Mobilité sociale, Pouvoir (Formes de), Technocratie.*

MERTON (Robert King)

Sociologue américain (né en 1910), l'une des grandes figures du fonctionnalisme en sciences sociales.

Initiateur de nombreuses recherches, Merton est connu parallèlement pour ses vigoureuses prises de position méthodologiques : les sciences sociales ne peuvent plus, comme par le passé, avoir une ambition totalisante. Critiquant deux dérives symétriques, l'empirisme athéorique et la théorie spéculative, il milite pour l'élaboration de « théories à moyenne portée » (*middle range theory*) liant empirisme et construction théorique.

Merton a marqué la sociologie américaine en rénovant et en enrichissant l'approche fonctionnaliste. Critiquant vigoureusement le fonctionnalisme organiciste des anthropologues (en particulier celui de Malinowski), il propose une série de concepts permettant de pratiquer une analyse fonctionnelle fluide capable d'intégrer les dysfonctions, les déséquilibres et les logiques non explicites d'un système social.

♦ L'une des applications les plus connues de ce paradigme néofonctionnaliste reste son analyse des machines partisanes américaines (les grands partis politiques). Notant leur résistance en dépit des condamnations périodiques dont elles font l'objet, il entend montrer qu'elles remplissent des fonctions latentes (humanisation de l'assistance, octroi de privilèges politiques aux entreprises, vecteur de mobilité sociale pour les milieux défavorisés) qui répondent partiellement aux déficiences du système.

♦ Les études principales de Merton sont rassemblées dans : *Social theory and Social structure* (1949), traduit en français sous le titre : *Éléments de théorie et de méthode sociologique* (1965).

→ *Anomie, Fonction (sens sociologique), Fonctionnalisme, Groupe de référence ; Annexe 40.*

MÉSOÉCONOMIE

Terme créé en 1975 par S. Holland ; il désigne la partie de la science économique intermédiaire entre la micro et la macroéconomie, et analyse les comportements au niveau des grands groupes ou des branches industrielles.

→ *Macroéconomie, Microéconomie.*

MESSIANISME

Au sens originel, associé aux religions monothéistes : croyance collective en la venue d'un messie libérateur qui délivrera la société et les hommes de leurs maux.

Au sens élargi, dans une perspective anthropologique : phénomène socio-religieux associé à l'espoir et à l'attente d'un nouvel ordre des choses et se manifestant soit par des dissidences religieuses, soit par des protestations et des révoltes sociales, ces différents aspects pouvant coexister.

Le phénomène messianique est fréquemment marqué par un personnage fondateur (prophète, chef charismatique, voire messie) identifié avec une puissance suprême. Les mouvements messianiques contemporains traduisent souvent une réaction violente contre la domination coloniale et l'oppression sociale.

♦ *Exemples de mouvements messianiques :* Culte du cargo (Nouvelle-Guinée) : attente du cargo ou de l'avion miracle ; les richesses seront remises non plus aux Blancs mais aux autochtones qui retrouveront les secrets d'une prospérité que connaissaient les ancêtres.

♦ *Migrations des Tupi-Guarani* (Brésil) liées à des processus religieux. Les groupes migrants partent vers l'Est, vers le « pays sans mal », pour échapper à la servitude imposée par les Portugais ; annonce de la fin prochaine de la domination blanche.

MÉTAYAGE

Mode de faire-valoir en agriculture : la terre et le capital d'exploitation sont fournis par le propriétaire foncier ; le « preneur », ou métayer qui a l'usage de la terre, cède un pourcentage des produits en nature au propriétaire.

En France, partage des produits fait par moitié, puis à partir de 1946 au tiercement (deux tiers au métayer, un tiers au propriétaire). Aujourd'hui résiduel en France, le métayage se pratique encore souvent dans de nombreux pays en développement (Proche-Orient, Asie).

⟶ *Fermage.*

MICROÉCONOMIE

Partie de la science économique qui analyse les comportements des individus ou des entreprises, et leur choix dans le domaine de la production, de la consommation, de la fixation des prix et des revenus. Elle est le champ privilégié de la théorie néoclassique.

L'analyse microéconomique étudie, de façon classique, le comportement du consommateur à partir de courbes d'indifférence, le comportement du producteur à partir d'hypothèses sur les coûts, le comportement d'offre de travail en fonction de l'alternative travail/loisir. Elle s'intéresse à la formation des prix sur les différents types de marché à partir de deux figures types, la concurrence pure et parfaite et le monopole.

L'analyse de la concurrence imparfaite connaît de nos jours un regain d'intérêt extrêmement fort en incorporant les économies d'échelle, la différenciation, l'information imparfaite.

⟶ *Calcul économique, Désutilité,* **Homo œconomicus,** *Macroéconomie, Marché (théorie du), Mésoéconomie, Microéconomie (nouvelle), Néo-classique (Économie, théorie), Optimum,* Public choice *(École du) ; Annexes 6, 19.*

MICROÉCONOMIE (nouvelle)

Développements récents de la microéconomie qui, s'intéressant aux problèmes d'incertitude et donc d'information, mettent l'accent sur les contrats et les institutions.

◆ Dans un premier temps, la microéconomie s'est développée par un élargissement de son champ d'application : des économistes, et à leur tête G. Becker, délaissent l'échange marchand pour s'intéresser aux comportements non marchands, qu'il s'agisse du comportement de formation interprété comme un investissement en capital humain, de l'allocation du temps entre loisir et travail, du mariage, du divorce, du crime… ; parallèlement, l'école du *Public choice* opère une analyse économique de la politique.

Mais ce que l'on appelle la nouvelle microéconomie recouvre une réalité sensiblement différente puisqu'elle s'applique au cœur de l'économie, la production et l'échange marchands. Elle est fondée sur deux idées de base.

D'une part, le *modèle concurrentiel présente des insuffisances profondes.* À l'inverse de l'hypothèse de transparence, selon laquelle les agents économiques sont parfaitement et donc également informés, dans la réalité, les agents sont pris dans des situations d'incertitude et d'asymétries d'information. Par ailleurs, l'agent économique n'est pas purement passif, il prend des décisions qui influent sur son environnement. Enfin, l'équilibre peut ne pas être optimal. La théorie des jeux permet d'éclairer de telles situations et montrer comment les agents en situation d'incertitude peuvent prendre des décisions qui aboutissent à un équilibre non optimal (dilemme du prisonnier). La théorie de l'information (en particulier la théorie des incitations) s'intéresse au comportement des individus qui prennent des décisions de nature à limiter l'incertitude ou ses effets, à contrecarrer une infériorité d'information ou à inciter l'autre agent à révéler une information qu'il détient.

D'autre part, *l'échange marchand n'est pas le seul mécanisme de coordination interindividuelle.* Les institutions contribuent à réguler l'action des agents ; parmi celles-ci, deux ont fait l'objet d'analyses particulièrement fouillées. L'entreprise, considérée par l'analyse traditionnelle comme une « boîte noire » sur laquelle les économistes n'avaient pas grand-chose à dire, fait l'objet d'analyses nombreuses ; c'est ainsi que Coase interprète l'entreprise comme moyen d'échapper à des transactions trop coûteuses. De même, de nouvelles analyses montrent que le contrat de travail ne peut être réduit au simple échange d'une rémunération contre une certaine quantité de travail et qu'il peut incorporer une dimension de prise en compte des risques (théorie des contrats implicites) ou d'incitation (salaire d'efficience).

→ *Assurance, Becker, Capital humain, Coase, Concurrence pure et parfaite, Efficience (Salaire d'), Jeux (Théorie des), Laffont, Microéconomie.*

MIGRATION

Déplacement d'individus d'un pays à un autre (migrations internationales), d'une région à une autre (migrations intérieures). Les migrations peuvent être durables dans le cas de l'émigration et de l'immigration, provisoires lorsqu'il s'agit de touristes ou de travailleurs saisonniers. Elles sont alternantes lorsqu'il s'agit de déplacements quotidiens entre le lieu de travail et le lieu de résidence.

Dès l'Antiquité, des mouvements migratoires très importants se sont produits (exode des Hébreux, grandes invasions, croisades). Grâce au développement des moyens de communication, les migrations internationales ont pris, à l'époque moderne, une ampleur sans précédent : émigration des Européens vers le continent américain, émigration des habitants des pays en développement vers les pays développés. La France est l'un des pays d'Europe les plus sensibles à l'immigration en raison de la faiblesse de sa fécondité, dès le XIXe siècle. Mais l'époque contemporaine est aussi marquée, à l'intérieur des frontières nationales, par l'émigration des campagnes vers les villes (exode rural, aujourd'hui pratiquement achevé), et par le développement des migrations alternantes.

MILLS (Charles Wright)

Sociologue américain (1916-1962) connu par ses ouvrages tels que *Les Cols blancs* (1951), analysant l'essor des nouvelles classes moyennes, et *L'Élite du pouvoir* (1956), illustration de la thèse élitiste. Figure marquante de la sociologie critique américaine, opposée à l'orientation fonctionnaliste.

→ *Élite(s) ; Annexe 42.*

MINIMA SOCIAUX

Valeur plancher de certains revenus sociaux ou prestations sociales spécifiques qui jouent un rôle important dans l'évolution du pouvoir d'achat des catégories sociales les plus défavorisées dont : revenu minimum d'insertion (RMI), allocation parent isolé (API), allocation de solidarité spécifique (ASS), allocation aux adultes handicapés (AAH), minimum vieillesse, allocation veuvage.

→ *Aide sociale, Protection sociale.*

MINIMUM VITAL

Ensemble de biens nécessaires à un individu pour survivre. Il évolue en fonction des besoins de l'époque.

Essentiellement composé de biens alimentaires au XIXe siècle, il devrait comprendre aujourd'hui également des biens durables (automobile, télévision, etc.) et des services (éducation, santé, etc.).

——▶ *Pauvreté, Salaire minimum interprofessionnel de croissance (SMIC).*

MINORITÉS

——▶ *Communautarisme, Multiculturalisme.*

MOBILITÉ PROFESSIONNELLE

Changement de profession d'un ou plusieurs individus au cours de leur vie active.

Les notions de mobilité intra-générationnelle et de mobilité professionnelle sont souvent confondues, parfois à tort : un artisan boucher qui devient artisan boulanger connaît une mobilité professionnelle sans mobilité sociale ; à l'inverse, un ouvrier mécanicien qui devient garagiste connaît une mobilité sociale (de salarié à indépendant) sans véritablement changer de profession. Plus généralement, le changement de profession n'est pas le seul indicateur de mobilité sociale ; le mariage est, par exemple, aussi un marqueur de statut social.

——▶ *Mobilité sociale.*

MOBILITÉ SOCIALE

Changement de position sociale au cours de la vie active d'un individu (*mobilité intragénérationnelle*) ou entre générations (*mobilité intergénérationnelle*). Sans autres précisions, c'est de ce dernier phénomène dont il est question : il y a mobilité sociale chaque fois qu'un individu occupe une position différente de celle de ses parents ; il y a hérédité sociale ou immobilité dans le cas contraire (« tel père, tel fils »).

◆ La position sociale est référée statistiquement au statut socioprofessionnel qui classe les individus dans les différentes CSP. Elle peut être appréciée également en termes de classes sociales, mais cette caractérisation pose des problèmes de méthode et de mesure, certaines professions n'étant pas situées nettement dans la structure de classe.

La mobilité peut être verticale ou horizontale : *verticale* quand elle correspond à une mobilité ascendante ou descendante le long de l'échelle sociale (un enseignant fils d'ouvrier, un employé fils de cadre supérieur), *horizontale* quand le changement de statut et de milieu ne détermine pas une progression ou une régression décisives dans la hiérarchie sociale (ouvrier spécialisé fils de petit exploitant agricole).

Dans les sociétés industrielles, les flux et la mobilité s'expliquent avant tout par les transformations de la structure des emplois : on parle alors de *mobilité structurelle*.

◆ La rapide diminution des emplois agricoles dans la France contemporaine explique largement l'importance du flux des fils d'agriculteurs devenus ouvriers. De même, la progression des emplois cadres supérieurs explique pour une part le flux remarquable des fils de cadres moyens devenus cadres supérieurs.

La mobilité observée ne se réduit pas en général à la mobilité structurelle : les changements excèdent les mouvements imposés par l'évolution de la structure des emplois ; ce surplus est appelé *mobilité nette*. En pratique, il est difficile de distinguer ce qui relève des contraintes socio-économiques et ce qui résulte d'autres logiques (opportunités, stratégies d'ascension sociale, etc.).

◆ *Mobilité, immobilité et inégalités sociales :* les changements de position ne se font pas au hasard, de même que l'immobilité sociale n'est pas fortuite. Les enfants d'agriculteurs quittant la terre deviennent le plus souvent ouvriers. Les flux de mobilité entre catégories proches sont plus importants qu'entre groupes sociaux éloignés. La mobilité réduite comme l'importance de l'immobilité manifestent l'influence qu'exerce le milieu d'origine sur la destinée sociale des individus — par le biais des trajectoires scolaires en particulier — et traduisent les inégalités de ressources économiques et culturelles entre familles de milieux différents.

→ *Catégories socioprofessionnelles (CSP), Hérédité sociale, Héritage culturel, Mobilité (Tables de), Structure sociale.*

MOBILITÉ (Tables de)

Instrument de mesure couramment utilisé pour apprécier la transmission ou le changement du statut social d'une génération à l'autre.

Une table de mobilité (voir tableau p. 322) se présente comme un tableau à double entrée croisant deux séries de données : la position sociale de l'individu à un moment donné ; la position sociale de son père, c'est-à-dire le milieu d'origine de cet individu.

♦ Pour le père comme pour le fils, la position sociale est définie à partir de la profession exercée entre 40 et 59 ans, c'est-à-dire à un âge où l'on considère que le statut social est en général définitivement acquis.

Destinées et recrutements

Le croisement des origines et des positions peut être présenté de deux façons différentes :
– une table de destinées (% en italiques) mesure la répartition des positions acquises par les « fils » d'une même origine sociale. Exemple : sur 100 fils d'agriculteurs exploitants (âgés de 40 à 59 ans en 1993), 25 % d'entre eux sont eux-mêmes agriculteurs, 35 % sont ouvriers, 14 % sont professions intermédiaires, etc. ;
– une table de recrutements (% en caractères romains) donne la répartition des origines sociales des membres d'une catégorie socioprofessionnelle. Exemple : sur 100 patrons (artisans, commerçants, chefs d'entreprise), 36 % sont fils de patrons, 29 % fils d'ouvriers, 12 % fils d'agriculteurs, etc.

Indices de mobilité et d'immobilité

Une table de destinées donnée en pourcentages donne directement des indices bruts de mobilité et d'immobilité. Soit pour les cadres et professions intellectuelles supérieures : 53 % d'immobilité et 47 % (100 – 53) de mobilité.

♦ Ce sont des évaluations relatives car certains flux de mobilité apparente peuvent être assimilés à une certaine « immobilité » : ainsi en est-il de certains fils de cadres devenus chefs d'entreprise et vice versa.

Cependant, ces premières mesures ne tiennent pas compte des effectifs et de la taille relative des catégories. Ainsi, la mesure brute de la mobilité des cadres et professions intellectuelles supérieures peut apparaître non négligeable (près de un sur deux) mais, rapportée à la part des autres catégories dans l'ensemble des destinées, soit 81 % (100 % – les 19 % de cadres et assimilés), cela paraît faible.

Pour tenir compte de cet effet de structure, on calcule des *indices composés* recevant des appellations diverses : « coefficients de passage » ou indices d'inertie — pour les immobiles — et de dissociation — pour les mobiles. Le principe consiste à comparer la mobilité observée à une situation fictive de totale fluidité où les destinées ne seraient fonction que de la structure des catégories (indépendance entre origines et destinées), ce qui revient à une distribution proportionnelle.

♦ Cet indice composé est égal au rapport entre un % observé (hérédité ou mobilité) dans le tableau des destinées et la part du groupe d'arrivée dans l'ensemble des « fils » que l'on trouve sur la ligne horizontale « Ensemble » en bas du tableau.
Ainsi, pour les cadres et assimilés, l'indice composé d'immobilité est égal à : 53/19 = 2,8
l'indice de mobilité cadres → professions intermédiaires donne :
21/23 = 0,9
tandis que l'indice de mobilité cadres → ouvriers est égal à 7/32 = 0,2.

La valeur 1 ou une valeur approchée (0,9 ou 1,1) signifie que l'origine ne favorise ni ne défavorise la destinée correspondante. S'il y a des freins à la mobilité, les indices seront supérieurs à 1 sur la diagonale de l'hérédité sociale et inférieurs à 1 dans les autres cases.

→ *Mobilité sociale.*

Destinées et recrutements (Enquête de 1993)

Groupe socioprofessionnel des hommes en 1993 en fonction de celui du père

Catégorie socio-professionnelle du père	Catégorie socioprofessionnelle en 1993 (en milliers)						
	Agri-culteur	Artisan, commerç., chef d'entreprise	Cadre et profession intellect. supérieure	Profession interméd.	Employé	Ouvrier	Ensemble
Agriculteur	258 *25 %* 86 %	81 *8 %* 12 %	108 *10 %* 9 %	153 *14 %* 11 %	84 *8 %* 15 %	365 *35 %* 19 %	1 049 *100 %* 17 %
Artisan, commerçant, chef d'entreprise	14 *2 %* 5 %	246 *29 %* 36 %	180 *22 %* 16 %	168 *20 %* 12 %	56 *7 %* 10 %	167 *20 %* 9 %	831 *100 %* 14 %
Cadre et profession intellectuelle supérieure	3 *0 %* 1 %	54 *11 %* 8 %	266 *53 %* 23 %	104 *21 %* 7 %	42 *8 %* 7 %	34 *7 %* 2 %	503 *100 %* 8 %
Profession intermédiaire	5 *1 %* 2 %	56 *9 %* 8 %	225 *35 %* 19 %	190 *30 %* 14 %	61 *10 %* 11 %	97 *15 %* 5 %	634 *100 %* 11 %
Employé	1 *0 %* 0 %	49 *8 %* 7 %	148 *22 %* 13 %	215 *32 %* 15 %	74 *11 %* 13 %	180 *27 %* 9 %	667 *100 %* 11 %
Ouvrier	19 *1 %* 6 %	204 *9 %* 29 %	228 *10 %* 20 %	568 *24 %* 41 %	251 *11 %* 44 %	1 068 *45 %* 56 %	2 338 *100 %* 39 %
Ensemble	300 *5 %* 100 %	690 *12 %* 100 %	1 155 *19 %* 100 %	1 398 *23 %* 100 %	568 *9 %* 100 %	1 911 *32 %* 100 %	6 022 *100 %* 100 %

Champ : hommes, actifs occupés ou anciens actifs occupés en mai 1993, âgés de 40 à 59 ans.
Total : 6,022 M comme l'indique la case du bas à droite.
Source : enquête FQP 1993, INSEE. (Dernière enquête publiée en 2003)

Dans chaque case, le premier chiffre indique les effectifs : 228 000 hommes de 40 à 59 ans sont cadres fils d'ouvriers. Le second chiffre (en italiques) donne les destinées : 10 % des fils d'ouvriers sont cadres. Et le troisième chiffre présente les recrutements : 20 % des cadres sont fils d'ouvriers.

MODE DE PRODUCTION

Au sens marxiste : articulation des forces productives et des rapports de production caractéristique d'une société à un moment donné de son histoire.

◆ L'étude de la nature et de la succession des modes de production constitue l'essentiel du matérialisme historique. Selon la conception marxiste, le mode de production est la base économique qui permet de connaître « l'anatomie de la société civile » ; l'évolution de l'humanité est résumée par l'émergence de quatre modes de production (esclavagiste, féodal, capitaliste, socialiste) ;

le rapport entre forces productives et rapports de production est conflictuel : lorsque, à un certain degré de leur développement, les forces productives entrent « en collision » avec les rapports de production existants, s'ouvre une ère de « révolution sociale » (qui débouche à terme sur un nouveau mode de production, donc sur de nouveaux rapports de production, lesquels n'entravent plus, du moins temporairement, le développement ultérieur des forces productives).

→ *Marx, Marxisme.*

MODE DE VIE

→ *Genre de vie (ou mode de vie) ; Annexes 28, 33.*

MODÈLE (économique)

Système abstrait dont la fonction est de représenter la réalité de façon très simplifiée, mais formalisée, ou de permettre l'étude d'un phénomène réel (dans ce dernier cas, le modèle ne cherche pas nécessairement à être réaliste).

« J'entends par modélisation autant la définition des concepts et la délimitation de l'ensemble de ceux qui doivent intervenir simultanément, que la construction d'un système de relations plus ou moins étroitement spécifiées et formalisées » (E. Malivaud).

Que le modèle soit de prévision (pour éclairer les choix budgétaires), de simulation (pour apprécier l'effet d'une baisse du taux de la TVA) ou d'optimisation (pour choisir le tarif EDF), l'important est que le chiffrement des relations permette d'évaluer l'effet des variables exogènes sur les variables endogènes.

On distingue habituellement les relations de *définition* (par exemple, épargne = revenu – consommation), les relations *comptables* (par exemple, emplois = ressources), les relations *tendancielles* (par exemple, la valeur de la variable en t résultant de l'appli-cation d'un taux de croissance à la valeur de la variable en $t – 1$) et les relations de *comportement* (par exemple, la consommation est fonction du revenu et du taux d'intérêt) ; la richesse du modèle dépend de la qualité de ces dernières.

Parmi les modèles macroéconomiques les plus connus, on peut citer DMS (modèle dynamique multisectoriel de moyen terme) et METRIC (modèle économétrique trimestriel de la conjoncture).

→ *Économétrie, Économie du développement, Endogène/Exogène, Fonction (sens mathématique et statistique).*

MODIGLIANI (Francesco)

→ *Cycle de vie des individus (Théorie de l'épargne) ; Annexe : Prix Nobel d'économie.*

MONARCHIE

→ *Pouvoir (Formes de).*

MONDIALISATION (de l'économie)

Émergence ou renforcement d'acteurs, de marchés et de régulations à l'échelle mondiale.

La libéralisation de la circulation des marchandises, des capitaux et, dans une moindre mesure, des hommes, liée à l'internationalisation des firmes, favorise l'émergence de marchés des biens, des services et des capitaux mondiaux.

La globalisation des marchés de biens et de services se traduit en particulier par l'accentuation de la concurrence, des redistributions de lieux de production, une standardisation des produits et une (relative) uniformisation des modes de consommation. L'OMC participe à la globalisation par la libéralisation des échanges commerciaux et l'édiction de règles communes.

La globalisation des marchés financiers favorise la propagation des crises financières.

L'existence des firmes multinationales est ancienne mais elle se renforce, ces entreprises prenant des décisions indépendamment d'un ancrage national.

Phénomène essentiellement économique, la mondialisation à la fin des années 1990 revêt de nouvelles formes sous l'effet de trois évolutions. D'une part, les nouvelles techniques de communication (Internet) donnent à la circulation des idées, des technologies et des services un essor sans précédent. D'autre part, comme le soulignent les spécialistes de sciences politiques, la mondialisation prend aussi la forme d'un poids croissant d'acteurs internationaux étatiques (OMC, FMI...), privés (entreprises, CNN) ou non gouvernementaux au détriment des États-nations. Enfin, la réunion de l'OMC de Seattle en 1999 a donné un espace et un écho nouveaux aux mouvements « anti-mondialisation ».

⟶ *Internationalisation.*

MONDIALISATION CULTURELLE

Idée selon laquelle le processus de mondialisation économique se doublerait d'une mondialisation de la sphère culturelle aux deux sens que le mot culture peut revêtir : la production, la circulation et la consommation de produits culturels (médias, musique, cinéma, émissions TV, prestations de loisirs), d'une part ; les modes de vie, les normes et les valeurs par le biais des standards de biens et de modèles de référence communs, d'autre part.

Les échanges culturels se produisent depuis fort longtemps (voir en particulier la diffusion des religions « universelles »). Ce qui serait nouveau, en revanche, c'est le fait que désormais, aucune civilisation, aucune société au-delà d'une taille minimale ne constitue un monde à part entière se suffisant à elle-même.

Si l'on pousse le raisonnement à la limite, le quidam mondialisé aurait, à l'instar de ses semblables, les mêmes pratiques culturelles (séries TV, *Titanic* ; Disneyland), les mêmes comportements alimentaires (MacDonald's, céréales Kellog's, pizzas), les mêmes biens d'équipement (micro-ondes, ordinateur portable), il serait soumis aux mêmes flux médiatiques (CNN, shows mondialisés) et aux mêmes messages politiques et culturels.

La notion de mondialisation culturelle pose deux séries de questions : son appréciation politique et « morale », la réalité et l'intensité du phénomène.

1. Quelle mondialisation à l'œuvre ?

Sur ce premier point, on peut opposer schématiquement :

– des positions favorables et optimistes. La mondialisation apparaît comme une évolution positive : de façon générale, les échanges culturels enrichissent mutuellement les participants ; dans une optique libérale, la *world culture*, sous l'effet de la compétition mondiale, optimise les potentialités créatrices ;

– des positions critiques et/ou pessimistes. La mondialisation entraîne la destruction des cultures singulières (processus négatifs de déculturation), l'uniformisation appauvrissante des sociétés sous l'égide des puissances économiques et financières. S. Latouche parle d'« économisation du monde », de l'avènement d'une société marchande universelle dont la rationalité serait rabattue sur le productivisme et l'efficience économique ;

– la position de politistes américains comme D. Bell ou R. Inglehart apparaît plus complexe : la modernisation culturelle du monde est un processus non réductible à la libéralisation des échanges, les héritages historiques et sociétaux induisent des spécificités régionales au développement.

2. La réalité et les limites de la mondialisation culturelle

Plusieurs analyses relativisent l'ampleur du phénomène ou en complexifient le schéma :

– des sociologues et des anthropologues critiquent la polarisation des esprits sur les centres d'émission des producteurs de messages et de biens, occultant par là même les modalités de leur réception et de leurs usages ; on confondrait les flux matériels et immatériels avec les pratiques, les interactions, les symbolisations locales qui font la réalité culturelle ;

– dans la même perspective, on met l'accent sur les hybridations et les métissages culturels. La mondialisation est loin de se conjuguer au singulier. Ici et là, on emprunte, on récupère pour produire des biens culturels mixant le soi et l'autre, le local et le global ;

– parallèlement, les processus de mondialisation se doublent de résurgences particularistes : « la définition de l'universalité [...] procède par réinvention de la différence » (J.-F. Bayard). Cette tendance peut dériver vers des formes régressives : replis identitaires, crispations communautaristes.

➞ *Acculturation, Culture, Multiculturalisme, Post-matérialisme.*

MONEP

Marché d'options négociables de Paris, créé en 1987, sur lequel s'échangent des options sur actions, des droits d'acheter ou de vendre des actions.

➞ *MATIF, Option.*

MONÉTARISME

Courant de pensée libéral se présentant comme une alternative à l'analyse keynésienne, dont le chef defile est l'Américain Milton Friedman et qui pri-

vilégie la monnaie dans l'explication de l'inflation, la politique monétaire comme instrument de politique économique et le flottement des monnaies comme système monétaire idéal.

L'analyse de l'inflation retient principalement l'excès d'émission de monnaie. « L'inflation est toujours et partout un phénomène monétaire et il n'y a pas, par conséquent, de lutte contre l'inflation sans politique monétaire restrictive. » « La cause immédiate de l'inflation est toujours une croissance de la masse monétaire trop rapide par rapport à celle de la production. »

Il résulte de cette analyse que la lutte contre l'inflation repose principalement sur la politique monétaire, et sur une politique monétaire d'inspiration libérale : opposés à l'encadrement du crédit, les monétaristes sont très attachés à la régulation par les taux.

Les auteurs monétaristes préconisent, en principe, une politique monétaire de progression automatique régulière de la masse monétaire, ce qui présente à leurs yeux l'avantage d'éliminer toute intervention discrétionnaire des pouvoirs publics ; toutefois, leur volonté farouche de lutter contre l'inflation les incite aussi à prôner une politique monétaire restrictive.

♦ Certains disciples de M. Friedman, nommés les « Chicago boys », ont tenté d'appliquer les analyses monétaristes à certains pays latino-américains avec des résultats qui semblent montrer que l'équilibre économique ne dépend pas seulement de la monnaie, mais aussi et surtout de l'appareil de production.

➞ *École de Chicago (sciences économiques), Friedman, Inflation, Nouvelle économie classique (NEC) ; Annexe 20.*

MONISME

Interprétation des phénomènes naturels ou sociaux reposant sur un seul principe d'explication.

Exemples : la rationalité des agents (analyse économique), l'imitation (phénomènes socioculturels), le progrès technique (changement économique et social).

MONNAIE

Actif liquide dont les formes varient selon les structures économiques et sociales et qui sert à l'évaluation et au règlement des échanges. Les variations du stock de monnaie et de sa valeur sont en relation d'interdépendance avec l'évolution du volume de production et des prix.

Les *formes de la monnaie* ont fortement varié selon les lieux et les époques. Au début du XIXᵉ siècle, le système monétaire est marqué par la domination des monnaies métalliques : les pièces d'or et d'argent circulent effectivement et valent leur « pesant d'or » (ou d'argent). De plus, les billets sont doublement soumis à la domination de la monnaie métallique : ils sont convertibles en or et n'ont donc pas de valeur intrinsèque mais leur valeur dérive de cette possibilité de conversion ; leur émission est liée, de façon plus ou moins stricte, à la quantité d'or détenue par la banque.

Depuis un siècle et demi, un processus de *dématérialisation* de la monnaie s'est affirmé qui comporte trois étapes :
– dans un premier temps, la monnaie métallique a vu sa part régresser au profit du billet et de la monnaie scripturale : les pièces d'or et d'argent cessent de circuler après la Première Guerre mondiale ; désormais la valeur faciale des pièces de monnaie est bien supérieure à leur valeur réelle ;
– dans un deuxième temps, la dématérialisation prend la forme d'une régression de la circulation manuelle (pièces, billets) au profit de la monnaie scripturale et du développement de chèques comme moyen de paiement ;
– la dernière étape se manifeste par la régression en termes relatifs de l'utilisation du chèque, qui suppose un transfert de papier, au profit de règlements automatisés qui ne nécessitent pas de tels transferts (virements et prélèvements automatiques).

Les *fonctions de la monnaie* sont au nombre de trois. La monnaie est une *unité de compte* — c'est la fonction de numération, elle sert à évaluer les biens et services échangés et les revenus versés. La monnaie est un *intermédiaire* dans l'échange — fonction d'intermédiation, elle est cédée en contrepartie des biens et services dans les échanges monétaires. Elle a enfin une fonction *de réserve* parce qu'elle permet de transférer du pouvoir d'achat dans le temps et constitue à ce titre une partie des avoirs des agents économiques ; ils conservent de la monnaie pour des motifs de précaution, de transaction, ou pour éviter des pertes en capital sur des biens dont la valeur peut baisser.

La monnaie est émise par l'ensemble du système bancaire. Les banques participent à la création de monnaie par le crédit : dans une opération de crédit, la banque crédite le compte du bénéficiaire et met ainsi à sa disposition de la monnaie scripturale ; les crédits font ainsi les dépôts (« *loans make deposits* »).

Toutefois, lorsque cette monnaie émise circule, les banques peuvent se trouver confrontées à des fuites : la monnaie cédée aux clients peut être pour partie transformée en billets, en devises ou transférée à d'autres banques. La banque, pour régler ces opérations, doit détenir de la monnaie Banque centrale sous forme de billets ou de compte courant à la Banque centrale. Ce besoin de monnaie Banque centrale, qui naît de la création de monnaie, crée une limite naturelle — à laquelle peut s'ajouter la contrainte liée aux réserves obligatoires — au processus de création de monnaie.

La Banque centrale joue un rôle fondamental, mais indirect, dans la création de monnaie par l'alimentation des banques en monnaie Banque centrale par des procédures de refinancement ; surtout, elle régule, par le biais de la politique monétaire, la croissance de la masse monétaire.

♦ La *valeur de la monnaie* peut être envisagée au niveau interne et au niveau externe. Au niveau interne, la valeur de l'unité de monnaie se définit par son pouvoir d'achat : plus la hausse des prix est forte, plus la valeur de la monnaie est faible. Au niveau externe, la valeur de la monnaie dépend de son taux de change par rapport aux autres monnaies.

♦ Le problème fondamental concernant la monnaie réside dans les rapports existant entre le stock de monnaie et la valeur de l'unité monétaire, en d'autres termes dans le rôle de la monnaie dans l'inflation. La *théorie quantitative et la théorie monétariste* privilégient la monnaie comme facteur explicatif de l'inflation, alors que les autres approches considèrent que l'émission de monnaie est plus une condition qu'une cause de l'inflation.

⟶ **Currency School, Currency Principle/ Banking School, Banking Principle,** *Banque, Base monétaire, Crédit, Inflation, Keynes, Masse monétaire/Agrégats monétaires et placements financiers, Monétarisme, Monnaie (Théorie quantitative de la), Préférence pour la liquidité ; Annexe 15.*

MONNAIE DE FACTURATION

Monnaie dans laquelle est libellée une créance et qui peut être distincte de la monnaie utilisée effectivement pour régler la dette (monnaie de règlement).

Exemple : contrat de vente d'un lot de marchandises libellé en dollars (monnaie de facturation). Au moment du règlement, la monnaie de paiement peut être la livre, ce qui pose le problème du change.

MONNAIE-PANIER

Unité monétaire définie comme une moyenne pondérée de différentes devises.

Le DTS (et feu l'Écu) est ainsi calculé par rapport à un panier de monnaies définies dans le cadre d'accords internationaux. Par construction, la valeur d'une monnaie-panier est plus stable que celle de chacune des monnaies qui la composent.

♦ En dehors de ces unités monétaires définies internationalement, il existe aussi des paniers de monnaie spécifiques définis par certains pays, auxquels ces derniers rattachent la valeur de leur monnaie, c'est par exemple le cas de l'Algérie.

⟶ *Droits de tirages spéciaux (DTS), Écu, Système monétaire européen (SME).*

MONNAIE (Théorie quantitative de la)

Théorie selon laquelle les variations de la quantité de monnaie en circulation dans une économie provoquent des variations du niveau général des prix. On attribue souvent à Jean Bodin la paternité de cette théorie : il expliqua, en 1568, que la hausse des prix en Europe résultait de l'afflux de métaux précieux en provenance du Nouveau Monde.

Pour comprendre cet énoncé, il est commode de raisonner à partir de l'identité formulée par I. Fisher (1907),

$$MV = PT$$

la monnaie (M) en circulation au cours d'une période sert à régler un certain nombre de transactions (T) dont le prix moyen est P, avec une vitesse de circulation donnée (V).

♦ Un billet de 50 € suffit à régler 100 € de transactions si on l'utilise deux fois, donc si sa vitesse de circulation est de 2.

On considère que :
– la vitesse de circulation est constante à court terme ;
– le niveau des transactions dépend de la production, correspondant au plein-emploi des facteurs de production, et est une constante.

Il en résulte que les variations des prix (P) et les variations de la masse monétaire (M) sont liées. La théorie quantitative pose que c'est M qui entraîne P, la variation de la masse monétaire entraîne la variation des prix.

♦ Certains auteurs ont fait remarquer que l'identité de Fisher pouvait être interprétée de façon inverse : P entraînant M ; les entreprises, dans le cadre d'une concurrence imparfaite, décident de leurs prix et obtiennent les crédits qu'elles réclament, les banques créent de la monnaie en contrepartie des crédits qu'elles accordent aux entreprises. Dès lors, la création de monnaie par les banques vient « ratifier » ou « valider » des hausses de prix décidées par les entreprises. On peut également objecter que si la théorie quantitative fait dépendre le niveau général des prix de la quantité de monnaie, cette monnaie est neutre, c'est-à-dire sans effet sur les variables réelles, production, revenu, emploi ; mais cette hypothèse de neutralité est remise en cause par Keynes.

──→ *Fisher, Inflation, Keynes, Malestroit (Paradoxe de), Monétarisme, Réel/Monétaire - Réel/Financier ; Annexe 20.*

MONNAIE UNIQUE

──→ *Europe communautaire (système monétaire européen ou SME), Europe communautaire (union monétaire).*

MONOPOLE

Structure de marché caractérisée par la présence d'un seul vendeur.

Le monopole, seul offreur sur le marché, est en situation de *price maker* : à l'inverse du producteur en concurrence pure et parfaite qui subit le marché (*price taker*), le monopole peut définir le prix. Toutefois, la demande crée une relation entre le prix et la quantité : plus le prix est élevé, plus la quantité demandée est faible ; à chaque niveau de prix correspond la quantité de produit que le monopole peut écouler. Le monopole ne peut donc déterminer librement la quantité et le prix : il choisit un couple prix-quantité, le point A sur le graphique.

Il en résulte une différence entre la recette moyenne et la recette marginale. La recette marginale est l'accroissement de recettes (chiffre d'affaires) résultant de la vente d'une unité supplémentaire. En concurrence pure et parfaite, le prix est une donnée et la recette marginale est égale à la recette moyenne, et donc au prix : si le prix du bien est de 1 000 et le producteur en vend une unité de plus, ses recettes s'accroissent de 1 000. En situation de monopole, il en va tout autrement : supposons que la demande soit de 10 unités pour un prix de 1 000 et de 11 pour un prix de 950 ; si le monopole produit 11 et non plus 10, il devra baisser son prix de 1 000 à 950 pour écouler sa production ; les recettes passent de 10 000 à 10 450 ; la recette marginale est de 450.

Formation des prix en situation de monopole

La théorie néo-classique fait une analyse de la formation des prix en situation de monopole qui tend à montrer que le monopole est une situation moins satisfaisante que la concurrence pure et parfaite.

Comme dans la théorie de la concurrence pure et parfaite, on suppose que les rendements sont croissants puis décroissants. Mais, à la différence de la concurrence pure et parfaite, la courbe (ici une droite) de recette marginale est différente de la courbe de demande (quantités correspondant aux différents niveaux de prix, c'est-à-dire la recette moyenne).

Quelle est la situation dans laquelle le profit est maximal ? C'est lorsque le coût marginal est égal à la recette marginale. En effet, le profit est :

$$\text{Profit total} = \text{Recette totale} - \text{Coût total}$$
$$= RT - CT$$

Le profit est maximal lorsque sa dérivée est nulle (par rapport à la variable Q, quantité produite) :

$$P' = 0 \text{ quand } (RT)' - (CT)' = 0$$

Or la dérivée de la recette totale (dRT/dQ), c'est la recette marginale ; la dérivée du coût total (dCT/dQ), c'est le coût marginal.

Le profit est maximal lorsque :

R mar – C mar = 0, soit :

Recette marginale = Coût marginal.

La conclusion de l'analyse, c'est que le profit de monopole est permanent à la différence du profit de concurrence. Par ailleurs, la situation optimale pour le monopoleur (égalité de la recette marginale et du coût marginal) n'est pas optimale pour l'économie tout entière : la situation optimale pour l'économie tout entière est à l'égalité entre le prix et le coût marginal (point B).

On en déduit :

– que la concurrence est une situation préférable au monopole ;

– que, s'il existe un monopole, mieux vaut qu'il soit public, ou tout au moins que la tarification se fasse au coût marginal. Dans ce cas, comme le monopole n'est pas au maximum de bénéfice, il est logique qu'il reçoive une subvention compensatoire.

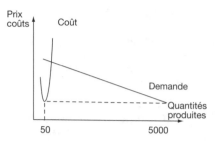

Partons d'une situation *concurrentielle* : la taille optimale est petite (50 unités produites) et, compte tenu de la demande, pour un prix égal au coût minimum (5 000 unités produites) il y a donc la place pour 100 entreprises. Il apparaît clairement que le caractère concurrentiel du marché provient de ce que la taille optimale est petite : une entreprise plus grande a des coût plus élevés, les entreprises n'ont pas intérêt à s'agrandir.

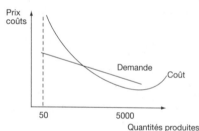

Ici, nous sommes dans une situation inverse de la situation précédente : la grande entreprise, qui produit 5 000, a un niveau de coût bien inférieur à la petite entreprise. Il s'agit d'un *monopole naturel* puisqu'une seule entreprise sur le marché peut répondre à la demande. Toute irruption d'une entreprise de taille inférieure est vouée à l'échec : les petites entreprises sont moins performantes que la grande.

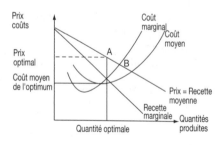

→ *Concurrence imparfaite, Concurrence monopolistique, Concurrence pure et parfaite, Marchés (Structure de), Marchés contestables (Théorie des), Monopole naturel, Néo-classique (Économie, théorie).*

MONOPOLE NATUREL

Situation de monopole due à ce que les rendements sont croissants.

→ *Concurrence pure et parfaite, Marchés contestables (Théorie des), Monopole.*

MONOPSONE

Il caractérise une situation du marché sur lequel il n'y a qu'un seul acheteur : il n'y a plus de concurrence.

MONTANTS COMPENSATOIRES MONÉTAIRES (MCM)

Mécanisme mis en place à la suite de la dévaluation du franc en 1969 pour maintenir l'unité des prix agricoles au sein de la CEE. Les MCM sont en voie de démantèlement au début des années 1990.

──➤ *Europe communautaire (union moné-taire), Europe (union ou intégration économique).*

MONTESQUIEU (Charles de Secondat, baron de la Brède et de)

Écrivain français (1689-1755) considéré comme l'un des précurseurs de la sociologie et des sciences politiques.

Initiateur de la notion de loi appliquée aux sociétés humaines, ainsi que de la théorie des trois pouvoirs (exécutif, législatif, judiciaire) à la base de la démocratie moderne.

◆ Ouvrage principal : *De l'esprit des lois* (1748).

──➤ *Pouvoir.*

MORATOIRE

Suspension temporaire ou définitive de l'obligation de payer ses dettes pour un État ou tout autre agent économique.

MORTALITÉ

Nombre de décès intervenus dans un laps de temps donné, en général une année.

Pour mesurer son évolution, plusieurs indicateurs peuvent être utilisés :

– le *taux brut de mortalité*, ou rapport entre le nombre de décès et la population moyenne de l'année (10 ‰ en France dans les années 1990). Mais ce taux est très sensible à la structure par âge des populations : un pays qui compte une proportion importante d'individus jeunes peut avoir un taux inférieur à celui d'un pays comptant plus de personnes âgées, même si le niveau de vie, les conditions d'hygiène et de santé y sont supérieurs. Le taux de mortalité du Mexique est, par exemple, de 7 ‰, celui du Sri Lanka de 6 ‰ ;

– le *taux de mortalité infantile*, ou proportion des enfants qui meurent avant d'atteindre leur premier anniversaire (8 ‰ en France dans les années 1990). La mortalité infantile a beaucoup baissé depuis un siècle. Elle atteignait encore, en 1935-1937, 71,4 ‰ ;

– les *quotients de mortalité*, ou rapports entre le nombre de décès dans une population à un âge donné et la population du même âge, le plus souvent au 1er janvier de l'année considérée (quotients « perspectifs »). L'ensemble des quotients par âge constitue la table de mortalité, caractéristique d'un pays à une époque donnée ;

– l'*espérance de vie*, ou moyenne des durées de vie d'une génération qui connaîtrait toute sa vie les quotients de mortalité observés une année donnée.

──➤ *Espérance de vie.*

MOUVEMENT OUVRIER

Ensemble des actions collectives, des institutions et des idéologies développées par la classe ouvrière et plus généralement les travailleurs dans les sociétés industrielles.

Le syndicalisme en est l'armature principale, mais le mouvement ouvrier correspond à une réalité plus large polarisée par le conflit entre travail et capital : luttes ouvrières débordant le champ de l'action syndicale, actions et partis politiques se réclamant de la classe ouvrière, idéologies (produit complexe des organisations et des groupes). Les orientations du mouvement ouvrier sont diverses : l'orientation socialiste (dans ses nombreuses variantes) domine, mais d'autres courants — passés ou actuels — y sont présents : anarchisme, réformismes divers (dont celui inspiré par le catholicisme social).

→ *Mouvement social, Socialisme.*

MOUVEMENT SOCIAL

Ensemble d'actions, de conduites et d'orientations collectives mettant partiellement ou globalement en cause l'ordre social et cherchant à le transformer.

Le qualificatif « social » précise la nature de ces mouvements ; ils mobilisent des groupes sociaux : classes et fractions de classe le plus souvent (mouvement ouvrier, mouvements paysans), mais aussi des groupes d'âge à statut particulier (mouvement étudiant), des minorités raciales (Noirs aux États-Unis) ou ethniques (Kabyles en Algérie) ; ils contestent l'organisation sociale et culturelle au-delà du champ strictement politique. Si certains d'entre eux sont éphémères (mouvement de mai-juin 1968), d'autres sont durables et caractéristiques d'un système social (mouvement ouvrier dans les sociétés industrielles capitalistes).

Les mouvements sociaux ne se réduisent pas aux organisations sociales et politiques, « ils ne peuvent jamais être complètement institutionnalisés » (A. Touraine). En règle générale, ils se manifestent dans et par le conflit, ils rendent visibles les rapports de domination et les antagonismes sociaux tout en les contestant activement.

Comme tels, ils sont un facteur ou un accélérateur du changement social.

→ *Acteur social, Conflit social, Messianisme, Mouvement ouvrier, Touraine ; Annexe 47.*

MOYENNE

Valeur centrale calculée pour caractériser une série statistique (ensemble d'observations).

Moyenne arithmétique simple : si aucune précision n'est donnée, la moyenne est le plus souvent une moyenne arithmétique ; un étudiant qui a obtenu les notes
$x_1 = 8$, $x_2 = 12$, $x_3 = 14$ et $x_4 = 10$
aura une moyenne :

$$\bar{x} = \frac{x_1 + x_2 + x_3 + x_4}{4} = \frac{\sum_1^n x_i}{n}$$

$$= \frac{8 + 12 + 14 + 10}{4} = 11$$

Dans cet exemple, il s'agit d'une moyenne simple.

Moyenne pondérée : si chaque note est affectée d'un coefficient, on calcule une moyenne pondérée ; prenons l'exemple d'un coefficient $f_1 = 4$ pour la première matière, $f_2 = 2$ pour la seconde et f_3, $f_4 = 1$ pour les deux dernières, on obtient :

$$\bar{x} = \frac{f_1 x_1 + f_2 x_2 + f_3 x_3 + f_4 x_4}{f_1 + f_2 + f_3 + f_4} = \frac{\sum_1^n f_i x_i}{\sum_1^n f_i}$$

$$= \frac{(4 \times 8) + (2 \times 12) + (1 \times 14) + (1 \times 10)}{8} = 10$$

En général, les pondérations correspondent aux effectifs, ou fréquences absolues, associés à chaque valeur du caractère étudié : dans une population où 30 familles ont un enfant ($f1 = 30$), 50 familles deux enfants ($f2 = 50$), 15 familles trois enfants ($f3 = 15$) et

5 familles quatre enfants (f4 = 5), alors le nombre moyen d'enfants par famille est :

$$\bar{x} = \frac{(30 \times 1) + (50 \times 2) + (15 \times 3) + (5 \times 4)}{100} = 1,95$$

Mais il existe trois autres moyennes pondérées :
– la *moyenne géométrique :*

$$G = \sqrt[\sum_1^n f_i]{f_1 x_1 \times f_2 x_2 \dots fn^x n}$$

– la *moyenne harmonique :*

$$H = \frac{\sum_1^n f_i}{\sum_1^n f_i \frac{1}{x_i}}$$

– la *moyenne quadratique :*

$$Q = \sqrt{\frac{\sum_1^n f_i x^2_i}{\sum_1^n f_i}}$$

◆ En reprenant les notes et les coefficients du premier exemple, on obtient : G = 9,8 ; H = 9,5 ; Q = 10,2.

Avec les moyennes arithmétique et quadratique, l'élève réussit son bac ; avec les deux autres, il est recalé. Cet exemple illustre un résultat plus général : pour une distribution statistique donnée, on a H < G < M < Q.

MOYENNE (Variation en)

⟶ *Glissement/Moyenne.*

MOYENNISATION

Idée selon laquelle on assiste à une atténuation des clivages sociaux accompagnée d'un gonflement des couches sociales intermédiaires ou « moyennes ».

Le thème de la moyennisation renvoie à :
– l'atténuation des disparités socio-économiques (revenus, consommation, loisirs, accès au logement, etc.) ;
– une homogénéisation progressive des comportements relatifs aux mœurs privées (conjugalité, fécondité, condition juvénile), voire aux styles de vie (processus de privatisation dans les couches populaires, recul des rituels bourgeois) ;
– des tendances à la formation d'une classe moyenne hypertrophiée : gonflement des catégories qualifiées de « moyennes » (employés, professions intermédiaires, une partie des cadres, enseignants), diffusion du sentiment d'appartenance à la (ou les) classe(s) moyenne(s).

Ces analyses ne sont pas neuves : déjà, dans les années 1960, on débattait de l'intégration des classes populaires à la société de consommation (certains parlaient même d'« embourgeoisement » des employés et des catégories ouvrières les mieux rémunérées) ; aujourd'hui, le thème est associé au clivage entre les inclus (ceux qui disposent d'un emploi stable et des avantages attenants) et les exclus (catégories marginalisées), les seuls qui échapperaient à la moyennisation.

La thèse est hautement controversée. Ses adversaires contestent l'idée d'un nivellement généralisé : les inégalités de condition et les situations de travail au sein même des « inclus » ne se résorbent pas ou peu, les différences culturelles restent très aiguës, les catégories dites moyennes demeurent hétérogènes.

◆ Ainsi que le fait H. Mendras, la moyennisation peut être également interprétée, non comme homogénéisation du corps social, mais comme sa « centration » sur les catégories moyennes salariées : celles-ci seraient désormais le noyau le plus dynamique de la société, source d'innovations et de nouveaux mouvements sociaux (féminisme, écologisme, etc.).

⟶ *Classe(s) moyenne(s).*

MULTICULTURALISME

Comme réalité sociale : coexistence au sein d'une même société de groupes différenciés selon l'origine ethnique, l'affiliation religieuse, la langue, voire l'attache régionale.

Dans cette première acception, le terme ne renvoie à aucune doctrine et désigne simplement la pluralité des cultures dans un même pays. Cette réalité concerne à des degrés divers toute société rassemblant des populations ayant connu des histoires différentes ou arrivées depuis peu sur le territoire national.

♦ Les États-Unis présentent à cet égard un degré élevé de différenciation culturelle en dépit de la prégnance de l'*american way of life* et du brassage ethnique : outre les (rares) héritiers des Indiens d'Amérique, on peut distinguer les descendants — ou se réclamant tels — des différentes vagues de migrants qui composent aujourd'hui la population nord-américaine : pionniers « fondateurs » du Nord-Ouest européen, Noirs amenés d'Afrique comme esclaves, Européens du Sud (Italiens, Grecs) et de l'Est (Polonais, Russes, Ukrainiens), Latino-américains, Asiatiques, etc.

Les processus d'acculturation aboutissent inégalement à l'assimilation et/ou à l'intégration. Des différences subsistent, mêlant des inégalités sociales et des particularismes culturels. Ces derniers peuvent être interprétés soit comme des survivances de fait, soit comme la volonté de préserver ou de retrouver une identité spécifique (*ethnical revival*).

Au sens politique et idéologique : ensemble d'exigences centrées sur la reconnaissance et les droits des minorités, y compris sexuelles, sur la prise en compte de leurs revendications « communautaires ».

En ce sens, le multiculturalisme est une option sociétale globale et s'oppose aux modèles « universalistes » d'intégration citoyenne (l'idéologie *melting-pot* aux États-Unis, le modèle républicain en France).

Derrière la question des différences culturelles et statutaires et de leur reconnaissance, se profilent très souvent des exigences d'égalité individuelle *et collective* en matière économique, sociale et politique. L'affirmation identitaire est simultanément protestation contre les conditions iniques faites aux membres du groupe et demande de politiques préférentielles assurant un traitement égal pour tous. Cette exigence d'équité aboutit aux États-Unis à la revendication et à la mise en place de programmes d'*Affirmative action*, ensemble de mesures préférentielles en matière d'emploi et d'éducation (places et postes réservés sous forme de quotas aux minorités).

♦ L'effervescence multiculturaliste et les débats qui l'accompagnent sont un phénomène avant tout américain se développant à partir des années 1980. Plus récemment, la question commence à poindre en Europe et en France avec les difficultés d'intégration qu'éprouvent les populations immigrées ou d'origine immigrée, les crispations identitaires et xénophobes, les crises de l'État-Providence et du modèle républicain, ou encore l'affirmation de minorités sexuelles.

→ *Assimilation, Communautarisme, Ethnicité, Républicain (Modèle).*

MULTIPLICATEUR

L'effet multiplicateur est un processus selon lequel une variation d'une grandeur économique (investissement, exportation, base monétaire, etc.) produit au cours d'une période donnée une variation amplifiée d'une autre grandeur (revenu, crédit, etc.).

Cet effet est mesuré par un coefficient multiplicateur, généralement noté K.

♦ Dans un article célèbre de juin 1931, Kahn montre que l'emploi primaire créé dans les industries qui produisent des biens de production induit une augmentation plus que proportionnelle de l'emploi global : en contrepartie des emplois créés dans une industrie, sont distribués des revenus supplémentaires qui vont alimenter une augmentation de la demande adressée à d'autres secteurs : à leur tour, ces secteurs vont embaucher et distribuer des revenus, ce qui alimentera les dépenses dont profiteront d'autres secteurs, etc. L'idée est ensuite reprise par Keynes dans la *Théorie générale* (1936) à propos du multiplicateur d'investissement.

♦ Remarque importante : dans tous les cas de multiplicateurs présentés ci-dessous, les exemples de variation correspondent à une augmentation, hypothèse la plus fréquemment étudiée. Ne pas oublier que cette variation peut également être une contraction (effet multiplicateur négatif).

→ *Kahn, Keynes.*

MULTIPLICATEUR/ ANALYSE KEYNÉSIENNE (Multiplicateur d'investissement)

Une augmentation de l'investissement (variable autonome, cause) entraîne une variation amplifiée du revenu national (variable induite, conséquence).

Le rapport K entre l'accroissement du revenu (ΔY) et l'accroissement de l'investissement (ΔI) est le coefficient multiplicateur. On a :

$$\Delta Y = K\Delta I \; ; \; K = \frac{\Delta Y}{\Delta I}.$$

Un accroissement de l'investissement ΔI (100 dans l'exemple suivant) va provoquer des ondes successives de revenus et de dépenses. Si la propension marginale à consommer est égale à 0,8, le total des revenus engendrés sera de 500.

En effet, la dépense initiale en biens de production (investissement) se traduit dans une première étape par une distribution de revenus de 100 (salaires et bénéfices distribués par les entreprises de biens de production) ; dans une seconde étape, ces revenus sont en partie dépensés, en partie épargnés, dans la proportion de 80 et 20 : la dépense de 80 constitue pour d'autres agents économiques un revenu qu'ils dépenseront à leur tour selon la propension marginale à consommer. Ce processus se poursuit jusqu'à ce que le dernier revenu induit soit négligeable :

	ΔI	ΔY	ΔD	ΔE
1re étape :	100 →	100 →	80 →	20
2e étape :		80 ←	64 →	16
3e étape :		64 ←	51,2 →	12,8
etc. :		51,2 ←	etc.	

(ΔI, ΔY, ΔD, ΔE : respectivement accroissement de l'investissement, du revenu, de la dépense et de l'épargne.)

On constate dans la deuxième colonne que les revenus induits se multiplient d'étape en étape selon une progression géométrique : $\Delta Y = 100 + 80 + 64 + 51,2$, etc. En effet, chaque nombre est obtenu en multipliant le précédent par un nombre constant 0,8, raison de la progression géométrique et propension marginale à consommer. On sait que la somme des termes d'une progression géométrique de raison $\varphi < 1$ est donnée par la formule :

$$\text{Somme} = a \times \frac{1}{1-\varphi}$$

(*a* étant le premier terme de la progression, ici l'investissement initial).

Donc

$$\Delta Y = 100 \times \frac{1}{1-(0,8)} = 100 \times 5 = 500$$

$\frac{1}{1-\varphi}$ est le coefficient multiplicateur

$$K = \frac{1}{1 - \text{propension marginale à consom.}}$$

$$K = \frac{1}{\text{propension marginale à épargner}}$$

(puisque propension marginale à consommer et à épargner sont complémentaires et leur somme égale à 1).

En faisant le même raisonnement dans la quatrième colonne, on constate que la somme des épargnes induites est égale à 100, c'est-à-dire à l'investissement initial.

♦ Pour Keynes comme pour les classiques, l'épargne est égale à l'investissement. Cependant, cette égalité se réalise *ex ante* pour les classiques, c'est-à-dire que l'investissement s'ajuste à une épargne préalable, alors que, pour les keynésiens, c'est l'épargne qui s'ajuste, *ex post*, au cours du processus de multiplication des revenus, à l'investissement initial.

♦ Le processus de multiplication se rattache à l'analyse en termes de circuit ; à l'origine du processus, on trouve une injection de monnaie dans le circuit (dépense) : la valeur du multiplicateur est d'autant plus grande que les fuites (par exemple, l'épargne) sont moins importantes.

♦ Le multiplicateur d'investissement est utilisé par Keynes dans son explication des crises : s'il joue positivement, facteur de création de revenus et d'emplois, il favorise la reprise ; s'il joue négativement, il engendre la récession. En effet, on peut avoir un effet multiplicateur négatif si la variation initiale de l'investissement est une contraction :

$$- \Delta Y = K \, (- \Delta I).$$

MULTIPLICATEUR BUDGÉTAIRE/FISCAL

1. Une augmentation du déficit budgétaire (variable autonome, cause) entraîne une variation amplifiée du revenu national (variable induite, conséquence). On suppose que le déficit est provoqué par un accroissement des dépenses publiques et non par une diminution des recettes.

2. Multiplicateur fiscal : une diminution des prélèvements obligatoires (variable autonome, cause) entraîne une variation amplifiée du revenu national (variable induite, conséquence).

L'effet du multiplicateur fiscal est inférieur à celui du multiplicateur budgétaire : en effet, la dépense publique supplémentaire se traduit intégralement par une augmentation de la demande, alors que la réduction d'impôt entraîne d'abord une augmentation du revenu disponible dont une partie ne sera pas consommée mais épargnée (analyse de Haavelmo).

→ **Haavelmo (Théorème de).**

MULTIPLICATEUR D'EXPORTATION (ou MULTIPLICATEUR DU COMMERCE EXTÉRIEUR)

En économie ouverte, une augmentation des exportations (variable autonome, cause) entraîne une variation amplifiée du revenu national (variable induite, conséquence).

L'amplification, comme dans le cas du multiplicateur d'investissement, sera d'autant plus forte que la propension marginale à épargner (fuites) sera faible.

Cependant, si l'augmentation du revenu national provoque des importations induites, celles-ci constituent également des fuites et la valeur de K est diminuée d'autant :

$$K = \frac{1}{s + m}$$

s : propension marginale à épargner ;
m : propension marginale à importer.

MULTIPLICATEUR MONÉTAIRE (de crédit)

Une augmentation de la base monétaire, c'est-à-dire de la monnaie centrale détenue par les banques (variable autonome, cause), entraîne une variation amplifiée de la masse monétaire (variable induite, conséquence).

♦ La base monétaire est constituée par la monnaie manuelle (pièces et billets) ainsi que par les dépôts en compte courant des banques de second rang auprès de la Banque centrale.

Le coefficient multiplicateur $K = \dfrac{1}{r + b - rb}$

r : coefficient de réserves obligatoires (dépôts non rémunérés que les banques de second rang sont obligées de faire auprès de la Banque centrale) ;

b : proportion de la monnaie scripturale dont les agents économiques demandent la conversion en billets.

♦ Le multiplicateur de crédit suppose, comme le pensent les monétaristes, que l'offre de monnaie est déterminée de façon exogène par la Banque centrale et que les banques attendent de disposer de liquidités pour créer de la monnaie ; mais on pourrait se demander si, à l'inverse, ce ne sont pas plutôt les banques qui demandent et obtiennent des liquidités auprès de la Banque centrale après avoir créé de manière autonome de la monnaie (on parle alors de diviseur de crédit).

→ *Banque, Monnaie.*

MUNDELL FLEMING (Modèle de)

Application du modèle IS-LM à l'économie ouverte.

Appliqué au cas d'une économie ouverte, le cadre d'analyse IS-LM prend en compte trois types d'interdépendances et de contraintes internationales :
– il existe une contrainte au niveau des *flux de marchandises*, la relance de la demande se traduisant par un progrès des importations, donc un effet multiplicateur plus faible et une dégradation du solde extérieur ;
– la contrainte au niveau des *flux de capitaux* dépend de l'intensité de la liberté de circulation des capitaux : en cas de liberté totale, le pays n'a aucune marge de manœuvre en matière de fixation des taux d'intérêt ; il est *price taker* et applique le taux d'intérêt mondial ;
– les *flux monétaires* sont de nature différente selon le régime de change.

En principe, en changes fixes, le niveau de stock de monnaie dépend de l'équilibre extérieur : un déficit implique une contraction de la masse monétaire, alors qu'un excédent entraîne un accroissement. En fait, cette hypothèse ne tient pas compte des mécanismes effectifs de création de monnaie et la compensation possible entre les différentes contreparties de la masse monétaire : en effet, les pays en situation d'excédent peuvent neutraliser les effets de ce solde sur la création de monnaie, alors que les pays déficitaires ont des niveaux de création de monnaie par le crédit qui leur permettent d'éviter qu'un déficit extérieur ne se transforme en déflation.

En théorie, en changes flexibles, le stock de monnaie est indépendant du solde extérieur ; en fait, cela revient à supposer que l'on est en système de flottement pur, sans aucune intervention des banques centrales sur la formation des taux de change, ce qui ne correspond pas à la plupart des expériences, où le flottement administré se traduit par une intervention des autorités monétaires, intervention qui n'est ni obligatoire, comme en changes fixes, ni interdite, comme en flottement pur.

Les conclusions sont très liées à ces hypothèses restrictives : en régime de changes fixes, la politique monétaire est, dans tous les cas, inefficace ; en revanche, en régime de changes flexibles, la politique monétaire est efficace. Dans le cas de liberté de circulation des capitaux, la politique budgétaire est efficace en changes fixes et inefficace en changes flexibles.

Le triangle d'incompatibilité de Mundell se situe dans le prolongement de ces idées.

→ *Commerce extérieur, Contrainte extérieure, IS-LM (Modèle), Mundell (Triangle d'incompatibilité de).*

MUNDELL (Triangle d'incompatibilité de)

Proposition économique selon laquelle un pays ne peut réunir la liberté de circulation des capitaux, l'appartenance à un système de parités fixes et une liberté en matière de politique monétaire.

Appliqué à l'Europe, dans la période du SME, le triangle d'incompatibilité permet de définir trois situations correspondant à l'exclusion d'une des trois caractéristiques :

– liberté de circulation + autonomie de la politique monétaire mais flottement (pas de parités fixes dans le SME) ; c'est le cas du Royaume-Uni avant 1990 et depuis 1992 ;

– appartenance au SME + autonomie de la politique monétaire mais contrôle des changes (pas de liberté totale de circulation des capitaux) ; tel est le cas de la France dans les années 1980 ;

– liberté de circulation des capitaux + appartenance au SME mais pas d'autonomie de la politique monétaire ; tel est le cas des pays européens intégrés au SME depuis la libéralisation totale des flux de capitaux en 1990.

En fait, il existe un quatrième cas dans lequel on trouve un triangle de compatibilité : appartenance au SME + autonomie de la politique monétaire + liberté de circulation des capitaux ; c'est le cas de l'Allemagne en raison de son rôle de pays-ancre dans le SME.

→ *Europe communautaire (système monétaire européen ou SME), Europe (union ou intégration économique), Mundell Fleming (Modèle de).*

MYRDAL (Gunnar)

→ *Institutionnalisme ; Annexe : Prix Nobel d'économie.*

MYTHE

(du gr. *mythos* « parole », « récit »)
Dans les sociétés primitives et le monde antique : récit fabuleux, pro

pre à une société, mettant en scène des êtres hors du commun (dieux, héros, ancêtres, mais aussi animaux et végétaux, éléments cosmiques) et se donnant pour représentation du monde et de la condition humaine : mythe de Prométhée, de Sisyphe, Mahabharata (Inde), etc.

♦ À la différence des contes, pures fictions reçues comme telles, les mythes sont reconnus comme « vrais » par les membres de la société concernée : ils sont une réalité vécue et indirectement l'objet de pratiques rituelles.

Beaucoup de ces récits sont appelés *mythes d'origine* : ils racontent la création du monde et l'apparition des hommes, leur différenciation, etc.

Sous une apparence désordonnée et fantasque, ils constituent des constructions intellectuelles cohérentes tentant de résoudre ce qui semble intolérable ou dénué de raison.

Les mythes explicitent et légitiment l'ordre social ; comme tels, ils contribuent à maintenir la cohésion de la collectivité.

Dans les sociétés contemporaines : représentation simplifiée, stéréotypée, voire tout à fait fallacieuse, largement répandue dans le public : mythe de la femme-enfant, mythe du bon sauvage, mythe des 250 familles. C'est également une représentation idéalisée du passé : mythe de la Belle Époque.

→ *Lévi-Strauss, Représentations collectives.*

N

NAIRU/NAWRU

Ces deux concepts sont utilisés principalement par l'OCDE dans le cadre de comparaisons internationales portant sur les relations entre l'évolution des salaires, l'inflation et le taux de chômage (ce qui revient à estimer des courbes de Phillips).

Le **NAIRU** (*non accelerating inflation rate of unemployment*) est le taux de chômage qui n'accélère pas l'inflation, autrement dit le taux de chômage qui correspond à une progression des salaires réels parallèle à celle de la productivité de la main-d'œuvre (son augmentation au cours des vingt dernières années peut être un indice du déplacement des courbes de Phillips).

Le **NAWRU** (*non accelerating wage rate of unemployment*) est le taux de chômage qui correspond à la stabilité des salaires nominaux (un taux de chômage inférieur au NAWRU place les salariés dans un rapport de forces qui leur permet d'obtenir des hausses de salaire).

→ *Chômage d'équilibre (Taux de), Chômage naturel (Taux de), Phillips (Courbe de).*

NATALISME

Idéologie préconisant le développement de la fécondité et de la natalité par des mesures de toute nature.

NATALISTE (Politique)

Ensemble de mesures visant à accroître la fécondité de la population d'un pays. Elle peut prendre la forme d'encouragements matériels (allocations familiales, prime au troisième enfant, etc.), de développement d'un contexte favorable à l'enfance (création de crèches par exemple), mais aussi de mesures coercitives (interdiction de la contraception ou de l'avortement).

NATALITÉ

Nombre de naissances constatées pour un pays, dans un laps de temps donné (en général une année). Elle se mesure par le taux de natalité ou rapport du nombre de naissances vivantes à la population totale moyenne de l'année. Cependant, cet indicateur est sensible à la structure par âge de la population et l'on utilise plutôt les indicateurs représentatifs de la fécondité pour analyser le phénomène.

→ *Fécondité.*

NATION

> Communauté d'individus liés par une même culture, généralement organisée en État autour d'un même projet.

♦ Familles, clans, tribus, peuples inclus dans la nation, sont, comme elle, des sociétés globales sans vocation spécialisée, tout comme les civilisations ou les religions qui l'englobent. Mais, outre la taille, elle s'en distingue par l'importance que lui confère le fait d'être le siège du pouvoir suprême : le pouvoir d'État.

Bien qu'il faille distinguer les deux notions, le couple nation/État est si imbriqué qu'il a donné naissance au concept moderne d'*État-nation*. C'est dans la nation que l'État moderne puise sa légitimité : les représentants de l'État sont d'abord ses représentants ; et c'est en la soumettant à une même loi que l'État en assure la cohésion. Mais c'est aussi parfois la nation qui, consciente d'elle-même, affirme son identité et son indépendance en se dotant d'un État.

♦ Si la monarchie capétienne a mis des siècles à forger la nation française, œuvre parachevée par les révolutionnaires de 1789, à l'inverse, ce sont les nations américaine, allemande et italienne qui ont affirmé leur identité en instituant un État unique, sinon unitaire, chargé de les représenter. Ces exemples historiques ont en commun d'illustrer le rôle joué par la guerre contre l'étranger dans l'affirmation de l'identité nationale.

Car une nation est une abstraction, une idée, un projet en permanente construction, à la différence d'un peuple, dont les caractéristiques objectives sont plus durablement fixées : langue, coutumes, caractéristiques biologiques dominantes…

Les théories objectives définissent la nation par :

– *le territoire géographique* (voir la théorie des climats et la notion de frontières naturelles) : mais comment ne pas voir l'extrême diversité du territoire américain ou chinois, ou la multiplicité des « pays » qui composent la France… ;

– *la langue* : mais beaucoup de nations reconnaissent plusieurs langues officielles (15 en Inde, 2 en Belgique, 4 en Suisse…) ;

– *l'ethnie* : mais les migrations furent telles que tous les peuples sont métis, à plus forte raison les nations.

Les définitions subjectives, elles, fondent la nation sur :

– *l'idéal commun* qui l'anime, la religion par exemple : mais beaucoup de nations partagent une même religion, qui ne saurait donc les spécifier, ou voient coexister plusieurs religions en leur sein ; et si, pour beaucoup, la France est « le berceau des droits de l'homme », elle n'en a heureusement pas le monopole… ;

– *la volonté de vivre ensemble* : ce qui justifiait aux yeux d'Ernest Renan, plus que la « race », la langue ou la culture, le rattachement de l'Alsace à la France ;

– *la culture* : mais c'est alors de civilisation qu'il s'agit, la France partageant ainsi un grand nombre de valeurs avec les nations formant l'ensemble judéo-chrétien, ou le monde capitaliste développé ;

– *la conscience d'intérêts économiques communs* : mais les nations vivent à l'heure où les frontières s'estompent devant l'unification mondiale des marchés ; le cadre économique national est peu à peu transgressé tant par les stratégies des FMN que par des politiques supranationales (harmonisation des politiques des taux d'intérêt et des taux de change…) ou infranationales (politiques régionales de l'emploi…).

♦ La combinaison, propre à chaque nation, de l'ensemble de ces éléments en détermine la spécificité encore bien réelle. Pourtant, chaque élément perdant de sa netteté et de son pouvoir discriminant, c'est bien à une crise de l'identité nationale que se trouvent confrontés aujourd'hui de nombreux pays.

→ *État.*

NATIONALISATION

> Transfert de propriété du capital d'une entreprise privée à l'État dans le but d'en modifier la logique de fonctionnement.

La nationalisation se démarque en principe de l'étatisation : il s'agit de transférer le pouvoir de décision non à l'État mais à la nation. C'est la raison pour laquelle les entreprises nationalisées jouissent d'une certaine autonomie et que les directions des entreprises ne sont pas la simple émanation des pouvoirs publics : les formules de tripartisme associent par exemple les représentants de l'État, ceux du personnel et ceux des usagers (ou des personnalités « compétentes »). Le transfert de propriété pose des problèmes d'indemnisation des actionnaires.

♦ Il a toutefois existé des nationalisations sans indemnisation ; cela suppose que l'État qui nationalise soit en mesure de refuser cette indemnisation aux actionnaires.

♦ La France a connu deux vagues principales de nationalisations. En 1945, il s'agissait du transfert à la nation de secteurs clés (création d'EDF, GDF…) et de la maîtrise du crédit et du pouvoir financier (banques) et de nationalisation sanction pour fait de collaboration (Renault). La deuxième vague, en 1982, a porté sur 5 groupes industriels (CGE, Saint-Gobain, Pechiney, Rhône-Poulenc, Thomson), 36 banques, 2 compagnies financières et des entreprises de la sidérurgie et de l'armement.

Depuis 1986, la France a rejoint le mouvement général de privatisation que l'on observe dans la grande majorité des pays.

Les nationalisations sont souvent présentées comme le moyen de modifier en profondeur les structures du système économique et comme le moyen d'instaurer une logique alternative au capitalisme. En fait, elles apparaissent fréquemment, et c'est le cas en France, comme le moyen de moderniser le capitalisme et non de le renverser.

→ *État, Privatisation.*

NATIONS UNIES

→ *ONU.*

NÉO-CLASSIQUE
(Économie, théorie)

> Courant de pensée qui constitue actuellement le paradigme dominant en économie et dont les origines sont conventionnellement datées des années 1870-1890, au cours desquelles eu lieu la « révolution marginaliste ».

♦ Cette « révolution marginaliste » est rétrospectivement associée à la publication de trois ouvrages : la *Théorie de l'économie politique* de l'Anglais Stanley Jevons (1871), les *Éléments d'économie politique pure* du Français Léon Walras (qui enseigne à Lausanne), les *Principes d'économie politique* de l'Autrichien Carl Menger.

♦ À ces trois sources ont ensuite correspondu deux sous-courants : en Angleterre, bien qu'Edgeworth soit alors l'économiste le plus proche de Jevons, c'est Alfred Marshall qui impose sa théorie de l'équilibre partiel ; à Lausanne, où Pareto succède à Walras, le cadre d'analyse est la théorie de l'équilibre général, qui restera longtemps méconnue ; il ne serait pas pertinent de parler de sous-courant pour l'école autrichienne car elle s'oppose sur de nombreux points à la théorie néo-classique (c'est notamment le cas pour l'un de ses héritiers les plus célèbres, Hayek).

♦ L'essor de la théorie néo-classique date en fait des années 1940-1960 : en microéconomie, parmi les contributions majeures, signalons celles de Hicks (*Valeur et capital* date de 1939), de Samuelson (ses *Fondements de l'analyse économique* sont parus en 1947) et de Arrow et Debreu (leur démonstration de l'existence d'un équilibre général paraît dans un article de 1954) ; on peut également citer Solow pour sa théorie de la croissance (son modèle date de 1956).

Selon F. Hahn, l'un des plus grands théoriciens de ce courant, un économiste néo-classique se caractérise par trois traits :
– conformément à l'individualisme méthodologique, il rapporte toujours les phénomènes qu'il étudie à des actions individuelles ;
– les individus sont supposés rationnels ;
– la modélisation de l'interaction entre les individus accorde une place importante à la notion d'équilibre.

Ces trois traits sont communs à tous les néo-classiques et se retrouvent dans tous les manuels contemporains de microéconomie. Les différences entre les auteurs et les modèles résultent de leurs définitions du principe de rationalité et du cadre dans lequel les individus interagissent.

Si l'on reprend la typologie d'O. Favereau, la théorie néo-classique standard suppose que la rationalité est absolue, l'individu étant capable, en toute circonstance, d'effectuer un calcul d'optimisation lui donnant accès à la meilleure solution, et la coordination s'effectue par les prix de marché, le cadre institutionnel étant la concurrence parfaite. Pour paraître plus réaliste, la théorie standard étendue prend en compte l'existence d'un mode de coordination alternatif au marché : l'organisation. Toutefois, le choix entre le marché et l'organisation résulte encore d'un calcul rationnel. Selon Favereau, on sort de la théorie néo-classique lorsque l'on tire les conséquences de l'hypothèse de rationalité limitée : les individus ne disposent pas des capacités cognitives requises pour effectuer les calculs d'optimisation et doivent donc prendre leurs décisions autrement.

L'impasse théorique dans laquelle se trouvait le modèle fédérateur de l'équilibre général et l'irréalisme des hypothèses de concurrence parfaite ont conduit les néo-classiques à raisonner de plus en plus souvent dans le cadre d'équilibres partiels de concurrence imparfaite. La tendance actuelle consiste à prendre en compte les asymétries informationnelles et l'interaction stratégique entre les individus, avec un recours croissant à la théorie des jeux.

→ *Asymétrie informationnelle, Classique(s) (Économie, économistes), Concurrence imparfaite, Concurrence parfaite (Modèle de), Équilibre, Individualisme, Jeux (Théorie des), Marginalisme, Rationalité.*

NÉO-KEYNÉSIENS (économistes)

Économistes qui s'inspirent de l'œuvre de Keynes, tout en acceptant certains apports de la théorie néo-classique, mais sans aller jusqu'à accepter les critiques des nouveaux classiques.

Ces économistes, par exemple le prix Nobel James Tobin, continuent à défendre le cœur du keynésianisme orthodoxe, que l'on peut résumer aux quatre propositions suivantes :
– l'économie de marché est intrinsèquement instable et ses ajustements sont lents ;
– l'économie de marché peut connaître des situations de sous-emploi durable au cours desquels on observe du chômage involontaire ;
– le niveau de la production et de l'emploi dépend de la demande effective ;
– en situation de sous-emploi, les politiques de stabilisation sont efficaces (la politique budgétaire étant préférée à la politique monétaire).

Les années 1970 ont été le théâtre d'une remise en cause radicale de cette macroéconomie néo-keysienne, sous l'effet des critiques des nouveaux classiques. Les économistes appelés « nouveaux keynésiens » (nouvelle économie keynésienne, NEK) acceptent partiellement ces critiques et utilisent certaines des hypothèses de leurs adversaires « nouveaux classiques » (NEC), par exemple les anticipations rationnelles. De leur côté, les néo-keynésiens refusent ce type de compromis et restent campés sur leurs positions, ce qui leur vaut aujourd'hui d'être considérés comme des keynésiens « à l'ancienne ».

→ *Keynes, Keynésianisme/Keynésien(s), Nouvelle économie keynésienne.*

NÉO-LIBÉRALISME

Renouveau du libéralisme, tant au niveau de la pensée que de la pratique de la politique économique, qui s'est affirmé depuis la fin des années 1970. Les « nouveaux économistes » développent une critique radicale du keynésianisme et, de façon plus large, de l'intervention de l'État.

♦ Deux types de politique économique sont préconisés par les nouveaux économistes : le monétarisme et l'« économie de l'offre ». Le monétarisme privilégie la lutte contre l'inflation : l'économie de l'offre (*supply side economics*) cherche à relancer l'économie, non par un accroissement de la demande comme les keynésiens, mais par une stimulation de l'offre en diminuant les contraintes pesant sur l'initiative privée (déréglementation) et en allégeant les charges (salariales, sociales et fiscales) pesant sur les entreprises et les épargnants.

En ce qui concerne la politique économique, un certain nombre d'orientations traduisent ce néo-libéralisme : privatisations, remise en cause (partielle) de la protection sociale, flexibilité accrue de l'emploi, réduction des prélèvements obligatoires et des dépenses publiques…

→ *Économie de l'offre (*Supply side economics*), Friedman, Libéralisme, Monétarisme, Nouvelle économie classique (NEC).*

NÉO-TAYLORISME

Adaptation du taylorisme au nouveau contexte économique (concurrence par la qualité, la diversité, les délais), social (main-d'œuvre plus qua-

lifiée) et technique (informatisation et automatisation). Les économistes et les sociologues qui utilisent ce concept cherchent à montrer que, par-delà certains changements organisationnels apparents, perdure ce qui constitue le cœur du modèle taylorien : la division de l'intelligence du travail (d'un côté ceux qui réfléchissent et conçoivent, de l'autre ceux qui exécutent).

→ *Post-Taylorisme, Taylor/Taylorisme.*

NEW DEAL

Terme anglais signifiant « nouvelle donne », « redistribution des cartes ». Ensemble des mesures de politique économique et sociale adoptées aux États-Unis par le gouvernement du président F.-D. Roosevelt à partir de 1933 pour enrayer les effets de la grande crise de 1929.

L'expression fut employée par Roosevelt en 1932 lors de sa campagne électorale contre le président républicain sortant Herbert Hoover. *Politique empirique*, bien qu'élaborée par l'équipe d'universitaires dont s'était entouré Roosevelt, son « brain trust » ; *politique keynésienne,* dans une certaine mesure, mais avant la lettre puisque la *Théorie générale* ne sera publiée qu'en 1936.

♦ La *politique monétaire* s'appuie sur l'*Emergency Banking Act* (9 mars 1933) et le *Banking Act* (16 juin 1933). Enfin, le 16 janvier 1934, après une période d'abandon de l'étalon or et de mise en flottement du dollar, la monnaie américaine est stabilisée à la parité de 35 dollars l'once d'or, soit une dévaluation de 41 %.

♦ La *politique agricole* a pour cadre l'AAA (*Agricultural Adjustement Act,* 12 mai 1933). Elle institue une planification malthusienne de la production et organise la commercialisation des produits. Des primes, financées par des taxes sur l'industrie agricole, sont accordées aux propriétaires qui réduisent les surfaces cultivées ou les quantités produites.

♦ La *politique industrielle* a pour cadre le NIRA (*National Industrial Recovery Act*). Il s'agit de réorganiser la production en éliminant les effets déflationnistes, sur les prix comme sur les salaires, d'une concurrence excessive. Le gouvernement établit un code général comportant la suppression du travail des enfants, l'abaissement de la durée du travail et la fixation à 40 cents du salaire horaire moyen.

♦ La *politique de grands travaux :* elle est l'œuvre de la Civil Works Administration et de la TVA (*Tennessee Valley Authority*). C'est une politique d'aménagement du territoire (barrages, routes, écoles, aérodromes) dont l'objectif est d'employer des chômeurs et de relancer les industries de biens intermédiaires par des commandes publiques.

♦ La *politique sociale :* déjà amorcée par le NIRA, elle est complétée par le *Social Security Act* qui instaure l'assurance chômage, financée par l'employeur (taxe de 3 %), et l'assurance vieillesse, financée à égalité par l'employeur et le salarié (cotisation de 1 % du salaire chacun). Une aide sociale aux chômeurs est distribuée par les États sur crédits du gouvernement fédéral.

♦ On appelle *second New Deal* les mesures, d'orientation plus sociale encore, que fait adopter Roosevelt entre 1935 et 1938 à la suite de l'annulation par la Cour suprême de l'AAA et du NIRA, mesures qui en reprennent les dispositions principales (*Soil Conservation Act*, *National Labor Relations Act*, dite loi Wagner, et *Fair Labor Standard Act*).

Le bilan du New Deal : le processus de dégradation a été enrayé, la tendance inversée, mais, en 1939, les indicateurs sont loin d'avoir retrouvé leur niveau de 1929. Seule la guerre et ses commandes militaires puis les nécessités de la reconstruction de l'Europe permettront le retour au plein-emploi.

→ *État, Fordisme, Keynes.*

NIRA

→ New Deal.

NIVEAU DE VIE

Quantité de biens et services dont disposent un ménage, une catégorie sociale, un pays, en fonction de leur revenu. Le niveau de vie correspond au niveau de consommation. Notion quantitative à distinguer de celle, qualitative, de genre de vie.

♦ S'agissant des nations, l'indicateur du niveau de vie est souvent mesuré par le revenu national par habitant. Cet indicateur a une signification limitée car il ne prend pas en compte l'ampleur des inégalités de revenu.

Il ne faut pas confondre niveau de vie et pouvoir d'achat. *Le pouvoir d'achat* correspond à la quantité de biens et de services qu'un revenu permet potentiellement de se procurer.

Le pouvoir d'achat du revenu disponible dépend de l'évolution des prix : la hausse des prix entraîne une baisse du pouvoir d'achat, c'est-à-dire du revenu réel.

À revenu réel inchangé, on peut accroître son niveau de vie en réduisant la part de ce revenu consacrée à l'épargne.

→ *Genre de vie (ou mode de vie), Inflation, Revenu.*

NOBEL (Prix)

→ *Annexe : Prix Nobel d'économie.*

NOMENCLATURE(S)

Liste de postes ou de catégories, comportant un ou plusieurs niveaux hiérarchisés, résultat d'un travail de classification d'objets économiques et sociaux tels que les produits, les activités, les personnes actives ou les ménages. Les nomenclatures permettent d'ordonner les observations statistiques d'une manière identique d'une année sur l'autre.

Les catégories regroupent des objets présentant des caractéristiques similaires (par exemple, biens de consommation durables, activités chimiques, employés de commerce). Loin d'être des données immédiates de l'observation, elles sont le fruit d'une élaboration raisonnée à partir de principes et selon des objectifs plus ou moins explicites. Tout objet d'un ensemble soumis à classification n'a sa place que dans une catégorie et une seule (principe de non-chevauchement, exigence de non-ambiguïté). Ces procédés, tout aussi rigoureux qu'ils soient, font que les nomenclatures présentent toujours une part d'arbitraire dans la délimitation de leurs bornes, une réalité économique ou sociale n'étant pas toujours facilement « catégorisable ».

En France, dans le cadre de la Comptabilité nationale, l'INSEE met au point plusieurs nomenclatures.

La Nomenclature des activités et des produits (NAP), mise au point en 1973, est l'une des plus importantes et a un caractère officiel ; elle a été rénovée en 1993 (voir *infra*).

◆ Elle comprend quatre niveaux de détail : le niveau 100 (NAP 100) et le niveau 600 (NAP 600) représentent les classifications de base. Cependant, des présentations aux niveaux plus agrégés (regroupements en 40 postes et en 16 postes) sont très utilisées, en particulier pour les besoins des comptables nationaux.

Depuis le 1er janvier 1993, une nouvelle nomenclature d'activité (*NAF : nomenclature des activités françaises*) est entrée en vigueur. Rénovant la NAP, elle se présente comme une adaptation nationale de la NACE (nomenclature des activités économiques des communautés européennes), qui elle-même s'emboîte dans la nomenclature mondiale révisée (CITI). En 1994, les mêmes révisions sont entrées en vigueur pour les produits.

La nomenclature des professions et catégories socioprofessionnelles du début des années 1980 est le principal instrument statistique d'analyse des groupes sociaux et de la différenciation sociale. Elle avait été précédée au début des années 1950 d'une nomenclature dite *code des catégories socioprofessionnelles*.

➞ **Branche, Catégories socioprofessionnelles (CSP), Comptabilité nationale, Secteur économique.**

NOMINALE (Valeur)

Valeur exprimée en unités monétaires (en euro…). La valeur nominale est la valeur inscrite sur une pièce, un billet, un titre, etc.

En termes d'évolution, on distingue les évolutions nominales (un salaire augmente en francs de 6 %) et les évolutions en termes réels, ou à prix constants : si la hausse des prix est de 2,5 %, à une hausse nominale de 6 % correspond une augmentation du salaire réel ou du pouvoir d'achat du salaire d'environ 3,5 %.

➞ **Indices, Prix.**

NOMINALISME

Théorie de la connaissance selon laquelle les idées et concepts ne peuvent saisir ou désigner l'essence des choses. Les constructions scientifiques, les catégories utilisées ne sont pas des reproductions du réel mais des créations contingentes de l'observateur.

➞ **Groupe social.**

NORMAL

Au sens commun : habituel, ordinaire, qui est conforme à la nature des choses, en accord avec les normes (en ce sens, le qualificatif a une connotation positive).

Le point de vue sociologique cherche à relativiser la notion, à s'abstenir de porter des jugements de valeur. Les critères qui départagent ce qui est « normal » de ce qui ne l'est pas dépendent de tout un ensemble de règles — explicites ou tacites —, de conventions, de coutumes propres à une société donnée et à une époque déterminée.

Si les normes varient, les notions de normalité et d'anormalité varient elles aussi : l'agressivité est valorisée dans certaines sociétés, tenue pour pathologique dans d'autres.

♦ Selon Durkheim, les faits sociaux peuvent être dits normaux quand « ils présentent les formes les plus générales », les plus répandues. « Le type normal se confond avec le type moyen. » Ainsi, la criminalité est un phénomène « normal » car observable dans toute société et liée aux conditions de toute vie collective.
♦ À l'inverse, les phénomènes qui s'écartent de la moyenne sont qualifiés de « morbides » ou de « pathologiques ». Cependant, cette caractérisation du normal et du pathologique est relative au type de société et à son degré de développement.

→ *Conformité, Criminalité et délinquance, Déviance, Normes.*

NORMES

Règles et usages socialement prescrits caractérisant les pratiques d'une collectivité ou d'un groupe particulier (normes de groupe).

Les normes ne se confondent pas toujours avec les lois édictées par les pouvoirs publics ; elles se présentent tantôt comme des conduites « allant de soi » (règles de politesse), tantôt comme des obligations sociales (coutume des fiançailles). Ces normes sont acceptées dans la mesure où elles s'accordent avec les valeurs du groupe.

→ *Contrainte sociale, Valeurs.*

NORMES TECHNIQUES

Règles, édictées par les pouvoirs publics et le plus souvent par des organismes de normalisation, fixant les caractéristiques des biens produits et des processus de production.

Les normes techniques ont une logique économique (favoriser la standardisation), une logique informationnelle (donner des informations précises et objectives à l'acheteur), une logique sociale (protéger les travailleurs, les usagers, préserver l'environnement…) ; elles peuvent aussi avoir une logique protectionniste en créant ainsi des sortes de barrières à l'entrée pour les producteurs étrangers.

NORTH Douglass C. (1920-)

Prix Nobel d'économie de 1993 avec Fogel pour ses travaux d'histoire économique qui tendent à privilégier le rôle des institutions.

Considérant que les insuffisances de la théorie néo-classique tiennent à ce qu'elle prend comme des données les droits de propriété, les institutions et les règles du jeu économique, North se fixe comme objectif d'expliquer la formation des institutions et de ne pas les considérer simplement comme des données. Il relativise le rôle de la technologie dans l'histoire de la croissance pour privilégier les transformations institutionnelles (droit des sociétés, banques…) qui tendent à abaisser les coûts de transactions, il se rapproche en cela de Coase. Mettant l'accent sur les droits de propriété, il développe une thèse qui a fait l'objet d'âpres discussions et qui présente le servage comme une relation de nature contractuelle entre le serf qui fournit une certaine quantité de travail et reçoit en contrepartie une protection du seigneur.

Si North se démarque de l'analyse néo-classique — qui tend à privilégier un seul modèle économique, l'économie de marché — en envisageant des fonctionnements de l'économie très différenciés par les institutions, en revanche, il reste très fidèle à une méthode qui considère que dans toute société, l'individu obéit à un comportement économique de maximisation de son revenu.

→ *Coase, Fogel ; Annexe : Prix Nobel d'économie.*

NOUVEAUX MOUVEMENTS SOCIAUX (NMS)

Expression forgée pour désigner l'émergence, dans les années 1960-1970, de mouvements dont les enjeux, les finalités et les formes de mobilisation s'écartent de ceux du mouvement ouvrier et, plus généralement, des conflits axés sur le travail : mouvements étudiant, consumériste, féministe, antinucléaire, écologiste, etc.

Tout en étant très divers, ces mouvements présentent ou présentaient certains dénominateurs communs : des revendications et des valeurs qui s'écartent du registre « matériel » (autonomie, droit à la différence, critique de la gestion bureaucratique des problèmes de la cité, opposition au productivisme : défiance envers les grandes organisations, recherche d'actions expressives de la base des travailleurs, référence à des principes éthiques ou civiques, etc.

Plusieurs sociologues et politistes ont voulu mettre en perspective cette nouvelle donne de l'action collective : l'émergence de la société post-industrielle et le déclin parallèle du mouvement ouvrier (A. Touraine), la montée des valeurs post-matérialistes (R. Inglehart).

Les NMS ont connu un certain déclin avec la crise économique et sociale de cette fin de siècle. La contestation de l'ordre social a reflué devant la gravité des déséquilibres du marché du travail et des processus de marginalisation.

Néanmoins, certaines questions, comme le statut des femmes et l'écologie, sont devenues des enjeux centraux, perçus comme tels par la population et les organisations politiques.

On a par ailleurs relativisé le caractère nouveau de ces mouvements : le mouvement ouvrier n'a pas développé que des revendications « matérielles » (voir les luttes pour les libertés d'expression et contre le despotisme patronal) ; les démocraties occidentales ont déjà connu par le passé des mouvements socio-politiques marquants (actions des suffragettes, luttes pour la laïcité, mouvement noir pour les droits civiques).

→ *Écologistes (Doctrines), Mouvement social, Post-matérialisme, Touraine.*

NOUVELLE ÉCONOMIE

Ensemble de branches liées à l'essor des nouvelles technologies de l'information et de la communication ou nouveau régime de croissance économique.

Pour expliquer la phase de croissance exceptionnelle que l'économie américaine a connu au cours des années 1990, il est souvent fait référence à la nouvelle économie. Ce terme prête à confusion car il se rapporte à des réalités différentes, bien que liées.

Il désigne d'abord les entreprises et les branches productrices des nouvelles technologies de l'information et de la communication ; les auteurs qui croient justifié de parler de troisième révolution industrielle incluent également les biotechnologies. Le caractère spectaculaire du changement dans l'informatique, qu'il s'agisse du matériel ou des logiciels, ou dans les télécommunications, notamment avec le succès d'Internet, ne doit pas occulter le fait que les branches concernées, certes très dynamiques, ne représentent que moins de 10 % de l'économie.

C'est ce qui conduit à étendre le périmètre de la nouvelle économie aux entreprises et branches utilisatrices. Il devient alors difficile de tracer sa frontière, mais cela permet d'en faire le ressort principal de la croissance retrouvée. Pour le démontrer, il faut toutefois résoudre le paradoxe de Solow, énoncé dès 1987 : « Les ordinateurs sont partout, sauf dans les statistiques. » En effet, du côté de l'offre, les nouvelles techniques ne sont un facteur de croissance que si elles induisent des gains de productivité. Or, ceux-ci se sont faits attendre. Pourquoi ? Parce que les investissements dans les nouvelles technologies ne sont efficaces que s'ils s'accompagnent d'une réorganisation du travail et de la production dans les entreprises, laquelle prend du temps.

Cette question majeure de l'organisation, autant à l'intérieur des entreprises que des relations entre les entreprises, montre que la nouvelle économie conjugue des aspects microéconomiques et macroéconomiques. Ainsi, certains considèrent-ils que ce sont les transformations de l'environnement des entreprises, telles que la déréglementation, dont ont profité par exemple Microsoft ou Intel, et la place prise par les marchés financiers dans le financement d'investissements risqués, entre autres ceux des fameuses « start-up », qui expliquent la propagation des innovations.

♦ Le boom américain, pour partie spéculatif, agrémenté de *success stories* et de taux de rentabilité records, sert d'argument pour justifier la version extrême de la nouvelle économie : l'idée que les « lois » de l'« ancienne » économie ne s'appliquant plus, il faut analyser la réalité avec de nouvelles conceptions. Plusieurs phénomènes semblent conforter cette hypothèse : la disparition de l'ancien cycle économique, la phase d'expansion battant des records de longévité ; la disparition de la relation de Phillips, le retour au plein-emploi ne s'accompagnant pas de tensions inflationnistes ; l'euphorie boursière, fondée sur des anticipations de profit paraissant totalement déraisonnables selon les anciens critères d'évaluation, etc. Mais il est encore trop tôt pour connaître le verdict des faits en ce début de millénaire.

Quoi qu'il en soit, de nombreux économistes considèrent que les transformations en cours, dont personne ne nie l'importance, peuvent fort bien s'analyser en appliquant les outils habituels — rendements croissants, vague d'innovations, externalités, etc. —, sans négliger certaines particularités, telles que les effets de réseau.

⟶ *Innovation, Progrès technique, Schumpeter.*

NOUVELLE ÉCONOMIE CLASSIQUE (NEC)

Courant de pensée, dont les chefs de file sont R. Lucas, Th. Sargent, N. Wallace et R. Barro, qui renoue avec une vision « classique », prékeynésienne de l'économie : s'inspirant du courant monétariste et se référant aux anticipations rationnelles, cette approche privilégie la microéconomie, les comportements individuels, l'équilibre des marchés et l'ajustement par les prix. L'une de ses conclusions majeures est que la politique monétaire anticipée par les agents économiques est inefficace.

Dans le prolongement des analyses de M. Friedman, la nouvelle école classique développe une macroéconomie alternative à la macroéconomie keynésienne.

Elle s'organise autour de trois piliers :
– d'une part, à l'inverse de la théorie keynésienne et de la théorie du déséquilibre qui reposent sur l'hypothèse de prix fixes ou de prix rigides, la nouvelle économie classique envisage un monde dans lequel la flexibilité des prix assure l'équilibre des marchés ;
– d'autre part, l'hypothèse de chômage naturel exprime le fait que le chômage ne peut être durablement réduit par une action de relance de type keynésien : la réduction du chômage qui n'est que temporaire ne peut s'opérer que si les agents économiques sont surpris par la relance opérée par les pouvoirs publics ;

– enfin, l'hypothèse d'anticipations rationnelles signifie que les agents économiques ne peuvent être « trompés » durablement.

La conclusion radicalise la position de Friedman : la politique de relance monétaire est inefficace et ne peut que conduire à un niveau d'inflation plus élevé mais sans réduction véritable du chômage ; mieux vaut donc des règles plutôt que le pouvoir discrétionnaire (*rules rather than discretion*). Cette théorie donne ainsi des justifications à une Banque centrale indépendante dirigée par un responsable privilégiant la lutte contre l'inflation et peu enclin à lutter contre le chômage. Par ailleurs, la nouvelle économie classique propose une analyse des cycles privilégiant les chocs exogènes, c'est la théorie des cycles réels. L'économie de l'offre constitue aussi une démarche qui peut être incluse dans la nouvelle économie classique.

➤ *Anticipations, Chômage naturel (Taux de), Crédibilité monétaire ou financière, Économie de l'offre (Supply side economics), Équivalence ricardienne (ou Théorème Ricardo-Barro), Friedman, Monétarisme Phillips (Courbe de).*

NOUVELLE ÉCONOMIE INTERNATIONALE

Renouvellement de la théorie de l'économie internationale qui met l'accent sur les économies d'échelle, les « avantages construits » et donne une interprétation des échanges croisés entre pays semblables.

♦ L'économie internationale traditionnelle, dont les fondements ont été posés par Ricardo et Heckser, Ohlin et Samuelson, présente trois caractéristiques :
– elle s'inscrit dans un contexte concurrentiel, car les agents sont petits sans influence sur le marché et donc *price takers* ;
– elle est statique, dans la mesure où elle considère les différences entre pays comme des données et non comme des variables à expliquer ;
– elle explique les échanges de produits divers entre pays différents.

La nouvelle économie internationale, dont Paul Krugman peut être considéré comme le principal représentant, est en rupture avec la théorie traditionnelle de ces trois points de vue :
– d'une part, elle s'inscrit, non dans la concurrence parfaite, mais dans la concurrence imparfaite : il existe des économies d'échelle et l'entreprise peut avoir intérêt à étendre son marché pour baisser ses coûts ; les produits sont différenciés et les échanges internationaux sont pour partie des échanges de différences ; les entreprises ne sont pas passives par rapport à la formation des prix, elles jouissent d'une véritable autonomie et mènent des stratégies de prix ;
– d'autre part, la nouvelle économie internationale s'intéresse à la formation des avantages relatifs, qu'il s'agisse de l'accumulation de capital, de l'accumulation de capital humain, de la diffusion du progrès technique, on évoque moins les avantages relatifs donnés que les avantages « construits » par les stratégies des entreprises et des États ;
– enfin, la nouvelle économie internationale fournit une interprétation des échanges croisés, des échanges de produits de la même branche (échanges intra-branches) entre pays semblables.

♦ D'une certaine façon, la nouvelle économie internationale marque un retour à une forme de mercantilisme : alors que la théorie traditionnelle montre que l'échange est bénéfique pour tous, y compris pour celui qui importe des biens moins chers à l'extérieur, la nouvelle économie internationale montre l'intérêt pour une firme, pour un pays, de produire et d'exporter un bien pour lequel l'entreprise est en situation de domination du marché. De même, cette analyse apporte un argument aux politiques industrielles et commerciales « stratégiques » qui visent à donner un avantage aux producteurs nationaux, quitte à enfreindre les principes du libre-échange et de la concurrence.

➤ *Avantage (absolu, comparatif), Commerce international, Heckser-Ohlin-Samuelson (Théorème HOS), Krugman, Libre-échange (Théorie du).*

NOUVELLE ÉCONOMIE KEYNÉSIENNE

Courant de la macroéconomie contemporaine qui accepte certaines des critiques classiques à l'encontre de l'économie keynésienne mais tente de sauver une partie de l'héritage keynésien sur la base d'une analyse des imperfections du marché.

♦ En 1980, l'économiste classique Robert Lucas écrit un article intitulé « La mort de l'économie keynésienne ». C'est en réponse à ce défi que toute une nouvelle génération d'économistes, parmi lesquels O. Blanchard, S. Fisher, G. Mankiw, D. Romer, G. Akerlof, A. Blinder, etc., a construit des modèles reposant sur des fondements microéconomiques tout en restant cohérents avec certains éléments constitutifs de l'analyse keynésienne, tels que l'équilibre de sous-emploi ou le rationnement de l'offre par la demande effective.

À la différence de l'ancien courant néo-keynésien (James Tobin), la nouvelle économie keynésienne accepte une partie des apports de la nouvelle économie classique, notamment la nécessité de déduire les relations macroéconomiques de fondements microéconomiques et l'hypothèse d'anticipations rationnelles, c'est-à-dire l'idée que les agents utilisent de façon optimale toute l'information dont ils disposent. En revanche, la nouvelle économie keynésienne refuse la dichotomie classique entre variables nominales (la quantité de monnaie, le salaire nominal, etc.) et variables réelles (le niveau de la production, le niveau de l'emploi, etc.) ainsi que l'hypothèse classique cruciale d'équilibre permanent des marchés par un ajustement continu des prix. Est ainsi préservée l'idée keynésienne que les variations de la demande peuvent être la cause de fluctuations cycliques de grande amplitude justifiant une politique conjoncturelle.

Sur le plan microéconomique, les nouveaux keynésiens insistent sur toutes les imperfections du marché : incomplétude et asymétrie d'information, concurrence imparfaite, coûts d'ajustement. Ces imperfections se traduisent par des rigidités nominales et réelles, qui ne sont donc plus postulées, comme c'était le cas auparavant, mais expliquées. Ainsi, la rigidité des salaires nominaux s'explique-t-elle par les coûts de renégociation des contrats de travail et permet à son tour de justifier l'existence d'un chômage keynésien (si les salaires ne s'ajustent pas en cas de réduction de la demande, les entreprises licencient). Les nouvelles théories du marché du travail (par exemple la théorie du salaire d'efficience) expliquent, de leur côté, des rigidités réelles sur ce marché, sources de chômage involontaire.

♦ Les modèles particuliers des nouveaux keynésiens sont nombreux, mais il n'existe pas de modèle fédérateur. Le point de consensus concerne la défense des politiques économiques discrétionnaires. Bien qu'admettant les critiques monétaristes et classiques de la prétention des néo-keynésiens à réaliser un *fine tuning* (pilotage confortable) de la conjoncture, les nouveaux keynésiens plaident pour une politique économique souple, capable de s'adapter à une situation économique elle-même changeante et de toute façon beaucoup trop imprévisible pour qu'on accepte de se lier à des normes rigides.

⟶ ► *Keynes, Keynésianisme/Keynésien(s), Nouvelle économie classique (NEC).*

NOYAUX DURS (ou NOYAUX STABLES)

Petits groupes de gros actionnaires qui détiennent une fraction du capital d'une entreprise, inférieure à la majorité mais suffisante pour exercer un contrôle, en raison de la dispersion du reste du capital, et qui s'engagent à garder ces titres pendant une durée fixée à l'avance.

Lors des privatisations, en France, en 1986-1987, les pouvoirs publics ont constitué des noyaux durs afin d'éviter la possibilité d'OPA.

⟶ ► *Nationalisation.*

NPI (Nouveaux Pays industrialisés)

Les Nouveaux Pays industrialisés sont des pays du Tiers monde dont les exportations de produits manufacturés représentent une part non négligeable de leurs exportations, et qui connaissent une croissance économique et des transformations structurelles rapides sous l'effet de l'industrialisation.

C'est un ensemble assez hétérogène qui regroupe des pays d'Asie du Sud-Est, au développement extraverti (Hong Kong, Singapour) ou partiellement extraverti (Taiwan, Corée du Sud), et des pays de plus grande taille au marché intérieur développé (Inde, Brésil, Mexique, Argentine).

♦ Certains préfèrent la traduction de l'expression anglaise *Newly Industrializing Countries*, Pays en voie d'industrialisation récente.

⟶ *Division internationale du travail (DIT), Industrialisation, Industrialisation par substitution, Tiers monde.*

NUMÉRAIRE

Unité de compte ; synonyme d'étalon.

Au sens courant : espèces ; payer en numéraire signifie payer avec de l'argent liquide (billets et pièces). Désigne en fait toute monnaie à cours légal.

NUPTIALITÉ

Nombre de mariages constatés dans un pays donné, pour un laps de temps donné, en général une année. Elle se mesure par le taux de nuptialité ou rapport du nombre de mariages à la population moyenne de l'année (4,9 en France en 1991).

OAT

→ *Obligation assimilable du Trésor.*

OBLIGATION

Valeur mobilière, titre de créance à long terme donnant lieu à règlement d'un intérêt — en principe fixe —, déterminé au moment de l'émission.

Les obligations — qui se distinguent, d'une part, des actions (qui sont des titres de propriété) et, d'autre part, des titres de créance négociables courts (tels que les billets de trésorerie) — sont émises et échangées sur le marché financier. La charge effective subie par l'emprunteur et la rémunération du prêteur dépendent de l'inflation et se mesurent par le taux d'intérêt réel. Le cours de l'obligation varie en sens inverse des taux d'intérêt (effet balançoire). Les détenteurs d'obligations peuvent se prémunir contre les pertes liées aux variations de taux d'intérêt par des opérations sur le MATIF.

→ *Effet balançoire, Intérêt/Taux d'intérêt, Marché financier, MATIF.*

OBLIGATION ASSIMILABLE DU TRÉSOR (OAT)

Créées en 1985 en France, les OAT sont des obligations émises par le Trésor public dont la spécificité tient à ce que le Trésor public peut, ultérieurement, émettre des titres présentant les mêmes caractéristiques et qui leur sont de ce fait assimilables. L'objectif est donc d'élargir le marché de ces titres et de les rendre plus liquides.

OBSOLESCENCE

Dépréciation d'un bien ne s'expliquant pas par son usure physique. Dans le cas des biens de production, il s'agit d'un vieillissement technique ; pour les biens de consommation, il peut également s'agir d'un phénomène de mode, de modification de goût.

L'adjectif correspondant, *obsolète*, signifie techniquement dépassé ou démodé.

OCDE (Organisation de coopération et de développement économique)

Organisation qui prend, en 1961, la suite de l'OECE (Organisation européenne de coopération économique), créée en 1948 pour gérer l'attribution de l'aide Marshall. Elle regroupe 26 pays : les pays de l'Europe de l'Ouest, les États-Unis, le Canada, l'Australie, la Nouvelle-Zélande, le Japon et la Turquie, le Mexique et en 1996 la Corée du Sud. C'est un organisme de concertation et d'étude qui publie de nombreux rapports sur la situation économique d'ensemble et sur les différents États membres.

→ *Europe : les organisations européennes.*

OEA (Organisation des États américains)

Créée en 1890, remaniée en 1948, cette organisation regroupe la totalité des États américains, à l'exception de Cuba. Largement dominée par le poids des États-Unis, elle a pour but le développement de la coopération interaméricaine.

OECE (Organisation européenne de coopération économique)

→ *OCDE.*

OFFRE

Sur un marché déterminé, quantité maximale de biens ou de services qu'un agent économique ou un ensemble d'agents souhaite vendre pour un prix donné.

Exemple : l'offre dépend des objectifs de l'entreprise (production maximale ou profit maximal), de l'état des techniques, des prix relatifs (toutes choses égales par ailleurs, l'augmentation du prix d'un bien incite les entreprises à accroître leur offre de ce bien), des coûts des facteurs de production (l'évolution du prix de la terre exerce une influence sur l'offre de blé). Sur le marché du travail, l'offre provient des travailleurs.

Pour l'économie nationale, l'offre d'un produit est égale à :

production + importation − exportation.

→ *Demande, Marché, Politique de l'offre.*

OFFRE PUBLIQUE D'ACHAT (OPA)

Opération engagée par une société qui cherche à prendre une participation importante ou le contrôle d'une autre société, et qui fait une proposition conditionnelle d'achat d'actions de la société convoitée.

L'offre précise le prix, supérieur au cours de la Bourse, et le montant d'actions souhaité. L'opération n'est réalisée que si, au terme du délai, ce montant est atteint. On distingue les offres publiques d'achat (échange d'actions contre liquidités) et les offres publiques d'échange où il est proposé aux actionnaires d'autres titres en règlements, actions ou obligations.

→ *Action, Marché financier, Raid/Raiders.*

OHLIN (Bertil)

→ *Hecksher-Ohlin-Samuelson (Théorème HOS), Annexe : Prix Nobel d'économie.*

OHNISME

Ensemble des innovations organisationnelles introduites par l'ingénieur Taiichi Ohno chez Toyota, à partir des années 1950.

→ *Toyotisme.*

OIT (Organisation internationale du travail)

Créée en 1919 par le traité de Versailles, cette institution spécialisée de l'ONU, rattachée en 1946 au système des Nations unies, réunit les représentants des gouvernements, des employeurs et des travailleurs, propose des normes concernant les salaires et les conditions de travail. Son siège est à Genève.

→ *BIT.*

OKUN (Relation d')

Relation entre les variations conjoncturelles du taux de chômage et le taux de croissance du PIB réel mise en évidence par l'économiste Arthur Okun.

♦ À l'origine, il s'agit d'une relation empirique estimée par Okun, en 1962, sur la période 1946-1960, aux États-Unis. Testée sur d'autres périodes et d'autres pays, elle est devenue ensuite une relation intégrée à de nombreux modèles.

Elle est fondée sur une hypothèse qui restreint son application au court terme : pour un stock de capital et un état du progrès technique donnés, les entreprises ajustent leur production aux fluctuations de la demande par la variation de la quantité de travail utilisée, *à la hausse* par le recours aux heures supplémentaires et à l'embauche, *à la baisse* par le chômage partiel et les licenciements.

L'impact des fluctuations de la demande sur l'activité économique est mesuré par l'écart entre le PIB effectif, observé, et le PIB tendanciel, celui qui correspond à la croissance de la population active et de la productivité du travail. La relation entre les variations du taux de chômage et cet écart est négative : par exemple, quand le PIB effectif est supérieur au PIB tendanciel, le taux de chômage diminue ; quand le PIB effectif est égal au PIB tendanciel, le taux de chômage atteint son niveau incompressible à court terme.

OLIGOPOLE

Structure de marché caractérisée par un petit nombre de vendeurs. Les marchés de construction automobile et d'ordinateurs constituent de très bons exemples d'oligopoles. Les oligopoles peuvent soit reposer sur le combat et la compétition, soit sur la collusion ; ils se rapprochent, dans ce dernier cas, du monopole.

→ *Marchés (Structure de), Monopole.*

OLIGOPSONE

(du grec *oponein* « acheter »)
Il désigne une situation de marché sur lequel se trouve un nombre limité d'acheteurs : concurrence imparfaite du côté de la demande.

OLSON

→ *Action collective.*

OMC

→ *Organisation mondiale du commerce (OMC).*

OMS (Organisation mondiale de la santé)

Institution spécialisée de l'ONU, chargée de traiter des problèmes de santé publique. Son siège est à Genève.

ONG (Organisations non gouvernementales)

Expression qui désigne les organisations à but humanitaire (Croix-Rouge, Médecins sans frontières, Médecins du monde, Frères des hommes, etc.), indépendantes des gouvernements, mais qui jouent un rôle non négligeable dans l'aide internationale.

→ *Aide au développement.*

ONU (Organisation des Nations unies)

Créée en 1945, cette organisation a succédé à la SDN (Société des Nations, existant entre les deux guerres). Elle siège à New York. Elle a pour but le maintien de la paix et de la sécurité internationale et le développement de la coopération entre ses membres.

Son organisation repose sur le principe d'égalité de tous les États membres, mais son fonctionnement donne certains privilèges aux membres permanents du Conseil de sécurité. Ses principaux organes sont :

– l'Assemblée générale où tous les membres sont représentés ;

– le Conseil de sécurité, qui comprend 15 membres dont 5 permanents : les États-Unis, la Russie, la France, la Grande-Bretagne et la Chine qui disposent d'un droit de veto ;

– le Conseil économique et social, qui comprend 54 membres ;

– la Cour internationale de justice de La Haye, qui tranche les litiges de droit international ;

– le Secrétariat général qui, toutes proportions gardées, joue le rôle de l'exécutif de l'organisation. Le secrétaire général est actuellement Kofi Annan.

OPA/OPE

→ *Offre publique d'achat (OPA).*

OPCVM (Organisme de placement collectif en valeurs mobilières)

Organisme collectant des fonds auprès des agents économiques et opérant des placements diversifiés sous forme de titres.

Les *SICAV* (sociétés d'investissement en capital variable) ont été créées en 1964 et ont été encouragées par la loi Monory de 1978 qui visait à favoriser l'épargne par des avantages fiscaux.

Les *Fonds communs de placement* (FCP), créés en 1979, sont aussi des organismes de placement collectif de l'épargne, mais ils ne disposent pas de la personnalité morale, sont de taille plus petite et sont en principe plus spécialisés que les SICAV.

Les OPCVM ne sont pas cotés en Bourse mais les actions de SICAV et les parts de FCP peuvent être négociées facilement en fonction de la valeur de la fraction de portefeuille qu'elles représentent. On distingue classiquement quatre types d'OPCVM principaux (avec des formules mixtes) :

– les *OPCVM d'actions* ont été créés pour permettre à leurs détenteurs de bénéficier des avantages fiscaux réservés aux acquéreurs d'actions françaises ;

– le portefeuille des *OPCVM obligataires* est principalement composé d'obligations ; depuis 1989, les OPCVM de capitalisation sont autorisés en France : les intérêts dus sont intégrés au capital et traités fiscalement comme des plus-values, c'est-à-dire de façon plus avantageuse ;

– les *OPCVM de court terme* donnent la possibilité de concilier liquidité et rentabilité : à l'origine, ces OPCVM investissent en obligations proches de l'échéance, mais, progressivement, ils ont placé les fonds en toutes sortes d'obligations. D'où résulte un risque majeur puisque les agents économiques (entreprises et ménages) recherchent la liquidité et peuvent retirer à tout moment les fonds investis, alors que les OPCVM les immobilisent dans des placements longs ;

– les *OPCVM monétaires* placent leurs fonds exclusivement en titres courts, titres de créances négociables.

Le placement direct sur le marché boursier par les actionnaires individuels se heurte à deux types de difficultés. Les possibilités de diversification des placements et la réduction du risque qui en résulte sont limitées par la taille des portefeuilles individuels. La collecte d'une information de nature à bien éclairer les placements suppose du temps, une expertise et un coût qui ne sont pas à la portée de la plupart des épargnants individuels.

Les OPCVM permettent des économies d'échelle en matière de collecte de l'information et de mutualisation des risques.

→ *Bourse des valeurs, Marché financier.*

OPEN MARKET (Politique d')

➤ *Escompte/Réescompte/Taux d'escompte, Politique monétaire.*

OPEP (Organisation des pays exportateurs de pétrole)

Créée en 1960, l'OPEP regroupe les principaux pays producteurs (Émirats arabes unis, Algérie, Arabie Saoudite, Équateur, Gabon, Indonésie, Irak, Iran, Koweit, Libye, Nigeria, Qatar, Venezuela) pour coordonner et unifier leurs politiques, en matière de prix et de production. Elle a joué un rôle capital dans les deux chocs pétroliers de 1974 et 1979.

L'OPAEP (Organisation des pays arabes exportateurs de pétrole), qui s'est créée en 1968, regroupe les seuls pays arabes.

OPHÉLIMITÉ

Utilité subjective ; mot créé par l'économiste italien V. Pareto pour éviter les confusions résultant de l'emploi du mot *utilité*.

L'ophélimité n'est pas la capacité d'un bien à être utilisé par l'homme, c'est une utilité subjective, l'utilité que représente un bien ou un service pour un individu dans une situation donnée. Par exemple, l'utilité du blé dépend de ses propriétés nutritives et ne varie pas en fonction de l'importance de la récolte ; en revanche, l'utilité subjective du blé, son ophélimité, n'est pas du tout la même en période d'abondance et en période de famine ; un bien très nocif tel que la drogue a une ophélimité puisqu'il est désiré, recherché par les toxicomanes.

➤ *Annexe 11.*

OPINION PUBLIQUE

Ensemble d'appréciations et de positions partagées par un grand nombre d'individus sur des problèmes d'intérêt général.

Le qualificatif « publique » se réfère aussi bien à la population en général qu'à l'objet des opinions (les questions de la cité, la *res publica*). Le phénomène est protéiforme et aucune définition ne fait l'unanimité. Trois remarques peuvent être faites.

L'opinion publique peut revêtir des significations différentes. Le vocable renvoit soit à la position majoritaire de la collectivité, soit à la répartition des opinions : on parlera alors de l'état de l'opinion. En termes d'intensité, on peut avoir affaire tantôt à des sentiments ou des avis flous, tantôt à des convictions fermes (mais dans ce dernier cas, il ne s'agit pas forcément de l'attitude d'une nette majorité).

Avec la banalisation des sondages, l'opinion publique devient un indicateur permanent censé rendre compte de l'agrégation des opinions individuelles. L'équivalence ainsi posée entre opinion publique et « ce que mesurent les sondages » (expression de Gallup, pionnier américain des techniques de sondages) a suscité de multiples critiques : l'opinion sollicitée est un artifice (nombre d'individus interrogés n'ont pas au préalable d'attitude arrêtée), la formulation des questions (et des réponses préformatées) peut introduire des biais importants (non-prise en compte de certaines positions, tendance au conformisme, etc.).

En tant que moyen de la compétition politique, ce que l'on présente comme l'opinion publique tend continuellement à être instrumentalisée : les commanditaires de sondages, les instituts du même nom, les médias songent moins à saisir « ce que pensent les gens » qu'à traduire des tendances dans un sens souhaitable (pour le pouvoir en place ou pour des forces d'opposition). En ce sens, s'il est abusif de prétendre ques les sondages font l'opinion, du moins participent-ils, avec les acteurs stratégiques, au processus de production d'*une* opinion publique.

→ *Attitude, Sondage.*

OPPORTUNISME

Dans les nouvelles analyses microéconomiques du comportement, attitude qui consiste, par intérêt, à ne pas respecter les engagements pris.

OPTIMUM

Meilleure situation économique possible. L'optimum est un concept central dans l'analyse développée par la théorie néo-classique.

Les agents économiques ont un comportement d'« optimalisation » (ou d'« optimisation ») qui consiste à maximiser un résultat (maximum de profits pour les entreprises ou d'utilité pour les consommateurs) à partir de ressources données. De façon équivalente, l'optimalisation peut être définie à partir d'une minimisation de coûts pour obtenir un résultat donné. Du point de vue de l'équilibre général, l'optimum, au sens de Pareto, est une situation dans laquelle la situation d'un agent ne peut être améliorée sans dégradation de celle d'un autre.

L'optimum n'est pas défini dans l'absolu mais relativement à une répartition donnée des revenus.

→ *Calcul économique,* Homo œconomicus, *Pareto.*

OPTION

Droit d'acheter ou de vendre un actif. Dans un marché d'option, le contrat spécifie l'objet de l'échange (action, devise, matières premières…),

le prix d'échange de l'actif (prix d'exercice), la quantité échangée, la durée au cours de laquelle l'option peut être réalisée et la prime versée par l'acheteur de l'option.

Sur ce marché s'échange le droit de choisir ; dès lors, il existe une dissymétrie entre l'acheteur et le vendeur de l'option. Pour comprendre la notion d'option, on peut prendre un exemple purement imaginaire de deux personnes qui doivent décider de partir en week-end ou non, chacune ayant une appréciation différente des facteurs (le temps, la perspective d'embouteillages…) qui peuvent être pris en compte ; elles décident donc de s'échanger une « option » : l'acheteur paie à l'autre le droit de choisir en fin de semaine s'ils partent ou non. Le vendeur qui reçoit la « prime » est tenu d'accepter la décision de l'acheteur.

Il existe des options d'achat (*call*) : l'acheteur achète le droit d'acheter un actif à un prix déterminé. Cela peut être intéressant pour celui qui anticipe une hausse des cours ; ainsi, soit un acheteur qui acquitte une prime de 50 € sur un titre dont le prix d'exercice est de 200 €. Si le prix monte à 260 €, l'acheteur demande que la transaction ait lieu ; le titre lui coûte 250 € et il réalise un gain. Dans le cas d'une option de vente, l'acheteur de l'option paye le droit de choisir de vendre ou de ne pas vendre.

Comme dans le cas du MATIF, le comportement peut viser soit à se prémunir contre des risques, soit à prendre des risques spéculatifs.

→ *Marché à terme/Marché de contrats à terme, MATIF, MONEP.*

ORGANICISME

Théorie philosophique et sociologique développée au XIXe siècle, en particulier par H. Spencer, assimilant la société à un organisme vivant.

Les éléments constitutifs (groupes, institutions) jouent le rôle d'organes définis par leurs fonctions (contribution à l'équilibre et à la survie de l'ensemble). Interprétation qui fournit l'une des bases du fonctionnalisme.

➞ *Fonction (sens sociologique), Fonctionnalisme.*

ORGANISATION

Groupement coordonnant des activités et développant des procédures pour atteindre des buts spécifiques : économique (entreprises), social (syndicats), politique (partis), religieux (Églises), de santé (hôpitaux), etc.

Le terme même d'organisation implique un agencement de moyens (division des tâches, système d'autorité, règles de fonctionnement) propres à garantir l'efficacité de l'action par rapport aux objectifs proclamés.

Cette présentation de l'organisation comme instrument de rationalité est cependant partielle : l'organisation peut devenir elle-même sa propre fin, elle fonctionne dans ce cas selon ses propres règles (c'est même en ce sens qu'a été forgée la notion de bureaucratie).

Loin d'être un simple instrument technique, elle est un ensemble de relations de pouvoir et de rapports sociaux inséparables du système social dont elle est partie prenante. Autant dire que l'organisation ne peut être réduite à la seule rationalité de sa fonction officielle.

Les organisations constituent un champ important de la sociologie contemporaine (sociologie des organisations).

➞ *Bureaucratie, Crozier, Institution(s), Relations du travail ou professionnelles, Relations humaines ; Annexe 44.*

ORGANISATION MONDIALE DU COMMERCE (OMC)

Organisation internationale, complétant tardivement le dispositif prévu à Bretton Woods (FMI, BIRD) et chargée d'organiser la négociation d'accords commerciaux internationaux et de veiller à leur application, notamment par une procédure de règlement supranational des différends commerciaux.

Instituée par l'Acte final du cycle de l'Uruguay, signé à Marrakech le 15 avril 1994, elle est entrée en fonction le 1er janvier 1995. Elle remplace le GATT en tant qu'organisme.

Elle reprend dans son préambule les objectifs du GATT : élévation des niveaux de vie et des revenus, réalisation du plein-emploi, accroissement de la production et du commerce, utilisation optimale des ressources mondiales. Elle reprend également les principes de non-discrimination, de consolidation et celui des négociations commerciales multilatérales.

Les différences avec le GATT sont les suivantes :
– elle bénéficie de la personnalité juridique, les représentants qui y siègent bénéficient de l'immunité diplomatique ;
– son champ d'action est étendu : coopération avec le FMI et la Banque mondiale pour coordonner les politiques économiques au plan mondial et notamment objectif partagé de développement durable et de meilleure intégration des PED au commerce mondial ;
– unanimité recherchée, mais recours normal au vote en cas de désaccord ;
– elle sera compétente en matière de services et de protection de la propriété intellectuelle ;
– surtout, une procédure est prévue pour les contentieux commerciaux qui devrait, en principe, rendre hors la loi internatio-

nale le recours à des sanctions unilatérales comme celles prévues par les articles 301 et Super 301 du *Trade Act* américain. En son sein, un Organe de règlement des différends (ORD) statuera sur les litiges et sera seul compétent pour autoriser des mesures de rétorsion.

Depuis sa création l'OMC a été marquée par les négociations suivantes :
– l'ouverture avortée du Cycle du Millénium à la Conférence de Seattle : le 3 décembre 1999, les 135 pays membres constatent l'impossibilité d'un accord sur un nouvel agenda de négociations ; les nombreuses manifestations des associations « antimondialisation » expliquent en partie cte échec, mais surtout les désaccords sur l'élimination des subventions agricoles, sur l'élaboration de normes sociales (pb. du « dumping social »), sur « l'exception culturelle »…
– l'ouverture d'un nouveau cycle de négociations à la conférence de Doha (au Qatar, du 9 au 14 novembre 2001), avec une participation accrue des PED ; un nouvel agenda (terme prévu au 1er janvier 2005) est adopté en 19 points, notamment : la libéralisation du commerce des produits agricoles (fin annoncée du système de subventions) et des services (accords AGCS), une meilleure définition des droits de la propriété intellectuelle (médicaments, vins, etc. dans le cadre des accords ADPIC), redéfinition de l'antidumping, révision du traitement « spécial et différencié » accordé aux PED (notamment les PMA), transparence des marchés publics, articulation avec les accords sur l'environnement, relance de négociations sur l'investissement (après l'échec de l'AMI dans le cadre de l'OCDE)…

⟶ *GATT.*

ORGANISATION SCIENTIFIQUE DU TRAVAIL (OST)

⟶ *Division du travail, Taylor/taylorisme, Toyotisme.*

ORGANISATIONS (Économie des)

> Ensemble des théories économiques analysant les modes de coordination alternatifs au marché, notamment la coordination par des contrats ou des règles à l'intérieur de structures hiérarchisées.

Une organisation économique est une structure créée par des individus afin de coordonner leurs actions et d'atteindre ainsi plus efficacement leurs objectifs individuels ou collectifs. La plupart des organisations sont dotées de la personnalité morale, ce qui signifie qu'elles sont considérées comme des entités juridiques différentes des individus qui les composent. Cette personnalité leur permet de passer des contrats et de saisir la justice pour les faire appliquer.

♦ La théorie économique standard a longtemps ignoré le problème de l'organisation, préférant traiter les entreprises comme s'il s'agissait d'individus, appelés producteurs, ou de boîtes noires, laissant à la gestion le soin de s'intéresser à ce qui se passait à l'intérieur.
La preuve en est que l'article fondateur de l'analyse économique des organisations, celui de R. Coase, qui date de 1937, est passé inaperçu. On ne se posait pas la question simple à laquelle cherche à répondre Coase : si le marché est un moyen de coordination parfait, pourquoi existe-t-il des organisations ?
Cette question conduit à poser le problème en termes de choix entre deux modes alternatifs de coordination, sur la base d'un calcul comparatif des coûts de transaction d'un côté (celui du marché) et des coûts d'organisation de l'autre.
♦ Dans le prolongement de Coase, O. Williamson étudie les facteurs qui induisent ces coûts de transaction : la rationalité limitée, le comportement opportuniste des individus et la spécificité des actifs (un actif est spécifique s'il est difficile et coûteux à reconvertir, c'est-à-dire à affecter à un autre usage que celui pour lequel il a été conçu initialement). Le problème consiste alors à choisir la structure de gouvernance qui

minimise les coûts de transaction en les internalisant.

La capacité à contracter est au cœur de l'analyse des organisations ; certains auteurs perçoivent d'ailleurs l'entreprise comme un réseau de contrats, entre les propriétaires et les salariés, entre l'entreprise et ses fournisseurs et ses clients, etc.

C'est le cas des théoriciens des droits de propriété, tels qu'Armen Alchian et Harold Demsetz, qui montrent que la firme est une forme d'organisation efficiente de la production en équipes. Il y a équipe lorsque des individus coopèrent sans qu'il soit possible de mesurer leur productivité marginale, l'exemple type étant celui des déménageurs de piano ; dès lors, les comportements de « tire-au-flanc » sont probables, ce qui nuit à tout effort collectif, voire le rend impossible. Si l'un des individus se spécialise dans le contrôle des membres de l'équipe, le problème devient celui du contrôle du contrôleur. La solution consiste à lui attribuer, entre autres, le droit de s'approprier le bénéfice résiduel résultant du travail de l'équipe, c'est-à-dire ce qui reste après que les autres membres ont été rémunérés conformément aux obligations contractuelles : le contrôleur est incité à optimiser l'usage des ressources qu'il contrôle puisque sa rémunération provient de l'écart entre ce que l'équipe produit et ce qu'elle coûte ; ces auteurs expliquent de cette façon la supériorité de la firme capitaliste sur la firme socialiste…

♦ Les théories néo-institutionnalistes qui viennent d'être évoquées ne sont pas les seules théories économiques des organisations. Il est également possible de citer les économistes évolutionnistes, tels que Nelson et Winter, qui distinguent, au sein des entreprises, les éléments permanents, routiniers, comparables à un capital génétique hérité, par exemple les compétences accumulées et les comportements de recherche et d'innovation, facteurs de l'évolution. Ces entreprises sont soumises à des mécanismes de sélection, qui filtrent les mieux adaptées à leur environnement. Les évolu-

tionnistes mettent l'accent sur les processus d'apprentissage et la dépendance des organisations par rapport à leurs trajectoires passées.

⟶ **Coase, Coûts de transaction, Droits de propriété (Théorie des), Gouvernance.**

ORGANISME DE PLACEMENT COLLECTIF EN VALEURS MOBILIÈRES

⟶ *OPCVM.*

OSCILLATEUR

Modèle économétrique d'analyse endogène du cycle des affaires, proposé par P.A. Samuelson (1939), et qui combine les interactions (de la demande finale et de l'investissement) du multiplicateur keynésien et de l'accélérateur.

♦ L'effet multiplicateur (de l'investissement sur la demande finale de consommation) est articulé à l'effet d'accélération (de la demande finale de consommation sur l'investissement), pour expliquer les fluctuations du revenu.

♦ L'oscillateur est un modèle d'interprétation du cycle des affaires (= cycle Juglar) à caractère non monétaire, linéaire (symétrie des fluctuations) et endogène ; pas de choc exogène donc, les variations des variables expliquées en font des variables explicatives : l'investissement varie du fait des variations de la demande, donc… de l'investissement.

♦ Sont expliquées : les variations corrélatives de la consommation finale, du revenu national (et donc de la production) et de l'investissement, mais pas le mouvement des prix… C'est donc un modèle avec ajustement par les quantités de grandeurs réelles agrégées (et sans effet du progrès technique) : il est indépendant des prix = modèle à prix fixes (pas de substitution capital / travail en fonction de leur prix relatif) = modèle keynésien (Samuelson est un keynésien de la synthèse néo-classique).

L'oscillateur repose :
– sur la double dimension de l'investissement qu'impliquent le multiplicateur

(R. Kahn, J. M. Keynes) et l'accélérateur (A. Aftalion, J. M. Clark) ;
– sur l'introduction d'un jeu combiné de retards (décalage temporel).

♦ Outre des solutions peu réalistes, il existe un cas limite intéressant : des oscillations régulières (c'est-à-dire cycliques) et auto-entretenues (c'est-à-dire endogènes). On a alors un cas très particulier, et plutôt exceptionnel, un mouvement cyclique endogène, perpétuel, qui peut s'analyser ainsi :

La phase ascendante du cycle, l'**expansion**, s'amorce par une augmentation de la demande finale de consommation de plus en plus rapide. Ce sont les premiers effets sur cette demande de l'effet multiplicateur de l'investissement ($\Delta I \rightarrow \Delta Y$ et ΔC), l'effet de capacité de l'investissement étant d'autant plus retardé que l'effet d'accélération (le coefficient de capital) est important. Les capacités de production paraissent donc, dans un premier temps, de moins en moins suffisantes à mesure que s'accroît l'investissement (qui en est donc encouragé !). Puis l'effet multiplicateur s'amortissant, les dépenses de consommation ralentissent, ce qui provoque la baisse de l'investissement (principe d'accélération) ainsi que la réduction de l'écart entre la demande (qui ralentit) et l'offre (qui s'accroît avec les capacités de production enfin installées) ; lorsque la capacité de production dépasse la demande finale, l'investissement net devient négatif (on ne renouvelle plus la totalité du stock de capital fixe), le cycle se retourne symétriquement : la demande diminue de plus en plus vite et la **récession** s'aggrave de son propre mouvement ; moins la demande est forte, moins on investit car plus joue d'abord l'effet du multiplicateur négatif du désinvestissement sur la baisse de la demande : le sentiment de surcapacités de production n'en est que plus grand… Puis la baisse de la demande ralentit ce qui fait varier positivement l'investissement (principe d'accélération) ; la reprise (entrée dans une nouvelle phase d'expansion) s'amorce quand les capacités de production désormais insuffisantes par rapport à la demande finale impliquent un investissement net positif… et ainsi de suite…

♦ À noter que ce modèle de fluctuations repose sur les mêmes principes que le modèle Harrod-Domar de « croissance déséquilibrée » et qu'il sera à l'origine des recherches ultérieures sur les fluctuations (modèles de Hicks, de Goodwin…).

→ *Chocs, Crise, Cycles, Multiplicateur, Principe d'accélération.*

OTAN

→ *Europe : les organisations européennes.*

OUA (Organisation de l'unité africaine)

Organisation créée en 1963 par les États africains nouvellement indépendants pour coordonner leurs politiques.

OUVRIER

Travailleur manuel salarié accomplissant généralement un travail de type industriel.

♦ Peuvent être aussi classés comme ouvriers les travailleurs de la terre ou ceux qui exercent un emploi technique dans les transports ou dans d'autres services.

Outre les contremaîtres et les apprentis, le code des CSP distingue trois grandes catégories : *ouvriers qualifiés, ouvriers spécialisés* (sans qualification particulière) et les *manœuvres* ; les mineurs, les marins et les pêcheurs sont classés à part.

La nouvelle nomenclature des années 1980 classe les contremaîtres parmi les « professions intermédiaires » et inclut les ouvriers agricoles. Dans la nouvelle catégorie, le poste 65 (manutention, magasinage, transports) comprend des emplois auparavant classés dans l'ancienne catégorie « employés de bureau ».

Après avoir augmenté jusqu'en 1975, la part des ouvriers dans la population active n'a cessé de décroître : en 1975, ils représentaient 37,3 % de la population active, en 1990, ils n'en représentaient plus que 33 % et en 1999, ils n'en représentaient plus que 27 %.

Plus qu'à toute autre occupation professionnelle, le terme ouvrier renvoie à la notion de classe. Pour Marx, les ouvriers constituent une classe, non seulement en raison de leur commune condition de travailleurs productifs exploités, mais aussi parce qu'ils forment progressivement un groupe soudé par la lutte contre le capital puis par le combat politique.

La littérature sociologique, quant à elle, influencée ou non par Marx, met l'accent sur la singularité du monde ouvrier (voir Halbwachs : les ouvriers, exclus du foyer central de la société, forment un groupe soudé, fermé sur lui-même) et sur la réalité d'une « culture ouvrière » (voir entre autres R. Hoggart et son étude sur le style de vie des classes populaires anglaises dans la première partie du XXe siècle).

Aujourd'hui, certains considèrent que ces réalités prendraient fin avec l'intégration partielle mais réelle de la population ouvrière, la fragmentation du groupe, la crise du syndicalisme, le déclin du mouvement ouvrier. Ces processus ne sont pas niables mais ont tendance à faire abstraction de la persistance des rapports de domination dans le monde du travail comme dans la sphère culturelle.

⟶ *Catégories socioprofessionnelles (CSP), Classe(s) sociale(s), Mouvement ouvrier, Sous-culture/Sub-culture.*

OWEN (Robert)

Théoricien socialiste britannique (1771-1858), industriel réformateur, paternaliste et philanthrope, et, avec Fourier et Saint-Simon, l'un des pères fondateurs du socialisme « utopique ».

Les grandes lignes de la pensée d'Owen :
– l'homme est un produit de l'éducation ; la misère et la criminalité ouvrières sont les produits d'une révolution industrielle irrationnelle. Une éducation appropriée, véritable technologie sociale, pourra forger des ouvriers bons et heureux, agissant rationnellement ;
– on peut convaincre les gouvernants, les riches et les puissants de mettre en œuvre les réformes sociales (pas d'idéologie de lutte de classes, malgré l'hostilité à la propriété privée) ;
– la société peut être réformée à partir d'une communauté exemplaire, sans le préalable d'une prise du pouvoir politique ;
– l'économie de marché a détruit les liens sociaux et la moralité : un « nouveau monde moral », industriel, doit être fondé, intégrant dans sa complexité l'économique et le social.

◆ L'influence d'Owen s'exerça sur le mouvement chartiste, le socialisme utopique français (Cabet) et le mouvement coopératif.
◆ Ouvrages principaux : *Nouveaux points de vue sur la société* (1813-1814) ; *Le livre du nouveau monde moral* (1834-1845) ; *La vie de Robert Owen* (1857).

⟶ *Saint-Simon, Socialisme.*

PAC

→ *Europe communautaire (politique agricole commune ou PAC).*

PAIR

Définition officielle de la valeur d'une monnaie par rapport à un étalon qui peut être l'or, l'argent ou une unité de compte telle que le DTS.

PAIR (Émission au)

Une action est émise *au pair* lorsqu'elle est vendue par l'entreprise qui l'émet à sa valeur nominale (valeur inscrite sur l'action).

Elle est émise *en dessous du pair* si elle est vendue 95 € alors que sa valeur inscrite est 100 €.

Elle est émise *au-dessus du pair* si elle est vendue 105 €.

PANEL

Technique d'enquête fondée sur des questionnaires adressés à un même échantillon de population, à intervalles réguliers.

Permet d'observer des changements d'opinion ou d'attitudes au sein d'une population donnée, au cours du temps. Cette technique s'applique en particulier aux intentions de vote, aux comportements politiques et sociétaux. De façon abusive, on utilise parfois panel pour échantillon.

PANIER DE DEVISES

→ *Monnaie-panier.*

PANIER DE LA MÉNAGÈRE

Ensemble de biens de consommation considéré comme représentatif des dépenses d'une catégorie de population.

L'indice des prix à la consommation de l'INSEE se réfère à un ensemble d'articles affectés de coefficients budgétaires exprimant leur poids dans le budget de référence. Les articles sont regroupés en postes ; ils varient dans le temps en fonction de l'évolution des consommations. Le nouvel indice, mis en place en 1993, en 265 postes a vu augmenter les prestations de service.

◆ Voir page suivante le tableau des « paniers de consommation » de l'*ensemble des ménages* et de ceux des ménages urbains dont le *chef est ouvrier* ou *employé.*

Postes budgétaires	Pondérations en %		
	Tous ménages	Ménages urbains ouvriers ou employés	
		+	−
Alimentation à domicile	21,47	22,54	
Tabacs	1,36	1,70	
Habillement	7,93	7,97	
Logement, chauffage, éclairage	11,12	12,80	
Équipement, entretien du logement	8,39		8,25
Santé	8,30		7,82
Transports, télécommunications	18,67		17,23
Loisirs, culture, enseignement	8,51		8,25
Hygiène, articles personnels	4,60	4,84	
Alimentation hors domicile	6,87		6,70
Hôtels, vacances	2,11		1,35
Services financiers, autres services	0,67		0,55
	100,00	100,00	

➤ *Indice des prix à la consommation.*

PARADIGME

Modèle théorique de pensée qui oriente la recherche et la réflexion scientifiques.

La physique classique, par exemple, repose sur le paradigme newtonien de la gravitation universelle, alors que la physique moderne repose (en simplifiant) sur le paradigme de la relativité généralisée énoncé par Einstein.

♦ En sciences sociales, le terme de paradigme, utilisé en particulier par T.R. Kuhn, désigne un modèle d'approche théorique de la réalité sociale.
♦ Sur la même réalité, en fonction de préoccupations théoriques différentes, il peut y avoir construction de deux paradigmes différents.

➤ *Fonctionnalisme, Holisme (méthodologique), Individualisme méthodologique, Structuralisme.*

PARAFISCALITÉ

Ensemble de taxes affectées à des organismes précis de l'État (redevance télévision, taxe de formation permanente payée par les entreprises,

etc.), contrairement aux impôts qui obéissent au principe de la non-affectation des ressources aux dépenses. Au sens large, la parafiscalité inclut les cotisations sociales.

➤ *Cotisation sociale.*

PARENTÉ

Au sens courant : ensemble des personnes considérées comme parents par un individu donné (on dit encore la parentèle).

Au sens anthropologique : ensemble des relations définies par la filiation (descendance, ascendance) et par l'alliance (mariage et relations qui en découlent).

S'agissant de la filiation, la parenté se fonde sur les réalités biologiques de la procréation, mais chaque société interprète, reconnaît ou non ce donné biologique : la relation qui unit l'enfant à ses parents peut n'être pas physique (cas de l'adoption). Inversement, on peut refuser de reconnaître les liens du sang (cas de l'enfant « naturel » ou « illégitime » autrefois). Globalement, les relations de parenté sont donc essentiellement une réalité sociale et culturelle, comme l'attestent vigoureusement l'histoire et l'ethnologie : si les principes de la filiation et de l'alliance se rencontrent dans toutes les sociétés, ils y sont appliqués de façon très variable. Toute société est ainsi caractérisée par un système de parenté.

Les relations de parenté sont symbolisées par des notations permettant de les représenter graphiquement.

Δ   homme   O   femme
=   alliance (mariage)
| relation de filiation en ligne
       directe
⌐   collatéralité, relation entre individus descendant des mêmes parents

REPRÉSENTATION D'UNE FAMILLE NUCLÉAIRE

♦ La parenté ne revêt pas la même importance dans toutes les cultures. Dans nombre de sociétés « traditionnelles », elle est le principe actif qui règle toutes les relations sociales ou la plupart d'entre elles : droits, privilèges, obligations, etc.

♦ Dans notre société, la fonction de la parenté est limitée : elle ne règle ni les mariages ni la profession.

→ *Famille, Filiation, Mariage ; Annexe 41.*

PARETO (Vilfredo)

Économiste et sociologue italien (1848-1923).

♦ Ingénieur de formation, Pareto dirige une compagnie de chemin de fer, puis échoue dans ses tentatives pour devenir député avant de succéder à Walras en 1893 à Lausanne, où il écrit son *Cours d'Économie politique* (1896-1897) et son *Manuel d'économie politique* (1906) ; déçu par l'économie pure, il se convertit à

la sociologie : son *Traité de sociologie générale* date de 1916 ; favorable au régime fasciste qui s'installe, il est nommé sénateur du royaume d'Italie en 1923, peu de temps avant sa mort.

En tant qu'économiste, Pareto est connu pour avoir enrichi l'analyse walrassienne de l'équilibre général. Il a privilégié une approche ordinale de l'utilité, qu'il appelle ophélimité : l'individu sait qu'il préfère le café au thé mais ne saurait dire si l'ophélimité du café est deux, ou trois, ou x fois supérieure à celle du thé. Il a proposé une définition de l'optimum économique, maximum d'ophélimité pour la collectivité, compatible avec cette conception ordinale. Parce qu'il n'est pas possible de comparer les ophélimités des individus (la satisfaction que procure le café à Charles est-elle supérieure à la satisfaction que le thé procure à François ?), la seule façon de savoir si une situation économique est globalement préférable à une autre consiste à s'en remettre à un critère d'unanimité. La situation A est préférable à la situation B si aucun individu ne préfère la situation B. Mais l'économie ne s'intéresse qu'à une petite partie des actions humaines, celles qui sont rationnelles et ont pour but de se procurer pacifiquement les objets qui satisfont les besoins.

Pareto devient donc sociologue pour étudier toutes les actions qui contribuent à l'équilibre social, lequel résulte des rapports de forces et des luttes entre les individus et les groupes. Cela le conduit à distinguer les actions logiques, dont l'exemple type est l'ingénieur construisant un pont, et les actions non logiques, qui résultent d'instincts, de pulsions, de sentiments, analysables comme des « résidus » que l'individu masque en recherchant des justifications rationalisatrices à son comportement, ces alibis pseudo-logiques étant des « dérivations ». L'homme se comporte rarement de façon rationnelle, mais il échafaude beaucoup de théories pour rationaliser *ex post* ce qu'il a fait.

La théorie parétienne de la société oppose les élites, composées de ceux qui excellent dans tous les domaines d'activité, y compris les escrocs, aux masses : le changement social s'accompagne d'une circulation des élites et l'histoire est un « cimetière d'aristocraties ».

→ *Élite(s), Ophélimité, Optimum.*

PARITARISME

Mode de gestion de nombreux organismes sociaux, dans lequel le patronat et les salariés sont représentés, à égalité, dans les instances dirigeantes. Ce principe a été mis en place dès 1945, pour les caisses de Sécurité sociale et a ensuite été étendu aux régimes complémentaires et au régime d'assurance chômage. Cependant, ce principe n'a jamais connu une application complète.

En premier lieu, la représentation des salariés a été le plus souvent assurée par les grandes centrales syndicales, sans avoir fait l'objet d'un vote démocratique. Faute d'une véritable légitimité démocratique, le système est resté opaque. En second lieu, l'État n'a pu se désintéresser d'un système distribuant des prestations pour un montant supérieur à celui de son propre budget. L'intervention de celui-ci dans le fonctionnement des caisses a fortement restreint, en pratique, la marge de manœuvre des partenaires sociaux.

→ *Syndicalisme, Syndicats des salariés, Syndicats patronaux.*

PARITÉ

Dans un système monétaire international fondé sur un étalon, deux monnaies sont à la parité lorsque leur taux de change est égal au rapport de leurs valeurs officielles, c'est-à-dire de leurs pairs.

On utilise souvent le mot parité à la place du mot pair pour désigner la valeur officielle d'une monnaie. On l'utilise aussi parfois abusivement à la place du taux de change.

→ *Change (Taux de ou Cours du).*

PARITÉ DE POUVOIR D'ACHAT (PPA)

Principe selon lequel le taux de change entre deux devises est déterminé sur une longue période par le rapport entre leurs pouvoirs d'achat.

Ce principe s'applique dans l'hypothèse du libre-échange et de la concurrence pure et parfaite sur le marché mondial parce que le prix de chaque marchandise est alors unique : si une tonne d'acier vaut x dollars aux États-Unis et y euros en France, alors l'unicité du prix implique x dollars = y euros, donc 1 dollar = y/x euros ; dès lors, dans le cas où le prix en euros augmente plus vite que le prix en dollars ($\Delta y/y > \Delta x/x$), le taux de change du dollar va s'apprécier ($\nearrow$ de y/x) et celui de l'euro se déprécier. Il résulte de ce principe qu'à long terme les différences d'inflation entre les pays sont compensées par des mouvements de sens inverse des taux de change.

♦ Cet ajustement peut être amplifié par la spéculation parce que les spéculateurs déduisent partiellement leurs anticipations en matière de change de leurs anticipations en matière d'inflation.

→ *Changes (Contrôle des), Dévaluation, Système monétaire international (SMI).*

PARITÉ HOMMES/FEMMES

Au sens le plus général : égalité, le fait d'être pareil en parlant de deux choses ou d'ensembles d'individus (groupe de pairs).
S'agissant des sexes : situation ou revendication de l'égalité de droit et de fait entre hommes et femmes dans

les différentes sphères de la vie sociale (par exemple, parité des salaires masculins et féminins à travail égal).

Au plan politique : le *principe de parité* peut se définir comme l'égalité des deux sexes dans les instances de représentation et les postes de responsabilité.

Ce principe a fait l'objet en France d'une loi, votée en 1999, qui « détermine les conditions dans lesquelles est organisé l'égal accès des femmes et des hommes aux mandats électoraux et fonctions électives ». Cette loi a été récusée par certains au motif qu'elle remet en cause l'universalisme de la citoyenneté et de la représentation : prescrire par la loi l'égalité des mandats reviendrait à faire des femmes une communauté ayant des droits et des intérêts spécifiques. Pour ses partisans, les femmes ne sauraient être assimilées à un groupe, à une classe ; ils voient dans cette loi un moyen de transformer l'égalité formelle en égalité réelle.

→ *Genre (Relations de).*

PARITÉS FIXES

→ *Système monétaire international (SMI).*

PARRAINAGE

→ *Mécénat.*

PARSONS (Talcott)

Sociologue américain (1902-1979).

Auteur de nombreux travaux sur les relations entre société et système d'action ; il est considéré comme l'un des représentants du fonctionnalisme, plus précisément du « structuro-fonctionnalisme » selon sa propre terminologie. Tout système social comporte des « impératifs fonctionnels » que Parsons ramène à quatre fonctions majeures : maintien des modèles, intégration, réalisation des fins, adaptation.

♦ L'œuvre de Parsons est caractéristique d'une sociologie fondée sur l'intégration (absence de conflit fondamental) et centrée sur la notion d'équilibre (tendance à la stabilité du système).

♦ Ouvrages principaux : *The Social System* (1951) ; *Structure and Process in Modern Societies* (1960).

→ *Fonctionnalisme, Intégration (sociale) ; Annexe 45.*

PARTICIPATION

En science politique : forme française d'association capital-travail.

Au sens large : grand projet politique gaulliste de démocratisation de la société française, et fondé sur l'association des salariés à la prise de décision dans l'entreprise et au partage des gains résultant de leurs efforts.

Au sens étroit : application particulière du projet précédent dans le cadre de l'ordonnance du 17 août 1967 instaurant, pour les entreprises de plus de 100 salariés et certaines entreprises publiques, un régime obligatoire de participation des salariés aux fruits de l'expansion.

Le projet gaulliste d'association capital-travail a, en effet, connu plusieurs applications et la participation des salariés se présente donc sous plusieurs formes :

♦ **La participation financière** comprend :
• *la participation aux résultats* avec :
– le régime facultatif de l'intéressement de l'ordonnance du 7 janvier 1959 ; il concerne les entreprises privées et consiste en une rémunération collective, prélevée sur les bénéfices, assortie d'exonérations fiscales et sociales,
– le régime obligatoire de la participation de l'ordonnance du 17 août 1967 ; il concerne les entreprises de plus de 100 salariés et certaines entreprises publiques ; une part des bénéfices, réservée aux salariés, est bloquée et placée pour 5 ans dans une « réserve spéciale de participation », soit au sein de l'entreprise sous forme d'actions ou de fonds d'investissement, soit hors de l'entreprise sous forme de parts de SICAV ou de FCP ; des avantages fiscaux et

sociaux sont prévus notamment pour encourager l'investissement ;
• *la participation au capital* ou actionnariat : cette modalité a été étendue à l'occasion des privatisations de 1986 ;
• *l'encouragement à l'épargne* : le plan d'épargne d'entreprise.
♦ **La participation à la gestion** ; c'est la représentation et l'expression des salariés dans l'entreprise : comités d'entreprise, délégués du personnel, section syndicale d'entreprise, conseils d'atelier et de bureau dans les entreprises publiques, administrateurs élus par les salariés dans les sociétés anonymes...

L'ordonnance du 21 octobre 1986 a réorganisé et élargi les modalités de la participation financière des salariés.

Au sens économique et financier : une société détient une participation dans une autre si elle possède entre 10 et 50 % de son capital. En dessous de 10 %, on considère qu'il s'agit d'un placement.

Les participations croisées (A détient une participation dans B, et B dans A), limitées par la loi à 10 %, permettent de créer des solidarités face à d'éventuels *raiders*. Une prise de participation excédant 33 % du capital confère une minorité de blocage ; à hauteur de plus de 50 %, elle constitue une prise de contrôle.

⟶ ▶ *Autogestion, Cogestion, Concentration (des entreprises).*

PARTI POLITIQUE

Association de citoyens autour d'un même projet politique pour la conquête et l'exercice du pouvoir politique.

Les partis sont apparus avec l'institution parlementaire et leur développement a suivi les progrès du droit de suffrage. À partir du XIXe siècle, les partis politiques se sont progressivement imposés comme des rouages essentiels de tout régime politique et particulièrement de la démocratie. En France, la Constitution de 1958, dans son article 4, reconnaît leur existence et leur rôle :

♦ « Les partis et groupements politiques concourent à l'expression du suffrage. Ils se forment et exercent leur activité librement. Ils doivent respecter les principes de la souveraineté nationale et de la démocratie. »

Sans autre spécificité juridique particulière, les partis prennent la forme d'associations selon la loi de 1901.

♦ Cependant, les lois du 11 mars 1988, qui organisent le contrôle du patrimoine des hommes politiques et le financement des partis et des campagnes électorales, les ont dotés d'un embryon de statut : personnalité morale de plein droit, aides sur crédits publics au prorata du nombre de sièges parlementaires, absence de contrôle financier ordinaire mais transparence et certification de leurs comptes.

Un citoyen peut être plus ou moins lié à un parti, ce dont la comptabilisation de ses effectifs doit tenir compte.

♦ On distingue par effectifs décroissants : les électeurs, les sympathisants, les adhérents (et parmi eux, ceux à jour de leurs cotisations), les militants, les dirigeants (dont certains peuvent être des cadres permanents, rémunérés), les élus (dont ceux formant le groupe parlementaire). Certains partis ayant peu d'adhérents peuvent avoir beaucoup d'électeurs et donc d'élus.

D'où une typologie des partis selon leur organisation. M. Duverger distingue (mais la distinction tend à s'estomper) :
– les *partis de cadres :* comités de notables constitués autour des élus parlementaires ;
– les *partis de masse* : grand nombre d'adhérents, encadrement rigide et hiérarchisé (l'appareil du parti), avec conflit possible entre les élus du parti et les élus par le parti (les dirigeants) réputés plus intransigeants.

Enfin, le *système de partis* est une caractéristique essentielle d'un régime politique. On distingue : le système pluraliste, à bipartisme (Grande-Bretagne, États-Unis) ou à pluripartisme (France), le système à parti unique (PC dans l'ex-URSS, parti nazi sous Hitler), le système à parti dominant (PRI au Mexique, Parti du Congrès en Inde).

→ *Bipartisme, Classe(s) sociale(s), Démocratie, Groupe de pression, Lobby(ies)/Lobbying.*

PATERNALISME

Qualifie un comportement de l'entrepreneur vis-à-vis de ses employés, plus largement d'un supérieur hiérarchique vis-à-vis de ses subordonnés : mélange d'autorité patriarcale et de protection, de bienfaisance (œuvres sociales) et de mise en tutelle (situation de dépendance des employés) assimilables, à certains égards, aux relations d'un père traditionnel avec ses enfants.

PATRIARCAT

Forme d'organisation de la famille dans laquelle l'autorité est exclusivement aux mains du patriarche (aîné de la génération la plus ancienne) et est transmise de père en fils à l'intérieur de la même lignée.

Le patriarcat est aussi une forme d'organisation politique caractérisant la société quand le pouvoir est exercé par un ou plusieurs chefs de famille.

→ *Matriarcat.*

PATRILINÉAIRE

→ *Filiation.*

PATRIMOINE

Pour un agent économique, ensemble de ses avoirs, ce qu'il possède, et de ses dettes, ce qu'il doit, à un moment donné.

Tout agent économique a un patrimoine : si l'on évalue chaque élément au prix du marché, la valeur nette du patrimoine est donnée par la différence entre les avoirs et les dettes, elle peut donc être négative.

Entrent généralement dans la composition du patrimoine les seuls éléments susceptibles de faire l'objet de transactions ; pour un individu, on néglige, par exemple, le capital humain (diplômes, qualification) ou, pour un pays, le capital écologique (qualité de l'eau, de l'air, etc.).

On distingue le patrimoine des entreprises, tel qu'il est comptabilisé dans leur bilan, du patrimoine des ménages dans lequel la propriété d'un logement tient, le plus souvent, une place prépondérante.

Le patrimoine varie au cours du temps en fonction de l'épargne nette (un flux positif accroît le patrimoine), de l'amortissement (maintien en l'état de la valeur du patrimoine), des mouvements de prix (plus-values ou moins-values).

→ *Actifs, Comptabilité d'entreprise.*

PAUPÉRISATION

Appauvrissement durable d'une partie de la population. Terme créé par Marx pour désigner la baisse du niveau de vie du prolétariat au cours de la révolution industrielle, conséquence, selon lui, de l'accumulation croissante du capital.

Abandonnée pour les pays développés, cette thèse est parfois reprise pour décrire la situation de la population dans un certain nombre de pays du Tiers monde.

On distingue paupérisation absolue et paupérisation relative : dans le deuxième cas, il n'y a pas de baisse absolue du pouvoir d'achat, mais une moindre croissance de certains revenus du travail.

→ *Airain (Loi d').*

PAUVRETÉ

Caractérise la situation d'individus, de groupes, démunis de ressources jugées essentielles et se trouvant dans une grande précarité.

De nombreuses tentatives ont été faites pour définir un minimum vital fondé sur la satisfaction des besoins physiologiques, mais il est difficile de définir la pauvreté *dans l'absolu*. C'est une notion généralement considérée comme *relative* et qu'on rapporte à une norme standard variable selon les époques et les sociétés : être pauvre ne signifie pas la même chose aux États-Unis et en Inde ; en France, au XIXe ou au XXe siècle.

La définition adoptée par l'Union européenne le souligne tout en rappelant que la pauvreté ne se réduit pas à l'insuffisance des ressources monétaires, qu'elle se caractérise aussi par le cumul des handicaps (en matière de relations sociales, d'instruction, de santé, etc) : « Sont pauvres les individus, les familles et les groupes de personnes dont les ressources (matérielles, culturelles et sociales) sont si faibles qu'ils sont exclus des modes de vie minimaux acceptables dans l'État membre dans lequel ils vivent. »

♦ S'agissant des revenus, on définit conventionnellement *un seuil de pauvreté* : ainsi, dans les pays européens, sont considérés comme pauvres les ménages dont le revenu par unité de consommation est inférieur à la moitié du revenu moyen ou du revenu médian dans un pays donné.

Nouvelle pauvreté

Au cours des Trente Glorieuses, la pauvreté concernait en priorité les personnes âgées, les petits paysans et les salariés agricoles, les manœuvres et les ouvriers non qualifiés. Dans les années 1980-1990, elle est souvent qualifiée de nouvelle car elle a changé en partie de visage : elle frappe de plein fouet les chômeurs de longue durée et les personnes conduites à se retirer du marché du travail pour « inemployabilité » ; elle n'épargne pas les salariés précaires ou à faible qualification ; elle touche de nombreuses familles monoparentales et elle se développe parmi les jeunes (difficultés d'insertion, faiblesse des salaires d'embauche).

⟶ *Besoin, Exclusion, Minima sociaux, Minimum vital, Revenu minimum d'insertion (RMI).*

PAYSANNERIE

Dénomination traditionnelle de la population des campagnes vivant directement ou indirectement de la terre.

Quand le sociologue Mendras parle de la *fin des paysans* (titre d'un de ses ouvrages), c'est pour signifier que le terme « paysan » est inséparable d'une certaine culture, d'un certain système économique et social qu'est la société paysanne aujourd'hui disparue ou en voie de disparition, caractérisée par l'usage de la polyculture et une large autoconsommation, des relations d'interconnaissance, le poids du cadre local, la spécificité culturelle, etc. Aux paysans se substituent les agriculteurs exploitants dont les pratiques et les normes se rapprochent de celles des citadins.

⟶ *Société agraire/paysanne.*

PAYS EN DÉVELOPPEMENT (PED)

⟶ *Économie du développement, Tiers monde.*

PCS

⟶ *Catégories socioprofessionnelles (CSP), Nomenclature(s).*

PENSION

Au sens général : somme versée régulièrement à un individu sans contrepartie immédiate. Elle peut venir d'un organisme public, notamment de la Sécurité sociale (pension d'invalidité, pension de retraite), ou d'un membre de la famille (pension alimentaire en cas de divorce).

Au sens bancaire : cession temporaire d'effets publics ou privés par une banque emprunteuse (par exemple, une banque de second rang) et remis en garantie à la banque prêteuse (la Banque centrale par exemple) en contrepartie de liquidités.

PÉRIODE

Cadre temporel dans lequel s'inscrivent l'activité économique et son analyse.

Ce découpage du temps est établi en fonction de critères théoriques. Depuis A. Marshall, lorsque l'on étudie comment les entrepreneurs doivent prendre leurs décisions, notamment celles qui portent sur les quantités à produire, on simplifie le raisonnement en distinguant plusieurs horizons temporels.

La *courte période* est caractérisée par une relative fixité des facteurs de production. Le ou les facteurs fixes, généralement le capital, éventuellement la terre (surface cultivable) ou le travail très qualifié, constituent une contrainte pour l'entreprise : la production ne pouvant varier qu'en fonction des facteurs variables.

En *longue période*, tous les facteurs de production peuvent varier ; on suppose donc que l'entrepreneur doit choisir entre les techniques existantes : c'est leur nombre limité qui constitue maintenant la contrainte.

La *très longue période* est la seule à intégrer le changement technique : la contrainte qui pèse sur l'entreprise est sa capacité à innover.

♦ La durée d'une période varie en fonction de l'activité économique considérée ; dans certains cas, la courte période dure plusieurs années (le temps de l'installation

d'une centrale nucléaire) ou quelques jours (dans la culture maraîchère).

♦ Si la période est liée à l'activité économique, la notion de terme correspond arbitrairement à une durée en années ; par convention, le court terme dure au maximum un an.

PERROUX (François)

Économiste français (1903-1987), qui a développé des thèses hétérodoxes dont l'inspiration essentielle vient de Schumpeter. Son originalité et la fécondité de ses analyses tiennent à ce que les rapports de pouvoir y occupent une place centrale, qu'il s'agisse de l'analyse du marché, des décisions, des firmes motrices, des pôles de développement ou du développement.

♦ Ouvrages principaux : *Le capitalisme* (1948) ; *L'Europe sans rivages* (1954) ; *L'économie des jeunes nations, industrialisation et groupement de nations* (1962) ; *L'économie du xxe siècle* (1961) ; *Pouvoir et économie* (1973).

──▶ *Économie du développement, Pôle de croissance/Pôle de développement.*

PERSONNALITÉ DE BASE/ STATUTAIRE

Dans son acception la plus courante, la *personnalité* désigne ce qu'il y a de singulier dans le caractère, le comportement et la conduite d'un individu. Cette singularité est cependant le produit d'une interaction dynamique entre l'individu et son environnement socioculturel.

La *personnalité de base* désigne « une configuration psychologique particulière propre aux membres d'une société donnée et qui se manifeste par un certain style de vie sur lequel les individus brodent leurs variantes singulières » (définition proposée par M. Dufrenne).

En proposant le concept de personnalité de base, les culturalistes américains (Kardiner, Linton) ont voulu mettre l'accent sur les éléments de personnalité communs que partagent les membres d'une société caractérisée par un certain système culturel.

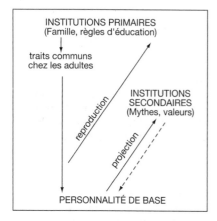

Les relations entre personnalité de base et système culturel peuvent être schématisées comme sur le tableau précédent.

♦ La théorie de la personnalité de base a été construite à partir de l'étude de petites sociétés homogènes. En voulant appliquer cette notion à des sociétés plus importantes et plus complexes, les culturalistes ont buté sur la différenciation interne qui les caractérise. C'est pour répondre à cette donnée que Linton a été amené à proposer la notion de personnalité statutaire.

→ *Comportement, Culturalisme, Culture, Socialisation.*

PERSONNE MORALE

→ *Société (sens juridique).*

PERT (Méthode)

Il s'agit des initiales des mots anglais *Program Evaluation Research Task*. C'est une méthode créée aux États-Unis vers 1958 qui a pour objet la programmation de projets à coût ou dans un temps minimum. Elle a notamment été utilisée pour la construction des fusées Polaris et de la navette spatiale.

PÉTRODOLLARS

Dollars perçus par les pays exportateurs de pétrole en paiement de leurs livraisons.

Ils ne correspondent pas à une monnaie spécifique. Cette expression imagée est utilisée pour rendre compte de l'origine économique de ces dollars.

PHILLIPS (Courbe de)

À l'origine, relation empirique mise en évidence par Phillips en 1958 entre le taux de chômage et le taux de variation des salaires nominaux. Dans un deuxième temps, la hausse des prix se substitue à la hausse des salaires. Ainsi se pose le problème de l'existence d'un arbitrage entre inflation et chômage.

A.W. Phillips, économiste de la London School of Economics, publie en 1958 dans la revue *Economica* un article sous le titre : « La relation entre le chômage et le taux de croissance des salaires nominaux au Royaume-Uni, 1867-1957 ». Cette relation statistique établie par Phillips prend la forme d'une boucle se rapprochant d'une fonction décroissante.

Par la suite, de nombreux économistes ont testé des « courbes de Phillips » pour d'autres pays et d'autres périodes, mais *en remplaçant le taux de variation des salaires par le taux d'inflation.*

♦ Dès lors, on a pris l'habitude d'assimiler la courbe de Phillips à une relation inflation-chômage et de résumer ainsi le dilemme auquel se trouvent confrontées les politiques keynésiennes : pour réduire le chômage, il faut tolérer plus d'inflation ; la lutte contre l'inflation se paie par une augmentation du chômage. Cette boucle peut se déplacer vers le haut en prenant la forme d'une spirale.

La courbe de Phillips aux États-Unis 1986-2000

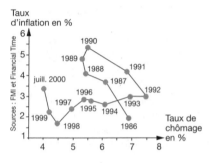

D'autre part, au niveau de la théorie des salaires, la courbe de Phillips donne naissance à une explication, et non plus seulement un constat, concernant la formation des salaires. Interprétée comme une relation de cause à effet entre la situation du marché de l'emploi en abscisses et la variation des salaires en ordonnées, elle pose que plus l'offre excédentaire de travail est importante (le chômage), plus la croissance des salaires est faible, approche qui n'est pas très éloignée de l'armée industrielle de Marx (le chômage pèse sur les salaires).

Courbe de Phillips traditionnelle

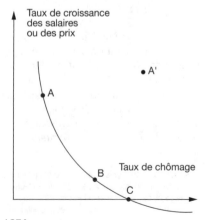

◆ Entre A et B, se pose le problème de l'arbitrage entre inflation forte et chômage faible (A) et inflation faible et chômage fort (B).
◆ Le point C indique le taux de chômage pour lequel l'inflation est nulle.
◆ Par rapport à A, A' correspond à la stagflation : plus de chômage et plus d'inflation.

Toutefois, au milieu des années 1970, la courbe de Phillips est soumise à une double secousse. Au niveau empirique, la stagflation inflige un démenti aux courbes antérieures : chômage et inflation paraissent deux phénomènes qui ne sont plus alternatifs mais qui peuvent être cumulés ; les courbes de Phillips, si elles existent toujours, se déplacent vers le « nord-est ».

Friedman présente une nouvelle approche de la relation entre inflation et chômage. Selon cette analyse, les comportements des agents économiques reposent sur des anticipations adaptatives : ils rectifient leurs anticipations en fonction de l'évolution effective des grandeurs économiques. Il existe autant de courbes de Phillips (dites « de court terme ») que d'anticipations de prix : plus les agents anticipent un niveau de prix élevé, plus le taux d'inflation correspondant à un taux de chômage donné est fort.

Courbe de Phillips de court terme et de long terme (selon Friedman)

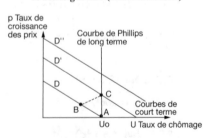

On tient donc le raisonnement suivant : soit le point A à partir duquel est menée une politique de relance qui fait se déplacer vers le point B : en effet, les entreprises voient une hausse de la demande due à la relance, elles augmentent leur production et donc embauchent. Mais, dans un deuxième temps, les agents économiques perdent leurs illusions monétaires et réalisent que ce qu'ils prenaient pour une hausse réelle n'était qu'une hausse purement nominale ; ils révisent leurs comportements : les travailleurs demandent une augmentation de salaire, les profits des entreprises baissent, elles débauchent et la situation se retrouve au point C.

La relance est temporaire et repose totalement sur le fait que les agents ont été trompés.

Les points A et C tracent une « courbe de Phillips verticale » : à long terme, l'économie se déplace sur la verticale tracée à partir de Uo, taux de chômage naturel.

Les théoriciens des anticipations rationnelles (Lucas, Sargent, Wallace) radicalisent le raisonnement en éliminant les différentes courbes de court terme et gardent la courbe de Phillips verticale. La signification de cette courbe est claire : la politique économique est incapable de faire reculer le chômage ; au plus, elle accroît le taux d'inflation.

Si elle est en résonance avec les politiques de recherche prioritaire de la stabilité des prix, cette théorie selon laquelle tout le chômage est naturel donne une explication un peu courte des variations de taux de chômage.

Courbe de Philips selon Lucas

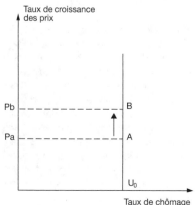

Taux de chômage

Partant du point A, la politique économique de relance ne réussit pas à faire régresser le chômage qui reste au niveau du chômage naturel Uo mais le taux d'inflation s'accroît (point B).

⟶ *Anticipations, Chômage naturel (Taux de), Friedman, Keynes, Lucas, NAIRU/NAWRU, Nouvelle Économie classique (NEC), Stagflation ; Annexe 20.*

PHYSIOCRATIE

Courant de pensée économique pré-classique — dont les représentants les plus illustres sont F. Quesnay, Mirabeau, Dupont de Nemours, Turgot — qui s'est développé au cours du XVIIIᵉ siècle et qui reflète une économie dominée par l'agriculture, tout en donnant une première représentation globale du circuit économique.

L'analyse de F. Quesnay dépeint une société composée de trois classes sociales : la classe des travailleurs de la terre appelée classe productive, qui crée non seulement les biens nécessaires à sa consommation et à la reconstitution des semences, mais aussi ceux qui seront consommés par les autres ; celle des propriétaires, qui prélèvent une partie des richesses créées, et la classe des artisans, qualifiée de façon significative de « stérile », qui travaille mais ne produit pas de richesse. Seule l'activité agricole est productive, c'est-à-dire capable de dégager un produit net.

Le produit net est ainsi la différence entre la production et les « avances », c'est-à-dire la part de la production affectée à la reconstitution des réserves qui ont servi à la subsistance des travailleurs de la terre et aux semences.

Entre les classes circulent les richesses et la monnaie comme le sang dans le corps humain.

♦ L'analyse des physiocrates est fortement marquée par le contexte historique : seul le travail de la terre est productif ; ouvriers de l'industrie et maîtres, classes montantes de la révolution industrielle, sont absents du schéma. Toutefois, les physiocrates posent les bases d'une analyse en termes d'excédent et de classes sociales, reprise par les auteurs classiques, et d'une présentation de la circulation des richesses.

♦ Du point de vue de la pensée politique, les physiocrates croient en l'existence de lois naturelles et le droit de propriété leur apparaît comme un droit naturel. Ils sont partisans de la monarchie absolue tout en revendiquant une grande liberté économique.

→ *Quesnay, Surplus (surproduit, produit net) ; Annexe 1.*

PIB

→ *Produit intérieur brut (PIB).*

PIGOU (Effet)

Appelé également effet « d'encaisses réelles », cet effet analysé par l'économiste A.C. Pigou établit un lien entre la valeur réelle des encaisses, ou actifs monétaires, détenues par les particuliers et la demande de biens de consommation.

Une baisse de prix, par exemple, entraîne une augmentation de la valeur réelle des encaisses. Pigou suppose que les agents souhaitent maintenir celle-ci au même niveau : le surplus de valeur ainsi créé servira à alimenter la demande de biens de consommation. La déflation n'est pas pour lui facteur de récession.

→ *Économie du bien-être.*

PLACEMENT ou PLACEMENT FINANCIER

Affectation des ressources d'un agent provenant de son épargne ou de son endettement à l'acquisition d'actifs financiers (compte, achat de valeurs mobilières...) censés apporter des gains sous forme de revenu ou de plus-value (placement financier).

Depuis le début des années 1980, les placements sur les marchés (actions, obliga-

tions, SICAV...) ont progressé au détriment des placements auprès des intermédiaires financiers (dépôts, comptes à terme).

Dans le vocabulaire courant, on utilise fréquemment, et à tort, le terme d'investissement pour placement financier : lorsque l'on parle d'« investissement » en valeurs mobilières, il s'agit moins à proprement parler d'investissement (acquisition d'actifs réels sous forme de biens de production) que de placement financier.

Par ailleurs, la notion de placement est utilisée pour désigner des acquisitions d'actifs tels que les immeubles, les objets d'art ou les métaux précieux.

→ *Financement, Investissement.*

PLAFOND/PLANCHER

Valeurs limites, supérieure (plafond) ou inférieure (plancher), d'une quantité, d'un prix ou d'un taux.

Exemple : le plafond de la Sécurité sociale désigne la limite supérieure de l'assiette des cotisations sociales. Son niveau était de 2 241 € au 1er octobre 2000. Par exemple, pour un salaire de 1 220 €, la cotisation salariale à l'assurance vieillesse du régime général (6,55 % du salaire plafonné) s'élevait à 1 220 × 0,0655 = 79,88 € ; pour un salaire de 2 440 €, elle s'élevait à 2 241 × 0,0655 = 147 €.

PLAN MARSHALL

Aide proposée par les États-Unis (en la personne du secrétaire d'État G.C. Marshall), en 1947, aux pays d'Europe pour leur permettre de rétablir leurs économies. Rejetée par l'URSS, cette aide s'est élevée à 12 milliards de dollars entre 1948 et 1951, dont 85 % sous forme de dons. Répartie par un organisme créé à cet effet, l'OECE, elle favorisa principalement la Grande-Bretagne (26 %) et la France (23 %).

→ *OCDE.*

PLAN/PLANIFICATION

Processus mis en œuvre par des agents économiques consistant à fixer, pour un horizon de moyen terme (compris en général entre trois et dix ans), des grandeurs économiques (en termes de production, d'investissement...) et des mutations qualitatives associées à l'évolution de ces grandeurs (modifications des structures de la production, de la consommation...). Toute planification correspond ainsi à un dosage particulier de deux séries d'éléments : d'une part, des *prévisions* de l'évolution plus ou moins spontanée des grandeurs économiques et, d'autre part, des *objectifs* plus ou moins contraignants fixés aux agents et à leur environnement.

Pour ce qui est de la planification établie par les pouvoirs publics, on oppose :
– la **planification impérative**, dont la planification soviétique a été l'exemple le plus connu, dans laquelle les objectifs s'imposent aux agents économiques, tout particulièrement aux entreprises qui sont tenues d'appliquer les objectifs du plan.

◆ Née dans l'Union soviétique de la fin des années 1920, la planification impérative veut se substituer à « l'anarchie du marché ». Après une phase de concertation avec les organismes économiques de base (entreprises, collectivités locales, etc.), l'organisme chargé de la planification (Gosplan en URSS) élabore des indicateurs précis, dont la cohérence est testée par la méthode des balances et qui s'imposent aux différents agents : quantités à produire, prix, effectifs salariés, taux de salaire, etc. Enfin, il surveille la bonne exécution du Plan, la non-observation des règles fixées pouvant faire l'objet de sanctions pénales.

– la **planification indicative** « à la française » qui consiste, dans un processus de concertation avec les partenaires sociaux, à fixer des prévisions et des objectifs à quatre ou cinq ans qui ne s'imposent pas aux entreprises privées, qui s'imposent

pour partie au secteur public et que les pouvoirs publics sont censés poursuivre en incitant les agents économiques à les réaliser.

◆ La planification indicative, à l'échelle nationale, est née dans les pays occidentaux après la Seconde Guerre mondiale, dans un contexte de pénurie économique. Outil de reconstruction économique dans le cas de la France, puis de croissance, la planification a ensuite perdu peu à peu le caractère « d'ardente obligation » que lui avait assigné le général de Gaulle. Ici, comme dans de nombreux pays occidentaux, le Plan ne cherche pas à se substituer au marché. Au contraire, il s'efforce d'en prévoir les tendances longues, par l'utilisation de modèles économétriques, et de permettre à la puissance publique d'intervenir plus efficacement par des mesures incitatives. En France, c'est le Commissariat général au Plan qui joue un rôle de coordination, d'élaboration et d'impulsion.

Cependant, l'ouverture croissante des économies développées sur les échanges extérieurs, les incertitudes économiques résultant de la période de crise ouverte en 1974, la contestation du rôle de l'État ont rendu l'existence de cette planification problématique. L'élaboration du Plan reste toutefois en France un moment de réflexion prospective entre les différents acteurs de l'économie.

→ *État, Prévision/Prospective.*

PLOUTOCRATIE

→ *Pouvoir (Formes de).*

PLUS-VALUE

Accroissement de valeur d'échange d'un bien (mobilier, immobilier ou œuvre d'art) sans modification de sa valeur d'usage : le bien, sans qu'aucun travail productif n'en ait modifié la nature ni l'utilité objectives, a connu une augmentation de son prix relatif sur le marché.

PLUS-VALUE
ou SURVALEUR

> Concept central chez Marx ; différence entre la valeur créée par l'emploi de la force de travail et la valeur de cette force de travail.

La plus-value est la valeur produite par l'ensemble des travailleurs, dans le mode de production capitaliste, pendant le temps de surtravail, effectué au-delà du travail nécessaire à la production et à l'entretien de la force de travail. La *plus-value* est partagée entre le propriétaire foncier, sous forme de rente, le capitaliste financier, sous forme d'intérêt, et le capitaliste industriel, sous forme de profit.

♦ Soit T la durée de la journée de travail, dite durée « apparente » puisque comportant des temps morts (les « pores » de la journée de travail) pendant lesquels le travailleur ne produit pas. Soit Tv le temps de travail effectif. Soit enfin Tn le temps de travail nécessaire à la reconstitution de la force de travail. On a :

♦ Le taux de plus-value, « expression exacte du degré d'exploitation du travailleur », s'écrit :

$$\frac{Tv - Tn}{Tn}$$

♦ Exprimé en valeur, il correspond à la plus-value rapportée au capital variable, soit :
$\frac{PL}{V}$ (PL = plus-value ; V = capital variable, ou part du capital destinée au paiement des salaires).
♦ L'accroissement de ce taux est le but principal du capitaliste. Pour ce faire, il peut :
– soit augmenter la *plus-value absolue* par l'allongement du temps de travail total (T) ; par l'intensification du travail (réduction des temps morts, des « pores » de la journée de travail) ;

– soit augmenter la *plus-value relative* par la diminution du temps de travail nécessaire (Tn). Celle-ci s'obtient grâce aux gains de productivité réalisés dans les branches qui fournissent les marchandises consommées par les travailleurs : relativement moins chères, elles permettent de baisser les salaires réels (dévalorisation de la force de travail).

━━▶ *Accumulation du capital, Exploitation, Marx.*

PLUS-VALUES FISCALES

> Gain résultant d'une cession ou d'une réévaluation d'un actif et faisant l'objet d'une réglementation fiscale.

PMA (Pays les moins avancés)

> Classification établie par l'ONU en 1970 qui comporte aujourd'hui 48 pays dont la majorité sont africains.

Ces pays se caractérisent par la faiblesse de leur PNB par habitant, un taux de croissance du PNB égal, voire inférieur, à celui de la population, la prédominance de l'agriculture, la dépendance économique vis-à-vis d'un petit nombre de produits d'exportation, une industrialisation très faible et une espérance de vie très basse.

━━▶ *Économie du développement, Tiers monde.*

PME/PMI (Petites et moyennes entreprises/ industries)

> Entreprises employant moins de 500 salariés. Les petites entreprises en emploient moins de 50.

Les PME (malgré un mouvement séculaire de concentration capitaliste qui a surtout touché l'agriculture et le commerce) ont accru leur poids dans l'économie depuis le milieu des années 1970. En effet, les défaillances d'entreprises ont surtout concerné les branches de l'industrie où dominent les grandes entreprises (sidérurgie, chantiers navals, etc.). Ce relatif dynamisme des PME peut s'expliquer par :

♦ – le regain de l'initiative individuelle et de l'esprit d'entreprise ;
– la crise du travail taylorisé ;
– les dangers du gigantisme (bureaucratie, combativité ouvrière, etc.) ;
– la souplesse de gestion et la rapidité de réaction aux sollicitations du marché des PME (*Small is beautiful* selon l'ouvrage de E.F. Schumacher) ;
– le recours croissant à la sous-traitance pour éviter la gestion d'éventuels sureffectifs ;
– la tertiarisation de l'économie ; les nouveaux services proposés aux particuliers et surtout aux entreprises requièrent le « sur-mesure personnalisé », incompatible avec la standardisation de la grande entreprise ;
– la déconcentration et l'essaimage à partir des grandes entreprises ;
– les mesures tendant à alléger les charges sociales ou fiscales et les formalités administratives afin d'inciter à la création d'entreprise, les PME étant souvent considérées comme le seul gisement d'emplois restant ;
– l'appui du pouvoir politique à une catégorie sociale incarnant les valeurs de la libre entreprise.

Cependant, les différentes crises ou mini-crises boursières depuis celle d'octobre 1987 ont montré que les avantages liés à une taille importante n'avaient pas tous disparu : les nombreuses opérations de concentration prouvent qu'une large surface financière demeure un atout pour résister aux tentatives des *raiders* comme pour faciliter des restructurations.

♦ Parmi les problèmes que rencontrent les PME françaises, on peut retenir :
– le poids encore important des PME peu dynamiques : faible productivité, bas salaires, faible intensité capitalistique, techniques de gestion mal maîtrisées, archaïsme des relations sociales (paternalisme) ;
– les relations difficiles avec les banques, qui privilégient souvent les grandes entreprises, dont la solvabilité paraît mieux assurée, et qui bénéficient ainsi de taux proches du taux de base bancaire et d'une meilleure répercussion des baisses de taux ;
– le difficile accès direct aux marchés monétaire et financier ;

– la transmission de l'entreprise lors du départ en retraite ou du décès du fondateur ; les héritiers n'étant pas toujours des gestionnaires, on a vu se développer la reprise d'entreprise par les salariés (RES).

→ *Concentration (des entreprises), Entreprise, Sous-traitance.*

PNB

→ *Produit national brut (PNB).*

POINTS D'OR (*GOLD POINTS*)

Dans le système d'étalon-or, limites entre lesquelles varie théoriquement le taux de change d'une monnaie.

Le franchissement de ces limites favorise soit des entrées, soit des sorties d'or (points d'entrée et de sortie) car il devient alors plus avantageux de régler des importations en monnaie métallique (la parité or des monnaies étant fixe par définition) même en tenant compte des frais de transport et d'assurance de l'or.

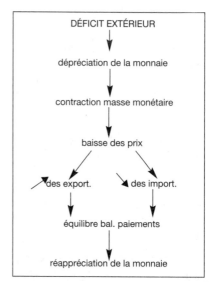

♦ Exemple : soit une dépréciation du franc par rapport à la livre sterling (£), un point limite est atteint quand les importateurs français ont intérêt à effectuer leurs paiements en or acquis à la Banque de France plutôt qu'en £. Il y a ainsi un transfert d'or de France en Grande-Bretagne, d'où contraction de la masse monétaire en France et gonflement en Grande-Bretagne.

Ce mécanisme assure théoriquement le rééquilibrage automatique des échanges et le maintien des taux de change dans les limites prescrites comme le suggère le schéma.

♦ Ces effets automatiques reposent sur la relation étroite entre la masse monétaire et le stock métallique ainsi que sur la flexibilité des prix et l'élasticité de la demande aux prix. Dans la pratique, le retour à l'équilibre se réalisait souvent par des processus déflationnistes.

→ *Système monétaire international (SMI).*

POLANYI (Karl)

Historien, économiste et anthropologue hongrois (1886-1964), il enseigna en Angleterre et aux États-Unis.

Pratiquant la méthode comparative, qui consiste à faire ressortir les traits culturels originaux de notre société moderne en la comparant aux autres civilisations et cultures, Polanyi met en évidence la rupture qu'a constitué l'avènement du marché autorégulateur (marché sur lequel les prix sont déterminés par le jeu de l'offre et de la demande, sans intervention extérieure) sous l'impulsion du libéralisme économique : pour la première fois dans l'histoire, on s'est représenté les phénomènes économiques comme s'ils étaient séparés de la société et constituaient à eux seuls un système auquel tous les autres rapports sociaux devaient être soumis. Dans *La Grande Transformation*, il montre comment ce système de marché (dont il fixe la date de naissance en 1834, année de l'abolition de l'Act de Speenhamland) traite comme des marchandises la terre, le travail et la monnaie, et détruit la société jusqu'à imposer, au travers de la crise économique et politique des années 1930, une resocialisation de l'économie. Contre la lecture évolutionniste, il apparaît ainsi que le marché n'a rien de « naturel » et a dû être institué, y compris par la violence.

→ *Économie, Marché ; Annexe 18.*

PÔLE DE CROISSANCE/ PÔLE DE DÉVELOPPEMENT

Centre économique moteur exerçant des effets d'entraînement sur son environnement ; peut être une entreprise (firme motrice), une branche, un secteur, une agglomération, une région ou une nation.

On doit cette notion à F. Perroux (*L'Économie du XXᵉ siècle*, 1961), selon qui la croissance n'est pas un phénomène homogène mais est, au contraire, marqué par des inégalités de pouvoir (asymétries) au sein d'espaces économiques polarisés.

Les effets d'entraînement, positifs, exercés par le centre moteur sont de deux sortes :
– *effet de dimension* : le centre A, par ses commandes, entraîne la croissance de la production de l'unité B ; ou bien le centre A, par son offre, réduit le goulot d'étranglement dont souffre B ;
– *effet de productivité (ou d'innovation)* : le centre A, grâce à ses gains de productivité et à ses innovations, fournit à B des biens intermédiaires et des biens d'équipement moins coûteux ou plus productifs.

Les économies externes sont une autre forme d'effet d'entraînement.

Lorsque l'effet exercé par un pôle est négatif, on parle d'*effet de stoppage*. Car un pôle dominant peut exercer un effet d'attraction tel qu'il appauvrit son environnement (fuite des cerveaux, des capitaux, épuisement des ressources naturelles).

Exemples de pôles de croissance : la ville et le chemin de fer pendant la révolution industrielle, les industries industrialisantes, la région parisienne, le secteur informatique.

♦ On distingue les pôles de croissance des pôles de développement : les premiers résultent d'une évolution spontanée alors que les seconds sont organisés par l'État dans le cadre d'une politique industrielle ou d'aménagement du territoire (par exemple la politique des métropoles d'équilibre et la politique des villes moyennes de la DATAR).

→ *Externalité, Perroux.*

POLITIQUE BUDGÉTAIRE

Compartiment de la politique économique qui se définit par son moyen, le budget de l'État. L'effet principal du budget se situe au niveau de la demande, qu'il s'agisse de l'importance et de la nature des dépenses, des recettes et du déficit ou de l'excédent. Mais il influe aussi sur l'offre et sur les circuits de financement.

♦ L'importance et la nature de la politique budgétaire font l'objet de controverses. Pour les keynésiens, la politique budgétaire constitue un instrument de régulation privilégié et un déficit n'est pas nécessairement néfaste. Les auteurs libéraux privilégient la politique monétaire et préconisent une intervention faible de l'État par une compression des recettes fiscales, des dépenses et du déficit.

→ *Budget de l'État (Loi de Finances), Haavelmo (Théorème de), IS-LM (Modèle), Keynes, Politique économique.*

POLITIQUE DE CHANGE

Compartiment de la politique économique caractérisé par l'instrument utilisé, le taux de change de la monnaie, les pouvoirs publics pouvant jouer sur la baisse du taux de change (dévaluation ou dépréciation) ou sur la hausse.

Jusqu'à la fin des années 1970, la politique de change est essentiellement une politique de dévaluation (en régime de parités fixes) ou de dépréciation (changes flexibles), l'objectif étant d'améliorer le solde extérieur par une baisse des prix des exportations et une hausse des prix des importations. L'inélasticité de la demande par rapport aux variations de prix et l'existence de cercles vicieux ont rendu les dévaluations nettement moins efficaces. C'est la raison pour laquelle, soit les politiques de change ont été abandonnées, soit elles se sont transformées en politiques de monnaie forte (politique de « franc fort »). Celle-ci favorise la désinflation et incite les entreprises à se moderniser et à rechercher une compétitivité-produit plus qu'une compétitivité-prix. Mais, en contrepartie, elle a deux inconvénients : elle pousse les taux d'intérêt vers le haut (pour soutenir le taux de change) et elle tend à faire prévaloir des objectifs de stabilité des prix au détriment de la croissance et de l'emploi. L'adoption d'une monnaie unique comme l'euro supprime, à l'intérieur de la zone, les politiques de change.

→ *Compétitivité, Désinflation, Dévaluation, Europe communautaire (union monétaire), Système monétaire international (SMI).*

POLITIQUE DE CONCURRENCE

Actions des pouvoirs publics visant à éliminer tout comportement privé ou public de nature à limiter la concurrence.

Les différentes composantes de la politique de concurrence sont, en ce qui concerne les atteintes à la concurrence faites au secteur privé, le contrôle des ententes et des abus de position dominante ; en ce qui concerne les atteintes faites au secteur public, le contrôle des subventions publiques et des monopoles publics.

La théorie de la concurrence pure et parfaite donne un premier type de fondement à la politique de concurrence : elle montre que la concurrence pure et parfaite est bénéfique, alors que le monopole conduit à des prix plus élevés et une production plus faible ; dans cette perspective, la concurrence est toujours meilleure que la concentration.

Mais cette recherche de la concurrence à tout prix doit prendre en considération deux arguments : d'une part, lorsqu'il existe des économies d'échelle, les petites unités sont moins efficaces que les grandes et la lutte contre la concentration risque d'être contre-productive ; d'autre part, comme le montre Schumpeter, l'innovation est génératrice de situations transitoires de monopole qu'il ne faut pas contrecarrer.

Les rapports entre concurrence et efficience sont donc complexes et la recherche de la concurrence doit se combiner avec celle de l'efficacité économique.

⟶ Europe (union ou intégration économique).

POLITIQUE DE L'EMPLOI

Si, au sens strict, il s'agit d'une politique visant à réduire le chômage par une action directe ou indirecte sur la création d'emplois, le terme de politique de l'emploi recouvre plus généralement toute politique cherchant à influer sur le niveau de chômage par le biais d'une action agissant sur le marché du travail, sur la demande mais aussi sur l'offre de travail. L'objectif étant la réduction du chômage, il peut s'agir de création d'emplois ou de retrait d'activité.

1. Les politiques macroéconomiques de création d'emplois se différencient selon l'analyse du chômage à laquelle elles se réfèrent.

– Les politiques d'inspiration **keynésienne** s'appuient sur la relance de la demande globale ; comme dans cette approche, l'emploi dépend de la production et la production dépend elle-même de la demande, la réduction du chômage passe par une croissance de la demande des ménages (hausse de leurs revenus), de celle des entreprises (baisse des taux d'intérêt) ou de l'État (déficit public). Ce type de politique peut buter sur différents obstacles, lorsque la demande se porte sur des produits importés, ou que les entreprises développent leur production sans augmenter l'emploi.

– La stimulation de la création d'emploi, selon l'optique **libérale**, passe par une pression à la baisse sur les coûts salariaux et une flexibilisation du marché du travail. En effet, selon cette approche, la demande de travail des entreprises dépend principalement du salaire ou plus précisément du coût salarial. Dès lors, la lutte contre le chômage se traduit par une rigueur salariale, la remise en cause du salaire minimum, totale ou partielle (pour certaines catégories de population), la diminution des charges sociales… D'une inspiration très proche, le « théorème de Schmidt » (ancien chancelier allemand), selon lequel « les profits d'aujourd'hui sont les investissements de demain et les emplois d'après-demain », est souvent invoqué comme argument d'une politique de l'emploi passant par la hausse des profits.

De même, la recherche d'une plus grande compétitivité des entreprises peut viser à long terme la création d'emplois.

2. Les politiques de l'emploi agissant sur les flux du marché du travail

Les politiques sont nombreuses, de même que leurs typologies.

Certains distinguent politiques *passives*, qui visent à gérer le rationnement de l'emploi, et politiques *actives* qui tentent de limiter ce rationnement en créant des emplois.

Le discours politique introduit aussi une hiérarchie entre *traitement économi-*

que du chômage (qui serait noble), *traitement social* (qui le serait moins mais dont le contenu est, lui-même, varié) et le *traitement statistique* (qui n'aurait aucun effet réel).

On peut distinguer des politiques qui s'attachent plutôt à la *demande* de travail (l'emploi), d'autres plutôt à l'*offre*.

On peut envisager à part les politiques de *partage du travail* et les effets de la *formation* sur le chômage. On considère que l'indemnisation du chômage ne fait pas partie à proprement parler des politiques d'emploi.

◆ **Action sur la demande de travail :** dans le prolongement des analyses libérales du fonctionnement du marché du travail, de multiples mesures peuvent être prises qui tendent à diminuer le *coût de la main-d'œuvre* (subvention à l'embauche, exemptions de cotisations sociales, aide au maintien d'emplois...).

De même, certaines mesures partent de l'idée que la *flexibilité* du marché du travail est une condition de croissance des emplois, ce qui se traduit en particulier par la précarisation d'une part importante des emplois qui deviennent « atypiques » (développement des contrats à durée déterminée, développement du temps partiel, du travail temporaire...).

Certaines mesures s'inspirent de l'idée que certains emplois, dans le *secteur public ou associatif*, sont utiles mais ne peuvent être créés sans l'aide publique : les pouvoirs publics financent tout ou partie du coût de la main-d'œuvre (travaux d'utilité collective, contrats emploi solidarité...).

◆ **Action sur l'offre :** une inspiration, souvent contestable, de la politique de l'emploi consiste non à accroître la demande de travail (l'emploi) mais à *restreindre l'offre de travail*. Parmi ces mesures qui tendent à inciter certaines catégories de la population à se retirer de la population active, certaines peuvent paraître justifiées, celles qui concernent les jeunes (prolongation de la formation initiale) ou les travailleurs âgés (préretraite), d'autres sont beaucoup plus discutables lorsqu'elles touchent les femmes (incitation financière pour les femmes au foyer) ou les travailleurs étrangers (politique d'incitation plus ou moins appuyée au retour).

◆ **Partage du travail :** la politique de *partage du travail* peut prendre plusieurs formes (réduction de la durée de travail hebdomadaire, ou de la durée annuelle, ou de la durée de travail sur la vie entière). Le partage du travail, qui peut être un moyen efficace de lutter contre le chômage, pose en fait le problème de la rémunération. Si la baisse de la durée du travail s'accompagne d'une baisse de rémunération, alors l'incitation à la création d'emploi est forte, mais cette mesure se heurte à des résistances, d'autant plus fortes que les rémunérations sont faibles. Si, inversement, la baisse de la durée est entièrement compensée par le biais d'un maintien du salaire initial, alors le coût du travail augmente, l'entreprise est incitée à réaliser des gains de productivité, et la baisse de la durée du travail n'a pratiquement pas d'effet sur le chômage.

◆ **Les effets de la formation :** on considère souvent que la *formation* peut avoir des effets de réduction du chômage. En fait, on peut distinguer quatre effets différents de la formation :

– un effet *file d'attente* : la formation permet de soustraire du marché du travail des flux qui viendraient gonfler autrement l'offre de travail ; dans ce cas-là, la formation ne joue pas sur le niveau d'emploi mais sur l'offre de travail et donc le niveau de chômage ;

– un effet d'*adéquation entre l'offre et la demande de travail* : une meilleure formation — ou une reconversion — permet à des travailleurs d'occuper des emplois vacants ; dans ce cas, la formation a un effet sur le niveau d'emploi ;

– un effet de *qualification-déqualification* : l'amélioration de la formation d'un individu peut lui permettre d'améliorer son employabilité, mais l'amélioration du niveau de formation de *toute la population* tend à élever le niveau de qualification requis pour occuper un emploi, sans créer d'emplois (effet pervers) ;

– un effet de *création d'emplois qualifiés* : la formation de nouveaux métiers peut favoriser la création d'emplois qui n'auraient pas été créés sans cela : des techniciens en images de synthèse vont créer des entreprises ou être embauchés dans des entreprises qui vont créer de nouveaux emplois.

⟶ *Contrat de travail, Emploi, Emplois aidés, Emploi atypique/Emploi typique, Flexibilité, Keynes, Marché.*

POLITIQUE DE L'OFFRE

> Ensemble de mesures de politique économique dont le but est de stimuler la croissance en agissant sur les facteurs de l'offre.

L'offre, c'est-à-dire les capacités de production d'un pays, dépend du volume, de la qualité et de la combinaison des facteurs de production. Pour stimuler la croissance, l'État peut agir directement ou indirectement sur chacun de ses déterminants :

– *la politique de l'éducation et de la formation* vise à améliorer la qualité du facteur travail (qualification, compétence) et à favoriser l'accumulation de capital humain ;

– *la politique de la recherche et de l'innovation* exerce une influence sur le rythme du progrès technique ;

– *la politique d'investissement public* a un effet sur les infrastructures (réseaux de transport, de communication, énergie, etc.) qu'utilisent les agents économiques pour produire ;

– *la politique fiscale et sociale* agit sur l'offre de travail (incitation à rechercher du travail, incitation à la mobilité géographique et professionnelle, etc.) et sur l'offre de capital (incitation à l'épargne, au financement des entreprises, etc.) ;

– *la réglementation, ou la déréglementation* selon les cas, peut faciliter la création d'entreprises et l'innovation (protection de la propriété intellectuelle, etc.) ;

– *la politique de la concurrence* incite les entreprises à se moderniser pour préserver leur compétitivité…

♦ Auparavant, on opposait parfois les politiques de l'offre, réputées aussi libérales que l'« économie de l'offre », aux politiques de la demande, que l'on supposait keynésiennes. À tort : la reprise de l'activité économique consécutive à une politique de relance de la demande réussie peut se trouver compromise par des contraintes pesant sur l'offre (pénurie de main-d'œuvre qualifiée, saturation des capacités de production, tarissement des sources de financement de l'investissement, etc.). Il y a donc complémentarité. L'idéal serait que les actions sur l'offre et sur la demande se combinent efficacement, mais les politiques de la demande sont essentiellement conjoncturelles alors que les politiques de l'offre sont souvent structurelles (il faut du temps pour former la main-d'œuvre, recourir aux investissements, etc.).

⟶ *Économie de l'offre (*Supply side economics)*, Offre, Politique économique.*

POLITIQUE DES REVENUS

> Partie de la politique économique et sociale qui agit sur la formation des revenus primaires et éventuellement sur la redistribution, avec pour objectifs la lutte contre l'inflation, une progression juste et équilibrée du pouvoir d'achat compatible avec les gains de productivité, la paix sociale et, dans certains cas, la modification du partage de la valeur ajoutée entre salaires et profits.

Cette politique fut assez systématique au cours des Trente Glorieuses et elle fut une caractéristique essentielle de la régulation institutionnelle de type « fordiste ». Dans ce cadre, l'État veille à ce que la répartition des revenus du capital et du travail assure une progression parallèle des profits, pour motiver et financer l'investissement, et des salaires pour encourager le travail et financer les débouchés par la consommation. La politique des revenus cherche donc à réaliser le compromis fordiste de partage équilibré des gains de productivité, en évitant que ne s'amorce la spirale inflationniste salaires-prix-profits.

♦ Ses moyens d'action sont divers :
– action directe sur les salaires via le SMIC et les salaires des agents de l'État et de la fonction publique ;
– organisation de la négociation sur les salaires entre patronat et syndicats de salariés (par exemple, accords de Grenelle, loi sur les conventions collectives, lois Auroux) ;
– contrôle des prix, et, à travers eux, des profits et du salaire réel ;
– action par les prélèvements obligatoires ;
– en situation extrême de spirale inflationniste : blocage des prix et des salaires ;

– système d'échelle mobile (indexation des salaires sur les prix) ;
– planification indicative des revenus.

En France, la rigueur salariale et la désindexation des salaires mises en œuvre à partir de 1982-1983 apparaissent comme un tournant de la politique des revenus qui a permis la restauration des profits des entreprises. En effet, aujourd'hui, les prix sont entièrement libérés et les salaires se négocient librement sur le marché du travail. L'État n'assure plus qu'un filet de sécurité minimum (salaire minimum, le SMIC, imposé aux entreprises, et revenu minimum, le RMI, fourni par la collectivité), la régulation par le marché, c'est-à-dire par la concurrence entre entreprises (pour les prix) et entre travailleurs (pour les salaires), faisant le reste.

⟶ *Désindexation des salaires, Fordisme, Politique économique, Productivité, Régulation (École de la).*

POLITIQUE ÉCONOMIQUE

Ensemble des interventions des pouvoirs publics dans l'économie caractérisées par la hiérarchie des objectifs poursuivis et le choix des instruments mis en œuvre pour les atteindre.

La politique économique s'inspire d'une certaine grille d'analyse : le keynésianisme et le libéralisme constituent deux inspirations des politiques économiques.

♦ Par exemple, toute politique de lutte contre l'inflation se réfère de façon plus ou moins explicite à une explication de l'inflation et l'action est organisée différemment selon que l'on privilégie la responsabilité de l'émission de monnaie, celle de la demande ou celle de la formation des revenus. De même, une politique de l'emploi peut se référer soit à une explication du chômage par insuffisance de la demande, soit à une théorie classique qui privilégie le coût du travail. Enfin, l'investissement peut être stimulé de façon différente selon que l'on considère que la faiblesse de l'investissement provient de débouchés trop faibles ou d'une insuffisance des profits.

Les *principaux objectifs* sont : la croissance économique, le plein-emploi, la stabilité des prix, l'équilibre des échanges extérieurs.

Les *principaux instruments* sont : le budget, la régulation de la masse monétaire, l'action sur les taux d'intérêt et le taux de change, l'intervention sur la formation des revenus et sur la redistribution, la réglementation.

Sachant qu'il est particulièrement difficile d'atteindre tous ces objectifs simultanément et qu'il est recommandé de consacrer chaque instrument à un objectif, toute politique économique se caractérise par le choix des priorités (la lutte contre l'inflation plutôt que la lutte contre le chômage, l'équilibre extérieur plutôt que la croissance, etc.) et des moyens supposés les plus efficaces, étant entendu que ces moyens sont eux-mêmes interdépendants : les politiques du crédit, du taux d'intérêt, du budget et du taux de change sont liées par des relations contraignantes, surtout en économie ouverte. De ce fait, une politique économique se doit normalement de rechercher une certaine cohérence.

On a parfois tendance à confondre les *objectifs finaux* avec les *objectifs intermédiaires* qui sont les cibles orientant l'utilisation des instruments : ainsi, la politique de franc fort et la réduction du déficit budgétaire ne sont pas des objectifs en soi, mais des moyens au service d'une politique de désinflation compétitive.

La distinction entre *politique conjoncturelle* et *politique structurelle* (cette dernière étant supposée exercer ses effets à long terme et modifier durablement les structures de l'économie) est à nuancer : une politique conjoncturelle systématique a des conséquences structurelles (par exemple la politique menée par Mme Thatcher sur la désindustrialisation de la Grande-Bretagne) et une politique structurelle impose des mesures conjoncturelles (par exemple des dépenses budgétaires pour accroître l'effort de formation et de recherche).

⟶ *Carré magique, État, Keynésianisme/Keynésien(s), Libérale (Politique économique), Politi-*

que budgétaire, Politique de change, Politique de l'emploi, Politique des revenus, Politique économique conjoncturelle, Politique industrielle, Politique monétaire, Politique structurelle.

POLITIQUE ÉCONOMIQUE CONJONCTURELLE

Politique économique à court terme menée en vue d'orienter l'activité dans un sens jugé souhaitable : soutien de l'emploi, limitation de l'inflation, réduction du déficit extérieur, etc. Elle vise le rétablissement des grands équilibres sans pour autant avoir la prétention ou la possibilité de les atteindre tous : le choix est fait en fonction de la situation de l'économie nationale et des objectifs politiques des partis au pouvoir.

En simplifiant, on peut ramener les politiques conjoncturelles à l'opposition entre politiques de rigueur *(stop)* et politiques de relance *(go)*.

Les *politiques* dites de *relance*, d'inspiration keynésienne, privilégient les objectifs de stimulation de la croissance et de lutte contre le chômage.

Les moyens utilisés consistent à développer les revenus des ménages par une politique des salaires souple et une extension des revenus de transferts ; par ailleurs, la demande publique tend à s'accroître, le déficit budgétaire étant considéré comme favorable parce qu'il stimule la demande. La politique monétaire assure une progression des crédits et de la masse monétaire, les taux d'intérêt sont bas.

♦ Ce type de politique, s'il a des effets positifs sur l'activité économique, l'emploi et le revenu des ménages, peut favoriser les poussées inflationnistes et aboutir à une dégradation de l'équilibre extérieur, en raison du progrès des importations.

Les *politiques* dites de *rigueur* privilégient la lutte contre l'inflation, l'assainissement financier et la réduction du déficit extérieur. Elles impliquent le plus souvent le freinage de la croissance et donc de la demande.

En matière de revenu, c'est la rigueur salariale qui doit permettre un partage de la valeur ajoutée plus favorable aux entreprises et un ralentissement de la hausse des coûts et de la demande. La politique budgétaire recherche l'équilibre ou l'excédent du budget afin de limiter l'effet inflationniste du déficit et le poids de la dette publique. Une politique monétaire restrictive se traduit par une limitation du crédit et une hausse des taux d'intérêt.

♦ Les politiques de rigueur ont, en principe, des effets bénéfiques sur les prix, sur l'équilibre extérieur et sur les résultats des entreprises, mais elles peuvent avoir des effets dépressifs sur l'emploi, sur le pouvoir d'achat des ménages et sur la production.

⟶ *Keynes, Keynésianisme/Keynésien(s), Libérale (politique économique), Politique budgétaire, Politique économique.*

POLITIQUE FISCALE

Ensemble des mesures visant à faire évoluer le système fiscal d'un pays.

Plusieurs buts peuvent être poursuivis :
– intervention conjoncturelle : des baisses ponctuelles d'impôts peuvent être un accompagnement d'une reprise économique ;
– recherche d'une meilleure efficacité : il s'agit alors d'améliorer le recouvrement des principaux impôts et de réduire le coût de celui-ci ;
– justice sociale : le poids de l'impôt est modulé selon la situation de l'individu. Dans le cas d'un impôt progressif, son poids sera d'autant plus élevé qu'il est acquitté par des personnes dont le revenu, ou le patrimoine, est important.

POLITIQUE INDUSTRIELLE

Ensemble des interventions publiques sur les structures productives et les comportements des entreprises en vue de renforcer ou d'améliorer les performances globales et sectorielles de l'industrie.

L'existence d'un vaste secteur nationalisé, comme en France, permet à l'État d'orienter directement la production de certaines branches et indirectement d'agir sur les conditions de production des entreprises privées par le biais des commandes, des tarifs publics, des infrastructures. En direction du secteur privé, l'État dispose de plusieurs moyens d'intervention plus ou moins efficaces.

On peut distinguer quatre niveaux dans la politique industrielle :

– *l'environnement de l'industrie :* politique de change, politique des revenus, fiscalité, crédit, législation commerciale, infrastructures, etc. À ce niveau, il s'agit moins de politique industrielle que de gestion économique générale. Les libéraux purs militent pour que l'État s'en tienne à créer les conditions de la libre concurrence tout en favorisant l'initiative privée ;

– *l'action sur les comportements* en matière d'investissement, de localisation, d'emploi, d'exportation… À cet égard, l'État prend des mesures incitatives : primes et subventions, dégrèvements fiscaux sont accordés sous conditions (exemple : crédit d'impôt pour investissement productif) ;

– *les politiques sectorielles* visant soit à soutenir et à restructurer les industries « anciennes » en difficulté (par exemple la sidérurgie, les chantiers navals), soit à promouvoir des industries nouvelles (informatique, nucléaire). Dans ce cas, les aides ne sont plus conditionnelles ; elles peuvent consister en subventions, commandes publiques, aide à la recherche-développement, etc. ;

– *les grands projets, les grands programmes industriels :* association du secteur public et du capital privé pour la réalisation d'objectifs d'envergure.

Aspect fort développé en France : Concorde et Airbus, Fos-sur-Mer (complexe sidérurgique), programme électronucléaire, TGV, plan Calcul, etc. Sont en jeu à ce niveau autant l'industrie que l'indépendance nationale.

Sous le double effet de la mondialisation et du renouveau libéral, la politique industrielle a connu un déclin dans la décennie 1980 (en particulier au Royaume-Uni sous l'influence du thatchérisme). Depuis quelques années, cependant, celle-ci tend à être réhabilitée, du moins dans certains domaines, au vu des effets négatifs engendrés par le retrait de l'État.

→ *Économie mixte, Plan/Planification, Politique structurelle, Société d'économie mixte.*

POLITIQUE LIBÉRALE

→ *Libérale (Politique économique).*

POLITIQUE MONÉTAIRE

Volet de la politique économique visant à influer sur l'évolution de la masse monétaire et les taux d'intérêt et, par ce biais, sur l'inflation, la croissance, l'emploi et le taux de change.

Pour ce qui concerne les **objectifs poursuivis par la politique monétaire**, l'accent est en général mis sur la lutte contre l'inflation. Le courant monétariste, en particulier, considère que la lutte contre l'inflation constitue l'objectif prioritaire de la politique économique et que le meilleur moyen de lutter contre l'inflation consiste à agir sur la création de monnaie.

En fait, la politique monétaire ne peut être envisagée uniquement par rapport à la stabilité des prix. D'une part, comme l'inflation n'est pas seulement un phénomène monétaire, d'autres moyens peuvent être employés pour lutter contre l'inflation, la politique des revenus par exemple. D'autre part et surtout, la masse monétaire n'a pas seulement une influence sur les prix mais aussi sur les grandeurs réelles de l'économie, sur l'emploi et sur la production ; dès lors, une politique monétaire restrictive peut contribuer à ralentir la hausse des prix mais aussi à favoriser un ralentissement ou une baisse de la production et de l'emploi ; inversement, la politique monétaire peut être mobilisée pour stimuler la croissance de l'économie.

◆ De plus, en économie ouverte, lorsque les capitaux se déplacent librement, la politique monétaire se heurte à une contradiction concernant les effets internes et externes des taux d'intérêt ; en effet, des taux d'intérêt élevés attirent les capitaux (ce qui tend à faire monter le taux de change) et des taux bas contribuent à affaiblir le taux de change. Ainsi, à de nombreuses reprises, la France a souhaité des taux d'intérêt faibles pour des raisons internes (soutenir l'investissement et la croissance), mais a été dans l'impossibilité de baisser les taux pour des raisons externes (risque de baisse du franc). L'Allemagne mène souvent une politique de taux d'intérêt élevés pour des raisons internes (lutte contre l'inflation), même si cette politique a des effets non nécessairement désirés au niveau externe (afflux de capitaux).

Pour ce qui est des **instruments de la politique monétaire**, on distingue les instruments directs et les instruments indirects.

Les instruments directs : l'encadrement du crédit agit directement sur le crédit dans la mesure où il s'agit d'une forme de contingentement, chaque banque étant limitée dans le volume de crédit qu'elle peut octroyer à sa clientèle, tout dépassement étant pénalisé de façon dissuasive ; en France, l'encadrement du crédit, employé durant la période très inflationniste de 1977 à 1985, a été abandonné parce que, en période de faible inflation, il se justifie moins, d'autant qu'il tend à fausser le jeu concurrentiel et qu'il est peu efficace lorsque les capitaux se déplacent librement.

Les instruments indirects agissent, soit sur la demande de crédit, soit sur l'offre. L'action par le biais des taux d'intérêt (taux d'intervention de la Banque centrale sur le marché monétaire et taux d'escompte) est censée avoir de l'influence sur la demande de crédit et donc sur la création de monnaie ; son efficacité peut être limitée, soit par l'insensibilité éventuelle des agents économiques aux variations de taux, soit par les effets pervers sur les flux externes (entrée de capitaux en cas de hausse des taux). L'action sur l'offre de crédit passe par la liquidité bancaire ; en effet, les banques, pour créer de la monnaie, ont besoin de monnaie Banque centrale ; dès lors, les autorités monétaires peuvent agir soit sur le besoin de monnaie — en faisant varier les réserves obligatoires que les banques doivent constituer à la Banque centrale —, soit sur l'alimentation en monnaie Banque centrale en rendant plus ou moins facile l'accès des banques aux liquidités.

La BCE mène une politique de taux en fonction de ses objectifs intermédiaires (notamment le rythme de progression de M3). La détermination du taux de refinancement par le moyen d'appels d'offres hebdomadaires – technique choisie pour offrir des liquidités aux banques qui sont disposées à emprunter de la monnaie centrale à ce taux ou à un taux légèrement supérieur – est le principal instrument de politique monétaire. Dans la boîte à outils de la banque centrale, le deuxième instrument important est la détermination du taux des réserves obligatoires. Mais l'impact de la politique monétaire dépend des canaux de transmissions à l'économie

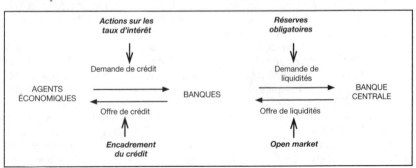

des variations des différents taux d'intérêt, de la crédibilité de la BCE auprès des principaux intervenants sur les marchés et de son habileté à communiquer avec eux.

→ *Base monétaire, Crédibilité monétaire ou financière, Intérêt/Taux d'intérêt, IS-LM (Modèle), Keynes, Monétarisme, Monnaie, Mundell (Triangle d'incompatibilité de).*

POLITIQUE SOCIALE

Ensemble de mesures prises dans le domaine des salaires (ou plus généralement des revenus), de la protection sociale ou de l'emploi. Le terme peut être utilisé soit au niveau de l'État ou des collectivités locales, soit au niveau de l'entreprise. Dans le premier cas, les principaux leviers d'intervention concernent les minima sociaux, l'évolution du niveau des prestations versées par les régimes de Sécurité sociale, les mesures d'action contre le chômage, la politique de lutte contre les inégalités.

En ce qui concerne l'entreprise, la politique sociale se traduit dans le domaine de l'évolution du salaire, des prestations sociales complémentaires, de la promotion professionnelle et de la formation continue.

POLITIQUE STRUCTURELLE

En opposition avec la politique conjoncturelle ; composante de la politique économique qui, visant une modification profonde du fonctionnement de l'économie, tend à modifier les institutions et les comportements des agents économiques. La politique industrielle est un élément de la politique structurelle.

À partir de la Seconde Guerre mondiale, les gouvernements ont multiplié les mesures structurelles tendant à infléchir les mécanismes de marché ou à les limiter par des interventions publiques (nationalisation, planification, réglementation du marché et des relations du travail, protection sociale, etc.).

La crise économique qui débute dans les années 1970, parce qu'elle reflétait plus une inadaptation des structures économiques qu'un essoufflement de la conjoncture économique, a donné un nouvel élan aux politiques d'action sur les structures, principalement dans le sens d'une réactivation du jeu du marché.

♦ À titre d'illustration, on peut citer ainsi :
– pour ce qui est *des entreprises et des marchés*, aux politiques concernant la concentration et la concurrence (abus de position dominante, réglementation des ententes, contrôle des opérations de concentration…) se sont ajoutées les politiques de protection des consommateurs et les mesures de libération des prix ;
– pour ce qui est *du marché du travail et des relations de travail*, certaines mesures assurent une plus grande flexibilité (suppression de l'autorisation administrative de licenciement…), d'autres favorisent la négociation collective (lois Auroux…), d'autres tendent à encourager la formation ;
– *la politique structurelle* a été très active en ce qui concerne les marchés de capitaux et la modernisation des banques et du marché financier (création de nouveaux produits, de nouveaux marchés…).

→ *Politique économique, Politique industrielle.*

POLITIQUES PUBLIQUES
(Analyse des)

Analyse sociologique des décisions et de l'action des autorités investies d'une autorité publique, qu'elles soient politiques ou administratives, aux différents niveaux, national, régional, local, mais aussi européen.

♦ L'analyse des politiques publiques (APP) applique des outils issus de différents champs de la sociologie — sociologie des organisations, de l'action collective, etc. — à un objet, l'activité gouvernementale et administrative, qui relevait déjà d'autres disciplines — science politique, science administrative, droit public, économie publique, etc. — mais dans une nouvelle perspective, essentiellement réaliste : qui prend vraiment les décisions ? Sont-elles vraiment appliquées ? Quelles sont leurs conséquences sur le système social ? etc.

L'action publique étant la capacité à définir des buts collectifs, à mobiliser les ressources nécessaires à leur poursuite, à prendre les décisions qu'imposent leur réalisation et à assumer les conséquences qui en découlent, l'analyse de cette action consiste à étudier des choix, des processus d'action, des réalisations et, surtout, leurs conséquences ultimes.

♦ Le plus souvent, on distingue les étapes suivantes :

– *la phase de l'identification d'un problème :* quand et comment un problème devient-il politique ? En amont de la décision, il faut en effet que le problème soit perçu comme un enjeu obligeant les autorités politiques à l'inscrire sur l'agenda gouvernemental ;

– *la phase de la conception et de la prise de décision :* on montre ici que la liberté de choix du décideur est souvent fictive — il est pris dans un champ de forces, subit l'influence de lobbies, dépend de bureaucraties, etc. — et ses capacités cognitives sont limitées ;

– *la phase de la mise en œuvre :* dans quelle mesure l'administration applique-t-elle les décisions des autorités politiques ?

– *la phase de l'évaluation des résultats :* existe-t-il des procédures d'évaluation ? Ont-elles un effet ?

– *la phase de la terminaison :* quand une politique a-t-elle atteint son objectif ? Par exemple, à partir de quand la décolonisation est-elle terminée ?

Ce n'est qu'une grille d'analyse parmi d'autres. L'idée générale est qu'il semble possible d'étudier scientifiquement les politiques publiques parce qu'elles ne sont pas seulement fondées sur des prémices idéologiques, mais aussi sur des hypothèses factuelles, que l'on peut tester : le RMI est-il un facteur de réinsertion ? Les moyens accordés aux établissements classés en ZEP réduisent-ils l'échec scolaire ? etc. Pour l'APP, gouverner, c'est gérer de l'action collective. Or, le résultat de l'action collective ne dépend pas seulement des intentions, mais beaucoup des conditions d'application des décisions. Se télescopent des enjeux, des acteurs et un contexte institutionnel. Quand on s'intéresse aux conséquences ultimes des politiques, bien au-delà de leurs résultats apparents, on découvre qu'il ne suffit pas de savoir pour agir efficacement, ou de vouloir pour pouvoir : de nombreuses conséquences n'ont été voulues par personne en particulier, elles résultent des interactions entre de nombreuses stratégies d'acteurs sociaux. En révélant cette complexité de l'action publique et en fournissant des outils d'évaluation des politiques, l'APP prétend favoriser l'apprentissage par l'expérience, indispensable au progrès d'une société démocratique.

POLYARCHIE

⟶ *Pouvoir (Formes de).*

POLYGAMIE/POLYGYNIE/ POLYANDRIE

Polygamie (*poly :* « plusieurs » ; *gamos :* « mariage ») : terme général désignant toutes les unions où le nombre des conjoints (hommes et femmes) dépasse un seul couple. Deux cas de figure :

Polygynie (*gunê :* « femme ») : forme de mariage dans laquelle plusieurs femmes sont unies à un seul homme. Chaque femme a le statut d'une épouse légitime et ses enfants sont des descendants légitimes.

Polyandrie (*andros :* « homme ») : forme de mariage dans laquelle plusieurs hommes sont unis à une seule femme. Si les différents maris sont frères, on parle de polyandrie fraternelle.

POOL DE L'OR (1961-1968)

Syndicat de huit Banques centrales (Grande-Bretagne, États-Unis, France, Belgique, Italie, Pays-Bas, Suisse, RFA) chargé, à partir de novembre 1961, d'intervenir sur le marché libre de l'or afin d'en stabiliser le prix autour du cours officiel de 35 dollars l'once. La France sort du pool en juillet 1967 ; celui-ci est dissous en mars 1968. En fait, cet échec annonce déjà le passage à un système d'étalon dollar.

➤ *Système monétaire international (SMI).*

POPPER (Karl)

Philosophe politique et épistémologue, né à Vienne en 1902, dont la pensée, le rationalisme critique concernent particulièrement les sciences sociales par sa critique conjointe du scientisme, du holisme totalitaire et de l'historicisme. Partisan de la démocratie et d'un libéralisme progressiste, Popper a été, par sa critique du marxisme, au cœur du renouveau des idées libérales, notamment en France où il a été découvert assez tardivement dans les années 1980.

À la base du système poppérien, l'idée qu'il n'existe pas de critères de la vérité en science : certes, on ne peut empêcher le savant de croire qu'il détient la vérité, mais l'essentiel est qu'il laisse la possibilité de tester empiriquement sa théorie ; celle-ci n'aura de caractère scientifique que si elle présente ce caractère de réfutabilité, de « falsifiabilité ». Bien qu'accusé de scepticisme, Popper pense que la science permet un progrès de la connaissance : elle s'approche de la vérité, mais, à la différence de ce que croient les scientistes, elle ne détient et ne détiendra jamais aucun savoir *certain*. Popper et son épistémologie « faillibiliste » (la science progresse par éli-

mination de ses erreurs) récusent donc comme non scientifiques les théories formant un système clos irréfutable et procédant de manière inductive.

Dans *La logique de la découverte scientifique* (1935), Popper, reprenant les thèses de D. Hume contre l'induction, affirme que la pensée, pour être scientifique, doit accorder la prééminence absolue à la théorie, aux conjectures, aux hypothèses, sur l'observation.

Prouver la théorie selon laquelle tous les cygnes sont blancs en accumulant un grand nombre d'observations de cygnes blancs n'est pas scientifique. Il vaut mieux faire progresser la connaissance en réfutant la théorie : il suffit de trouver un seul cygne noir.

De là découle chez Popper une critique des grands systèmes clos : notamment celui de Marx.

♦ Le marxisme est critiqué à la fois pour son historicisme et son déterminisme : il n'y a pas de lois de l'évolution historique, ni aucune fatalité. D'une part, parce que les « lois » de la nature et plus encore de la société ne sont scientifiquement que des prédictions conditionnelles (telle chose n'adviendra que si...), tout au plus des tendances relatives, datées et elles-mêmes évolutives. D'autre part, l'individu, parce que libre, est toujours imprévisible.

Pour Popper, le libéralisme et la démocratie sont des systèmes ouverts, résultats d'une sélection par l'histoire, c'est-à-dire ce qui reste après l'élimination des erreurs du passé (tyrannie, dictature...).

De même, la démocratie n'est pas un idéal, mais une méthode qui permet d'éliminer les mauvais dirigeants. Comme la science, la démocratie est un système ouvert où tout est réfutable et l'erreur réversible.

♦ Principaux ouvrages : *La logique de la découverte scientifique* (1935) ; *La société ouverte et ses ennemis* (1945) ; *Misère de l'historicisme* (1945) ; *Conjectures et réfutations* (1963).

➤ *État, Hayek, Marxisme, Rawls.*

POPULATION

Ensemble des personnes résidant habituellement dans un pays, une région, une ville, une zone géographique donnée.

L'étude de la population constitue l'objet de la démographie. La mesure de la population remonte à l'Antiquité. La Bible fait état de plusieurs opérations de recensement, visant à dénombrer physiquement le nombre d'habitants.

Si la méthode du recensement est toujours pratiquée aujourd'hui (en France, en principe tous les sept ans), elle est complétée par des évaluations annuelles fondées sur les déclarations annuelles de naissance et de décès à l'état civil. La grande inertie des paramètres d'évolution (importance du stock par rapport aux flux, stabilité des comportements en matière de fécondité, évolution lente de la mortalité) autorise des prévisions à long terme.

Ainsi, les chiffres de population sont connus avec une bonne précision pour les pays développés. Pour les pays en développement, la marge d'incertitude est importante. Les tendances lourdes d'évolution sont une croissance de la population mondiale de l'ordre de 1,3 % (plus de 2 % à la fin des années 1960) qui pourrait se ralentir à partir de 2050 en raison des modifications de comportement des pays en développement ; une part relative toujours plus lourde de la population du continent asiatique ; une diminution de la part de la population européenne et nord-américaine.

En France, la tendance de fond est celle du vieillissement de la population, c'est-à-dire l'augmentation de la proportion des 60 ans et plus, notamment à partir de 2005 (arrivée à cet âge des « baby-boomers »). Elle résulte principalement de la baisse de la fécondité à partir des années 1960, augmentée de la croissance de l'espérance de vie, particulièrement sensible chez les femmes.

→ *Démographie, Fécondité, Mortalité, Natalité.*

POPULATION ACTIVE

Ensemble des individus exerçant ou déclarant chercher à exercer une activité rémunérée.

Les personnes en congé de maladie, les membres du clergé, les aides familiaux, les stagiaires rémunérés de l'entreprise et les chômeurs sont comptés parmi la population active. Depuis le recensement de 1990, les hommes accomplissant leur service militaire (le contingent) sont intégrés dans la population active. En revanche, les femmes au foyer, les élèves, les étudiants et les retraités sont décomptés dans la population inactive.

→ *Emploi.*

POPULATION ACTIVE OCCUPÉE ou EMPLOYÉE

Ensemble de la population active, les chômeurs non comptés.

POPULATION SANS EMPLOI À LA RECHERCHE D'UN EMPLOI (PSERE)

La PSERE regroupe les chômeurs définis selon les quatre conditions retenues par le BIT et reprises par l'INSEE pour son enquête-emploi : être dépourvu d'emploi (est exclue toute personne ayant déclaré avoir exercé une activité, même de très courte durée, au cours de la semaine de référence), être capable de travailler (c'est-à-dire être disponible dans un délai de quinze jours ; un mois en cas de maladie bénigne), rechercher un emploi rémunéré, être effectivement à la recherche de cet emploi (avoir effectué au moins une démarche durant le mois précédant l'enquête).

L'INSEE effectue une fois par an, en mars, une enquête sur l'emploi qui permet de déterminer le volume de la PSERE.

L'écart entre PSERE et DEFM s'est creusé à partir de 1987. Il s'explique par l'augmentation du nombre des demandeurs inscrits à l'ANPE non pris en compte selon les critères du BIT.

Ainsi :

– les chômeurs inscrits actifs occupés ;

– les chômeurs inscrits non disponibles ;

– les chômeurs inscrits ne cherchant pas d'emploi.

Il existe en outre un « écart résiduel » entre le nombre observé et déclaré d'inscrits : réponses erronées ou imprécises lors de l'enquête, difficultés de mise à jour des fichiers de l'ANPE. En sens inverse, sont prises en compte dans la PSERE des personnes non inscrites à l'ANPE mais recherchant activement un emploi.

♦ L'écart entre les chiffres de la PSERE et des DEFM déclenche assez régulièrement une polémique sur le « vrai » et le « faux » chômage. Il reflète en réalité la grande diversité des situations intermédiaires entre emploi et chômage : l'étudiant qui poursuit des études parce qu'il ne trouve pas d'emploi, les demandeurs d'emploi en longue maladie, le chômeur de longue durée découragé, la mère de famille inscrite à l'ANPE mais qui élève ses enfants, etc.

→ **Chômage, DEFM.**

POSITIVISME

Courant philosophique et parti pris méthodologique qui assignent aux sciences humaines la démarche scientifique adoptée dans les sciences de la nature : analyse des seuls faits perçus par l'observation externe, expérimentation et mesure, élaboration de lois prédictives relatives aux phénomènes observés.

Ce parti pris instaure une coupure radicale entre le monde objectif (domaine des jugements de faits) et le monde subjectif (domaine de la conscience, de l'intuition, des jugements de valeur). Ce dernier échappe à la science. La connaissance de l'essence des choses est illusoire, la science doit se contenter des vérités tirées de l'expérience des phénomènes.

♦ À partir d'un noyau commun, le positivisme recouvre plusieurs variantes. Son fondateur, Auguste Comte, développe un positivisme teinté d'utopie scientiste. Selon lui, les sociétés sont entrées dans « l'âge positif » où la science, seule autorité légitime, est garante de l'ordre social.

Le *néopositivisme* (ou *positivisme logique*), développé par le cercle de Vienne dans les années 1920, assigne à la science la tâche de « lutter contre les connaissances qui prétendent à une fondation ultime (métaphysique) et qui dérivent en idéologie politique ou en utopie sociale ».

POST-KEYNÉSIENNE (Théorie)

Prolongement de la théorie keynésienne qui se distingue aussi bien du keynésianisme de la synthèse (dominant jusqu'aux années 1970) que de la nouvelle école keynésienne (qui s'oppose à la nouvelle école classique) par sa volonté de fonder une véritable alternative à la théorie néo-classique en s'inspirant de la partie la plus radicale de l'œuvre de Keynes, celle qui se donne comme objet d'analyse « l'économie monétaire de production ».

À l'origine, le courant post-keynésien se confond avec l'école de Cambridge, au moment où celle-ci se signale par sa critique des outils d'analyse néo-classiques. Ses représentants les plus connus sont alors J. Robinson, N. Kaldor, L. Pasinetti et P. Garegnani. Au cœur des travaux de cette école post-keynésienne, on trouve une analyse de la croissance fondée sur la relation entre l'accumulation du capital et la répartition de la valeur ajoutée entre profits et salaires (l'accumulation dépend du taux de profit qui dépend de l'accumulation).

Aujourd'hui, on regroupe également sous la bannière post-keynésienne tous les économistes qui font référence aux apports les plus originaux de Keynes et notamment à l'hypothèse d'incertitude radicale (contre la théorie des anticipations rationnelles), au rejet des hypothèses de neutralité de la monnaie et d'équilibre de marché réalisé par l'ajustement des prix (cadre d'analyse néo-classique), à l'attention portée aux conventions (comme moyen de réduire l'incertitude).

POST-MATÉRIALISME

Expression forgée par le politiste américain R. Inglehart pour qualifier la configuration socioculturelle vers laquelle tendent les sociétés avancées : sous l'effet du changement économique et social, on atteint un état de société qui, satisfaisant largement aux besoins de subsistance et connaissant un degré d'instruction élevé, autorise une valorisation croissante de l'autonomie individuelle et une capacité accrue de participation aux problèmes de la cité.

La transformation culturelle peut être ramenée à une double évolution : celle qui fait passer des valeurs de tradition et d'autorité traditionnelle aux valeurs « rationnelles-légales » et séculières (emprunt à Max Weber), et celle qui conduit des valeurs de nécessité aux valeurs de bien-être et d'auto-réalisation. Par ailleurs, l'évolution post-matérialiste est un effet de génération : ses valeurs sont davantage présentes auprès des cohortes qui ont connu le bien-être durant leur jeunesse.

La société post-matérialiste est associée, selon R. Inglehart, à la tolérance, à un degré élevé de démocratie et à l'attention portée aux questions éthiques et environnementales. Les conflits, qui étaient traditionnellement axés sur les questions matérielles, se polarisent sur des thèmes « post-matérialistes » spécifiques.

◆ Malgré son intérêt, le schéma de R. Inglehart a été critiqué sur plusieurs points : le primat accordé au développement économique pour expliquer le changement culturel (malgré ses analyses sur l'autonomie relative des variables religieuses et le poids des héritages historiques) ; l'impasse sur la crise sociale des années 1980-1990 et les tendances à la marginalisation de franges entières de la population ; enfin et surtout, pour l'idéalisation du modèle occidental vers lequel convergeraient plus ou moins rapidement les sociétés.

◆ Inglehart développe sa thèse dans les ouvrages suivants : *The Silent Revolution* (1977) ; *La Transition culturelle dans les sociétés industrielles avancées* (1990, traduction française, 1993) ; *Modernization and Postmodernization* (1997).

→ **Conflit social, Mondialisation culturelle, Nouveaux mouvements sociaux (NMS).**

POST-TAYLORISME

Dépassement du taylorisme par de nouvelles méthodes d'organisation du travail qui sollicitent l'initiative et l'implication de travailleurs qualifiés et polyvalents. Les économistes et sociologues qui utilisent ce concept cherchent à montrer que l'intensification de la concurrence, le progrès technique et l'accélération des innovations de produits ont rendu le taylorisme obsolète dans les pays les plus développés.

→ **Néo-taylorisme, Taylor/Taylorisme.**

POTLATCH

Échange rituel de dons et contre-dons pratiqué par plusieurs ethnies indiennes de la côte ouest de l'Amérique du Nord (en indien chinook, *potlatch* signifie « donner »).

Au cours de la cérémonie du potlatch, des richesses amassées par un groupe sont données (don) à un autre groupe, lequel, en retour, offre d'autres richesses surpassant si possible en somptuosité les premières (contre-don). Le potlatch est placé sous le signe de la rivalité. La capacité de donner, de surpasser son partenaire, conditionne le prestige du groupe et de ses membres.

Le terme, associé à l'origine à ce cas précis, désigne par analogie tout système de dons/contre-dons accompagné de rivalité statutaire.

→ *Échange, Kula, Mauss ; Annexe 35.*

POUVOIR

> Capacité d'imposer sa volonté, de faire prévaloir les objectifs, de faire respecter les règles même contre une volonté contraire, avec le recours éventuel à des moyens coercitifs (sanctions et menaces de sanctions, emploi de la force physique).

À la différence de l'autorité, l'exercice du pouvoir n'implique pas forcément le consensus, même si celui-ci est recherché. Si l'autorité est le plus souvent attachée à une personne, le pouvoir apparaît comme une institution existant indépendamment des individus qui l'exercent. C'est dans le cadre étatique que le pouvoir se manifeste avec le plus d'ampleur. Le *pouvoir politique* peut se définir comme l'ensemble des moyens institutionnels permettant la conduite des affaires générales de la cité (*polis* en grec), éventuellement au bénéfice de certains groupes sociaux. Cet ensemble organisé comprend, dans les sociétés modernes, le gouvernement, le Parlement, la justice, l'armée, la police, etc.

♦ Dans les démocraties modernes, les institutions politiques centrales obéissent au principe de la séparation des pouvoirs selon lequel les pouvoirs exécutif, législatif et judiciaire sont autonomes et ne doivent pas empiéter les uns sur les autres.

Le phénomène du pouvoir n'est pas propre à l'État. Face au pouvoir politique se dressent d'autres centres de pouvoir : pouvoir économique, pouvoir syndical, pouvoir idéologique (Église, élites intellectuelles, pouvoir des médias, sans oublier celui des partis politiques en opposition au pouvoir central). Les politologues parlent de *polyar-chie* pour désigner cette pluralité des sources du pouvoir au sommet.

♦ Polyarchie ne signifie pas forcément partage du pouvoir entre plusieurs groupes sociaux. Selon les marxistes, la classe économiquement dominante contrôle directement ou indirectement le pouvoir politique.

Le phénomène du pouvoir se retrouve également, à une échelle plus restreinte, dans toute organisation sociale : entreprise, parti politique, collectivités locales. Néanmoins, dans les sociétés développées, seul l'État a le privilège légal de la force et de la répression physique (« monopole de la violence légitime » selon M. Weber).

→ *Autorité, Domination, Hégémonie, Légitimité, Pouvoir (Formes de).*

POUVOIR D'ACHAT

→ *Niveau de vie.*

POUVOIR (Formes de)

> Modes d'organisation et de dévolution du pouvoir.

Il existe plusieurs formes de pouvoir.

Aristocratie : du grec *aristoi*, « les meilleurs » ; pouvoir des meilleurs, des « nobles ».

Autocratie : du grec *autos*, « même » ; monocratie autoritaire proche du despotisme.

Démocratie : du grec *dêmos*, « peuple » ; pouvoir exercé par les représentants du peuple, choisis par le peuple dans le cadre d'élections au suffrage universel.

Dyarchie : du grec *duas*, « couple » ; pouvoir conjoint de deux personnes.

Monarchie : du grec *monos*, « un seul » ; pouvoir d'un seul, avec transmission héréditaire (royauté, principauté ou empire).

Monocratie : du grec *monos*, « un seul », et *kras, kratos*, « la force » ; pouvoir souverain et sans partage d'un seul.

Oligarchie : du grec *oligos*, « petit nombre de », et *archè* « le commandement » ; système d'organisation du pouvoir dans lequel celui-ci est contrôlé et accaparé par un petit nombre d'individus (exemple : le Grand Conseil et le Conseil des Dix de la République de Venise, l'oligarchie financière...).

Ploutocratie : du grec *ploutos*, « riche » ; pouvoir des plus riches.

Polyarchie : du grec *polus*, « nombreux » ; selon R. Dahl, régime politique des démocraties industrielles occidentales, fondé sur le pluralisme des partis et des intérêts concurrents et leur relatif équilibre, sur le contrôle juridictionnel des gouvernants, sur la multiplicité des centres de décision et la complexité des procédures.

♦ **Énarchie :** en France, pouvoir des anciens élèves de l'École nationale d'administration (ENA).

➤ *Anarchisme, Bureaucratie, Démocratie, Méritocratie, Pouvoir, Technocratie.*

POUVOIR LIBÉRATOIRE (de la monnaie)

Capacité, conférée par la loi à une monnaie, de libérer son détenteur de ses dettes : elle ne peut être refusée comme moyen de paiement par le créancier. On dit alors que cette monnaie — par exemple le franc en France — a « cours légal ».

PPA

➤ *Parité de pouvoir d'achat (PPA).*

PRATIQUES CULTURELLES

Expression usitée par les enquêtes du ministère de la Culture pour mesurer les activités individuelles en relations avec les différentes formes d'expression artistique.

Elles sont regroupées en six domaines : l'information (presse écrite, audiovisuelle), la télévision, la musique (supports et genres musicaux), le livre et la lecture, les sorties et les visites (cinéma,

théâtre, concerts, musées, etc.), les « pratiques amateur » enfin (participation aux associations artistiques et culturelles, autres pratiques).

Le champ retenu est plus restrictif que celui couvert par le poste « Culture-Loisirs » des enquêtes « Budget de famille » de l'INSEE, lequel inclut les dépenses relatives aux vacances, au sport, au bricolage, etc. Mais, par ailleurs, ce qui est pris en compte est différent : les enquêtes INSEE évaluent des dépenses alors que celles du ministère de la Culture mesurent des pratiques (écoute de la radio, fréquentation de musées, etc.).

Ces enquêtes mettent en évidence les inégalités et les différences de goût en matière de culture et de loisirs selon l'âge, le sexe, la localisation et plus encore le statut socioprofessionnel et le degré d'instruction.

PRÉCARITÉ

Situation d'une personne qui ne bénéficie pas d'un emploi, d'un logement ou d'un revenu stable. La précarité est caractéristique des nouvelles formes de pauvreté qui se sont développées dans les pays industrialisés au cours des décennies 1970 et 1980.

Elle est la résultante de processus cumulatifs d'exclusion :

– *exclusion familiale :* l'augmentation du nombre des divorces et des naissances hors mariage a conduit à une croissance importante du nombre de familles monoparentales qui connaissent souvent des difficultés financières, organisationnelles, psychologiques ;

– *exclusion par le logement :* aux mécanismes classiques du marché viennent s'ajouter des facteurs spécifiques en matière de logement social (insuffisance de construction, en particulier au centre des villes, faiblesse des sorties du secteur social vers le secteur locatif privé, le maintien en HLM de familles dont les ressources dépassent le plafond) ;

– *exclusion par le chômage :* cause majeure d'exclusion surtout quand il est de longue durée, le chômage élevé depuis une trentaine d'années entraîne la diminution puis la perte de revenus, mais aussi une désinsertion sociale ;

– *exclusion par la santé :* l'isolement et la marginalisation sont autant de facteurs aggravants des problèmes de santé.

Face à cette situation, les pays développés ont mis en œuvre des politiques de lutte contre la précarité : création d'un revenu minimum, mesures contre le chômage de longue durée et contre l'exclusion, aides à la réinsertion. En France, la création, en 1988, du revenu minimum d'insertion (RMI) est caractéristique de cette orientation.

→ *Chômage, Pauvreté, Revenu minimum d'insertion (RMI).*

PRÉFÉRENCE (Échelle de, relation de)

Classement ordinal des besoins ou des biens d'un ménage.

Un ménage est doté d'une *relation de préférence* sur son ensemble de consommation s'il classe selon un ordre de préférence les biens inclus dans cet ensemble.

Le ménage peut préférer le théâtre au cinéma ou l'inverse ; il peut préférer autant l'un que l'autre (indifférence) ; mais il est toujours capable de formuler l'une de ces réponses (dans la théorie néo-classique).

→ *Ophélimité, Pareto, Utilité (Valeur)/Utilité marginale ; Annexes 9, 11, 12.*

PRÉFÉRENCE POUR LA LIQUIDITÉ

Disposition des agents économiques qui les conduit à détenir une partie de leur patrimoine sous forme de monnaie, celle-ci étant la liquidité par excellence.

Cette notion est définie par Keynes. Il distingue trois motifs principaux à la demande de liquidité :

– *le motif de transaction :* avoirs de trésorerie pour régler les achats courants et les dettes ;

– *le motif de précaution :* encaisse pour faire face à des dépenses imprévues ;

– *le motif de spéculation :* encaisse en attente de placements rémunérateurs.

Les deux premiers motifs sont fonction du revenu, le troisième du taux d'intérêt ; la baisse du taux d'intérêt accroît en effet la préférence pour la liquidité.

→ *Keynes, Monnaie ; Annexe 15.*

PRÉLÈVEMENT LIBÉRATOIRE ou FORFAITAIRE

Technique d'incitation fiscale destinée à favoriser certains placements dont les revenus, au choix du contribuable, peuvent échapper à la progressivité de l'impôt sur le revenu en étant imposés à un taux forfaitaire fixe.

PRÉLÈVEMENTS OBLIGATOIRES

Ensemble des prélèvements — impôts, taxes et cotisations sociales — perçus par les administrations publiques (APU : État, collectivités locales, administrations de Sécurité sociale) auprès des agents économiques.

En France, une partie des sommes collectées par l'État est reversée, d'une part, au budget des collectivités locales, d'autre part, au budget de l'Union européenne.

Le *taux de prélèvements obligatoires* (TPO), désigné également comme la « pression fiscale et parafiscale », rapporte le montant de ces prélèvements,

4 031 milliards de francs en 1999, au produit intérieur brut ; il s'élevait alors à 45,7 % pour la France.

En France, les prélèvements obligatoires se décomposent en :

– *impôts directs et taxes assimilées :* contribution sociale généralisée (CSG : impôt direct sur le revenu, prélevé à la source, au profit de la Sécurité sociale ; 354 milliards de francs en 1999), contribution pour le remboursement de la dette sociale (CRDS), impôt sur le revenu (333,6 milliards de francs), impôt sur les sociétés (287,7 milliards de francs), taxe sur les salaires, impôt de solidarité sur la fortune (ISF : 12,7 milliards de francs), autres impôts directs ;

– *impôts indirects :* taxe sur la valeur ajoutée (TVA : 841,5 milliards de francs), taxe sur les produits pétroliers (TIPP : 161,7 milliards de francs), « enregistrement, timbre et bourse », autres impôts indirects ;

– *taxes locales :* taxe foncière, taxe d'habitation, taxe professionnelle (134 milliards de francs) ;

– *cotisations sociales* versées par les assurés sociaux ou leurs employeurs (1 409 milliards de francs) ; en France, celles-ci représentent une part très importante des prélèvements (43,3 % en 1995).

♦ L'augmentation du TPO est souvent perçue comme le signe d'un accroissement du poids de l'État dans l'économie. Cette affirmation doit être relativisée : d'une part, parce que la fiscalité d'État au sens strict (hors prélèvements pour les collectivités locales, la Sécurité sociale et l'Union européenne) ne représente que 17,9 % du PIB en 1999 (contre 20,9 % du PIB pour les prélèvements destinés à la Sécurité sociale) ; d'autre part, parce que le TPO indique mal le coût net du fonctionnement de l'État (au sens large) puisque l'essentiel des sommes prélevées est redistribué sous formes de prestations sociales et de subventions (sans compter l'offre de services publics gratuits ou quasi gratuits). Ainsi le taux de *prélèvements nets de transferts* n'est-il plus que de 19,4 % du PIB (1996), et, si l'on élimine les taxes payées par les administra-

tions à d'autres administrations, on arrive à un taux de *prélèvements nets consolidés* de 16,6 % du PIB.

→ *Charges sociales, Cotisation sociale, Dépenses publiques, Impôt, Impôt direct/indirect, Impôt sur le revenu, Laffer (Courbe de), Protection sociale, Sécurité sociale.*

PRÉNOTION

Sens commun, idée spontanée sur la réalité sociale (Durkheim) ou encore présupposé, fausse évidence.

S'oppose au « fait construit », fruit d'une réflexion critique et susceptible d'expliquer un phénomène social de façon adéquate.

♦ « La science réalise ses objets sans jamais les trouver tout faits… Le fait est conquis, construit, constaté » (Bachelard).

PRESSION FISCALE

Rapport entre le montant global des impôts et des taxes et le PIB ou le revenu national.

→ *Prélèvements obligatoires.*

PRESTATIONS SOCIALES

Versements effectués au profit des ménages, par les administrations ou les entreprises, au titre des lois sociales.

On distingue les prestations *en espèces* (pensions de vieillesse ou allocations de chômage, par exemple) et *en nature* (remboursement des frais médicaux).

Ces prestations sont, en général, fournies en contrepartie de cotisations sans pour autant qu'il y ait équivalence entre les unes et les autres. Elles visent à protéger les individus contre certains risques (maladie, invalidité, vieillesse, chômage, etc.).

→ *Cotisation sociale.*

PRESTIGE

> Considération plus ou moins forte dont bénéficient des personnes, des groupes en fonction de leur position sociale.

Les sources de prestige sont diverses et peuvent ou non se cumuler : profession, pouvoir, richesse, savoir et diplômes, capacités physiques, etc. Le prestige, révélateur des valeurs dominantes dans un système social, voit ses fondements varier selon les sociétés.

Échelles de prestige : classement hiérarchique des professions et/ou des statuts sociaux en termes de prestige, obtenu par sondage auprès d'un échantillon représentatif de la population.

→ *Hiérarchie, Statut/Status, Stratification sociale.*

PRÊTEUR EN DERNIER RESSORT

> Organisme financier (Banque centrale, par exemple) qui, en cas de faillite bancaire, assure la liquidité et donc la survie de la banque.

La faillite d'une banque peut avoir des effets beaucoup plus graves que ceux d'une autre entreprise : elle entraîne des pertes et provoque la méfiance des déposants et des autres créanciers ; elle peut engendrer des faillites en chaîne.

Le prêteur en dernier ressort a ainsi pour vocation d'éviter qu'une crise localisée ne se traduise par une crise de l'ensemble du système financier.

Toutefois, l'existence d'un prêteur en dernier ressort risque d'avoir des effets néfastes. Le risque est ainsi d'indemniser ceux qui ont pris de mauvais risques et de ne pas les sanctionner, alors que la logique voudrait que, si la bonne prise de risque est valorisée par des gains, la mauvaise prise de risque soit sanctionnée par des pertes. De plus, l'existence de ce filet de sécurité est susceptible de créer des effets d'« aléa moral » : sachant qu'en cas d'échec, les investisseurs seront sauvés, ils sont plus enclins à développer des comportements de risque.

→ *Aléa moral.*

PRÉVISION/PROSPECTIVE

> Action de déterminer l'évolution future d'une grandeur ou d'un ensemble de grandeurs économiques, le plus souvent à l'aide de modèles (chiffrés). On distingue la prévision à court, moyen et long terme.
>
> Il ne faut pas assimiler prévision et prospective : cette dernière consiste à décrire, par un effort d'imagination, l'état terminal d'une évolution de longue période.

Prévision et prospective peuvent s'appliquer aux mêmes objets, mais utilisent des méthodes différentes et obtiennent des résultats divergents. Pour prévoir la consommation de l'an 2010, on peut prolonger les tendances passées et actuelles (prévision), ou imaginer ce que pourrait être la société française transformée à cette époque et en déduire directement l'état de la consommation (prospective).

→ *Modèle (économique).*

PRICE EARNING RATIO (PER)

> (en français, coefficient de capitalisation des résultats, CCR)
> Rapport entre le cours coté d'une action et le bénéfice net par action. Une action cotée 240 € dont le revenu est de 20 € a un PER de 12. Plus le PER est élevé, plus le revenu est faible, relativement à la valeur de l'action.

→ *Action.*

PRICE TAKER/PRICE MAKER

(en français, preneur de prix, fixeur de prix)

Termes désignant des modèles de comportement des entreprises ou des économies nationales en matière de fixation des prix de vente.

Price taker : le producteur (l'entreprise, le pays) est dit « preneur de prix », il adopte le prix tel qu'il s'établit sur le marché ; s'il pratique un prix supérieur, il perd des parts de marché.

Price maker : le producteur est à l'inverse « faiseur de prix » ; son poids sur le marché, sa capacité à prendre les devants en matière d'innovation de produit lui permettent d'imposer un prix de référence que les concurrents (les « suiveurs ») adopteront.

Dans le schéma néo-classique de concurrence pure et parfaite, les entreprises sont *price takers* : elles ne proposent pas de prix, elles considèrent ceux-ci comme une donnée ; c'est le marché, centralisant les offres et les demandes, qui les fixe par tâtonnements jusqu'à la position d'équilibre. Dès lors que la concurrence est imparfaite, les mécanismes de fixation des prix se différencient selon le type de marché, la position de l'entreprise (ou du pays) et sa stratégie.

→ *Compétitivité, Concurrence.*

PRIME D'ASSURANCE

→ *Assurance.*

PRIME (pour les salariés)

Rémunération s'ajoutant au salaire, soit de manière exceptionnelle, soit en contrepartie d'une charge supportée par le salarié ou d'un comportement que l'employeur cherche à encourager. Par exemple : primes de productivité, primes de pénibilité (chaleur...), primes de risque, primes de transport, primes d'ancienneté. Elles sont imposables.

PRIME (sens boursier)

Prime d'émission : différence entre le prix d'émission d'une valeur mobilière et sa valeur nominale. Généralement, c'est un supplément de prix à la charge du souscripteur, dans le cas des actions, et un abattement, à son avantage, dans le cas des obligations. Il existe aussi des *primes de conversion* pour les obligations échangeables et convertibles, et des *primes de remboursement pour* les obligations (remboursées au-dessus de leur valeur nominale). Ces primes accroissent le rendement réel des obligations.

PRINCIPE D'ACCÉLÉRATION (accélérateur)

Le principe : une variation de la demande finale induit une variation plus que proportionnelle de l'investissement ; la variation de l'investissement s'explique par les variations de la croissance de la demande. Principe énoncé la première fois par J.-M. Clark en 1917.

Les fluctuations de l'investissement sont *décalées dans le temps* (l'investissement fléchit avant la demande) par rapport aux fluctuations de la demande et elles sont *amplifiées* (les fluctuations de l'activité sont plus fortes dans le secteur des biens de production que dans le secteur des biens de consommation).

Ce principe repose sur plusieurs hypothèses contraignantes :
– le plein-emploi du capital installé (l'augmentation des quantités produites implique l'achat de machines supplémentaires) ;
– face à une augmentation de la demande, les entreprises réagissent en cherchant à produire plus (il n'y a pas d'ajustement par la hausse des prix) ;
– la relation entre les quantités produites, Y, et le volume de capital nécessaire, K, ne varie pas au cours du temps ; donc le coefficient de capital, $v = K/Y$, est

constant. Ce qui signifie qu'on exclut le progrès technique (pas de hausse de la productivité du capital) et la substitution du capital au travail.

Périodes	Demande	Capital utilisé	Investissement net	Taux de variation	
				de la demande	de l'investissement
t	(y_t)	$(K = 4 y_t)$	$I_n =$ $K_t - K_{t-1}$	$\dfrac{\Delta Y}{Y}$	$\dfrac{\Delta I_n}{I_{n_{t-1}}}$
0	100	400	0	–	–
1	120	480	80	20 %	–
2	140	560	80	16,6 %	0 %
3	210	840	280	50 %	250 %
4	294	1 176	336	40 %	20 %
5	378	1 512	336	28,6 %	0 %
6	400	1 600	88	5,8 %	– 73,8 %

◆ L'exemple précédant confirme que c'est l'accélération de la demande qui induit les variations de l'investissement : il suffit en effet que la croissance de la demande se trouve ralentie pour que l'investissement chute ; de plus, les fluctuations ne sont pas seulement transmises mais aussi amplifiées. On remarquera que le taux de variation négatif de l'investissement (– 73,8 %) correspond à un désinvestissement théorique (en pratique, on observera l'apparition de capacités de production oisives qui, lors de la reprise, retarderont l'effet d'accélération).

→ *Coefficient de capital.*

PRIVATISATION

> Transfert de la propriété d'une partie ou de la totalité du capital d'une entreprise du secteur public au secteur privé.

Du point de vue financier, la privatisation peut prendre deux formes. Soit les titres de propriété détenus par l'État sont *cédés au secteur privé* ; les finances publiques en tirent des recettes, mais l'entreprise ne bénéficie pas d'un apport d'argent frais. Soit il est procédé à *une augmentation du capital* destinée à des actionnaires privés, la part du secteur public baissant relativement ; l'État ne bénéficie pas de recettes nouvelles mais l'entreprise augmente ses fonds propres.

Du point de vue financier, les privatisations peuvent avoir ainsi pour logique d'améliorer, à court terme, les finances publiques ou d'accroître le capital des entreprises.

En termes économiques, les privatisations sont censées améliorer l'efficacité économique pour deux raisons. L'entreprise privée, si elle n'est pas en situation de monopole, se doit d'appliquer une bonne gestion parce qu'elle ne peut compter sur les finances publiques pour combler les déficits. Par ailleurs, la pression des actionnaires en faveur d'une bonne gestion peut être plus forte que celle des pouvoirs publics. Ces deux arguments sont pertinents, mais la logique des actionnaires ne recouvre pas nécessairement l'efficacité à long terme du système économique.

En termes de gestion de ressources humaines, la privatisation s'accompagne, en général, de la substitution au statut public d'un statut privé moins protecteur, d'où une baisse de coût salarial, une plus grande flexibilité, mais aussi une dégradation possible de la situation des salariés et souvent une résistance de leur part à la privatisation.

Du point du vue de la mission du service public, il faut distinguer différents types d'entreprise anciennement privatisées : les entreprises du secteur concurrentiel (en France : Renault, la Société générale, Paribas, Rhône Poulenc…) et les entreprises à mission de service public (France Télécom). Dans ce cas, la question est de savoir si la privatisation et l'ouverture du marché ne vont pas inciter les acteurs à développer les activités les plus rentables au détriment de la mission de service public.

→ *Nationalisation, Noyaux durs (ou noyaux stables), Service public.*

PRIX

> Taux d'échange des biens et services sur le marché.

Dans les économies de marché, les biens sont vendus ou achetés contre de la monnaie : la table vaut 400 € et la chaise

200 € ; le prix apparaît alors comme l'expression monétaire de la valeur d'échange.

On appelle *prix nominaux*, ou *prix courants*, les prix monétaires, inscrits, lorsqu'ils sont observés en un lieu et une date donnés : le prix affiché de la table est 400 €. Dès qu'il s'agit de comparer des prix à deux dates différentes se pose le problème de la dépréciation de l'unité monétaire résultant de l'inflation : le pouvoir d'achat d'une quantité donnée de monnaie varie au cours du temps.

On appelle *prix constants*, exprimés en unités monétaires constantes (euros constants, dollars constants, etc.), les prix d'une année, ou période, de référence, qui servent à calculer des grandeurs en volume.

Le *prix relatif*, ou la valeur d'échange, d'une marchandise A par rapport à une marchandise B est la quantité de B qui s'échange contre une unité de A ; exemple : 1 table = 2 chaises.

♦ En Comptabilité nationale, *la production est valorisée au prix de base*, celui que reçoit effectivement le producteur ; on l'obtient en soustrayant du prix facturé au client les impôts sur les produits (impôts liés à la quantité produite, comme la TVA, la taxe intérieure sur les produits pétroliers, etc.) et en ajoutant les subventions sur les produits (produits agricoles, transports en communs, etc.).

♦ *Les emplois*, par exemple la consommation, *sont valorisés au prix d'acquisition*, effectivement supportés par l'acquéreur ; pour obtenir ces prix, il faut ajouter aux prix de base les marges commerciales et de transport, les impôts sur les produits qui sont à la charge de l'acquéreur (notamment la part non déductible de la TVA) et soustraire les subventions sur ces mêmes produits (s'il n'y avait pas de subventions, le ticket de métro coûterait plus cher). Les exportations sont évaluées au prix FAB, franco à bord (y compris le coût de transport et d'assurance jusqu'à la frontière du pays exportateur), alors que les importations sont évaluées au prix CAF, coût assurance-frêt (y compris ces mêmes coûts jusqu'à la frontière du pays importateur).

───▶ *Comptabilité nationale, Concurrence, Valeur.*

PRIX NOBEL D'ÉCONOMIE

Le premier prix Nobel d'économie a été décerné en 1969.

───▶ *Annexe : Prix Nobel d'économie.*

PRODUCTION

Acte de fabriquer des biens ou de mettre à disposition d'autrui des services qui satisfont des besoins individuels ou collectifs, en général solvables. On distingue la *production marchande*, qui est vendue sur un marché à un prix qui couvre au moins les coûts de production et dans le but de réaliser un profit, de la *production non marchande*, qui est fournie à ses bénéficiaires gratuitement ou à un prix nettement inférieur à son coût de production.

La valeur de la production réalisée au cours d'une année peut être mesurée à l'aide de différents agrégats : PNB, PIB... Elle peut être évaluée *à prix constants*, c'est-à-dire aux prix d'une année de base, prise comme année de référence, ou *à prix courant*, c'est-à-dire aux prix en vigueur pendant l'année considérée.

♦ Pour illustrer marchand, non marchand, on peut imaginer différentes manières de prendre en charge et donc de comptabiliser une activité particulière, par exemple l'enseignement (*cf.* tableau en bas de page).

	Service payé par le consommateur	Travailleur rémunéré	Nature de l'activité
Établissement privé payant	oui	oui	marchande
Établissement public gratuit	non	oui	non marchande
Cours gratuit par un frère	non	non	domestique

La première est comptabilisée dans le PIB marchand, la deuxième est comptabilisée dans le PIB non marchand et la troisième n'est pas comptabilisée du tout.

PRODUCTION
(Capacités de)

> Production qui résulterait du plein-emploi des facteurs de production.

Il s'agit donc d'une potentialité : l'INSEE mesure les *capacités de production* en multipliant la production effective par un coefficient d'accroissement possible de cette production, compte tenu des marges de capacité disponibles avec embauche.

♦ Il est demandé aux entreprises d'indiquer le pourcentage d'accroissement de la production qui résulterait de la pleine utilisation du matériel si elles embauchaient du personnel supplémentaire ; par exemple, si les marges disponibles sont de 20 %, alors on multiplie la production effective par 1,2.

→ *Conjoncture.*

PRODUCTION
(Facteurs de)

> (du lat. *facio*, facere, *factum* « faire »)
> Littéralement : ce qui permet de « faire » la production. Ensemble des éléments qui entrent en combinaison dans l'entreprise et qui permettent de produire.

La notion de facteurs de production varie selon les analyses.

Pour la plupart des classiques, il existe :
– deux facteurs primaires : le travail et la terre (sol et sous-sol) ;
– un facteur dérivé : le capital qui provient d'un travail initial appliqué à une ressource naturelle.

Pour les marxistes, le capital n'est que du travail cristallisé, c'est un rapport social de domination. Marx emploie le concept de « forces productives » ; seul le travail est source de valeur.

Pour les néo-classiques, il existe deux facteurs de production essentiels : le travail et le capital ; la terre (facteur naturel) est incorporée au capital par certains.

Dans le cadre de fonctions de production, on distingue : le *facteur travail*, le *facteur capital* qui se décompose en biens de production et biens de consommation intermédiaire, et d'*autres facteurs de production*, progrès technique, formation, savoir-faire, etc., regroupés parfois sous le terme de *facteur résiduel*.

→ *Capital, Travail.*

PRODUCTION
(Fonction de)

> Fonction mathématique reliant la quantité produite (*output*) aux quantités des différents facteurs (*inputs* ou intrants en français) utilisés et combinés pour l'obtenir.

Une *fonction de production* prend la forme générale :

$$Q = f (L, K, CI, R)$$

♦ avec Q = production ; L = travail ; K = capital ; CI = consommations intermédiaires ; R = facteur résiduel (notamment progrès technique).

Dans l'hypothèse de rendements décroissants, la fonction de production prend la forme suivante :

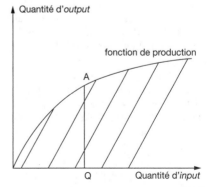

403

Au niveau des entreprises, les fonctions de production permettent de calculer la production maximale qui peut être obtenue à partir d'une combinaison technique donnée de facteurs.

Au niveau macroéconomique, les économistes ont cherché à utiliser la fonction de production afin de mettre en valeur la contribution de chacun des facteurs à la production nationale. Pour simplifier, on ne retient que le facteur travail (L) et le facteur capital (K) ; la plus usitée des fonctions de production agrégées est celle de Cobb-Douglas :

$$Q = L^a \, K^{1-a}.$$

♦ Les fonctions de production agrégées posent le problème de la mesure des facteurs de production :
– pour le travail, on peut retenir les effectifs employés ou le nombre d'heures travaillées ;
– pour le capital, la mesure pose des problèmes encore plus délicats ; on peut retenir le stock global d'équipement fixe, ou le flux consommé (amortissement).
♦ On prend en compte généralement le stock ; son hétérogénéité ainsi que les difficultés de la mesure de son évolution ont donné lieu à une controverse célèbre (J. Robinson/R. Solow).

Il existe plusieurs types de fonctions de production :
– *les fonctions à facteurs complémentaires :* leur combinaison est rigide, c'est-à-dire qu'une quantité donnée d'un facteur ne peut être associée qu'à une quantité fixe de l'autre ; si l'on veut augmenter la production d'une entreprise de transport routier, tout achat d'un camion supplémentaire impliquera l'embauche d'un chauffeur, toutes les autres conditions de la production étant inchangées ;
– *les fonctions à facteurs substituables :* leur combinaison est variable, on peut par exemple obtenir la même production avec plus de capital et moins de travail ou l'inverse ; la fonction Cobb-Douglas est de ce type ;
– *les fonctions à « génération de capital » :* le stock de capital y est décomposé en générations annuelles successives ; chaque génération correspond à une combinaison de facteurs (hypothèse de complémentarité) et, d'une génération à l'autre, les équipements incorporent du progrès technique et sont généralement plus capitalistiques.

⟶ *Production (Facteurs de), Progrès technique.*

PRODUCTIVITÉ

Rapport entre une quantité produite (tonnes d'acier, automobiles, production nationale) et les moyens mis en œuvre pour l'obtenir (travail et capital). La productivité mesure l'efficacité des facteurs de production et l'efficacité de leur combinaison.

L'indicateur le plus couramment utilisé est celui de **productivité du travail** : il se définit par le rapport entre un volume de production (Y) réalisé et la quantité de travail employée (nombre d'heures ouvrées ou effectifs employés).

Productivité horaire du travail
$$= \frac{Y}{\text{heures de travail}}$$
Productivité par personne occupée
$$= \frac{Y}{\text{effectifs occupés}}$$

On peut calculer la production placée au numérateur en unités physiques ; par exemple : 10 travailleurs produisent 100 voitures, le résultat est 10 voitures par travailleur (résultat comparable à la mesure du rendement d'une terre agricole : 80 quintaux de blé à l'hectare).

On obtient une *productivité physique* du travail.

Productivité physique du travail
$$= \frac{Y \text{ en unité}}{\text{heures de travail}}$$

Mais on ne peut additionner des quantités hétérogènes : une deux-chevaux + une Rolls Royce = 2 voitures ?! Et un manœuvre + un ingénieur = 2 travailleurs ?! En revanche, on sait additionner des euros. Au numérateur, on calcule donc la valeur de la production en multipliant les quantités produites par les prix unitaires pour obtenir la *productivité en valeur* du travail.

♦ On prend en compte, le plus souvent, la valeur ajoutée afin de mieux cerner l'efficacité de l'unité productive considérée : car une entreprise utilise des biens intermédiaires qu'elle n'a pas produits ; on retient au numérateur la valeur ajoutée afin d'éviter les doubles comptes ; on obtient dans ce cas la *productivité nette* du travail.

En France, la Comptabilité nationale utilise l'indicateur de la *productivité apparente du travail*. Elle est dite apparente pour bien marquer que la croissance de la production ne peut être attribuée au seul progrès de la productivité du travail.

♦ Pour construire les 100 voitures de notre exemple, on a utilisé des machines : la productivité du travail dépend donc du facteur capital, qui est en fait du travail indirect.

Productivité apparente du travail définie par l'INSEE
$$= \frac{VA}{\text{effectifs employés}}$$

La **productivité du capital** mesure le rapport entre le volume de la production obtenue pendant une période donnée et le volume du capital utilisé. La Comptabilité nationale utilise le ratio VA/capital fixe productif, appelé *productivité apparente du capital* ou efficacité du capital.

Productivité apparente du capital
$$= \frac{VA}{\text{capital fixe productif}}$$

♦ Des indicateurs analogues sont utilisés par l'OCDE.

Pour mesurer l'efficacité générale d'une économie, on s'aperçoit qu'il n'est pas réaliste d'isoler la contribution de chaque facteur alors que c'est au contraire leur combinaison qui est plus ou moins productive ; il est préférable de calculer la **productivité globale des facteurs** : elle rapporte le volume de la production à l'ensemble des dépenses relatives aux facteurs de production, consommations intermédiaires, travail (activité de la main-d'œuvre) et capital (consommation de capital fixe ou amortissements). La présence au dénominateur de grandeurs difficilement comparables suppose en pratique l'utilisation d'indices pondérés et ne permet d'utiliser cette productivité qu'en termes d'évolution.

Productivité globale des facteurs (formulation simplifiée)
$$= \frac{\text{Production}}{N + CK + CI}$$
N = activité brute de la main-d'œuvre.
CK = consommation de capital fixe ou amortissements.
CI = consommations intermédiaires.

→ *Annexes 8, 22.*

PRODUCTIVITÉ (Gains de)

L'économie nationale, ou une entreprise, réalise des gains de productivité lorsque le rapport entre le volume de la production et le volume des moyens mis en œuvre pour obtenir cette production augmente.

Origines des gains de productivité. L'augmentation de la productivité (au niveau d'une unité de production comme au plan national) est le résultat de multiples facteurs souvent en interaction les uns avec les autres :

– *facteurs liés au travail :* modifications de l'organisation du travail (exemple historique du taylorisme), accroissement de la qualification des travailleurs ;

– *facteurs liés au capital :* allongement de la durée d'utilisation du capital, rajeunissement du capital ;

– *facteurs indirects* (dont l'incidence est plus difficile à mesurer) : concentration de l'appareil productif (économies d'échelle), augmentation du niveau général d'instruction, etc.

La répartition des gains de productivité est un enjeu. Elle profite plus ou moins aux entreprises, aux travailleurs ou aux consommateurs. Elle profite aux travailleurs sous forme d'augmentation des salaires ou de baisse du temps de travail ; aux entreprises par accroissement de leur marge par la baisse des coûts ; aux consommateurs par la baisse des prix induisant une hausse du pouvoir d'achat.

Finalement, les gains de productivité apparaissent comme une condition nécessaire à la compétitivité des entreprises et à la hausse du niveau de vie.

L'interprétation des variations de la productivité présente un certain nombre de difficultés.

♦ Par exemple, *la productivité horaire apparente du travail* est mesurée par le rapport volume de la valeur ajoutée/nombre d'heures de travail. L'interprétation de cet indicateur n'est pas immédiate : la productivité peut baisser parce que le taux d'utilisation de la main-d'œuvre diminue (exemple : présence de sureffectifs qui permettraient de produire plus sans embauches supplémentaires) ; la productivité peut augmenter alors que la qualité de la production se détériore (exemple à méditer : la productivité du travail s'accroît dans le bâtiment lorsque l'on ne respecte pas les consignes de sécurité, donc au prix d'un accroissement des accidents du travail).

♦ Mais comment calculer la productivité de certaines activités de service dont le résultat est immatériel ? Est-ce que le médecin accroît sa productivité lorsqu'il passe de trois consultations par heure à six consultations par heure ?

♦ De la même façon, on calcule une *productivité apparente du capital*, volume de la valeur ajoutée/volume de capital fixe productif. Mais cet indicateur-ci, que l'on appelle parfois l'efficacité du capital, pose aussi toute une série de problèmes. La productivité apparente du capital peut baisser, tout simplement parce que le taux d'utilisation du capital installé baisse à la suite d'un ralentissement de l'activité, ou parce que la durée d'utilisation a elle-même baissé (en cas de réduction de la durée du travail, les machines tournent moins longtemps pendant la semaine, alors que l'efficacité technique n'a pas varié).

♦ De plus, il convient de ne pas confondre l'*efficacité* et la *rentabilité* du capital, cette dernière étant le rapport du profit à l'ensemble du capital engagé (que celui-ci soit utilisé ou non, il a fallu le financer en totalité).

D'une façon générale, il faut éviter de confondre productivité et efficacité : une usine qui accroît sa productivité en gaspillant des ressources naturelles « gratuites » (pollution de l'air ou de l'eau), un marin pêcheur qui ne se soucie pas de la reproduction des bancs de poissons, sont-ils efficaces ?

⟶ **Concentration (des entreprises), Rentabilité, Taylor/Taylorisme.**

PRODUIT INTÉRIEUR BRUT (PIB)

Agrégat de la Comptabilité nationale fournissant une mesure de la production ; il est égal à la somme des valeurs ajoutées augmentée de la TVA grevant les produits et les droits de douane nets des subventions à l'importation :

PIB = somme des valeurs ajoutées + TVA + droits de douane – subventions à l'importation.

Au niveau macroéconomique, l'égalité s'écrit :

PIB + importations = Cons. finale + FBCF + variation de stocks + exportations.

⟶ **Comptabilité nationale.**

PRODUIT NATIONAL BRUT (PNB)

Agrégat de la Comptabilité nationale, mesure de la production d'une économie nationale incluant les flux internationaux correspondant à la rémunération des facteurs de production.

On passe du PIB au PNB en ajoutant les revenus de facteurs versés par le reste du monde et en retranchant les revenus de facteurs versés au reste du monde.

→ *Comptabilité nationale, Produit intérieur brut (PIB).*

PROFIT

Revenu de l'entreprise résultant de l'excédent des recettes sur les coûts totaux de production et de distribution : la notion de profit est donc résiduelle.

La comptabilité privée ne fournit pas de mesure explicite du profit ; **pour évaluer celui-ci, il faut recourir à diverses notions :**
– *marge brute d'autofinancement ou cash-flow*, c'est-à-dire la somme du bénéfice net, de l'amortissement et des provisions ;
– *bénéfice net :* c'est-à-dire bénéfice après impôt, après mise en réserve de la participation des salariés et après distribution des dividendes aux actionnaires. Il est souvent plus facile de cerner le profit à travers ses emplois : autofinancement des investissements, dividendes versés aux actionnaires, constitution de réserves supplémentaires, etc.

♦ Le *profit pur* s'obtient en déduisant du profit :
– la rémunération qu'aurait obtenue le chef d'entreprise s'il avait été employé dans une autre entreprise ;
– l'intérêt qu'aurait perçu le créancier s'il avait choisi de placer ailleurs ses capitaux.

En Comptabilité nationale, le profit est généralement mesuré au travers de l'excédent brut d'exploitation (EBE), qui est le solde du compte d'exploitation. L'entreprise n'en dispose pas librement : l'EBE est amputé par la distribution des dividendes et par le paiement des frais financiers.
Le profit s'interprète différemment selon les analyses.

Pour les libéraux, le profit est la rémunération du risque encouru par l'entrepreneur. Il est également la conséquence de l'utilisation des opportunités saisies par le chef d'entreprise : baisse du prix des matières premières à acheter, réévaluation des stocks, baisse relative des salaires par rapport aux prix, effet de levier, innovation, réduction de la concurrence, etc.

♦ Le profit réalisé ne dépend cependant pas uniquement des performances de l'entreprise, il dépend également de son environnement économique, social et politique, notamment du rôle de l'État dans la mise en place d'infrastructures, moyens de communications, par exemple, formation des travailleurs, etc.

Pour les marxistes, l'origine du profit est dans la plus-value ; seule une partie de la plus-value revient au capitaliste industriel ou marchand sous la forme de profit industriel ou commercial ; le reste échoit au capitaliste financier sous la forme d'intérêts et au propriétaire foncier sous la forme de rente.

Après avoir banni le profit, les économies socialistes l'avaient réintroduit peu à peu tant comme critère de gestion que comme rémunération de l'activité d'entreprise.

Au-delà des divergences idéologiques, le profit apparaît donc comme la sanction de l'efficacité dans la fonction d'entreprise de combinaison des facteurs de production.

→ *Capital, Comptabilité d'entreprise, EBE, Entreprise, Plus-value ou survaleur, Rentabilité ; Annexes 5, 7.*

PROFITABILITÉ

Écart entre le rendement du capital dans l'entreprise et le rendement moyen d'un placement financier. Il en existe diverses mesures possibles : le rendement du capital dans l'entreprise peut être appréhendé par la rentabilité économique ou la rentabilité financière. Le rendement moyen d'un placement financier est mesuré par le taux d'intérêt réel à long terme sur le marché financier.

Si la profitabilité est négative il est, en moyenne, plus intéressant d'opérer des placements sur le marché financier que de placer des fonds dans les entreprises. L'insuffisante profitabilité est considérée par certains auteurs, tout particulièrement Malinvaud, comme une cause importante du faible taux d'investissement au cours des dernières années.

♦ La mesure de la profitabilité pose de nombreux problèmes techniques (en particulier pour la prise en compte de l'inflation). On peut citer la mesure de Malinvaud (*Essais sur la théorie du chômage*, 1983) qui donne, par exemple, les estimations suivantes (en %) :

	Rentabilité financière	Intérêt réel	Profitabilité
1976	6,2	0,1	6,1
1980	4,2	3,8	0,4
1982	2,3	5,7	– 3,4

→ *Effet de levier, Malinvaud, Rentabilité.*

PROGRÈS

Au sens général, notion à double dimension ; *quantitative :* action d'avancer (sens étymologique) ; *qualitative :* amélioration de quelque chose.

Concept central de la pensée des Lumières et des courants évolutionnistes, le progrès incarne la croyance dans le perfectionnement global et linéaire de l'humanité ; la société, tout en se développant, évolue « vers le mieux » : augmentation des richesses, progrès scientifique et technique… mais aussi amélioration des mœurs et des institutions, voire progrès de l'esprit humain.

♦ La notion de *progrès économique* est souvent tributaire de cette représentation. Il se définit à la fois par l'idée de croissance (accroissement quantitatif des richesses) et par une meilleure efficacité (productivité, progrès technique, organisation de la production).

En ce sens, la notion est proche de celle de développement. Mais, selon une idée répandue, il irait de pair avec le progrès social. En réalité, rien n'assure que le progrès économique entraîne mécaniquement le mieux-être.

♦ Le *progrès social* ne se laisse pas cerner par son seul aspect quantitatif (niveau de vie, bien-être matériel). Il s'apprécie en fonction de points de vue divers, de valeurs différentes (quel progrès ? conditions de travail ? genre de vie ? instruction ?…). Il peut concerner l'ensemble d'une population ou seulement certains groupes sociaux. Il est rarement homogène et harmonieux.

La rationalisation de la production (taylorisme, fordisme) a souvent aggravé les conditions de travail tout en permettant une augmentation conséquente du pouvoir d'achat des classes laborieuses.

→ *Civilisation, Développement, Évolutionnisme, Progrès technique.*

PROGRÈS TECHNIQUE

Ensemble des innovations qui entraînent une transformation ou un bouleversement des moyens et méthodes de production, de l'organisation du travail, des produits et des marchés, des structures de l'économie.

Pour les néo-classiques, le progrès technique regroupe l'ensemble des éléments qui permettent d'augmenter la production à quantités de capital et de travail inchangées.

♦ Cette démarche conduit à définir un *progrès technique autonome* : dans la fonction de production macroéconomique, on introduit un troisième facteur, censé représenter le progrès technique ; après avoir calculé l'augmentation du produit qui résulte de la croissance en volume et en qualité du capital et du travail, on attribue ce qui reste inexpliqué, le résidu, à l'effet du progrès technique (si le capital et le travail expliquent 2 % de croissance économique sur 5 %, on considère que le *trend* de progrès technique est de 3 %). Dans la plupart des études empiriques, le résidu atteint 50 % du taux de croissance...

♦ Puis il a semblé plus réaliste de supposer un *progrès technique « incorporé »* en partie ou en totalité aux facteurs capital et travail. On peut ainsi faire l'hypothèse que l'investissement constitue l'un des vecteurs du progrès technique et construire des modèles « à génération de capital » : le stock de capital est décomposé en générations successives d'autant plus productives qu'elles correspondent à des équipements plus « jeunes » ; ainsi une partie du ralentissement des gains de productivité observé pendant la crise a pu être imputé au vieillissement du stock de capital.

♦ De la même façon, il existe un lien entre l'éducation, la formation professionnelle et la productivité du facteur travail, mais ce lien est difficilement quantifiable. Malgré cette prise en compte du progrès technique incorporé, il subsiste toujours un « résidu du résidu », parfois présenté comme l'effet du « progrès général des connaissances ».

L'analyse de Marx, par certains côtés, se rapproche de l'hypothèse d'un progrès technique autonome. Parmi les éléments qui composent les forces productives, on trouve en effet : l'application de la science à l'industrie, l'organisation du travail et le perfectionnement des moyens de production.

Pour Schumpeter, les cycles longs s'expliquent par la discontinuité du progrès technique : le savant invente, l'entreprise innove. Les innovations se diffusent par grappes : c'est ce qui induit la croissance économique. Mais le progrès technique prend la forme d'une « destruction créatrice » : la ruine d'une partie de l'appareil productif provoque la dépression. Au cours de cette phase d'assainissement apparaissent les innovations qui seront la base de la période de croissance suivante ; Schumpeter a fondé son explication des cycles sur la succession d'innovations majeures (textile et charbon, chemin de fer, électricité et chimie, etc.).

On se rapproche ainsi de l'idée d'un *progrès technique induit* : Hicks montre

qu'un changement dans le prix relatif des facteurs favorise les innovations qui économisent le facteur le plus coûteux ; selon la « loi de Kaldor-Verdoorn » le rythme du progrès technique serait largement déterminé par le rythme de l'accumulation du capital.

→ *Innovation, Kaldor-Verdoorn (Loi de), Production (Fonction de), Schumpeter.*

PROHIBITION

→ *Interdit.*

PROLÉTARIAT, PROLÉTARISATION

(du lat. *proles* « descendance »)
Dans l'Antiquité romaine, les prolétaires formaient la dernière classe de la plèbe et n'étaient utiles que par leur descendance. Au XIXᵉ siècle et au XXᵉ siècle, ensemble des prolétaires, des travailleurs, principalement manuels, qui, ne possédant que leur force de travail, la mettent à la disposition des propriétaires des moyens de production, moyennant salaire.

Le prolétariat est plus large que le groupe des ouvriers d'industrie et comprend, par exemple, les ouvriers agricoles et les salariés manuels de certains services (cheminots). Terme très usité au XIXᵉ siècle et au début du XXᵉ siècle, inséparable de l'opposition de classe entre le Travail (personnifié par le prolétariat) et le Capital (personnifié par la bourgeoisie).

♦ Concept central chez Marx et les marxistes. Les prolétaires, travailleurs productifs immédiats, sont exploités par les capitalistes (appropriation de la plus-value). Ils constituent la classe antagoniste à la bourgeoisie.

Prolétarisation : réduction de travailleurs indépendants (artisans, petits commerçants) à la condition de travailleurs salariés.

→ *Marx, Révolution industrielle ; Annexe 7.*

PROPENSION

> Part prise dans le revenu par une affectation (épargne ou consommation) ; elle traduit la tendance à consommer ou à épargner d'un ménage.

On distingue les *propensions moyennes* et les *propensions marginales* à consommer (à épargner).

Soit un revenu (R) d'un ménage ou d'un ensemble de ménages, qui se répartit en consommation (C) et épargne (E) et ΔR, ΔC et ΔE les variations correspondantes. On a :

$$R = C + E$$

♦ Par définition :

Propension moyenne à consommer = $\dfrac{C}{R}$

Propension moyenne à épargner = $\dfrac{E}{R}$

Propension marginale à consommer = $\dfrac{\Delta C}{\Delta R}$

Propension marginale à épargner = $\dfrac{\Delta E}{\Delta R}$

Soit le tableau suivant qui donne pour deux périodes, T_1 et T_2, le revenu, la consommation et l'épargne.

	T_1	T_2	$T_2 - T_1$
Revenu	1000	1100	$\Delta R = 100$
Consommation	900	980	$\Delta C = 80$
Épargne	100	120	$\Delta E = 20$
Propension moyenne :			
– à consommer	0,9	0,89	–
– à épargner	0,1	0,11	
Propension marginale :			
– à consommer	–	–	0,8
– à épargner			0,2

♦ Cet exemple illustre la différence entre les deux types de propension. La propension moyenne exprime la part du revenu qui est consommée ou épargnée ; alors que la propension marginale s'intéresse à la répartition de la variation du revenu. Dans l'exemple chiffré, on voit que lorsque le revenu augmente, le ménage accorde une part plus grande à l'épargne, 20 % de l'accroissement du revenu alors qu'il ne consacrait que 10 % de son revenu à l'épargne.

Pour comprendre l'intérêt de la notion de propension à consommer (et à épargner), il faut la replacer dans le cadre de la théorie keynésienne.

Keynes s'intéresse, comme ses prédécesseurs, au partage opéré entre consommation et épargne, mais au lieu d'expliquer l'épargne par le taux d'intérêt, il considère que l'épargne dépend du revenu. Plus précisément, il pose une « loi psychologique fondamentale » selon laquelle plus le revenu est élevé, plus la part de l'épargne est forte ; dès lors, la propension marginale à épargner est plus forte que la propension moyenne. De plus, lorsque le revenu augmente (en situation de sous-emploi), la théorie du multiplicateur montre comment cette augmentation de revenu produit des ondes de revenus (les revenus sont partiellement dépensés sous forme de consommation et donnent lieu à une nouvelle vague de revenus) dont l'amplitude dépend de la propension à consommer.

Une autre analyse de la propension à consommer peut être présentée pour prendre en compte les effets de cliquet.

Supposons que les ménages adoptent un comportement de défense de leur niveau de consommation. Lorsque leur pouvoir d'achat baisse, ils diminuent leur épargne. Cela se traduit par le fait suivant : la propension marginale à épargner est forte lorsque le revenu augmente, mais lorsque le revenu baisse, la propension marginale à épargner est faible.

→ *Effet de cliquet, Épargne, Keynes, Multiplicateur.*

PROPRIÉTÉ (Droit de)

> Droit selon lequel une chose est possédée par une personne physique ou morale.

D'un point de vue juridique, il se décompose en *usus*, *fructus* et *abusus* ; l'*usus* est le droit d'utiliser la chose, le *fructus* d'en recueillir les fruits, l'*abusus* le droit d'en disposer librement.

On peut dissocier ces différents éléments : ainsi le nu-propriétaire d'un bien ne dispose que de l'*abusus* ; l'usu-fruitier d'un bien de l'*usus* et du *fructus*.

Le droit de propriété s'exerce dans le cadre de lois qui peuvent le limiter.

Pour les économistes, le régime de la propriété est un élément du régime économique : la propriété privée des biens de consommation et de production caractérise les économies capitalistes. La propriété privée y est conçue comme un droit naturel, « inviolable et sacré », par exemple dans la Déclaration des droits de l'homme de 1789.

Pour les marxistes, la propriété de ces biens n'est pas naturelle, elle masque un rapport social, un rapport entre les hommes, un rapport entre les classes. Elle est, de plus, à la source même de l'exploitation de l'homme par l'homme.

PROPRIÉTÉ INTELLECTUELLE

Ensemble de droits résultant de la création d'une œuvre, d'une invention matérialisée par un brevet, d'un dessin, d'un modèle, ou d'une marque. Ils peuvent prendre la forme de droits d'auteur (artiste, écrivain) ou de licences dans le cas d'un brevet ou d'une marque commerciale.

→ **Brevet (d'invention).**

PROSPECTIVE

→ **Prévision/Prospective.**

PROTECTIONNISME

Ensemble de mesures visant à protéger la production d'un pays contre la concurrence étrangère.

On distingue plusieurs formes de protectionnisme :
– *le protectionnisme tarifaire :* il frappe les produits importés de droits de douane *ad valorem* (en pourcentage de leur valeur) ou spécifiques (d'un montant fixe s'ajoutant au prix du produit importé) payés par le consommateur national ;
– *le protectionnisme non tarifaire :* mesures de contingentement, c'est-à-dire limitations quantitatives des importations (quotas) ; mesures d'interdiction totale d'importation ; formalités d'importations dissuasives ;
– *le protectionnisme gris ou administratif :* recours à la législation sur les normes de consommation, les normes sanitaires, la protection du consommateur dans le but d'écarter les producteurs étrangers.

♦ Le protectionnisme est l'objet de nombreuses critiques. Il est en contradiction avec les thèses libre-échangistes qui montrent les bienfaits de la spécialisation internationale. Il est un frein aux échanges : le protectionnisme alimente le protectionnisme de rétorsion. Enfin, il n'incite pas à la compétitivité et il favorise la hausse des prix.

♦ Toutefois, l'importance actuelle du protectionnisme conduit à s'interroger sur les facteurs qui en favorisent le développement. Le protectionnisme est un moyen de défense par rapport à une concurrence jugée déloyale : pratiques de dumping, concurrence des pays à bas coûts de main-d'œuvre, pratiques de sous-évaluation monétaire, protectionnisme latent. En outre, le protectionnisme peut être un moyen — au moins à court terme — de protéger la production nationale et l'emploi, certaines catégories de la population (protectionnisme agricole de l'Europe) ou des industries naissantes ou en voie de reconversion. F. List, économiste allemand du XIXe siècle, a développé la thèse du protectionnisme éducateur, celui des « industries dans l'enfance ».

→ **Barrières non tarifaires, GATT, Libre-échange (Théorie du).**

PROTECTION SOCIALE

Système de prise en charge par la collectivité des conséquences économiques d'un certain nombre de situations (souvent qualifiées de « risques ») pénalisantes pour les individus : maladie, maternité, vieillesse, chômage, invalidité, etc.

Dans les pays développés, et notamment en Europe, la protection sociale est organisée autour de la notion de Sécurité sociale, dont les caisses versent des prestations en espèces ou en nature et dont les ressources reposent sur des cotisations sociales ou des impôts.

La plupart des pays combinent un *principe d'assurance* (les cotisations et les prestations sont versées dans le cadre d'un régime à base professionnelle ; le montant des prestations dépend de la carrière de l'agent ou de sa situation) et un *principe de solidarité* (tout citoyen a un droit à être protégé contre l'ensemble des risques sociaux ; les prestations sont calculées à l'échelle de la nation pour couvrir les besoins fondamentaux de l'individu).

Au-delà des régimes de Sécurité sociale, de nombreux organismes concourent à la protection sociale : *régimes complémentaires*, *assurances facultatives*, souvent sous forme de mutuelles, *aide sociale* pour les plus démunis, gérée, en France, par les collectivités locales, les associations caritatives.

La notion de risque s'est considérablement élargie au fil des décennies. D'abord limitée aux accidents du travail et à leurs conséquences (invalidité), elle s'est étendue au chômage, à la maternité, à la retraite, au veuvage, etc.

♦ Par le poids des transferts ainsi réalisés, la protection sociale est un puissant facteur d'intégration sociale et de stabilité économique : en assurant, quoi qu'il arrive, un revenu minimum à l'ensemble des individus, elle évite l'appauvrissement de la population dans les périodes de crise économique. Son évolution au cours de la seconde moitié du XXe siècle est le reflet des transformations profondes des sociétés développées : vieillissement de la population qui pèse sur les retraites, développement de l'activité féminine, augmentation de l'espérance de vie.

Cependant, les grands systèmes de protection sociale ont tous connu, pendant le dernier quart du XXe siècle, une crise financière récurrente, caractérisée par une insuffisance chronique des recettes et une insuffisante maîtrise de l'évolution des prestations. De nombreux plans ont cherché à introduire des réformes de structure afin de sauvegarder ce qui est considéré par la plupart comme un acquis social majeur.

→ *Aide sociale, Assurance, État-providence, Exclusion, Redistribution, Sécurité sociale.*

PROUDHON (Pierre-Joseph)/ PROUDHONISME

Socialiste anarchiste français (1809-1865) dont l'influence a marqué le mouvement ouvrier et le syndicalisme français.

Les idées de Proudhon sont à replacer dans la pensée socialiste du XIXe siècle incarnée par Saint-Simon et Fourier, dont il est proche sur certains points, et Marx, avec lequel il entretiendra une polémique célèbre.

Sur la démocratie : comme Saint-Simon et Fourier, il considère que la solution de la question sociale ne passe pas par la politique. La vraie révolution ne peut qu'être économique (projet de banque du peuple). *Sur l'organisation économique et sociale :* à la différence de Saint-Simon, Proudhon ne s'intéresse pas à la production mais à l'échange ; sans violence ni lutte de classes, les individus s'associent pour échanger des services : c'est le mutuellisme. Les associations se fédèrent librement, jusqu'au niveau international : c'est le fédéralisme.

À l'origine, Proudhon avait écrit *Qu'est-ce que la propriété ?* et sa réponse avait été : *c'est le vol* (1840).

→ *Anarchisme, Anarcho-syndicalisme, Marx, Saint-Simon.*

PSYCHOLOGIE SOCIALE

Science ayant pour objet les comportements interindividuels et les groupes restreints dans leur environnement social.

Comme l'expression l'indique bien, cette discipline interfère avec la psychologie et la sociologie. Selon les orientations, les problèmes étudiés, la démarche est plus proche de l'une ou de l'autre.

La psychologie sociale s'oriente dans deux directions principales :
– étude des interactions entre individus dans les diverses situations de la réalité sociale : relations face à face informelles, relations humaines dans les groupes restreints (famille), les organisations (entreprise) et les institutions (école) ;
– « étude des déterminants sociaux du comportement individuel, par exemple, l'influence d'un système d'éducation sur le comportement d'une personne choisie » (Cot et Mounier). Plus rarement : « étude des déterminants psychologiques de l'action sociale » (*ibid.*).

La psychologie sociale est à la fois une discipline scientifique et un ensemble de pratiques professionnelles orienté vers l'action (formation, animation de groupes, thérapies de groupes, interventions dans les organisations, etc.). Tournée vers des fins pratiques, cette discipline prend plus volontiers le nom de *psychosociologie* et ses praticiens se présentent comme psychosociologues.

→ *Groupe élémentaire (ou primaire), Rôle, Socialisation, Sociologie.*

PUBLIC CHOICE (École du)

Courant de pensée économique néolibéral, né au début des années 1970, dont les chefs de file sont J. Buchanan et G. Tullock, qui applique à l'analyse des phénomènes politiques une démarche microéconomique fondée sur le comportement rationnel et débouche sur une critique de l'efficacité de l'intervention étatique.

Au lieu de considérer que la décision politique obéit à sa logique propre et qu'elle est exogène pour l'économiste, ce courant de pensée applique sa grille d'analyse des comportements au champ politique en supposant que les décisions politiques, celles de l'homme politique, du fonctionnaire, de l'électeur, dépendent d'un calcul, d'un raisonnement comparant coûts et avantages. Cette démarche débouche sur une analyse de la « bureaucratie », des partis politiques, du comportement électoral, des causes de la croissance de l'État moderne. Cette école développe une conception critique de l'intervention étatique. L'offre et la demande d'État ne correspondent ni à l'intérêt général ni à un optimum économique. Elles reflètent des intérêts particuliers et sont tirées vers le haut. La production mise en œuvre par l'État se fait donc au prix du plus grand gaspillage social.

Cette théorie, développée dans la période de reflux des idées keynésiennes et d'engouement pour les idées ultra-libérales (années 1970-1980), est féconde dans la mesure où elle pose le problème de l'efficacité de l'intervention publique mais elle alimente les idéologies, souvent simplistes, qui visent une remise en cause radicale de l'intervention de l'État.

→ *Buchanan, Bureaucratie, État,* Homo œconomicus.

PYRAMIDE DES ÂGES

Histogramme représentant la structure par âge et par sexe d'une population à une date donnée. La hauteur de chaque rectangle représente une classe d'individus ayant le même âge ; sa longueur est proportionnelle à l'effectif de cette classe. Elle reflète l'histoire démographique du pays et permet d'analyser son évolution future.

Q-R

QUALIFICATION

Ensemble des aptitudes acquises par l'individu ou requises pour occuper un emploi.

On distingue :
– la *qualification individuelle* qui inclut l'aptitude du travailleur à exécuter la tâche qui lui est attribuée, mais aussi l'ensemble de ses savoir-faire, que ceux-ci résultent de son niveau culturel et de sa formation, de son expérience ou de sa pratique personnelle ;
– la *qualification requise* ou *qualification de l'emploi*, définie par l'employeur en fonction du poste de travail qu'il cherche à pourvoir : cette qualification effective est essentiellement contractuelle ; elle a été définie au moment de l'embauche et doit être certifiée par le contrat de travail ;
– la *qualification officielle* qui est définie par les conventions collectives : en annexe de celles-ci on trouve une classification détaillée des différents emplois, chacun d'entre eux étant affecté d'un indice hiérarchique (par exemple SQ, sans qualification, OP, ouvrier professionnel).

⟶ *Division du travail, Travail.*

QUANTITATIVE (Théorie)

⟶ *Monnaie (Théorie quantitative de la).*

QUART MONDE

À l'intérieur des pays développés, cette expression désigne les individus victimes de la pauvreté. À l'échelle internationale, l'expression désigne les pays les moins développés ou PMA.

⟶ *PMA.*

QUESNAY (François)

Médecin de Louis XV (1694-1744) et protégé de Mme de Pompadour, il est l'auteur du *Tableau économique* (1758), présentation la plus systématique de la pensée économique des physiocrates, dans lequel il analyse la circulation des richesses dans l'économie.

⟶ *Physiocratie ; Annexe 1.*

QUOTA

De l'expression latine *quota pars* : part qui revient à chacun.

Dans le domaine du commerce international, il désigne la quantité de marchandises qu'il est possible d'exporter ou d'importer. Lorsqu'il existe un cartel de producteurs (par exemple l'OPEP pour le pétrole), celui-ci peut fixer des quotas ou quantités que chaque membre est autorisé à produire ou à vendre.

⟶ *Entente.*

QUOTAS (Méthode des)

> Dans le cadre d'une enquête par sondage, technique de constitution d'un échantillon de population selon des critères et des proportions (quotas) définis en adéquation avec l'objectif du sondage.

Cette méthode correspond à un sondage « raisonné » ou « empirique », par opposition au sondage « probabiliste » ou « aléatoire » dont l'échantillon est constitué selon les lois du hasard.

Selon la méthode des quotas, le choix des individus composant l'échantillon et qui seront interrogés par le (les) enquêteur(s), sera tel que leurs caractéristiques seront semblables à celles de la population-cible que l'on veut étudier et dans laquelle par conséquent est prélevé cet échantillon : celui-ci représentera donc un modèle réduit de la population.

♦ Ainsi, par exemple, pour une enquête sociologique sur les lycéens, l'enquêteur se verra imposer, par les auteurs de l'enquête, de respecter des quotas concernant l'âge, le sexe, le type d'établissement (privé/public, > 1 000 élèves/ < 1 000 élèves, Paris/Province, etc.), la section, la PCS des parents... La distribution de ces variables (quotas) dans l'échantillon doit correspondre à celle de la population totale des lycéens ; l'enquêteur devra s'y conformer, mais il restera libre d'interroger des lycéennes de 18 ans, filles de cadres, de Terminale ES d'un petit lycée public de province de son choix, dès lors qu'il en respecte la proportion imposée dans son échantillon. Le risque existe alors qu'il les choisisse toutes, pour se faciliter la tâche, dans le même établissement, ce qui peut biaiser les réponses, si, par exemple, le lycée est en grève ou vient juste d'ouvrir dans des locaux neufs...

Il ne faut pas, en effet, exagérer le caractère scientifique de cette méthode. Elle est très usitée, car elle est commode, peu coûteuse et donne d'assez bons résultats, mais elle ne peut se voir appliquer le calcul des probabilités, comme pour le sondage aléatoire et donc ne peut être assortie d'indications sur les probabilités de marges d'erreur.

⟶ *Échantillon, Sondage.*

QUOTIENT FAMILIAL

> Mécanisme utilisé dans la fixation de l'impôt sur le revenu et qui vise à alléger l'impôt proportionnellement aux charges du ménage (nombre d'enfants). Il est égal au rapport du revenu imposable par le nombre de parts attribuées au foyer. Son effet est plafonné.

⟶ *Impôt sur le revenu.*

R

RACE

> *Au sens courant :* variété de l'espèce humaine ; ensemble d'individus qui se croisent entre eux depuis assez longtemps pour que le groupe ainsi formé acquière une certaine uniformité morphologique (pigmentation, proportions corporelles, formes faciales, etc.).
>
> *Pour la biologie moderne :* notion sans contenu scientifique réel.

La définition usuelle appelle immédiatement les remarques suivantes : il n'y a aucune coupure naturelle entre les « races » humaines, la variation humaine est continue pour tous les caractères ; aucun groupe humain n'est fermé génétiquement de manière absolue et le métissage est depuis très longtemps un facteur capital de la transformation des populations humaines. Aussi est-il pratiquement impossible d'isoler des caractéristiques spécifiques qualifiant des races humaines bien délimitées.

⟶ *Racisme.*

RACISME

À la fois doctrine et attitude fondées sur la croyance en la supériorité d'une ou de plusieurs races sur les autres. Le terme recouvre plusieurs réalités entremêlées.

Elles ont pour corollaire l'idée — sans fondement scientifique — de différences radicales entre les races. La supériorité d'une race est parfois liée, dans les doctrines racistes, à sa « pureté » biologique (imaginaire).

Le sentiment d'appartenance à la race supérieure engendre des attitudes d'exclusion, des politiques de ségrégation raciale (apartheid), voire d'extermination (génocide des Juifs).

Dans *un sens élargi :* sentiment de répulsion, de xénophobie (littéralement : haine de l'étranger) à l'égard de groupes sociaux ethniquement différents, quelles que soient leur distance ou leur proximité « raciale ».

Par exemple, antisémitisme, racisme anti-italien dans la France du XIXe siècle, racisme antimaghrébin aujourd'hui. Cette attitude est parfois confortée par la confusion entre les différences « raciales » et les différenciations socioculturelles.

⟶ *Darwinisme, Xénophobie.*

RAIDS/RAIDERS

(en français : attaques, attaquants). Opération d'achat (*raid*) massif d'action d'une société par un repreneur (*raider*).

L'objectif peut être exclusivement financier ; il s'agit alors de réaliser des plus-values en revendant les actions, soit à des candidats au contrôle, soit à la direction en place, qui paie ainsi le prix du retrait. Le *raider* peut aussi démembrer la société pour la revendre par fractions. Mais les *raids* peuvent également s'intégrer dans le cadre d'une stratégie de groupe qui cherche à prendre le contrôle d'une société.

RAPPORT SOCIAL

Modalités sociales et institutionnelles structurant les relations tissées entre les individus et les groupes en fonction des positions qu'ils occupent au sein de la structure sociale, spécialement dans la sphère économique.

La notion est d'origine marxiste : les rapports de production sont l'un des concepts fondamentaux forgé par Marx pour analyser les relations dissymétriques entre les « maîtres des conditions de production » et les « travailleurs directs », relations qui sont à la base de la structuration en classes.

Influencés par Marx, mais en insistant davantage sur les institutions, les régulationnistes parlent de rapport salarial pour désigner l'ensemble des dispositifs formels et informels qui régissent les relations entre les employeurs et les salariés.

D'une façon générale, il y a rapport social dès lors que les relations entre les individus et les groupes sont largement induites par les positions respectives des uns et des autres et par les règles des institutions dans lesquelles ils sont insérés. Cela ne signifie pas que les agents sont passifs : ils sont également acteurs ; le rapport social est une construction sujette à des transformations.

⟶ *Analyse stratégique, Classe(s) sociale(s), Régulation (École de la), Régulation sociale.*

RAPPORTS DE PRODUCTION

→ **Marx.**

RARETÉ

> Tension entre les besoins et les ressources disponibles pour les satisfaire.

Cette notion constitue le postulat de base d'un grand nombre de théories économiques, mais ce sont les économistes néo-classiques qui s'y réfèrent explicitement.

♦ « L'ensemble de toutes les choses, matérielles ou immatérielles, qui sont susceptibles d'avoir un prix parce qu'elles sont rares, c'est-à-dire à la fois utiles et limitées en quantité, forme la richesse sociale » (Walras).

De ce point de vue, la rareté ne constitue pas une hypothèse, mais une réalité universelle et atemporelle ; tout est rare : les ressources naturelles, l'argent, le temps, l'information. Par conséquent, il faut effectuer des choix, calculer, se comporter de façon rationnelle ; on retrouve les traits caractéristiques de l'*homo œconomicus* ; les néo-classiques montrent que les prix de marché sont des indicateurs de la rareté relative des biens et services.

♦ On doit à quelques anthropologues d'avoir mis en évidence le caractère ethnocentrique de la conception occidentale de la rareté.
♦ Comment expliquer, sinon, que des sociétés « primitives » consacrent l'essentiel de leur temps, non au travail, mais au loisir ?

→ **Abondance, Besoin, Homo œconomicus.**

RATING

> (mot angl. signifiant « action d'évaluer, notation »)
> Évaluation du risque financier que représente un prêt en fonction de la solidité de l'emprunteur.

Pour apprécier cette dernière, on retient les éléments suivants : taux de rentabilité, montant des fonds propres,

composition de l'actionnariat, qualité de la gestion. Le taux d'intérêt payé dépend en partie de cette estimation. Les banques nationalisées françaises disposent d'un bon *rating* en raison de la garantie implicite de l'État.

RATIO

> (du latin *ratio* « calcul, compte, raisonnement »)
> Indicateur constitué par un rapport établi entre deux valeurs extraites des comptes d'une entreprise, ou d'une nation, aux fins d'évaluation.

Quelques ratios de gestion privée :

♦ *Ratio d'autonomie financière =*

$$\frac{\text{capitaux propres}}{\text{ressources empruntées}}$$

Il indique le degré de dépendance de l'entreprise vis-à-vis de ses créanciers. Plus il est élevé, plus l'entreprise est indépendante financièrement à l'égard des tiers.

♦ *Ratio de financement des immobilisations =*

$$\frac{\text{capitaux propres + dettes à moyen et long termes}}{\text{actif immobilisé}}$$

$$= \frac{\text{ressources stables}}{\text{emplois stables}}$$

La différence entre le numérateur et le dénominateur constitue le fonds de roulement.

Si ce ratio est > 1 (fonds de roulement > 0), cela correspond à une marge de sécurité pour l'entreprise puisqu'une partie des ressources stables ne finance pas les immobilisations ou, ce qui revient au même, une partie de l'actif circulant n'est pas financée par des dettes à court terme mais par des ressources permanentes.

Si ce ratio est < 1 (fonds de roulement < 0), l'entreprise prend des risques car elle finance une partie de l'actif immobilisé par des dettes à court terme.

♦ *Ratio de rentabilité commerciale =*

$$\frac{\text{résultat brut d'exploitation}}{} \qquad \text{chiffre d'affaires HT}$$

PRINCIPAUX RATIOS TIRÉS DE LA COMPTABILITÉ NATIONALE

RATIOS	DÉFINITION
Propension moyenne à consommer des ménages	$\dfrac{\text{Consommation finale des ménages}}{\text{Revenu disponible brut des ménages}}$
Taux d'épargne des ménages	$\dfrac{\text{Épargne brute des ménages}}{\text{Revenu disponible brut des ménages}}$
Propension moyenne à importer	$\dfrac{\text{Importions (1)}}{\text{Produit intérieur brut}}$
Propension moyenne à exporter	$\dfrac{\text{Exportations (1)}}{\text{Produit intérieur brut}}$
Taux de couverture	$\dfrac{\text{Exportations (1)}}{\text{Importations (1)}}$
Taux de prélèvements obligatoires	$\dfrac{\text{Impôts + Cotisations sociales}}{\text{Produit intérieur brut}}$
Taux d'investissement	$\dfrac{\text{Formation brute de capital fixe}}{\text{Produit intérieur brut}}$

Calculs effectués à partir des comptes nationaux (TEE).
1. Biens ET services.

C'est le taux de performance de l'entreprise en matière d'exploitation.
♦ *Ratio de rentabilité financière =*

$$\frac{\text{résultat net}}{\text{capitaux propres}}$$

Il permet de déterminer la rentabilité des fonds propres investis dans l'entreprise.
♦ *Ratio d'évaluation boursière : le PER (Price Earning Ratio) =*

$$\frac{\text{capitalisation boursière}}{\text{bénéfices}}$$

⟶ **Propension, Rentabilité.**

RATIO COOKE/RATIO DE SOLVABILITÉ

⟶ *Solvabilité.*

RATIONALISATION

Terme recouvrant deux significations différentes.
1. Action visant à rendre rationnel (au sens économique) ce qui ne l'est pas ou ne l'est que partiellement : recherche d'une plus grande efficacité par un effort réfléchi et/ou par des techniques scientifiques.

S'applique en particulier à l'activité productive par la recherche de gains de productivité (OST), plus généralement à toute activité organisée : administration, politique, économique, etc.

♦ Selon Weber, le processus de rationalisation est l'un des traits de l'évolution des sociétés occidentales depuis la fin du Moyen Âge.

2. Mécanisme par lequel un individu, un groupe justifient leur action ou leur position par une argumentation qui se veut fondée en raison indépendamment de leurs motifs véritables (conquête du pouvoir, promotion sociale).

Exemple : discours d'une profession sur sa contribution à l'activité économique et sociale à l'occasion d'une défense de ses intérêts corporatistes.

➡ *Bureaucratie, Organisation scientifique du travail (OST), Rationalité, Taylor/taylorisme.*

RATIONALISATION DES CHOIX BUDGÉTAIRES (RCB)

Née aux États-Unis dans les années 1950 sous le nom de PPBS (*Planning, programming, budgeting system*), cette méthode a été introduite dans l'administration française vers 1965. Elle consiste à quantifier les conséquences des différents choix possibles afin d'obtenir la plus grande efficacité de la dépense publique.

➡ *Administration/Administration publique/ APU, Budget de l'État (Loi de Finances).*

RATIONALITÉ

Au sens général : ce qui relève de la raison, c'est-à-dire d'une intelligibilité logique. Exclut le domaine des passions et le recours à des arguments surnaturels.

Au sens économique : logique gouvernée par le raisonnement et l'efficience, recherche d'un objectif au moindre coût, selon des procédures logiques et le calcul.

L'*homo œconomicus* est un individu rationnel dont les comportements (consommation, épargne, activité productive) visent l'efficacité et la satisfaction en fonction de ressources et de contraintes données.

Certains sociologues font valoir que la rationalité ne peut se réduire à son acception économique. Selon Max Weber : « Une chose n'est jamais irrationnelle en soi, mais seulement d'un point de vue "rationnel" donné. Pour l'homme non religieux, vivre de façon religieuse est irrationnel. » C'est pourquoi il distingue l'activité rationnelle par *finalité* (voir le sens économique) et l'activité rationnelle *liée à des valeurs (wertrational)*. Cette dernière s'oriente selon la croyance en des valeurs (éthiques, esthétiques, religieuses, etc.) indépendamment du coût et des conséquences sur d'autres objectifs.

➡ Homo œconomicus, *Néo-classique (Économie, théorie), Rationalisation ; Annexes 32, 34.*

RATIONALITÉ LIMITÉE

Rationalité du décideur lorsqu'il ne dispose ni de la totalité des informations, ni de la capacité de calcul qui lui auraient permis de trouver la solution optimale.

Concept introduit par H. Simon (en 1957) pour définir une forme de rationalité limitée par deux contraintes : l'*imperfection de l'information* (le décideur ne connaît ni la totalité des choix alternatifs qui s'offrent à lui, ni la totalité des conséquences des différentes possibilités d'action) et les *capacités de calcul du cerveau humain* (la complexité des processus mentaux impliquée par un véritable calcul d'optimisation dépasse largement les capacités de traitement de l'information du décideur, lequel, de surcroît, manque de temps).

Simon critique ainsi la conception néo-classique de la rationalité parfaite (décideur omniscient). Il en déduit que le processus de décision est séquentiel : à partir d'une idée plus ou moins claire de ce que pourrait être une solution acceptable, le décideur examine une à une les options qui se présentent à lui et arrête son choix à la première qui le satisfait (il ne recherche pas la solution optimale, il se contente de la solution satisfaisante).

➡ *Asymétrie informationnelle ; Annexe : Prix Nobel d'économie.*

RAWLS (John)

Philosophe politique et moral qui, dans la *Théorie de la justice* (1971), propose des principes de justice sociale permettant de concilier l'efficacité économique, la liberté de l'individu et la justice ; on lui doit l'idée selon laquelle il existe des inégalités justes dès lors qu'elles améliorent la situation des plus défavorisés.

Rawls essaie de montrer que le libéralisme peut être compatible avec la justice sociale. Il part tout d'abord du refus de l'utilitarisme parétien pour lequel les inégalités reflètent les inégales productivités des individus et sont donc automatiquement justes.

Rawls veut fonder la société sur des principes de justice recherchée pour elle-même. Pour que ceux-ci soient choisis par chacun rationnellement, il faut éliminer toute partialité qui refléterait les positions acquises de chacun. Il imagine donc de placer les individus en l'état de nature à partir duquel ils élaboreront un contrat social portant explicitement sur des principes de justice.

Reprenant les simulations de la « théorie des jeux », Rawls place chaque citoyen dans une « position originelle » caractérisée par un « voile d'ignorance » : chacun ignore ce que pourraient être sa situation et sa richesse futures, ses goûts et ses aptitudes ; chacun est donc fondé à croire qu'il pourrait se retrouver aveugle, pauvre, analphabète…

Rawls pense que, tout en restant égoïste et rationnel, chacun adoptera, dans ces conditions, des principes de justice impartiaux et prudents. Ces principes seront logiquement les suivants :

– principe de liberté : « Chaque personne doit avoir un droit égal au système le plus étendu de libertés de base égales pour tous qui soit compatible avec le même système pour les autres » ;

– principe de différence : « Les inégalités sociales et économiques doivent être organisées de façon à ce qu'elles soient attachées à des positions et des fonctions ouvertes à tous (égalité des chances) = principe d'équité ; et qu'on puisse s'attendre à ce qu'elles soient à l'avantage de chacun, qu'elles soient efficaces ».

Ces principes sont hiérarchisés : la liberté prévaut sur l'égalité des chances qui prévaut elle-même sur l'efficacité. Ce qui signifie, contrairement à une présentation caricaturale des idées de Rawls, que l'amélioration du sort des plus démunis ne saurait justifier l'inégalité des chances (à plus forte raison les atteintes aux libertés).

La théorie de la justice de Rawls récuse donc tout à la fois l'égalitarisme, en ce qu'il est souvent attentatoire aux libertés et en ce qu'il risque de ne pas améliorer dans l'absolu la situation des plus défavorisés, et l'utilitarisme pour sa logique sacrificielle, injuste : l'augmentation du bien-être pour le plus grand nombre (voir Bentham) ne saurait s'obtenir par la moindre dégradation de la situation du plus mal loti.

♦ En conséquence, Rawls justifie les interventions de l'État qui éliminent les inégalités non profitables aux plus démunis. En cela, il s'oppose aux libéraux qui n'admettent pas une atteinte aux richesses individuelles légalement acquises. Mais il justifie aussi l'enrichissement des seuls citoyens les plus riches si cela permet de maintenir le pouvoir d'achat des plus pauvres. Le régime politique qui permet le mieux de respecter l'ensemble des principes est pour Rawls celui de « l'égalité démocratique », assez proche du régime républicain français.

♦ On a reproché à Rawls :
– de supposer que l'individu préférera la justice à l'envie (celle-ci correspondant au désir égalitariste de réduire la richesse des plus riches au risque de s'appauvrir soi-même) ;
– de construire la société dans l'idéal à partir d'une « robinsonnade » (l'état de nature).

→ *Hayek, Jeux (Théorie des), Optimum, Pareto, Utilitarisme.*

RECENSEMENT

→ *Population.*

RÉCESSION

Traditionnellement : phase du cycle économique caractérisée par une baisse de l'activité économique. Depuis les années 1950, désigne également une phase de ralentissement marqué de la croissance ou un recul de la production limité dans le temps (l'administration économique américaine enregistre comme récession toute baisse du PIB réel s'étalant sur au moins deux trimestres) ; le terme est alors employé pour distinguer ce cas de figure de la « dépression ».

D'une manière générale, les cycles ont été atténués depuis la Seconde Guerre mondiale. En Europe, pendant les Trente Glorieuses, les phases d'expansion ont été interrompues par des phases de ralentissement ou de stagnation de la production et de la demande ; les points tournants du cycle ne concernent pas, le plus souvent, les valeurs absolues (du plus au moins) mais les taux de croissance (exemple : de 5 % à 1,5 %). Ces « récessions relatives » se distinguent des dépressions car le processus ne dégénère pas en contraction cumulative de l'activité.

Depuis le premier choc pétrolier, on observe à nouveau des récessions au sens classique du terme : 1974-1975, 1982, 1991 (surtout en Grande-Bretagne), 1993 ; cependant, leur ampleur est moindre que par le passé.

→ *Crise, Cycles, Dépression.*

RECHERCHE-DÉVELOPPEMENT (R-D)

Ensemble du processus qui, de la recherche fondamentale à la recherche appliquée et au développement industriel, permet la découverte, l'invention et ses applications économiques.

Trois étapes donc :
– *la recherche fondamentale :* elle est à l'origine des découvertes élargissant le champ des connaissances scientifiques ; la découverte des principes de la mécanique ondulatoire et des propriétés des particules lumineuses par exemple ;
– *la recherche appliquée :* elle est à l'origine d'une invention, c'est-à-dire d'un procédé technique, brevetable, application pratique de la découverte scientifique fondamentale, et correspondant à un besoin : le laser par exemple ;
– *le développement :* il s'agit de concevoir et de mettre au point un prototype pour s'assurer de sa faisabilité industrielle (conception du procédé technique de fabrication industrielle) et économique (étude du coût) ; le développement correspond à la phase initiale de l'innovation, celle-ci se poursuivant par la production en série du produit et sa mise sur le marché ; mise au point par une entreprise d'un laser chirurgical permettant les opérations de la rétine par exemple.

♦ Toute politique de R-D, outre l'accroissement des budgets, cherche à raccourcir la durée du processus : en améliorant les liaisons entre la recherche et l'industrie, entre les laboratoires publics (plus axés sur la recherche fondamentale) et les laboratoires privés, en favorisant la diffusion des inventions (exemple de l'ANVAR en France), voire en réunissant en technopoles (cités des sciences) chercheurs et industriels.

→ *Innovation, Invention, Progrès technique.*

RECONNAISSANCE MUTUELLE

Principe, essentiellement européen, consistant à reconnaître la légitimité, dans un État membre, de règles en vigueur dans un autre pays État membre.

Ce principe a de multiples applications : reconnaissance de diplômes étrangers, de normes, de réglementations bancaires. Jusqu'à la fin des années 1970, la convergence des règles européennes s'était réalisée par l'adoption de réglementations communes. À partir de l'arrêt « Cassis de Dijon » qui impose à l'Allemagne d'accepter les normes françaises concernant l'appellation de Cassis, l'harmonisation des règles européennes s'est pour une grande part réalisée par le principe de reconnaissance mutuelle. Ce principe facilite la dynamique européenne mais crée un risque de dumping réglementaire.

REDÉPLOIEMENT (INDUSTRIEL)

Modification de la structure de l'appareil productif d'un pays qui se traduit, notamment, par une reconversion des travailleurs des secteurs en déclin vers les secteurs en forte croissance.

REDISTRIBUTION

Ensemble des prélèvements et des réaffectations de ressources opérés par les administrations publiques affectant les revenus des ménages. Au niveau des prélèvements, il s'agit principalement des cotisations sociales et des impôts ; les réaffectations concernent essentiellement les prestations sociales et les consommations collectives.

De manière générale, deux types de redistribution peuvent être distingués :
– la *redistribution horizontale* dans laquelle le bien-portant paye pour le malade, l'actif pour le retraité, le célibataire sans enfants pour les familles nombreuses, etc. ; les mécanismes de la Sécurité sociale sont la meilleure illustration de cette première catégorie ;
– la *redistribution verticale* est une notion plus globale qui envisage l'effet sur les positions relatives de l'ensemble des catégories sociales (ouvriers, agriculteurs, employés, cadres, etc.), en termes de réduction des inégalités.

Les études quantitatives menées en France montrent l'importance de la redistribution horizontale : le « budget » de la Sécurité sociale, qui ne constitue qu'une partie de ce type de redistribution, est supérieur à celui de l'État.

Les résultats de la redistribution verticale sont, eux, plus difficiles à appréhender. Les études concordent cependant suffisamment pour pouvoir affirmer que ces résultats sont faibles et que leur sens est incertain : non seulement la situation relative des « riches » et des « pauvres » est peu modifiée à l'issue des opérations de redistribution verticale, mais encore il est difficile de savoir si les « pauvres » sont devenus plus « riches » ou s'ils se sont davantage appauvris.

⟶ *Protection sociale, Répartition.*

RÉDUCTION DU TEMPS DE TRAVAIL (RTT)

Ensemble des dispositions législatives, réglementaires ou conventionnelles cherchant à entraîner la réduction de la durée effective du travail.

La RTT correspond à une démarche volontariste, collective, modifiant l'état du droit (légal ou conventionnel). Dans la mesure où l'impulsion est le plus souvent donnée par le gouvernement, sous la pression fréquente des syndicats de salariés, on peut parler d'une « *politique de RTT* ». Une telle politique a été mise en œuvre en France depuis 1997, à travers le vote des « *lois Aubry* ».

Cette législation récente s'inscrit dans le prolongement d'une double évolution parallèle : la diminution sur une longue période de la durée effective du travail et la réduction de la durée légale du travail.

♦ En matière de durée du travail, la période qui s'ouvre vers 1835 et qui n'est peut-être pas achevée est et sera unique dans l'histoire. La baisse de la durée du travail y est très profonde : d'un peu plus de 3 000 heures à 1 650 heures de travail par an aujourd'hui.

♦ En ce qui concerne la durée légale : loi de 1841 sur le travail des enfants ; décret de 1848 sur la journée de 10 heures à Paris et 11 heures en province ; lois de 1874 puis 1892 organisant l'inspection du travail ; loi de 1919 sur la journée de 8 heures ; accords de Matignon en 1936 sur la semaine de 40 heures et les deux semaines de congés payés, dispositions réaffirmées en février 1946 ; mars 1956 : troisième semaine de congés payés ; mai 1969 : quatrième semaine de congés payés ; ordonnance de 1982 instituant la semaine légale de 39 heures et généralisant la cinquième semaine de congés payés.

Les lois Aubry (loi du 13 juin 1998 ; loi du 19 janvier 2000) portent la durée légale hebdomadaire du travail à 35 heures à compter de janvier 2000 (dans les entreprises de plus de 20 salariés) et de janvier 2002 (dans les entreprises de moins de 20 salariés). Plus explicitement que les lois précédentes (dont l'objectif premier était l'amélioration de la condition salariale), elles ont pour objectif la réduction du chômage en organisant un *partage du travail* créateur d'emplois.

♦ Le dispositif s'analyse ainsi :
– contraindre les entreprises à créer ou à sauvegarder des emplois en négociant avec leurs salariés ou leurs représentants des *accords de RTT* ;
– organiser pour les entreprises une aide au financement des emplois créés qui laisse inchangé le coût salarial par unité produite.
♦ Cette aide repose sur la logique suivante :
– *activation des dépenses passives*, c'est-à-dire substitution de salaires d'activité aux allocations de chômage, par réduction des cotisations sociales et octroi de subventions aux entreprises ;
– affectation prioritaire des gains de productivité au financement des salaires d'embauche par modération salariale et/ou *compensation salariale partielle* (sauf pour les bas salaires qui doivent bénéficier d'une compensation totale : 35 heures payées 39) ;
– permettre aux entreprises de dégager des gains de productivité horaire par une réorganisation du travail dans le sens

d'une plus grande flexibilité horaire destinée à *accroître la durée d'utilisation du capital fixe*.

Fortement critiqué par les libéraux et le patronat pour son « malthusianisme », son caractère contraignant, trop général, et son coût élevé pour les finances publiques, le dispositif est également très critiqué chez certains salariés en ce qu'il aurait dégradé les conditions de travail par une flexibilité accrue, tout en bloquant l'évolution des rémunérations. Il aurait néanmoins permis de créer ou de sauvegarder 232 000 emplois (bilan officiel en octobre 2000), tout en favorisant de nouvelles activités dans le temps libéré.

→ *Chômage.*

RÉEL/MONÉTAIRE, RÉEL/FINANCIER

Réel/monétaire : couple de termes renvoyant à la double réalité d'une économie monétarisée.

La « sphère réelle », l'économie « réelle » est celle des flux « physiques » : production et distribution des biens et services, évolution du capital fixe, offre et demande de travail, contribution du travail à la production, échanges commerciaux avec le reste du monde, etc.

La « sphère monétaire » est l'ensemble des flux monétaires qui correspondent à un échange (biens ou services contre monnaie) ou à une accumulation de réserves (thésaurisation).

Cette représentation trouve son origine dans l'« analyse dichotomique » développée par plusieurs économistes classiques et néo-classiques : J.S. Mill et J.-B. Say formulent avec vigueur l'idée que « la monnaie n'est qu'un voile de l'économie réelle » ; la monnaie est le véhicule des échanges, eux-mêmes proportionnés au volume de la richesse créée, « l'argent ne remplit qu'un office passager » (Say) ; de là l'idée que la monnaie est neutre : une variation de la quantité de monnaie n'agit que sur le niveau général des prix, elle n'a pas d'impact sur l'activité économique « réelle » ; cette axiomatique est à la base de la théorie quantitative pure formulée par I. Fisher.

L'analyse keynésienne rompt avec l'approche dichotomique : on ne peut pas dissocier le « réel » et le monétaire (Keynes parle d'« économie monétaire de production ») ; la monnaie n'est plus considérée comme un simple lubrifiant, elle peut agir sur le niveau de production et modifier les équilibres. La théorie monétariste, quant à elle, admet que la monnaie puisse être un facteur perturbateur à court terme de l'équilibre.

Indépendamment des options théoriques, la distinction analytique *sphère réelle/sphère monétaire* est couramment utilisée.

> *Réel / financier* : plus récemment, l'accent a été mis sur l'opposition *sphère réelle/sphère financière* pour mettre en évidence la distorsion, dans les années 1980, entre l'évolution de la production, de l'investissement, du commerce mondial, etc., et la forte expansion des activités financières. La distinction n'est pas identique à la première. Si le premier terme (sphère ou économie réelle) est défini de la même façon, le deuxième a un sens plus large que la « sphère monétaire » : la sphère financière regroupe l'ensemble des activités qui traitent les flux transitant par les marchés ou les institutions financiers.

Le déséquilibre constaté entre le développement de la sphère financière et celui de la sphère réelle conduit à des interrogations essentielles : la vitalité de la première s'exerce-t-elle en faveur ou au détriment de l'économie « réelle » présente et future ? Y a-t-il effet d'éviction des investissements productifs au profit des placements financiers à rentabilité immédiate ? Plusieurs économistes interprètent la récession qui a débuté en 1991 comme le résultat des « excès financiers » des années 1980.

→ *Bulle financière, Économie d'endettement/de marchés financiers, Financement, Keynes, Monétarisme, Monnaie (Théorie quantitative de la), Rentabilité, Say.*

RÉGIME ÉCONOMIQUE

→ *Système économique.*

RÉGLEMENTATION (Économie de la)

Branche de l'analyse économique qui étudie les conditions et les modalités sous lesquelles l'intervention publique permet de corriger efficacement les défaillances du marché.

♦ Le marché n'est pas un système d'allocation des ressources optimal dans trois grands types de situation : lorsqu'existe un monopole naturel, parce qu'une entreprise bénéficie de coûts moyens décroissants ; quand il s'agit de produire des biens ou services collectifs sans possibilité d'exclure les mauvais payeurs ; en présence d'externalités, c'est-à-dire d'interdépendances hors marché entre les utilités ou les coûts des agents.

♦ Ces défaillances du marché incitent à se tourner vers l'État, pas nécessairement pour lui demander de produire à la place des entreprises privées, mais aussi pour qu'il finance cette production, ou qu'il réglemente les activités privées, voire pour qu'il crée de toutes pièces un marché (exemple des droits à polluer)... Mais cette intervention de l'État peut à son tour être contestée au nom des défaillances publiques : dysfonctionnements bureaucratiques, influence des groupes de pression, gaspillage, etc.

L'existence de défaillances des deux côtés, marché et État, explique les divergences au sein de l'économie de la réglementation :

– le courant le plus ancien, *celui de l'économie publique*, suppose que le réglementeur est désintéressé et recherche les critères de la réglementation efficace (approche normative) ;

– *en réaction à ce premier courant*, certains économistes supposent que le réglementeur ne se distingue pas des agents privés, dont il subit l'influence (groupes de pression), afin de montrer que la réglementation satisfait en réalité des intérêts particuliers (protection d'un secteur industriel, etc.) et est presque toujours une solution inférieure au marché ;

– *la nouvelle économie publique de la réglementation* prend en compte les défauts du réglementeur mais recherche les moyens de l'inciter à se comporter de façon efficace en intégrant dans l'analyse les problèmes posés par les asymétries et les imperfections de l'information ;

– *la nouvelle économie institutionnelle* part de l'hypothèse que les deux branches de l'alternative, le marché ou la réglementation, sont imparfaites l'une et l'autre car elles impliquent des coûts de transaction ; il faut donc rechercher, cas par cas, la solution qui minimise ces coûts de transaction.

——▶ *Bien (ou service) collectif, Coûts de transaction, Externalité, Marché (Défaillances du), Monopole naturel.*

RÈGLES

Prescriptions et interdits réglant la vie en société. Les règles sont soit formelles, autrement dit formulées explicitement sous forme de lois, de règlements et de codes officiels (droit pénal, code de la route), soit informelles consistant en préceptes et conventions qui, tout en n'étant pas l'objet d'articles de lois, sont supposés être respectés par les individus ; dans ce cas, on parlera plus volontiers de normes.

La transgression des règles entraîne habituellement des sanctions à l'encontre des contrevenants : sanctions de police, de justice ou d'une autorité habilitée dans le cas de non-observation des règles formelles (soient les délits et les crimes) ; sanctions diverses (admonestations, réprobation, punitions) quand il s'agit de la transgression de normes sociales.

On pourrait parler de sanctions positives pour qualifier les « bénéfices » des individus qui respectent les règles (récompenses, reconnaissance).

L'univers des règles n'est pas figé. Tout en étant imposées de prime abord aux individus, elles sont susceptibles d'être modifiées en fonction du jeu des acteurs et de l'évolution des rapports de forces. La notion de régulation prend en compte cette dialectique de la contrainte et de la production de nouvelles normes.

——▶ *Contrainte sociale, Criminalité et délinquance, Déviance, Inceste (Prohibition de l'), Interdit, Normes, Régulation sociale.*

RÉGULATION (École de la)

Courant hétérodoxe, principalement français, qui s'inscrit dans la mouvance institutionnaliste et dont les analyses portent sur la diversité des formes de développement des économies capitalistes.

♦ À l'origine fortement influencé par le marxisme et l'École historique des Annales, ce courant, formé autour d'économistes tels que M. Aglietta, R. Boyer, A. Lipietz, A. Orléan, B. Théret, F. Lordon, etc., a pris ensuite quelques distances avec son orientation radicale. Il se présente désormais comme une variété hétérodoxe d'institutionnalisme, son but étant d'analyser le développement et les crises d'une économie « riche en institutions ».

Le courant régulationnisme naissant critique les fondements mêmes de la théorie néo-classique : l'individualisme méthodologique, la rationalité parfaite des agents, la capacité du marché à s'autoréguler. Mais il critique également le marxisme orthodoxe : il lui reproche son incapacité à penser le changement historique et les capacités d'adaptation du capitalisme. Pour ce courant, l'enjeu théorique consiste à comprendre comment le mode de production capitaliste parvient à se reproduire en changeant de forme.

En effet, au cœur de la dynamique de nos sociétés, se trouve l'accumulation du capital. Celle-ci induit des déséquilibres économiques — par exemple des désajustements entre l'offre et la demande globale — et des tensions sociales, du fait de la lutte pour le partage de la valeur ajoutée. Pour que l'accumulation se poursuive, il faut que ces déséquilibres et ces tensions soient régulés : l'École doit son nom à l'attention qu'elle porte à la succession dans le temps de différents modes de régulation. Leur capacité à résorber les « petites crises » dépend de la nature et de l'agencement des formes institutionnelles qui les composent. Ces formes sont des codifications des rapports sociaux : résultats de compromis historiques entre les groupes sociaux, elles canalisent les comportements individuels, les rendent compatibles. On en dénombre cinq :

– *la forme du rapport salarial*, plus ou moins concurrentiel (le marché du travail est plus ou moins flexible, les travailleurs salariés sont plus ou moins protégés par le droit du travail, etc.) ;

– *le régime monétaire*, le type de monnaie et la façon dont elle est gérée (contrainte monétaire plus ou moins rigide, politique du crédit, etc.) ;

– *les formes de la concurrence*, plus ou moins oligopolistique (les entreprises ayant plus ou moins de pouvoir de marché) ;

– *le type d'intervention économique et sociale de l'État* (plus ou moins engagé, qui réglemente ou déréglemente, etc.) ;

– *le type d'insertion de l'économie nationale dans l'économie internationale* et le mode de régulation de celle-ci.

♦ Cette grille a permis d'expliquer la croissance des Trente Glorieuses par l'instauration du fordisme, mode d'accumulation intensif (gains de productivité élevés, dus pour partie au taylorisme), centré sur la consommation de masse (de produits industriels standardisés aux prix relatifs décroissants), soutenu par un mode de régulation monopoliste : rapport salarial plutôt favorable aux salariés, politique monétaire souple, concurrence oligopolistique, État keynésien et beveridgien, relative autonomie des politiques économiques nationales par rapport à l'environnement international…

♦ Très logiquement, elle a conduit à expliquer la crise, qui commence apparemment au milieu des années 1970, par l'épuisement du fordisme : ralentissement des gains de productivité, essoufflement de la demande, baisse de rentabilité du capital, etc.

La difficulté a consisté à identifier le nouveau modèle de développement qui allait permettre de sortir de cette crise.

♦ Le successeur du fordisme serait le capitalisme patrimonial. L'avènement de ce nouveau modèle, aux États-Unis, a été permis par la libéralisation des marchés financiers et la montée en puissance des investisseurs institutionnels (fonds de pension, etc.). Pour respecter les nouvelles normes financières imposées par ces marchés (taux de rentabilité élevés), les entreprises ont dû se réorganiser (restructurations, externalisations, etc.) et changer de mode de gestion des ressources humaines (flexibilité maximale, intéressement aux résultats, etc.). Cela a été facilité par les nouvelles technologies de l'information et des communications, par ailleurs foyer d'expansion rapide pour tout un segment de l'économie (start-up, etc.). Il en a résulté, après un assez long délai, une reprise des gains de productivité, facteur déterminant de la croissance.

♦ De son côté, la demande a été soutenue par le reflux du chômage et l'effet de richesse induit par les plus-values boursières. Au total, l'entrée des États-Unis dans une « nouvelle économie », depuis 1992, en voie de s'étendre à l'Europe, confirmerait cette hypothèse de l'avènement d'un nouveau régime d'accumulation, gouverné par la finance. Se pose alors la question, typiquement régulationniste, des conditions de validité à long terme de ce régime, par définition sensible aux crises financières. La réponse dépendra de la construction, en cours, d'un nouveau mode de régulation : quelles règles imposer aux marchés financiers ? Quelle place accorder à l'épargne salariale et au financement des retraites par la capitalisation ? Comment contenir les inégalités ? etc.

→ *Accumulation du capital, Crise, Fordisme, Institutionnalisme, Nouvelle économie.*

RÉGULATION (en économie)

> Processus complexe par lequel un système économique et social parvient à se reproduire dans le temps en conservant l'essentiel de ses caractéristiques structurelles par-delà les crises qui l'affectent.

Les termes anglo-saxons *regulation* et *deregulation* signifient réglementation et déréglementation, c'est-à-dire adoption ou suppression des règles.

En France, régulation et réglementation ont des sens différents, bien que les deux notions soient liées. En effet, parmi les différents mécanismes contribuant à la régulation d'un mode de production, la réglementation par l'État joue souvent un rôle primordial.

Exemple : le SMIC est une réglementation du salaire, il peut s'interpréter comme une institution ayant une fonction de régulation économique (les « coups de pouce » peuvent participer d'une relance par la consommation) et de régulation sociale et politique (les écarts de revenus étant contenus peuvent apparaître comme légitimes).

Les libéraux, comme F. Hayek, comptent sur une régulation indirecte, endogène, par les mécanismes du marché et prônent donc une déréglementation (*deregulation* en anglais). Le courant keynésien, lui, met l'accent sur la nécessaire intervention de l'État comme agent de régulation (exogène).

La régulation comporte plusieurs dimensions, étroitement liées, mais que l'on peut distinguer :

– la *régulation économique* : elle devrait permettre au capitalisme de concilier dynamique de croissance et maintien des grands équilibres ;

– la *régulation sociale* : elle devrait permettre de concilier le changement social et la cohésion sociale.

La régulation est le concept central des théories de l'École de la Régulation.

→ *Régulation (École de la), Régulation sociale.*

RÉGULATION MONÉTAIRE

→ *Politique monétaire.*

RÉGULATION SOCIALE

> Ensemble des règles formelles et informelles qui assurent un certain mode de fonctionnement de l'activité sociale. La régulation peut concerner la société globale, telle ou telle instance de la société (relations professionnelles, champ politique) ou des unités sociales restreintes (organisations, groupes divers).

La régulation se distingue de la réglementation : elle n'est pas simplement un corps de règles juridiques régissant une activité ou une institution, mais un ensemble de mécanismes complexes qui lient des acteurs qu'opposent par ailleurs leurs positions respectives et, partant, leurs intérêts.

En ce sens, la régulation est le résultat d'une construction sociale : en confrontant leurs points de vue, les acteurs élaborent des règles du jeu. Celles-ci correspondent à une certaine situation ou à un certain rapport de forces et peuvent s'imposer plus ou moins durablement : on parlera alors de système régulateur doué d'une certaine stabilité. Elles peuvent cependant s'avérer inadaptées au bout d'un certain temps en raison d'une modification des rapports de force ou d'une évolution des comportements et des valeurs qui leur sont associées ; de là leur remise en cause partielle ou totale (« dérégulation ») et leur réélaboration à travers des interactions plus ou moins conflictuelles.

♦ La notion de régulation est souvent utilisée dans le champ des relations de travail. Celui-ci est structuré autant par des règles légales (droit du travail, lois régissant la représentation des salariés et l'action collective) que par des usages qui, plus ou moins institués, s'imposent comme « conventions » aux acteurs avant d'être éventuellement légalisées (exemples : procédures de licenciement, principes de rémunération, gestion des conflits).

L'élaboration des règles peut être explicite : négociations en bonne et due forme, débats et tractations politiques, confrontation des points de vue, consultations des publics intéressés, mais elle peut être également, surtout au niveau micro-social, informelle et peu ou non verbalisée : par un jeu d'adaptations réciproques, les acteurs construisent des règles du jeu qui, tout en étant largement informelles, n'en sont pas moins prégnantes. La régulation n'est pas synonyme d'harmonie consensuelle : elle s'établit fréquemment sur fond de conflits, ouverts ou larvés, entre les parties (ou acteurs). En outre, elle est le plus souvent une réalité dissymétrique dans la mesure où les acteurs en présence ne disposent ni des mêmes ressources ni du même degré de légitimité : dans un hôpital, les médecins ont plus de poids que les infirmières ; dans le champ des relations de travail, les syndicats, pendant longtemps, n'étaient que tolérés.

Régulation et système social renvoient l'un à l'autre : si la règle est le produit du système, « l'exercice de la régulation détermine largement [sa] structure » (J.D. Reynaud).

♦ À noter que la notion ainsi présentée diffère largement de celle qui a partie liée avec les schémas organicistes ; ceux-ci assimilent la régulation au fonctionnement d'un organisme vivant ; il n'y a pas d'acteurs mais des « organes » assumant leurs fonc-

tions, les autorités se bornant à prévenir les tendances pathologiques que peut connaître le système. Durkheim de son côté définit la régulation comme l'autorité sociétale (reconnue comme légitime) exerçant une « action régulatrice » à même de modérer les passions et d'obtenir obéissance par le respect qu'elle inspire.

Chez E. Durkheim, la régulation sociale est, avec l'intégration sociale, le deuxième processus constitutif de la socialisation. Car, si la société intègre les individus (par la fréquence de leurs interactions, par le partage de croyances et de sentiments communs, et par la poursuite de buts communs), elle doit aussi exercer « une action régulatrice » sur les sentiments et les activités des individus : « elle est aussi un pouvoir qui les règle » (*Le Suicide*). La régulation sociale s'exerce à l'aide de trois facteurs : la hiérarchie sociale, la modération des passions, la légitimité de l'ordre social. Le défaut de régulation sociale correspond à une situation d'anomie.

→ *Contrat social, Institutionnalisation, Institution(s), Régulation (École de la), Relations du travail ou professionnelles, Système social.*

RELANCE

→ *Politique économique conjoncturelle.*

RELATIONS DU TRAVAIL ou PROFESSIONNELLES

Relations collectives qui se développent sur la base du travail salarié et qui mettent aux prises les travailleurs et leurs représentants (syndicats de salariés), les directeurs d'entreprises ou les syndicats d'employeurs, enfin les pouvoirs publics.

♦ Autre expression usitée : *relations industrielles*. Celles-ci concernent aussi les relations dans les activités de services, le qualificatif « industrielle » connotant avant tout le caractère collectif du travail et la séparation entre travail et capital.

Ces relations portent sur l'ensemble des problèmes afférant à l'activité du travail organisé collectivement : partage des revenus, emploi, qualifications, conditions de travail et organisation de la production, gestion de l'entreprise, voire, plus globalement, politique économique et sociale. Dans les sociétés industrielles, ces relations sont marquées par l'existence d'intérêts divergents, voire antagonistes, et oscillent entre l'affrontement ouvert — les conflits du travail —, le compromis ou l'entente partielle (négociations, accords contractuels).

L'expression *relations professionnelles* est employée plus spécialement pour mettre l'accent sur l'institutionnalisation du conflit entre salariat et patronat : « Constitution et fonctionnement des systèmes de règles qui régissent les rapports entre les syndicats de salariés [...] les entreprises et l'État » (B. Mottez, *La Sociologie industrielle*).

♦ Les pouvoirs publics, outre leur fonction d'employeur dans la fonction publique, interviennent indirectement en fixant le cadre juridique des relations de travail (lois-cadres sur les conventions collectives), en conduisant la politique économique et sociale, directement en exerçant leur fonction d'arbitrage (médiation dans certains conflits, participations aux grandes négociations collectives, etc.).

→ *Conflit social, Convention collective, Régulation sociale.*

RELATIONS HUMAINES

En sociologie du travail, désigne à la fois le mouvement né dans les années 1930 aux États-Unis contre les excès de l'Organisation scientifique du travail (OST) et les politiques qui s'en sont inspirées par la suite.

1. *L'école des Relations humaines* animée par Elton Mayo se développa à partir d'un ensemble de recherches expérimentales menées à la Western Electric entre 1927 et 1932 (« Recherche Hawthorne », du nom de l'atelier pris comme objet d'investigation et d'expérimentation).

Insistant sur l'importance du facteur humain oublié par Taylor, l'école des Relations humaines met en évidence la double dimension de l'entreprise : l'organisation formelle, prescrite par ses buts explicites, et l'organisation informelle caractérisée par les relations interpersonnelles de fait (réseaux d'affinité, rapports entre maîtrise et personnel d'exécution).

♦ À la première correspondent les logiques du coût et de l'efficience, à la seconde la « logique des sentiments », les valeurs propres aux relations humaines.

Toute politique visant à accroître l'efficacité et la productivité du travail doit prendre en considération les interactions et les valeurs propres des différents groupes — informels — de l'entreprise.

2. *Ultérieurement*, les « relations humaines » désignent les politiques d'entreprise cherchant à réduire les tensions, voire à supprimer les conflits, en améliorant le « climat humain » de l'entreprise.

Telles qu'elles se sont développées pendant les années de croissance, ces politiques se sont sensiblement éloignées des préoccupations scientifiques de l'école de Mayo. Elles complètent plus qu'elles ne remplacent les préceptes tayloriens de stimulation du travail.

→ *Bureaucratie, Organisation ; Annexe 37.*

RELATIVISME CULTUREL

Au sens le plus général : reconnaissance de la diversité culturelle des collectivités humaines, c'est-à-dire de la relativité des orientations, des normes et des modèles de conduite d'une société à l'autre, d'un groupe social à l'autre.

Cette notion est à la fois un principe épistémologique en sciences sociales et un objet de débat philosophique et politique.

En sciences sociales, le relativisme culturel est une démarche — qui vaut exigence — visant à replacer les productions, les comportements et les normes d'autrui (l'étranger, les individus d'un milieu social éloigné) dans le cadre socioculturel dans lequel il est inséré, en s'abstenant de porter des jugements de valeur ; cette approche s'oppose à l'ethnocentrisme spontané (perception de l'autre selon les catégories de notre propre groupe d'appartenance). Elle s'avère indispensable pour restituer les logiques et la cohérence des groupes sociaux ou des sociétés que l'on étudie. Ce faisant, il n'est pas contradictoire d'affirmer l'universalité de la culture : toutes les sociétés humaines, des plus « primitives » aux plus développées ont en commun la production symbolique et l'élaboration de règles pour la vie en commun.

Au plan philosophique et politique, le relativisme s'oppose à l'universalisme. Celui-ci postule simultanément la prééminence de la Raison (la vérité et la science échappent à la relativité) et l'existence de valeurs universelles et absolues, valables pour l'ensemble de l'humanité. Cet universalisme, héritier des Lumières et des révolutions française et américaine, se présente comme le porte-drapeau des valeurs de la modernité démocratique. Le relativisme en dénonce le caractère abstrait et son occidentalocentrisme.

♦ La modernité occidentale a partie liée avec le fait colonial, l'impérialisme et la domination sur le reste du monde. On ne peut hiérarchiser les cultures : l'Occident n'est pas supérieur, toutes les constructions culturelles se valent. Plus radicalement, pour certains relativistes, il serait impossible d'établir un point de vue universel en matière de connaissance, de culture et de morale, s'agissant en particulier des cultures « dominées ».

On peut noter la confusion fréquente qu'il y a entre ces deux registres. Les praticiens en sciences sociales peuvent récuser certaines des positions extrêmes du relativisme, tout en pratiquant un « relativisme méthodologique ».

→ *Culture, Ethnocentrisme, Multicultura-lisme, Sous-culture/Sub-culture.*

RELIGION

Système de croyances, de valeurs et de pratiques relatif aux problèmes ultimes de l'existence humaine (le sens de la vie, le bien et le mal, le destin et l'au-delà, etc).

Au niveau sociétal, les religions se présentent comme des institutions avec leurs dignitaires et leurs adeptes, leurs doctrines et leurs rites, leurs réseaux et leurs communautés. On distingue couramment aujourd'hui les religions traditionnelles établies et les multiples mouvements religieux plus ou moins organisés (sectes ou mouvances diffuses), qui se développent en marge ou en opposition aux premières.

→ *Laïcité, Messianisme, Rite, Sacré, Sécularisation ; Annexe 32.*

REMONTÉE DES FILIÈRES

Extension des activités d'une filière que l'on observe dans les pays en développement les plus avancés (cas exemplaire : la Corée du Sud). Le terme « remontée » peut renvoyer à deux types de processus :

1) la progression de l'aval vers l'amont, des biens de consommation vers les biens intermédiaires et les produits de base (exemple de la filière textile : confection → tissus → fils → fibres synthétiques) ;

2) la progression des biens à technologie banalisée vers des biens d'équi-

pement plus élaborés (exemple de la filière métallique : métallurgie de base → mécanique → construction navale et automobile).

→ Économie du développement, Filière de production, Industrialisation par substitution.

RENDEMENTS FACTORIELS/ RENDEMENTS D'ÉCHELLE

Rendement : relation entre les variations des quantités produites (*output*) et les variations des facteurs nécessaires pour les produire (*input*).

On distingue les rendements factoriels et les rendements d'échelle.

Les rendements factoriels relient la production (*output*) à une combinaison des facteurs dont l'un est fixe. Deux hypothèses sont retenues :
– *Rendements décroissants* ou non proportionnels.

♦ On énonce la célèbre loi des rendements décroissants (dont la première formulation rigoureuse date de Turgot) : si des quantités successives, croissantes, et homogènes, d'un facteur variable (par exemple, le travail) sont combinées à une quantité donnée de facteurs fixes (par exemple, la terre et les outils), alors il arrivera un moment où la productivité marginale (augmentation de la production résultant de l'utilisation d'une petite quantité supplémentaire du facteur variable) finit par décroître.

– *Rendements constants* : hypothèse peu réaliste car, à partir d'un certain niveau d'utilisation du facteur variable, la productivité marginale ne reste pas constante mais décroît. Les rendements factoriels ne sont constants que pour une phase limitée.

Les rendements d'échelle relient la production à une combinaison de facteurs qui varient tous deux simultanément. Les rendements d'échelle sont :
– *constants* si la production augmente dans la même proportion que les *inputs* ;

– *croissants* si l'*output* augmente dans une proportion plus grande ; il y a alors *économies d'échelle* ; l'augmentation de l'échelle de la production permet de réduire le coût par unité produite ;

– *décroissants* s'il augmente dans une proportion moindre ; il y a alors *déséconomies d'échelle* (cas d'une entreprise de trop grande taille connaissant des difficultés de coordination).

♦ Notons que l'on peut avoir simultanément des rendements factoriels décroissants et des rendements d'échelle constants, les deux notions étant distinctes.

→ Concentration (des entreprises), Coûts de production, Krugman, Monopole naturel, PME/PMI, Productivité.

RENTABILITÉ

Rapport entre un revenu et le capital engagé pour l'obtenir.

Rentabilité économique : rapport entre un revenu, au cours d'une période donnée, et la valeur du capital physique mis en œuvre pour l'obtenir ; le taux de rentabilité, synonyme pour certains auteurs de taux de profit, est mesuré par le rapport du profit à la valeur du stock d'actifs physiques engagés dans la production ; si l'on retient l'excédent net d'exploitation (ENE) comme évaluation du profit après amortissements, mais avant distribution des dividendes, paiement des frais financiers et impôts sur le revenu, si l'on retient le capital fixe brut en valeur (K) comme indicateur du capital physique engagé, alors le taux de rentabilité économique (r) est égal à r = ENE/K.

Rentabilité financière : rapport entre le profit après paiement des intérêts et des impôts et les capitaux propres (ou fonds propres) de l'entreprise ; c'est la rentabilité du point de vue de l'actionnaire (à ne pas confondre avec la rentabilité du point de vue du prêteur, rapport entre les frais financiers nets et le capital emprunté).

♦ La comparaison de la rentabilité financière et de la rentabilité économique met en évidence un effet de levier de l'endettement.

⟶ *Effet de levier, Profitabilité.*

RENTE

Revenu, en principe régulier, qui provient de la propriété de la terre (rente foncière), d'une ressource rare (rente pétrolière, par exemple) ou de placements en emprunts publics (rente Pinay).

La rente est *viagère* lorsqu'elle est versée jusqu'à la mort du bénéficiaire ou de son conjoint survivant. Elle est *perpétuelle* lorsque la durée de versement est indéfinie (c'est le cas de certains emprunts d'État).

La théorie économique s'est surtout intéressée à la rente foncière et a mis en évidence deux sortes de rentes :
– la rente *absolue* qui découle du monopole d'un agent ou d'un groupe d'agents sur une ressource rare ;
– la rente *différentielle* qui résulte des différences de fertilité entre les exploitations ou des différences de productivité entre les gisements de matière première.

⟶ *Ricardo ; Annexe 5.*

RÉPARTITION

Partage des richesses ou des revenus au sein d'un pays ou d'un groupe social.

Le partage des revenus créés par l'activité économique est un thème fondateur chez les économistes classiques qui ont surtout analysé la répartition entre classes sociales (ou *répartition sociale*).

Ainsi Ricardo s'intéresse-t-il aux « proportions dans lesquelles le produit total est partagé entre les propriétaires, les capitalistes et les travailleurs », ce qui correspond à trois types de revenus : la rente, le profit, le salaire.

De même, Marx fait du mécanisme de la *plus-value* le mécanisme central de la répartition des revenus dans une économie capitaliste.

Aujourd'hui, les mécanismes de répartition du revenu national sont étudiés à travers les concepts de la Comptabilité nationale. On distingue la répartition fonctionnelle ou *répartition entre les facteurs de production* (capital, travail, ressources naturelles) de la *répartition personnelle* ou répartition entre les ménages ou les individus (une même personne peut recevoir des revenus du travail et du capital). On parle de *répartition primaire* quand on évoque celle qui découle de manière directe de l'activité économique.

L'existence de revenus sociaux (retraites, allocations chômage, etc.) modifie la répartition primaire. La part des retraites et des revenus du patrimoine a augmenté en France, au cours des vingt dernières années, au détriment de celle des revenus d'activité.

La *répartition du patrimoine* a également fait l'objet d'analyses approfondies qui mettent en évidence une concentration très forte : 1 % des ménages français se partagent environ 20 % du patrimoine de l'ensemble des ménages ; 25 % du patrimoine des 1 % les plus riches est détenu par 5 % d'entre eux. La richesse en revenu et la richesse en patrimoine vont souvent de pair.

L'outil privilégié de l'étude de la répartition des revenus ou des patrimoines entre individus est la répartition interdécile.

⟶ *Déciles, Patrimoine, Redistribution, Revenu.*

RÉPARTITION PRIMAIRE

⟶ *Revenu.*

REPRÉSENTATION POLITIQUE

> Principe démocratique selon lequel la collectivité nationale délègue sa souveraineté potentielle à des représentants chargés de légiférer et de contrôler le pouvoir exécutif. La représentation politique est à la fois le processus de désignation (les élections) et le résultat de cette opération (l'ensemble des représentants, la représentation nationale).

Le principe de la représentation résulte des difficultés de la démocratie directe : le peuple souverain ne peut siéger en tant que tel dès lors qu'il s'agit d'entités politiques de grande taille. Ses modalités renvoient aux divers systèmes électoraux : qui vote (suffrage censitaire ou universel) ? selon quelles règles (modes de scrutin) ? etc., mais aussi aux conceptions que l'on se fait de la place et du rôle des représentants (mandat impératif ou responsabilité discrétionnaire ?, représentation de leurs partisans ou de l'ensemble des électeurs de la circonscription ?).

Périodiquement, on parle de « *crise de la représentation* ». Celle-ci est invoquée pour des raisons qui ne se recoupent que partiellement : confiscation du choix des candidats par les partis politiques (procès problématique : nombre d'électeurs votent d'abord pour des forces politiques…), passivité du corps électoral (indifférence, sentiment d'incompétence) ou, plus sérieusement, divorce entre les représentants élus et la société civile.

C'est ici que se greffe le problème fondamental de la compatibilité ou non entre la participation politique « conventionnelle » (s'informer, débattre, convaincre son entourage lors des échéances électorales ou de débats parlementaires) et l'action collective « extraparlementaire » (mobilisation dans la rue, sur les lieux de travail, dans des comités, etc). Cette dernière pose également des problèmes de représentation : mode de sélection et représentativité des porte-parole, fonctionnement des structures mises en place, etc.

→ *Bipartisme, Démocratie, Groupe de pression.*

REPRÉSENTATIONS COLLECTIVES

> Perceptions et constructions mentales propres à une collectivité (société, groupes sociaux). Expression utilisée par Durkheim avec celle de conscience collective dont elles seraient en quelque sorte le contenu.

Notion très générale recouvrant aussi bien les représentations courantes (perceptions du temps, de l'espace, stéréotypes sociaux), les systèmes élaborés de représentations (visions du monde, schèmes religieux, idéologies) que l'imaginaire social (rêves, mythes, fantasmes collectifs). Concept proche de celui d'idéologie au sens large.

→ *Conscience collective, Idéologie.*

REPRISE

→ *Cycles.*

REPRODUCTION CAPITALISTE (Schémas de)

> Mouvement ininterrompu de renouvellement du cycle du capital ; cette continuité de la production est analysée par Marx selon des schémas globaux qui mettent en évidence l'interaction des deux sections productives : I moyens de production, II biens de consommation.

Le mouvement du capital A → M → A' est celui de sa mise en valeur : le capitaliste achète des marchandises (M = biens de production et force de travail) pour accroître la valeur de son capital argent (A) de la plus-value extraite du travail (A' > A), et cela en continuité. Cela suppose que, de cycle en cycle, se reproduisent les rapports de production permettant de dégager la plus-value (maintien des conditions économiques, politiques et idéologiques de l'exploitation).

Marx parle de *reproduction simple* lorsque la totalité de la plus-value est consommée par les capitalistes. Il n'y a pas alors de croissance économique, pas d'accumulation : la valeur du capital-argent investie dans la production reste la même à chaque cycle.

Il parle de *reproduction élargie* quand les capitalistes réinvestissent tout ou partie de la plus-value, ce qui est beaucoup plus conforme à leur volonté d'accroître leurs profits qui les pousse « à révolutionner constamment le mode de production ». Il y a alors croissance et accumulation. La plus-value est nécessairement réinvestie en moyens de production et en force de travail additionnels.

→ *Capital, Marx.*

REPRODUCTION SOCIALE

Tendance du système social à se perpétuer, à se reproduire dans le temps : maintien des inégalités, des rapports sociaux, conservation de la structure sociale, pérennisation des formes socioculturelles.

◆ Concept dont on peut retrouver implicitement l'idée chez Marx. Occupe une place centrale dans le courant sociologique animé par P. Bourdieu.

Les mécanismes de la reproduction sociale sont multiples : socialisation différenciée et hérédité sociale, pouvoir d'imposition et fonction discriminante des institutions, rôle intégrateur des idéologies (intériorisation de l'ordre social), etc.

◆ La reproduction du système ne se fait jamais à l'identique. Il peut y avoir à la fois reproduction *et* changement social. Exemple : les fils ou petits-fils de patron sont aujourd'hui, le plus souvent, cadres supérieurs.

→ *Domination, Hérédité sociale, Héritage culturel, Socialisation.*

RÉPUBLICAIN (Modèle)

Principes d'intégration citoyenne et laïque élaborés dans le cadre de la République française.

L'expression, usitée fréquemment au cours des années 1990, renvoie aux débats sur l'intégration des populations immigrées, la question scolaire et la cohésion sociale. Les tenants du modèle républicain s'opposent résolument au multiculturalisme et défendent les valeurs universelles de l'égalité des droits, de la citoyenneté et de la laïcité. Reste à savoir si l'expression fait également référence à la souveraineté nationale et à la centralisation « jacobine ».

→ *Assimilation, Multiculturalisme, Relativisme culturel.*

RÉSEAU (en économie)

Faisceau de relations entre plusieurs entités qui engendre une valeur sociale supérieure à la somme des valeurs individuelles.

Les réseaux reposent ainsi sur des externalités de demande et des externalités d'offre (diversification des offres de services).

Dans le cadre du réseau, l'utilité de chaque agent augmente avec le nombre d'utilisateurs du même service, tel est le cas pour les abonnés du téléphone.

Certains services publics sont traditionnellement organisés à partir de réseaux d'infrastructure dont l'organisation permet la prestation de services pour des usages collectifs : transports ferroviaires, télécommunications, distribution d'électricité…

Par ailleurs, certaines entreprises choisissent une organisation en réseau ; l'efficacité dépend alors de la qualité de la coordination à l'intérieur du réseau.

RÉSEAU (en sociologie)

Liens de nature amicale, professionnelle ou politique tissés entre des individus au sein ou en marge des ensembles organisés. En ce sens, un réseau est une configuration de relations interpersonnelles non réductible aux statuts officiels de ses membres.

L'idée, sinon le mot, n'est pas nouvelle : les sciences sociales ont insisté sur la réalité des relations informelles au plan local, dans l'univers de l'entreprise (groupes informels dans les ateliers et les bureaux, réseaux de dirigeants) et dans le monde politique (réseaux de responsables, de militants, relations avec la société civile, etc.). Elle charrie des images aussi bien positives (solidarité, entraide) que négatives (« clans », « maffias », clientélisme).

Le terme tend aujourd'hui à être repris de façon systématique pour mettre l'accent sur l'importance prise par les réseaux de toute nature dans la société contemporaine, marquée par la révolution de la communication et l'impératif de l'adaptabilité au changement. On oppose ainsi la fluidité des réseaux à la rigidité des organisations hiérarchisées.

Tous les réseaux, cependant, ne peuvent être mis sur le même plan. On peut distinguer à cet égard :
– les réseaux affinitaires, qui se réfèrent à certaines valeurs partagées et qui ne remplissent qu'occasionnellement des fonctions « utilitaires » (démarche pour aider un membre à obtenir un poste, solidarité matérielle et morale) ;
– les réseaux qui, alliant positions fortes et projets dans les structures officielles (politiques, économiques, culturelles), se situent d'emblée quoique obliquement dans la sphère du pouvoir : pouvoirs parallèles, pouvoir d'influence ;
– les réseaux qui se situent dans la mouvance contestataire. Ces réseaux plus ou moins organisés ont toujours existé. Les progrès décisifs de la communication ouvrent, cependant, des possibilités nouvelles comme le montrent les regroupements à distance permis par les sites Internet et le courrier électronique.

→ *Relations humaines, Réseau (en économie), Sociabilité.*

RÉSERVE (Prix de)

Le prix de réserve pour un bien X est celui pour lequel il est indifférent à l'individu d'acheter ou de ne pas acheter une certaine quantité de ce bien X.

♦ Si l'individu demande n unités du bien X au prix p, c'est que r_n, le prix de réserve pour n unités, est tel que : $r_n \geq p > r_{n+1}$.

RÉSERVE (Salaire de)

Niveau de salaire pour lequel il est indifférent pour un individu d'occuper l'emploi correspondant à ce salaire ou de rester inactif.

♦ Si l'on propose à l'individu un salaire inférieur à son salaire de réserve, il « préfère » rester inactif. L'arbitrage porte sur l'alternative travail/loisir : le salaire de réserve mesure donc le coût d'opportunité du travail par rapport au loisir, c'est-à-dire la perte de bien-être qui résulte du sacrifice des heures de loisir auxquelles l'individu substitue des heures de travail.

On utilise parfois la notion de salaire de « réservation » pour désigner, dans le cadre des modèles de recherche d'emploi (*job search*), le niveau de salaire pour lequel il est indifférent à l'individu d'accepter l'offre d'emploi correspondante ou de continuer à prospecter le marché du travail. Dans ce cas, l'arbitrage porte sur l'alternative occuper un emploi/continuer à en chercher un. Parce que réservation est un barbarisme, il est préférable d'utiliser « salaire de réserve ».

→ *Efficience (Salaire d'), Flexibilité.*

RÉSERVES DE CHANGE

> Ensemble des moyens de paiement internationaux détenus et gérés par la Banque centrale pour le compte de la nation et destinés à financer les échanges extérieurs de celle-ci.

Ces liquidités internationales sont constituées :

– d'*or* : bien que démonétisé en 1976 par les accords de Kingston (Jamaïque), l'or détenu par les Banques centrales demeure une réserve monétaire de fait — il peut être offert en garantie pour l'obtention d'un crédit international — et une réserve stratégique (en cas de guerre) ;

– de *devises* : c'est-à-dire les monnaies étrangères les plus souvent utilisées comme moyens de règlement dans les contrats commerciaux. Principalement le dollar ; accessoirement le mark, la livre, le yen, le franc, le franc suisse, l'euro… Ces réserves en devises peuvent être détenues sous forme :

♦ – d'avoirs en monnaie scripturale sur des comptes dans les Banques centrales ou dans les banques commerciales étrangères ; parfois rémunérés, ils ne sont pas alors totalement liquides ;
– de bons du Trésor américain qui rapportent un intérêt ;
– de lignes de crédit auprès de Banques centrales étrangères résultant d'accords de « swaps » (accords de crédits croisés entre Banques centrales).

– d'*avoirs sur le FMI* (droits de tirage normaux et spéciaux).

Ces réserves de change ne sont pas toutes « possédées » par la Banque centrale puisque certaines ne sont disponibles que sous conditions :

♦ – ainsi des droits de tirage sur le FMI ; plus le pays « tire » sur le FMI, plus celui-ci peut le contraindre à s'engager à réformer sa politique économique ;
– ainsi des « swaps » : s'ils sont automatiques, ils supposent cependant un accord préalable avec une Banque centrale étrangère.

Les réserves de change s'accroissent lorsque le solde des paiements extérieurs résultant des échanges de marchandises, d'invisibles et de capitaux, est positif. Elles servent à financer un solde négatif. Leur niveau reflète donc la « contrainte extérieure » qui pèse sur un pays ouvert aux échanges avec l'étranger et qui peut parfois « vivre au-dessus de ses moyens ».

Enfin, les réserves de change varient en fonction des interventions de la Banque centrale sur le marché des changes : par ses achats ou ses ventes de devises, elle oriente les taux de change. Cette intervention est obligatoire dans le cadre d'un SMI prévoyant des parités officielles fixes.

♦ Remarque : les avoirs en or ou en devises détenus dans les banques commerciales par les agents privés — dans la mesure où le contrôle des changes le leur permet — ne font pas partie des réserves officielles de change.

→ *Balance des paiements, Changes (Contrôle des), Changes (Marché des), Europe communautaire (union monétaire), Fonds monétaire international (FMI), Liquidités internationales, Système monétaire international (SMI).*

RÉSERVES OBLIGATOIRES

→ *Politique monétaire.*

RÉSIDENT

> Personne physique ou morale établie dans un pays depuis plus d'un an, quelle que soit sa nationalité. La Comptabilité nationale traite des résidents qui comprennent des nationaux et des étrangers ; les nationaux vivant à l'étranger sont classés parmi les non-résidents.

→ *Comptabilité nationale.*

RETRAITES
(Financement des)

Les retraites sont des prestations sociales versées à des individus ayant atteint un âge donné, le plus souvent sous condition d'arrêt de leur activité professionnelle. Deux modèles de financement sont en théorie possibles, la répartition et la capitalisation.

◆ Le montant de la retraite versée dépend de plusieurs paramètres dont le plus important est le montant des cotisations versées pendant la période d'activité. Cependant, il existe le plus souvent un « minimum vieillesse » qui permet de verser une retraite à ceux qui n'auraient jamais ou insuffisamment cotisé.

Les deux modèles de *financement* :

– la **répartition** : les cotisations des actifs versées pendant une période servent à financer les retraites de la même période (mois ou trimestre ou année).

Le système par répartition est bien adapté à la couverture de populations larges dans le cadre d'un régime obligatoire. Ses performances varient en fonction du taux de croissance du revenu national.

Après la Seconde Guerre mondiale, la très grande majorité des pays développés a choisi le système par répartition comme base des régimes obligatoires de retraites versées par les organismes de Sécurité sociale ;

– la **capitalisation** : les cotisations de chaque actif assuré sont placées sur le marché financier. Le capital ainsi constitué permettra ultérieurement de verser au retraité une rente jusqu'à sa mort.

Le système par capitalisation est bien adapté à la couverture facultative de populations restreintes disposant d'un revenu élevé et stable, dans un contexte d'inflation faible. Il est particulièrement sensible aux fluctuations des taux d'intérêt réels et, plus généralement, aux évolutions des marchés financiers.

◆ L'évolution des systèmes de retraite des pays développés se caractérise par une croissance du montant global des prestations versées, en raison de trois facteurs :

– le vieillissement de la population, caractéristique de l'évolution démographique (la part des personnes en âge de toucher une retraite augmente) ;

– une meilleure couverture de la population, salariée et non salariée, par les régimes de retraite ;

– l'allongement de la durée moyenne de cotisation dû à l'augmentation de l'activité féminine.

◆ La croissance des dépenses de retraite a conduit la plupart des gouvernements des pays industrialisés à mettre en place des politiques restrictives qui s'appuient sur deux mécanismes : l'augmentation de l'âge légal de la retraite (dans les pays développés, il varie selon les pays de 60 à 70 ans) ; la stabilisation, voire la diminution, du montant moyen de la pension par tête.

◆ Elle a conduit à s'interroger sur une réforme en profondeur du système de retraites et, en particulier, l'introduction d'une certaine dose de capitalisation. Pratiquement impossible pour les régimes obligatoires (un assuré devrait verser une double cotisation : pour financer les retraites actuelles et pour préparer sa retraite future), cette orientation s'est traduite par l'encouragement à la création de fonds de pension ou, plus généralement, au développement des systèmes d'épargne collective.

⟶ *Assurance, État-providence, Fonds de pension, Sécurité sociale, Vieillissement.*

REVENU

Flux de ressources (réelles ou monétaires), issu directement ou indirectement de l'activité économique, perçu par un agent économique, individu, ménage ou collectivité.

Le revenu global d'une économie nationale se décompose principalement en revenu des ménages et revenu des entreprises.

En contrepartie de leur participation à l'activité économique, les ménages reçoivent des revenus qualifiés de primaires, rémunérant les facteurs de production, travail et capital.

Ces *revenus primaires* des ménages comprennent :
– la rémunération des salariés, c'est-à-dire tous les versements effectués par les employeurs au titre de la rémunération du travail (salaires et traitements nets, cotisations sociales salariales et patronales, avantages en nature, etc.) ;
– les revenus du patrimoine : dividendes, intérêts, loyers, fermages, métayages ;
– les revenus de l'entreprise individuelle qui sont des revenus mixtes puisqu'ils rémunèrent à la fois un travail et un capital.

Pour connaître les revenus disponibles pour la consommation et l'épargne, il faut prendre en compte les opérations de redistribution, donc les transferts négatifs ou positifs qui affectent les revenus primaires : on soustrait les prélèvements obligatoires (impôts directs et cotisations sociales) et on ajoute les prestations sociales (vieillesse, santé, famille, emploi, etc.). Ces prestations constituent des *revenus de transfert* ou *revenus indirects* ou *revenus sociaux*, c'est-à-dire des revenus qui sont la contrepartie de droits reconnus par la société (par exemple, le droit à la santé).

→ *Prestations sociales, Redistribution, Répartition.*

REVENUS DE TRANSFERT

→ *Revenu.*

REVENU DISPONIBLE

Part du revenu qui reste à la disposition des ménages après redistribution, c'est-à-dire après paiement des impôts directs et des cotisations sociales d'une part, et perception des prestations sociales d'autre part.

→ *Propension, Redistribution, Répartition.*

REVENU MINIMUM D'INSERTION (RMI)

Créé par la loi du 1er décembre 1988, le revenu minimum d'insertion est une allocation différentielle qui garantit à toute personne de plus de 25 ans un certain niveau de ressources (2 608,50 F pour une personne seule au 1er janvier 2001), majoré de 50 % pour la deuxième personne présente et de 40 % pour chaque personne à charge supplémentaire. Le bénéficiaire s'engage à faire une démarche d'insertion.

Le RMI donne automatiquement accès à des droits sociaux essentiels : assurance maladie (notamment la couverture complémentaire depuis la loi de juillet 1992), allocation logement au taux maximum.

Le bénéficiaire s'engage à participer aux actions ou activités, définies avec lui, nécessaires à son insertion sociale ou professionnelle (contrat d'insertion). La prestation est financée par l'État et les collectivités territoriales et versée par le régime général (CAF) ou la Mutualité sociale agricole (MSA).

Au début des années 2000, les allocataires directs de cette prestation sont près d'un million. La population totale couverte (y compris les enfants des allocataires) se chiffre à plus de 1,7 million de personnes.

→ *Minima sociaux, Précarité, Protection sociale, Revenu.*

REVENU NATIONAL

→ *Revenu.*

REVENU PERMANENT

« Somme qu'un consommateur peut consommer [...] en maintenant constante la valeur de son capital » (Friedman, 1957).

Cette définition théorique de Friedman est inspirée à la fois de la définition que Hicks donne du revenu (maximum qu'un individu peut consommer sans s'appauvrir) et de la théorie des choix intertemporels du consommateur (celui-ci ayant la possibilité d'emprunter ou de prêter sur un marché financier parfait afin de mieux répartir ses consommations dans le temps).

Cette notion mérite quelques éclaircissements :
– le revenu permanent n'est pas le revenu effectivement perçu au cours de la période car ce dernier inclut en plus des gains ou des pertes transitoires (non anticipés et non durables) ;
– le revenu permanent est un flux obtenu par un calcul d'actualisation à partir de la richesse (ici nommée capital) de l'individu, ce qui signifie que celui-ci est capable d'anticiper l'évolution de ses ressources sur une assez longue période ;
– le capital envisagé se décompose en capital non humain et capital humain (celui-ci étant la source des revenus du travail à percevoir dans l'avenir).

♦ À la différence de la fonction de consommation keynésienne, la fonction friedmanienne n'établit pas une relation entre la consommation et le revenu observés (cette relation étant jugée instable) mais entre la consommation permanente (valeur des services que l'on prévoit de consommer pendant la période considérée) et le revenu permanent : $Cp = f(Rp)$. Cette relation (qui dépend de diverses variables, dont le taux d'intérêt et l'importance relative du capital humain dans la richesse) est supposée stable et, sous certaines hypothèses, proportionnelle ($Cp = aRP$).
♦ Cette analyse constitue l'un des fondements de la critique des politiques keynésiennes de relance : le multiplicateur de dépenses gouvernementales est faible et/ou aléatoire puisque la propension marginale à consommer ne dépend pas du revenu courant.

♦ On se doute que cette théorie est délicate à vérifier à partir des données empiriques (la mesure du revenu permanent à partir d'une série de revenus courants et passés affectés de coefficients décroissants dans le temps n'est pas convaincante). Elle eut le mérite de mettre l'accent sur le rôle joué par les variables patrimoniales dans les choix de consommation, ouvrant ainsi la voie à la théorie du cycle de vie.

→ **Consommation (finale, intermédiaire), Cycle de vie des individus (Théorie de l'épargne), Effet de cliquet, Friedman ; Annexe 20.**

REVENUS SOCIAUX

Par opposition aux revenus d'activité, les revenus sociaux résultent d'un transfert, le plus souvent effectué dans le cadre d'un régime de protection sociale. Ils comprennent les retraites, les indemnités de chômage, les prestations familiales, les pensions d'invalidité, le RMI et l'aide sociale. Sont exclus de cette notion les indemnités journalières pour cause de maladie ou de maternité et les remboursements de frais médicaux.

→ **Protection sociale.**

RÉVISIONNISME

Courant de pensée qui, remettant en cause certains principes fondamentaux d'une doctrine, en propose la révision.

Surtout employé à propos du marxisme et du courant de théoriciens qui, à la suite d'Édouard Bernstein, ont cherché à en reconsidérer certains fondements.

Le qualificatif de « révisionnistes » a été récemment appliqué aux auteurs d'extrême droite qui remettent en cause l'histoire de la Seconde Guerre mondiale en niant le génocide.

→ **Lénine, Marxisme.**

RÉVOLUTION AGRICOLE

Ensemble d'innovations cultura-les (suppression de la jachère, introduc-tion de plantes fourragères...), de transformations des structures agraires (remembrements, enclosures...) et de changements sociaux bouleversant l'agriculture anglaise et plus générale-ment celles de l'Europe du Nord-Ouest au XVIIIᵉ siècle et au début du XIXᵉ siècle.

♦ En Angleterre, les changements sociaux sont importants : exclusion des paysans sans terre, déclin des petits propriétaires indépendants, renforcement des propriétai-res fonciers et des fermiers « aisés ».

La révolution agricole se traduit par une amélioration décisive de la produc-tivité et de la production. Considérée, dans les cas précités, comme un facteur essentiel de la révolution industrielle : dégagement d'une main-d'œuvre dispo-nible pour l'industrie, approvisionne-ment d'une population urbaine en croissance rapide, multiplication des échanges intersectoriels. En France, en l'absence de réelle révolution agricole préalable, c'est le processus d'industria-lisation qui conditionne les lentes trans-formations culturales à partir de 1840.

⟶ *Assolement, Enclosures, Révolution industrielle.*

RÉVOLUTION CULTURELLE

Transformation importante et rapide des normes, des modèles cultu-rels et des représentations qui leur sont attachées : on a pu parler ainsi de « révolution sexuelle » pour désigner la libéralisation des mœurs au cours des années 1960-1970 ou de révolution dans les campagnes à pro-pos des transformations profondes du monde agricole après la Seconde Guerre mondiale.

À la différence d'une révolution sociale, une révolution culturelle n'implique pas le bouleversement global des rapports sociaux ni forcement des épisodes violents ; la référence au « culturel » connote l'accent mis sur les éléments symboliques même si le changement s'opère simultanément au niveau socio-économique : le déclin de la « culture paysanne », par exemple, est lié à la modernisation agricole.

⟶ *Changement social, Mouvement social.*

RÉVOLUTION INDUSTRIELLE

1. Essor général des méthodes industrielles de production (machi-nisme, parcellisation des tâches, mul-tiplication des fabriques) associé au bouleversement des structures éco-nomiques et sociales entre la fin du XVIIIᵉ siècle et la première moitié du XIXᵉ siècle en Europe occidentale.

♦ La Grande-Bretagne est le pays pionnier de la révolution industrielle. Avec un certain décalage et des formes moins systéma-tiques, elle affecte la France, la Belgique, l'Allemagne, puis les États-Unis, le Japon, etc.

Marquée par de profondes transforma-tions agricoles, des innovations techniques fondamentales, l'accélération du proces-sus d'urbanisation, la formation de la classe ouvrière, la montée en puissance de la bourgeoisie industrielle et financière, etc., la révolution industrielle se développe dans le cadre d'un élargissement décisif des formes capitalistes de production et d'échanges : progrès technique continu, capitaux mobilisés en vue du profit, sépa-ration entre propriétaires des moyens de production et travailleurs salariés.

♦ Analysée d'abord couramment comme une révolution technique de laquelle tout procède (principe du déterminisme tech-nologique), la révolution industrielle est analysée comme le « démarrage d'une croissance d'un type nouveau auquel cor-respondent des nouveautés techniques » (J.-P. Rioux).

TABLEAU DES RÉVOLUTIONS INDUSTRIELLES OU TECHNIQUES			
	Période	Inventions et innovations majeures	Innovations dérivées effets d'entraînement
1re révol. industrielle	fin XVIIIe-début XIXe	Machine à vapeur Machinisme et mécanisation	Métallurgie Boom de l'industrie textile (révolution cotonnière)
Révolution ferroviaire	1840-1870	Locomotive Rails en acier	Transports ferroviaires Sidérurgie
2e révol. industrielle	fin XIXe-début XXe	Moteur électrique Moteur à explosion (pétrole)	Électromécanique Automobile Industries chimiques
« Révolution scientifique et technique »	lendemain de la Seconde Guerre mondiale	Électronique Physique nucléaire Chimie de synthèse	Énergie nucléaire Textiles synthétiques
3e révol. industrielle ou révol. informatique	à partir des années 1970	Microélectronique Informatique Découvertes biologiques	Bureautique, télématique, robotique et automatisation Biotechnologies

La périodisation et la caractérisation des révolutions industrielles ne fait pas l'unanimité. La RST (révolution scientifique et technique), isolée par certains historiens, peut être considérée comme l'origine de la troisième révolution industrielle.

La révolution industrielle caractérise ainsi le passage, plus ou moins rapide, de la société traditionnelle précapitaliste à la société industrielle modelée par le mode de production capitaliste dominant.

Avant la révolution industrielle, certains processus économiques peuvent être qualifiés de capitalistes, mais ils se limitent à une sphère étroite (grand négoce, commerce maritime, banque).

> 2. Par extension, les *révolutions industrielles* sont des périodes marquées par des innovations techniques fondamentales bouleversant les méthodes de production et d'échange dans les sociétés industrielles. (Synonyme : révolution technique.)

De ce point de vue, la révolution industrielle est qualifiée de première ; elle est suivie par d'autres révolutions — industrielles ou, plus communément, techniques — au cours des XIXe et XXe siècles marquant ainsi le rythme discontinu du progrès technique (voir tableau).

Cette seconde acception est plus restreinte. Elle ne correspond pas à une mutation générale du système économique et social.

⟶ *Capitalisme, Innovation, Pôle de croissance/Pôle de développement, Progrès technique, Révolution agricole.*

RICARDO (David)

> Économiste classique anglais, homme d'affaires, homme politique (1772-1823), auteur des *Principes de l'économie politique et de l'impôt* (1817). Ricardo donne pour objet à l'économie politique la découverte des lois qui régissent la répartition des revenus entre les classes sociales : la rente, revenu du propriétaire foncier ; le profit, revenu du capitaliste (fermier ou industriel) ; le salaire, revenu du travailleur.

Son point de départ est une lecture critique de *La Richesse des nations*, d'A. Smith. La rente dépend des prix des produits agricoles et est due à l'existence de rendements décroissants.

◆ Dans une économie où l'on produit du blé, le prix du blé est déterminé par les conditions de production sur les terres cultivées les moins fertiles ; en effet, sur ces terres marginales, le prix doit être supérieur au coût de production (essentiellement des salaires), sinon les capitalistes-fermiers n'auraient pas intérêt à les louer pour les cultiver.

♦ Sous l'effet de la concurrence entre les capitalistes, les taux de profit tendent à s'égaliser partout au niveau du taux de profit le plus faible, celui que l'on obtient sur les terres marginales. Quant au taux de salaire réel, il tend vers le salaire de subsistance, qui est le prix naturel du travail ; le taux de salaire nominal varie en fonction du prix du blé. Dès lors, sur toutes les terres non marginales, du fait des rendements supérieurs à ceux des terres marginales, après que les salariés et les fermiers-capitalistes ont obtenu leur part (salaires + profits), il apparaît un surplus, la rente.

♦ Sur une terre donnée, la rente dépend de la différence entre le rendement de cette terre et le rendement de la terre marginale. Si la population s'accroît, il faut mettre en culture des terres de moins en moins fertiles, ce qui provoque une baisse du rendement marginal et une hausse du prix du blé, donc une augmentation de la rente.

Le profit qui revient aux capitalistes est déterminé par les conditions de production sur la terre marginale, c'est-à-dire par la différence entre le rendement marginal et le salaire de subsistance ; l'accumulation du capital implique la mise en culture des terres de moins en moins fertiles, donc une baisse du rendement marginal et une baisse du taux de profit ; les profits sont donc pris en tenaille entre la hausse de la rente et la hausse des salaires nominaux (due à l'augmentation du prix du blé), ces deux hausses ayant pour cause les rendements décroissants.

Au terme de cette évolution, l'accumulation cesse, le taux de profit étant devenu trop faible pour inciter les capitalistes à investir ; la croissance cesse également : on entre dans un état stationnaire. Le progrès technique pourrait retarder cette échéance en générant une hausse des rendements, mais Ricardo n'imagine pas qu'il puisse contrecarrer durablement cette tendance vers l'état stationnaire.

♦ La théorie ricardienne de la valeur est complexe ; en la simplifiant à l'extrême, on peut dire que les marchandises, c'est-à-dire les biens reproductibles, s'échangent à proportion des quantités de travail direct et indirect (production des moyens de production) nécessaires à leur fabrication.

♦ La contribution la plus importante de Ricardo à l'analyse économique est probablement la théorie des avantages relatifs ; elle constitue, aujourd'hui encore, l'un des piliers de l'argumentation en faveur du libre-échange et de la spécialisation.

→ *Avantage (absolu, comparatif), Classique(s) (Économie, économistes), Krugman, Rente, Répartition, Valeur-travail ; Annexes 5, 22.*

RISQUE MORAL

→ *Aléa moral, Assurance, Effet pervers.*

RITE

Pratique codifiée, obéissant à des règles précises, souvent à dimension symbolique.

Les rites ne concernent pas seulement le domaine religieux (cérémonies du culte, prescriptions), ils intéressent de nombreux actes de la vie collective (festivités et cérémonies publiques) et de la vie de relations (rites de politesse). Ils symbolisent la communion des membres d'une collectivité, leur acceptation d'un certain ordre des choses, ou encore leur intégration dans la société.

Certains rites sont des actes constitutifs d'une nouvelle situation, d'un nouveau statut : rites de passage, rites d'initiation.

→ *Initiation (Rite d'), Rituel, Sacré, Symbole/Symbolique.*

RITUEL

Ensemble codifié des règles et des actes cérémoniels. Exemple : le rituel des vœux de nouvel an, ou de la rentrée parlementaire, etc.

RMI

→ *Revenu minimum d'insertion (RMI).*

ROBINSON (Joan)

Économiste anglaise, keynésienne et post-keynésienne, professeur à Cambridge (1903-1983).

Assistante d'économie à Cambridge en 1929, elle travaille avec J.M. Keynes et P. Sraffa. Son esprit critique, parfois caustique, son anticonformisme et son sens de l'humour font de Robinson un personnage à part. Sa principale cible est la théorie néo-classique : dès 1933, elle propose de substituer l'hypothèse de concurrence imparfaite à celle de concurrence parfaite ; dans les années 1940, elle rejette l'idée que l'économie du marché tendrait vers l'équilibre en longue période ; en 1953, elle ouvre la controverse sur la mesure du capital et l'utilisation des fonctions de production. Influencée par ses lectures de Kalecki, Marx et Luxemburg, elle accorde une place centrale à l'accumulation du capital et réhabilite les schémas de reproduction, mais critique les aspects métaphysiques et idéologiques de l'économie marxiste ; J. Robinson se disait « keynésienne de gauche ».

◆ Ouvrages principaux : *Économie de la concurrence imparfaite* (1933) ; *Essai sur l'économie de Marx* (1941) ; *L'accumulation du capital* (1955) ; *Contributions à l'économie contemporaine* (1984 pour l'édition française).

→ *École de Cambridge (Nouvelle).*

RÔLE

Comportement type et modèle de conduite correspondant à un statut (ou position sociale) : rôles masculin et féminin, rôle d'animateur, rôle professoral, etc. Notion inséparable de celle de statut : un statut commande un ou plusieurs rôles.

Le concept de rôle est soumis à une tension entre deux réalités proches mais néanmoins distinctes.

– *Rôle prescrit :* modèle des conduites jugées conformes pour un statut donné ; comportement attendu par l'entourage, le milieu, en fonction des normes sociales communément partagées.

Les situations sociales définissent des champs de rôles, c'est-à-dire des positions et des rôles complémentaires : médecins et patients, professeurs, élèves et administration, etc.

– *Rôle joué, ou comportement de rôle :* manière dont chacun interprète son rôle tout en respectant plus ou moins les attentes d'autrui. Les individus peuvent prendre des distances par rapport à leur rôle.

◆ La terminologie employée (position, rôle, interprétation...) veut suggérer que la vie sociale s'apparente au jeu théâtral : les individus sont en représentation, ils jouent leur rôle en fonction des personnages (ici : les statuts) qu'ils endossent.

Rôles et statuts ne sont pas figés. Dans certaines situations, les comportements effectifs, en s'éloignant durablement des rôles prescrits, peuvent modifier ces derniers et, avec eux, les statuts correspondants.

→ *Conformité, Déviance, Goffman, Statut/Status ; Annexe 43.*

RÔLES FÉMININ ET MASCULIN

À la fois modèles de conduite, rôles prescrits ou attendus et comportements effectifs de l'un et l'autre sexe dans la vie privée (la conjugalité, la sphère domestique) comme dans le domaine public (lieux de sociabilité, lieux de travail, instances associatives, etc.).

S'agissant de la vie domestique, le modèle dominant était et est encore celui de la complémentarité des rôles avec prééminence de l'homme dans certains domaines. Ce modèle, sans être bouleversé, est remis en cause tant par l'évolution des représentations que par la contestation idéelle et pratique des rôles prescrits de la part d'un nombre croissant de femmes. Jouent en particulier les tensions engendrées par « la double journée de travail » (activité professionnelle et tâches domestiques) et la diffusion des idéaux égalitaires (égalité, parité).

→ *Genre (Relations de), Parité hommes/ femmes, Rôle*.

ROSTOW (Walt Whitman)

Économiste américain, né en 1916, célèbre pour son ouvrage *Les Étapes de la croissance économique*, dans lequel il décrit l'évolution économique par laquelle doit passer toute société.

♦ « À considérer le degré de développement de l'économie, on peut dire de toutes les sociétés qu'elles passent par l'une des cinq phases suivantes : la société traditionnelle, les conditions préalables du démarrage, le démarrage, le progrès vers la maturité, et l'ère de la consommation de masse. »

♦ Cette vision est contestée par un certain nombre d'analystes.

→ *Décollage, Économie du développement, Gerschenkron (Modèle de)*.

RTT

→ *Réduction du temps de travail (RTT)*.

S

SACRÉ

Au sens général : ce qui est précieux, fortement valorisé, entouré de respect et de crainte, touchant aux choses essentielles et souvent inaccessibles au premier abord. Le sacré interfère avec le religieux mais son champ est plus vaste.

Pour Durkheim et ses disciples (Mauss en particulier), sacré et société sont indissolublement liés. Le sacré procède de tout ce que la société propose à l'homme de supérieur, en tant que force morale, et puissance dépassant les individus qui la composent. Il s'oppose au profane comme la collectivité et l'ordre du monde s'opposent aux individus et à l'expérience commune immédiate.

Cette opposition recouvre aussi celle du pur et de l'impur. En ce sens « le sacré est le séparé, l'interdit » car on ne doit pas « porter atteinte à cette ordonnance universelle qui est celle de la nature et de la société ». L'approche du sacré ne peut se faire sans accomplissement de rites. De même, le sacré peut appeler le sacrifice : « manière pour le profane de communiquer (avec lui) par l'intermédiaire d'une victime » (Mauss).

→ *Interdit, Rite.*

SAINT-SIMON (Claude-Henri de Rouvroy, comte de)/ SAINT-SIMONISME

Théoricien socialiste français (1760-1825), considéré, avec Fourier et Owen, comme l'un des représentants du socialisme utopique, et dont la doctrine industrialiste influencera ingénieurs et financiers pendant la révolution industrielle.

Ne pas le confondre avec le duc de Saint-Simon, mémorialiste célèbre du XVIIe siècle.

Le saint-simonisme est une doctrine de la production, une critique de l'ordre social et du libéralisme et une religion du progrès.

Les producteurs s'opposent aux oisifs (les « frelons »). « La classe industrielle est la classe fondamentale, la classe nourricière de la société. » Au sommet de la classe industrielle : les banquiers, qui organisent l'économie par le crédit. Ainsi, avant la lettre, il prône la technocratie.

La réforme sociale est bien le but de cet industrialisme technocratique : « Améliorer le plus promptement possible l'existence morale et physique de la classe la plus pauvre. » Mais « il n'y a point de changements dans l'ordre social sans un changement dans la propriété » : celle-ci, n'étant qu'une fonction sociale, doit être réorganisée à des fins plus productives.

La réforme globale de la société doit conduire à la paix et à l'harmonie universelles. La « religion saint-simonienne » célèbre le progrès scientifique et humain par des rites, des chants (le « Chant des industriels » de Rouget de Lisle).

♦ Les applications concrètes du saint-simonisme sont à rechercher dans la réussite des projets personnels de ses disciples : le « Père » Enfantin participe à l'aventure des chemins de fer et du canal de Suez, dont il conçoit les premiers plans, et que F. de Lesseps mène à terme ; les frères Péreire fondent le Crédit mobilier (1852) ; M. Chevalier devient le conseiller économique de Napoléon III… Ainsi, de manière un peu paradoxale, ils auront surtout matérialisé l'utopie saint-simonienne en édifiant le capitalisme industriel français.

♦ Ouvrages principaux : *Lettres d'un habitant de Genève à ses concitoyens* (1803) ; *Introduction aux travaux scientifiques du XIXe siècle* (1807) ; *Le système industriel* (1820-1822) ; *Le nouveau christianisme* (1825).

➜ *Marx, Owen, Positivisme, Socialisme, Technocratie.*

SALAIRE

Rémunération du travail effectué, dans le cadre d'un contrat de travail, pour le compte d'une autre personne appelée employeur.

♦ Suivant l'activité, plusieurs synonymes peuvent être utilisés : *traitement* pour les fonctionnaires, *gages* pour les domestiques, *solde* pour les militaires, etc.

On distingue le *salaire brut* qui est le montant avant déduction de la part salariale des cotisations sociales et le *salaire net* qui est le montant après déduction de cette part. Le terme *salaire social ou indirect* est souvent utilisé pour désigner l'ensemble des prestations légales ou conventionnelles perçues par les salariés : congés, indemnités journalières, retraites, etc.

Pour les économistes classiques, le salaire est la variable d'équilibre du marché de l'emploi et varie en fonction de l'offre et de la demande de travail.

Pour Marx et les marxistes, le salaire est le prix de vente de la force de travail et, sur le long terme, correspond au niveau de subsistance permettant de reconstituer celle-ci.

Keynes met l'accent sur la double nature du salaire : coût du travail pour l'entreprise, il est également, au niveau macroéconomique la principale source de revenu d'une grande majorité de la population. C'est pourquoi l'hypothèse d'une flexibilité parfaite du salaire à la baisse est une illusion.

♦ Les facteurs qui déterminent le niveau du salaire sont multiples. Le principal est sans aucun doute le niveau de qualification, très lié en France au diplôme. L'expérience professionnelle intervient de manière très différenciée selon la qualification (forte chez les cadres, faible chez les ouvriers). À l'inverse, l'ancienneté dans l'entreprise est d'autant plus valorisée que la qualification est faible. L'écart dû au sexe reste important : l'INSEE l'estime à 9 % en début de carrière mais à 14 % après vingt ans d'expérience. Enfin les caractéristiques de l'entreprise sont également causes de différences importantes de salaire : secteur d'activité, taille, position de l'entreprise sur son marché (monopole, exposition à la concurrence nationale ou internationale), région d'implantation, politique salariale plus ou moins incitative.

➜ *Chômage, Revenu, Travail.*

SALAIRE D'EFFICIENCE

➜ *Efficience (Salaire d').*

SALAIRE DE RÉSERVE

➜ *Réserve (Salaire de).*

SALAIRE MINIMUM INTERPROFESSIONNEL DE CROISSANCE (SMIC)

Salaire en dessous duquel un travailleur ne peut être légalement employé.

Défini sur une base horaire, son montant mensuel est fixé par voie réglementaire. Au 1er juillet 2001, son montant horaire brut était de 43,70 F ; son montant mensuel brut de 7 385,30 F sur la base légale de 39 heures applicable dans les entreprises de 20 salariés ou moins. Sur la base de la nouvelle durée légale de 35 heures le SMIC n'a été augmenté en moyenne que de 2,85 % (soit 200 F mensuels), les différences provenant de la date d'application de la loi Aubry dans les entreprises. Une garantie de salaire pendant une période transitoire est prévue dans le cadre de l'application de la loi sur les 35 heures.

Il a pour raison d'être de garantir aux salariés les plus démunis un revenu considéré comme le minimum nécessaire pour vivre en France à une période donnée.

Créé par la loi du 2 janvier 1970, il évolue en fonction de la hausse des prix et de la croissance économique.

♦ Le législateur a voulu, lors de sa création, garantir le pouvoir d'achat, mais également faire participer les plus défavorisés aux fruits de l'expansion économique : il augmente, d'une part, automatiquement lorsque l'indice des prix à la consommation augmente d'au moins 2 % ; d'autre part, il est révisé tous les ans en juillet par le gouvernement à un nouveau taux en fonction de l'évolution du pouvoir d'achat des salaires moyens enregistrés par le ministère du Travail pendant l'année écoulée.
♦ La hausse du pouvoir d'achat du SMIC doit être au moins égale à la moitié de la hausse du pouvoir d'achat de ces salaires horaires.

Depuis la fin des années 1960, les revalorisations du salaire minimum (SMIG, puis SMIC) ont joué un rôle important dans la réduction de l'éventail des salaires. Celui-ci s'est stabilisé, malgré des « coups de pouce » en 1995, 1997 et 2001.

La responsabilité du salaire minimum dans le taux de chômage élevé des salariés peu qualifiés a souvent été évoquée. Ce qui a conduit à une tentative de réduction des charges sociales pour ces plus bas salaires.

→ *Chômage, Salaire.*

SALAIRE NOMINAL/RÉEL

Salaire nominal : rémunération du salarié, libellée en unités monétaires courantes, résultant de l'application du contrat de travail (en ce qui concerne le salaire net de cotisations sociales, il s'agit de la somme d'argent que l'employeur fait virer au crédit du compte bancaire du salarié).

Salaire réel : pouvoir d'achat du salaire nominal, autrement dit quantité de biens et de services qu'il est possible d'acheter avec le salaire nominal. On mesure l'évolution du salaire réel par la formule :

$$\text{Indice du salaire réel} = \frac{\text{Indice du salaire nominal}}{\text{Indice des prix à la consommation}}$$

SALARIAT

Situation contractuellement définie, dans laquelle un individu reçoit de son employeur, public ou privé, une rémunération forfaitaire, le salaire, en contrepartie d'un travail fourni dans le cadre d'une organisation du travail et d'une durée déterminée.

Le salarié, travailleur dépendant, se différencie de l'artisan. Celui-ci achète ses moyens de production (équipements, matières premières) et organise son travail : sa rémunération provient du produit de la vente de son ouvrage. Le salarié ne possède pas les moyens de production et ne participe pas à la définition de l'organisation du travail. Il ne vend pas le produit de son travail mais un temps de travail. Sa rémunération ne dépend pas, pour l'essentiel, de la prospérité de l'entreprise. Tant que l'entreprise ne fait pas faillite, il n'assume pas les risques de l'entreprise.

La dépendance du salarié est variable : les cadres dirigeants des entreprises et des administrations sont juridiquement des salariés mais, du point de vue économique, ils sont, pour partie, des entrepreneurs. Par ailleurs, certaines nouvelles formes d'organisation du travail laissent plus de place à l'initiative des salariés ou introduisent une plus grande flexibilité dans le salaire.

L'essor des stock options tend à atténuer le caractère forfaitaire de la rémunération des salariés en introduisant une forme de revenu variable (essentiellement pour les cadres) et dépendant de la valorisation de la firme sur le marché financier.

⟶ *Schengen (Convention de), Stock Options, Travail.*

SALARISATION

Mouvement de progression de la part des salariés dans la population active. Ce phénomène est une tendance lourde observable dans la plupart des économies développées ou en développement. En France, le *taux de salarisation* (rapport nombre de salariés sur total des actifs) est passé de 63 % en 1956 à environ 85 % dans les années 1990.

⟶ *Salariat, Travail.*

SAMUELSON (Paul Anthony)

Économiste américain, prix Nobel d'économie en 1970, Samuelson (né en 1915) est l'un des principaux représentants du « courant de la synthèse » (entre l'analyse néo-classique et l'analyse keynésienne) ; ses principaux apports concernent la théorie du consommateur, la théorie du commerce international, la théorie de l'équilibre et ses applications en politique économique.

⟶ *Hecksher-Ohlin-Samuelson (Théorème HOS), Keynes, Multiplicateur ; Annexes 19, 24, 25 ; Annexe : Prix Nobel d'économie.*

SAUVY (Alfred)

Économiste et démographe français (1898-1991) fondateur de l'Institut national des études démographiques (INED).

L'œuvre d'A. Sauvy est pluridisciplinaire et porte sur des thèmes très divers.

Son optimisme démographique, confirmé par les effets positifs de la reprise des naissances après la guerre, l'a conduit à s'opposer à toutes les formes de malthusianisme en France, mais à exprimer en revanche de fortes réserves sur l'explosion démographique dans certains pays du Tiers monde.

Son optimisme économique, celui d'un libéral modéré, s'exprime dans sa théorie de l'emploi : le progrès technique est créateur net d'emplois dans la longue période car les gains de productivité dans une branche créent des revenus qui engendrent une augmentation de la demande adressée à d'autres branches (notion de déversement). Tant que des besoins — qu'il faudrait recenser — demeurent insatisfaits, un taux de chômage important est un contresens (une analyse des circuits d'emplois devant permettre de connaître les formations à donner aux hommes pour qu'ils puissent produire de quoi satisfaire leurs besoins privés et publics).

♦ Ouvrages principaux : *Histoire économique de la France entre les deux guerres* (1965-1970) ; *Théorie générale de la population* (1956) ; *La machine et le chômage* (1980) ; *Les légendes du siècle* (inédit).

SAY (Jean-Baptiste)

Auteur classique français (1767-1832), dont la postérité a surtout retenu la *loi des débouchés* selon laquelle « les produits s'échangent contre les produits » et donc l'offre crée sa propre demande.

◆ « Il est bon de remarquer qu'un produit créé offre, dès cet instant, un débouché à d'autres produits pour tout le montant de sa valeur. En effet, lorsque le dernier producteur a terminé un produit, son plus grand désir est de le vendre, pour que la valeur de ce produit ne chôme pas entre ses mains. Mais il n'est pas moins empressé de se défaire de l'argent que lui procure sa vente, pour que la valeur de l'argent ne chôme pas non plus. Or, on ne peut se défaire de son argent qu'en demandant à acheter un produit quelconque. On voit donc que le fait seul de la formation d'un produit ouvre, dès l'instant même, un débouché à d'autres produits » (*Traité d'économie politique*, 1803, livre I).

Dans cette perspective, la monnaie n'est qu'un « voile » qui recouvre un troc et le problème des débouchés est évacué par construction. Les crises de surproduction ne sont pas explicables par le fonctionnement du marché. Ces hypothèses sont à la base de théories, telles que la théorie quantitative, qui considèrent que la monnaie est neutre.

Keynes développe une critique radicale de cette loi : la monnaie peut être désirée pour elle-même, une partie des revenus peut ne pas être remise dans le circuit (thésaurisation).

⟶ *Classique(s) (Économie, économistes), Économie de l'offre (Supply side economics), Keynes, Monnaie (Théorie quantitative de la), Thésaurisation ; Annexes 4, 8.*

SCHENGEN (Convention de)

Accord de différents pays de l'Union européenne (en 1997 : Allemagne, France, Benelux, Espagne, Portugal, Autriche, Italie), prévoyant la libre circulation des personnes sans contrôle aux frontières et organisant la coopération policière et la surveillance renforcée des frontières extérieures, mais n'excluant pas des mesures de sauvegarde. Le traité d'Amsterdam intègre cette convention dans les traités de l'Union européenne.

⟶ *Europe communautaire (histoire des communautés européennes).*

SCHMIDT (Théorème de)

⟶ *Politique de l'emploi.*

SCHULTZ (Théodore W.)

⟶ *Économie du développement ; Annexe : Prix Nobel d'économie, Annexe 24.*

SCHUMPETER (Joseph Aloïs)

Économiste et sociologue autrichien (1883-1950), exilé aux États-Unis au moment de la montée du nazisme, professeur à Harvard.

Initié à l'économie par les néo-classiques autrichiens, fervent admirateur de Walras, commentateur de Marx et lecteur de Weber, J.A. Schumpeter, particulièrement éclectique dans ses sources d'inspiration, est considéré comme un économiste hétérodoxe. Sans rejeter l'analyse statique, qui culmine dans la théorie de l'équilibre général, il a consacré une partie essentielle de son œuvre à l'analyse de l'évolution du capitalisme.

Dans la *Théorie de l'évolution économique* (1911), il insiste déjà sur l'importance cruciale des innovations et sur le rôle déterminant de l'entrepreneur, celui qui met en œuvre de nouvelles méthodes de production et lance de nouveaux produits.

Dans son ouvrage de 1939 sur *les cycles des affaires*, il distingue trois grands types de cycles et les explique par l'émergence et l'absorption de vagues d'innovations.

Dans *Capitalisme, socialisme et démocratie* (1942), il montre que l'évolution du capitalisme sape les fondements sociaux et culturels de la société capitaliste, conduisant ainsi à l'avènement du socialisme. Ce dernier livre est aussi l'œuvre d'un sociologue et d'un historien ; il en va de même pour *Impérialisme et classes sociales*.

L'immense érudition de Schumpeter, son talent, s'expriment complètement dans ce qui est l'un des monuments de la littérature économique : son *Histoire de l'analyse économique* (1954).

→ **Cycles, Innovation ; Annexe 13.**

SCRIPTURALE (Monnaie)

→ **Monnaie.**

SEBC (SYSTÈME EUROPÉEN DE BANQUES CENTRALES)

Association, dans le cadre de l'union économique et monétaire européenne, de la BCE et des Banques centrales des pays de l'Union européenne.

Cette instance incorpore les banques des pays membres de l'Union européenne et non membres de la zone euro (en 2001, le Royaume-Uni, la Suède et le Danemark).

→ **Europe communautaire (union monétaire).**

SECTEUR ÉCONOMIQUE

Au sens de la Comptabilité nationale : ensemble d'entreprises ayant la même activité principale.

Une entreprise peut avoir plusieurs types d'activité dont l'une est cependant considérée comme dominante. L'entreprise est rattachée au secteur qui regroupe les produits issus de cette fonction principale : une entreprise de parfums qui fabrique ses flacons est rattachée au secteur de la chimie. En revanche, ses productions seront ventilées en deux branches : parfums dans la branche chimie, flacons dans la branche verrerie. Il faut distinguer *secteur* et *branche*.

→ **Branche, Clark, Comptabilité nationale, Secteurs d'activité (Grands secteurs).**

SECTEUR PRIVÉ/PUBLIC

Le *secteur privé* désigne l'ensemble des entreprises dont le capital est détenu par des personnes physiques, des particuliers, ou par des personnes morales privées, des sociétés.

♦ Le secteur privé comprend, outre les entreprises capitalistes, le secteur associatif, c'est-à-dire l'ensemble des associations sans but lucratif créées selon la loi de 1901.

Le *secteur public* désigne, au sens large, l'ensemble des administrations publiques et des entreprises sur lesquelles l'État exerce une influence décisive. Dans un sens plus restreint, l'ensemble des entreprises publiques ou semi-publiques.

→ **Économie mixte.**

SECTEURS D'ACTIVITÉ (GRANDS SECTEURS)

Au-delà de la définition de base de la Comptabilité nationale, les secteurs désignent les divers regroupements d'activités économiques : les statistiques proposent des découpages variés et plus ou moins détaillés de la production en *n* secteurs, eux-mêmes subdivisés en sous-secteurs.

En France, l'INSEE a élaboré des nomenclatures d'activités et de produits dont, depuis le 1er janvier 1993, la NAF (nomenclature des activités françaises).

Un regroupement très usité consiste dans la répartition de l'activité économique en trois *grands secteurs : primaire* (agriculture, pêche et, dans certaines présentations, les activités extractives) ; *secondaire* (industries de transformation, bâtiment et travaux publics) ; *tertiaire* (les services au sens large : commerce, transports et communications, services marchands aux entreprises et aux particuliers, services des administrations publiques).

Cette tripartition remonte aux travaux d'A. G. Fischer, C. Clark et J. Fourastié entre les années 1930 et les années 1950.

♦ La classification de C. Clark repose principalement sur certaines caractéristiques productives des activités ainsi regroupées : la contrainte naturelle pour les activités primaires, « la transformation continue sur une grande échelle de matières premières en produits transportables » pour les activités industrielles (le BTP est donc exclu), la petite production et plus généralement les activités peu capitalistiques pour les services. Selon C. Clark, le glissement relatif de l'emploi vers les services s'explique principalement par l'évolution de la consommation finale (loi d'Engel).

♦ La classification de J. Fourastié est basée sur le rythme d'évolution du progrès technique et de la productivité : progrès technique moyen pour le secteur primaire, élevé pour le secteur secondaire, faible pour les autres activités. Précision importante : « Le contenu des trois secteurs varie dans le temps. »

L'usage universel et systématique de cette répartition en trois grands secteurs ne doit pas masquer ses faiblesses, en particulier la notion très fragile de secteur tertiaire, qui apparaît comme un véritable fourre-tout des activités qui ne peuvent être classées ni comme primaires, ni comme secondaires.

⟶ *Clark, Nomenclature(s), Secteur économique, Service(s).*

SECTEURS INSTITUTIONNELS

La Comptabilité nationale regroupe les différents partenaires de la vie économique en cinq secteurs institutionnels en fonction de deux critères : leur fonction principale (produire, consommer, etc.) et leurs ressources principales (par exemple la vente de leur production).

On distingue :
– **les ménages**, dont les ressources proviennent de la rémunération des facteurs de production (travail, capital, terre) et de transferts (prestations sociales, etc.), incluent les entreprises individuelles (agriculteurs, petits commerçants, artisans, professions libérales) parce qu'elles ne possèdent pas de personnalité juridique distincte (leur patrimoine est confondu avec celui du ménage correspondant) ; leur fonction principale est la consommation ;
– **les sociétés non financières** produisent des biens et services non financiers marchands. Leurs ressources proviennent pour l'essentiel du montant des ventes (au moins 50 % de leurs ressources) ; ce secteur inclut les quasi-sociétés, qui n'ont pas de personnalité juridique propre mais disposent d'une comptabilité séparée (succursales, bureaux de vente, chantiers de plus d'un an…) ;
– **les sociétés financières** regroupent les institutions financières proprement dites (les banques, dont la Banque centrale, et des intermédiaires comme les SICAV), dont la fonction principale est de financer grâce à des ressources principalement empruntées (dépôts, émission de titres), et les sociétés d'assurance, qui reçoivent des primes (ou des cotisations sociales volontaires dans le cas des mutuelles) et versent des indemnités (ou des prestations) en cas de réalisation d'un risque ;
– **les administrations publiques** (APU) regroupent l'administration centrale (essentiellement l'État), les administrations locales (régions, départements, communes), les administrations de Sécurité sociale ; leur fonction est de produire des services non marchands (c'est-à-dire fournis gratuitement ou à un prix inférieur à leur coût) ou d'effectuer des opérations de redistribution du revenu et du patrimoine (prestations et subventions) ; leurs ressources principales sont des prélèvements obligatoires (impôts et cotisations sociales) ;
– **les institutions sans but lucratif au service des ménages** (ISBLM) produisent des services non marchands à partir de cotisations volontaires (s'ils perçoivent

plus de 50 % de leurs recettes des APU, ils sont intégrés à ce secteur) ; ce sont des partis politiques, des églises, des syndicats, des organismes de charité, etc. ;

– **le reste du monde** est l'ensemble des unités non résidentes avec lesquelles les unités résidentes effectuent des opérations.

→ *Comptabilité nationale.*

SÉCULARISATION

> Déclin du poids de la religion, et plus généralement du sacré, dans la société.

Historiens et sociologues repèrent depuis le XIXe siècle ce processus dans la société — du moins dans les sociétés occidentales. Il comprend au moins deux aspects : la perte d'emprise des institutions religieuses sur le fonctionnement de la société (laïcisation), l'autonomisation des représentations par rapport au religieux. Cette tendance a souvent été associée à la modernisation des sociétés contemporaines : le développement scientifique, la rationalisation des activités sociales, la montée des valeurs de l'individu « seul maître de son destin », entraînent l'affaiblissement des croyances liées au sacré et une vision plus rationnelle du monde. Weber parlait à ce propos de « désenchantement du monde ».

♦ À partir des années 1980, on a parlé d'un « *retour du religieux* ». L'expression est sans doute discutable ; il n'y a pas de retour à la situation *ante* (déclin confirmé des religions conventionnelles) mais une éclosion de phénomènes de nature fort différente : crispations religieuses sur la défensive (intégrismes), spiritualismes sans Dieu (ou vaguement déistes) ; nébuleuse de mouvements type « New Age » s'accommodant fort bien de la modernité. Le processus de sécularisation, sans être infirmé (pas de retour, sauf exception, à la théocratie) apparaît plus complexe qu'il y a quelques décennies.

→ *Laïcité.*

SÉCURITÉ SOCIALE

> Ensemble des organismes publics, à but non lucratif, chargés de verser des prestations à partir des cotisations provenant d'assurés dont l'adhésion est obligatoire.

♦ Au XIXe siècle, des sociétés mutualistes s'efforcent de venir en aide aux travailleurs malades ou atteints d'incapacité de travail. Le développement des lois sociales, à la fin du XIXe siècle et au début du XXe, aboutit aux premiers régimes d'assurances obligatoires. En Allemagne, Bismarck institue le premier système de Sécurité sociale dans les années 1880. En France, les Assurances sociales se créent après la Première Guerre mondiale. Dans la plupart des pays développés, la généralisation de la Sécurité sociale s'effectue après 1945. Le rapport Beveridge de 1942, en Grande-Bretagne, et la Conférence internationale du travail, en 1944 à Philadelphie, en fixent les grands principes : universalité de la couverture sociale, unité des avantages accordés.

En France, le système de Sécurité sociale date, dans ses grandes lignes, de l'après Seconde Guerre mondiale. Il s'est construit, le plus souvent, sur une base professionnelle, donnant naissance à une multiplicité de régimes dont le plus important est le Régime général des salariés de l'industrie et du commerce. Sur le plan administratif, les prestations correspondant à un type de risque (maladie, famille, vieillesse…) sont versées par des caisses qui jouissent d'une certaine autonomie mais qui sont placées sous la tutelle de l'État et administrées en principe de manière paritaire par des représentants des employeurs et des salariés. Il existe de nombreux liens entre les différents régimes pour harmoniser leurs charges.

Depuis la création de la Sécurité sociale, les prestations versées ont progressé nettement plus rapidement que la richesse nationale : elles représentaient environ 30 % du PIB en 2000 contre

12 % en 1949. C'est dans le domaine de la vieillesse que la croissance a été la plus forte, sous l'effet de l'augmentation du nombre de retraités, la généralisation de la retraite à 60 ans, le développement des régimes complémentaires et l'arrivée à l'âge de la retraite de nouvelles générations qui liquident leur retraite avec des droits plus élevés.

Le progrès des techniques médicales, l'allongement de l'espérance de vie et la généralisation de la couverture sociale ont fait progresser les dépenses de santé. De même, le développement du chômage explique la croissance des prestations du risque « emploi ». Seules les dépenses consacrées à la famille ont régressé en proportion du PIB.

Les principales ressources de la Sécurité sociale en France proviennent des cotisations sur les salaires. La faiblesse de la croissance économique pendant les années 1980 et 1990 et la montée du chômage ont entraîné un freinage des recettes qui a généré, notamment à partir de 1992, des déficits structurels. Cette situation a conduit à la création de nouveaux impôts (CSG, 1991 ; CRDS, 1996), la hausse des taux de cotisation liée à l'emploi salarié et leur déplafonnement, l'extension de l'assiette à certains revenus de remplacement.

Ces mesures visant un accroissement des recettes se sont inscrites dans une perspective de réforme plus globale du système de Sécurité sociale, dont l'exemple le plus célèbre est celui du Plan Juppé en 1995. La maîtrise des dépenses de protection sociale constitue pour les pays développés un enjeu économique et social considérable.

→ *Contribution sociale généralisée (CSG), Prélèvements obligatoires, Protection sociale, Redistribution.*

SEGMENTATION DU MARCHÉ DU TRAVAIL

→ *Dualisme (marché du travail).*

SÉGRÉGATION

Étymologiquement : action de séparer, de mettre à l'écart.

Manifestation dans l'espace, en particulier urbain, des différences, des inégalités et des discriminations sociales : riches et pauvres, classes supérieures et classes populaires n'habitent ni ne fréquentent en général les mêmes lieux. Outre les différences entre milieux socio-économiques, la ségrégation spatiale peut être culturelle, religieuse, ethnique, voire « raciale ».

Il y a des degrés de ségrégation. Au sens le plus général, il s'agit de la différenciation sociale dans l'espace (quartiers résidentiels, quartiers populaires), de la répartition inégale des équipements selon les zones d'habitat, de la séparation spatiale des univers culturels, etc. Dans ce cas, le terme de ségrégation dénote simplement la dimension spatiale de la division sociale.

Dans ses formes les plus tranchées, la ségrégation renvoie à des phénomènes de marginalisation et d'exclusion : relégation de catégories désavantagées ou marginalisées dans des zones excentrées, délabrées et dévalorisées ; mesures discriminatoires à l'encontre de certains groupes se traduisant par leur enclavement (cas extrêmes des ghettos juifs, de l'apartheid en Afrique du Sud, des réglementations ségrégatives à l'encontre des Noirs dans les États du Sud aux États-Unis).

Ces différents cas de figure montrent que la ségrégation résulte soit de processus « spontanés » (logiques économiques : prix du foncier et de l'immobilier, logiques sociales de l'« entre soi » et de l'évitement), soit de politiques discriminatoires volontaires qui institutionnalisent la mise à l'écart et l'exclusion.

→ *Apartheid, Exclusion.*

SÉLECTION ADVERSE

→ *Assurance, Effet pervers, Efficience (Salaire d').*

Sᴇɴ Aᴍᴀʀᴛʏᴀ

→ *Économie du développement.*

SENS COMMUN

→ *Prénotion.*

SÉRIES STATISTIQUES

Ensemble de données chiffrées, classées en fonction d'un ou plusieurs caractères (taille ou âge pour des individus, chiffre d'affaires pour des entreprises, par exemple). Lorsque l'un de ces caractères est le temps (année, trimestre, mois), on parle de séries temporelles ou chronologiques.

SERPENT MONÉTAIRE EUROPÉEN

Première tentative de mise en œuvre d'une solidarité monétaire européenne, mise en place en mars 1972, mais qui ne réussit pas à maintenir une cohérence entre monnaies européennes ; a été remplacé par le Système monétaire européen en mars 1979.

→ *Europe communautaire (union monétaire), Système monétaire international (SMI).*

SERVICE DE LA DETTE

→ *Dette (Service de la).*

SERVICE(S)

Toute prestation en travail directement utile pour l'usager et sans transformation de la matière.

♦ La production de services correspond *grosso modo* au secteur tertiaire de l'économie. Cependant, la distribution par les entreprises purement commerçantes, si elle fait partie du secteur tertiaire avec les autres services, n'est pourtant pas retenue comme appartenant aux services par la nomenclature d'activités et de produits.

Il existe une grande variété de services : de la coupe de cheveux au conseil juridique, à la représentation théâtrale, à la consultation médicale, au ramassage des ordures, etc. Les principales activités du secteur tertiaire sont le commerce, la banque, les transports, les assurances, le tourisme, les services publics (enseignement, police, défense).

♦ Les services ne sont pas stockables : on ne les achète que si l'on peut les consommer et cela dans le temps même qu'il faut pour les produire.

♦ Il ne faut pas confondre l'activité professionnelle d'un salarié et le secteur d'activité de l'entreprise où il travaille : ainsi, on peut être juriste, ou comptable, dans une entreprise industrielle et donc travailler dans le secteur secondaire, comme être ouvrier électricien dans un grand magasin et travailler dans le tertiaire.

La part des services s'accroît depuis la révolution industrielle, tant dans la production (environ 60 % de la population active y travaille dans les principaux pays développés) que dans la consommation des ménages et les consommations intermédiaires des entreprises. Cet accroissement est tel que certains en ont fait le critère du passage à une « société post-industrielle ».

♦ Le poids relativement important du tertiaire dans les PED ne doit pas cacher qu'il s'agit là, pour une large part, d'activités traditionnelles, voire sous-productives (petit commerce, cireurs de chaussures, gardiens, etc.) ; elles sont très différentes par exemple des activités dites parfois « quaternaires », qui caractérisent l'essor actuel du tertiaire dans les pays développés : secteur de « l'information » (c'est-à-dire de la production et du traitement des signes), recherche scientifique, partie « software » de l'informatique.

Si les services sont immatériels, il n'en faut pas moins des biens d'équipement et des biens intermédiaires pour les produire : ainsi les banques ont-elles besoin d'ordinateurs et de fuel pour le chauffage des locaux, et les chirurgiens de matériel médical sophistiqué. Le développement des services ne passe donc pas systématiquement par la désindustrialisation.

On constate de plus en plus une interpénétration de l'industrie et des services : l'industrie se tertiarise par utilisation croissante de services ; ils correspondent à ses « investissements immatériels » : marketing et publicité, recherche et développement, formation, gestion et informatique ; alors que, parallèlement, les services s'industrialisent par utilisation croissante de machines informatiques.

→ *Secteurs d'activité (Grands secteurs), Tertiarisation ; Annexe 4.*

SERVICE PUBLIC

1. Activité d'intérêt général assurée sous le contrôle de la puissance publique par un organisme public ou privé bénéficiant de prérogatives lui permettant d'en assumer les obligations (continuité, égalité) et relevant de ce fait en partie d'un régime de droit administratif (mission de service public).
2. Organisme public gérant un service public (administration et établissements publics).

Cette distinction entre l'activité (par exemple l'enseignement) et l'organe qui l'assure (par exemple un lycée) est essentielle.

En effet, il existe :

– *des services publics gérés par des entreprises privées ou des associations* (par exemple le ramassage scolaire dans les communes rurales est le plus souvent un service public dont la gestion est concé-

dée par la commune à une entreprise de transport privée) ;

– *des activités des administrations publiques n'ayant pas le caractère de service public* (par exemple courses de chevaux organisées par une commune, gestion par l'administration de son domaine privé).

♦ L'assurance sociale est bien une activité de service public (au sens matériel), mais les caisses primaires de Sécurité sociale correspondantes sont des organismes privés et ne sont donc pas des services publics (au sens organique).

♦ Pour avoir le caractère d'un service public (condition nécessaire, mais non suffisante), une activité doit être d'intérêt général. Mais toute activité d'intérêt général n'est pas nécessairement un service public ; encore faut-il que le législateur ait manifesté sa volonté d'ériger cette activité en service public : par exemple si l'organisme gestionnaire a été doté de prérogatives exorbitantes du droit commun (perception de taxes obligatoires…), il y a là un indice de cette volonté.

Le service public repose sur les principes suivants :

– le principe de *continuité* : obligation d'agir régulièrement, sans retard, à la satisfaction des usagers ;

– le principe d'*adaptation* : par exemple tenir compte d'un changement dans la loi en y adaptant les textes réglementaires… ;

– le principe de *primauté* : les intérêts privés doivent s'incliner devant l'intérêt général ;

– le principe d'*égalité* : aucune discrimination ne peut être opérée entre les usagers du service public tant pour les prestations que pour les charges.

♦ Les différents types de services publics :
– les services publics administratifs (SPA) ; exemple, la perception des impôts ;
– les services publics industriels ou commerciaux (SPIC) ; exemple, la distribution du gaz par GDF ;
– les services publics sociaux ; exemple, le service des Allocations familiales ;
– les services publics professionnels ; exemple, la réglementation de la profession médicale par l'Ordre national des médecins.

♦ Modes de gestion du service public :

– *la régie :* le service est géré directement par l'administration au moyen de ses fonctionnaires (exemple : le service de l'état civil à la mairie, l'organisation de la Défense nationale par le ministère du même nom, la justice rendue par les magistrats, l'Imprimerie nationale, les arsenaux de la Marine...). À noter que la Régie nationale des usines Renault n'est pas un service public et donc, malgré son nom, n'est pas un service en régie ; c'est une entreprise publique nationalisée dont le statut est celui de la société commerciale : ses employés ne sont pas des fonctionnaires ;

– *l'établissement public :* c'est une personne morale de droit public à vocation spécialisée. L'établissement public disposant de la personnalité juridique, d'un budget propre, est donc une entité distincte de l'État ou de la commune ;

– *la concession de service public :* la puissance publique (État, commune...), par un acte de concession (mi-contractuel, mi-réglementaire), confie la gestion d'un service public à une personne privée (entreprise, association...). Le concessionnaire doit respecter certaines obligations inscrites par l'autorité concédante dans le cahier des charges et peut bénéficier de prérogatives de droit public (expropriation, taxation...).

⟶ *Administration/administration publique/ APU, État.*

SERVICES(S) PUBLIC(S) (Crise et réforme)

Ensemble des conceptions visant à redéfinir les services publics, caractéristiques de l'État social républicain en France, et à en réformer le mode de gestion, notamment dans le cadre de l'Union européenne.

Les services publics sont en France très liés à l'histoire de la République et au développement de l'État-providence ; le principe est de confier à une collectivité publique (État, commune, établissement public, etc.) une activité d'intérêt général :

– ils répondent à un besoin d'intérêt général : en cas de défaillance du marché pour produire des biens collectifs, en présence d'externalités ou de monopole naturel ;

– ils sont fondés sur les principes, reconnus par les juridictions administratives, d'égalité, de continuité et d'adaptation ; ils sont surtout légitimés, par leurs défenseurs, d'un point de vue politique : constitutifs du modèle social français (voire européen), opposé au modèle libéral anglo-saxon ; ils garantiraient ainsi aux citoyens, par l'accès de chacun à des biens ou services essentiels de qualité (écoles, universités, hôpitaux, sécurité civile, eau, électricité, etc.), l'égalité des chances constitutive du « contrat social républicain », en contrant la tendance spontanée du marché à la polarisation économique, sociale et géographique et à l'exclusion ;

– ils auraient permis à l'État de moderniser l'économie nationale en la dotant d'infrastructures (réseaux divers : téléphone, TGV, etc.) et d'activités de pointe industrialisantes (filière nucléaire par exemple).

♦ Les services publics « à la française » sont remis en question depuis les années 1980-1990 :

– par la critique libérale : dénonciation de la bureaucratie, du coût budgétaire et du gaspillage, de l'absence de stimulation par la concurrence, de l'absence de choix pour le consommateur ; remise en cause même de la notion d'intérêt général comme distinct de l'intérêt individuel... ;

– par la dénonciation des mauvais choix technologiques qu'effectuerait l'État (minitel ?) ;

– par l'application du droit communautaire européen : articles 3, 85 et 86 du traité de Rome qui affirment, contre les monopoles, les principes de libre-échange et de concurrence ;

– par la volonté notamment américaine de libéraliser les échanges de services (voir les négociations GATS, ou AGCS, au sein de l'OMC), qui est souvent analysée comme une menace pour « l'exception culturelle française »... ;

– par une critique de leur fonction intégratrice supposée (ils n'auraient pas empêché le développement des inégalités et de l'exclusion) ;

– par les évolutions technologiques qui rendent souvent impraticable le maintien d'un monopole (Internet, satellites...) ;

– par le développement d'un certain individualisme « consumériste » qui voit citoyens ou « usagers » se convertir en clients exigeants ;
– par la volonté de moderniser l'État en en redéfinissant le rôle et les frontières (privatisations).

En conséquence, se dessinent les voies d'une redéfinition des services publics. D'une part, l'Union européenne a d'abord développé la notion, surtout économique, de « service universel », sorte de service minimal permettant d'assurer l'accès de tous à certaines prestations essentielles à un prix abordable (par exemple, service universel du courrier, assuré par La Poste, pour les envois de faible valeur).

Quant à l'organisation des services publics, l'évolution semble se faire vers un partenariat entre le public et le privé.

→ *Entreprise(s) publique(s), Service public.*

SEUIL

→ *Effet de seuil.*

SEXE

→ *Genre (Relations de).*

SFI

→ *Banque mondiale (BIRD).*

SICAV

→ *OPCVM.*

SIGNE

1. *Linguistique :* unité de langue formée de l'union — arbitraire — d'un signifié (concept, idée de quelque chose) et d'un signifiant (son, lettres, grâce à quoi le signe se manifeste).

♦ Le concept de « bœuf » (signifié) est représenté par le son [bœf] et par les lettres qui composent le mot (signifiant).

2. Élément matériel représentant conventionnellement quelque chose d'abstrait : signaux du code de la route, insignes, symboles mathématiques.

3. Tout élément matériel ou oral, tout acte ou conduite, chargé de signifier une réalité, un message, une valeur.

À la différence du sens 2, il n'y a pas de convention stricte, de codification formelle. Le sens des signes, inséparable de l'échange social, est mouvant, ambivalent : les signes du prestige, les signes distinctifs par exemple.

→ *Symbole/symbolique.*

SIMMEL (Georg)

Philosophe et sociologue allemand (1858-1918) considéré comme l'un des fondateurs de la sociologie outre-Rhin avec Weber et Tönnies.

Son œuvre est associée à la notion de sociologie formelle : à travers des analyses fort diverses (la mode, le conflit, le secret, l'étranger…), Simmel entend élaborer une typologie des formes de « l'action réciproque », objet par excellence de la sociologie. Celle-ci se doit de dissocier analytiquement « le contenu » (pulsions, intérêts, buts des individus) de « la forme », à savoir le type d'action réciproque ou de « socialisation » (terme ayant sous sa plume un sens particulier) de la vie sociale. Une forme de relation — la concurrence par exemple — peut intéresser bien des contenus dans des domaines variés (la politique, l'économie, la religion ou l'art) mais sera caractérisée généralement par des lois propres à cette forme.

Autre point nodal de la pensée simmelienne : l'importance attachée à l'analyse microsociologique ; en partant d'une définition très large de la société (il y a société là où plusieurs individus entrent en action réciproque), Simmel entend mettre l'accent, à côté des « socialisations » cristallisées dans de grandes formes sociales (telles que l'État, les classes sociales, les Églises, etc.), sur « les microscopiques processus moléculaires » liant les hommes les uns aux autres et par lesquels « la socialisation se tisse, se défait et se tisse à nouveau en un flux et une pulsation ininterrompus ».

Son œuvre, oubliée longtemps en Europe, a exercé une influence notable en Amérique, en particulier sur les chercheurs de l'École de Chicago et sur les interactionnistes.

♦ Ouvrages principaux : *La philosophie de l'argent* (1900) ; *Sociologie, recherches sur les formes de la socialisation* (1908) ; *Les questions fondamentales de la sociologie* (1917).

SIMON (Herbert A.)

⟶ *Rationalité limitée ; Annexe : Prix Nobel d'économie.*

SME (Système monétaire européen)

⟶ *Europe communautaire (union monétaire).*

SMI

⟶ *Système monétaire international (SMI).*

SMIC

⟶ *Salaire minimum interprofessionnel de croissance (SMIC).*

SMIG

⟶ *Salaire minimum interprofessionnel de croissance (SMIC).*

SMITH (Adam)

Économiste classique et philosophe écossais (1723-1790), célèbre pour sa *Recherche sur la nature et les causes de la richesse des nations* (1776) ; son autre ouvrage important est la *Théorie des sentiments moraux* (1759).

Tout au long des cinq livres de *La Richesse des nations*, Smith, qui donne pour objet à l'économie politique « d'enrichir tout à la fois le peuple et le souverain », se fait l'avocat d'un libéralisme modéré : critiquant les mercantilistes, il préconise le libre-échange — à partir de la théorie des avantages absolus — et le « laisser-faire » ; néanmoins, l'État doit intervenir pour assurer la sécurité intérieure et extérieure, rendre la justice, produire les infrastructures et des biens ou services utiles à la collectivité, chaque fois que l'initiative privée est défaillante (rentabilité insuffisante au niveau microéconomique), faire respecter les règles de la concurrence (mais protéger temporairement les industries naissantes de la concurrence étrangère). Le fil directeur de son ouvrage est l'analyse du développement économique. Selon lui, le facteur déterminant de la croissance économique est la division du travail, illustrée par l'exemple de la manufacture d'épingles, et dont l'extension est limitée par la taille du marché.

♦ Selon Smith, l'opération économique fondamentale qui détermine l'accumulation du capital, donc la croissance, est l'épargne : « tout homme frugal » est un « bienfaiteur public » ; de plus, « ce qui est annuellement épargné est aussi régulièrement consommé que ce qui est annuellement dépensé » (ces maximes sont celles d'un économiste de l'offre).

Au livre IV, Smith décrit le fameux mécanisme de la « main invisible », c'est-à-dire le processus de régulation automatique de l'économie dans l'hypothèse d'un marché concurrentiel. Cette confiance en la main invisible ne fait pas pour autant de lui un ultralibéral : il a également insisté sur la nécessité de mettre en place les institutions en dehors desquelles le marché ne fonctionne plus efficacement.

⟶ *Avantage (absolu, comparatif), Classique(s) (Économie, économistes), Main invisible ; Annexe 2.*

SOCIABILITÉ

Relations directes et formes de communication entre individus dans un cadre social donné. La famille, l'école, la rue sont des lieux de sociabilité.

♦ Le sens commun est normatif : capacité à vivre en société, à nouer facilement des relations. L'approche sociologique ne porte pas de jugement de valeur. Le sociologue décrit les formes de sociabilité.

On oppose souvent la *sociabilité familiale et privée* à la *sociabilité publique*, ouverte sur l'environnement. Le plus souvent, le terme est associé à la seconde qu'on peut définir comme « l'aptitude générale d'une population à vivre intensément les relations publiques » (M. Agulhon).

Ces relations sont plus ou moins organisées : les rapports de voisinage, la vie de café, les réceptions s'établissent dans un cadre largement informel — ce qui ne veut pas dire sans code tacite, sans conventions sociales. La vie associative, les activités syndicales et politiques, les manifestations et festivités publiques se déroulent dans un cadre davantage institutionnalisé.

♦ On distingue communément les formes de sociabilité populaire (voisinage, café, quartier) et celles caractéristiques des classes supérieures (cercle, salons, soirées mondaines).

⟶ *Communauté.*

SOCIALISATION

Ensemble des mécanismes par lesquels les individus font l'apprentissage des rapports sociaux entre les hommes et assimilent les normes, les valeurs et les croyances d'une société ou d'une collectivité. On distingue la *socialisation primaire*, ou socialisation de l'enfant, et les *socialisations secondaires*, processus d'apprentissage et d'adaptation des individus tout au long de leur vie.

Le processus de socialisation doit prendre en compte :
– *ce qui est transmis :* techniques élémentaires de la vie en société (élément essentiel de la socialisation de l'enfant), modèles culturels propres à une société ou à une communauté (comportements, normes, valeurs) ; la socialisation est, en ce sens, le processus d'acquisition de la culture ;
– *les mécanismes de la socialisation :* l'apprentissage (acquisition de réflexes, de savoir-faire, d'habitudes) ; l'intériorisation (faire siennes les valeurs et les normes de la collectivité), l'assimilation (l'intégration des individus aux groupes sociaux) ;
– *les agents de la socialisation :* la famille tient une place essentielle dans la socialisation de l'enfant ; elle continue à jouer un rôle important dans le déroulement des âges de la vie (apprentissage des rôles familiaux, passage de l'adolescence à l'âge adulte).

D'autres instances jouent un rôle parallèlement ou en concurrence avec la famille : voisinage, école, groupes d'âge, relations professionnelles ou collectivités spécifiques (partis politiques, communautés religieuses).

♦ Le rôle de l'école excède largement la transmission des connaissances et l'apprentissage du savoir : l'enfant, puis l'adolescent, apprend des règles de conduite dans un groupe social élargi et prend conscience de la réalité complexe d'une collectivité ; on peut faire le même raisonnement à propos des milieux de travail.

Les processus de socialisation sont intimement liés aux systèmes culturels : les manières d'agir, de penser, de sentir, diffèrent selon les sociétés.

Au sein d'une société, les modes de socialisation diffèrent également. En dehors des communautés primitives, les sociétés sont loin d'être uniformes, elles sont traversées par des clivages sociaux importants auxquels correspondent des différences de condition, des conceptions particulières de la vie collective, des oppositions de valeurs ; cette situation peut engendrer des conflits, par exemple à propos des règles d'éducation et des normes de civilité : « enfants mal élevés », « adultes grossiers », autant d'expressions qui trahissent des conflits socioculturels dérivés de différences de modèles de socialisation.

◆ Pour certains sociologues (P. Bourdieu), l'école impose une culture savante et des modèles de comportement qui se veulent universels mais qui, en réalité, sont d'abord ceux de certaines classes sociales ; d'où le hiatus, fréquent chez les enfants des classes populaires, entre les règles imposées par l'école et celles véhiculées par leur milieu.

→ *Acculturation, Culture, Famille, Personnalité de base/statutaire, Simmel.*

SOCIALISME

Système socio-économique qui a caractérisé l'Union soviétique à partir de 1917 ainsi que certains pays qui se sont inspirés de ce modèle : Cuba, Chine, etc.

Mouvement politique hétérogène né au XIXe siècle du rejet du système capitaliste et de ses injustices sociales et cherchant à bâtir par la réforme ou la révolution une société où les hommes vivraient réconciliés dans l'égalité des droits et des conditions.

Projet socialiste qui cherche à réaliser l'objectif précédent par la priorité accordée à l'intérêt général sur l'intérêt particulier, au plan sur le marché, au secteur collectivisé sur le secteur privé, au progrès social sur le profit.

Phase transitoire révolutionnaire, pour le marxisme-léninisme, succédant au capitalisme, et première phase, dite inférieure, du communisme : elle est caractérisée par la socialisation des forces productives, le travail cessant d'être une marchandise, et par le dépérissement des classes et de l'État de dictature du prolétariat issu de la révolution. Marx ne s'est jamais dit socialiste, mais communiste.

◆ Aujourd'hui, le socialisme prend essentiellement la forme de la *social-démocratie* (partis socialistes français, espagnol, PSD allemand, parti travailliste britannique, etc.) : elle se caractérise, plus ou moins selon les pays, par son réformisme, par son souci d'approfondir la démocratie, par le choix d'une économie mixte, par des politiques économiques souvent d'inspiration keynésienne, par sa référence large au monde du travail (au-delà des seuls ouvriers), par ses liens avec les syndicats réformistes.

→ *Anarchisme, Communisme, Démocratie, Marx.*

SOCIÉTÉ (en sciences humaines)

1. *Sens minimal :* « Il y a société [...] partout où il y a action réciproque des individus » (Simmel). Cette définition se rapporte plutôt à la « vie en société » qu'à la société globale.
2. Collectivité organisée d'humains occupant un territoire donné, réunis par l'échange et la coopération, régis par des institutions propres, partageant une culture commune et fonctionnant comme une entité sociale distincte.

Bien que souvent utilisée indifféremment avec celle de culture, la notion de société s'en distingue : elle suppose une collectivité particulière ayant une identité propre (une aire culturelle peut au contraire intéresser plusieurs sociétés), cette collectivité est soumise à un même pouvoir.

◆ Il est également nécessaire de distinguer société et nation : cette dernière notion n'est apparue qu'aux XVIIIe et XIXe siècles. Elle implique l'existence d'un État moderne, la réalité d'une « conscience nationale », une identité culturelle au-dessus des particularismes sociaux et régionaux.

→ *Culture, Nation, Simmel, Système social.*

SOCIÉTÉ (sens juridique)

Personne morale créée par un contrat conclu entre plusieurs personnes (associés) qui décident d'agir en mettant en commun du travail et/ou du capital afin d'en partager les profits (ou les pertes éventuelles).

♦ Une personne morale se distingue des personnes physiques qui la constituent et/ou agissent en son nom. Elle a un patrimoine propre et le droit d'ester (agir) en justice pour défendre ses intérêts matériels ou moraux. Son patrimoine et ses intérêts sont distincts de ceux des personnes physiques qui l'ont constituée.

Il existe différents types de sociétés. Pour certaines, c'est **la personnalité des associés** qui prévaut.

♦ *Société en nom collectif :* deux ou plusieurs personnes s'associent pour créer une activité ; elles sont solidaires et responsables sur leurs biens des dettes sociales. La société exerce son activité sous une raison sociale composée du nom des associés ou du nom de l'un d'eux suivi de « et compagnie ».

♦ *Société en commandite simple :* constituée par des commandités et des commanditaires ; les commanditaires ne sont responsables des dettes de la société qu'à concurrence de leurs apports représentés par des parts ; les commandités sont dans la même situation que les associés en nom collectif.

Pour d'autres, ce qui compte en priorité, ce sont **les capitaux** et non la personnalité des personnes associées.

♦ *Société en commandite par actions :* le ou les commandités, responsables sur leurs biens des dettes de la société, ont derrière eux des actionnaires qui ne sont tenus pour responsables qu'à concurrence de leurs apports représentés par des actions.

♦ *Société anonyme :* le capital est divisé en actions ; les actionnaires au nombre minimal de sept ne sont responsables qu'à concurrence de leur apport (montant des actions qu'ils détiennent).

♦ *Société à responsabilité limitée (SARL) :*
– SARL à plusieurs associés ; les associés ne sont responsables des dettes de la société que dans la limite de leurs apports. Le capital est divisé en parts sociales et les associés ne peuvent céder leurs parts sans le consentement des autres associés ;
– entreprise unipersonnelle à responsabilité limitée (EURL) : il n'y a qu'un associé dont la responsabilité est limitée au montant de ses apports.

──→ *Action, Société anonyme.*

SOCIÉTÉ AGRAIRE/ PAYSANNE

Société où prédominent la production agricole, une population qui en vit (paysannerie) et des rapports socio-économiques centrés sur la répartition et l'exploitation de la terre.

Le terme agraire qualifie en général les structures foncières et les modes de répartition de la terre. Notion qualifiant des sociétés préindustrielles très diverses. Dans le cadre européen, peuvent être qualifiées d'agraires l'économie domaniale de la société féodale basée sur le servage et la société d'Ancien Régime marquée par le rapport seigneurial.

Autre vocable usité : *société paysanne.* L'accent est alors mis sur les caractéristiques sociales et culturelles de la population agricole. Cette expression s'emploie aussi pour désigner le monde relativement clos et spécifique de la communauté rurale au sein d'une société globale déjà largement urbaine et industrielle (par exemple, la France du XIXe siècle).

──→ *Agriculteur, Paysannerie, Société traditionnelle.*

SOCIÉTÉ ANONYME

Société de capitaux, créée en France par la loi du 24 juillet 1867. Elle doit être composée d'au moins sept personnes, chaque associé n'étant responsable que dans le cadre du capital qu'il a apporté, et qui se concrétise par une ou plusieurs actions.

Une société anonyme est dirigée par un conseil d'administration choisi par l'assemblée générale des actionnaires. Le conseil d'administration désigne un président qui assure la direction de la société.

La loi du 24 juillet 1966 a créé des sociétés à directoire, dans lesquelles le conseil d'administration est remplacé par un conseil de surveillance qui désigne un directoire de cinq membres au plus.

Les sociétés anonymes, qui ont connu un essor rapide dès la fin du XIXe siècle, ont été un outil puissant de collecte de la petite épargne et ont favorisé le développement du capitalisme moderne.

⟶ *Action, Société (sens juridique).*

SOCIÉTÉ D'ÉCONOMIE MIXTE

Société dans laquelle sont associés capitaux publics (État, collectivités locales) et capitaux privés : Société des Aéroports de Paris par exemple.

⟶ *Économie mixte.*

SOCIÉTÉ DE CONSOMMATION

Société dont le ressort principal est la consommation des ménages sans cesse stimulée par les nouveautés et l'omniprésence de la publicité.

C'est une notion ambiguë aux contours incertains.

Elle s'apparente à la cinquième étape de la croissance envisagée par Rostow : « l'ère de la consommation de masse » ; en tant que telle, et comme d'autres notions (« société industrielle » ou « société postindustrielle »), elle est présentée comme un point d'aboutissement de toute société (convergence de tous les systèmes économiques quels que soient leurs fondements), ce qui est discuté.

Elle peut laisser entendre que la société a atteint l'abondance : or, certains font remarquer que de nombreux besoins sont insatisfaits ; d'autres que la véritable abondance réside dans la limitation maîtrisée des besoins, ce qui est

tout le contraire des sociétés actuelles fondées sur la publicité.

Elle semble s'apparenter à la théorie du consommateur-roi, celui-ci dirigeant la production par sa demande ; or, elle correspond à une société dominée par les entreprises qui manipulent le consommateur et orientent ses choix pour assurer des débouchés à leur production (filière inversée).

⟶ *Besoin, Consommation (finale, intermédiaire), Effet d'imitation/de démonstration, Fordisme, Galbraith, Rostow, Société postindustrielle ; Annexe 25.*

SOCIÉTÉ INDUSTRIELLE

Société caractérisée par la place importante de la grande industrie dans la production et les structures économiques.

Notion générale construite sur l'opposition à la (aux) société(s) traditionnelle(s) et englobant aussi bien les économies de marché que les économies centralement planifiées ; R. Aron dégage les traits communs aux unes et aux autres : séparation du lieu de travail et du cercle familial, division du travail interne à l'entreprise, accumulation du capital, calcul économique rationnel, concentration ouvrière sur le lieu de travail.

Plus largement, la notion vise les caractéristiques socioculturelles en rapport direct ou indirect avec les caractéristiques économiques : différenciation sociale et complexité institutionnelle (spécialisation des institutions : École, Santé, Administrations, etc.), rationalisation et bureaucratisation des organisations, rythme soutenu du changement et valorisation de l'innovation (économique ou culturelle), rapport de plus en plus indirect au milieu naturel, etc.

⟶ *Révolution industrielle, Société postindustrielle, Société traditionnelle.*

SOCIÉTÉ POSTINDUSTRIELLE

Société où les activités de services prennent une part prépondérante dans la production (PIB) et dans l'emploi.

La notion est contestée : loin de diminuer en importance, l'industrie reste le centre névralgique des sociétés développées ; une part importante des activités tertiaires constitue en réalité le prolongement direct de la production industrielle : marketing, ingénierie, services techniques, recherche appliquée, etc.

Beaucoup de ces activités, autrefois assumées par les entreprises industrielles, sont aujourd'hui confiées à des entreprises spécialisées et du même coup recensées comme activités tertiaires.

Plusieurs auteurs lient le phénomène de tertiarisation à une transformation du système économique et social, notamment D. Bell, essayiste américain connu pour avoir introduit cette notion (*Vers une société postindustrielle*, 1976). Selon lui, cette société serait marquée par la prédominance des spécialistes et des techniciens et l'importance du savoir comme source d'innovation et d'élaboration politique.

De son côté, A. Touraine identifie société postindustrielle et « société programmée ».

→ *Service(s), Société industrielle, Touraine.*

SOCIÉTÉ TRADITIONNELLE

Au sens large : notion très générale recouvrant l'ensemble des sociétés préindustrielles (sociétés primitives, sociétés marchandes et guerrières, sociétés agraires ou paysannes, etc.).

Très différentes à maints égards, elles sont regroupées sous cette étiquette par opposition à la société industrielle. La division du travail y est moins développée.

♦ Elle est réduite à la division par sexe et par classe d'âge dans les sociétés primitives, à la division par métiers dans de nombreuses sociétés agraires.

La tradition est valorisée, elle est source d'autorité et de légitimité ; ces sociétés connaissent le changement, mais son rythme est lent, guère perceptible à l'échelle d'une génération.

Dans un sens plus précis et plus spécifique : milieu ou sous-ensemble de la société peu touché par le changement que connaît la société globale.

Dans la France du XIXe siècle, la société rurale est encore largement traditionnelle (coïncidence de l'unité économique et de la cellule familiale, relations d'interconnaissance, autonomie culturelle, etc.), en dépit des changements qui l'affectent (intégration progressive dans le marché national, progrès agricole et exode rural, scolarisation...).

Dans le Tiers monde, on oppose souvent « secteur moderne » et « secteur traditionnel », impliquant un dualisme à la fois économique, social et culturel.

→ *Ancien régime économique, Dualisme (pays en développement), Société agraire/paysanne, Société industrielle, Sociétés primitives.*

SOCIÉTÉS DE BOURSE

Sociétés créées par la loi du 22 janvier 1988 et qui, se substituant aux anciennes charges d'agents de change, assurent le fonctionnement du marché boursier français.

La loi de janvier 1988 remplace les agents de change par les sociétés de bourse ; depuis le 1er janvier 1992, elles ont perdu le monopole de négociation des valeurs mobilières (de nouvelles sociétés peuvent être agréées au-delà des charges d'agents de change). Leur capital est donc ouvert, en particulier aux banques, afin de procurer un accès direct des banques aux marchés des valeurs mobilières, de permettre aux sociétés de bourse de se financer sur le marché monétaire et de renforcer leurs fonds propres.

La *Société des Bourses françaises* est chargée de l'organisation et du fonctionnement matériel et administratif du marché boursier.

L'*Association professionnelle des sociétés de Bourse* constitue l'organisation professionnelle des sociétés de Bourse et les représente.

Le *Conseil des Bourses de valeurs* est l'autorité disciplinaire des sociétés de Bourse et participe avec la COB, Commission des opérations de Bourse, à la réglementation et à la surveillance du marché boursier.

→ *Bourse des valeurs, COB, Indicateurs boursiers, Marché financier.*

SOCIÉTÉS PRIMITIVES

Désigne communément des sociétés sans écriture, de taille réduite, à faible développement technique, reposant sur des activités de subsistance liées à l'exploitation directe de la nature (chasse, cueillette, agriculture de jardin, élevage pastoral).

Relativement homogènes socialement (les divisions du travail et les différences sociales sont absentes ou peu marquées), sans pouvoir politique centralisé (sociétés sans État), elles sont structurées essentiellement par les rapports de parenté qui déterminent les droits des individus sur le sol, les obligations de donner et de recevoir, les relations d'autorité, etc.

Les critères énumérés ci-dessus sont approximatifs ; les sociétés dites primitives sont très diverses et il est difficile de les délimiter rigoureusement.

♦ Un exemple parmi d'autres : plusieurs sociétés, que l'on peut qualifier à certains égards de primitives, connaissent des formes de pouvoir centralisé plus ou moins développé (royautés africaines des XVe-XVIIIᵉ siècles).

Néanmoins la notion est plus restreinte que celle, très large, de société traditionnelle.

Les conquêtes coloniales, l'expansion du « monde développé » conduisent à l'extinction progressive de ces sociétés selon des modalités diverses : phénomènes d'acculturation, ethnocide, voire génocide.

♦ Si elle constitue un progrès par rapport à celle de « société sauvage », la dénomination de société primitive reste problématique.

♦ Le qualificatif « primitif » (du lat. *primus*, « qui est le premier ») connote une humanité dans l'enfance, qui n'en est qu'à ses débuts. Or, les sociétés « primitives » connaissent une organisation sociale originale et complexe et des systèmes de représentations aussi riches que ceux des sociétés économiquement développées.

→ *Acculturation, Culture, Économie de subsistance, Ethnocide ; Annexe 41.*

SOCIÉTÉS SEGMENTAIRES (ou LIGNAGÈRES)

Sociétés constituées en lignages ; le qualificatif « segmentaire » fait référence à la subdivision périodique de lignages en segments, c'est-à-dire en nouveaux lignages issus de tel ou tel descendant d'un ancêtre. Les différents segments sont regroupés éventuellement en clans.

Type de société traditionnelle que l'on rencontre souvent en Afrique noire, mais aussi en Asie et en Amérique parmi les populations indiennes.

Ces sociétés ne connaissent pas de pouvoir politique centralisé. « Le lignage forme la charpente de l'organisation sociale » (H. Mendras). Le système de production (répartition des tâches, distribution de la terre) est fonction de l'organisation interne des lignages : les rôles sociaux sont dépendants de la position dans le groupe lignager.

→ *Filiation, Lignage/clan.*

SOCIOLOGIE

Science des phénomènes sociaux, des mécanismes qui président à leur déroulement ou encore des comportements des individus en tant qu'acteurs sociaux.

Des grands systèmes aux problématiques « à moyenne portée » (Merton)

♦ L'origine de la sociologie est liée aux bouleversements qu'ont connus les sociétés européennes entre la fin du XVIIIe et le début du XIXe siècle (Révolution française, révolution industrielle). Est mise au premier plan l'idée que les sociétés sont soumises au changement.

Jusqu'au début du XXe siècle, les fondateurs de la sociologie bâtissent de vastes ensembles théoriques ayant pour ambition d'énoncer des lois d'évolution des sociétés (Comte, Tocqueville, Marx et, dans une certaine mesure, Durkheim et Weber).

Sans renoncer à l'élaboration théorique, les sociologues contemporains se donnent des objectifs à la fois plus modestes et plus précis : rendre compte d'un aspect du système social, quitte à le replacer ensuite dans un cadre plus global.

♦ Exemples : formes de la sociabilité populaire, évolution des modèles familiaux, formation d'un groupe social (cadres), etc.

Délimitation. Par phénomènes sociaux, il faut entendre toutes les manifestations de la réalité sociale, autrement dit les formes selon lesquelles les hommes vivent et s'organisent en société : manières collectives de faire, de sentir, de penser, division sociale du travail, différenciation en groupes, rapports sociaux, fonctionnement des institutions, changement social… Le champ de la sociologie est très vaste, il interfère largement avec ceux étudiés par d'autres sciences sociales (ethnologie, histoire, géographie humaine, économie). Sa spécificité réside dans la mise en évidence de régularités collectives, dans l'établisse-

ment de relations fonctionnelles ou symboliques entre faits sociaux.

♦ Exemples : inégalité des chances devant l'école en fonction de l'origine sociale ; fonction symbolique des pratiques religieuses…

Démarche. Avec l'ethnologie, la sociologie met l'accent sur la relativité socioculturelle : toute collectivité a une représentation du monde, des valeurs et des orientations qui lui sont propres ; on ne peut ainsi expliquer les comportements sociaux en invoquant une nature humaine ou une rationalité économique universelles.

En postulant parallèlement la spécificité de la réalité sociale par rapport aux individus qui en sont partie prenante, le sociologue entend expliquer les faits sociaux par d'autres faits sociaux (et non par des facteurs psychologiques).

Si, avec Durkheim, la sociologie met l'accent sur la contrainte sociale imposant aux individus leurs sentiments et leurs comportements (statuts hérités, rôles assignés, valeurs modelées par l'environnement), à l'inverse elle entend montrer que toute réalité sociale est le produit des interactions humaines : en ce sens, les individus et les groupes sont acteurs ; en s'écartant des rôles prescrits par les institutions, ils façonnent les « situations sociales ». Ces deux postures, souvent présentées comme opposées, ne sont pas forcément antinomiques : les individus sont à la fois conditionnés et co-créateurs des règles et des institutions.

Méthodologie. Comme d'autres praticiens en sciences sociales, le sociologue doit construire son objet. Le fait sociologique ne s'apparente ni à la réalité sociale brute, ni aux « problèmes sociaux ». Un objet de recherche est défini et construit en fonction d'une problématique permettant de soumettre à une interrogation systématique les aspects de la réalité ainsi mis en relation.

♦ En se proposant d'étudier les rapports entre l'école et la structure sociale, P. Bourdieu construit les concepts de culture légitime et de capital culturel qui permettent d'établir, de façon systématique les mécanismes de la reproduction sociale.

Les méthodes d'investigation sont en partie communes à celles d'autres sciences sociales, le sociologue privilégiant cependant les techniques d'entretien, la production et/ou l'exploitation de données statistiques, l'observation directe ou l'intervention sous diverses formes.

Domaines de la sociologie. La professionnalisation des sciences sociales explique pour une bonne part le développement de branches particulières de la sociologie qui ont précisé leur problématique et leurs méthodes : sociologie politique, urbaine, religieuse, du travail, des organisations, de la famille, de l'école, etc.

♦ Les rapports sont très étroits avec la psychologie sociale et l'ethnologie. Pour Durkheim et Mauss, cette dernière est un prolongement de la sociologie appliquée aux sociétés « primitives ».

Orientations théoriques. On n'observe pas, comme en économie, une division systématique en écoles de pensée (néoclassiques, keynésiens, marxistes…). Si l'on peut distinguer un certain nombre de grands modèles épistémologiques et théoriques, souvent communs aux sciences sociales (voir tableau ci-après), ceux-ci ne recoupent que partiellement les orientations doctrinales : le positivisme durkheimien, par exemple, est revendiqué à la fois par des sociologues « conservateurs » et des sociologues influencés par le marxisme.

L'opposition entre « holisme » et « individualisme méthodologique » est récente (années 1980) et a été abusivement mise en avant.

Les problématiques de l'acteur, loin de correspondre à un parti pris théorique unitaire, renvoient à des démarches fort diverses (paradigme du choix rationnel, interactionnisme symbolique, schéma marxien du conflit de classes, etc.).

Auteurs fondateurs de la sociologie classique	Tocqueville Marx, Weber, Durkheim
Courants théoriques recensés dans cet ouvrage	Auteurs rattachés à ces courants
Culturalisme	Linton, Warner
École de Chicago	W. Thomas, R. Park.
Fonctionnalisme	Malinowski, Parsons, Merton
Structuralisme	Lévi-Strauss, Bourdieu
Interactionnisme	Goffman, H. Becker
Individualisme méthodologique	Popper, Boudon

→ *Anthropologie, Culture, Enquête, Ethnologie/Ethnographie, Psychologie sociale ; Annexes 26 à 50.*

SOCIOLOGIE (Grands courants de la)

→ *Voir Annexe p. 538.*

SOCIOMÉTRIE

École psychosociologique, fondée par l'Américain Moreno, ayant pour objet l'étude des relations interpersonnelles dans les groupes restreints en faisant appel à des techniques de mesure quantitatives (test sociométrique, établissement d'un sociogramme, etc.).

SOCIO-STYLES

Typologie de styles de vie élaborée, au cours des années 1980, par le Centre de communication avancée (CCA) dans le cadre des études de marché.

À partir de caractéristiques sociodémographiques et de questions portant sur les pratiques et les aspirations des individus, est établie une carte de quatorze « socio-styles » (ou modes de vie) regroupés en cinq grandes familles : « Matérialistes », « Egocentrés », « Rigoristes », « Décalés » et « Activistes ».

Plusieurs critiques ont pointé le caractère arbitraire des appellations et la reprise, ici et là, sous un vocabulaire nouveau, de thèmes classiques de la sociologie (par exemple, les analyses de Max Weber sur les relations entre styles de vie et groupes de statut).

→ *Genres de vie (ou mode de vie), Style de vie.*

SOLDE COMPTABLE

Différence entre deux grandeurs. Par exemple, le solde du commerce extérieur est la différence entre la valeur des exportations et des importations.

→ *Comptabilité d'entreprise, Comptabilité nationale.*

SOLIDARITÉ

1. *Sens commun :* sentiment d'appartenance à une communauté conduisant à faire cause commune avec ses membres, à leur porter assistance dans l'adversité ; plus globalement, affirmer ses liens avec un groupe : solidarité professionnelle, solidarité de classe.

2. *Sens politique :* dispositifs créés et/ou mesures prises pour assurer la prise en charge par la collectivité d'individus ou de groupes ne pouvant subvenir à leurs besoins ou frappés par des sinistres divers.

♦ La protection sociale peut être considérée comme un système de solidarité minimale entre bien-portants et malades, actifs occupés et chômeurs, etc. Avec la montée d'un sous-emploi massif ont été développées des « politiques de solidarité » envers les individus exclus *de facto* de la protection sociale : le RMI en est l'élément le plus important.

3. *Solidarité mécanique/solidarité organique :* termes forgés par Durkheim pour saisir l'évolution des liens sociaux parallèle à celle de la division du travail.

La solidarité mécanique, typique des communautés traditionnelles de taille réduite, est un lien par similitude : l'absence de division du travail, l'indifférenciation sociale font que les individus sont interchangeables et leurs croyances identiques. « La personnalité individuelle est absorbée dans la conscience collective. »

La solidarité organique, caractéristique des sociétés industrielles, est un lien par complémentarité : une division du travail largement développée entraîne l'interdépendance de chacun vis-à-vis des autres et de la société ; en même temps, la spécialisation des activités développe plus largement la personnalité individuelle tout en multipliant les échanges entre individus et en créant entre eux « tout un système de droits et de devoirs ».

♦ Contestable du point de vue ethnologique (vision pour le moins sommaire des sociétés traditionnelles), l'analyse de Durkheim a l'intérêt de montrer que la société industrielle inaugure un mode de relation nouveau entre les individus, indépendant des sociabilités locales et « primaires ».

→ *Division du travail, Organicisme, Protection sociale, Revenu minimum d'insertion (RMI).*

SOLOW (Robert)

→ *Annexes 22, 23, Annexe : Prix Nobel d'économie.*

SOLVABILITÉ

Capacité d'un agent à honorer ses dettes.

Par exemple, le ratio de solvabilité des banques, dit ratio Cooke (ratio qui sera modifié en 2004), se définit, par le rapport entre les fonds propres (apportés par les actionnaires ou résultant des bénéfices accumulés) aux engagements (créances).

SONDAGE

Technique consistant à analyser un échantillon pour en déduire les traits caractéristiques de la population dont il est issu.

Les sondages d'opinion cherchent, à partir d'un questionnaire précis, à observer les mouvements de l'« opinion publique », notamment dans le domaine politique et électoral. Nés aux États-Unis entre les deux guerres mondiales, les sondages d'opinion ont connu un développement rapide en France à partir des années 1960.

⟶ *Échantillon, Item, Opinion publique, Panel.*

SOUS-CULTURE/ SUB-CULTURE

Ensemble de valeurs, de représentations et de comportements, propres à un groupe social ou à une entité particulière, par opposition au système culturel de la société globale. Outre les cultures de classes (culture ouvrière, culture bourgeoise) ou de milieux sociaux plus restreints (les mineurs, les enseignants…), on parle également de culture religieuse, régionale, juvénile, de culture de minorités ethniques. Le terme est pris dans son sens anthropologique et non dans son acception restrictive.

S'agissant des classes et des milieux sociaux, l'accent est mis sur les relations entre l'insertion dans le système productif, les conditions matérielles d'existence et ce qu'il est convenu d'appeler « la vie hors travail ». La sous-culture peut se comprendre alors comme aménagement d'un espace propre (relativement) compte tenu des contraintes (ou des opportunités) des membres du groupe.

L'étude des sous-cultures porte en particulier sur les composantes suivantes :

– les comportements et les modèles de conduite en relations avec les valeurs intériorisées et les représentations de soi et du monde ; voir les notions d'ethos (Weber), d'habitus (Bourdieu) ;
– les formes de sociabilité privée et publique ;
– les formes expressives : créations, modelages ou accentuations originales de savoirs, de discours, de formes esthétiques (genres musicaux, styles plastiques, décorum, etc.).

Ces formes ne sont jamais créées *ex nihilo* : partie prenante du système social global, le groupe le plus souvent adopte, emprunte, voire subit (c'est le cas des groupes dominés), les modèles culturels de ce système.

⟶ *Culture, Ethos, Habitus, Héritage culturel, Ouvrier, Sociabilité.*

SOUS-EMPLOI

Sous-utilisation d'un facteur de production, qu'il s'agisse du travail ou du capital.

Dans la théorie keynésienne, l'équilibre de sous-emploi est une situation caractérisée par du chômage involontaire. La main-d'œuvre est sous-employée parce que les entreprises sont contraintes par leurs débouchés.

Il ne faut pas confondre cette définition, qui prend son sens dans le cadre d'une théorie, et le problème méthodologique posé par la mesure statistique du chômage : selon le Bureau international du travail, sont en sous-emploi « les personnes pourvues d'un emploi qui travaillent involontairement moins que la durée normale du travail dans leur activité et qui sont à la recherche d'un travail supplémentaire ou disponible pour ce travail pendant la période de référence ». Plus généralement, sont en situation de sous-emploi toutes les personnes qui occupent un emploi mais voudraient travailler plus.

L'analyse de la conjoncture conduit à s'intéresser aussi au taux d'utilisation du capital.

♦ Au niveau des entreprises, après enquête auprès des chefs d'entreprise, l'INSEE calcule :

– une marge de capacité disponible sans embauche (pourcentage d'accroissement possible de la production sans travailleur supplémentaire), qui fournit une évaluation du sous-emploi du facteur travail à l'intérieur de l'entreprise ;

– une marge de capacité disponible avec embauche (pourcentage d'accroissement possible de la production avec embauche et plein-emploi du matériel disponible), qui fournit une évaluation du sous-emploi des facteurs capital et travail à l'intérieur des entreprises.

♦ La différence entre les deux marges permet d'évaluer le sous-emploi du facteur capital (c'est l'existence de postes de travail non occupés qui constitue un indicateur du sous-emploi des machines).

♦ Au début d'une récession, sous-emploi du travail et sous-emploi du capital vont de pair : les entreprises licencient et du capital se trouve en « jachère ». Si la récession dure, ou si l'économie s'enlise dans une période de croissance « molle », alors les entreprises peuvent rationaliser leur appareil de production, donc réduire le sous-emploi, tandis que le chômage continue à augmenter.

⟶ *Chômage, Keynes, Keynésianisme/ Keynésien(s).*

SOUS-TRAITANCE

Situation dans laquelle une entreprise, le donneur d'ordre, fait exécuter par une autre entreprise, le sous-traitant, un produit intermédiaire ou une prestation.

Le recours à la sous-traitance peut s'expliquer par le souci de rechercher un producteur spécialisé (sous-traitance de spécialité), ou bien par l'existence d'excédents de demande auxquels l'entreprise ne peut faire face (sous-traitance de capacité). Dans tous les cas, le sous-traitant, une PME de façon géné-

rale, est fortement dépendant du donneur d'ordre et très vulnérable en période de crise. La sous-traitance est le moyen pour les grandes entreprises d'extérioriser une partie des difficultés qu'elles rencontrent.

⟶ *PME/PMI.*

SPÉCIALISATION

⟶ *Avantage (absolu, comparatif), Division internationale du travail (DIT).*

SPÉCULATION

Transaction effectuée dans la perspective d'une variation de prix à la hausse ou à la baisse, dont l'objectif est de réaliser un gain en capital.

Il existe un grand nombre d'actifs qui peuvent donner lieu à spéculation : les immeubles, les matières premières, les valeurs boursières, les monnaies... La spéculation est rendue plus facile par les opérations à terme qui, par définition, introduisent un décalage temporel entre le moment de la conclusion du contrat et son exécution.

♦ Certaines opérations se situent à la marge de la spéculation ; un exportateur français, détenteur de devises et anticipant une hausse de ces devises par rapport au franc, peut retarder le moment où il convertira ces devises en francs. Il ne s'agit pas à proprement parler d'opération de spéculation dans la mesure où les devises acquises proviennent d'une opération commerciale, mais l'objectif et le résultat en sont les mêmes : l'opérateur espère faire un gain en capital et l'offre de devises est retardée.

♦ Une définition plus large de la spéculation engloberait toutes les opérations dont un objectif est de réaliser un gain en capital.

Certains économistes voient dans la spéculation un mécanisme sain de l'économie dans la mesure où seuls ceux qui font de bonnes anticipations sont récompensés ; d'autres en soulignent le caractère déstabilisateur : la spéculation tend à amplifier un déséquilibre initial (processus cumulatif).

→ *Bulle financière, Plus-value, Terme (Opération à).*

SRAFFA (PIERO)

→ *Annexes 22, 23.*

STABEX

Système de stabilisation des recettes d'exportation créé par la Convention de Lomé I pour amortir le choc subi par les ACP (66 pays situés en Afrique, Caraïbes, Pacifique) lors d'une baisse importante de leurs recettes d'exportation.

Le mécanisme s'applique à 46 produits agricoles bruts ou transformés. En cas de baisse des recettes d'exportations sur l'un de ces produits, le Fonds européen de développement (FED) verse une indemnité au pays concerné. Le produit touché doit représenter au moins 6,5 % des recettes d'exportations du pays et la chute des recettes être d'au moins 6,5 % (2 % pour les PMA) par rapport à la moyenne des quatre années antérieures. À l'exception des PMA, tous les ACP doivent rembourser dans un délai de sept ans les prêts du FED.

→ *Lomé (Convention de), SYSMIN.*

STABILISATEURS AUTOMATIQUES

Variations des prélèvements obligatoires et des dépenses publiques, induites par les variations de l'activité économique, et agissant en retour sur celle-ci de manière contra-cyclique.

Certains impôts, certaines dépenses publiques jouent ce rôle. En cas de récession, par exemple, les dépenses d'indemnisation du chômage, en évitant une baisse trop brutale des revenus et de la demande, contribuent à éviter un effondrement de la production et, par conséquent, une augmentation cumulative (« en spirale ») du chômage.

STAGFLATION

Association, dans une période donnée, de l'inflation, de la stagnation de l'activité et du chômage.

Apparue au milieu des années 1960 et fortement amplifiée par l'effet à la fois inflationniste et récessif des chocs pétroliers des années 1970, la stagflation s'oppose aux formes antérieures des fluctuations économiques et contredit les enseignements de la théorie économique : dans les cycles traditionnels, ou selon la théorie keynésienne ou la courbe de Phillips, chômage et inflation sont des situations alternatives qui ne peuvent coexister.

Différentes interprétations ont été proposées de la stagflation qui, en tout état de cause, soulignent les limites d'une explication par la seule demande globale : pour certains, le niveau élevé des coûts salariaux et la rigidité des salaires expliquent à la fois la tendance à l'inflation et le niveau élevé du chômage, la demande de travail de la part des entreprises étant faible. Par ailleurs, la croissance lente, qui s'accompagne de chômage, pousse les coûts de production vers le haut. En outre, selon Malinvaud, lorsque la profitabilité est insuffisante, il est possible d'avoir, simultanément, un excès d'offre sur le marché du travail (chômage) et un excès de demande sur le marché des biens (tendance inflationniste).

♦ On peut également rappeler l'effet des chocs pétroliers : hausse des coûts et des prix par prélèvement extérieur entraînant une baisse de la demande et de l'activité internes.

→ *Déséquilibre (Théorie du), Keynes, Phillips (Courbe de).*

START UP

Jeune entreprise dans les domaines des nouvelles technologies de l'information et de la communication censée connaître un taux de croissance rapide et souvent financée par le capital risque.

STATISTIQUES

Terme qui désigne à la fois un ensemble de données chiffrées concernant un domaine (« les statistiques de la production d'automobiles », par exemple) et l'activité de collecte, de traitement et d'interprétation de ces données.

Le recueil de données sur la population et la production agricole remonte à la plus haute Antiquité (le premier recensement connu date de 2238 avant J.-C., en Chine) ; cependant, l'activité statistique a pris un essor important à partir de la fin du XVIIIᵉ siècle. Le traitement et l'interprétation des données s'appuient notamment sur la théorie des probabilités et ont donné naissance à une discipline particulière : la statistique mathématique. L'apparition d'ordinateurs capables de stocker et de traiter rapidement un très grand nombre de données a permis de réaliser d'importants progrès dans ce domaine.

En France, l'INSEE, Institut national de la statistique et des études économiques, a pour principale fonction de recueillir et de diffuser l'information statistique, économique et sociale.

Une partie importante de la statistique ne suppose aucune hypothèse particulière et consiste dans l'*analyse des données*. Cette statistique descriptive représente les données sous forme de graphes (histogrammes, diagrammes en barres, graphiques chronologiques...), calcule des « valeurs centrales » qui synthétisent l'ensemble des données

(moyenne, médiane...), des indicateurs de dispersion qui mesurent l'hétérogénéité d'une série (écart-type), établit des relations entre variables (régression linéaire) ou analyse simultanément les relations entre variables et les ressemblances entre les individus (analyse factorielle des correspondances). L'autre volet de la statistique est constitué par l'*inférence statistique classique* qui prend comme point de départ des lois de probabilité auxquelles obéissent les phénomènes naturels, ce qui permet en particulier d'estimer une distribution à partir d'un échantillon, ou de tester la validité d'une relation entre variables.

→ *Écart-type (ou écart quadratique), Moyenne ; Annexe 6.*

STATUT/STATUS

1. Position occupée dans un cadre social donné, basée sur des critères divers (profession, ascendance, âge, sexe, etc.) et à laquelle correspondent des attributs socialement reconnus ou imposés : pouvoir ou dépendance, devoirs et droits. Tout statut, en tant qu'ensemble d'attributs, commande des rôles correspondants.

En ce sens, « le même individu peut occuper [...] plusieurs statuts différents à la fois dont chacun relève des systèmes d'organisation auxquels il participe » (Linton) : statut professionnel (employé), familial (chef de famille), public (trésorier dans une association), etc. Il peut y avoir hiatus entre les statuts occupés : on parle dans ce cas de non-congruence des statuts.

♦ Notion sociologique à ne pas confondre avec la notion juridique qui désigne la situation d'un individu ou d'un groupe définie par la loi (statut du fonctionnaire, du travailleur indépendant).

2. *Statut social* (orthographié parfois status pour distinguer ce sens du précédent) : situation et condition

sociales résultant des positions qu'un individu occupe dans les sphères socio-économique (profession, revenu) et culturelle (niveau d'instruction, styles de vie). Le status situe les individus dans la hiérarchie sociale et/ou la structure de classes.

À la différence du sens précédemment défini, un individu est caractérisé par un statut social et non plusieurs.

À rapprocher du statut socioprofessionnel construit à partir du code des PCS. La notion de statut social est cependant plus globale.

♦ Le sociologue Max Weber distingue situation de classe (liée à la position dans le système de production) et situation de statut (position dans l'ordre social caractérisée par la distribution inégale du prestige).
♦ Ces situations engendrent respectivement les classes économiques et les « groupes de statut ». Ces derniers peuvent se distinguer ou se confondre avec les classes.

⟶ *Catégories socioprofessionnelles (CSP), Classe(s) sociale(s), Personnalité de base/statutaire, Rôle, Stratification sociale.*

STIGLER (George J.)

⟶ *Annexe : Prix Nobel d'économie.*

STIGLITZ (Joseph E.)

Économiste américain contemporain appartenant au courant de la nouvelle économie keynésienne. Prix nobel d'économie en 2001.

♦ Déjà réputé pour ses travaux scientifiques, qui lui ont valu d'être l'un des conseillers économiques du président Clinton, Stiglitz est devenu très célèbre après avoir démissionné de son poste d'économiste en chef de la Banque mondiale, en novembre 1999, et critiqué à cette occasion la politique menée par les grandes institutions internationales, notamment le FMI et la Banque mondiale.

L'économiste Stiglitz est connu pour ses contributions à l'économie de l'information — il est de ceux qui insistèrent les pre-miers sur les problèmes d'aléa moral et d'anti-sélection —, mais aussi à l'économie publique — bien que favorable à l'économie de marché, il considère que les défaillances du marché justifient une intervention publique, par exemple en matière de santé ou d'environnement — et à l'économie du développement — il étudie les économies en transition, telles que la Russie et la Chine. Favorable au libre-échange, il se prononce toutefois en faveur de l'intervention de l'État en matière d'éducation et d'infrastructures. Ces contributions ne suffisent pas à le classer parmi les économistes hétérodoxes ; c'est un nouveau keynésien pragmatique, qui accorde au marché une place prééminente au sein d'une économie mixte, mais qui est hostile au discours ultra-libéral du tout marché.

⟶ *Aléa moral, Marché (Défaillances du), Nouvelle économie keynésienne. Annexe : Prix Nobel d'économie*

STOCK

Au point de vue comptable : ensemble des marchandises, des matières ou des fournitures, des produits ouvrés ou finis, des produits ou travaux en cours et des emballages commerciaux qui sont la propriété de l'entreprise.

D'une manière plus générale : grandeur économique mesurée à un moment donné ; ce terme s'oppose à la notion de flux.

⟶ *Flux.*

STOCK OPTIONS

Possibilité donnée par une entreprise à certains salariés (en général cadres dirigeants) de souscrire ou d'acheter des actions de leur propre entreprise à un prix fixé une fois pour toutes, et cela pour une durée déterminée (5 ans en général), et donc de réaliser des gains.

Le risque encouru par le salarié est faible, puisque celui-ci ne réalise l'achat que si le prix sur le marché est supérieur au prix convenu. Pour l'entreprise, le gain du salarié (une plus-value), qui provient plus de l'évolution du marché que d'une sortie de fonds, s'accompagne pour celle-ci d'un apport en capital et constitue une forme d'incitation : en effet, les cadres sont ainsi incités à agir de telle façon que leur rémunération, et donc celle des actionnaires, s'améliore. Enfin, ce revenu subit moins que les salaires des prélèvements sociaux et fiscaux. Toutefois, les *stock options* constituent une forme de rémunération réservée à une minorité des salariés et bénéficient d'exemptions fiscales et sociales créatrices d'inégalités dans le traitement des revenus du travail.

STONE (John Richard)

→ *Annexe : Prix Nobel d'économie.*

STRATÉGIE (d'entreprise)

Ensemble de décisions prises par une entreprise, définies par rapport à des objectifs hiérarchisés, articulées les unes aux autres et coordonnées au cours du temps sur une période de moyen ou long terme.

L'analyse stratégique des entreprises se démarque nettement du traitement de l'entreprise dans l'analyse microéconomique la plus simple. Au lieu de considérer l'entrepreneur comme purement passif par rapport au jeu du marché, l'analyse stratégique suppose que l'entreprise — et l'entrepreneur — dispose de marges de manœuvre : son environnement lui impose des contraintes, mais elle a des choix et elle est en mesure d'influencer son environnement ; la stratégie résulte d'une interaction de l'entreprise et de son environnement. En outre, l'analyse microéconomique traditionnelle tend à privilégier un objectif, la recherche du profit à court terme, alors que l'analyse stratégique envisage la conduite de la politique de la firme au cours du temps et par rapport à des objectifs variés et hiérarchisés.

La démarche stratégique suppose au préalable une analyse de l'environnement, y compris les règles du jeu, afin d'identifier les menaces et les opportunités pour l'entreprise. Elle passe par la mise en évidence des forces distinctives et des faiblesses relatives de l'entreprise par rapport à ses concurrents. Ce qui permet de délimiter les actions possibles en termes d'objectifs et de moyens mis en œuvre.

→ *Concentration (des entreprises), Concurrence pure et parfaite, Économie industrielle, Entreprise, Gestion.*

STRATIFICATION SOCIALE

Au sens général : ensemble des différenciations sociales associées aux inégalités de richesses, de pouvoir, de savoir, de prestige et déterminant la division de la société en groupes de droit ou de fait.

La division en classes est un système de stratification parmi d'autres, comme les sociétés d'ordres sous l'Ancien Régime ou le système de castes en Inde.

♦ Plusieurs systèmes de stratification peuvent s'entremêler. Dans la France d'Ancien Régime, la division juridique en Ordres (noblesse, clergé, Tiers État) se double d'une division en classes (aristocratie foncière, bourgeoisie marchande, paysannerie).

Au sens particulier : analyse en termes de strates, alternative à celle en termes de classes. En ce sens, la stratification désigne un agencement de groupes multiples, hiérarchisés en fonction de critères divers (revenus, diplômes, rapport au pouvoir, prestige).

À la différence de la théorie des classes, cette analyse met l'accent sur la gradation régulière des positions (l'expression « échelle sociale ») et l'absence d'oppositions tranchées entre les groupes. Cette analyse est privilégiée par les courants sociologiques qui refusent de faire de l'exploitation et de la domination les ressorts de la division sociale.

⟶ *Caste, Classe(s) sociale(s), Groupe social, Hiérarchie, Prestige, Statut/Status ; Annexe 39.*

STRUCTURALISME

Courant théorique et méthode d'analyse en sciences humaines privilégiant le jeu des structures en prenant modèle sur la linguistique structurale.

♦ Celle-ci, fondée par F. de Saussure, définit la langue comme un système diacritique (qui sert à distinguer) dont les éléments (phonèmes, morphèmes) sont en rapport d'opposition significative.

La structure est en même temps l'organisation symbolique d'un système concret et le modèle formel que construit l'anthropologue. Les éléments d'un système ne sont pas significatifs en eux-mêmes, mais acquièrent un sens de position dépendant des relations qui les unissent et les opposent.

♦ Ainsi, la structure est une combinaison d'éléments telle « qu'une modification quelconque de l'un d'entre eux entraîne une modification de tous les autres » (Lévi-Strauss, *Anthropologie structurale*).

L'analyse structurale n'étudie pas les phénomènes conscients mais leur infrastructure inconsciente, c'est-à-dire une réalité qui échappe largement à la conscience des acteurs sociaux, même si ces derniers se soumettent à leur insu aux règles qui caractérisent un système social.

Le structuralisme postule que tout échange social, réalité fondamentale des sociétés humaines, est réductible aux règles d'échanges linguistiques. Ainsi, la signification des règles de mariage ne peut être saisie en les considérant comme des coutumes étranges et singulières, mais en recherchant les relations qu'elles entretiennent dans les systèmes de parenté et plus généralement dans l'échange social. L'analyse structurale a été appliquée à de nombreux domaines : mythes, pratiques rituelles, systèmes culinaires, faits littéraires, idéologies…, réalités culturelles facilement assimilables à un univers de signes.

⟶ *Lévi-Strauss, Mariage, Mythe, Parenté, Structuralisme dynamique, Structure, Symbole/Symbolique ; Annexe 41.*

STRUCTURALISME DYNAMIQUE

Expressions parfois utilisées pour désigner l'œuvre du sociologue P. Bourdieu et de son école ainsi que des auteurs proches de celle-ci.

L'influence de Lévi-Strauss et de l'anthropologie structurale sur Bourdieu est patente : les comportements et les pratiques des agents dépendent avant tout des positions occupées (et du système de positions) et de la structure de leur capital (importance respective des ressources en capital économique, culturel et social). On peut également noter l'influence exercée par les travaux de E. Panofsky établissant des relations structurales entre un système de pensée (la scolastique) et un univers architectural (l'âge gothique).

Assez vite, cependant, Bourdieu s'est éloigné de certains présupposés du structuralisme orthodoxe. Les pratiques individuelles ne sont plus réduites à être l'expression des structures symboliques et sociales. Sans procéder à un calcul rationnel, les individus font des choix, dans les limites assignées par leur situation et leur position de classe. C'est en ce sens que l'introduction du concept d'habitus est primordiale ; elle permet d'accommoder déterminisme structurel et stratégie sous contrainte des individus.

⟶ *Bourdieu, Habitus, Lévi-Strauss, Structuralisme ; Annexe 49.*

STRUCTURE

Ensemble intégré d'éléments interdépendants formant système ; ces éléments sont caractérisés par leurs proportions relatives et leurs relations.

La structure économique, par exemple, peut être caractérisée par la part respective et l'interdépendance des secteurs primaire, secondaire, tertiaire, par la part et l'interdépendance des petites, des moyennes et des grandes entreprises, etc.

Il ne serait pas possible d'étudier une structure si les relations entre les éléments changeaient continuellement ; par exemple : on opposera la structure d'une économie capitaliste à celle d'une économie socialiste, ou la structure d'une économie développée à la structure d'une économie sous-développée. Mais stable ne signifie pas immuable : il est donc légitime d'analyser la dynamique d'une structure, c'est-à-dire son évolution sur une longue période. Ainsi, on peut étudier la structure économique d'un pays avant la révolution industrielle et caractériser celle-ci par la domination du secteur primaire, puis montrer comment s'effectue le passage à une structure caractéristique d'une économie industrielle.

♦ L'utilisation de la notion de structure ne signifie pas nécessairement que l'on procède à une analyse structurale. Un phénomène est dit structurel lorsqu'on le considère dans la relation au tout auquel il appartient et qu'il s'inscrit dans la longue durée : par exemple, l'inflation structurelle n'a pas une cause unique et localisée, elle est l'expression, au niveau global, de multiples tensions économiques et sociales. Les structuralistes cherchent plutôt à mettre en évidence des relations structurales, qui ne renvoient pas directement à la réalité étudiée mais au modèle théorique conçu par le chercheur. Ainsi Lévi-Strauss cherche à « retrouver derrière le chaos des règles et des coutumes un schème unique, présent et agissant dans des contextes locaux et temporels différents ».

⟶ *Conjoncture, Structuralisme, Structure sociale, Système économique.*

STRUCTURE DE MARCHÉS

⟶ *Marchés (Structure de).*

STRUCTURE SOCIALE

Répartition de la population en groupes sociaux différenciés dans une société à une époque donnée.

L'expression renvoie d'abord au mode de stratification (société de castes, d'ordres, système de classes) ; le terme « structure » amène à préciser la composition interne de l'ensemble considéré, à savoir l'importance relative de tel ou tel groupe social par rapport aux autres (place prépondérante de la paysannerie dans les sociétés préindustrielles, importance des classes moyennes salariées dans la société française actuelle, etc.).

♦ En France, la structure sociale — et son évolution — est couramment appréhendée par la répartition de la population en catégories socioprofessionnelles.

⟶ *Catégories socioprofessionnelles (CSP), Classe(s) sociale(s), Stratification sociale.*

STYLE DE VIE

Manières de vivre, codes de conduite propres à un groupe social. Si la notion de genre de vie est associée en priorité aux conditions matérielles et environnementales d'existence, celle de style de vie insiste d'abord sur les comportements, les formes de sociabilité et les normes et valeurs qui gouvernent les conduites.

♦ En rapportant le style de vie aux valeurs fondamentales de certaines catégories, Max Weber forge la notion d'*ethos* : ainsi l'*ethos* des milieux puritains du XVIIe siècle se caractérise-t-il par un style de vie ascétique (austérité, rigidité morale, propension à l'épargne rationnellement placée).

Le style de vie a partie liée avec la distinction : les conduites, les goûts, la consommation ne prennent véritablement leur sens que rapportées au souci qu'ont les individus et les groupes de se démarquer d'autrui et de s'affilier à leur groupe d'appartenance. Ce thème jalonne la sociologie depuis Veblen et Weber jusqu'à Baudrillard et Bourdieu.

⟶ ▶ *Culture, Ethos, Genre de vie (ou mode de vie), Sociabilité, Veblen ; Annexes 30, 32.*

SUBSIDIARITÉ

Principe de partage de compétence et de pouvoir qui attribue à un organe, une institution ou une collectivité territoriale, compétents par principe, l'essentiel des interventions, pour ne laisser à une autre institution de niveau supérieur et de manière subsidiaire, c'est-à-dire par exception et en complément, que ce qui ne pourrait être résolu par les premiers.

Le traité de Maastricht, sur l'union politique économique et monétaire de l'Europe des Quinze, invoque ce principe pour la répartition future des compétences entre les États membres et l'Union, cette dernière ne devant intervenir que de manière subsidiaire.

⟶ ▶ *État, Europe communautaire (histoire des communautés européennes), Fédération/Confédération (internationale).*

SUBSTITUTION
(des biens et des facteurs)

Deux biens sont des *substituts* s'ils peuvent satisfaire le même besoin (café ou thé) ; mais ils sont *complémentaires* s'ils doivent être consommés ensemble pour satisfaire un besoin donné (café et sucre).

Le taux (marginal) de substitution entre deux biens X et Y correspond à la quantité maximale de biens Y que le consommateur est disposé à échanger contre une

unité supplémentaire du bien X, tout en conservant le même niveau de satisfaction.

En ce qui concerne les facteurs de production, la *substituabilité* est la possibilité de remplacer une quantité donnée d'un facteur de production par une quantité d'un autre facteur tout en conservant le même niveau de production.

Lorsqu'une quantité donnée d'un facteur est nécessairement associée à une quantité fixe d'un autre facteur, il y a au contraire *complémentarité*. Le taux (marginal) de substitution entre facteurs est le taux auquel on peut substituer un facteur à un autre sans que la production varie.

♦ On peut se demander comment réagit le consommateur si le prix d'un bien ou d'un service augmente ou baisse (toutes choses égales par ailleurs). Soit une hausse du prix du bien X ; deux effets sont possibles : 1. la hausse du prix conduit le consommateur à réduire sa consommation de X au profit d'un autre bien, substitut du premier, c'est l'*effet-substitution* ; 2. la hausse du prix réduit le pouvoir d'achat du revenu, donc les quantités de bien X que ce revenu permet d'acheter, c'est l'*effet-revenu*.
♦ Dans le cas du producteur, la *substitution capital/travail*, ou substitution du capital au travail, s'explique par la hausse du prix relatif du travail (les coûts salariaux trop élevés apparaissent alors comme une cause de chômage).

⟶ ▶ *Élasticité, Indifférence (Courbe d').*

SUBVENTION

Transfert réalisé par l'État au profit d'une entreprise ou d'une association.

On distingue les subventions :
– *d'équilibre*, qui compensent un déficit de l'entreprise ;
– *d'équipement*, qui constituent une participation à des frais d'établissement ou d'immobilisation ;
– *d'exploitation*, qui ont pour but de compenser une insuffisance de recettes (par exemple, les subventions à la SNCF pour

compenser les réductions accordées aux familles nombreuses), d'alléger certaines charges ou d'encourager certaines activités.

SUPERSTRUCTURE(S)

1. Concept marxiste, pourtant très rarement utilisé par Marx, qui désigne les éléments structurels d'une société s'élevant au-dessus de la base économique et déterminés par elle : parfois, il inclut seulement le droit et l'État (le juridico-politique), éléments auxquels on adjoint souvent l'idéologie. Le débat entre marxistes devient plus vif dès qu'on se propose d'ajouter à cette liste la science et le langage. Un autre débat porte sur le degré d'autonomie de la superstructure par rapport à l'infrastructure.

2. Plus généralement, la superstructure désigne les aspects culturels, spirituels, idéologiques, de la vie des hommes en société, par opposition aux aspects matériels.

→ *Infrastructures, Marx.*

SURPLUS (Compte de)

Compte établi pour une entreprise ou pour l'économie nationale, présentant, d'un côté, l'ensemble des produits obtenus au cours d'une année et, de l'autre, l'ensemble des facteurs de production utilisés pour obtenir ces produits. La différence entre la variation en volume des produits (augmentation des quantités produites) et la variation en volume des facteurs utilisés (travail, capital, consommations intermédiaires) donne le montant du *surplus de productivité.*

Ce surplus représente l'augmentation de richesses d'une année sur l'autre. Le *compte de surplus* fait apparaître comment la richesse supplémentaire a été répartie entre les différentes parties intéressées : l'entreprise (variation du profit réel), les

salariés (variation du pouvoir d'achat du salaire), l'État (variation des impôts), les créanciers (dividendes, intérêts) et les consommateurs (qui peuvent bénéficier d'une baisse du prix relatif). Partant de ce résultat, il est possible de prendre en compte l'inflation et d'observer comment elle opère une « redistribution des cartes ».

♦ Il en découle qu'il n'est pas possible de distribuer à toutes les parties prenantes plus que le montant du surplus de productivité : si un facteur de production bénéficie d'une augmentation de pouvoir d'achat supérieure à l'accroissement de la productivité, c'est nécessairement au détriment d'un autre facteur.

→ *Productivité (Gains de).*

SURPLUS
(surproduit, produit net)

Différence entre la production totale au cours d'une période et la part de cette production nécessaire à un nouveau cycle de production (matières premières, remplacement du capital, entretien de la main-d'œuvre).

Soit un paysan qui a semé et récolté du blé : sur cette récolte, il doit prélever la semence de la prochaine récolte, de quoi vivre jusqu'à la prochaine récolte, de quoi rémunérer les facteurs de production qu'il a utilisés (engrais, amortissement du matériel, etc.) ; une fois soustrait de la production totale tout ce qui est nécessaire à un nouveau cycle de production, dans le cadre d'une reproduction à l'identique du système, il reste un surplus, un surproduit, un produit net.

♦ La notion de surplus est générale. Chez Marx, le *surproduit* renvoie logiquement à la notion de surtravail (travail gratuit effectué en plus du travail nécessaire à la reproduction de la force de travail, donc le travail qui crée le produit que s'approprient les capitalistes.

Une partie de ce surplus peut être investie afin d'augmenter les capacités de production (ensemencement d'une nouvelle parcelle, achat d'un tracteur supplémentaire, etc.), mais tout ou partie du surplus peut être accaparé par d'autres groupes sociaux que les producteurs directs : le capitaliste prélève un profit, l'usurier un intérêt, l'État un impôt, le clergé une dîme, etc. On comprend donc que la croissance économique dépend à la fois du montant et de l'affectation du surplus. Ce problème a été principalement étudié par les économistes classiques et par Marx.

➞ *Marx, Physiocratie.*

SURPRODUCTION

Situation économique dans laquelle le niveau de la production est supérieur à celui de la demande solvable.

Pour Marx et les auteurs marxistes, les crises du système capitaliste sont des crises de surproduction, qui résultent des caractéristiques de l'accumulation du capital.

➞ *Crise, Marx, Marxisme.*

SWAP

(de l'angl. *to swap*, « échanger », échange financier)

Échange d'obligations réciproques nées d'un contrat. Par exemple, deux États qui souhaitent obtenir chacun de la monnaie de l'autre, ou deux entreprises qui souhaitent profiter des avantages de collecte de fonds de l'autre, concluent des *swaps*.

SYMBOLE/SYMBOLIQUE

1. Les *symboles* entrent dans la catégorie générale des signes. Au sens habituel : élément (figure, emblème) qui évoque une réalité concrète (exemple : le toit pour la maison) ou, le plus souvent, une entité abstraite (la balance, symbole de la Justice).

Dans un sens élargi : objets (« biens symboliques »), actes (« conduites symboliques »), productions culturelles

(« mythes »), qui entendent signifier quelque chose de relatif à une organisation sociale donnée.

♦ À ce niveau, il est difficile de distinguer les éléments proprement symboliques. Les biens matériels, les actions ont souvent une dimension symbolique au-delà de leur fonction instrumentale.

Les symboles remplissent ainsi des fonctions de communication, de participation, de distinction, voire d'exclusion.

Anthropologues et sociologues désignent par *système symbolique* l'ensemble structuré des éléments symboliques propres à une société.

Ces éléments, loin d'être juxtaposés les uns par rapport aux autres, sont reliés entre eux, forment un système et fonctionnent ensemble comme un langage articulé. Ils définissent un système culturel. « Toute culture peut être considérée en ensemble de systèmes symboliques, au premier rang desquels se placent le langage, les règles matrimoniales, les rapports économiques » (Lévi-Strauss).

L'ordre symbolique est en partie inconscient. Son explication est une construction de l'observateur.

Certains sociologues, comme Bourdieu et d'autres auteurs proches de lui, parlent de *domination symbolique* pour désigner les modalités idéologiques et culturelles par lesquelles la classe dominante, ou plus largement les classes supérieures, renforcent leur position et légitiment l'ordre social : ainsi en est-il de l'école et, plus généralement, de la culture savante.

➞ *Lévi-Strauss, Signe, Structuralisme.*

SYNCHRONIQUE

Qui se passe dans le même temps. Plus précisément : analyse des différents aspects d'une réalité (culture et organisation sociale d'une société par exemple) au même stade d'évolution.

S'oppose à *diachronique*, qui est l'analyse des phénomènes dans leur évolution (transformation de l'organisation sociale par exemple).

SYNDICALISME
(Historique du)

Ensemble des phénomènes liés à l'existence et à l'activité des syndicats : mouvements revendicatifs, actions de représentation, organisation des travailleurs, luttes politiques à caractère social. Historiquement, le syndicalisme est d'abord celui du groupe ouvrier. Il devient progressivement un phénomène intéressant l'ensemble des salariés. Aujourd'hui, surtout en France, le syndicalisme est en proie à une crise profonde.

Origines et affirmation du syndicalisme

Le syndicalisme a partie liée avec la généralisation de l'économie de marché et l'essor parallèle du salariat. Bien avant que les syndicats ne soient reconnus, les conflits du travail et les associations ouvrières se développent dans les principaux pays en voie d'industrialisation.

Précoce en Grande-Bretagne (1826) et aux États-Unis (1842), la reconnaissance du fait syndical se généralise dans le dernier tiers du XIXe siècle (loi de 1884 modifiée par la loi de mars 1920 en France). Elle est suivie par la fondation des premières confédérations (les TUC en Grande-Bretagne en 1858, l'AFL aux États-Unis en 1886, la CGT en France en 1895).

Ce régime légal, plus favorable encore que celui des associations, facilite les contrats, la gestion des biens et surtout l'action en justice (droits de la partie civile).

À l'origine, prédomine le syndicalisme de métier (regroupement d'ouvriers professionnels sur la base du métier). Avec l'essor de la production en grande série se développe un syndicalisme d'industrie (élargissement de la base syndicale et défense des intérêts communs aux travailleurs).

♦ Le premier syndicalisme s'inscrit largement dans une perspective politique, celle de la lutte contre le système capitaliste et du mouvement ouvrier. En Allemagne et en Grande-Bretagne, il est étroitement lié à la social-démocratie. En France, la tradition anarcho-syndicaliste, anti-étatiste mais également méfiante vis-à-vis des partis, est dominante jusqu'à la Première Guerre mondiale. La Révolution russe, la création de partis communistes mais également l'émergence de groupements d'obédience chrétienne vont être à l'origine du pluralisme syndical évoqué plus haut.

À partir des années 1930 et surtout après la Seconde Guerre mondiale, le syndicalisme connaît plusieurs évolutions de fond : émergence de syndicats de masse, élargissement du syndicalisme à d'autres catégories de salariés (employés, enseignants, cadres) et, surtout, institutionnalisation des relations professionnelles qui font des organisations syndicales des rouages essentiels de la régulation sociale.

Crise du syndicalisme ?

Depuis les années 1980, plusieurs signes attestent d'une crise du syndicalisme, surtout en France : désaffection syndicale (forte diminution des adhérents mais aussi crise des vocations militantes), fléchissement de l'audience syndicale, perte d'image, etc., le tout sur fond de baisse des conflits et d'évolution des rapports de force défavorable aux salariés.

♦ Plusieurs explications peuvent être avancées : difficile adaptation à la crise économique, chômage de masse, montée des emplois précaires et salariés sur la défensive, rétrécissement de plusieurs bastions d'implantation du syndicalisme (automobile, sidérurgie, chantiers navals), mais aussi des tendances lourdes comme la montée des services (traditionnellement moins syndiqués), le déclin du mouvement ouvrier et une certaine méfiance des jeunes générations pour l'action collective. Enfin, on peut invoquer des raisons qui tiennent aux syndicats eux-mêmes : accentuation de la division entre centrales, effets pervers de l'institutionnalisation et des tâches de représentation hors des entreprises qui accentuent le déclin de leur présence sur les lieux de travail.

⟶ *Anarcho-syndicalisme, Convention collective, Institutionnalisation, Mouvement ouvrier, Relations du travail ou professionnelles, Syndicats (des salariés), Syndicats patronaux.*

SYNDICATS DES SALARIÉS

Associations assurant l'organisation et la défense des salariés pour la reconnaissance et le respect de leurs droits professionnels, économiques et sociaux.

◆ L'histoire du syndicalisme salarié est marquée par de nombreuses vicissitudes : les coalitions sont interdites, en France, par la loi Le Chapelier en 1791. Les syndicats ne sont légalisés qu'en 1884, par la loi Waldeck-Rousseau. Les accords de Matignon (1936) reconnaissent leur rôle à travers la création des délégués du personnel et des conventions collectives, mais il faudra attendre 1968 pour que la section syndicale d'entreprise soit dotée d'une existence légale.

D'abord issu du monde ouvrier, les syndicats ont ensuite gagné d'autres couches sociales : fonctionnaires, employés, cadres.

Les syndicats s'organisent en plusieurs niveaux : à la base, ils regroupent des salariés sur la base du métier (forme première du syndicalisme), de l'entreprise, (sections syndicales reconnues officiellement en 1968), de la localité ou d'une entité géographique plus vaste (unions locales, départementales, régionales). Les Fédérations d'industrie ou de services réunissent au plan national les syndicats des différentes branches. Enfin ces organisations (sectorielles et territoriales) se regroupent généralement en Confédérations.

Au niveau confédéral, s'opposent, selon les pays, les modèles unitaires et les modèles pluralistes. Dans les pays anglo-saxons et scandinaves, une seule

Les principaux syndicats de salariés

Confédérations	Date de création	Origines
CGT Confédération générale du travail	1895	L'ancêtre des confédérations, a lié des relations étroites (aujourd'hui distendues) avec le PCF.
CGT-FO (Force ouvrière)	1948	Née d'une scission avec la CGT.
CFTC Confédération française des travailleurs chrétiens	1919	Dite « maintenue » depuis 1964 (les minoritaires conservent le sigle, voir CFDT).
CFDT Confédération française démocratique du travail	1964	Héritière de la CFTC dont la majorité décide sa « déconfessionnalisation » en 1964.
SUD Solidaires, unitaires, démocratiques	1988	La création d'un syndicat SUD dans les PTT, présents dans plusieurs entreprises publiques.
CGC-CFE Confédération générale des cadres puis Confédération française de l'encadrement (depuis 1981)	1944	Héritière des syndicats d'ingénieurs et de cadres créés dans l'entre-deux guerres.
FEN Fédération de l'Éducation nationale	1948	Affiliée à la CGT, devient autonome en 1948, lors de la scission entre la CGT et FO.
FSU Fédération syndicale unitaire	1993	Fondée par les exclus (en 1992) de la FEN.

confédération rassemble la très grande majorité des syndicats. En France et dans plusieurs autres pays européens, le pluralisme est de règle : plusieurs confédérations sont en concurrence sur la base d'orientations différentes.

Dans plusieurs pays européens (Italie, Belgique, France, etc.), le pluralisme est de règle : plusieurs confédérations sont en concurrence sur la base d'orientations différentes. En France, cette situation est le résultat d'une histoire complexe et de plusieurs scissions (voir tableau). Cinq confédérations (CGT, CFDT, FO, CFTC, CGC) sont reconnues « représentatives » des salariés. Un tel statut leur permet de négocier un accord qui pourra être applicable à tous les salariés appartenant au champ d'application de l'accord.

Des fonctions multiples

À différents niveaux (entreprise, branche, ensemble des professions), les syndicats cumulent plusieurs fonctions : conduite d'actions revendicatives (mais pas de monopole de l'action, du moins en France), négociation collective – que ce soit au niveau de l'entreprise ou de la branche – débouchant sur des accords pouvant servir de référence au-delà des seuls signataires (conventions collectives), fonction de « défense et recours » (assistance des salariés dans leurs litiges avec la direction de l'entreprise), gestion des œuvres sociales dans les entreprises d'une certaine taille, cogestion paritaire des caisses de sécurité sociale et d'organismes de formation, etc.

♦ Le taux de syndicalisation, c'est-à-dire le rapport du nombre de syndiqués au nombre des actifs occupés en pourcentage, à la fin des années 1990, se situait en France à 9 %, à 30 % ou plus en Allemagne, Italie, Royaume-Uni, à 50 % ou plus en Belgique, au Danemark et en Suède.

SYNDICATS PATRONAUX

Associations assurant la représentation et la défense des intérêts économiques des dirigeants d'entreprise.

En France les principaux syndicats patronaux sont :
– le MEDEF (Mouvement des entreprises de France) issu du CNPF (Conseil national du patronat français). En font partie la CGPME (Confédération générale des petites et moyennes entreprises) et des fédérations de branche comme la puissance UIMM (Union des industries métallurgiques et minières) ;
– le SNPMI (Syndicat national des petites et moyennes industries) ;
– la FNSEA (Fédération nationale des syndicats d'exploitants agricoles) dont fait partie le CNJA (Centre national des jeunes agriculteurs) ;
– le CIDUNATI (Centre d'information et de défense/Union nationale des travailleurs indépendants).

SYNDICAT (sens financier)

Groupement d'établissements financiers (banques, investisseurs institutionnels) agissant de concert sur le marché financier, principalement pour le placement de titres lors de leur émission.

On distingue : le *syndicat de placement* (les banques se contentent d'offrir au public les titres de la société émettrice), le *syndicat de garantie* (ses membres souscriront les titres non placés dans le public) et le *syndicat de prise ferme* (l'ensemble des titres est souscrit par les banques avant leur placement auprès du public).

SYNERGIE

Complémentarité ou coopération de différents éléments permettant une plus grande efficacité. En économie, l'expression « synergie » est employée pour souligner les effets de la concentration, la réunion d'unités de production permettant d'atteindre une efficacité supérieure à la somme des efficacités élémentaires. En ce sens, cette notion est proche de celle d'économie d'échelle.

La synergie peut opérer sans concentration ou réunion, entre entités distinctes mais rapprochées, notamment spatialement, dans le cadre des technopoles, entre entreprises et universités.

→ *Rendements factoriels/Rendements d'échelle.*

SYSMIN

Système créé par Lomé II afin d'encourager et de protéger la production minière des ACP (66 pays situés en Afrique, aux Caraïbes et dans le Pacifique) : cuivre, phosphate, manganèse, bauxite, étain, minerai de fer, par la création d'un fonds permettant d'investir ou d'obtenir une assistance technique. Le SYSMIN doit également inciter les firmes minières européennes à investir dans ces pays.

→ *Lomé (Convention de), STABEX.*

SYSTÈME BANCAIRE

Ensemble des établissements bancaires d'un pays. Les systèmes bancaires sont en général hiérarchisés avec, à leur tête, une Banque centrale, qui joue le rôle de prêteur en dernier ressort. En France, il comprend la Banque de France et l'ensemble des établissements de crédit.

→ *Banque.*

SYSTÈME ÉCONOMIQUE

Mode général d'organisation, c'est-à-dire institutions, mobiles et mécanismes qui régit l'activité économique (production, échanges, répartition des richesses).

Ces différents éléments constituent un ensemble relativement cohérent (ce qui ne veut pas dire exempt de toute contradiction). On distingue ainsi le système capitaliste et le système d'économie centralement planifiée, précédés historiquement par d'autres systèmes (économie de subsistance, économie marchande à dominante agricole par exemple).

♦ Les *institutions* recouvrent les règles juridiques régissant l'activité des agents (propriété privée des moyens de production, droits des contrats en système capitaliste ainsi que l'intervention du pouvoir central.
♦ Les *mobiles* renvoient à la fois aux objectifs généraux et aux comportements dominants (maximisation du profit pour l'entreprise capitaliste par exemple).
♦ Les *mécanismes* désignent les modes de régulation de l'activité économique (le marché dans le système capitaliste, le plan dans le système socialiste).
♦ On peut également inclure les moyens techniques dans les éléments caractéristiques d'un système. Cependant, les mêmes techniques peuvent être utilisées dans des systèmes économiques différents.

Le concept marxiste de *mode de production* est proche de cette notion.

Un système économique revêt des formes diverses dans le temps et dans l'espace. On distingue par exemple le capitalisme libéral et le néocapitalisme en soulignant les différences importantes qui les séparent quant aux formes de la concurrence, au rôle de l'État, à la structure de l'appareil productif, etc.

De même, on parle de système américain, de système (ou de modèle) japonais pour spécifier les formes particulières que revêt un système économique (ici le système capitaliste) selon les pays ou les régions.

♦ Dans ces cas, on préfère utiliser l'expression de *régime économique* qui désigne ainsi une variante ou une incarnation concrète d'un système économique. Cependant, selon certains économistes, le vocable désigne plus précisément « l'ensemble des règles légales qui, au sein d'un système économique donné, régissent les activités économiques des hommes… » (Lajugie).

En tout état de cause, la notion de système économique est ambivalente ; elle fait référence soit à un modèle abstrait, idéal (définition théorique), soit à la réalité complexe d'un ensemble économique concret dont le fonctionnement effectif ne répond que partiellement aux principes du modèle.

⟶ *Capitalisme, Économie de subsistance, Mode de production.*

SYSTÈME FINANCIER

⟶ *Économie d'endettement/de marchés financiers, Financement.*

SYSTÈME MONÉTAIRE EUROPÉEN (SME)

⟶ *Europe communautaire (système monétaire européen ou SME)*

SYSTÈME MONÉTAIRE INTERNATIONAL (SMI)

Ensemble de règles et d'institutions définissant les modes de détermination du cours des monnaies et la nature des réserves internationales. Un système monétaire international peut être codifié, lorsqu'il résulte d'une négociation internationale, comme celle de Bretton-Woods, ou résulter de décisions unilatérales des États. Un système monétaire international peut être unifié si tous les pays concernés ont le même régime de change, ou hybride si les pays ont adopté des régimes de change différents.

Les grands types de régimes de change

On distingue tout d'abord les régimes de parités fixes et les régimes de flottement.

Dans *les régimes de parités fixes (ou de changes fixes)*, il existe une parité officielle autour de laquelle les cours effectifs des monnaies ne doivent que faiblement varier.

Les régimes de parités fixes avec étalon se différencient par la nature de l'étalon.

Trois grands systèmes sont envisageables :

♦ *L'étalon-or (Gold standard) :* les parités des monnaies sont fixées par rapport à l'or et l'or constitue une monnaie internationale qui sert au règlement des échanges et comme instrument de réserve. Deux formes d'étalon-or :

– le *Gold Specie standard* : la convertibilité de la monnaie en or est assurée ; se fait pour les pièces de métal ; il y a donc simultanément convertibilité interne et externe ;

– le *Gold Bullion standard* : la convertibilité de la monnaie en or n'est réalisée qu'au niveau du lingot ; la convertibilité interne a disparu ; mais une garantie or est donnée aux étrangers détenteurs de monnaie nationale.

♦ *Un double étalon :* « étalon de change or » (*Gold Exchange standard*) ; les parités sont fixées par rapport à l'or ou à une devise (par exemple le dollar) ; la convertibilité s'opère à deux niveaux : les monnaies sont convertibles dans la devise étalon et celle-ci est convertible en or.

♦ *Un étalon devise,* par exemple l'étalon-dollar (*Dollar standard*) : les parités sont fixées par rapport à la monnaie étalon ; les monnaies sont convertibles en devise étalon mais celle-ci est inconvertible.

Il peut exister toutefois des *régimes de parités fixes sans étalon*, lorsque les parités officielles des monnaies se définissent deux à deux, comme c'était le cas dans le SME.

Les régimes de flottement (ou de changes flottants) : les monnaies n'ont pas de parité officielle ; leur cours se forme sur le marché des changes en fonction des offres et des demandes.

Il existe deux sous-systèmes de flottement :

♦ *Le flottement administré :* les autorités monétaires peuvent intervenir sur le marché des changes pour réguler la formation du cours en achetant ou en vendant des devises.

♦ *Le flottement pur :* dans ce système, les autorités monétaires n'interviennent pas sur le marché des changes pour réguler la formation du cours. Ce système est une construction théorique élaborée par les auteurs monétaristes qui décrivent un système idéal d'autorégulation.

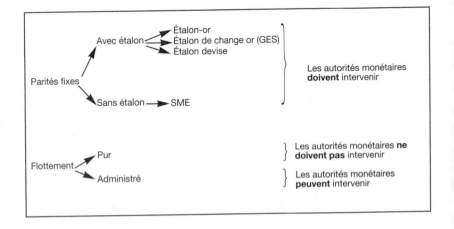

Le système monétaire actuel est issu du système de Bretton Woods, système de *Gold Exchange standard*, dans lequel les monnaies étaient convertibles à taux fixes par rapport au dollar, lui-même convertible en or. Avec la suspension de la convertibilité en or du dollar en 1971 et l'adoption de changes flottants en 1973 à l'initiative européenne, un nouveau système monétaire international s'est installé *de facto*, sans qu'une conférence internationale n'en définisse les règles du jeu. Les accords de la Jamaïque en 1976 se bornent à entériner le flottement des monnaies et à démonétiser l'or. C'est un système qui repose sur une pluralité de régimes de change, certaines monnaies flottent, et non les moindres (dollar, euro, yen…), d'autres sont définies par rapport à une monnaie (zone dollar, zone franc…) ou un panier de monnaies.

C'est toutefois le flottement des monnaies qui constitue la caractéristique essentielle du système monétaire international actuel. Le flottement se traduit par des variations très amples des taux de change des monnaies et tout particulièrement du dollar. Le flottement des monnaies est générateur d'incertitudes et crée un milieu favorable à l'apparition de situations dans lesquelles les taux de change, sous l'influence des politiques et de la spéculation, s'éloignent des données fondamentales des économies. Toutefois, l'adoption de changes flexibles est liée à des rivalités au sein de l'économie mondiale qui impliquent les divergences de politique économique et la remise en cause de l'hégémonie jusque-là incontestée du dollar. Cependant, le dollar reste aujourd'hui un pilier du système monétaire international ; il a perdu son rôle d'étalon mais il est la première monnaie de facturation, de libellé des opérations financières et la première monnaie de réserve.

♦ Il en résulte que le système monétaire et, de façon plus générale, l'économie mondiale sont fortement dépendants des fluctuations du dollar : celui-ci influe sur les courants d'échange, la facture pétrolière, l'inflation par les coûts, le poids des dettes en dollar… Mais le dollar est fortement dépendant des politiques menées par les dirigeants américains qui choisissent à certains moments une politique de dollar faible (de 1971 à 1978, en 1992) ou une politique de taux d'intérêt élevé et de dollar fort.

L'instabilité monétaire reste profonde, qu'elle soit latente ou déclarée, en dépit de projets, toujours remis en chantier, d'un nouveau Bretton-Woods.

→ *Bretton Woods (Accords de), Europe communautaire (union monétaire), Mundell (Triangle d'incompatibilité de).*

CHRONOLOGIE SOMMAIRE DU SYSTÈME MONÉTAIRE INTERNATIONAL

XIXᵉ siècle.......... 1914................. 1940-1944.......... 1971................. 1973.................				
Étalon-or Bimétallisme	*Gold Bullion Gold Exchange standard*	*Gold Exchange standard*	*Dollar Standard*	Flottement Système hybride
Stabilité	*Désordre*	*Stabilité*	*Désordre*	
Hégémonie britannique	Rivalités entre devises	Dollar roi	L'hégémonie du dollar contestée	
Régulation par déflation	Déflation Dévaluation Protectionnisme	Régulation par le déficit américain	Régulation partielle par le flottement des monnaies	

SYSTÈME PRODUCTIF

Au sens courant : ensemble des unités de production résidant sur un territoire économique national donné et caractérisé par certaines proportions entre, par exemple, PME et grandes entreprises, secteurs primaire, secondaire, tertiaire ; ou bien encore entre entreprises sociétaires et individuelles, donneuses d'ordre et sous-traitantes, etc. Par exemple : le système productif français.

Sens proche mais distinct : structures économiques.

Dans un sens plus savant : mode d'organisation de la production en tant que mise en cohérence d'un mode d'organisation du travail et d'un système technique. Par exemple : le système productif proto-industriel, le système usinier (*factory system*), le système de spécialisation souple.

À ne pas confondre avec la notion, voisine, de « modèle productif » (voir École de la régulation) défini comme « un compromis de gouvernement d'entreprise qui permet de mettre en œuvre l'une des stratégies de profit viables dans le cadre des modes de croissance des pays où les firmes organisent leurs activités, avec des moyens (politique-produit, organisation productive, relation salariale) cohérents et acceptables par les acteurs concernés. »

⟶ *Mode de production, Système économique.*

SYSTÈME SOCIAL

Ensemble lié des rapports sociaux, du mode de division en groupes, des institutions économiques (relations de travail), politiques, socio-culturelles (famille, école, pratiques religieuses, etc.), des valeurs fondamentales enfin, propre à une ou plusieurs sociétés : système tribal africain, système soviétique, système social japonais...

Système social et *organisation sociale* sont deux expressions synonymes.

⟶ *Culture, Régulation sociale, Société (en sciences humaines) ; Annexe 45.*

TABLEAU D'ÉCHANGES INTER-INDUSTRIELS

→ *TES ; Annexe 17.*

TABLEAU DES OPÉRATIONS FINANCIÈRES

→ *TOF.*

TABLEAU ENTRÉES-SORTIES

→ *TES.*

TABOU

→ *Interdit.*

TARIF EXTÉRIEUR COMMUN

→ *Europe (union ou intégration économique).*

TAXE

Synonyme d'impôt.

TAXE SUR LA VALEUR AJOUTÉE (TVA)

Impôt sur la consommation dont le principe consiste à taxer un produit sur la valeur qui lui est ajoutée par les entreprises qui participent aux différentes étapes de sa production, et à faire payer son montant par le consommateur.

♦ Soit, par exemple, une entreprise qui vend un bien hors taxes 600 €. Dans le cas d'une TVA au taux de 19,6 %, elle fera payer à l'acheteur 600 × (1 + 0,196), soit 718 €. Pour fabriquer ce bien, elle a dépensé 478 € (400 € + 78 € de TVA). Elle reversera à l'État 118 − 78 = 40 €.

La TVA a été introduite en France en 1954 et généralisée en 1968. Au 1er janvier 2003, il existe trois taux : le *taux normal de 19,6 %* ; le *taux de 5,5 %* qui s'applique à certains produits ou biens limitativement énumérés par la loi (alimentation humaine, produits d'origine agricole, produits nécessaires à l'agriculture, produits culturels) ; le *taux particulier de 2,1 %* qui concerne essentiellement certains médicaments et publications de presse.

→ *Impôt, Valeur ajoutée.*

TAXE TOBIN (*TOBIN TAX*)

Projet d'établir une taxe (entre 0,25 et 1 %) sur les transactions de change aux fins de freiner la spéculation sur ces marchés et de financer des programmes d'aide internationale.

L'idée de taxation des transactions monétaires avait été lancée dès 1978 par l'économiste anglais James Tobin pour lutter contre la spéculation. Elle a été reprise dans une optique plus radicale et plus large en 1998 à l'occasion de la création de l'association française ATTAC (Association pour la taxation des transactions financières pour l'aide aux citoyens), relayée par d'autres associations au plan international. Le principe de base est simple : il s'agit de rendre significativement plus coûteuses les opérations purement spéculatives à court terme qui exigent des allers et retours rapides et nombreux entre plusieurs monnaies alors que le faible taux d'imposition ne découragerait pas les prêts à long terme et les investissements à l'extérieur. La réalisation d'un tel projet suppose son adoption par l'ensemble des institutions financières et des États concernés. À cet égard, ses détracteurs font valoir les difficultés techniques et politiques d'instauration d'une telle taxe à l'échelle internationale.

→ *Changes (Marché des), Globalisation, Spéculation.*

TAXINOMIE

Science de la classification des objets (animaux, production, etc.).

TAYLOR/TAYLORISME

Ingénieur américain (1856-1915), Frederick W. Taylor proposa d'améliorer la productivité de la main-d'œuvre par la recherche de la méthode de travail la plus efficace

(« *the one best way* »), fondée sur la séparation des tâches de conception et d'exécution : c'est l'Organisation scientifique du travail (OST), son œuvre la plus connue.

Le taylorisme consiste également en un découpage des tâches productives en gestes élémentaires simples qui pourront être rigoureusement contrôlés : il supprime ainsi la flânerie (*fallacy*) des ouvriers.

L'utilisation de la chaîne de production par H. Ford, dans les années 1910, complète le taylorisme et parachève la division technique et sociale du travail qui triomphe dans le monde développé après la Seconde Guerre mondiale.

♦ Certains auteurs considèrent que l'épuisement de ces formes d'organisation du travail a été l'un des facteurs de la crise actuelle ; ils en déduisent que nous sommes à la recherche de nouvelles formes, mieux adaptées aux nouvelles techniques (informatisation, robotisation) et centrées sur la participation du travailleur (par exemple : les cercles de qualité). D'autres pensent au contraire que l'OST conserve un bel avenir et que l'on retrouve toujours à l'œuvre la même logique sociale de séparation de la conception et de l'exécution.

→ *Division du travail, Fordisme, Marxisme, Smith.*

TECHNOCRATIE

(du gr. *tekhnê* « art » et *kratos* « pouvoir »)

1. Système de pouvoir dans lequel les décisions sont prises par une minorité diplômée de hauts fonctionnaires ou de cadres dirigeants dont la légitimité repose sur la compétence et non sur l'élection.

2. Couche sociale détenant cette forme de pouvoir.

Les technocrates de l'appareil d'État (directeurs d'administrations centrales, directeurs régionaux, départementaux…), souvent plus stables dans leur fonction que les responsables politiques (ministres ou élus), peuvent tirer de cette stabilité, et de leur spécialisation, une connaissance des dossiers telle qu'ils exercent un pouvoir de fait.

Cette dérive des régimes politiques a été analysée comme une perversion de la démocratie dans la mesure où la mise en jeu de la responsabilité politique, par motion de censure, dissolution, ou non-réélection, n'atteint pas directement les véritables détenteurs du pouvoir, hommes de dossiers et de cabinets.

Le phénomène technocratique s'étend aussi aux grandes entreprises, publiques ou privées : le pouvoir, dont la légitimité se fonde en théorie sur la détention du capital, y semble largement aux mains des cadres dirigeants. Ces hauts salariés sont recrutés pour leurs compétences en gestion et se distinguent des capitalistes traditionnels.

Cette technocratie d'entreprise, également issue des Grandes Écoles, n'est pas séparée de la première : des passerelles existent et une carrière commencée dans la haute fonction publique peut, après passage dans un cabinet ministériel, se poursuivre à la direction d'une entreprise publique, le « pantouflage » s'achevant dans le secteur privé. Aux États-Unis, le chemin inverse, du privé vers le public, est souvent emprunté.

◆ La technocratie d'entreprise a été particulièrement étudiée, sous l'appellation de « technostructure », par l'économiste américain J. K. Galbraith dans *Le Nouvel État industriel* (1967). Elle aurait pour conséquence l'affranchissement des lois de la concurrence, la fin de la recherche exclusive du profit et la préférence pour la croissance, le recours à des techniques de planification, la concertation avec l'État et les syndicats, la collégialité des décisions.

⟶ *Bureaucratie, Galbraith.*

TECHNOSTRUCTURE

⟶ *Galbraith, Technocratie ; Annexe 25.*

TENDANCE

(en angl. *trend*)
Mouvement général de longue durée qui anime un phénomène économique ou social, par opposition aux variations conjoncturelles, de courte durée : par exemple, au XIXᵉ siècle, le *trend* séculaire des prix à la baisse, malgré des phases de hausse. Depuis 1975, la tendance est à l'augmentation du chômage malgré des phases de stabilisation ou de recul, en général de courte durée.

TERMAILLAGE

(en angl. *leads and lags*)
Consiste, dans les échanges internationaux, à avancer (*leads*) ou à retarder (*lags*) le recouvrement des créances ou le paiement des dettes en choisissant le moment estimé le plus favorable, compte tenu des anticipations de taux de change, pour la conversion de monnaie nationale en devise (ou l'inverse).

Par exemple : un exportateur détenteur de devises (marks) et anticipant une hausse de son cours, peut retarder leur conversion en francs de façon à réaliser un gain.

⟶ *Spéculation.*

TERME

Horizon temporel d'une décision ou d'un contrat, échéance d'une dette ou d'un engagement.
Exemples : pour une entreprise, l'échéance des dettes à *court terme* est inférieure à un an ; dans la balance des paiements, les opérations financières dont l'échéance est supérieure à un an sont enregistrées sous l'intitulé capitaux à *long terme*.

TERME (Opération à)

Opération pour laquelle il y a disjonction entre la date à laquelle le contrat est conclu entre les parties prenantes et la date à laquelle ont lieu la livraison et le règlement prévus par ce contrat.

Par exemple : on peut convenir aujourd'hui du prix, de la quantité et de la qualité des marchandises que l'on livrera ou que l'on paiera plus tard (dans trois mois, etc., les opérations se réalisant sur le *marché à terme* des marchandises) ; sur le marché à terme des changes, on peut acheter ou vendre, à terme, des devises au cours d'aujourd'hui, et donc prévoir la livraison et le règlement à une date ultérieure : le spéculateur qui anticipe une baisse du franc décide de vendre du franc à terme ; si la baisse a effectivement lieu, il lui suffira d'acheter, le jour de l'échéance, des francs à un cours inférieur (le cours au comptant) pour les vendre à un cours supérieur (le cours convenu lors de la passation du contrat à terme).

→ *Changes (Marché des), Marché à terme/Marché de contrats à terme, Spéculation.*

TERMES DE L'ÉCHANGE

Indicateur des conditions économiques de l'échange ; appliqué à l'étude du commerce international, il indique les conditions dans lesquelles un pays échange ses importations contre ses exportations.

♦ *Dans le cas du* **troc** d'un bien X contre un bien Y : QX = QY (Q = quantité).
♦ Les termes de l'échange (TE) sont égaux au rapport QY/QX, c'est-à-dire à la quantité de Y qu'il est possible d'acquérir avec QX, ce qui correspond au pouvoir d'achat de X.
♦ Par exemple, si 2 oranges = 8 pommes. TE = 4, c'est-à-dire que 1 orange permet d'acheter 4 pommes.

♦ *Dans le cas de* **l'échange monétaire**, il faut distinguer deux hypothèses :
1. *Les échanges équilibrés*
Dans ce cas PXQX = PYQY (où P est le prix donc PXQX = valeur monétaire d'une quantité de X, et PYQY = valeur monétaire d'une quantité de Y). Donc les termes de l'échange monétaire sont donnés par :
PX/PY = QY/QX ;
le rapport des prix est égal à l'inverse du rapport des quantités et il exprime le pouvoir d'achat de X en terme de Y.
2. *Les échanges déséquilibrés*
Dans ce cas, PXQX est différent de PYQY, il faut distinguer par conséquent PX/PY, appelé *termes nets de l'échange*, et QY/QX appelé *termes bruts*.

Les termes de l'échange montrent si un pays doit exporter plus ou moins qu'à la période précédente pour obtenir ce qui est importé ; il s'agit d'un rapport d'indices.

On mesure les termes de l'échange :
– Entre produits
1. *On calcule les termes nets de l'échange* (TE_n) :

$$TE_n = \frac{\text{indice des prix des produits exportés}}{\text{indice des prix des produits importés}} \times 100$$

Si le rapport est > 100, cela indique une amélioration des termes de l'échange, on tend à vendre à l'étranger plus cher qu'on ne lui achète. Si le rapport est < 100, il y a détérioration des termes de l'échange, on tend à vendre moins cher qu'on achète.

La variation des termes nets de l'échange indique donc la réduction ou l'accroissement du volume des exportations requis pour payer le même volume d'importations qu'à la période de départ.
Indicatrice de l'évolution des prix relatifs des exportations par rapport aux importations, elle permet d'étudier l'évolution du pouvoir d'achat extérieur d'une nation, sa capacité à payer ses importations.

2. On peut faire apparaître le même phénomène en rapportant non plus les prix mais les volumes ; *c'est le calcul des termes bruts de l'échange* (TE_B).

Les termes bruts sont fournis par le rapport du volume des exportations et des importations (on entend par volume la valeur globale des importations ou des exportations déflatée par l'indice des prix correspondant).

$$TE_B = \frac{\text{indice du volume des exportations}}{\text{indice du volume des importations}} \times 100$$

◆ Attention : cette fois, un taux > 100 indique une détérioration des termes de l'échange, on doit fournir un plus grand volume d'exportations pour payer les importations.

– Entre facteurs

1. *On mesure l'évolution des termes de l'échange factoriels doubles par le rapport des quantités de facteurs* (travail, capital, ressources naturelles) incorporées dans les exportations et les importations : un pays qui bénéficie de gains de productivité supérieurs à ceux de ses partenaires peut réussir à obtenir un même volume d'importations en utilisant et donc en fournissant moins de facteurs de production. Mais si les gains de productivité sont entièrement répercutés en baisse des prix relatifs des produits exportés, il y aura détérioration des termes de l'échange net.

2. *Si l'on ne connaît pas le contenu en facteurs* des importations, on mesure seulement les termes factoriels simples de l'échange par le rapport entre les quantités de facteurs incorporées dans les exportations et le volume des importations.

◆ En France, on mesure généralement les termes nets par le rapport de deux indices des prix (Paasche) : l'évolution des termes de l'échange peut être décomposée en un *effet prix élémentaire* — l'élévation des TE résultant d'une croissance du prix des produits exportés plus rapide, en moyenne, que celle des produits importés — et un *effet de structure* — l'élévation des TE résultant, toutes choses égales par ailleurs, d'une déformation de la structure des exportations, plus accentuée que celle des importations, au profit des produits dont le prix relatif s'accroît.

→ *Déflateur, Échange inégal, Indice.*

TERTIAIRE

→ *Secteur d'activité (Grands secteurs), Service(s).*

TERTIARISATION

Processus par lequel les activités dites « tertiaires » et les emplois correspondants accroissent relativement leur poids respectivement dans la production nationale (PIB ou PNB) et dans l'emploi global (population active occupée).

Ce double processus est loin d'être nouveau : dans les pays développés, on observe une hausse de la part des services dans la production nationale et un mouvement correspondant de tertiarisation des emplois depuis le milieu ou la fin du XIXᵉ siècle. Deux faits majeurs renforcent ce mouvement au XXᵉ siècle : le dépassement des effectifs industriels par les emplois du secteur tertiaire (depuis les années 1940 en France) et l'accélération de la tertiarisation depuis les années 1970.

Cette évolution séculaire s'inscrit dans le schéma dit de **déversement** : la chute des emplois agricoles, consécutive aux progrès culturaux, profite d'abord et surtout au secteur industriel ; dans un deuxième temps, on observe une polarisation sur les emplois de services.

Plusieurs facteurs concourent à cette évolution : le développement d'abord modéré puis de plus en plus rapide de la demande et de la production de services marchands, le développement des administrations publiques, les inégalités sectorielles des gains de productivité (rapides dans l'agriculture et l'industrie, souvent lents dans les services).

◆ Concernant la structure de la production, la croissance de la part des services est favorisée par l'évolution des prix relatifs : les prix des prestations de services augmentent plus rapidement que ceux des biens matériels. Par ailleurs, l'externalisation joue un rôle non négligeable.

La tertiarisation a été associée à la **désindustrialisation** dans les pays développés à économie de marché (PDEM). Cette affirmation est discutable à plus d'un titre. Il faut d'abord remarquer que celle-ci est globalement relative (décélération de la croissance industrielle) ; au surplus, la tertiarisation est, pour une part, induite par le phénomène d'« externalisation », les entreprises industrielles font sous-traiter une part croissante de leurs tâches à des sociétés de services ; enfin, on peut soutenir que nombre de services « s'industrialisent » dans la mesure où ils se rationalisent et où leurs activités mécanisent une partie de leurs tâches. Ces tendances et surtout l'informatisation rapide de nombreuses opérations pourraient, du coup, limiter l'ampleur de la tertiarisation des emplois.

Phénomène économique, la tertiarisation est en même temps vecteur de changement social : voir à ce propos les débats sur la société post-industrielle.

➤ *Déversement sectoriel, Secteurs d'activité (Grands secteurs), Service(s), Société postindustrielle.*

TES (Tableau entrées-sorties)

Tableau présentant simultanément l'équilibre des ressources et des emplois de chaque produit et les comptes de production et d'exploitation des branches marchandes et non marchandes. Ce tableau, qui succède au Tableau d'échanges interindustriels (TEI), porte ce nom en référence au tableau d'*input-output* publié pour la première fois par W. Leontieff en 1939 (analyse de la structure de l'appareil productif américain).

Le TES se décompose en cinq soustableaux :

♦ Au cœur du TES, on trouve le tableau des *entrées intermédiaires* (1), construit comme une matrice des consommations intermédiaires : l'élément *a*, qui se trouve à l'intersection de la ligne x et de la colonne y, donne la valeur des achats de la branche y en produits de la branche x. Puisqu'il y a correspondance bi-univoque entre les branches et les produits, la matrice devrait être carrée ; ce n'est pas le cas pour plusieurs

raisons : il existe une branche commerce à laquelle ne correspond aucun produit particulier, mais des marges qui sont prises en compte dans le tableau des ressources en produits ; il existe une branche fictive créée spécialement pour consommer la production imputée de services bancaires ; les services non marchands ne font pas l'objet d'une consommation intermédiaire. La diagonale de cette matrice enregistre les intraconsommations : il s'agit de produits importés ou d'origine nationale qui appartiennent au même poste de la nomenclature que le produit de la branche concernée et qui sont consommés par cette branche (par exemple, les grains pour nourrir les poules sont des produits intraconsommés de la branche Agriculture).

♦ On trouve en dessous de ce premier tableau le tableau des *comptes de production par branche* (4), qui met en évidence la valeur ajoutée et permet de passer de la production des branches à la production des produits par des lignes transferts (par exemple, la valeur du gaz produit par la branche coke à l'occasion du processus de cokéfaction est transférée à la branche gaz).

♦ Le tableau suivant présente les *comptes d'exploitation par branche*, c'est-à-dire la répartition primaire de la valeur ajoutée.

♦ Le tableau du bas inclut les opérations qui permettent de passer d'une présentation en termes de branches (5), utile pour le calcul des coefficients techniques (rapport d'un intrant à la valeur du produit ; par exemple 60 % de pétrole brut dans la valeur du fioul), à une présentation en termes de produits (dont on étudiera ensuite l'utilisation). On passe de la production effective des branches à la *production distribuée des produits* par des lignes transferts (exemple : la valeur du gaz produit à l'occasion du processus de cokéfaction est transférée de la branche coke à la branche gaz).

♦ Le tableau en haut à gauche permet le calcul des *ressources en produits* (2) ; quelques opérations supplémentaires sont en effet nécessaires pour assurer l'équilibre des ressources et des emplois ; aux produits évalués aux prix de base, on ajoute les importations de biens et de services (avec une correction CAF/FAB) ; les colonnes « marges commerciales », « marges de transport », « impôts sur les produits (dont TVA) » et « subventions sur les produits » sont rendues nécessaires par des modes d'évaluation différents des ressources (au prix de base) et des emplois (au prix d'acquisition).

TABLEAU ENTRÉES-SORTIES

ENTRÉES INTERMÉDIAIRES (1)

BRANCHES PRODUITS	Agri-culture	Divers (y)	Com-merce	Ser-vices non mar-chands	Branche fictive	TOTAL Consomma-tions inter-médiaires
Agriculture (x)		a				
Divers						
Commerce						
Services non marchands						
TOTAL						

RESSOURCES EN PRODUITS (2)

Production des produits	Impor-tations des produits	Correc-tion CAF/FAB	Marges commer-ciales et de transport	Impôts sur les produits (dont TVA)	Sub-ventions

EMPLOIS FINALS (3)

Consommation finale Ménages Administration	FBCF	Δ stocks	Export

COMPTE DE PRODUCTION PAR BRANCHES (4)

TOTAL Consommations intermédiaires					
Valeur ajoutée brute					
Production des branches					
Transferts					
Production des produits					

COMPTE D'EXPLOITATION PAR BRANCHES (5)

Valeur ajoutée					
Rémunération des salariés					
EBE					
Impôts divers et subventions					

TROIS APPROCHES DU PIB (6)

Valeur ajoutée (aux prix de base)
+ Impôts sur les produits
− Subventions sur les produits
= Produit intérieur brut

Dépenses de consommation finale
+ Formation brute de capital
+ Exportations
− Importations
= Produit intérieur brut

Rémunération des salariés
+ Excédent brut d'exploitation
+ Impôts sur la production et les importations
− Subventions
= Produit intérieur brut

♦ Le tableau des *emplois finals* (3), en haut à droite, ne présente aucune difficulté de lecture, de même que le cartouche où l'on inscrit les trois façons de calculer le PIB (à la fois somme des valeurs ajoutées, somme des dépenses et somme des revenus).

♦ Le TES met particulièrement bien en évidence le réseau d'interdépendances qui constitue le tissu d'une économie. Surtout, il permet, grâce au modèle de Leontieff, d'élaborer des prévisions (exemple : réaction mécanique de l'appareil productif à un choc exogène comme la hausse du prix du pétrole).

→ *Comptabilité nationale.*

THÉORIE DES JEUX

→ *Jeux (Théorie des).*

THÉORIE DU DÉSÉQUILIBRE

→ *Déséquilibre (Théorie du).*

THÉSAURISATION

Encaisses monétaires oisives, c'est-à-dire part de l'épargne qui n'est affectée ni à l'investissement, ni aux placements financiers.

Traditionnellement, on oppose l'*épargne placée*, qui donne droit à un intérêt, et qui est utilisée pour le financement de l'économie, et l'*épargne thésaurisée* (par exemple, sous forme d'un « bas de laine » de billets), qui serait détournée du circuit économique. Dans cette perspective, qui s'inspire d'une lecture de Keynes, la thésaurisation est néfaste pour l'économie.

→ *Épargne.*

THOMAS D'AQUIN (Saint)

Théologien catholique (1224-1274) dont l'œuvre a donné naissance à la philosophie « thomiste » qui, dans le domaine économique, défend la propriété privée, mais condamne le commerce et le prêt à intérêt pratiqués dans le but d'enrichissement individuel.

TIERS MONDE

Ensemble des pays en développement (PED) et dont les problèmes ne sont ni ceux des pays développés à économie de marché (PDEM), ni ceux des pays ex-socialistes développés, deuxième monde qui s'est développé et s'est effondré (entre 1917 et 1989). Malgré des caractéristiques communes, les pays du Tiers monde manifestent une diversité importante.

♦ L'expression « Tiers monde » a été employée pour la première fois par le démographe français Alfred Sauvy en 1952, par analogie avec le Tiers État de 1789, dont Sieyès disait : « Qu'est-ce que le Tiers État ? Tout. Qu'a-t-il été jusqu'à présent dans l'ordre politique ? Rien. Que demande-t-il ? À devenir quelque chose. » Le terme a donc à l'origine une connotation politique : le Tiers monde, c'est l'ensemble des pays exclus.

De cette exclusion, les pays concernés ont eu une conscience commune : c'est elle qui a donné une certaine unité à ce groupe dont l'émergence sur la scène internationale a marqué les années 1950 et 1960. Son poids démographique croissant (les trois quarts de la population mondiale aujourd'hui), la décolonisation, le mouvement des non-alignés (Bandoeng, 1955), la bombe atomique chinoise (1964), le coup de force de l'OPEP en 1973, le retrait occidental du Viêtnam et du Liban, et soviétique d'Afghanistan, la création d'un groupe dit « des 77 » aux Nations unies, l'essor économique des NPI : autant de signes d'une montée en puissance de ce tiers exclu et longtemps dominé.

La diversité du Tiers monde tient à plusieurs facteurs :

– *facteurs géographiques :* les sols, les climats, les richesses naturelles diffèrent ; ainsi certains PED recèlent des ressources pétrolières abondantes, alors que d'autres doivent en importer ;

– *facteurs démographiques :* certains PED sont de micro-États, de dimension telle que le poids des frais généraux de l'État-nation (armée, police, infrastructures...) y est particulièrement lourd ; les Comores, le Cap-Vert, le Surinam, d'autres encore, ont chacun moins de 500 000 habitants ; la Chine et l'Inde, environ 2 milliards à eux deux... ;

– *facteurs politiques :* certains PED ont une tradition étatique ancienne (Égypte, Iran, Maroc, Cambodge, etc.), d'autres un État récent et souvent faible face aux rivalités ethniques ; certains sont dits « non alignés » ; certains ont une tradition de pluralisme, de démocratie parlementaire, là où d'autres n'ont connu que la dictature militaire, le parti unique... ;

– *facteurs culturels :* histoire, langue, religion sont autant de traits distinctifs ; ainsi de l'islam au monde latino-américain, à l'Afrique noire francophone, etc. ;

– *facteurs économiques :* outre les systèmes adoptés (capitalisme, socialisme...), les pays du Tiers monde diffèrent par le niveau de développement et la stratégie de développement mise en œuvre, et les choix institutionnels correspondants.

◆ La classification des pays du Tiers monde part de données économiques. La Banque mondiale, en juillet 2002, a classé 208 pays de plus de 30 000 habitants par : région géographique, revenu national brut (RNB) par tête et par an, degré d'endettement. Le nouveau critère du revenu national brut par tête (à la place du Produit national brut par tête), en dollars et par an, donne les résultats suivants :

– *les pays à faible revenu :* ils étaient 66, en 2001, à disposer d'un RNB/hab. inférieur ou égal à 745 dollars, parmi lesquels 35 pays africains ; mais aussi, par exemple : Indonésie, Inde, Bangladesh, Ukraine, Arménie, Corée du Nord... ;

– *les pays à revenu intermédiaire :* soit en 2001, 90 pays disposant d'un RNB/hab. compris entre 746 et 9 205 dollars ; au sein de cette catégorie est distinguée une tranche inférieure de 52 pays dont le RNB/hab./an est compris entre 746 et 2 975 dollars ; par exemple : Chine, Fédération de Russie, Irak, Maroc, Égypte, Roumanie, Pérou... ; et au-delà, une tranche supérieure de 38 pays comme le Brésil, le Mexique, l'Argentine, la République tchèque, la Pologne, le Venezuela... ;

– *les pays à revenu élevé :* soit, en 2001, 52 pays disposant d'un RNB/hab. supérieur ou égal à 9 206 dollars, dont la plupart des pays de l'Europe de l'Ouest, les États-Unis, le Canada, le Japon, mais aussi HongKong, Singapour, la Slovénie, Israël, le Koweït, la Corée du Sud...

◆ L'ONU, et plus précisément la CNUCED (Conférence des Nations unies pour le commerce et le développement), ont introduit les distinctions suivantes :

– *les NPI, Nouveaux Pays industrialisés,* ou, en traduisant l'anglais mot à mot, Pays Nouvellement Industrialisés (PNI) ; soit une dizaine de pays caractérisés par une industrie exportatrice ;

– *les pays de l'OPEP :* exportateurs de pétrole ;

– *les PMA, Pays les moins avancés,* caractérisés par un PNB/hab. inférieur à 900 dollars (2000), une production industrielle représentant moins de 10 % du PNB et un taux d'alphabétisation inférieur à 20 %. Soit 48 pays en 2000.

→ ◆ *Économie du développement, Indicateur de développement humain (IDH).*

T<small>INBERGEN</small> (Jan)

→ *Annexe : Prix Nobel d'économie.*

T<small>IROLE</small> (Jean)

→ *Laffont.*

TITRE

Document certifiant un droit de propriété (titre de propriété, actions) ou une créance (effets de commerce, bons du Trésor, obligations). Le titre peut être nominatif (il porte le nom du titulaire) ou au porteur (il appartient à celui qui le détient).

→ *Valeur mobilière.*

T<small>OBIN</small> (James)

→ *Taxe Tobin (Tobin Tax), Annexe : Prix Nobel d'économie.*

TOCQUEVILLE (Alexis de)

Historien et homme politique français (1805-1859), considéré aujourd'hui comme l'un des fondateurs de la sociologie politique.

Il fait partie de la pléiade des grands penseurs européens de la première moitié du XIXe siècle qui entendent comprendre et mettre en perspective les bouleversements politiques et sociaux de l'ère des révolutions.

Son œuvre est centrée sur l'essor parallèle de « l'égalité des conditions », de l'individualisme et du principe de la souveraineté du peuple. À la différence de ses prédécesseurs (Montesquieu) et de ses contemporains (Guizot) qui ne voyaient dans la démocratie qu'une forme de gouvernement, il a été l'un des premiers, sinon le premier, à y voir un « état social ». Dans son célèbre ouvrage sur la démocratie en Amérique, fruit d'un long voyage d'études en 1831, il décrit longuement les mœurs, le style de vie, les relations sociales auxquels correspondent les institutions et plus largement le modèle politique américain.

♦ De la même façon, en étudiant l'évolution de la société française, Tocqueville tente d'articuler les transformations institutionnelles (la centralisation monarchique) et le changement culturel (l'exigence de liberté et d'égalité née de l'assujettissement des Français à un même pouvoir). Le changement politique en est à la fois l'aboutissement et le principe accélérateur : la Révolution française « n'a été qu'un procédé violent et rapide à l'aide duquel on a adapté l'état politique à l'état social, les faits aux idées et les lois aux mœurs ».

♦ Évoquant les tendances de la société future, Tocqueville pense que « la marche providentielle et irrésistible à l'égalisation des conditions », jointe à l'individualisme croissant, n'est pas sans risques pour la démocratie politique. Il évoque « un pouvoir immense et tutélaire », s'élevant au-dessus d'« une foule innombrable d'hommes semblables et égaux », certes émancipés, mais isolés les uns des autres.

Négligé pendant longtemps, Tocqueville redevient d'actualité avec le renouveau d'intérêt porté à la démocratie, au devenir de l'État-providence et, plus généralement, à la philosophie politique.

♦ Ouvrages principaux : *De la démocratie en Amérique* (1835-1840) ; *L'Ancien Régime et la Révolution* (1856).

──▶ **Démocratie, Égalitarisme, Individualisme ; Annexe 26.**

TOF (Tableau des opérations financières)

Tableau à double entrée qui croise des opérations financières et des secteurs institutionnels. Tableau utilisé en Comptabilité nationale.

Les opérations financières sont enregistrées en flux nets de créances (acquisitions moins remboursements) et flux nets de dettes (accroissements moins remboursements). Le solde des créances et des dettes est égal au solde du compte de capital : lorsqu'un agent dispose d'une capacité de financement, il l'emploie en procédant à une acquisition nette de créances ; lorsqu'un agent enregistre un besoin de financement, il satisfait ce besoin par un endettement net. Le TOF est donc un instrument de politique économique utile pour analyser le financement de l'économie. Il permet par exemple d'observer :
– comment les ménages ont comblé le besoin de financement des entreprises et de l'État : si leur épargne n'a pas suffi, la nation s'est endettée à l'égard du reste du monde ;
– comment les ménages répartissent leur épargne financière entre les actifs liquides (monnaie ou dépôts quasi monétaires) et les valeurs mobilières ; on étudie leur préférence pour la liquidité ;
– le financement des entreprises : prédominance du financement direct (marché financier) ou du financement indirect (endettement auprès des banques), etc.

──▶ *Comptabilité nationale.*

TOTALITARISME

> En sciences politiques, système politique caractérisé par l'emprise « totale » — ou se voulant telle — de l'État et d'un parti unique le contrôlant, sur la société. Cette emprise se traduit par la subordination du droit au pouvoir et à l'arbitraire policier.

L'origine du concept se trouve dans la formule de l'« État total » énoncée par B. Mussolini : « Pour le fasciste, tout est dans l'État et rien d'humain ni de spirituel n'existe et n'a de valeur en dehors de l'État. »

Le terme dérivé désigne ainsi les formes nouvelles de système autoritaire apparues avec le fascisme et surtout le nazisme. Mais, très vite, pour nombre de politologues d'obédiences diverses (libéraux mais aussi « non-libéraux » comme H. Arendt), il en vient à désigner aussi bien ces régimes que le stalinisme et, plus largement, le système communiste de type soviétique.

Malgré des différences de taille, ces systèmes partagent un certain nombre de traits caractéristiques : parti unique de masse ayant le monopole de l'activité politique et dirigé le plus souvent par un leader charismatique, idéologie fonctionnant comme vérité officielle de l'État et de la société, monopole de l'État et du Parti sur les moyens de communication, soumission des activités économiques à l'État, régime de terreur policière, etc. : cette énumération est tirée des définitions de K. Friedrich et R. Aron.

Le totalitarisme se distingue des autres régimes autoritaires par l'appel aux masses (participation spontanée ou mobilisation forcée), l'organisation bureaucratique et « l'institutionnalisation de la terreur et du secret » (H. Arendt).

L'assimilation du nazisme et du stalinisme a cependant été réfutée, y compris par des auteurs très critiques à l'égard du régime communiste soviétique.

♦ Selon J.-P. Faye, fascisme et nazisme se donnent explicitement pour des contre-mouvements niant l'héritage de la Révolution française, tandis que la Révolution russe se réclame expressément du processus des révolutions sociales. De là s'expliquent les traits spécifiques du totalitarisme soviétique.

⟶ **Bureaucratie, Fascisme.**

TOTÉMISME

> Activité symbolique et rituelle concernant le clan, l'identité de ses membres.

Le *totem*, animal ou plante, est considéré comme l'ancêtre (mythique) du clan et par suite son génie tutélaire. Le rituel totémique commande une multitude d'interdits et de prescriptions (tabous alimentaires, interdiction de tuer l'animal totémique, etc.).

⟶ **Interdit.**

TOURAINE (Alain)

> Sociologue français né en 1925.

Élève de G. Friedmann dans les années 1950, ses travaux ont d'abord porté sur l'évolution du travail industriel et l'action ouvrière.

♦ Il développe le schéma des *trois phases du travail ouvrier* : la phase A (système professionnel) est caractérisée par l'autonomie relative de l'ouvrier de métier réglant lui-même sa machine (dite universelle) ; la phase B (production en grande série) est celle de la décomposition du travail (parcellisation) et des machines (machines spécialisées) ; elle correspond au processus taylorien de dépossession du savoir ouvrier ; la phase C (système technique) s'inscrit dans un mouvement de recomposition du travail marqué par l'automatisation croissante et une requalification d'une partie de la main-d'œuvre qui reste dépendante vis-à-vis du centre organisationnel.

Sa réflexion s'élargit aux systèmes d'action et à la dynamique sociétale (désignés parfois sous le terme d'*actionnalisme*). Au cœur de l'analyse, la notion d'*historicité*, « intervention volontaire (des sociétés) sur elles-mêmes », est présentée comme l'enjeu central des conflits et des mouvements sociaux.

C'est dans ce cadre que Touraine modélise le passage progressif de la société industrielle où les conflits sont centrés autour de l'organisation du travail à la « société programmée » ou post-industrielle dont l'enjeu principal réside dans les modes de gestion des appareils (et à propos desquels se développent les « nouveaux mouvements sociaux »).

À partir de la fin des années 1970, A. Touraine et son équipe pratiquent ce qu'ils appellent l'« intervention sociologique » : l'enquête participante auprès de sujets actifs d'une action collective qui doit favoriser leur auto-analyse et l'analyse des sociologues.

♦ Ouvrages principaux : *L'évolution du travail ouvrier aux usines Renault* (1955) ; *La conscience ouvrière* (1966) ; *Production de la société* (1973) : *Le mouvement ouvrier* (1984 en collaboration avec F. Dubet et M. Wieviorka) ; *Le retour de l'acteur* (1984) ; *Critique de la modernité* (1992).

→ *Mouvement ouvrier, Mouvement social ; Annexe 47.*

TOYOTISME

Modèle d'organisation du travail et de la production mis en œuvre chez Toyota, de façon progressive à partir des années 1950, sous l'impulsion de Taiichi Ohno. Parmi les nombreuses innovations caractéristiques de ce modèle, deux ont particulièrement retenu l'attention : la réalisation du « juste à temps » par la technique du « Kanban » (circulation de l'information d'un poste de travail à l'autre, de l'aval vers l'amont, par le moyen d'étiquettes, « l'autonomation » (contraction de « autonomie » et « automation »), système permettant d'interrompre la production à tout moment afin d'éviter les défauts et d'anticiper les pannes graves.

→ *Ohnisme.*

TRADITION

(du lat. *traditio* « action de transmettre »)
Pratiques et techniques, coutumes et valeurs transmises et conservées de génération en génération.

La tradition est à la fois un processus (transmission, conservation) et un patrimoine culturel (ce qui est transmis : manières de faire, règles de vie, principes d'action, croyances et doctrines).

Les canaux de transmission sont constitués par la langue parlée mais aussi par l'écrit (traités de savoir-vivre, textes sacrés…).

Suivant les types de société, la tradition pèse d'un poids plus ou moins important sur les générations nouvelles. Elle est fortement valorisée dans les sociétés primitives et les sociétés traditionnelles, souvent battue en brèche dans les sociétés contemporaines.

→ *Société traditionnelle.*

TRAITÉ DE MAASTRICHT

→ *Europe communautaire (histoire des communautés européennes).*

TRAITÉ DE ROME

→ *Europe communautaire (histoire des communautés européennes).*

TRANSFERT(S)

Opération de répartition sans contrepartie effectuée par un agent économique au profit d'un autre agent économique.

Les subventions d'exploitation sont des transferts versés par les administrations aux entreprises ; les transferts courants aux administrations sont des subventions et des transferts de recettes fiscales, notamment de l'État vers les collectivités locales ; les *transferts en capital* sont des opérations de répartition du patrimoine qui ont un effet sur les investissements ou la fortune du bénéficiaire (aides à l'investissement, par exemple). Les impôts sur le revenu et le patrimoine, les cotisations et prestations sociales sont également classés comme des transferts.

Dans la balance des paiements, les *transferts unilatéraux* regroupent aussi bien des transferts d'épargne des travailleurs immigrés vers leurs pays d'origine que l'aide privée ou publique aux pays en développement. À côté des revenus directs tirés du travail ou du patrimoine, les ménages perçoivent des *revenus de transfert*, c'est-à-dire des revenus sociaux qui leur sont attribués en fonction de droits que leur reconnaît la collectivité ; ce sont principalement des prestations sociales versées par la Sécurité sociale.

→ **Prestations sociales, Redistribution.**

TRANSFERTS DE TECHNOLOGIE

Ensemble des phénomènes de mobilité internationale du progrès technique. (S'agissant de « techniques », on ne peut que déplorer l'emploi impropre mais dominant du mot « technologie ».)

Comme le capital et le travail (phénomènes migratoires, fuite des cerveaux…), le progrès technique est un facteur de production et de croissance économique géographiquement mobile. Il y a transfert de technologie d'un pays A à un pays B :
– par *achat de brevet*, ou de licence d'exploitation, par une entreprise de B à une entreprise de A ;
– par *cession de brevet* ou de licence d'une société de A à sa filiale en B ;
– c'est le cas aussi lors de la constitution d'une *joint-venture*, le transfert de technologie pouvant constituer une part importante de l'apport financier de la société du pays A. Le lien est donc étroit entre les transferts de technologie et l'investissement international que souvent ils accompagnent. C'est une des raisons pour lesquelles les pays, et pas seulement ceux du Tiers monde, cherchent à attirer les investissements des FMN ;
– par *envoi à l'étranger de techniciens* chargés de former la main-d'œuvre locale, ou par retour au pays d'origine d'une main-d'œuvre ayant acquis à l'étranger un savoir-faire professionnel. Ici, le transfert de technologie est lié à la mobilité des travailleurs ;
– par *imitation des techniques étrangères* (pillage systématique des publications scientifiques étrangères, voire espionnage industriel…).

Les transferts de technologie sont recensés dans la balance des paiements, principalement au titre des invisibles (ligne « Brevets et redevances »). Ils peuvent être une cause non négligeable d'apport en devises et, inversement, pour beaucoup de PED, de sortie de devises.

♦ Problèmes posés par ces transferts :
– les choix techniques des PED dans le cadre de leurs stratégies de développement ; ils doivent prendre en compte : le coût en devises, les effets sur l'emploi, sur l'environnement, les effets d'entraînement, d'acculturation… ;
– la compatibilité entre les stratégies des PED et celles des FMN (souvent tentées de délocaliser dans le Tiers monde des activités polluantes ou à faible intensité capitalistique et donc faible technicité) ;
– le dilemme des pays industrialisés : vendre avec profit des techniques de pointe ou en garder le monopole… ;
– le contrôle des transferts de technologie à usage militaire, car tout est en fait susceptible d'usage militaire…

→ **Balance des paiements, Délocalisation, Économie du développement, Firme multinationale (FMN)/Firme transnationale, Progrès technique, Tiers monde.**

TRANSITION
(du socialisme
au capitalisme)

> Passage, opéré par les pays de l'Est, à partir de la fin des années 1980, d'une économie inspirée du modèle soviétique à une économie de marché.

Jusqu'à la fin des années 1980, les pays de l'Europe continentale et orientale, Union soviétique, Tchécoslovaquie, Pologne, Bulgarie, Roumanie, Hongrie (ensemble de pays quelquefois appelés « PECO ») et Allemagne de l'Est étaient fortement, mais inégalement marqués par le modèle soviétique : propriété publique d'une partie importante de l'appareil productif, prépondérance du plan impératif comme mode de coordination économique au détriment du marché, rôle fondamental joué par l'imbrication du parti communiste et de l'État dans la régulation de l'économie, intégration dans une division « socialiste » internationale du travail.

Certes, quelques pays avaient opté pour des réformes importantes du modèle : la Tchécoslovaquie, après 1967-1968, la Hongrie après 1968 et, de façon plus profonde, au cours des années 1980, et enfin la Pologne dans les années 1980. Mais c'est à partir de la fin des années 1980 que ces pays connaissent de profondes transformations, orientées vers la démocratisation politique et l'économie de marché. Privatisations, abandon de la planification, libéralisation des marchés, ouverture sur les échanges internationaux, constituent les composantes de base de cette transition.

Toutefois, cette transition s'est révélée beaucoup plus longue et difficile que ne le laissait penser la conception naïve de l'installation, immédiate et harmonieuse, d'une économie de marché. Ces pays traversent encore, malgré une amélioration, de graves difficultés, d'autant que des politiques d'austérité, quelquefois inspirées par le FMI, ont pour résultat de contracter la demande.

Cette expérience historique montre que l'économie de marché n'est pas la simple rencontre « naturelle » d'acteurs qui ajustent leur choix en fonction de signaux s'exprimant par des prix ; l'économie de marché suppose des règles du jeu, des institutions, des intermédiaires, des comportements, qui ne peuvent s'instaurer instantanément dans une société qui fonctionnait sur d'autres bases.

♦ En 2004, la Pologne, la République tchèque, la République slovaque, et la Hongrie doivent entrer dans l'Union européenne.

⟶ *Capitalisme, Institutionnalisation du marché, Marché, Socialisme.*

TRANSITION
DÉMOGRAPHIQUE

> Passage par étapes d'un régime démographique traditionnel, caractérisé par des taux de natalité et de mortalité élevés, à un régime démographique moderne présentant les caractéristiques inverses (faible natalité, faible mortalité).

La période de transition, plus ou moins longue (de un à deux siècles), peut être analysée comme une rupture d'équilibre : on observe, en effet, des décalages plus ou moins accentués entre la baisse de la mortalité et celle de la natalité.

Elle comprend schématiquement deux phases (voir graphiques) : au cours de la *première phase* (II.1), le taux de mortalité seul connaît une baisse significative, la natalité se maintient à un niveau élevé ; il en résulte un fort accroissement naturel. En Europe de l'Ouest, ce processus, commencé à la fin du XVIIIe siècle et au début du XIXe siècle, est lié à la révolution agricole (déclin des famines et des disettes) et aux progrès de l'hygiène. Une *deuxième phase* (II.2) commence quelques décennies plus tard avec le net fléchissement de la natalité ; il s'accompagne d'une décélération de la baisse de la mortalité résultant du vieillissement de la population ; cette double évolution entraîne un ralentissement de l'accroissement naturel. La baisse de la natalité résulte principalement de la baisse des taux de fécondité, elle-même produit de changements socioculturels complexes lents à se produire. La deuxième phase de la transition débouche progressivement sur un nouvel équilibre correspondant à une faible croissance démographique telle que la connaissent aujourd'hui plusieurs pays développés.

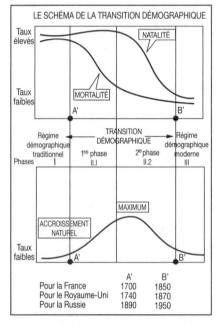

LE SCHÉMA DE LA TRANSITION DÉMOGRAPHIQUE

	A'	B'
Pour la France	1700	1850
Pour le Royaume-Uni	1740	1870
Pour la Russie	1890	1950

♦ Les concepteurs de ce schéma le présentent généralement comme un « phénomène universel » (J.-C. Chesnais), quitte à en souligner les variantes. Ainsi, les pays du Tiers monde seraient engagés dans un même processus. L'explosion démographique débutant dans les premières décennies du XXᵉ siècle correspond à la première phase (chute des taux de mortalité) ; la sensible décélération de la croissance démographique, décelable en Asie et en Amérique latine depuis la fin des années 1960, correspond à l'entrée dans la deuxième phase de la transition (baisse de la fécondité).

♦ Cette universalisation de l'évolution démographique est cependant critiquée : à mettre trop l'accent sur les similitudes, on néglige les différences de situation ou, pire, on impose des modèles. La baisse de la mortalité dans les PED est largement une « greffe de civilisation » (importation d'Occident de techniques de lutte contre les épidémies), le boom démographique se réalise sans que soient résolus le problème alimentaire et, plus généralement, les problèmes de développement.

→ *Économie du développement, Mortalité, Tiers monde.*

TRANSVERSALE (Analyse)

→ *Longitudinale/Transversale (Analyse, méthode).*

TRAVAIL

Activité rémunérée de l'homme. Terme qui apparaît tardivement dans le vocabulaire. Il a pour origine *tripaliare*, qui signifie torturer avec le *tripalium* (instrument formé de trois pieux), origine que l'on retrouve dans le verbe anglais *to travel* « voyager » (en référence à l'inconfort des premiers moyens de transport).

♦ Cette étymologie montre historiquement la pénibilité de l'activité de l'homme qui transforme la nature. Dans les sociétés primitives, le travail n'existe pas comme activité spécifique, séparée des autres. Dans l'Antiquité et au Moyen Âge, il n'existe pas de terme pour désigner ce qu'il y a de commun dans les activités du paysan, du commerçant, de l'artisan, etc. Il faut attendre l'essor des rapports marchands et l'avènement du capitalisme pour qu'émerge la notion de *travail* en général, c'est-à-dire l'ensemble des activités intellectuelles et manuelles accomplies par l'homme pour produire des biens et des services économiques en contrepartie desquels il est rémunéré.

Cette conception moderne du travail, celle que reprend l'économie politique, se constitue au moment où le travail, sous la forme du salariat, est considéré comme une marchandise, un facteur de production qui s'achète et se vend. Dès lors, la rémunération devient le critère déterminant : la femme au foyer, le bricoleur, etc., ne sont pas des « travailleurs ».

Il est donc nécessaire de distinguer trois types d'activités :

– *l'activité domestique*, qui n'est pas à proprement parler un travail dans la mesure où il ne s'agit pas d'un travail rémunéré ;

– *le travail salarié*, travail effectué dans des rapports de dépendance et de subordination et échangé en principe contre une rémunération forfaitaire ;

– *le travail non salarié*, effectué par un travailleur indépendant rémunéré directement par la vente du produit ou du service.

L'analyse néo-classique envisage le travail comme un facteur de production, au même titre que le capital, qui reçoit une rémunération — le salaire — égale à la contribution du travail à la production : la productivité marginale du travail. Les différences de salaires s'expliquent, dans cette optique, par des différences de qualité du travail, elles-mêmes provenant de l'investissement en capital humain des différents types de travailleurs. L'analyse néo-classique fait l'impasse sur les rapports sociaux qui se nouent autour du travail et de sa mise en œuvre dans l'entreprise.

Marx, au contraire, place le travail au cœur de son analyse et souligne la forme prise par le travail de l'ouvrier dans le capitalisme — qui diffère du travail fourni par l'esclave ou le serf dans les systèmes d'esclavage ou de servage. Toutefois, cette conception d'un salariat homogène laisse la place aujourd'hui à des analyses mettant en avant la hiérarchisation du salariat.

♦ *L'analyse économique et sociologique du travail* aujourd'hui s'intéresse, en dehors des problèmes classiques de la formation des salaires et de la détermination du chômage, aux modes d'organisation du travail, à la gestion de la main-d'œuvre et au fonctionnement du marché du travail.

♦ Dans les sociétés développées, la tendance à long terme est à :

– *la diminution du temps de travail*, diminution historique liée à l'évolution de la législation du travail et à l'accroissement de la productivité ;

– *la mécanisation des tâches* les plus pénibles, soit par la force physique demandée, soit par leur répétitivité ;

– *la complexification du travail*, provoquée par les progrès et les découvertes scientifiques : l'évolution du niveau général des études rend compte de ce phénomène qu'il engendre à son tour.

→ ► *Chômage, Division du travail, Emploi, Flexibilité, Population active, Salaire, Taylor/Taylorisme ; Annexe 37.*

TRAVAIL (Durée du)

Nombre d'heures travaillées pendant une période de référence (jour, semaine, mois, voire année).

L'évolution séculaire est celle d'une réduction progressive de la durée du travail salarié, en particulier celui qui est le moins qualifié. La durée légale hebdomadaire du travail, en France, a été fixée à 48 heures par semaine en 1919, à 40 heures par le Front populaire (accords de Matignon en juin 1936), à 39 heures en janvier 1982, enfin à 35 heures en 2000 (lois Aubry). Cette durée légale varie dans la plupart des pays européens entre 40 et 35 heures (hormis la Suisse où la durée légale est la plus longue : entre 46 et 50 heures selon les cantons).

La durée légale des congés payés a connu une évolution parallèle : deux semaines en 1936, trois en 1956, quatre en mai 1969, cinq en 1982.

La durée individuelle du travail dépend également d'autres paramètres : le travail peut être à temps complet ou à temps partiel, il peut être supérieur à la durée légale grâce aux heures supplémentaires.

TRAVAIL À TEMPS PARTIEL

Emploi salarié dont la durée est sensiblement inférieure à la durée hebdomadaire normale de l'établissement ou de la branche.

Existant depuis longtemps dans plusieurs pays européens (Allemagne, Royaume-Uni, Pays-Bas, pays scandinaves), son essor en France date du début des années 1980 (1,5 million d'actifs en 1980, près de 4 millions à la fin des années 1990) et concerne principalement les femmes (31,6 % des actives occupées, 5,7 % de leurs homologues masculins en 1997).

Si le travail à temps partiel ne doit pas être confondu avec le travail temporaire (un fonctionnaire titulaire peut travailler à temps partiel), ces deux formes d'emploi se conjuguent de plus en plus. Les enquêtes « emploi » permettent de distinguer le temps partiel « souhaité » et le temps partiel « subi », ce dernier correspondant aux actifs concernés qui déclarent souhaiter travailler davantage ou à temps plein (c'est le cas d'environ 43 % d'entre eux en 1997).

→ *Emploi atypique/Emploi typique.*

TRAVAIL AU NOIR

Au sens large : travail accompli de manière illégale.

Notion qui recouvre au moins deux situations :
– le *travail clandestin*, lequel prend deux formes : *l'emploi salarié clandestin*, caractérisé par le non-respect de la réglementation fiscale et sociale (non-paiement des impôts et charges sociales) ; *le travail indépendant clandestin*, c'est-à-dire l'exercice d'une activité lucrative sans immatriculation au registre des métiers ou du commerce et sans acquittement des charges fiscales et sociales correspondantes ;
– le *cumul d'emplois* : les fonctionnaires et agents publics n'ont pas le droit, sauf cas particuliers, d'effectuer un travail privé rémunéré ; de plus, le cumul d'une retraite et d'une activité rémunérée est, sauf cas particuliers, interdit.

→ *Économie souterraine (économie informelle).*

TRAVAIL POSTÉ

Généralement, synonyme de travail en équipes.

Afin d'amortir plus rapidement le capital fixe, l'entreprise décide d'affecter sur un même poste de travail plusieurs travailleurs qui se relaient (souvent, ce sont des raisons techniques qui imposent le travail « à feu continu », dans la sidérurgie par exemple) : les uns travaillent la journée, les autres la nuit, certains pendant la semaine, d'autres pendant le week-end, etc. ; selon le nombre d'équipes qui se relaient en cours d'une période de temps donnée (journée ou semaine), on parle des « 2 × 8 », des « 3 × 8 », etc.

→ *Flexibilité.*

TRAVAIL TEMPORAIRE

→ *Emploi atypique/Emploi typique, Travail à temps partiel.*

TREND

→ *Tendance.*

TRÉSOR PUBLIC ou TRÉSOR

Administration du ministère des Finances, chargée de gérer les fonds de l'État et, notamment, de collecter les impôts.

Le Trésor joue un rôle de banquier à l'égard des services de l'État, des collectivités territoriales et de nombreux établissements publics.

Il est également chargé du service de la dette et de la tutelle sur le marché monétaire et le système bancaire.

→ *Budget de l'État (Loi de Finances), Dette, Marché.*

TRÉSORERIE

Ensemble des actifs liquides détenus par un agent économique à un moment donné et disponibles pour faire face à ses dépenses de toute nature.

Il faut distinguer les *difficultés de trésorerie* et les *difficultés budgétaires*.

Les difficultés de trésorerie sont liées à un décalage entre la date de la rentrée des recettes et la date des dépenses ; mais sur la période considérée (un an par exemple), l'agent économique équilibre dépenses et recettes.

Les difficultés budgétaires correspondent, sur la période considérée, à un excédent des dépenses sur les recettes : il y a déficit.

TRIANGLE D'INCOMPATIBILITÉ DE MUNDELL

→ *Mundell (Triangle d'incompatibilité de).*

TRIBALISME

Au sens originel : organisation sociale par tribus. Terme obsolète : le terme même de tribu, dévolu aux sociétés sans État (« sociétés tribales »), a eu des sens divers et n'est guère utilisé aujourd'hui.

Au sens contemporain : comportements d'agents se réclamant d'entités ethniques (ou supposées telles) en compétition et visant à défendre ou accroître leur poids dans les instances étatiques des pays en question. *Par extension :* rivalités et conflits interethniques.

→ *Ethnicité, Ethnie, Sociétés segmentaires (ou lignagères).*

TROC

Échange direct de biens sans médiation monétaire.

→ *Échange ; Annexe 35.*

TRUST

(de l'angl. *trust*, « confiance » : fiducie)

Ce terme désigne à l'origine une situation propre aux États-Unis, dans laquelle les sociétés se regroupaient et confiaient à un homme de confiance (*trustee*) leurs pouvoirs de gestion.

Il désigne aujourd'hui une grande entreprise, constituée par la fusion de plusieurs entreprises indépendantes, qui tend à acquérir une position de monopole.

→ *Concentration (des entreprises).*

TUC (*Trade Union Congress*)

Confédération des syndicats britanniques (les *Trade Unions*).

À la fois congrès et organe confédéral, le TUC est issu du premier congrès annuel que tinrent les *Trade Unions* à Manchester en 1868. En 1871, Gladstone fit adopter le *Trade Unions Act* qui leur accorda un statut légal. En 1899, le TUC fut à l'origine de la création d'une organisation à vocation électorale, le *Labour Representation Committee* (LRC), qui devint, en 1906, le *Labour Party* (Parti travailliste). Au début des années 1960, le TUC, avec 10 millions d'adhérents, disposait du monopole de la représentation ouvrière. Au début des années 1990, le taux de syndicalisation est tombé en dessous de 40 %.

TURN-OVER

Rotation de la main-d'œuvre, mouvements d'entrée et de sortie des salariés dans une entreprise qui se mesure par le rapport entre le nombre d'entrées (ou de sorties) au cours d'une année et l'effectif total moyen.

Le *turn-over* peut être à la fois désiré par les salariés (désir de changer d'entreprise) et subi (volonté des chefs d'entreprise de faire tourner la main-d'œuvre ; mauvaises conditions de travail). Depuis le début des années 1980, on a assisté à un retournement de tendance : alors qu'au début des années 1970, la crise du taylorisme s'est traduite par un développement du *turn-over* et une incapacité des entreprises à fixer la main-d'œuvre, l'apparition d'un chômage massif a entraîné, au début des années 1980, une baisse marquée du *turn-over*.

⟶ *Flexibilité.*

TVA

⟶ *Taxe à la valeur ajoutée (TVA).*

TYPE IDÉAL

Concept, forgé par Max Weber, désignant une présentation modélisée, « stylisée », d'une réalité sociale donnée (phénomène religieux, stade du capitalisme, organisation bureaucratique). Un type idéal est obtenu en accentuant délibérément les traits les plus significatifs selon le point de vue adopté (but de la recherche, rapport aux valeurs).

◆ Le qualificatif « idéal » n'a pas de contenu normatif. Il renvoie seulement à la pureté conceptuelle de la construction.

Le type idéal ne prétend pas reproduire la complexité du réel, fût-elle simplifiée, mais fournir une perspective cohérente d'une réalité singulière.

◆ Le type idéal de l'entrepreneur capitaliste des XVIe-XVIIe siècles est caractérisé ainsi par la crainte de l'ostentation et de la dépense inutile, l'ascétisme du style de vie, la richesse comme signe d'avoir bien fait sa besogne.

Instrument au service de la recherche, il permet en particulier d'établir des correspondances pertinentes entre phénomènes sociaux. Ainsi, M. Weber, en ayant construit leurs types idéaux respectifs, met en évidence les convergences entre « l'éthique du protestantisme et l'esprit du capitalisme » (titre du célèbre ouvrage de M. Weber paru en 1905) aux XVIe et XVIIe siècles.

⟶ *Bureaucratie, Weber ; Annexe 32.*

TYPOLOGIE

(du gr. *tupos* « figure », « modèle »)
Classement d'un phénomène, aux manifestations variées, en types, c'est-à-dire en formes ayant des traits caractéristiques selon un ou des critère(s) donné(s).

Par exemple, la typologie (non exhaustive) de la famille en tant que cellule de vie commune : famille étendue (ou indivise), famille souche, famille nucléaire, etc.

U-V

UNEDIC (Union nationale pour l'emploi dans l'industrie et le commerce)

Association créée en 1958, qui regroupe l'ensemble des ASSEDIC et gère la majeure partie de l'indemnisation du chômage.

UNION DE L'EUROPE OCCIDENTALE

→ *Europe : les organisations européennes.*

UNION DOUANIÈRE

Mode d'intégration économique qui consiste non seulement à supprimer les barrières douanières entre les pays membres (comme dans les zones de libre-échange), mais aussi à créer un tarif extérieur commun (système de taxes douanières) par rapport au reste du monde, par exemple le Zollverein allemand au XIXᵉ siècle.

→ *Intégration (économique), Zollverein.*

UNION ÉCONOMIQUE

→ *Intégration (économique).*

UNION EUROPÉENNE

Nom donné à l'Europe communautaire par le traité de Maastricht.

De « Marché commun » à « Union européenne », en passant par « Communauté économique européenne », l'Europe prend des dénominations marquant, au-delà de son contenu économique, sa composante politique.

→ *Europe communautaire.*

UNION MONÉTAIRE

Mode d'intégration économique se traduisant par la création de parités totalement fixes entre les différentes monnaies nationales ou par la disparition des monnaies nationales au profit d'une unité monétaire commune, ce qui implique une politique monétaire commune et une politique de change commune. Le traité de Maastricht organise en Europe une union monétaire à venir.

Par définition, les pays qui intègrent une zone monétaire perdent les outils de régulation macroéconomique nationale que sont la politique monétaire et la politique de change (dévaluation). C'est pourquoi le théoricien des zones monétaires optimales, Mundell, a développé l'argument selon lequel une zone monétaire devait rassembler des pays entre lesquels la mobilité des facteurs de production et la flexibilité des prix permettaient de réagir à un choc localisé (« choc asymétrique » selon l'expression consacrée). L'union monétaire européenne ne correspond pas à ce cas de figure ; c'est la raison pour laquelle des mécanismes budgétaires nationaux ou communautaires doivent être mis en œuvre pour faire face aux chocs asymétriques.

⟶ *Europe communautaire (union monétaire), Intégration (économique).*

UNITÉ MONÉTAIRE

Unité utilisée pour comptabiliser les règlements dans les échanges (franc, euro…).

L'unité monétaire peut avoir une valeur officielle définie par rapport à un étalon, étalon métallique ou étalon devise.

⟶ *Change (Taux ou cours du), Système monétaire international (SMI).*

UTILITARISME

Doctrine éthique qui définit l'action juste comme celle qui maximise le bien-être de tous les individus concernés par cette action.

♦ L'utilitarisme est préfiguré par David Hume (1739), fondé par Jeremy Bentham (1789), popularisé par John Stuart Mill (1861), systématisé par Henry Sidgwick (1874), modernisé par John C. Harsanyi (1955).

L'utilitarisme est une doctrine conséquentialiste : l'action de l'individu n'est pas jugée en fonction des intentions de celui-ci, mais en fonction des conséquences de celle-là. Le comportement vertueux consiste à choisir l'action qui maximise le bonheur de l'ensemble des personnes affectées par les conséquences de cette action. Bentham définissait

le bonheur comme la somme algébrique des plaisirs et des peines ; les utilitaristes contemporains se réfèrent plutôt au bien-être, entendu comme tout ce qui satisfait les préférences des individus (y compris les préférences religieuses, esthétiques, etc.). Le critère retenu, pour définir l'objectif à maximiser, est souvent la somme des bien-être individuels, mais il peut s'agir du bien-être moyen (bien-être total divisé par l'effectif de la population). Une société utilitariste recherche « le plus grand bonheur du plus grand nombre », mais ce but peut conduire à sacrifier des intérêts ou des droits individuels.

⟶ *Éthique, Hume.*

UTILITÉ (VALEUR), UTILITÉ MARGINALE

Au sens général : aptitude d'un bien à satisfaire les besoins d'un agent économique.
Utilité marginale : utilité de la dernière unité de bien considérée.

Il existe plusieurs origines possibles à l'utilité d'une chose ; ce peut être une propriété objective de cette chose, sa capacité à être utilisée : le bois brûlé dégage de la chaleur et réchauffe. L'utilité peut également résulter d'une relation entre un individu et cette chose, c'est alors une propriété subjective de cette chose qui fonde l'utilité : l'individu considère que cette chose satisfait un besoin qu'il ressent. Pour comprendre que l'utilité subjective est un déterminant de la valeur économique, il fallait découvrir le principe de l'utilité marginale décroissante. Ce principe, énoncé en 1738 par Bernouilli et souvent présenté comme la première loi de Gossen (1854), peut être résumé ainsi : lorsque l'on consomme des doses successives d'un même bien, l'utilité de la dernière dose consommée (utilité marginale) est inférieure à l'utilité de la dose précédente.

Sur ces bases, les théoriciens marginalistes vont résoudre enfin le paradoxe de l'eau et du diamant : pourquoi l'eau, qui est très utile, vaut-elle moins cher que le diamant ? Certes, l'utilité totale de l'eau est supérieure à celle du diamant, mais l'individu compare seulement les utilités marginales ; le diamant étant beaucoup plus rare que l'eau, son utilité marginale, donc sa valeur, est supérieure à celle de l'eau. (Notons que le contexte joue : au milieu du désert, le verre d'eau a plus de valeur que le diamant.)

♦ Les théoriciens néo-classiques ont reformulé la théorie du consommateur à partir de la notion de préférence : l'utilité est fonction de l'échelle de préférence de l'individu.

⟶ *Marginalisme, Néo-classique (Économie, théorie), Ophélimité, Préférence (Échelle de, relation de), Valeur (Théories de la) ; Annexes 8, 12.*

VALEUR AJOUTÉE

Richesse créée par une entreprise, un secteur institutionnel ou une branche au cours d'une période donnée.

La valeur ajoutée brute (VAB) est égale à la valeur de la production moins la valeur des consommations intermédiaires (la VAB est donc le solde du compte de production). La somme des VAB correspond approximativement au PIB ; il comprend également la TVA grevant les produits et les droits de douane. Cette richesse nouvellement créée est distribuée sous forme de revenus (répartition primaire) : salaires, EBE, impôts.

⟶ *Comptabilité d'entreprise, Comptabilité nationale, Taxe à la valeur ajoutée (TVA).*

VALEUR D'ÉCHANGE

Taux auquel une marchandise s'échange contre une autre marchandise (par exemple, un daim s'échange contre deux saumons).
Synonyme de prix relatif.

⟶ *Valeur (Théories de la)*

VALEUR D'USAGE

Utilité d'un bien évaluée soit de manière objective et générale (le pain fournit un certain nombre de calories), soit de manière subjective et donc variable d'un individu à l'autre. La valeur d'usage est relative au besoin, la valeur d'échange relative à un autre bien.

⟶ *Ophélimité, Utilité (valeur)/Utilité marginale, Valeur (Théories de la).*

VALEUR (En)/VOLUME (En)

⟶ *Déflateur.*

VALEUR MOBILIÈRE

Créance ou titre de propriété librement négociable dans le cadre d'une Bourse des valeurs, titre émis par les sociétés, les collectivités publiques ou l'État.

On distingue les actions émises par les sociétés et qui représentent un titre de propriété ; les obligations émises par les sociétés et les collectivités publiques et qui constituent une créance ; les rentes et emprunts d'État.

⟶ *Action, Bourse des valeurs, Obligation.*

VALEUR (Théories de la)

Théories relatives au fondement de la valeur.

Le fondement de la valeur d'un bien est au centre de l'analyse économique et les réponses apportées diffèrent selon les courants théoriques.

Pour les classiques, la valeur d'un bien résulte du coût des facteurs de production nécessaires à sa production, essentiellement le travail. La valeur, fondée sur un critère objectif, est la valeur d'échange. Ici, Smith et Ricardo divergent. Pour Smith, la valeur est égale à la quantité de travail que cette marchandise peut acheter ou commander : « valeur-travail-commandé ». Pour Ricardo, la valeur est égale à la quantité de travail incorporé dans la marchandise : « valeur-travail-incorporé ».

Marx reprend aux classiques la théorie de la valeur-travail (incorporé).

Pour les néo-classiques, cette conception ne résout pas le problème de la valeur : si c'est le travail qui donne la valeur à un bien, pourquoi deux biens qui incorporent la même quantité de travail n'ont-ils pas la même valeur ? Jevons appuie son raisonnement sur l'exemple du pêcheur de perles qui, en plongeant, remonte un caillou. La valeur d'un bien découle de son utilité, de sa rareté et des préférences individuelles ; la valeur est fondée sur la valeur d'usage : valeur-utilité.

→ *Utilité (Valeur)/Utilité marginale, Valeur d'échange, Valeur d'usage, Valeur-travail ; Annexes 5, 7, 8, 10.*

VALEUR-TRAVAIL

Selon Ricardo, la valeur d'échange des marchandises est proportionnelle à la quantité de travail (« *in proportion to the quantity of labour* ») directe et indirecte (il faut tenir compte du travail nécessaire à la production des biens intermédiaires des outils et des machines, c'est-à-dire du travail indirect) nécessaire à leur production.

Ricardo ne s'intéresse pas à la valeur « en soi » mais à la valeur relative des marchandises ; si, en longue période

(notion de prix naturel), une table vaut deux chaises, c'est qu'il faut, *grosso modo*, deux fois plus de travail pour obtenir une table que pour obtenir une chaise.

Selon Marx, la valeur des marchandises est égale à la quantité de travail abstrait socialement nécessaire à leur production.

Il s'agit de travail social, parce que la division du travail est sociale (répartition des heures de travail entre les différentes branches) et parce que c'est la société qui évalue les marchandises (s'il faut en moyenne 10 heures pour produire une chaise, celui qui a dépensé 15 heures de travail n'obtiendra pas en contrepartie un équivalent supérieur à 10 heures). Il s'agit de travail abstrait car le caractère social du travail ne se manifeste que dans l'échange (la valeur revêt alors la forme de la valeur d'échange) ; or, dans l'échange, on fait abstraction de la forme particulière sous laquelle du travail a été dépensé (on ne peut comparer le travail du menuisier à celui du boulanger ; le seul point commun aux marchandises, c'est d'être le produit de travail en général, et le travail en général est une abstraction).

→ *Marx, Ricardo, Valeur (Théories de la) ; Annexes 7, 10.*

VALEUR-UTILITÉ

→ *Utilité (Valeur)/Utilité marginale, Valeur (Théories de la) ; Annexes 8, 10.*

VALEURS

En sociologie, choses ou manières d'être considérées comme estimables et désirables, idéaux plus ou moins formalisés orientant les actions et les comportements d'une société ou d'un groupe social.

Concernant aussi bien les objets (l'argent), les conduites (exemple : l'effort) ou les représentations (exemple : l'honneur, l'égalité), elles s'incarnent dans les normes sociales. Les valeurs d'un groupe ne sont pas indépendantes les unes des autres : elles s'organisent et s'ordonnent de façon plus ou moins cohérente en *systèmes de valeurs* et sont à la base des modèles culturels. Les valeurs sont relatives à une société, à un groupe social.

Les valeurs officiellement proclamées (par le pouvoir, les Églises, les manuels de morale) ne correspondent pas forcément aux valeurs effectives de la collectivité. Celles-ci ne sont pas toujours explicites, elles se constatent dans les conduites et les normes.

La notion de système de valeurs n'exclut pas la possibilité de conflit de valeurs ; par exemple, en Europe médiévale l'opposition entre les valeurs du capitalisme naissant (profit, compétition) et celles du catholicisme.

→ *Culture, Ethos, Normes.*

VEBLEN (Thorstein)

Économiste américain d'origine norvégienne (1857-1929), surtout connu pour sa théorie de la classe oisive et de la consommation ostentatoire ; sa pensée pragmatique, et critique à l'égard du capitalisme et du marginalisme, le rattache au courant « institutionnaliste ».

Veblen met l'accent sur le caractère social, psychologique et donc évolutif, des faits économiques. Les rapports de force sont plus déterminants dans la formation des revenus que la loi du marché, présentée par les libéraux comme naturelle, impersonnelle et immuable. Les crises sont la conséquence des choix faits par la classe des hommes d'affaires en fonction de ses intérêts. La consommation a une fonction sociale de prestige, elle est « ostentatoire » et non rationnellement destinée à la satisfaction des besoins. La « *relative deprivation* » explique les comportements sociaux.

La science économique se doit donc d'étudier l'évolution (référence à Darwin) des habitudes de pensée, que Veblen nomme des « institutions », ainsi que les comportements réels, souvent bien différents des comportements théoriques supposés rationnels.

♦ Dans la *Théorie de la classe oisive* (*Theory of the Leisure Class*, 1899), Veblen présente les hommes d'affaires comme des oisifs (des parasites), isolés, incapables de changer de mentalité, peu rationnels, et constituant un obstacle au changement technique. Heureusement ingénieurs, techniciens et économistes arrivent, malgré la classe oisive, à introduire la rationalité dans l'économie.
♦ Ouvrages principaux : *La Théorie de l'entreprise d'affaires* (1904) ; *Les intérêts en place* (1919) ; *Les Ingénieurs et le système des prix* (1921).

→ *Annexe 30.*

VERDOORN (Loi de)

→ *Kaldor-Verdoorn (Loi de).*

VERNON

→ *Cycle de vie des produits (Théorie du).*

VIEILLISSEMENT

Le vieillissement d'une population se définit par l'augmentation de la part des personnes âgées dans le total de la population.

Il résulte de l'allongement de l'espérance de vie mais surtout de la baisse de la fécondité. C'est un phénomène qui touche tous les pays de l'Union européenne. En France, le phénomène a été retardé par le baby-boom des années 1950 mais il devrait s'accélérer à partir de 2010 lorsque les enfants nés pendant cette période entreront dans le troisième âge.

Les conséquences du vieillissement de la population sur le développement de l'économie sont très discutées. Pour certains, il entraîne un manque de dynamisme et, à terme, un ralentissement de la croissance. Pour d'autres, l'évolution des conditions sanitaires permet d'être jeune plus longtemps et empêche de tirer des conséquences négatives de cette évolution.

Cependant, le vieillissement comporte une conséquence incontestable qui représente une part grandissante des dépenses de protection sociale : l'augmentation de la proportion des personnes très âgées (essentiellement des femmes) dépendantes, qui nécessitent des soins lourds et une assistance très coûteuse.

⟶ *Espérance de vie, Fécondité, Mortalité, Population.*

VITESSE DE CIRCULATION (de la monnaie)

Nombre moyen de transactions financées par une même unité de monnaie dans une période donnée (vitesse-transaction).

Soit T un indicateur de la valeur totale des transactions, et M le stock moyen de monnaie, on définit la vitesse de circulation (V) par le rapport :

$$V = \frac{T}{M}$$

Il existe plusieurs mesures de la vitesse de la circulation. Faute de pouvoir disposer d'un indicateur de transactions (qui incluent non seulement les échanges portant sur des marchandises nouvelles mais aussi sur des actifs d'occasion et des actifs financiers), on utilise généralement le PIB au numérateur et on définit ainsi une *vitesse-revenu*.

♦ La vitesse de circulation peut être envisagée au niveau global comme au niveau d'un individu.

♦ Envisageons une économie dont la valeur totale des transactions (T) s'élève, pour une année, à 4 500 milliards d'euros. En moyenne, le stock de monnaie (M) est de 2 000 milliards d'euros, la vitesse de circulation (V) est :

$$V = \frac{T}{M} = \frac{4\ 500}{2\ 000} = 2,25$$

Cela signifie qu'en moyenne chaque unité monétaire a servi au cours de l'année à 2,25 transactions. Supposons qu'au lieu de 2 000, nous ayons 1 000 de masse monétaire, la vitesse de circulation serait deux fois plus forte (4,5), chaque unité monétaire aurait servi deux fois plus.

♦ Envisageons maintenant deux individus qui, au cours d'une période, le mois par exemple, touchent le même revenu, 6 000 €, et le dépensent entièrement au cours du mois. Supposons que l'un, le prudent, conserve toujours un minimum de 3 000 € sur son compte, tandis que l'autre a toujours un solde nul au moment de sa paye. Le stock moyen de monnaie du premier va de 9 000 € (au moment de la paie) jusqu'à 3 000 € (somme minimale sur son compte), soit 6 000 € en moyenne ; de façon analogue, le stock du deuxième va de 6 000 € à 0 €, soit 3 000 €, en moyenne. Le tableau mesure la vitesse de circulation :

Individus	Prudent	Audacieux
Dépenses	6 000 €	6 000 €
Stock moyen de monnaie	6 000 €	3 000 €
Vitesse de circulation	1	2

Cet exemple montre comment plus un individu thésaurise, plus il conserve de monnaie, plus la vitesse de circulation est faible.

La vitesse de circulation de la monnaie dépend du *comportement de thésaurisation*. Keynes en analyse les déterminants en définissant la préférence pour la liquidité et les différents motifs possibles de détention de liquidité : motif de transaction, motif de précaution et motif de spéculation.

À l'heure actuelle, deux facteurs influencent la vitesse de circulation de la monnaie : d'une part, les taux d'intérêt sur les avoirs qui, lorsqu'ils sont élevés, peuvent inciter les ménages et les entreprises à ne conserver sous forme d'encaisse que le minimum ; d'autre part, les nouveaux moyens de règlement (par carte) qui tendent aussi à accélérer la vitesse de circulation de la monnaie.

Il existe une relation entre le taux de liquidité de l'économie et la vitesse de circulation de la monnaie. On définit en effet le taux de liquidité (L) en fonction de T, indicateur de la valeur totale des transactions (la production ou la dépense), et de M représentant le stock de monnaie :

$$L = \frac{M}{T} = \frac{1}{V}$$

Le *taux de liquidité* de l'économie représente la quantité de monnaie correspondant à une unité de production.

Plus la vitesse de circulation de la monnaie est forte, plus le taux de liquidité est faible. Le taux de liquidité de l'économie est l'inverse de la vitesse de circulation de la monnaie.

⟶ *Liquidité de l'économie (Taux de), Monnaie (Théorie quantitative de la), Préférence pour la liquidité.*

W-X-Y-Z

WAGNER (Loi de)

Selon A. Wagner, économiste allemand (1835-1917), il existe une « loi de l'extension croissante de l'activité publique ou de l'État » selon laquelle la part relative de l'activité publique dans l'économie, que l'on peut mesurer par le rapport entre les dépenses publiques et le revenu national, augmente du fait de l'industrialisation.

En effet, la complexification de la vie économique, l'importance prise par les problèmes d'organisation, les problèmes liés à l'urbanisation, rendent nécessaire l'intervention de l'État (réglementation, protection, administration, éducation, action sociale) ; celle-ci peut aller jusqu'à la création d'entreprises publiques.

Les tentatives de vérification empirique montrent qu'il existe bien un lien, complexe, entre industrialisation et intervention de l'État, mais il semble excessif de parler d'une loi.

WALRAS (Léon)

Économiste français (1834-1910) installé à Lausanne où il enseigna ; il est surtout connu pour sa théorie de l'équilibre général, qui constitue le cœur de la théorie néo-classique.

♦ Bien qu'il se soit prononcé en faveur de la nationalisation de certaines ressources (terres, monopoles naturels, chemins de fer…), qu'il ait dirigé une Banque du Travail et préconisé le développement d'une économie sociale (coopératives), Walras a finalement conforté le libéralisme économique en s'efforçant de démontrer que le système des prix de marché était autorégulateur et que le mécanisme de la libre concurrence conduisait l'économie à l'optimum.

« L'économie politique pure est essentiellement la théorie de la détermination des prix sous un régime hypothétique de libre concurrence absolue. » Cette citation permet de comprendre pourquoi Walras construit un modèle dans lequel l'offre et la demande de chaque bien ou service est fonction des prix de tous les biens et services — les marchés sont interdépendants —, l'équilibre général de l'économie étant réalisé lorsque l'offre est égale à la demande sur chaque marché. Walras s'est contenté d'admettre qu'il existait au moins un système de prix réalisant cet équilibre. Ensuite, pour étudier le processus conduisant à l'équilibre, il a créé la fiction d'un commissaire-priseur qui crie les prix et fait jouer la loi de l'offre et de la demande en procédant par « tâtonnements » : il augmente les prix des biens pour lesquels la demande excède l'offre et diminue les prix des autres. Depuis son invention, ce modèle a donné lieu à de nombreux développements mathématiques.

♦ Ouvrages principaux : *Éléments d'économie politique appliquée* (1898) ; *Études d'économie sociale* (1896).

→ *Néo-classique (Économie, théorie), Pareto ; Annexes 8, 16, 21.*

WALRAS (Loi de)

Quel que soit le système de prix, la somme des valeurs des demandes nettes (nettes des offres) est nulle ; autrement dit, la valeur (les quantités multipliées par les prix) de l'offre totale (somme des offres de tous les agents) est égale à la valeur de la demande totale (somme de toutes les demandes).

♦ Il s'agit simplement d'une relation comptable, déduite des contraintes budgétaires des agents (pour un agent donné, la valeur de sa demande totale de biens ne peut excéder la valeur de son revenu), sans lien avec la réalisation de l'équilibre sur tous les marchés : cette loi, qui ressemble fort à une identité, s'applique même si l'offre n'est pas égale à la demande sur un ou plusieurs marchés.
♦ On se sert souvent d'une déduction immédiate de la loi de Walras : si, dans une économie constituée de n marchés, les $(n-1)$ premiers marchés sont en équilibre — pour un système de prix donné, l'offre est égale à la demande sur tous ces marchés — alors le n-ième et dernier marché est nécessairement en équilibre.

WARNER (W. Lloyd)

Anthropologue et sociologue américain (1898-1970), représentant du courant culturaliste américain.

Au début de sa carrière, il fait œuvre d'ethnologue en étudiant les Murgins d'Australie. C'est en gardant le point de vue et les méthodes ethnologiques que Warner va coordonner une série d'enquêtes (entre 1930 et 1935) sur une collectivité urbaine du nord-est des États-Unis dont les résultats seront publiés dans cinq ouvrages (*Yankee City Series*), considérés aujourd'hui comme une somme classique de la sociologie empirique américaine.

Prototype des « études de communautés », abordant de multiples aspects de la vie sociale, *Yankee City* est surtout connu pour sa présentation de la stratification sociale comme hiérarchie stratifiée de groupes statutaires (découpage gradué en six classes : *upper-upper, lower-upper, upper-middle,* etc.) basée entre autres sur le prestige et la situation professionnelle.

→ *Stratification sociale.*

WEBER (Max)

Juriste de formation, historien économiste, cet universitaire allemand (1864-1920) est considéré comme l'un des fondateurs de la sociologie contemporaine.

Au plan épistémologique, Max Weber entend défendre et illustrer la démarche d'une « sociologie compréhensive ». Celle-ci est définie comme « une science qui se propose de comprendre par interprétation l'activité sociale… » : l'accent est mis sur le sens que donnent les individus à leur action, sur les valeurs qui la guident. (Cette visée ne dispense pas, selon lui, du recours à l'explication causale approchée en termes probabilistes ou en termes de correspondance.)

♦ Weber élabore une typologie des déterminants de l'action : si la rationalité instrumentale occupe une place importante, elle est loin d'en constituer le seul ressort ; le comportement peut être « traditionnel » (par coutume incorporée), « affectuel » (dominé par les sentiments) et surtout l'action peut être « rationnelle en valeur », c'est-à-dire orientée délibérément vers des « fins ultimes », des « valeurs suprêmes ».

Dans cette optique, le « rapport aux valeurs », c'est-à-dire les enjeux et les conflits à propos des valeurs centrales, entre les acteurs d'une société, devient essentiel et permet de construire des « types idéaux » caractérisant des configurations historiques données. Ainsi, dans son ouvrage le plus célèbre (*L'éthique…*, 1905), il met en relation l'esprit du capitalisme naissant et l'éthique puritaine des premiers entrepreneurs.

Plusieurs thèmes webériens ont par ailleurs largement influencé les sciences sociales contemporaines : la problématique du pouvoir et sa typologie des formes d'autorité, le processus de rationalisation et de bureaucratisation qui caractérise le développement des sociétés modernes, sa théorie de la stratification sociale, résultat complexe des situations de marché (classes), de la hiérarchie du prestige (groupes de statut) et du rapport au pouvoir politique (partis).

◆ On présente parfois Max Weber comme l'un des fondateurs de l'*individualisme méthodologique*. En témoigneraient sa méfiance à l'égard des « concepts collectifs » (« Il n'y a pas de personnalité collective exerçant d'activité ») et son insistance à saisir le sens que les individus donnent à leur action. Cet étiquetage apparaît contestable : son œuvre témoigne d'un va-et-vient continuel entre la « compréhension » des comportements individuels et l'analyse causale des logiques structurelles (économiques, sociales et culturelles) ; ses constructions idéal-typiques concernent en particulier des groupes sociaux (groupes religieux, bourgeoisie marchande), non réductibles à des effets de composition ; il accorde enfin une place essentielle aux formes de domination et aux puissances sociales organisées (États, Églises, groupements économiques).

◆ Ouvrages principaux : *L'Éthique protestante et l'esprit du capitalisme* (1905) ; *Essais sur la théorie de la science* (1906-1913) ; *Le Savant et le Politique* (1918) ; *Économie et société* (1922).

→ *Ascétisme, Autorité, Bureaucratie, Charisme, Domination, Individualisme méthodologique, Légitimité, Pouvoir, Rationalité, Statut/Status, Stratification sociale, Type idéal ; Annexe 32.*

WELFARE STATE

→ *État-providence.*

WICKSELL (Knut)

Économiste suédois (1851-1926) dont l'œuvre principale, *Lectures d'économie politique*, constitue une étape importante dans l'édification d'une synthèse de la théorie néo-classique à partir de trois principales sources d'inspiration : la théorie autrichienne du capital et de l'intérêt, l'équilibre général de Walras, l'équilibre partiel de Marshall.

On fait référence à Wicksell à propos de deux théories particulières.

Le « processus cumulatif » : si, à partir d'une situation d'équilibre de plein-emploi, les banques baissent le taux d'intérêt sur les crédits qu'elles octroient à un niveau inférieur au taux de rendement économique de l'investissement, alors les entreprises sont incitées à investir (il est rentable d'emprunter à 5 % pour financer un investissement qui doit rapporter 10 %). Si le taux d'intérêt offert par les banques descend en dessous du taux d'intérêt naturel, ou réel, celui qui assure l'équilibre entre l'investissement et l'épargne, alors il y aura surinvestissement (excès de l'investissement sur l'épargne) ; dans ces conditions, le boom de l'investissement provoquera une hausse cumulative des prix.

Ce processus prend fin pour diverses raisons : les banques doivent ajuster leur capacité de prêt au niveau de leurs réserves ; la hausse du taux d'intérêt bancaire va progressivement annuler l'écart avec le taux d'intérêt naturel ; l'État doit intervenir pour provoquer une hausse du taux d'intérêt afin de lutter contre l'inflation.

L'« effet Wicksell » : lorsque l'on passe d'un état stationnaire d'une économie à un autre état stationnaire, la variation de la « quantité de capital » que l'on observe ne peut être expliquée d'une façon purement technique car elle dépend aussi du système de prix utilisé pour mesurer la valeur du capital dans chacun des deux états considérés. Dès lors, il n'est plus possible de démontrer que le produit marginal du capital est égal au taux d'intérêt.

◆ Ouvrages principaux : *Intérêt et prix* (1898) ; *Lectures d'économie politique* (1901).

→ *Intérêt/Taux d'intérêt.*

WILLIAMSON (Oliver E.)

> Chef de file du courant « néo-institutionnaliste », célèbre depuis l'ouvrage *Markets and Hierarchies* (1976), cet économiste cherche à construire une théorie des institutions économiques à partir de la notion de coûts de transaction (empruntée à Coase). Ces institutions (le marché, le contrat et la firme) sont des « structures de gouvernance » (*governance* en anglais) qui ont pour fonction de gérer des transactions au moindre coût.

L'un des principaux apports de Williamson réside dans son explication des coûts de transaction à partir d'hypothèses de comportement tels que la rationalité limitée et l'opportunisme des agents, ce dernier trait signifiant qu'ils sont prêts à « ruser » pour exploiter à leur profit toute éventualité non prévue par les contrats et d'hypothèses portant sur la nature de ces transactions (degré d'incertitude, fréquence et spécificité des actifs, un actif étant d'autant plus spécifique qu'il est difficile de l'utiliser dans un autre emploi, donc de le reconvertir).

→ *Coase, Coûts de transaction.*

WS-PS

> Modèles de concurrence imparfaite dans lesquels le chômage d'équilibre résulte de la confrontation des prétentions contradictoires des salariés (relation de formation des salaires : *wage setting*) et des entreprises (relation de formation des prix : *price setting*).

Ces modèles, dont les fondements sont microéconomiques, prennent en compte l'imperfection des mécanismes concurrentiels : concurrence monopolistique entre entreprises sur le marché des biens, présence de syndicats sur le marché du travail, etc. Il s'ensuit que les agents disposent d'un pouvoir de marché : les entreprises exercent une influence sur les prix, les salariés sur les salaires. Chaque type d'agent essayant de l'emporter sur l'autre en agissant sur la variable qu'il contrôle, cette confrontation se traduit par une spirale prix-salaire.

Pour que l'inflation se stabilise, il faut que les aspirations des uns et des autres soient rendues compatibles. Cela suppose qu'une troisième variable vienne réguler le conflit : c'est le taux de chômage ; quand il s'élève, les salariés modèrent leurs revendications salariales (la relation WS est une fonction décroissante du taux de chômage) ; quand il baisse, les entreprises doivent accepter des concessions (la relation PS est une fonction croissante du taux de chômage). Dès lors, le taux de chômage d'équilibre est celui qui équilibre ces deux tendances opposées.

Les équations de ces modèles sont dérivées des hypothèses utilisées dans les nouvelles théories du marché du travail, qui servent d'arguments à la nouvelle économie keynésienne : salaire d'efficience, modèles de négociation salariale, *insiders-outsiders*, etc. Dans cette approche, le taux de chômage d'équilibre dépend d'un grand nombre de variables : contrairement au Nairu, il est sensible aux prélèvements fiscaux et sociaux, au taux de syndicalisation, au système d'indemnisation du chômage, des taux d'intérêt réels, etc.

→ *Chômage d'équilibre (Taux de).*

XÉNOPHOBIE

> (du gr. *xenoi* « les étrangers » et *phobein* « haïr »)
> Littéralement, la haine des étrangers.

→ *Racisme.*

Z

ZOLLVEREIN

Union douanière réalisée entre les principaux États allemands en 1834 à l'initiative de la Prusse et qui fut à l'origine du décollage de l'économie allemande ; elle créa les conditions nécessaires de l'unification politique de l'Allemagne en 1871.

Instituant le libre-échange entre les pays membres, le Zollverein établit un tarif extérieur commun protecteur ainsi que le souhaitait l'économiste Friedrich List.

→ *Intégration (économique), List.*

ZONE EURO

→ *Euro.*

ZONE FRANC

Zone monétaire qui comprend la France, les DOM, les TOM, et un certain nombre de pays d'Afrique (Bénin, Côte-d'Ivoire, Burkina Faso, Niger, Sénégal, Togo, Cameroun, République centrafricaine, Congo, Gabon, Tchad, Mali, Comores), anciennement colonisés par la France.

Les réserves de change sont communes et gérées par la Banque de France. Les monnaies de la zone sont librement convertibles entre elles.

ZONE DE LIBRE-ÉCHANGE

→ *Intégration (économique).*

ZONE MONÉTAIRE

Ensemble de pays se référant à un même étalon-devise et donc associés par des relations de solidarité et de dépendance monétaire avec le pays émetteur de cette monnaie. Les monnaies sont convertibles dans la monnaie centre et la gestion des réserves de change de la zone est assurée par le pays du centre.

ZONE MONÉTAIRE OPTIMALE

→ *Europe communautaire (union monétaire), Union monétaire.*

ZONE STERLING

Zone monétaire, constituée autour de la monnaie britannique, la livre sterling, par les pays du Commonwealth, entre 1951 et 1967. À partir de cette date, les pays de la zone ont commencé à convertir leurs avoirs libellés en livres dans d'autres devises, notamment le dollar.

ANNEXES

Cinquante fiches relatives aux grandes œuvres de la science économique et de la sociologie

Cette annexe répertorie cinquante contributions majeures à la science économique et à la sociologie, présentées sous forme de fiches numérotées de 1 à 25 pour la science économique, et de 26 à 50 pour la sociologie.

Ces œuvres sont classées par ordre chronologique de publication et non par ordre alphabétique : ce classement met en valeur l'évolution historique des idées.

Les articles du corpus concernés renvoient à ces fiches sous la forme :

→ *Annexe 00.*

Bien évidemment, le choix limité à cinquante œuvres seulement (livres et articles) comporte une part d'arbitraire eu égard au nombre considérable d'ouvrages et d'articles publiés ; aussi notre sélection porte-t-elle sur les textes généralement considérés comme fondateurs.

Les prix Nobel d'économie, de 1969 à nos jours

Le tableau présente les lauréats, leur nationalité, les motifs retenus pour l'attribution du prix ainsi que leurs œuvres principales.

Les grands courants de l'économie et de la sociologie

Deux schémas récapitulant, selon un classement historique, les différents courants de l'économie, de la sociologie et les auteurs principaux.

La liste des sigles usuels économiques et/ou sociaux

Grandes œuvres de la science économique

1 Tableau économique, 1766.

FRANÇOIS QUESNAY (1694-1774)

Chef de file de l'école physiocratique qui voit dans l'agriculture la seule activité productive et prône les vertus du libéralisme, F. Quesnay propose, dans son *Tableau économique*, un modèle simplifié du fonctionnement de l'économie d'un pays, dans lequel certains ont vu l'ancêtre de la Comptabilité nationale. Décrivant la situation hypothétique d'un royaume où la production est portée à son maximum, le *Tableau* présente, dans un cadre cohérent, les flux monétaires reliant les trois classes de la société (agriculteurs, artisans, propriétaires). La représentation qu'il propose de l'activité productive comme un processus de reconstitution d'« avances », générant à chaque période un « produit net », ouvre la voie aux analyses classiques et marxistes de l'accumulation du capital.

2 Recherches sur la nature et les causes de la richesse des nations, 1776.

ADAM SMITH (1723-1790)

Souvent considéré comme l'ouvrage fondateur de la doctrine économique libérale, la *Richesse des nations* est influencé par les idées de F. Quesnay qu'A. Smith a rencontré lors d'un voyage en France. Rejetant pourtant la thèse physiocratique de la productivité exclusive de l'agriculture, Smith affirme que la richesse d'une nation est le produit de son travail (tant industriel qu'agricole) et voit dans le processus de division du travail la source principale de l'accroissement de cette richesse. Ce processus est également à l'origine de l'échange marchand, que Smith considère comme un phénomène à la fois naturel et bénéfique : sous la pression de

la concurrence, chaque participant au marché est conduit, comme par une « main invisible », à agir dans le sens des intérêts de la société.

3 Essai sur le principe de population, 1798.

THOMAS ROBERT MALTHUS (1766-1834)

L'idée selon laquelle le volume des subsistances gouverne à long terme celui de la population est assez répandue à l'époque où paraît l'*Essai* de T. Malthus. Il s'efforce d'en préciser le contenu en soutenant que la population a spontanément tendance à croître en progression géométrique, alors que la production alimentaire ne peut, au mieux, que croître en progression arithmétique. Tant que les hommes ne restreignent pas leur natalité, l'écart entre ces deux tendances ne peut être résorbé que par des famines ramenant périodiquement la population à un niveau compatible avec celui des subsistances. Pourtant, Malthus se prononce contre le recours à toute méthode contraceptive et voit le salut dans la « contrainte morale » (mariage tardif pour les pauvres et chasteté avant le mariage).

4 Traité d'économie politique, 1803.

JEAN-BAPTISTE SAY (1767-1832)

Se présentant comme le disciple de A. Smith, J.-B. Say propose dans son *Traité* une représentation de l'économie qui s'écarte sensiblement de celle que l'on trouve dans la *Richesse des nations*, et préfigure celle qui triomphera avec la « révolution marginaliste » de la fin du XIXᵉ siècle : inclusion des services dans les activités productives ; tentative pour expliquer la valeur des marchandises à partir de leur utilité ; analyse de la production comme une combinaison, par des entrepreneurs, de « services productifs » fournis par le travail, les capitaux et les terres. Voyant dans la monnaie un simple intermédiaire des échanges, Say est également l'auteur de la « loi des débouchés » selon laquelle, globalement, « l'offre crée sa propre demande », ce qui exclut la possibilité de surproductions généralisées.

5 Des principes de l'économie politique et de l'impôt, 1817.

DAVID RICARDO (1772-1823)

Pour D. Ricardo, le problème central de l'économie politique consiste à déterminer les lois qui gouvernent la répartition des revenus. À cet effet, il propose une théorie de la valeur d'échange (qu'il distingue, comme A. Smith, de la valeur d'usage), fondée sur le travail nécessaire à la production des marchandises. Cette théorie, qui reste approximative, est utilisée pour analyser la formation et l'évolution des salaires, profits et rentes. Selon Ricardo, dans une économie en croissance, la hausse du prix des subsistances due à la pression démographique fait baisser le taux des profits, ce qui rend inéluctable la perspective de l'état stationnaire. Le libre-échange, suscitant une division internationale du travail fondée sur le principe des avantages comparatifs, peut toutefois retarder cette échéance.

6 Recherches sur les principes mathématiques de la théorie des richesses, 1838.

AUGUSTIN COURNOT (1801-1877)

Pionnier de l'utilisation des mathématiques dans le raisonnement économique — et l'un des rares économistes dont L. Walras se déclare redevable —, A. Cournot élabore plusieurs instruments qui seront largement utilisés par la microéconomie à partir de la fin du XIXe

siècle : fonction de demande traduisant une relation décroissante entre la quantité demandée d'une marchandise et son prix, élasticité de la demande par rapport au prix (rapport entre le pourcentage de variation de la quantité demandée et le pourcentage de variation du prix), théorie du monopole (un seul vendeur) et du duopole (deux vendeurs). Spécialiste des statistiques et du calcul des probabilités, Cournot forme le projet de construire une science économique qui soit une sorte de « mécanique sociale » fondée sur la loi des grands nombres.

7 Le Capital (livre I, 1867 ; livres II et III posthumes).

KARL MARX (1818-1883)

Œuvre d'un militant révolutionnaire formé à la philosophie de F. Hegel, Le Capital ambitionne de fournir une base scientifique à la cause du communisme : pour K. Marx, en effet, celui-ci est porté en germe par le développement contradictoire du capitalisme, dont il importe d'étudier le fonctionnement. Cette étude s'appuie largement sur les travaux des classiques anglais (A. Smith, D. Ricardo), que Marx critique pour avoir cherché à construire une science « naturelle » de l'économie faisant du marché un horizon indépassable, mais à qui il emprunte, en les modifiant, des éléments comme la valeur-travail, le salaire de subsistance ou la baisse tendancielle du taux de profit. À l'aide de ces éléments, Marx tente de mettre en évidence l'antagonisme fondamental caractérisant le capitalisme et la perspective inéluctable de son effondrement.

8 Éléments d'économie politique pure, 1874.

LÉON WALRAS (1834-1910)

Avec l'anglais S. Jevons et l'autrichien C. Menger, le français L. Walras est l'un des pères de la « révolution marginaliste » qui, dans les années 1870, renouvelle complètement la problématique de la valeur en rattachant celle-ci à la notion d'utilité marginale (appelée « rareté » par Walras). Outre cette nouvelle théorie de la valeur, les *Éléments d'économie politique pure* de Walras contiennent un exposé, présenté sous forme mathématique, du fonctionnement d'une hypothétique économie de concurrence parfaite dans laquelle tous les marchés seraient soumis à un système d'enchère publique et s'équilibreraient simultanément (théorie de l'équilibre général). Bien qu'il critique J.-B. Say pour son manque de rigueur, Walras reprend largement sa vision de l'économie, qu'il s'efforce de traduire en un système d'équations.

9 Théorie positive du capital, 1888.

EUGEN VON BÖHM-BAWERK (1851-1914)

On doit à E. von Böhm-Bawerk une représentation originale du processus productif, dans laquelle les biens de consommation finale sont obtenus à travers la consommation de facteurs « originels » (ressources naturelles et travail) et de temps. Le caractère plus ou moins capitalistique d'une technique est alors repéré par la longueur de son « détour de production », que Böhm-Bawerk tente de mesurer en introduisant la notion de « période moyenne de production ». Le choix des techniques s'opère sur la base du taux d'intérêt (un taux d'intérêt faible est censé favoriser les techniques les plus détournées, et inversement), dont Böhm-Bawerk justifie l'existence par le jeu de trois facteurs : décalages temporels entre flux de recettes et de dépenses, préférence pour le présent, productivité supérieure des méthodes les plus détournées.

10 Principes d'économie politique, 1890.

ALFRED MARSHALL (1842-1924)

Par opposition à l'« économie pure » de L. Walras, les *Principes* de A. Marshall se veulent proches de la pratique des affai-

res. Utilisateur modéré des mathématiques, Marshall introduit des instruments qu'il pense opérationnels pour l'étude de l'économie réelle : méthode de l'équilibre partiel consistant à analyser le fonctionnement d'un marché sous l'hypothèse « toutes choses égales par ailleurs », distinction entre courte période où une partie des facteurs de production doit être considérée comme fixe et longue période où tous les facteurs peuvent varier. Avec sa « théorie symétrique de la valeur », il propose de réconcilier les tenants de la valeur-travail et de la valeur-utilité dans un cadre conceptuel unifié, accordant une place essentielle au calcul à la marge.

11 Manuel d'économie politique, 1906.

VILFREDO PARETO (1848-1923)

Successeur de L. Walras à l'université de Lausanne, V. Pareto apporte dans son *Manuel* plusieurs contributions majeures à la théorie de l'équilibre général. L'une d'elle consiste à remplacer la conception « cardinale » faisant de l'utilité une quantité mesurable, par une approche « ordinale » supposant seulement que les consommateurs aient des préférences cohérentes. Pareto introduit également la notion de « maximum d'ophélimité » (dite plus tard « optimum de Pareto »), caractérisant un état de l'économie tel qu'on ne puisse plus, par une réallocation des ressources existantes, accroître la satisfaction d'un individu sans diminuer celle d'au moins un autre ; il montre, dans un cas simple, qu'un tel état correspond à un équilibre général de concurrence — ou de planification — parfaite.

12 Le taux d'intérêt. Sa nature, sa détermination et sa relation avec les phénomènes économiques, 1907.

IRVING FISHER (1867-1947)

Ouvrage récrit et republié en 1930 sous le titre *La Théorie de l'intérêt*.

Influencé par L. Walras, I. Fisher étudie la formation du taux d'intérêt à partir de l'équilibre individuel du consommateur et celui du producteur, qu'il étend à plusieurs périodes (équilibre intertemporel). Il montre ainsi que le consommateur maximise son utilité en adoptant un programme de consommation/épargne tel que son « taux de préférence pour le présent » (écart entre les utilités marginales des consommations présente et future, rapporté à l'utilité marginale de la consommation future) soit égal au taux d'intérêt. De même, le producteur maximise son profit en adoptant un programme d'investissement tel que le « taux de rendement par rapport au coût » (taux de rendement interne) de l'investissement marginal soit égal au taux d'intérêt. De là, Fisher déduit des fonctions d'offre et de demande de prêts dont l'égalisation détermine le taux d'intérêt d'équilibre.

13 Théorie de l'évolution économique, 1912.

JOSEPH ALOÏS SCHUMPETER (1883-1950)

Opposant les figures du « circuit » (économie routinière à fonctions de production stables) et de l'« évolution » (économie en mouvement sous l'effet d'une réorganisation de ses ressources productives accroissant leur efficacité), J. Schumpeter définit le capitalisme comme un système essentiellement dynamique dans lequel les entrepreneurs, perpétuellement menacés de disparition par la concurrence et donc à la recherche de nouvelles occasions de profits, introduisent des « déséquilibres créateurs » par leurs innovations : nouveaux produits ou nouveaux procédés de fabrication, nouvelles méthodes de gestion des entreprises, nouveaux marchés. Cette analyse sera plus tard couplée avec une théorie des cycles (*Business Cycles*, 1939).

14 Prix et production, 1931.

FRIEDRICH VON HAYEK (1899-1992, prix Nobel en 1974)

Disciple de E. von Böhm-Bawerk « redécouvert » dans les années 1970, l'ultra-libéral F. von Hayek tente d'expliquer, dans *Prix et production*, les crises par une tendance insuffisante à l'épargne (ce qui l'oppose radicalement à J. Keynes). Selon lui, la création monétaire, en faisant artificiellement baisser les taux d'intérêt, suscite un allongement des « détours de production » des entreprises, dont le financement implique le prélèvement d'une épargne forcée sur les consommateurs. Mais le mouvement de prix relatifs qui en résulte diminue la rentabilité relative des biens « intermédiaires », d'où contraction des détours de production (« coup d'accordéon ») se traduisant par la nécessité d'abandonner de nombreux projets d'investissement en cours de réalisation.

15 Théorie générale de l'emploi, de l'intérêt et de la monnaie, 1936.

JOHN MAYNARD KEYNES (1883-1946)

Écrite dans le contexte de la Grande Dépression des années 1930, la *Théorie générale* peut, dans une large mesure, être considérée à la fois comme l'ouvrage fondateur de la macroéconomie moderne et le fondement doctrinal de l'« État-Providence ». Rejetant la loi de Say, J. Keynes affirme que la demande de produits ne résulte pas de l'activité productive, mais au contraire la conditionne, de sorte que la libre concurrence ne garantit nullement le plein-emploi. Keynes appuie cette thèse sur une nouvelle conception de la monnaie et de l'intérêt (incertains quant à l'avenir, les individus manifestent selon lui une « préférence pour la liquidité » que l'intérêt a pour fonction de compenser) et en tire la conclusion que l'État doit agir pour porter la demande globale au niveau approprié.

16 Valeur et Capital, 1939.

JOHN HICKS (1904-1989, prix Nobel en 1972)

Surtout connu des étudiants pour son modèle macroéconomique « IS-LM », J. Hicks est aussi l'auteur de contributions majeures dans le domaine microéconomique. Son ouvrage *Valeur et capital* renoue avec la théorie de l'équilibre général, quelque peu délaissée après les travaux fondateurs de Walras et Pareto. Il introduit la notion d'« équilibre temporaire », dans lequel les prévisions de prix sont considérées comme données. On y trouve également l'exposé moderne de la théorie de l'équilibre du consommateur : purgée de toute référence à l'hypothèse « cardinale » de décroissance de l'utilité (marginale), celle-ci repose sur les notions de taux marginal de substitution entre biens (notion introduite par Slutsky en 1915), d'effet de substitution et d'effet de revenu.

17 La Structure de l'économie américaine (1919-1939), 1941.

WASSILY LEONTIEFF (né en 1906, prix Nobel en 1973)

Faisant suite à des travaux menés en URSS dans les années 1920, l'économiste américain d'origine russe W. Leontieff propose, dans son ouvrage de 1941, une méthode d'analyse des systèmes productifs connue sous le nom d'*input-output* (entrées-sorties). Celle-ci repose sur la construction, pour un pays donné, d'un tableau carré représentant les relations qui s'établissent entre les branches de la production à l'occasion de leurs échanges de produits intermédiaires. Les modèles *input-output* ont été largement utilisés, après 1945, pour l'étude de l'évolution des systèmes productifs nationaux, de leur insertion dans la division internationale du travail ou pour des simulations de politique économique. Ils sont aussi utilisés pour la discussion de problèmes théoriques concernant la croissance ou les prix.

18 La Grande Transformation, 1944.

KARL POLANYI (1886-1964)

La Grande Transformation, ou la genèse et les effets ravageurs d'une utopie : celle du marché autorégulateur. K. Polanyi décrit sa mise en place, en Angleterre, au début du XIXe siècle, à travers les dispositifs institutionnels de l'État libéral. L'économie, en l'occurrence la logique du marché, d'« encastrée » qu'elle était dans le système social, devient autonome tout en prétendant y soumettre l'ensemble des rapports sociaux. L'abolition des *Poors laws* est à cet égard décisive : seule la loi du marché doit régir les relations de travail. Or le marché autorégulateur, institué par la contrainte, détruit le tissu social. Selon Polanyi, ces prétentions à réguler l'activité socio-économique relèvent de la fiction. De fait, se développèrent très vite des contre-feux et la société finit par imposer, lors de la crise des années 1930, un réencastrage de l'économie. C'est l'ouvrage iconoclaste d'un auteur (d'origine hongroise) pour qui le marché, loin d'être le produit naturel de l'évolution, est un artifice.

19 Fondements de l'analyse économique, 1947.

PAUL ANTHONY SAMUELSON (né en 1915, prix Nobel en 1970)

Auteur d'un célèbre manuel pour débutants (*L'Économique*, 1re édition en 1948), P. Samuelson s'adresse, dans ses *Fondements de l'analyse économique*, à un public plus chevronné et que ne rebute pas la formalisation mathématique. Cet ouvrage, qui s'appuie sur une formulation rigoureuse des comportements économiques en termes de maximisation sous contrainte, peut être considéré, avec *Valeur et capital* de J. Hicks, comme l'un des fondements de la microéconomie moderne. Mais on y trouve aussi d'importants développements dans le domaine macroéconomique, notamment une discussion mathématique de la théorie keynésienne, que Samuelson cherche à réintégrer dans le giron de l'orthodoxie économique à travers ce qu'il appelle « une vaste synthèse néo-classique ».

20 Une Théorie de la fonction de consommation, 1957.

MILTON FRIEDMAN (né en 1912, prix Nobel en 1976)

La théorie du revenu permanent que développe M. Friedman en 1957 s'intègre dans une vaste offensive en vue de réhabiliter, contre J. Keynes, l'ancienne orthodoxie « classique ». Distinguant dans la consommation et le revenu courant des ménages une composante permanente et une composante transitoire, Friedman s'attache à montrer que seules les composantes permanentes des deux agrégats entretiennent une relation stable, ce qui implique l'instabilité du multiplicateur keynésien. Si le revenu permanent est défini à partir des revenus anticipés par les ménages, il est estimé à partir de leurs revenus passés, sous l'hypothèse d'un comportement d'anticipations adaptatives. Cette même hypothèse sera utilisée pour mettre en évidence l'instabilité de la courbe de Phillips et réhabiliter la théorie quantitative de la monnaie (monétarisme).

21 Théorie de la valeur. Une analyse axiomatique de l'équilibre économique, 1959.

GÉRARD DEBREU (né en 1921, prix Nobel en 1983)

La Théorie de la valeur, publiée par G. Debreu en 1959, constitue une reformulation, en termes rigoureux, de la théorie de l'équilibre général inaugurée par L. Walras en 1874. Elle en précise les conditions d'existence, de stabilité et d'optimalité. Cet exercice, qui se situe à un degré d'abstraction élevé, passe par un renouvellement complet des instruments d'analyse : au calcul « à la marge » utilisé par ses prédécesseurs, Debreu substitue la topologie (théorie mathématique faisant notamment appel à la notion d'ensemble convexe), jugée à la fois plus puissante et plus rigoureuse. Cet avis ne fait pas l'unanimité : ainsi pour M. Allais (prix Nobel en 1988), la construction de Debreu n'a pas de valeur scientifique car elle est totalement étrangère au monde de l'expérience (M. Allais, conférence Nobel, 1988).

22 Production de marchandises par des marchandises. Prélude à une critique de la théorie économique, 1960.

PIERO SRAFFA (1898-1983)

Tout en renouant avec la tradition ricardienne, P. Sraffa s'attaque à la théorie néo-classique, ou du moins à sa version agrégée représentant la production comme une combinaison de deux facteurs, le travail et le capital. Il montre qu'on ne peut mesurer le capital indépendamment du taux de profit, ce qui rend vaine toute tentative pour expliquer celui-ci par la productivité marginale du capital. En outre, il n'y a aucune liaison simple entre la répartition des revenus et la nature des techniques mises en œuvre (possibilité du « retour des techniques »), ce qui fragilise les constructions faisant reposer le plein-emploi sur la flexibilité des « prix des facteurs » (modèle néo-classique de croissance développé par R. Solow en 1956 par exemple).

23 L'Accumulation du capital, 1956.

JOAN ROBINSON (1903-1983)

Proche de J. Keynes et de P. Sraffa, J. Robinson s'oppose à la « synthèse néo-classique » proposée par P. Samuelson, en laquelle elle voit une tentative de récupération de l'hétérodoxie keynésienne par ses adversaires. Son ouvrage tente de préciser le lien croissance/répartition et fournit une alternative au modèle néo-classique de croissance équilibrée que propose à la même époque R. Solow. Si le taux des profits agit selon Robinson sur le taux d'accumulation des entreprises, en sens inverse « l'investissement crée les profits dont il a besoin » : les entreprises tendent en effet à dégager, en agissant sur les salaires et/ou les prix, les marges que requiert le financement de leurs investissements. Selon les circonstances, ce processus d'épargne forcée peut être plus ou moins inflationniste.

24 Le Capital humain. Une analyse économique et empirique, 1964.

GARY BECKER (né en 1930, prix Nobel en 1992)

Fondée par T. Schultz (prix Nobel en 1979) et développée par G. Becker, la théorie du capital humain constitue une extension de la théorie néo-classique de l'investissement au domaine de la formation des hommes. Elle ambitionne d'expliquer des phénomènes comme les écarts de salaires, les politiques de gestion du personnel des entreprises, ou encore les comportements des jeunes face aux études. De façon plus générale, Becker veut repousser les frontières traditionnelles de l'analyse économique, d'une part, en expliquant la formation des goûts des consommateurs, d'autre part, en appliquant le modèle de l'*homo œconomicus* (individu « rationnel » maximisant une fonction-objectif sous la contrainte des ressources dont il dispose) à l'étude du comportement humain dans tous les aspects de la vie sociale (mariage, crime, religion…).

25 Le Nouvel État industriel, 1967.

JOHN KENNETH GALBRAITH (né en 1908)

Le Nouvel État industriel propose une vision du capitalisme moderne qui se veut aux antipodes de la représentation néo-classique véhiculée par les manuels. Dans cet ouvrage, l'économiste américain soutient que l'économie contemporaine est dominée par les grandes organisations — au premier rang desquelles les firmes multinationales — qui, loin de se soumettre aux désiderata des consommateurs à travers la concurrence sur les marchés (thèse de la « souveraineté du consommateur » défendue, notamment, par P. Samuelson), manipulent ces mêmes consommateurs afin qu'ils achètent ce qu'elles souhaitent vendre (thèse de la « filière inversée »). À l'intérieur des grandes entreprises, le pouvoir est passé des actionnaires aux managers qui forment, avec la bureaucratie étatique, une « technostructure » poursuivant ses objectifs propres à travers une véritable planification de l'économie.

Grandes œuvres de la sociologie

26 De la démocratie en Amérique, 1835-1840.

ALEXIS DE TOCQUEVILLE (1805-1859)

A. de Tocqueville, aristocrate français qui analysera avec finesse la Révolution française (*L'Ancien Régime et la révolution*, 1856), est un théoricien de la démocratie. Il entend prouver l'existence d'un mouvement historique inéluctable qui produit l'égalisation des conditions au sein de la société, mais cela au risque d'une privation de liberté. D'un séjour outre-Atlantique, Tocqueville tire matière à *De la démocratie en Amérique*, grand ouvrage dans lequel il montre que l'absence d'aristocratie terrienne et la mise en place progressive d'institutions favorisant la souveraineté populaire ont contribué au succès politique du régime américain. Le système de la constitution fédérale est efficace parce qu'il rassemble les avantages propres aux petites et aux grandes nations. Parce qu'ils ont permis de concilier égalité et liberté, la division des pouvoirs, la liberté associative et l'association intime entre esprit religieux et esprit de liberté sont les principaux facteurs explicatifs de la réussite de la démocratie américaine.

27 Les Luttes de classes en France, 1850, le 18 Brumaire de Louis-Bonaparte, 1852.

KARL MARX (1818-1883)

Dans ces deux essais, K. Marx mène une analyse des luttes de classes dans la société française de la Monarchie de Juillet à la Révolution de 1848 et au coup d'État de Louis-Napoléon Bonaparte. Alors que, dans *Le capital* et dans *Le manifeste du parti communiste*, l'analyse est centrée sur la dynamique du mode de production capitaliste engendrant l'antagonisme central entre la bourgeoisie et le prolétariat, on a affaire ici à une approche sociologiquement plus complexe : Marx développe les notions de fraction de classe et de classe intermédiaire, de représentation politique indirecte, tout en insistant sur le poids des représentations sociales héritées du passé et sur la place essentielle de la bureaucratie d'État. C'est dans *Le 18 Brumaire* que se trouve le célèbre passage sur les paysans parcellaires où ceux-ci sont qualifiés de classe virtuelle (groupe dispersé sans volonté commune) par opposition à la classe « mobilisée » (groupe soudé par des liens sociaux intenses et l'auto-organisation politique).

28 Les Ouvriers européens, 1855.

FRÉDÉRIC LE PLAY (1806-1882)

Réponse d'un ingénieur des mines à la « question sociale », cet ouvrage est le compte rendu de nombreux voyages à travers l'Europe au cours desquels F. Le Play met au point une technique d'investigation nouvelle : la monographie. Grâce à cette méthode qui met directement le chercheur au contact de la réalité observée, Le Play ausculte les familles, maillon social qu'il tient pour essentiel. Le Play s'intéresse plus précisément aux familles ouvrières dans la mesure où leur mode de fonctionnement reflète au mieux, selon lui, l'état général de la société. Laissant une large place à la présentation détaillée des monographies, Le Play reconstitue également les budgets des familles enquêtées et cela afin d'obtenir une expression quantifiée du mode de vie ouvrier. Si le parti pris réformateur de Le Play est largement lié aux options des classes dirigeantes, cette étude fait malgré tout figure de novation méthodologique importante dans l'histoire des sciences sociales.

29 Le Suicide, 1897.

ÉMILE DURKHEIM (1868-1917)

Dégager les causes sociales du suicide, tel est l'objectif de cette étude qui constitue l'une des premières tentatives systématiques d'utilisation du croisement des variables en sociologie. En se basant sur les variations des taux de suicide dans différents pays européens selon l'âge, le sexe, l'état matrimonial, la religion, Durkheim distingue trois formes de suicide : « égoïste » quand l'intégration sociale est faible, « altruiste » quand au contraire elle est excessive, « anomique » enfin, quand les règles sociales s'affaiblissent et n'encadrent plus avec assez de force les désirs. Selon E. Durkheim, c'est cette dernière forme qui serait devenue prédominante et qui expliquerait la montée générale des suicides tout au long du XIXe siècle dans la plupart des pays européens.

30 Théorie de la classe de loisirs, 1899.

THORSTEIN VEBLEN (1857-1929)

Critique décapante de la société américaine à la fin du XIXe siècle et plus particulièrement de la classe de loisirs (*leisure class* pouvant aussi signifier « classe oisive »). Dans une perspective historico-anthropologique, les classes supérieures sont en général « exemptes des travaux d'industrie », « franchise [exprimant] leur supériorité de rang ». La société moderne n'échappe pas à la règle. Les milieux d'affaires tirent profit de l'industrie tout en étant éloignés de la besogne. Le loisir comme occupation improductive et la consommation associée au « décorum », en manifestant la propension à se distinguer, à rivaliser, à faire montre de son appartenance supérieure, s'inscrivent dans une logique de l'ostentation. En économiste, T. Veblen s'oppose ainsi avec vigueur aux postulats néo-classiques de l'*homo œconomicus* ; en sociologue, il fait figure de pionnier dans l'analyse des ressorts sociaux de la consommation.

31 Philosophie de l'argent, 1900.

GEORG SIMMEL (1858-1918)

Fidèle à sa conception de la sociologie formelle (science des formes de l'échange et de l'interaction sociales), G. Simmel décrit, dans sa *Philosophie de l'argent*, un cas particulier d'échange : l'échange économique médiatisé par l'argent. Longtemps tenu dans l'ombre de la tradition intellectuelle européenne, ce philosophe et sociologue allemand montre d'abord que l'argent a servi, historiquement, à mesurer non seulement les choses mais aussi les hommes. L'argent constitue ensuite un vecteur privilégié de la transformation des relations de dépendance personnelles (avant le XIIIe siècle) en relations de dépendance purement matérielles. En tant que support de relations interpersonnelles, il est donc un garant de la liberté individuelle. Mais en devenant une fin en soi — et non plus un simple moyen d'échange — ce média participe également à la tragédie de la culture moderne : celle qui voit la dynamique des choses prendre le pas sur celle des personnes.

32 L'Éthique protestante et l'esprit du capitalisme, 1905.

MAX WEBER (1864-1920)

Moins contre K. Marx qu'en extériorité à l'économisme marxiste, M. Weber veut mettre en valeur l'importance du changement culturel accompagnant la genèse du capitalisme occidental. On peut établir, selon lui, une affinité élective entre le « protestantisme ascétique » (calvinisme, piétisme, méthodisme, sectes baptistes) et un certain esprit d'entreprise axé sur la recherche rationnelle et pacifique du profit, sur l'accumulation méthodique du capital. En l'absence de certitude sur son « élection » (doctrine calviniste de la prédestination), le croyant a propension à en chercher les signes terrestres à travers la réussite professionnelle, manifestation de la gloire divine. L'idéal ascétique interdisant de goûter aux jouissances de la vie mondaine, les gains ne sont pas dépensés mais accumulés et cette conduite est rationalisée tout à la fois comme une vocation et un métier. L'éthos puritain se présente ainsi comme l'un des vecteurs de la rationalisation dont le déploiement du capitalisme est partie prenante.

33 La Classe ouvrière et les niveaux de vie, 1913.

MAURICE HALBWACHS (1877-1945)

Après F. Le Play (*Les Ouvriers européens*, 1855), M. Halbwachs est l'un des premiers sociologues à s'intéresser aux structures de la consommation des groupes sociaux. En utilisant les résultats d'enquêtes allemandes sur les budgets familiaux de milieux ouvrier et employé, il cherche à mettre en évidence comment la répartition des dépenses (logement, alimentation, habillement, loisirs) traduit une hiérarchie des besoins fondamentaux et exprime les aspirations du groupe, elles-mêmes fonction de son mode d'insertion dans la société. Pour Halbwachs, une classe sociale ne peut se définir à partir de sa seule place dans la production. Ce sont les relations entre vie de travail et vie hors travail qui caractérisent un groupe social. Ainsi, la classe ouvrière, en ayant un rapport privilégié avec la matière inerte dans son travail, est coupée des foyers les plus intenses de la vie sociale. Leur isolement renforce en revanche leur solidarité.

34 Traité de sociologie générale, 1916.
VILFREDO PARETO (1848-1923)

Le traité s'ouvre sur l'opposition entre les actions logiques (d'autres diraient rationnelles) et les actions non logiques. Les premières établissent un lien rationnel entre le but recherché et les moyens utilisés ; ainsi le consommateur (celui de la théorie néo-classique) maximise son utilité pour une dépense minimum. Les actions non logiques (ce qui ne veut pas dire irrationnelles) sont celles où cette relation entre moyens et fin n'existe pas, que ce soit dans l'esprit du sujet qui fait l'action (celle-ci est dépourvue de but objectif), ou dans celui de l'observateur (que la contemplation d'un rituel magique laisse incrédule). En étudiant les comportements humains, on peut mettre en évidence des « résidus » (manifestation de certains sentiments qui correspondraient à des instincts) et étudier les « dérivations », c'est-à-dire les types de discours par lesquels les hommes justifient leur comportement. C'est à l'établissement d'une typologie de ces résidus et de ces dérivations qu'est consacré l'essentiel du traité.

35 Essai sur le don, 1924.
MARCEL MAUSS (1872-1950)

En rapprochant des formes d'échange non marchands pratiquées dans différentes sociétés primitives (« kula » des îles Trobriand, potlatch des indiens Kwakiutl), cet essai met au cœur des relations humaines les échanges (de mots, de biens, de symboles…) et les règles sociales qui y président : obligation de donner, de recevoir, de rendre. L'échange basé sur la réciprocité permet aux humains de substituer l'alliance, le don et le commerce à la guerre. Le principe de réciprocité subsiste dans nos sociétés : en font foi, selon M. Mauss, les échanges de cadeaux de fin d'année ou le développement des mutuelles et des assurances sociales. C'est dans cet essai que Mauss développe la notion de fait social total : nombreux sont les faits sociaux qui sont tout à la fois économiques, religieux, esthétiques, juridiques… qui « mettent en branle, dans certains cas, la totalité de la société et des ses institutions ». Appréhender la réalité sociale de ce point de vue est un principe heuristique fécond.

36 *The city*, 1925.
ROBERT E. PARK, ERNEST BURGESS, ROBERT MCKENZIE.

Ce recueil de textes écrits entre 1916 et 1925 peut être considéré comme l'acte de naissance de la sociologie urbaine et le coup d'envoi donné à la sociologie empirique de facture ethnographique. Cette double fondation définit l'École de Chicago dont les auteurs, avec W. Thomas et L. Wirth, sont les meneurs de jeu. En partant d'observations sur leur propre lieu d'attache (Chicago), ils se donnent pour ambition l'étude du « comportement humain en milieu urbain » (Park), d'où l'expression d'*écologie humaine* utilisée par ces chercheurs. La ville est le lieu par excellence de la différenciation sociale et du changement accéléré : diversification, ségrégation, mais aussi désorganisation et réorganisation permanentes qui intéressent en priorité les immigrants et leurs relations à la société urbaine. Dans les années 1920 et 1930, les enquêtes inspirées par cette problématique vont se multiplier. Comme le souhaitait Park, les chercheurs utilisent largement les méthodes d'observation directe mises en œuvre par les anthropologues.

37 The Human problems of an Industrial Civilization, 1933.

ELTON MAYO (1880-1949)

Cet ouvrage est la première mise en perspective des célèbres « recherches Hawthorne », considérées comme l'acte fondateur de la sociologie industrielle. Coordonnées par E. Mayo, elles consistent en une série d'expérimentations et d'entretiens non directifs menés entre 1927 et 1932 auprès du personnel d'exécution des ateliers Hawthorne de la *Western Electric Cie* (banlieue de Chicago). Ces recherches mettent en évidence que la productivité et/ou les motifs d'insatisfaction des travailleurs tiennent moins aux conditions matérielles de travail qu'aux relations sociales dans les ateliers. C'est à partir de ces constats que Mayo élabore sa « théorie des relations humaines ». Elle oppose l'organisation formelle et l'organisation informelle. La première, dominée par la logique de l'efficience, prescrit les règles et répartit les tâches. La seconde est constituée par les relations interpersonnelles de fait et correspond à la « logique des sentiments ». La recherche d'une plus grande efficacité de la part des travailleurs exige que l'on prenne en considération ces relations humaines informelles.

38 Le Processus de civilisation, 1939.

NORBERT ÉLIAS (1897-1990)

Traduit en français en deux volumes (*La Civilisation des mœurs, La Dynamique de l'Occident*), ce livre convie à une vaste enquête historique de la fin du Moyen Âge au début du XXᵉ siècle. À l'aide d'un matériau varié et d'exemples concrets (les manières de table, les façons de satisfaire ses besoins naturels…), N. Élias décrit l'évolution des mœurs de la civilisation occidentale. Il montre que la conduite en société est marquée, du XVIᵉ au XXᵉ siècle, par une maîtrise croissante de ses pulsions. Élias propose en second lieu une lecture sociologique de la genèse de l'État français, État qui accapare le monopole militaire, policier et fiscal à la suite d'une longue concurrence entre petites sociétés féodales. L'apparition de ce pouvoir étatique centralisé s'est accompagnée d'une différenciation accrue des fonctions sociales et d'une pacification des mœurs. Mais il s'est également imposé de concert avec un nouvel habitus : celui d'hommes civilisés aux comportements plus prévisibles et auto-contraints.

39 Yankee City Series, 1941-1959.

W.L. WARNER (1898-1970) *et alii.*

Série de cinq volumes présentant les résultats d'une vaste enquête réalisée entre 1930 et 1935 sur la collectivité d'une petite ville du Nord-Est américain. Ces publications sont importantes à un double titre :
– elles constituent l'un des classiques des « études de communauté » développées dans l'entre-deux guerres ; à ce titre, *Yankee City Series* est un monument dans son genre : l'ampleur des investigations est impressionnante (groupes ethniques, vie sociale, relations de travail dans l'industrie locale, etc.) ;
– elles fournissent une analyse de la stratification sociale qui aura un grand retentissement aux États-Unis ; à partir de critères à la fois subjectifs (perception des individus) et objectifs (mise au point d'un index statutaire), Warner établit une hiérarchie stratifiée de « classes » rangées selon un ordre décroissant de prestige, de revenu et de positions professionnelles.

Ces classes sont en réalité des strates ou des niveaux de statut, perspective qu'adoptera largement la sociologie américaine dominante.

40 Éléments de théorie et de méthode sociologiques, 1949.

ROBERT K. MERTON (né en 1910)

Rassemblement de textes divers qui n'obéissent pas à un strict ordonnancement logique, les *Éléments* constituent une boîte à outils dans laquelle le sociologue peut puiser des instruments d'analyse au service d'une sociologie « à moyenne portée ». Soucieux d'éviter toute dérive vers l'hyper-théorie, R. Merton, professeur américain, s'emploie à donner de nouveaux fondements, moins extrêmes, à la théorie fonctionnaliste. Pour ce faire, il crée ou reprend à son compte des notions immédiatement opératoires. Pour mieux comprendre les phénomènes de déviance, il donne par exemple une nouvelle définition de l'anomie, situation marquée par un décalage entre des objectifs socialement valorisés et l'absence de moyens dont disposent les individus pour parvenir à ces fins. De même, porte-t-il intérêt à la frustration relative, phénomène qui est le produit d'une contradiction : celle qui conduit un individu à se référer à un groupe auquel il n'appartient pas objectivement et qui sécrète des normes contradictoires à celles de son groupe d'appartenance.

41 Les Structures élémentaires de la parenté, 1949.

CLAUDE LÉVI-STRAUSS (né en 1908)

En prenant pour objet les règles de mariage dans les sociétés primitives — en particulier les systèmes australien, chinois et indien — Lévi-Strauss se propose d'établir une théorie générale des systèmes de parenté dans le cadre de l'échange social. Les règles d'alliance observées dans les sociétés humaines sont apparemment très diverses : elles interdisent ou prescrivent certains types de conjoints, le principe d'exogamie s'applique à des groupes plus ou moins importants. Mais, par-delà ces infinies variations, s'affirme la règle universelle de la prohibition de l'inceste qui assure une circulation des femmes au sein de la société, circulation à la base de l'échange et du lien social. *Les Structures élémentaires de la parenté* inaugurent l'application des méthodes de la linguistique structurale aux phénomènes sociaux ; plus encore, Lévi-Strauss souligne que linguistes et sociologues s'attachent au même objet, à savoir la communication sous ses différentes formes. Cet ouvrage essentiel est le point de départ du structuralisme florissant des années 1960 et 1970.

42 Les Cols blancs, 1951.

C. WRIGHT MILLS (1916-1961)

Placée sous le sceau d'une sociologie radicale, cette étude est consacrée à la nouvelle classe moyenne américaine (cadres, vendeurs et employés de bureau…) qui se développe après-guerre. Au service de bureaucraties et d'administrations en pleine croissance, ces citadins ne forment pas une couche sociale homogène. Ils constituent même une nouvelle pyramide à l'intérieur de l'ancienne hiérarchie sociale. Les cols blancs ont cependant en commun d'être tous engagés dans une course au prestige et à la réussite, valeurs caractéristiques de la civilisation américaine. Et cette course mène à l'impasse. Démunis de croyances fortes et de loisirs épanouissants, sans culture propre ni attache communautaire, les cols blancs, parce qu'ils vendent aussi leur personnalité, sont plus aliénés encore que les ouvriers. Prisonniers de la normalisation distillée par les communications de masse, cette arrière-garde de la contestation politique constitue, au yeux de Mills, « l'avant-garde involontaire de la société moderne ».

43 Asiles, 1961.

ERWING GOFFMAN (1922-1982)

Asiles constitue l'un des grands classiques de la sociologie interactionniste américaine. Grâce à l'observation directe qu'il réalise trois ans durant, E. Goffman décrit le monde clos et contraignant de l'hôpital psychiatrique. Ce type d'hôpital est une institution totalitaire, un lieu où les individus mènent ensemble une vie recluse dont les modalités sont imposées et minutieusement réglées. Sur la base d'une interprétation dramaturgique du monde social (analyse en vertu de laquelle les individus jouent des rôles sociaux comme des acteurs le font au théâtre), Goffman montre que dans l'univers asilaire, la folie ne se réduit pas à une forme d'aliénation mentale. Elle est doublée d'une aliénation sociale : est fou celui qui est désigné comme tel par les membres de son entourage. Mais, même si le combat est inégal, tous les malades savent déployer de menus et multiples stratagèmes afin de résister au rôle social que les membres du corps médical ou leurs parents souhaitent leur voir jouer.

44 Le Phénomène bureaucratique, 1963.

MICHEL CROZIER (né en 1922)

M. Crozier rend compte, dans cet ouvrage, d'enquêtes menées dans deux entreprises publiques françaises : une agence comptable et un monopole industriel. Dans la tradition de la sociologie américaine, le chercheur français met avant tout l'accent sur les dysfonctionnements organisationnels internes. Il peut alors brosser le tableau idéaltypique d'une bureaucratie à la française, bureaucratie marquée par le règne de la règle impersonnelle, la centralisation des pouvoirs de décision, la stratification des individus en groupes homogènes et cloisonnés et la constitution des pouvoirs parallèles autour de zones d'incertitudes. Le sociologue voit dans ce modèle une réponse à un certain nombre de valeurs typiques de la culture française, dont la crainte des relations face à face ou la répugnance à l'égard

des dépendances hiérarchiques. Dans ses autres travaux, *L'Acteur et le système* (1977, écrit avec E. Friedberg) notamment, M. Crozier rompra avec l'hypothèse culturaliste pour fortifier celle de l'individualisme stratégique.

45 Sociétés. Essai sur leur évolution comparée, 1966.

TALCOTT PARSONS (1902-1979)

Véritable condensé de l'analyse structuralo-fonctionnaliste, cet ouvrage répond à une double ambition. T. Parsons s'attaque d'abord à la définition théorique des concepts de société, de système social et d'action. Il défend l'idée que tout système répond à quatre impératifs fonctionnels : maintien des modèles, intégration, réalisation des fins et adaptation. Inspirée de la cybernétique, cette approche consacre une sociologie de l'intégration sociale par les valeurs et les normes. Parsons soutient ensuite que le changement social provient d'un processus de différenciation croissante : à la différence des sociétés paysannes traditionnelles, la séparation entre vie de travail et vie de famille caractérise par exemple le mode de vie industriel. Tenté par une forme de néoévolutionnisme, Parsons entreprend enfin une vaste fresque de l'évolution sociétale qui le mène des sociétés primitives aux sociétés modernes, sociétés qu'il examinera attentivement dans un autre ouvrage (*Le Système des sociétés modernes*, 1971).

46 *Studies in Ethnomethodology*, 1967.

HAROLD GARFINKEL (1917-1987)

Ouvrage fondateur de l'ethnométhodologie, courant de la sociologie américaine apparu dans les années 1960, les *Studies* constituent une machine de guerre anti-durkheimienne. Pour H. Garfinkel, le social est un processus qui est le fruit de l'activité permanente des membres de la société. Cette construction est possible grâce à des savoir-faire, des procédures et des règles de conduite dont s'emparent les individus et dont le sociologue n'a pas le monopole de la connaissance. Garfinkel propose de porter un intérêt tout particulier aux actions de la vie quotidienne, actions révélatrices des méthodes utilisées par les individus pour prendre des décisions, communiquer, raisonner… L'ethnométhodologie conduit donc logiquement à l'étude des pratiques langagières. Dans la perspective ouverte par Garfinkel, si la signification des mots et des expressions est le produit d'un savoir commun socialement distribué, elle n'est véritablement accessible que resituée dans le contexte local de la production langagière.

47 Production de la société, 1973.

ALAIN TOURAINE (né en 1925)

Dans cette somme théorique, A. Touraine pose les principes d'une sociologie de l'action qui se donne pour mission d'appréhender la société en tant que système de relations sociales qui ne cesse de s'auto-produire. Les sociétés agissent sur elles-mêmes par un ensemble d'orientations qui forment l'historicité, autrement dit la combinaison de trois composantes : le mode de connaissance qui constitue une image de la société et de la nature ; l'accumulation qui prélève une partie du produit disponible et le modèle culturel qui saisit et interprète la capacité d'action de la société sur elle-même. Au cœur des luttes de classes, l'historicité constitue l'enjeu central qui motive l'action des mouvements sociaux. Ces derniers, dont l'agir oriente le devenir des sociétés, satisfont à trois critères : conscience de soi (principe d'identité), identification d'un adversaire (principe d'opposition) et volonté explicite de maîtriser l'historicité (principe de totalité).

48 Effets pervers et ordre social, 1977.

RAYMOND BOUDON (né en 1934)

Chef de file, en France, de l'individualisme méthodologique, R. Boudon défend l'idée que le changement social est le produit d'effets pervers. Il y a effet pervers lorsque deux individus (ou plus), en recherchant un objet donné, engendrent un état de chose non recherché et qui peut être indésirable soit du point de vue de chacun des deux, soit de l'un des deux. Pour conforter son analyse, Boudon adopte le modèle d'un *homo sociologicus*, acteur intentionnel doté d'un ensemble de préférences, plus ou moins conscient des contraintes structurelles qui limitent ses possibilités d'action et qui, cherchant des moyens acceptables de réaliser ses objectifs, agit en fonction d'une information limitée et dans une situation d'incertitude. À l'image du changement social qu'il analyse comme une simple agrégation d'actions individuelles, Boudon assoit sa démonstration en accumulant dans ce livre, comme dans de nombreux autres, une somme d'exemples et de (re)lectures des classiques de la sociologie (Marx compris).

49 Le Sens pratique, 1980.

PIERRE BOURDIEU (né en 1930)

En rejetant dos-à-dos l'objectivisme, qui anéantit les individus au profit des structures qui les portent, et le subjectivisme, qui croit en une prétendue liberté d'acteurs, P. Bourdieu cherche à fonder une nouvelle compréhension théorique des pratiques sociales. En mobilisant ses premières expériences d'anthropologue et en prenant quelques distances avec le déterminisme des analyses qu'il avait pu développer dans ses recherches sur l'éducation (*La Reproduction*, 1970), Bourdieu définit et affine les principaux concepts de son système d'interprétation du monde social (champ, capital…). Le sociologue français réactive par exemple la vieille notion d'habitus et la définit comme un produit des structures, un dispositif incorporé qui oriente la pratique des agents et comme un opérateur lui-même créateur d'histoire et de structures. *La Distinction* (1979), critique de la formation sociale des goûts, constitue l'une des applications les plus connues de cette sociologie qui cherche à dévoiler les mécanismes de la domination sociale.

50 Théorie de l'agir communicationnel, 1981.

JÜRGEN HABERMAS (né en 1929)

À partir de la discussion approfondie de nombreux travaux sociologiques fondateurs, J. Habermas, chef de file de la seconde génération de l'École de Francfort, fonde dans cet ouvrage une théorie du monde vécu et de l'agir communicationnel. Il élabore une éthique de la discussion qui fait du langage le fond et la forme de la sociabilité. Le langage remplit en effet une triple fonction d'actualisation des traditions, d'intégration sociale des acteurs et d'interprétation culturelle des besoins (socialisation). Habermas propose plus exactement une nouvelle lecture de l'agir humain en distinguant l'agir téléologique (orienté vers une fin), l'agir régulé par des normes, l'agir dramaturgique (interaction analysée comme mise en scène de soi-même) et l'agir communicationnel (interactions dans lesquelles les participants se mettent d'accord, par discussion, pour coordonner en bonne intelligence leurs plans d'action). Ce dernier type d'agir garantit le fait qu'une norme ne pourra prétendre à la moindre once de validité qu'à la seule condition d'exprimer une volonté générale.

Les Prix Nobel d'économie

	Lauréats	Pays	Motifs retenus par le jury	Œuvres principales
1969	**Frisch** Ragnar (1895-1973) **Tinbergen** Jan (1903-)	Norvège Pays-Bas	Travaux sur le développement et l'application de modèles dynamiques pour l'analyse des processus économiques	▶ *Techniques modernes de la politique économique*
1970	**Samuelson** Paul A. (1915-)	E-U	Travaux de statistiques et recherches se rapportant à la dynamique économique	▶ *Foundations of Economic Analysis*, 1947 (*Les Fondements de l'analyse économique*
1971	**Kuznets** Simon (1901-1985)	E-U	Pour son interprétation de la croissance économique	▶ *L'Économique*, 1955
1972	**Hicks** John Richard (1904-1989) **Arrow** Kenneth Joseph (1921-)	G-B	Pour leur contribution fondamentale à la théorie générale d'équilibre économique et à la théorie du mieux-être	▶ *J-M Keynes and the Classics*, 1937 ▶ *Valeur et capital*, 1938 ▶ *Social Choice and Individual Values*, 1951 ▶ *The Theory of Competitive Equilibrium*, 1962
1973	**Leontief** Wassily (1906-)	E-U	Analyse des échanges interindustriels (input-output)	▶ *L'Équilibre monétaire*, 1950
1974	**Myrdal** Gunnar (1898-1987) **Hayek** Friedrich von (1899-1992)	Suède G-B	Contribution à la théorie de la monnaie et des fluctuations économiques	▶ *Théorie économique et pays sous-développés*, 1959 ▶ *La Théorie monétaire et le cycle d'affaires*, 1928
1975	**Koopmans** Tjalling Charles (1910-1985) **Kantorovitch** Leonid Vitalievitch (1912-1986)	E-U URSS	Contribution à la théorie de l'allocation optimale des ressources	▶ *Calcul économique et utilisation des ressources*, 1960
1976	**Friedman** Milton (1912-)	E-U	Contributions majeures à la théorie monétariste	▶ *Capitalisme et Liberté* ▶ (avec Schwartz A.) *Monetary History of the United States*, 1963
1977	**Ohlin** Bertil Gotthard (1899-1979) **Meade** James E. (1907-)	Suède G-B	Pour avoir établi (dans les années 1930 et 1950 respectivement) les fondements de la théorie économique internationale [**Ohlin**, auteur avec Hecksher du théorème liant le commerce international à la dotation en facteurs de production des partenaires (optique néo-classique). **Meade**, travaux sur les conditions de la réalisation simultanée de l'équilibre intérieur et de l'équilibre extérieur (optique keynésienne).]	▶ *Inflation et systèmes monétaires*, 1969 ▶ *Interregional and International Trade*, 1933
1978	**Simon** Herbert A. (1916-)	E-U	Pour son travail de pionnier sur les processus de décision au sein de l'organisation économique	▶ *Administrative Behavior*, 1945. (Traduction française, *Administration et processus de décision*)
1979	**Schultz** Theodore W. (1902-) **Lewis** sir Arthur (1915-)	E-U E-U	Pour leurs travaux dans le domaine de la recherche sur le développement et particulièrement sur les problèmes des pays en voie de développement	▶ *Théorie de la croissance économique*
1980	**Klein** Laurence R. (1920-)	E-U	Pour la construction de modèles économétriques de conjoncture et application à l'analyse de la politique économique	
1981	**Tobin** James (1918-)	E-U	Pour son analyse des marchés financiers et de leurs rapports avec la dépense, l'emploi, la production et les prix	▶ *Liquidity Preference and Monetary Policy*, 1947
1982	**Stigler** George J. (1911-)	E-U	Pour ses théories sur l'économie de marché	
1983	**Debreu** Gérard (1921-) d'origine française, naturalisé américain en 1975	E-U	Recherches qui introduisent de nouvelles méthodes dans la théorie économique [reformulation de la théorie de l'équilibre général walrassien]	▶ *Theory of Value*, 1959

	Lauréats	Pays	Motifs retenus par le jury	Œuvres principales
1984	**Stone** John Richard (1913-)	G-B	Travaux sur les différents systèmes de comptabilité	▶ *Mathematical Models of the Economy* (1970)
1985	**Modigliani** Francesco (1918-) d'origine italienne	E-U	Pour ses études fondamentales sur l'épargne et les marchés financiers	
1986	**Buchanan** James McGill (1919-)	E-U	Théorie des décisions politiques, théorie de l'économie publique	▶ *La demande et l'offre de biens publics*, 1968
1987	**Solow** Robert (1924-)	E-U	Pour sa contribution à la théorie de la croissance économique	▶ *Contribution à la théorie de la croissance*, 1956
1988	**Allais** Maurice (1911-)	France	Pour ses travaux sur la théorie des marchés et l'utilisation efficace des ressources	▶ *Traité d'économie pure*, 1952 ▶ *Économie et Intérêt*, 1977
1989	**Haavelmo** Trygve (1911-)	Norvège	Élaboration des fondements probabilistes de la méthodologie économique	▶ *Théorème d'Haavelmo : théorème du budget équilibré*
1990	**Markowitz** Harry (1927-)	E-U	Théorie des choix de portefeuilles pour le placement des fortunes	
	Miller Marton (1923-)	E-U	Théorie du financement des entreprises	
	Sharpe William (1934-)	E-U	Théorie de la formation des prix des avoirs financiers	
1991	**Coase** Ronald (1910-)	G-B	Travaux sur l'importance des coûts de transaction et des droits économiques pour la structure institutionnelle et le fonctionnement de l'économie	▶ *La Nature de la firme*, 1937
1992	**Becker** Gary (1930-)	E-U	Pour ses travaux qui élargissent l'analyse économique à celle des comportements humains	▶ *Human Capital*, 1964
1993	**Fogel** Robert W. (1926)	E-U	Pour avoir renouvelé la recherche en histoire économique	▶ *Without consent or contract : the rise and fall of American slavery*, 1989
	North Douglass C. (1920-)	E-U		▶ *L'essor du monde occidental : une nouvelle histoire économique*, 1973
1994	**Nash** John F.	E-U	Analyse fondamentale de l'équilibre dans la théorie des jeux non coopératifs	
	Harsanyi John C.	E-U		
	Selten Reinhard	ALL		
1995	**Lucas** Robert (1937-)	E-U	Contribution à l'analyse macroéconomique et des politiques économiques à partir des anticipations rationnelles	
1996	**Wickrey** William (1914-1996)	Canada	Pour leur contribution fondamentale à la théorie économique des incitations dans le cas d'informations assymétriques	
	Mirlees James A. (1936-)	G-B		
1997	**Merton** Robert C. (1944-)	E-U	Pour une nouvelle méthode d'évaluation des instruments dérivés	
	Scholes Myran S. (1941-)	E-U		
1998	**Sen** Amartya (1933-)	Inde	Pour sa contribution à l'économie du bien-être	▶ *L'économie est une science morale*, 1987
1999	**Mundell** Robert	Canada	Pour son analyse des politiques monétaires et budgétaires sous différents régimes de change et son analyse des zones monétaires optimales	
2000	**Heckman** James J. (1944-)	E-U	Pour avoir développé des théories et des méthodes d'analyse des échantillons sélectifs	
	Mc Fadden Daniel L. (1937-)	E-U	Pour avoir développé des théories et des méthodes d'analyse des choix discrets	
2001	**Akerlof** George A. (1940-) **Spence** Michaël A. (1943-) **Stiglitz** Joseph E. (1943-)	E-U E-U E-U	Pour leurs travaux sur les marchés avec asymétrie d'information	▶ *The market for Lemons*, 1966 ▶ *La Grande désillusion*, 2002
2002	**Kahneman** Daniel (1934-)	E-U Israël	Pour avoir introduit en science économique des acquis de la recherche en psychologie	
	Smith Vernon L. (1927-)	E-U	Pour avoir fait de l'expérience en laboratoire un instrument d'analyse économique empirique	

Schémas des grands courants de l'économie et de la sociologie

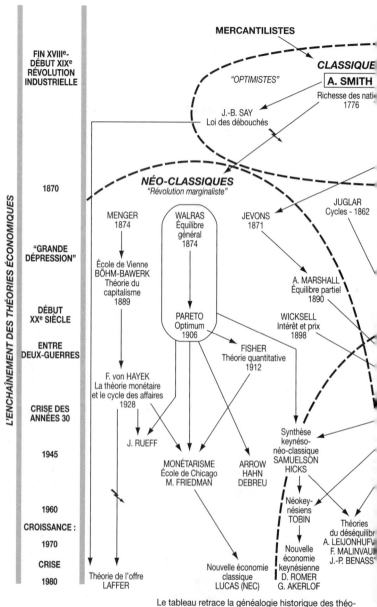

L'ENCHAÎNEMENT DES THÉORIES ÉCONOMIQUES

MERCANTILISTES

*FIN XVIIIe-
DÉBUT XIXe
RÉVOLUTION
INDUSTRIELLE*

CLASSIQUE

"OPTIMISTES"

A. SMITH
Richesse des nati...
1776

J.-B. SAY
Loi des débouchés

1870

NÉO-CLASSIQUES
"Révolution marginaliste"

JUGLAR
Cycles - 1862

MENGER
1874

WALRAS
Équilibre
général
1874

JEVONS
1871

"GRANDE
DÉPRESSION"

École de Vienne
BÖHM-BAWERK
Théorie du
capitalisme
1889

A. MARSHALL
Équilibre partiel
1890

DÉBUT
XXe SIÈCLE

PARETO
Optimum
1906

WICKSELL
Intérêt et prix
1898

ENTRE
DEUX-GUERRES

FISHER
Théorie quantitative
1912

F. von HAYEK
La théorie monétaire
et le cycle des affaires
1928

Synthèse
keynéso-
néo-classique
SAMUELSON
HICKS

CRISE DES
ANNÉES 30

J. RUEFF

1945

MONÉTARISME
École de Chicago
M. FRIEDMAN

ARROW
HAHN
DEBREU

Néokey-
nésiens
TOBIN

1960

CROISSANCE :

Nouvelle
économie
keynésienne
D. ROMER
G. AKERLOF

Théories
du déséquilibr...
A. LEIJONHUFV...
F. MALINVAU...
J.-P. BENASS...

1970

CRISE

Nouvelle économie
classique
LUCAS (NEC)

1980

Théorie de l'offre
LAFFER

- - - - Délimitation et dénomination
des grands courants

———→ Influence

——/—→ Influence et rupture

Le tableau retrace la généalogie historique des théories économiques représentées par les auteurs les plus importants. Les unes et les autres sont regroupés au sein de grands courants qui se sont succédé (mercantilistes, physiocrates, classiques, néo-classiques) et/ou qui coexistent depuis la fin du XIXe siècle (par exemple, la trilogie néo-classiques, keynésiens, marxistes). Les rapports entre courants sont complexes. S'il y a ruptures, il y a également influences et emprunts (par exemple Ricardo → Marx, néo-clas-

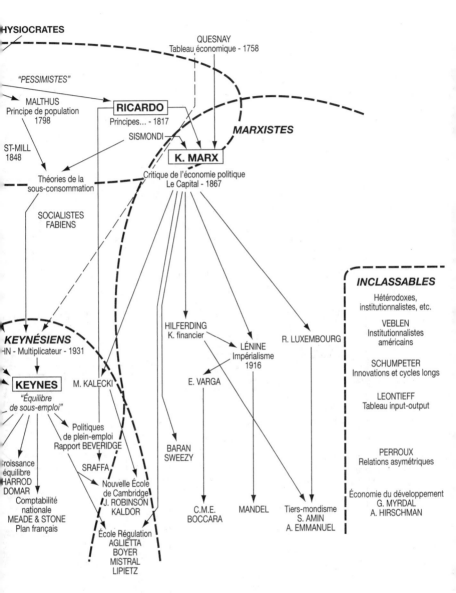

PHYSIOCRATES

QUESNAY
Tableau économique - 1758

"PESSIMISTES"

MALTHUS
Principe de population
1798

ST-MILL
1848

RICARDO
Principes... - 1817

SISMONDI

Théories de la
sous-consommation

MARXISTES

K. MARX
Critique de l'économie politique
Le Capital - 1867

SOCIALISTES
FABIENS

INCLASSABLES

Hétérodoxes,
institutionnalistes, etc.

VEBLEN
Institutionnalistes
américains

SCHUMPETER
Innovations et cycles longs

LEONTIEFF
Tableau input-output

PERROUX
Relations asymétriques

Économie du développement
G. MYRDAL
A. HIRSCHMAN

KEYNÉSIENS
HN - Multiplicateur - 1931

KEYNES
"Équilibre
de sous-emploi"

M. KALECKI

HILFERDING
K. financier

LÉNINE
Impérialisme
1916

R. LUXEMBOURG

E. VARGA

Politiques
de plein-emploi
Rapport BEVERIDGE

Croissance
équilibre
HARROD
DOMAR

SRAFFA

Comptabilité
nationale
MEADE & STONE
Plan français

Nouvelle École
de Cambridge
J. ROBINSON
KALDOR

BARAN
SWEEZY

C.M.E.
BOCCARA

MANDEL

Tiers-mondisme
S. AMIN
A. EMMANUEL

École Régulation
AGLIETTA
BOYER
MISTRAL
LIPIETZ

siques → Keynes). Depuis la révolution keynésienne, des tentatives de synthèse ont été développées (Hicks, théorie du déséquilibre). Certaines écoles se situent à la frontière de plusieurs courants (par exemple, école de la régulation). Certains auteurs importants, en particulier Schumpeter et F. Perroux, auteurs difficiles à ranger parmi les grands courants, ont été regroupés sous la rubrique « inclassables ».

Les termes accolés aux auteurs désignent soit des œuvres majeures (titres parfois abrégés), soit des concepts fondamentaux (par exemple : « équilibre du sous- emploi » pour Keynes), soit encore le nom d'un courant (théorie de l'offre, Nouvelle École de Cambridge).
Voir aussi la présentation des grandes œuvres de l'économie, p. 516-522.

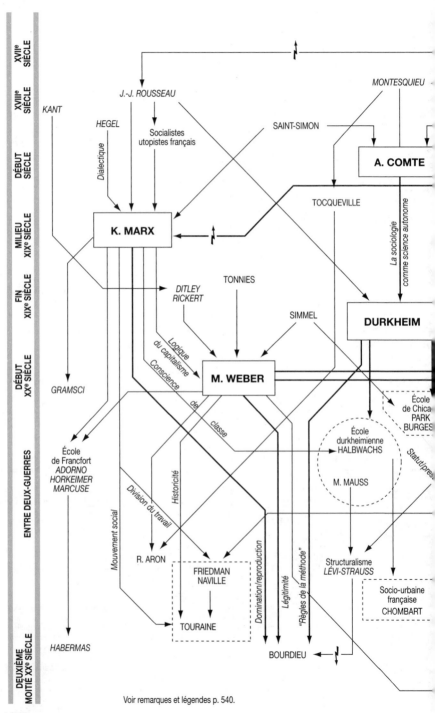

Voir remarques et légendes p. 540.

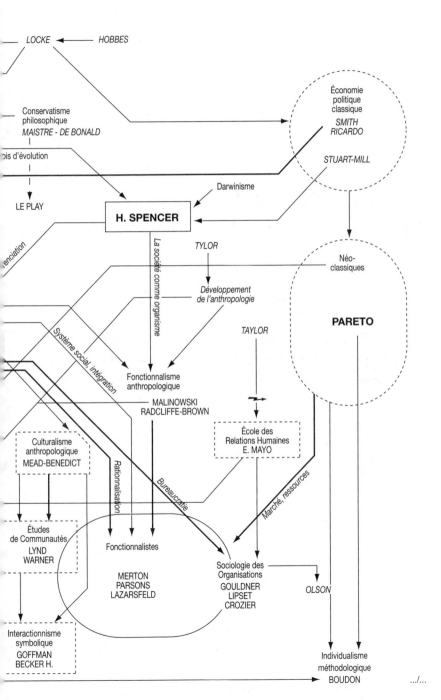

◆ Le tableau synoptique p. 538-539, malgré sa complexité apparente, n'est pas exhaustif :

1. Il ne recense pas l'ensemble des auteurs de travaux sociologiques et des courants « qui comptent ». Des noms importants sont absents. Pour l'époque contemporaine, on a privilégié certaines (pas toutes) des orientations sociologiques américaines et françaises, laissant de côté les productions d'autres pays (Grande-Bretagne, Allemagne, Italie pour ne citer que quelques oublis importants). Cette sélection obéit avant tout à des problèmes pratiques de visualisation.

2. S'agissant des filiations ou des oppositions, le tableau est forcément schématique. On ne représente que certaines d'entre elles. Le terme même de filiation est d'ailleurs discutable ; dans de nombreux cas, il faudrait plutôt parler d'*emprunts*, les « emprunteurs » leur faisant subir des transformations notables et les intégrant dans une problématique qui n'est pas forcément celle de l'auteur à qui l'on emprunte (par exemple les concepts empruntés à Durkheim ; ou encore le concept webérien de légitimité tel qu'il est repris par P. Bourdieu). Les oppositions doctrinales, les ruptures épistémologiques ne sont guère mises en évidence, sinon indirectement. Par ailleurs, le tableau ne mentionne des auteurs et des courants anthropologiques (ou ethnologiques) que dans la mesure où ils influencent notablement la production sociologique. Même chose pour les sciences économiques, la philosophie et les sciences politiques.

◆ Certains auteurs français contemporains (Crozier, Boudon) apparaissent dans le pôle américain dans la mesure où leurs orientations sont influencées par des traditions et des problématiques d'outre-Atlantique.

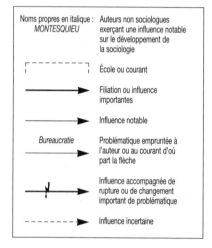

Liste de sigles usuels économiques et/ou sociaux

AAA *Agricultural Adjustement Act*
ACP Pays d'Afrique – Caraïbes – Pacifique
AELE Association Européenne de Libre-Échange
AFLCIO *American Federation of Labour Congress of Industrial Organizations*
AID Association Internationale pour le Développement
ALENA Accord de Libre-Échange Nord-Américain
AMI Accord Multilatéral sur l'Investissement
ANPE Agence Nationale Pour l'Emploi
ANVAR Agence Nationale pour la Valorisation de la Recherche
APD Aide Publique au Développement
ASEAN *Association of South-Est Asia Nations*
ASSEDIC Association pour l'Emploi Dans l'Industrie et le Commerce
BCE Banque Centrale Européenne
BEI Banque Européenne d'Investissement
BERD Banque Européenne de Reconstruction et de Développement
BFCE Banque Française du Commerce Extérieur
BIPE Bureau d'Informations et de Prévisions Économiques
BIRD Banque Internationale pour la Reconstruction et le Développement (Banque Mondiale)
BIT Bureau International du Travail
BNT Barrières Non Tarifaires
BRI Banque des Règlements Internationaux
CAC Cotations Assistées en Continu
CAD Comité d'Aide au Développement
CAECL Caisse d'Aide à l'Équipement des Collectivités Locales
CAF Coût Assurance-Fret
CCP Compte Chèque Postal
CDD Contrat à Durée Déterminée
CDI Contrat à Durée Indéterminée
CEA Centre de l'Énergie Atomique
CECA Communauté Européenne du Charbon et de l'Acier
CEE Communauté Économique Européenne
CEN Centre Européen de Normalisation
CEPME Crédit d'Équipement des Petites et Moyennes Entreprises
CES Confédération Européenne des Syndicats
CFA Communauté Financière Africaine

CFDT Confédération Française Démocratique du Travail
CFP Communauté Financière Pacifique
CFTC Confédération Française des Travailleurs Chrétiens
CGC Confédération Générale des Cadres
CGPME Confédération Générale des Petites et Moyennes Entreprises
CGT Confédération Générale du Travail
CI Consommation Intermédiaire
CISL Confédération Internationale des Syndicats Libres
CMT Confédération Mondiale du Travail
CMU Couverture Maladie Universelle
CNJA Centre National des Jeunes Agriculteurs
CNUCED Conférence des Nations Unies pour le Commerce et le Développement
CNUED Conférence des Nations Unies sur l'Environnement et le Développement
COB Commission des Opérations de Bourse
CODEVI Compte pour le Développement de l'Industrie
COFACE Compagnie Française pour le Commerce Extérieur
COMECON *Council for Mutual Economic Assistance*
CRDS Contribution pour le Remboursement de la Dette Sociale
CSG Cotisation Sociale Généralisée
CSP Catégories SocioProfessionnelles
CVS Corrigé des Variations Saisonnières
DEFM Demandes En Fin de Mois
DGB *Deutscher GewerkschaftsBund*
DIT Division Internationale du Travail
DMS Dynamique MultiSectoriel
DOM-TOM Département d'Outre-Mer-Territoire d'Outre-Mer
DT Droits de Tirage
DTS Droits de Tirage Spéciaux
EAMA États Africains et Malgaches Associés
EBE Excédent Brut d'Exploitation
EURATOM Communauté Européenne de l'Énergie Atomique
EURL Entreprise Unipersonnelle à Responsabilité Limitée
FAB Franco À Bord
FAO *Food and Agriculture Organization*
FBCF Formation Brute de Capital Fixe
FCP Fonds Communs de Placement

FDES Fonds de Développement Économique et Social

FECOM Fonds Européen de Coopération Monétaire

FED *Federal Reserve System*

FED Fonds Européen de Développement

FEOGA Fonds Européen d'Orientation et de Garantie Agricole

FMI Fonds Monétaire International

FMN/FTN Firme MultiNationale/TransNationale

FNSEA Fédération Nationale des Syndicats d'Exploitants Agricoles

FO Force Ouvrière

FOB *Free On Bord* (libre à bord)

FORMA Fonds d'Orientation et de Régulation des Marchés Agricoles

FSE Fonds Social Européen

FSM Fédération Syndicale Mondiale

FSU Fédération Syndicale Unitaire

GAEC Groupement Agricole d'Exploitation en Commun

GATT *General Agreement on Tariffs and Trade*

GVT Glissement Vieillesse Technicité

HOS Hecksher-Ohlin-Samuelson

IDH Indicateur de Développement Humain

IME Institut Monétaire Européen

INC Institut National de la Consommation

INED Institut National d'Études Démographiques

INSEE Institut National de la Statistique et des Études Économiques

IRP Impôt sur le Revenu des Personnes

IS Impôt sur les Sociétés

ISBLM Institutions Sans But Lucratif au service des Ménages

IS-LM *Investment Saving Labor Money*

LO *Lands Organization*

MATIF Marché à Terme International de France

MBA Marge Brute d'Autofinancement

MCM Montants Compensatoires Monétaires

MEDEF Mouvement des Entreprises de France

MERCOSUR Marché Commun du Sud

MONEP Marché d'Options Négociables de Paris

NAFTA *North American Free Trade Agreement* (en français, ALENA)

NAIRU *Non Accelerating Inflation Rate of Unemployment*

NAWRU *Non Accelerating Wage Rate of Unemployment*

NCM Négociations Commerciales Multilatérales

NEC Nouvelle Économie Classique

NEP *Novaïa Ekonomitsscheskaïa Politica* (nouvelle politique économique)

NIRA *National Industrial Recovery Act*

NOEI ou **NOEM** Nouvel Ordre Économique Mondial

NPI Nouveaux Pays Industrialisés

OAT Obligation À Terme

OCAM Organisation Commune Africaine et Mauricienne

OCDE Organisation de Coopération et de Développement Économique

OEA Organisation des États Américains

OECE Organisation Européenne de Coopération Économique

OFCE Observatoire Français de Conjoncture Économique

OIT Organisation Internationale du Travail

OMC Organisation Mondiale du Commerce

OMS Organisation Mondiale de la Santé

ONG Organisations Non Gouvernementales

ONT Obstacles Non Tarifaires

ONU Organisation des Nations Unies

OPA/OPE Offre Publique d'Achat/d'Échange

OPAEP Organisation des Pays Arabes Exportateurs de Pétrole

OPCVM Organismes de Placement Collectif en Valeurs Mobilières

OPEP Organisation des Pays Exportateurs de Pétrole

OS Ouvrier Spécialisé

OST Organisation Scientifique du Travail

OTAN (en angl. NATO) Organisation du Traité de l'Atlantique Nord

OUA Organisation de l'Unité Africaine

PAC Politique Agricole Commune

PCS Professions et Catégories Socioprofessionnelles

PCUS Parti Communiste d'Union Soviétique

PDEM Pays Développés à Économie de Marché

PECO Pays d'Europe Centrale et Orientale

PED Pays En Développement

PER *Price Earning Ratio*

PERT *Program Evaluation Research Task*

PERUC Comptes de Production, d'Exploitation, de Revenu, d'Utilisation du revenu et de Capital

PIB Produit Intérieur Brut

PMA Pays les Moins Avancés

PME Petites et Moyennes Entreprises

PMI Petites et Moyennes Industries

PNB Produit National Brut

PPA Parité de Pouvoir d'Achat

PPBS *Planning, Programming, Budgeting System*

PSERE Population Sans Emploi à la Recherche d'un Emploi

RBE Résultat Brut d'Exploitation

RCB Rationalisation des Choix Budgétaires

R-D Recherche-Développement

RMI Revenu Minimum d'Insertion

RNB Revenu National Brut

SA Société Anonyme

SAFER Société d'Aménagement Foncier et d'Établissement Rural

SARL Société à Responsabilité Limitée

SCOP Société Coopérative Ouvrière de Production

SDR Société de Développement Régional

SEBC Système Européen de Banque Centrale

SECN Système Élargi de Comptabilité Nationale

SICAV Sociétés d'Investissement à CApital Variable

SMAG Salaire Minimum Agricole Garanti

SME Système Monétaire Européen

SMI Système Monétaire International

SMIC Salaire Minimum Interprofessionnel de Croissance

SMIG Salaire Minimum Interprofessionnel Garanti

SNPMI Syndicat National des Petites et Moyennes Industries

SPG Système de Préférences Généralisées

STABEX Système de STABilisation des recettes d'EXportation

SUD Solidaires, Unitaires, Démocratiques

SYSMIN SYstème de Soutien pour la production MINière

TBB Taux de Base Bancaire

TCAM Taux de Croissance Annuel Moyen

TEC Tarif Extérieur Commun

TEE Tableau Économique d'Ensemble

TEI Tableau d'Échanges Industriels

TES Tableau Entrées-Sorties

TMM Taux Moyen Mensuel

TMO Taux Moyen Obligataire

TMP Taux Moyen Pondéré

TOF Tableau des Opérations Financières

TUC *Trade Union Congress* (Confédération des syndicats britanniques)

TVA Taxe à la Valeur Ajoutée

TVA *Tennesse Valley Authority*

UEBL Union Économique Belgo-Luxembourgeoise

UEP Union des Industries Métallurgiques et Minières

UNEDIC Union Nationale interprofessionnelle pour l'Emploi Dans l'Industrie et le Commerce

UNICEF *United Nations Children Emergency Found*

VA Valeur Ajoutée

VAB Valeur Ajoutée Brute

VHR Variétés à Haut Rendement

VPC Vente Par Correspondance

N° d'éditeur : 10102488
Mars 2003
Imprimé en Espagne par Graficas Estella